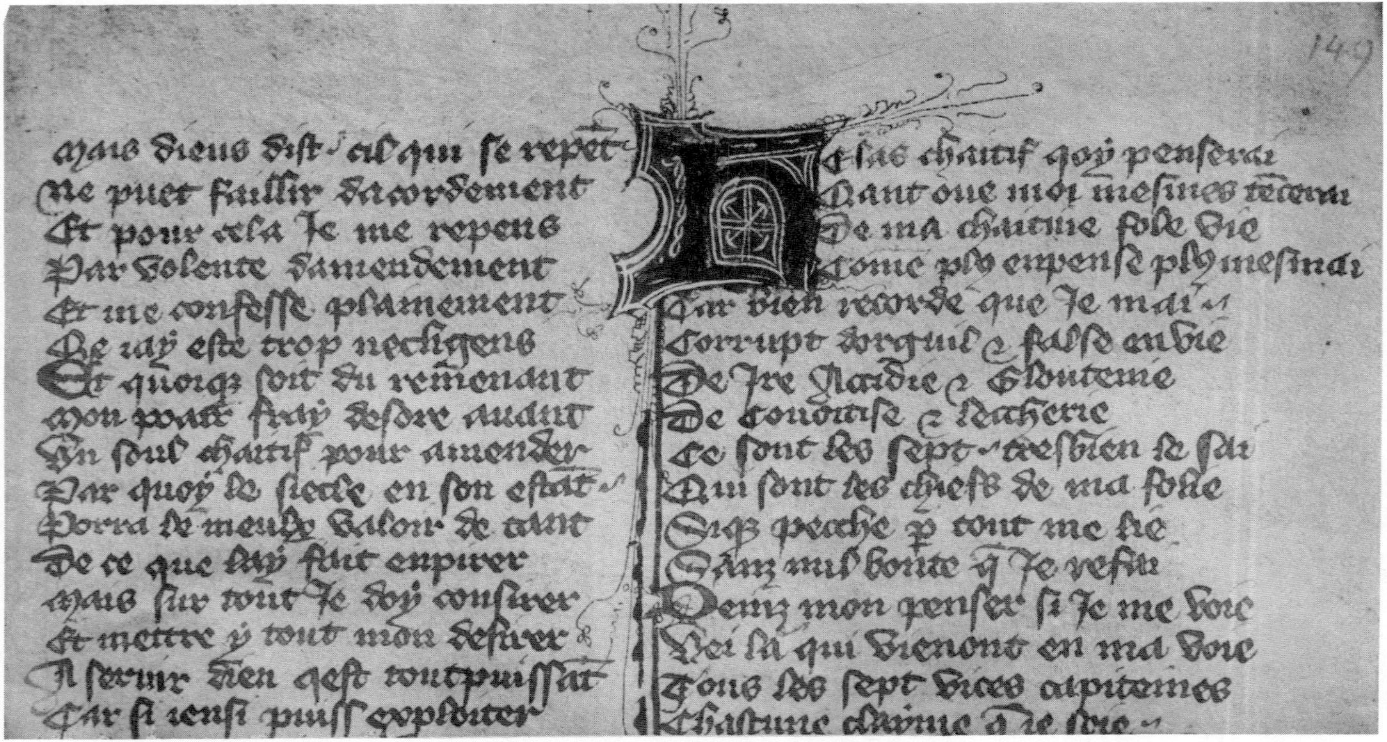

CAMB. UNIV. MS. ADD. 3035 (UPPER PORTION F. 149vo)

THE COMPLETE WORKS

OF

JOHN GOWER

EDITED FROM THE MANUSCRIPTS
WITH INTRODUCTIONS, NOTES, AND GLOSSARIES

BY

G. C. MACAULAY, M.A.

FORMERLY FELLOW OF TRINITY COLLEGE, CAMBRIDGE

*

THE FRENCH WORKS

𝔒𝔵𝔣𝔬𝔯𝔡
AT THE CLARENDON PRESS
1899

Republished, 1968
Scholarly Press — 560 Cook Road — Grosse Pointe, Michigan 48236

Library of Congress Catalog Card Number: 1-21828

PREFACE

————◆◆————

THE publication of this book may most conveniently be explained by a short account of the circumstances which brought it about.

While engaged some years ago in studying the Chaucer manuscripts in the Bodleian Library, I incidentally turned my attention also to those of the *Confessio Amantis*. The unsatisfactory character of the existing editions of that poem was sufficiently well known, and it was generally recognized that the printed text could not safely be referred to by philologists, except so far as those small portions were concerned which happened to have been published from a good manuscript by Mr. A. J. Ellis in his *Early English Pronunciation*; so that, in spite of the acknowledged importance of the book in the history of the development of standard literary English, it was practically useless for linguistic studies. I was struck by the excellence of the authorities for its text which existed at Oxford, and on further investigation I convinced myself that it was here that the much needed new edition could best be produced. Accordingly I submitted to the Delegates of the University Press a proposal to edit the *Confessio Amantis*, and this proposal they accepted on the condition that I would undertake to edit also the other works, chiefly in French and Latin, of the same author, expressly desiring that the *Speculum Meditantis*, which I had lately identified while searching the Cambridge libraries for copies of the *Confessio Amantis*, should be included in the publication. To this condition I assented with some hesitation, which was due partly to my feeling that the English text was the only one really needed, and partly to doubts about my own competence to edit the French.

Considering, however, the extent to which the writings of this author in various languages illustrate one another, the help which is to be derived from the French works in dealing with the Romance element in the English not only of Gower, but also of Chaucer and other writers of the time, and the clearer view of the literary position of the *Confessio Amantis* which is gained by approaching it from the French side, I am now disposed to think that the Delegates were right in desiring a complete edition; and as for my own competence as an editor, I can only say that I have learnt much since I first undertook the work, and I have the satisfaction of knowing that I have avoided many errors into which I should once have fallen. For the faults that remain (I speak now of the contents of the present volume) I ask the indulgence of those who are more competent Romance scholars than myself, on the ground that it was clearly desirable under the circumstances that the French and the English should have the same editor. Moreover, I may fairly claim to have given faithful and intelligible texts, and if I have gone wrong in other respects, it has been chiefly because I have wished to carry out the principle of dealing with all difficulties fairly, rather than passing them over without notice.

The English works will occupy the second and third volumes of this edition. From what has been said it will be understood that to publish a correct text of the *Confessio Amantis* has been throughout the main object. For this the materials are so excellent, though hitherto almost completely neglected, that we may with some confidence claim that the work is now presented almost exactly as it left the hand of the author, and that a higher degree of security has been attained about the details of form and orthography than is possible (for example) in regard to any part of the writings of Chaucer. It is evident, if this be so, that the text must have a considerable value for students of Middle English, and none the less because it is here accompanied by a complete glossary. Besides this, the meaning of the text has been made clear, where necessary, by explanation and illustration, and above all by improved punctuation, and the sources of the stories and the literary connexions of the work generally have been traced as far as possible.

In the edition of the *Vox Clamantis*, which with the other Latin works will form the fourth volume of this edition, the most important new contribution, besides the account of the various manuscripts, is perhaps the view presented of the author's political development, as shown in the successive variations of the text. The historical references generally, both in this work and in the *Cronica Tripertita*, have been compared with the accounts given of the same events by other contemporary writers. This volume will also contain a statement of such facts as it is possible to gather with regard to the life of the author.

To a great extent this edition breaks fresh ground, and there are unfortunately but few direct obligations to be acknowledged to former workers in precisely the same field. At the same time the very greatest help is afforded to the editor of Gower by the work that has been done upon Chaucer and other fourteenth-century writers both by societies and individuals, work for which in this country Dr. Furnivall and Professor Skeat, and on the Continent Professor ten Brink, are perhaps most largely responsible.

Much of my work has been done in the Bodleian Library and with Bodleian manuscripts, and I should like to acknowledge the courtesy which I have always received there from the Librarian. My thanks are also due to the Librarians of those Colleges, both at Oxford and Cambridge, which possess Gower manuscripts, and to Dr. Young of the Hunterian Museum, Glasgow, for the trouble which they have taken in giving me facilities for the use of their books, and especially to the Cambridge University Librarian, Mr. Jenkinson, for assistance of various kinds in connexion with the manuscript of the *Mirour de l'Omme*. I am obliged to the Provost and Fellows of Trinity College, Dublin, for the loan of their manuscript of the *Vox Clamantis*, and to several private owners, the Duke of Sutherland, the Marquess of Salisbury, the Marquess of Bute, the Earl of Ellesmere, Lord Middleton, and J. H. Gurney, Esq., for having allowed me to make use of their manuscripts.

Finally, my thanks are due to the Delegates of the Oxford University Press for having undertaken the publication of a book which can hardly be very profitable, and for the consideration which they have shown for me in the course of my work.

Oxford, 1899.

CONTENTS

INTRODUCTION

———••———

FROM a statement in Latin which is found in many of the
Gower manuscripts, and undoubtedly proceeds from the author
himself, we learn that the poet desired to rest his fame upon
three principal works, the first in French, the second in Latin,
and the third in English. These are the three volumes which,
lying one upon another, form a pillow for the poet's effigy in
the church of Saint Saviour, Southwark, where he was buried.
They are known by the Latin names, *Speculum Meditantis, Vox
Clamantis, Confessio Amantis,* but the first of the three has until
recently been looked upon as lost. In addition there are minor
poems in each of the three languages, among which are
two series of French balades. It will be my duty afterwards
to prove the identity of the *Mirour de l'Omme* printed in this
volume with our author's earliest principal work, commonly known
as *Speculum Meditantis,* but named originally *Speculum Hominis* ;
in the mean time I shall ask leave to assume this as proved,
in order that a general view may be taken of Gower's French
writings before we proceed to the examination of each particular
work.

The Anglo-Norman [1] literature, properly so called, can hardly

———

[1] I prefer the term 'Anglo-Norman' to 'Anglo-French,' partly because it
is the established and well-understood name for the language in question,
and partly for the reasons given in Paul's *Grundriss der germ. Philologie,*
vol. i. p. 807. It must however be remembered that the term indicates
not a dialect popularly spoken and with a true organic development, but

be said to extend beyond the limits of the fourteenth century, and these therefore are among its latest productions. The interest of this literature in itself and its importance with a view to the Romance element in the English language have been adequately recognized within recent years, though the number of literary texts printed is still too small. It is unnecessary therefore to do more here than to call attention to the special position occupied by the works published in this volume, and the interest attaching to them, first on their own merits, then on account of the period to which they belong and the author from whom they proceed, and lastly from the authenticity and correctness of the manuscripts which supply us with their text.

As regards the work which occupies the greater part of the present volume, it would be absurd to claim for it a high degree of literary merit, but it is nevertheless a somewhat noticeable and interesting performance. The all-embracing extent of its design, involving a complete account not only of the moral nature of Man, but of the principles of God's dealings with the world and with the human race, is hardly less remarkable than the thoroughness with which the scheme is worked out in detail and the familiarity with the Scriptures which the writer constantly displays. He has a far larger conception of his subject as a whole than other authors of ' Specula ' or classifiers of Vices and Virtues which the age produced. Compare the *Mirour de l'Omme* with such works as the *Speculum Vitae* or the *Manuel des Pechiez*, and we shall be struck not only with the greater unity of its plan, but also with its greater comprehensiveness, while at the same time, notwithstanding its oppressive lengthiness, it has in general a flavour of literary style to which most other works of the same class can lay no claim. Though intended, like the rest, for edification, it does not aim at edification alone : by the side of the moralist there is occasionally visible also a poet. This was the work upon which Gower's reputation rested when Chaucer submitted *Troilus* to his judgement, and

a courtly and literary form of speech, confined to the more educated class of society, and therefore especially liable to be influenced by continental French and to receive an influx of learned words taken directly from Latin. The name implies that in spite of such influences it retained to a great extent its individuality, and that its development was generally on the lines of the Norman speech from which it arose.

though he may have been indulging his sense of humour in
making Gower one of the correctors of his version of that—

> ' geste
> De Troÿlus et de la belle
> Creseide,'

which the moralist had thought only good enough for the indolent
worshipper to dream of in church (*Mir.* 5253), yet the dedication
must have been in part at least due to respect for the literary
taste of the persons addressed.

If however we must on the whole pronounce the literary value
of the *Speculum Meditantis* to be small, the case is quite different
with regard to the *Balades*, that is to say, the collection of about
fifty love-poems which is found in the Trentham manuscript.
These will be discussed in detail later, and reasons will be given
for assigning them to the later rather than to the earlier years of
the poet's life. Here it is enough to say that they are for the
most part remarkably good, better indeed than anything of their
kind which was produced in England at that period, and superior
in my opinion to the balades of Granson, 'flour of hem that make
in France,' some of which Chaucer translated. But for the accident
that they were written in French, this series of balades would have
taken a very distinct place in the history of English literature.

The period to which the *Speculum Meditantis* belongs, about
the beginning of the last quarter of the fourteenth century, is
that in which the fusion of French and English elements from
which the later language grew may be said to have been finally
accomplished. Thanks to the careful work of English and
German philologists in recent years, the process by which French
words passed into the English language in the period from
the beginning of the thirteenth to the end of the fourteenth
century has been sufficiently traced, so far as regards the actual
facts of their occurrence in English texts. Perhaps however
the real nature of the process has not been set forth with suf-
ficient clearness. It is true that before the end of the reign of
Edward III the French element may be said to have been almost
fully introduced into the vocabulary ; the materials lay ready
for those writers, the Wycliffite translators of the Bible, Chaucer,
and Gower himself, who were to give the stamp of their authority
to the language which was to be the literary language of England.
Nevertheless, French words were still French for these writers,

and not yet English ; the fact that the two languages were still used side by side, and that to every Englishman of literary culture the form of French which existed in England was as a second mother tongue, long preserved a French citizenship for the borrowed words. In the earlier part of this period they came in simply as aliens, and their meaning was explained when they were used, ' in *desperaunce*, that is in unhope and in unbileave,' ' two *manere temptaciuns*, two kunne vondunges ' ; and afterwards for long, even though they had been repeatedly employed by English writers, they were not necessarily regarded as English words, but when wanted they were usually borrowed again from the original source, and so had their phonetic development in French rather than in English. When therefore Anglo-Norman forms are to be cited for English etymology, it is evidently more reasonable that the philologist should look to the latter half of the fourteenth century and give the form in which the word finally passed into the literary language, than to the time of the first appearance of the word in English, under a form corresponding perhaps to the Anglo-Norman of the thirteenth century, but different from that which it assumed in the later Anglo-Norman, and thence in English. More precision in these citations is certainly to be desired, even though the time be past when etymologists were content to refer us vaguely to ' Old French,' meaning usually the sixteenth-century French of Cotgrave, when the form really required was of the fourteenth century and Anglo-Norman. It is not unreasonable to lay down the rule that for words of Anglo-Norman origin which occur in the English literary language of the Chaucer period, illustration of forms and meanings must first be looked for in the Anglo-Norman texts of that period, since the standard writers, as we may call them, that is those who contributed most to fix the standard of the language, in using them had the Anglo-Norman of their own day before their minds and eyes rather than any of the obscure English books in various dialects, where the words in question may have been already used to supply the defects of a speech which had lost its literary elements. Moreover, theories as to the pronunciation of the English of Chaucer's day have been largely supported by reference to the supposed pronunciation of the French words imported into English and the manner in which they are used in rhyme.

Evidently in this case the reference ought to be to the Anglo-Norman speech of this particular period, in the form in which it was used by those writers of English to whose texts we refer. But this is not all : beside the question of language there is one of literary history. At the beginning of the fourteenth century Anglo-Norman literature had sunk into a very degraded condition. Pierre de Peccham, William of Waddington, Pierre de Langtoft, and the authors of the *Apocalypse* and the *Descente de Saint Paul* make the very worst impression as versifiers upon their modern French critics, and it must be allowed that the condemnation is just. They have in fact lost their hold on all the principles of French verse, and their metres are merely English in a French dress. Moreover, the English metres which they resemble are those of the North rather than of the South. If we compare the octosyllables of the *Manuel des Pechiez* with those of the *Prick of Conscience* we shall see that their principle is essentially the same, that of half-lines with two accents each, irrespective of the number of unaccented syllables, though naturally in English the irregularity is more marked. The same may be said of Robert Grosseteste's verse a little earlier than this, e.g.

> ' Deu nus doint de li penser,
> De ky, par ki, en ki sunt
> Trestuz li biens ki al mund sunt,
> Deu le pere et deu le fiz
> Et deu le seint esperiz,
> Persones treis en trinité
> E un sul deu en unité,
> Sanz fin et sanz comencement,' &c.

It cannot be proved that all the writers of French whom I have named were of the North, but it is certain that several of them were so, and it may well be that the French used in England was not really so uniform, 'univoca,' as it seemed to Higden, or at least that as the South of England had more metrical regularity in its English verse, witness the octosyllables of *The Owl and the Nightingale* in the thirteenth century, so also it retained more formal correctness in its French. However that may be, and whether it were by reason of direct continental influence or of the literary traditions of the South of England, it is certain that Gower represents a different school of versification from that of the writers whom we have mentioned, though he uses the same (or nearly the same) Anglo-Norman dialect, and writes verse which, as we shall see, is quite distinguishable in rhythm from that of the Continent. Thus we perceive that by the side of that reformation of English verse which was effected chiefly by Chaucer, there is observable a return of Anglo-Norman verse to something of its former regularity, and this in the hands of the very man who has commonly been placed by the side of Chaucer as a leader of the new school of English poetry.

In what follows I shall endeavour to indicate those points connected with versification and language which are suggested by a general view of Gower's French works. Details as to his management of particular metres are reserved for consideration in connexion with the works in which they occur.

Gower's metre, as has already been observed, is extremely regular. He does not allow himself any of those grosser licences of suppression or addition of syllables which have been noticed in Anglo-Norman verse of the later period. Like William of Waddington, he apologizes for his style on the ground that he is an Englishman, but in his case the plea is very much less needed. His rhyming also, after allowance has been made for a few well-established Anglo-Norman peculiarities, may be said to be remarkably pure, more so in some respects than that of Frère Angier, for example, who wrote at least a century and a half earlier and was a decidedly good versifier. It is true that, like other Anglo-Norman writers, he takes liberties with the forms of words in flexion in order to meet the requirements of his rhyme, but these must be regarded as sins against grammar rather than against rhyme, and the French language in England had long been suffering decadence in this respect. Moreover, when we come to examine these vagaries, we shall find that they are by no means so wild in his case as they had been in that of some other writers, and that there is a good deal of method in the madness. The desired effect is attained principally by two very simple expedients. The first of these is a tolerably extensive disregard of gender, adjectives being often used indifferently in the masculine or the feminine form, according to convenience. Thus in the *Balades*[1] we have ' chose *humein* ' xxiv. 3, but ' toute autre chose est *veine* ' xxxiii. 2, ' ma fortune

---

[1] The references to the *Balades* and *Traitié* are by stanza, unless otherwise indicated.

est *assis'* ix. 5, 'la fortune est *faili'* xx. 3, 'corps *humeine'* xiv.
1, 'l'estée vient *flori'* ii. 1, 'l'estée beal *flori'* xx. 2, but 'La cliere
estée' xxxii. 2, and the author says '*ce* (*ceo*) lettre' (ii. 4, iii. 4),
or '*ceste* lettre' (xv. 4), according as it suits his metre. Similarly
in the *Mirour* l. 92 ff.,

> 'Siq'en apres de celle issue,
> Que de leur corps serroit *estrait*,
> Soit restoré q'estoit *perdue*' &c.,

for *estraite, perdu*, l. 587 *hony* for *honie*, 719 'la Char *humein*,'
911 *replenis* for *replenies*, 1096 'deinz son cuer *maliciouse*.' From
the use of *du, au* by our author nothing must be inferred
about gender, since they are employed indifferently for the
masculine or feminine combination, as well as for the simple
prepositions *de, à*; and such forms as *celestial*, in *Bal. Ded.* i. 1,
cordial, enfernals, mortals, Mir. 717, 1011, 1014, are perhaps
reminiscences of the older usage, though the inflected feminine
is also found. The question of the terminations *é, ée* will be
dealt with separately.

No doubt the feeling for gender had been to some extent worn
away in England; nevertheless the measure in which this affects
our author's language is after all rather limited. A much more
wide-reaching principle is that which has to do with the 'rule
of *s*.' The old system of French noun inflexion had already
been considerably broken up on the Continent, and it would
not have been surprising if in England it had altogether dis-
appeared. In some respects however Anglo-Norman was rather
conservative of old forms, and our author is not only acquainted
with the rule, but often shows a preference for observing it,
where it is a matter of indifference in other respects. Rhyme
however must be the first consideration, and a great advantage
is obtained by the systematic combination of the older and the
newer rule. Thus the poet has it in his power either to use
or to omit the *s* of inflexion in the nominatives singular and
plural of masculine nouns, according as his rhymes may require,
and a few examples will show what use he makes of this licence.
In *Bal. Ded.* i. 3 he describes himself as

> 'Vostre Gower, q'est trestout *vos soubgitz*,'

but in rhyme with this the same form of inflexion stands for the
plural subject, 'u sont les *ditz floriz*,' and in xxvi. 1 he gives us
nearly the same expression, 'q'est tout vostre *soubgit*,' without

the inflexion. So in iv. 3 we have 'come *tes loials amis*' (sing. nom.), but in the very same balade '*ton ami* serrai,' while in *Trait.* iii. 3 we have the further development of *s* in the oblique case of the singular, 'Loiale amie avoec *loials amis.*' In *Bal.* xviii. 1 *menu* is apparently fem. pl. for *menues,* while *avenu,* rhyming with it, is nom. sing. masc.; but so also are *conuz, retenuz, venuz,* in xxxix, while *veeuz* is sing. object., and in the phrase 'tout bien sont *contenuz*' there is a combination of the uninflected with the inflected form in the plural of the subject. Similarly in the *Mirour* we have *principals, desloyals,* ll. 63, 70, as nom. sing., and so *governals, desloyals* 627, 630, but *espirital* 709, *principal, Emperial,* 961 ff., are forms used elsewhere for the same. Again as nom. sing. we have *rejoïz* 462, *ruez, honourez, malurez* 544 ff., &c., and as nom. plur. *enamouré* 17, *retorné* 792, *marié* (f) 1010, *née* 1017, *maluré* 1128, *il* 25064; but also *enamouré* 220, *privé* 496, *mené* 785, &c., as nom. singular, and *perturbez, tuez,* 3639 ff., *travaillez, abandonnez,* 5130 ff., as nom. plural: 'ce dist *ly sage*' 1586, but 'il est *nounsages*' 1754, and '*Ly sages* dist' 3925, *ly soverein* 76, but *ly capiteins* 4556, and so on. We also note occasionally forms like that cited above from the *Traitié,* where the *s* (or *z*) of the termination has no grammatical justification at all; e.g. *enginez* 552, *confondus* 1904, 'fort et *halteins*' (obj.) 13024, cp. *offenduz, Bal.* xxxix. 2, and cases where the rules which properly apply to masculine nouns only are extended to feminines, as in *perdice* (pl.) 7831, *humilités, pités* (sing.), 12499, 13902.

Besides these two principal helps to rhyme the later Anglo-Norman versifier might occasionally fall back upon others. In so artificial a language as that in which he wrote, evidently the older forms of inflexion might easily be kept up for literary purposes in verbs also, and used side by side with the later. Thus in the 1st pers. pl. of the present tense we find *lison* (*lisoun*) repeatedly in rhyme, and occasionally other similar forms, as *soion* 18480. The 1st pers. sing. of the present tense of several strong verbs is inflected with or without *s* at pleasure: thus from *dire* we have *di, dy,* as well as *dis*; *faire* gives *fai* or *fais*; by the side of *suis* (sum), *sui* or *suy* is frequently found; and similarly we have *croy, say, voi.* In the same part of first-conjugation verbs the atonic final *e* is often dropped, as *pri, appell, mir, m'esmai, suppli.* In the third person singular of the preterite of *i* verbs there is a variation in the ending between *-it* (*-ist*) and *-i* (*-y*). Thus in one series of rhymes we have *nasquit, s'esjoït* (in rhyme with *dit*, &c.), 268 ff., in another *s'esjoÿ, chery, servi* (in rhyme with *y*), 427 ff.; in one stanza *fuÿt, partist*, 11416 ff., and in the next *respondi*, 11429; so *chaït* (*chaïst*) and *chaÿ, obeït* and *obeï*, &c. It may be doubted also whether such words as *tesmoignal, surquidance, presumement, bestial* (as subst.), *relinquir*, &c., owe their existence to any better cause than the requirements of rhyme or metre. In introducing *ent*, 11471, for the usual *en* the poet has antiquity on his side: on the other hand when he writes *a* repeatedly in rhyme for the Anglo-Norman *ad* (which, except in these cases, is regularly used) he is no doubt looking towards the 'French of Paris,' which naturally tended to impose itself on the English writers of French in the fourteenth century. By the same rule he can say either *houre* or *heure, flour* or *fleur, crestre* or *croistre, crere* or *croire*; but on the whole it is rather surprising how little his language seems to have been affected by this influence.

The later Anglo-Norman treatment of the terminations *-é* and *-ée* in past participles and in verbal substantives would seem to demand notice chiefly in connexion with rhyme and metre, but it is really a question of phonology. The two terminations, as is well known, became identified before the beginning of the fourteenth century, and it is needless to quote examples to show that in Gower's metre and rhymes *-ée* was equivalent to *-é*. The result of this phonetic change, consisting in the absorption of the atonic vowel by the similar tonic which immediately preceded · it, was that *-é* and *-ée* were written indiscriminately in almost all words with this ending, and that the distinction between the masculine and feminine forms was lost completely in pronunciation and to a very great extent also in writing. For example in *Mir.* 865 ff. we have rhyming together *degré, monté* (fem.), *mué, descolouré* (fem.), *enbroudé, poudré* (fem. plur.); in 1705 ff. there is a series of rhymes in *-ée, bealpinée, engalopée, assemblée, ascoultée* (pl.), *malsenée, doublée*, all masculine except the substantive *assemblée*; and in other stanzas the endings are mixed up anyhow, so that we have *aisnée, maluré*, 244 f., both feminine, *mené, heritée*, 922 f., the first feminine and the second masculine, *ymaginée, adrescée, Bal.* vi, both masculine. In all Gower's

b 2

French verse I can recall only three or four instances where an atonic final *e* of this kind is counted in the metre: these are *a lée chiere, ove lée (liée) chiere, du lée port*[1], *Mir.* 5179, 15518, 17122, 28337, and *Et ta pensée celestine* 29390. In the last the author perhaps wrote *penseie*, as in 14404, since the condition under which the sound of this *-e* survived in Anglo-Norman was usually through the introduction of a parasitic *i*-sound, which acted as a barrier to prevent the absorption of the final vowel[2]. So *Mir.* 10117 we have a word *pareies*, in rhyme with the substantives *pareies* (walls), *veies*, &c., which I take to be for *parées*, fem. plur. of the participle, and in the same stanza *journeies*, a modification of *journées*: cp. *valeie, journeie*, in Middle English.

I proceed to note such further points of the Phonology as seem to be of interest.

i. French *e, ie*, from Lat. *a, ĕ*, in tonic syllables.

The French diphthong *ie*, from Lat. *a* under the influence of preceding sound and from *ĕ*, was gradually reduced in Anglo-Norman to *ę* (i. e. close *e*). Thus, while in the earliest writers *ie* is usually distinguished in rhyme from *e*, those of the thirteenth century no longer keep them apart. In the *Vie de S. Auban* and the writings of Frère Angier the distinction between verbs in *-er* and those in *-ier* has been, at least to a great extent, lost : infinitives and participles, &c., such as *enseign(i)er, bris(i)er, eshauc(i)er, mang(i)er, jug(i)é, less(i)é, dresc(i)é, sach(i)ez*, and substantives such as *cong(i)é, pecch'(i)é*, rhyme with those which have the (French) termination, *-er, -é, -ez*. At the same time the noun termination *-ier* comes to be frequently written *-er*, as in *aumosner, chevaler, dener, seculer*, &c. (beside *aumosnier, chevalier, denier, seculier*), and words which had *ie* in the stem were often written with *e*, as *bref, chef, cher, pere* (petram), *sé*, though the other forms *brief, chief, chier, piere, sié*, still continued to be used as alternatives in spelling[3]. It is certain that in the fourteenth century no practical distinction was made between

---

[1] But the same word in other connexions is a monosyllable, as *q'ils lées en soiont* 28132, and rhymes with *magesté, degré*, &c., 27575, 28093, 28199.

[2] We have in *Mir.* 6115 *Oseë dist en prophecie*, and so too *Oseë* 11018, *Judeë* 20067, and *Galileë* 29239, but *Galilée* in rhyme with *retrové* 28387.

[3] Cp. *Romania*, xii. 194. I am much indebted to M. Paul Meyer's notes on the *Vie de S. Grégoire*, as well as to his other writings.

the two classes of verbs that have been indicated: whether written -*ier*, -*ié*, -*iez*, or -*er*, -*é*, -*ez*, the verbal endings of which we have spoken rhymed freely with one another and with the similar parts of all verbs of the first conjugation, and the infinitives and past participles of all first-conjugation verbs rhymed with substantives ending in -(*i*)*er*, -(*i*)*é*, -*é* : thus *pecché, enamouré, commencé, bestialité, Mir.* 16 ff., *resemblé, chargé, sainteté,* 1349, *coroucié, piée, degré,* 5341, are good sets of rhymes, and so also are *deliter, seculer, plenier,* 27 ff., *coroucer, parler, mestier, seculier, considerer,* 649 ff., and *leger, archer, amender, comparer,* 2833 ff. The case is the same with words which have the original (French) *ie* in the stem, but notwithstanding the fact that the diphthong sound must have disappeared, the traditional spelling *ie* held its ground by the side of the other, and even extended itself to some words which had never had the diphthong sound at all. Thus in the fourteenth century, and noticeably in Gower's works, we meet with such forms as *clier, clief, mier* (mare), *miere* (matrem), *piere* (patrem), *pier* (parem), *prophiete, tiel,* &c., beside the normal forms *cler, clef, mer, mere,* &c. This phenomenon, which has caused some difficulty, is to be accounted for by the supposition that *ie*, having lost its value as a diphthong, came to be regarded as a traditional symbol in many cases for long closed *e*, and such words as rhymed on this sound were apt to become assimilated in spelling with those that originally had *ie* and partly preserved it; thus *tel* in rhyme with *ciel, fiel,* might easily come to be written *tiel*, as *Mir.* 6685 ; *clere, pere,* rhyming with *maniere, adversiere,* &c., might be written *cliere, piere,* as in *Mir.* 193 ff., merely for the sake of uniformity, and similarly *nef* when in rhyme with *ch*(*i*)*ef, relief,* &c., sometimes might take the form *nief;* and finally these spellings might become established independently, at least as alternatives, so that it was indifferent whether *labourer, seculer, bier,* or *labourier, seculier, ber,* stood as a rhyme sequence, whether *clere, appere* was written or *cliere, appiere.* It may be noted that *pere, mere, frere,* belonged to this class and were rhymed with *ẹ.* They are absolutely separated in rhyme from *terre, guerre, enquere, affere, contrere,* &c. The adjective ending -*el* rhymes with -*iel* and often appears as -*iel*: so in 3733 ff. we have the rhymes *mortiel, Michel, fraternel, viel,* in 6685 ff., *desnaturel, ciel, fiel, espiritiel,* and in 14547 ff. *celestiel, mortiel, ciel, temporiel,* &c. Questions have been raised about the quality of the *e* in this termination generally [1], but the evidence here is decidedly in favour of *ę*, and the rhymes *bel, apell, flaiell,* are kept apart from this class. It must be observed however that *fel* (adj.), spelt also *feel,* appears in both classes, 4773, 5052. The variation *-al,* which, as might be expected, is extremely common, is of course from Latin and gives no evidence as to the sound of *-el,* from which it is quite separate in rhyme. Before a nasal in verbs like *vient, tient, ie* is regularly retained in writing, and these words and their compounds rhyme among one another and with *crient, ghient, nient, fient,* &c. Naturally they are separated from the *ę* of *aprent, commencement, sagement,* &c. The forms *ben, men, ren,* which occur for example in the *Vie de S. Grégoire* for *bien, mien, rien,* are not found in Gower. Finally it may be noticed that beside *fiere, appiere, compiere,* from *ferir, apparer,* &c., we have *fere, appere, compere,* which in rhyme are as absolutely separated from *fere* (= *faire*), *terre, requere* (inf.), as *fiert, piert, quiert,* &c., are from *apert, ǫvert, pert.* More will have to be said on the subject of this *ie* when we are confronted with Gower's use of it in English.

ii. French *ai* in tonic syllables.

(*a*) *ai* before a nasal was in Anglo-Norman writing very commonly represented by *ei.* This is merely a question of spelling apparently, the sound designated being the same in either case. Our author (or his scribe) had a certain preference for uniformity of appearance in each set of rhymes. Thus he gives us first *solein, plein, soverein, certein, mein, Evein,* in *Mir.* 73 ff., then *vain, grain, main, gain, pain, vilain,* 2199 ff.; or again *haltaines, paines, acompaines, compaines, restraines, certaines,* 603 ff., but *peine, constreine, vileine, peine* (verb), *aleine, procheine,* 2029 ff. Sometimes however the two forms of spelling are intermixed, as *vein, pain, main,* &c., 16467 ff., or *meine, humeine, capitaine,* 759 ff. Some of the words in the *ai* series, as *pain, gain, compaine,* are spelt with *ai* only, but there are rhyme-sequences in *-ain* without any of these words included, as 6591 ff., *main, prochain, vilain, certain, vain, sain;* also words with original French *ei,* such as *peine, constreine, restreines, enseigne, plein* (plenus), *veine*

---

[1] See Sturmfels in *Anglia,* viii. 220, and Behrens, *Franz. Studien,* v. 84. I take this opportunity of saying that I am indebted both to the former's *Altfranz. Vokalismus im Mittelenglischen* and to the latter's *Beiträge zur Geschichte der französischen Sprache in England.*

(vena), *meinz* (minus), *atteins, feinte, exteinte,* enter into the same class. Thus we must conclude that before a nasal these two diphthongs were completely confused. It must be noted that the liquid sound of the nasal in such words as *enseigne, plaigne,* had been completely lost, but the letter *g* with which it was associated in French continued to be very generally written, and by the influence of these words *g* was often introduced without justification into others. Thus we have the rhymes *ordeigne, meine, semeigne* (= *semaine*), *desdeigne, peine,* 2318 ff.; *peigne* (= *peine*), *compleigne, pleine, meine, halteigne, atteigne,* in *Bal.* iii; while in *gaign, bargaign,* rhyming with *grain, prochain,* &c., *g* is omitted at pleasure. Evidently in the Anglo-Norman of this period it had no phonetic value.

(*b*) When not before a nasal, *ai* and *ei* do not interchange freely in this manner. Before *l, ll,* it is true, *ei* has a tendency to become *ai,* as in *conseil consail* (also *consal*), *consei(l)ler consail(l)er, merveille mervaille* ; also we have *contrefeite, souffreite,* 6305 ff., *eie* for *aie* (*avoir*), *eir* for *air* 13867, *gleyve* 14072, *meistre* 24714, *eide* (*eyde*) for *aide* in the rubric headings, *paleis* (*palois*) for *palais,* and *vois* (representing *veis*) sometimes for *vais* (vado); also in ante-tonic syllables, *cheitif, eiant, eysil, leiter, meisoun, meistrie, oreisoun, peisible, pleisir, seisine, veneisoun,* beside *chaitif, allaiter, maisoun, maistrie, paisible, plaisir, saisine.* This change is much less frequent, especially in tonic syllables, than in some earlier texts, e. g. the *Vie de S. Grégoire.*

The Anglo-Norman reduction of the diphthong *ai* and sometimes *ei* to *e,* especially before *r* and *s,* still subsists in certain words, though the Continental French spelling is found by its side. Thus we have *fere, affere, forsfere, mesfere, plere, trere, attrere, retrere, tere, debonere, contrere,* rhyming with *terre, guerre, quer(r)e,* &c. ; also *mestre, nestre, pestre,* rhyming with *estre, prestre* ; and *pes, fes* (fascem), *fetz, mes, jammes, reles(s),* in rhyme with *ades, pres, apres, deces(s), M'ÿses, dess, mess, confess.* (This series of rhymes, which has *ę,* is of course kept distinct from that which includes the terminations *-és* (*-ez*) in participles, &c., and such words as *ées, dées, lées, prées, asses, malfés,* &c., which all have *ę.*) We find also *ese* (with the alternative forms *aese, ease,* as well as *aise*), *frel, ele, megre, plee* (*plai, plait*), *trete, vinegre,* and in ante-tonic syllables *appeser, enchesoun,* *fesance, feture, lesser, mesoun, mestrie, phesant, pleder, plesance, plesir, sesoun, tresoun, treter.* In the case of many of these words the form with *ai* is also used by our author, but the two modes of spelling are kept apart in rhymes (except l. 18349 ff., where we have *tere, terre, aquerre, faire, mesfaire*), so that *affere, attrere,* rhyme with *terre,* but *affaire, attraire,* with *haire, esclaire, adversaire,* and, while *jammes* is linked with *apres, ades, pes,* we find *jammais* written when the rhyme is with *essais, lais, paix.* This may be only due to the desire for uniformity in spelling, but there is some reason to think that it indicates in these words an alternative pronunciation.

It is to be observed that on the neutral ground of *e* some words with original *ei* meet those of which we have been speaking, in which *ai* was reduced to *e* in rather early Anglo-Norman times. Thus we have *crere* rhyming with *terre, affere,* &c.; *crestre, acrestre, descrestre,* with *estre, nestre*; and *encres, descres, malves,* with *apres, pes.* These forms, which have descended to our author from his predecessors, are used by him side by side with the (later) French forms *croire, croistre, acroistre, descroistre, encrois, descrois,* and these alternative forms must undoubtedly be separated from the others in sound as well as in spelling. This being so, it is not unreasonable to suppose that the case was the same with the *ai* words, and that in adopting the Continental French forms side by side with the others the writer was bringing in also the French diphthong sound, retaining however the traditional Anglo-Norman pronunciation in both these classes of words where it happened to be more convenient or to suit his taste better.

(*c*) The French terminations *-aire* and *-oire,* from Lat. *-arius, oria, -orius,* are employed by Gower both in his French and English works in their Continental forms, the older Anglo-Norman *-arie, -orie,* which passed into English, being hardly found in his writings. The following are some of the words in question, most of which occur in the *Confessio Amantis* in the same form: *adversaire, contraire* (*contrere*), *doaire, essamplaire, lettuaire, necessaire, saintuaire; consistoire, Gregoire, histoire, memoire, purgatoire, victoire.* We have however exceptionally *rectorie* 16136, accented to rhyme with *simonye,* and also (from Lat. *-erium*) *misterie* (by the side of *misteire*) accented on the ante-penultimate.

iii. French *ei* not before a nasal.

This diphthong, which appears usually as *ei* in the Anglo-Norman texts of the thirteenth century, is here regularly represented by *oi* and levelled, as in the French of the Continent, with original French *oi*. In its relations to *e* and *ai* it has already been spoken of; at present we merely note that the later French form is adopted by our author with some few exceptions both in stems and flexion. Isolated exceptions are *deis* (debes) for *dois*, *heir* by the side of *hoir*, *lampreie*, *malveis* (also *malvois*, *malves*), *teille*, and *vei* (vide) from *veoir*; also in verbs of the *-ceivre* class and in derivatives from them it is often retained, as *resceivre* (but *reçoit*, *resçoivre*), *receipte*, *conceipt* (also *conçoit*), *conceive*, *deceite*, &c. Under the influence of rhyme we have in 6301 ff. *espleite*, *estreite*, *coveite*, rhyming with *deceite*, *contrefeite*, *souffreite*, and 10117 ff. *pareies* (parietes), *veies*, *preies*, *moneies* rhyming with *pareies* and *journeies* (for *parées*, *journées*); but elsewhere the forms are *exploite*, *estroite*, *covoite*, *voie*, *proie*, *monoie*, and, in general, Anglo-Norman forms such as *mei*, *rei*, *fei*, *treis*, *Engleis*, have disappeared before the French *moi*, *roi*, *foy*, *trois*, &c.

The terminations of infinitives in *-eir* have become *-oir*, except where the form has been reduced to that of the first conjugation; and those of imperfects and conditionals (imperfects reduced all to one form) have regularly *oi* instead of *ei*. There is no intermixture of *ei* and *oi* inflexions, such as we find in Angier, in the *Vie de S. Auban*, and in Bozon. In a few isolated instances we have *ai* for this *oi* of inflexion, as *poait* in *Mir.* 795, *solait* 10605 &c. (which last seems to be sometimes present rather than imperf.), and *volait* 13763. Also occasionally in other cases, as *curtais*, 5568, in rhyme with *mais*, *mesfais*, &c., elsewhere *curtois*, *array*, 18964, rhyming with *nay*, *essay*, usually *arroy*, and *desplaie*, *manaie*, *Bal.* xxvii. 2, elsewhere *desploie*, *manoie*. There is however nothing like that wholesale use of *ai* for *ei* (*oi*) which is especially characteristic of Langtoft, who besides the inflexion in *-ait* has (for example) *may*, *cray*, *ray*, for *moi*, *croy*, *roi*.

In ante-tonic syllables we may note the *ei* of *beneiçoun*, *freidure*, *leisir* (usually *loisir*), *Malveisie*, *peitrine* (also *poitrine*), *veisin* (beside *voisin*), *veisdye*, &c., and *ai* in *arraier*, *braier*.

iv. The diphthong *oe* ·(*ue*) is written in a good many words, but it may be doubted whether it had really the pronunciation of a diphthong. The following list contains most of the words in which it is found in the tonic syllable : *avoec, boef, coecs* (coquus), *coer, controeve, demoert, doel, joefne, moeble, moel, moet moeve* (from *movoir*), *moers moert moerge* (from *morir*), *noeces, noef, noet, oef, oel, oeps, oevre, poeple, poes poet, proesme, soe, soeffre, soen, troeffe, troeve, voegle, voes* (also *voels*), *voet* (also *voelt*). In the case of many of these there are variations of form to *o, u, ue,* or *ui* ; thus we have *cuer* (the usual form in the *Mirour*), *controve, jofne, noces, owes* (dissyll. as plur. of *oef,* also *oefs, oes*), *ovre, pueple, pus* (also *puiss*), *puet* (also *poot*), *prosme, sue, truffe, trove, volt,* and (before an original guttural) *nuit, oill* (oculum). Two of these words, *cuer* and *oel,* occur in rhyme, and they both rhyme with *ẹ : mortiel, oel, fraternel, viel,* 3733 ff., and *cuer, curer, primer,* 13129 ff., by which it would appear that in them at least the diphthong sound had been lost : cp. *suef* in rhyme with *chief, relief, Bal.* L. 2. The same rhyming of *cuer* (*quer*) occurs in the *Vie de S. Auban,* in Langtoft and in Bozon (see M. Meyer's introduction to Bozon's *Contes Moralizés*). With *avoec* we also find *aveoc* and *avec, veot* occurs once for *voet,* and *illeoc, illeoque*(*s*), are the forms used from Lat. *illuc.*

v. French *ọ (eu, ou)* from Latin *ō* (not before nasal).

The only cases that I propose to speak of here are the terminations of substantives and adjectives corresponding to the Latin *-orem, -osus,* or in imitation of these forms. Our author has here regularly *ou* ; there is hardly a trace of the older forms in *-or, -ur,* and *-os, -us,* and surprisingly few accommodated to the Continental *-eur* and *-eus.* The following are most of the words of this class which occur with the *-eur, -eus,* endings : *pescheur* (piscatorem), *fleur, greigneur, honeur, meilleur, seigneur* (usually *flour, greignour, honour, meillour, seignour)* ; *boscheus, honteus* (usually *hontous*), *joyeuse* (fem.) but *joyous* (masc.), *oiceus* (*oiseus*), *perceus, piteus* (more often *pitous*). We have also *blasphemus,* 2450, which may be meant for *blasphemous,* and *prodegus,* 8425 ff., which is perhaps merely the Latin word ' prodigus.' Otherwise the terminations are regularly *-our, -ous,* except where words in *-our* vary to *-ure,* as *chalure,* for the sake of rhyme. The following are some of them, and it will be seen that those which passed into the literary English of the fourteenth century for the most part appeared there with the same forms of spelling as they have here. Indeed not a few, especially of the *-ous* class, have continued unchanged down to the present day.

In *-our*: *ardour, blanchour, brocour, chalour* (also *chalure*), *colour, combatour, confessour, conquerour, correctour, currour, desirour, despisour, devorour, dolour, emperour* (also *empereour, emperere*), *executour, favour, gouvernour, guerreiour, hisdour, honour, irrour, labour, langour, lecchour* (also *lecchier*), *liquour, mockeour, palour, pastour, persecutour, portour, possessour, pourchaçour* (also *pourchacier*), *priour, procurour* (also *procurier*), *professour, proverbiour* (*-ier, -er*), *questour* (*-ier*), *rancour, robbeour, seignour, senatour, supplantour, terrour, tricheour, valour, ven(e)our, venqueour, vigour, visitour.*

In *-ous*: *amorous, averous, bataillous, bountevous, busoignous, chivalerous, contagious, coragous, corouçous, covoitous, dangerous, despitous, dolourous, enginous, envious, famous, fructuous, glorious, gracious, grevous, irrous, joyous, laborious, leccherous, litigious, malencolious, merdous, merveillous, orguillous, perilous, pitous, precious, presumptuous, ruinous, solicitous, tricherous, venimous, vergondous, vertuous, vicious, victorious, viscous.*

vi. French *ǫ* before nasal, Latin *ō, ŏ, u.*

(*a*) Except where it is final, *on* usually remains, whether followed by a dental or not. The tendency towards *ou*, which produced the modern English *amount, account, abound, profound, announce*, &c., is here very slightly visible. Once *blounde* occurs, in rhyme with *monde, confonde*, &c., and we have also *rounge* 2886 (*runge* 3450) and *sounge* 5604 (also *ronge, songe*), and in antetonic syllables *bounté, bountevous, nouncier* (also *noncier*), *plunger* (also *plonger*), *sounger*, and words compounded with *noun*, as *nounsage, nouncertein*, &c. On the other hand *seconde, faconde, monde, abonde, rebonde, responde*, 1201 ff., *monde* (adj.), *bonde, redonde*, 4048 ff., *suronde, confonde*, 8199 ff., *monde, onde, confonde*, 10838 ff., *amonte, honte, accompte, conte, surmonte, demonte*, 1501 ff. The *-ount* termination in verbal inflexion, which is common in Bozon, *ount, sount, fount, dirrount*, &c., is not found here except in the Table of Contents.

(*b*) When a word ends with the nasal, *-on* is usually developed into *-oun*. In Gower's French a large proportion of the words with this ending have both forms (assuming always that the abbrevia-

tion *-ōn* is to be read *-oun*, a point which will be discussed here-
after), but *-oun* is the more usual, especially perhaps in rhyme.
The older Anglo-Norman *-un* has completely disappeared. Words
in *-oun* and *-on* rhyme freely with one another, but the tendency
is towards uniformity, and at the same time there is apparently
no rhyme sequence on the ending *-on* alone. The words with
which we have to deal are, first, that large class of common
substantives with terminations from Lat. *-onem*; secondly, a few
outlandish proper names, *e.g. Salomon, Simon, Pharaon, Pigmalion*,
with which we may class occasional verbal inflexions as *lison,
soion*; and, thirdly, a certain number of other words, chiefly mono-
syllables, as *bo(u)n, doun, mo(u)n, no(u)n*, (=*non*), *noun* (=*nom*),
reboun, renoun, so(u)n (pron.), *soun* (subst.), *to(u)n*, also *respoun*
(imperative). In the first and third class *-oun* is decidedly
preferred, but in the second we regularly find *-on*, and it is
chiefly when words of this class occur in the rhyme that
variations in the others are found in this position. Thus l. 409 ff.
we have the rhymes *noun, temptacioun, soun, resoun, baroun,
garisoun*; 689 ff. *contemplacioun, tribulacioun, temptacioun, colla-
cioun, delectacioun, elacioun*; so also in 1525 ff., and even when
Salomon comes in at ll. 1597 and 1669, all the other rhymes
of these stanzas are *-oun*: *presumpcioun, respoun, resoun, noun,
doun*, &c. At 2401 however we have *maison, noun, contradiccioun,
lison*; 2787 *Salomon, leçon, enchesoun, resoun*; 4069 *noun, tençon,
compaignoun, feloun, Catoun, confessioun*; and similarly *façon* 6108,
religion (with *lison*) 7922, *lison, lion, giroun, enviroun, leçon, noun*,
16801 ff. (yet *lisoun* is also found, 24526). On the whole, so far
as the rhymes of the *Mirour* are concerned, the conclusion must
be that the uniformity is broken chiefly by the influence of those
words which have been noted as written always, or almost always,
with *-on*. In the *Balades* and *Traitié*, however, the two termina-
tions are more equally balanced; for example in *Bal*. xxxv we
find *convocacion, compaignon, comparison, regioun, noun, supplica-
cion, eleccion, condicioun*, &c., without any word of the class referred
to, and *Traitié* xii has four rhymes in *-on* against two in *-oun*.
On the whole I am disposed to think that it is merely a question
of spelling, and it must be remembered that in the MSS. *-oun*
is very rarely written out in full, so that the difference between
the two forms is very slight even in appearance.

vii. The Central-French *u* was apparently identified in sound with *eu*, and in some cases not distinguished from *ui*. The evidence of rhymes seems quite clear and consistent on this point. Such sequences as the following occur repeatedly: *abatu, pourveu, deçu, lieu, perdu, salu,* 315 ff.; *truis, perduz, Hebrus, us, jus, conclus,* 1657 ff.; *hebreu, feru, eeu, tenu, neveu, rendu,* 4933 ff.; *plus, lieus, perdus, conçuz, huiss, truis,* 6723 ff.; *fu, lu* (for *lieu*), *offendu, dieu,* in *Bal.* xviii; and with the ending *-ure, -eure: demeure, l'eure, nature, verdure, desseure, mesure,* 937 ff.; *painture, demesure, aventure, jure, hure, controveure,* 1947 ff., &c. This being so, we cannot be surprised at such forms as *hebru* for *hebreu, lu* for *lieu, fu* for *feu, hure, demure, plure,* for the Continental French *heure, demeure, pleure,* or at the substitutions of *u* for *ui,* or *ui* for *u* (*eu*), in *aparçut aparçuit, huiss huss, plus pluis, pertuis pertus, puiss pus, construire construre, destruire destrure, estruis estrus, truis trieus.* As regards the latter changes we may compare the various spellings of *fruit, bruit, suit, eschuie, suie* [1], in Middle English. It should be mentioned however that *luy* rhymes regularly with *-i* (*-y*), as *chery, servi, dy.* In some cases also *ui* interchanges with *oi,* as in *buiste* beside *boiste, enpuisonner* beside *poisoun.* This is often found in early Anglo-Norman and is exemplified in M.E. *buyle boyle, fuysoun foysoun, destroye destruien.* On this change and on that between *ui* and *u* in Anglo-Norman see Koschwitz on the *Voyage de Charlemagne,* pp. 39, 40.

viii. *aun* occurs occasionally for *an* final or before a consonant e.g. in *aun* (annum) *Mir.* 6621, *Bal.* xxiii. 2, *saunté(e) Mir.* 2522, *Ded.* ii. 5, &c., *dauncer* 17610, *paunce* 8542, *fiaunce, sufficaunce, Bal.* iv, *governaunce, fraunchise, fraunchement,* in the Table of Contents; but much more usually not, as *Alisandre, an* (1932), *avant, dance* (1697), *danger, danter, France, change, fiance* (*Bal.* xiii. &c.), *lance, lande, pance* (5522 &c.), *sergant, sufficance* (1738 &c.), *vante,* and in general the words in *-ance.*

ix. Contraction or suppression of atonic vowels takes place in certain cases besides that of the termination *-ée,* which has already been discussed.

(*a*) When atonic *e* and another vowel or diphthong come together in a word they are usually contracted, as in *asseurer, commeu, eust, receu, veu* (2387), *vir* (for *veïr*), *Beemoth, beneuré,*

---

[1] Those who quote *eschiue, siue,* as from Gower, e. g. Sturmfels, in *Anglia,* ix, are misled by Ellis.

benoit, deesce, emperour, mirour, obeissance, rançon, seur, &c.,
but in many instances contraction does not take place, as *cheeu,
eeu, veeu, veïr, veoir, empereour* (23624), *leësce, mireour* (23551),
tricheour, venqueour, meëment, &c.

(*b*) In some words with -*ie* termination the accent falls on the
antepenultimate, and the *i* which follows the tonic syllable is
regularly slurred in the metre and sometimes not written. Such
words are *accidie, contumelie, familie, misterie, perjurie, pluvie,
remedie, vituperie,* and occasionally a verb, as *encordie.*
The following are examples of their metrical treatment :—

> ' Des queux l'un Vituperie ad noun,' 2967 ;
> ' Et sa familie et sa maisoun,' 3916 ;
> ' Car pluvie doit le vent suïr,' 4182 ;
> ' Maint contumelie irrous atteint,' 4312 ;
> ' Perjurie, q'ad sa foy perdu,' 6409 ;
> ' Qui pour mes biens m'encordie et lie,' 6958, &c.

Several of these words are also written with the ending -*e* for -*ie,*
as *accide, famile, encorde.*

Such words are similarly treated in Gower's English lines, e.g.

> ' And ek the god Mercurie also ' (*Conf. Am.* i. 422) ;

cp. Chaucer's usual treatment of words like *victorie, glorie,* which
are not used in that form by Gower.

(*c*) In *come* (*comme*), *sicome,* and *ove* the final *e* never counts as
a syllable in the metre. They are sometimes written *com* and *ou.*
In another word, *ore,* the syllable is often slurred, as in *Mir.* 37,
1775, 3897, &c., but sometimes sounded, as 4737, 11377, *Bal.*
xxviii. 1. So perhaps also *dame* in *Mir.* 6733, 13514, 16579,
and *Bal.* ii. 3, xix. 3, xx. 2, &c.

x. The insertion of a parasitic *e* in connexion with *r,* and especially
between *v* and *r,* is a recognized feature of the Anglo-Norman
dialect. Examples of this in our texts are *avera, devera, saveroit,
coverir, deliverer, overir, vivere, livere, oevere, overage, povere,
yvere,* &c. As a rule this *e* is not sounded as a syllable in the
metre, and in most of these words there is an alternative spelling,
e.g. *avra, savra, covrir, delivrer, ovrir, vivre, oevre,* &c., but it is not
necessary to reduce them to this wherever the *e* is mute. Les usually
the syllable counts in the verse, e.g. *overaigne* in *Mir.* 3371, *overage*
8914, *enyverer* 16448, *avera* 18532, *deveroit, beveroit* in 20702
ff. *viverai, vivera* in *Bal.* iv.* 1, *Mir.* 3879, *descoverir* in *Bal.* ix. 1.

xi. About the consonants not much need be said.

(*a*) Initial *c* before *a* varies in some words with *ch*, as *caccher*, *caitif*, *camele*, *camp*, *carboun*, *castell*, *catell*, by the side of *chacer*, *chaitif*, *chameal*, *champ*, *charboun*, *chastel*, *chateaux*; cp. *acater*, *achater*. Before *e, i,* we find sometimes an interchange of *c* and *s,* as in *ce* for *se* in *Mir.* 1147, *Bal.* xviii. 3 ; *c'il* for *s'il* in *Mir.* 799 &c.; and, on the other hand, *sent* for *cent* in *Bal.* xli. 2, *si* for *ci* in the title of the *Cinkante Balades*, *sil* for *cil* in *Bal.* xlii. 3, *sercher* for *cercher* in *Mir.* 712 &c., also *s* for *sc* in *septre*, *sintille*, and *sc* for *s* in *scilence*.

(*b*) We find often *qant*, *qe*, *qelle*, *qanqe*, &c., for *quant*, *que*, &c., and, on the other hand, the spelling *quar* for the more usual *car*. In words like *guaign*, *guaire*, *guaite*, *guarant*, *guarde*, *guarir*, *guaster*, *u* is very frequently omitted before *a*, also occasionally before other vowels, as *gile*, 21394, for *guile* : *w* is used in *warder, rewarder, way*.

(*c*) The doubling of single consonants, especially *l*, *m*, *n*, *p*, *s*, is frequent and seems to have no phonetic significance. Especially it is to be observed that *ss* for *s* at the end of a word makes no difference to the quantity or quality of the syllable, thus, whether the word be *deces* or *decess*, *reles* or *reless*, *engres* or *engress*, *bas* or *bass*, *las* or *lass*, *huiss* or *huis*, the pronunciation and the rhyme are the same. The final *s* was sounded in both cases, and not more when double than when single. The doubling of *r* in futures and conditionals, as *serray*, *dirray*, &c., belongs to the Norman dialect.

(*d*) The final *s* of inflexion is regularly replaced by *z* after a dental, as *courtz, desfaitz, ditz, excellentz, fitz, fortz, regentz, seintz*, and frequently in past participles of verbs (where there is an original dental), as *perturbez, enfanteez, rejoïz, perduz ;* but also elsewhere, especially with the termination *-able*, as *refusablez, delitablez*, in rhyme with *acceptables*. Sometimes however a dental drops out before *s*, as in *apers, desfais, dis, dolens, presens*. In all these cases however the difference is one of spelling only.

. (*e*) Lastly, notice may be directed to the mute consonants either surviving in phonetic change or introduced into the spelling in imitation of the Latin form. The fourteenth century was a time when French writers and copyists were especially prone to the vice of etymological spelling, and many forms both in French and English which have been supposed to be of later date may be traced to this period. I shall point out some instances, etymological and other, most of which occur in rhyme.

Thus *b* is mute in *doubte* (also *doute*) rhyming with *boute*, and also in *debte* beside *dette*, *soubdeinement* beside *soudeinement*, &c. :
p in *temps*, *accompte*, *corps*, *hanaps*, *descript*, rhyming with *sens*, *honte*, *tors*, *pas*, *dit*, and in *deceipte* beside *deceite*;
d before *s* in *ribalds* rhyming with *vassals*;
t before *z* in such words as *fortz*, *courtz*, *certz*, *overtz*, *fitz*, *ditz*, *aletz*, *decretz*, rhyming with *tors*, *destours*, *vers*, *envers*, *sis*, *dignités*, *ées*;
s in such forms as *dist*, *promist*, *quidasmes*, &c., in rhyme with *esjoït*, *espirit*, *dames*; possibly however the 3 pers. sing. pret. of these verbs had an alternative pronunciation in which *s* was sounded, for they several times occur in rhyme with *Crist*, and then are always written *-ist*, whereas at other times they vary this freely with *-it*.
g in words like *baraign*, *pleigne*, *soveraigne*, rhyming with *gain*, *peine*;
c before *s* in *clercs* (also *clers*) rhyming with *vers*;
l in *almes*, *ascoulte*, *moult*, which rhyme with *fames*, *route*, *trestout*, and in *oultrage*, *estoultie*, beside *outrage*, *estoutie*.

On the other hand *v* is sounded in the occasional form *escrivre*, the word being rhymed with *vivre*, in *Mir.* 6480.

As regards the Vocabulary, I propose to note a few points which are of interest with reference chiefly to English Etymology, and for the rest the reader is referred to the Glossary.

A certain number of words will be found, in addition to those already cited in the remarks on Phonology, § v, which appear in the French of our texts precisely as they stand in modern English, e. g. *able*, *annoy*, *archer*, *carpenter*, *claret*, *courser*, *dean*, *draper*, *ease*, *fee*, *haste*, *host*, *mace*, *mess*, *noise*, *soldier*, *suet*, *treacle*, *truant*, &c., not to mention 'mots savants' such as *abject*, *absent*, *official*, *parable*, and so on.

The doubling of consonants in accordance with Latin spelling in *accepter*, *accord*, *accuser*, *commander*, *commun*, &c., is already common in these texts and belongs to an earlier stage of Middle English than is usually supposed.

ambicioun : note the etymological meaning of this word in the *Mirour*.

appetiter : Chaucer's verb should be referred directly to this French verb, and not to the English subst. *appetit*.

assalt: usually *assaut* in 14th cent. French and English.

audit: the English word is probably from this French form, and not directly from Latin: the same remark applies to several other words, as *complet, concluder, curet, destitut, elat*, &c.

avouer: in the sense of 'promise.'

begant, beggerie, beguyner, beguinage: see *New Eng. Dict.* under 'beg.' The use of *beguinage* here as equivalent to *beggerie* is confirmatory of the Romance etymology suggested for the word: *begant* seems to presuppose a verb *beg(u)er*, a shorter form of *beguiner*; cp. *beguard.*

braier, M. E. *brayen*, 'to bray in a mortar.' The continental form was *breier*, Mod. *broyer*.

brusch: the occurrence of this word in a sense which seems to identify it with *brusque* should be noted. The modern *brusque* is commonly said to have been introduced into French from Italy in the 16th century. Caxton however in 1481 has *brussly*, apparently equivalent to 'brusquely'; see *New Eng. Dict.*

buillon, in the sense of 'mint,' or 'melting-house,' is evidently the same as 'bullion' in the Anglo-Norman statutes of Edward III (see *New Eng. Dict.*). The form which we have here points very clearly to its derivation from the verb *builer*, 'boil,' as against the supposed connexion with 'bulla.'

chitoun, 'kitten.' This is used also in Bozon's *Contes Moralizés*. It seems more likely that the M. E. *kitoun* comes from this form of *chatton* with hardening of *ch* to *k* by the influence of *cat*, than that it is an English 'kit' with a French suffix.

Civile, i.e. 'civil law': cp. the use of the word as a name in *Piers Plowman*.

eneauer, 'to wet,' supplies perhaps an etymology for the word *enewing* or *ennuyng* used by Lydgate and others as a term of painting, to indicate the laying on or gradation of tints in water-colour, and illustrates the later Anglo-French words *enewer*, *enewage*, used apparently of shrinking cloth by wetting; see Godefroy (who however leaves them unexplained).

flaket, the same as the M. E. *flakett, flacket* (French *flaschet*). The form *flaquet* is assumed as a Northern French word by the *New Eng. Dict.*, but not cited as occurring.

leisour, as a variation of *loisir, leisir*.

lusard: cp. *Piers Plowman*, B. xviii. 335.

menal, meynal, adj. in the sense of 'subject.'

nice: note the development of sense from 'foolish,' *Mir.* 1331, 7673, to 'foolishly scrupulous,' 24858, and thence to 'delicate,' 'pleasant,' 264, 979.

papir, the same form that we find in the English of Chaucer and Gower.

parlesie, M. E. *parlesie, palesie.*

perjurie, a variation of *perjure,* which established itself in English.

phesant: early M. E. *fesaun,* Chaucer *fesaunt.*

philosophre, as in M. E., beside *philosophe.*

queinte, a(c)queintance: the forms which correspond to those used in English; less usually *quointe, aquointance.*

reverie, 'revelry,' which suggests the connexion of the English word with *rêver,* rather than with *reveler* from 'rebellare.' However, *revel* and *reveller* occur also in our texts.

reviler. Skeat, *Etym. Dict.,* says 'there is no word *reviler* or *viler* in French.' Both are used in the *Mirour.*

rewarder, rewardie, rewardise, in the sense of the English 'reward.'

sercher, Eng. 'search,' the more usual form for *cercher.*

somonce: this is the form required to account for the M. E. *somouns,* 'summons.'

traicier, traiçour, names given (in England) to those who made it their business to pack juries.

trote, used for 'old woman' in an uncomplimentary sense.

université, 'community.'

voiage (not *viage*): this form is therefore of the 14th century.

MIROUR DE L'OMME.

AUTHORSHIP.—The evidence of authorship rests on two distinct grounds: first, its correspondence in title and contents with the description given by Gower of his principal French work; and secondly, its remarkable resemblance in style and substance to the poet's acknowledged works.

We return therefore to the statement before referred to about the three principal books claimed by our author: and first an explanation should be made on the subject of the title. The statement in question underwent progressive revision at the hands of the author and appears in three forms, the succession of which is marked by the fact that they are connected with three successive editions of the *Confessio Amantis*. In the two first of these three forms the title of the French work is *Speculum Hominis*, in the third it is *Speculum Meditantis*, the alteration having been made apparently in order to produce similarity of termination with the titles of the two other books [1]. We are justified therefore in assuming that the original title was *Speculum Hominis*, or its French equivalent, *Mirour de l'omme*. The author's account, then, of his French work is as follows:

' Primus liber Gallico sermone editus in decem diuiditur partes, et tractans de viciis et virtutibus, necnon et de variis huius seculi gradibus, viam qua peccator transgressus ad sui creatoris agnicionem redire debet recto tramite docere conatur. Titulus (que) libelli istius Speculum hominis (*al.* meditantis) nuncupatus est.'

We are here told that the book is in French, that it is divided into ten parts, that it treats of vices and virtues, and also of the various degrees or classes of people in this world, and finally that it shows how the sinner may return to the knowledge of his Creator.

The division of our *Mirour* into ten parts might have been a little difficult to make out from the work itself, but it is expressly indicated in the Table of Contents prefixed:

' Cy apres comence le livre François q'est apellé Mirour de l'omme, le quel se divide en x parties, c'est assavoir ' &c.

The ten parts are then enumerated, six of them being made out of the classification of the different orders of society.

The contents of the *Mirour* also agree with the author's description of his *Speculum Hominis*. After some prefatory matter it treats of vices in ll. 841–9720 of the present text; of virtues ll. 10033–18372 ; of the various orders of society ll. 18421–26604 ; of how man's sin is the cause of the corruption of the world ll. 26605–27360 ; and finally how the sinner may return to God, or, as the Table of Contents has it, ' coment l'omme peccheour lessant ses mals se doit reformer a dieu et avoir pardoun par l'eyde de nostre seigneur Jhesu Crist et de sa

---

[1] Tanner remarks, ' est tamen nescio quid in nominibus mysterii et, ut ita dicam, conspiratio, utpote unius ab altero pendentis.' *Biblioth.* p. 336.

doulce Miere la Vierge gloriouse,' l. 27361 to the end. This latter part includes a Life of the Virgin, through whom the sinner is to obtain the grace of God.

The strong presumption (to say no more) which is raised by the agreement of all these circumstances is converted into a certainty when we come to examine the book more closely and to compare it with the other works of Gower. Naturally we are disposed to turn first to his acknowledged French writings, the *Cinkante Balades* and the *Traitié*, and to institute a comparison in regard to the language and the forms of words. The agreement here is practically complete, and the Glossary of this edition is arranged especially with a view to exhibit this agreement in the clearest manner. There are differences, no doubt, such as there will always be between different MSS., however correct, but they are very few. Moreover, in the structure of sentences and in many particular phrases there are close correspondences, some of which are pointed out in the Notes. But, while the language test gives quite satisfactory results, so far as it goes, we cannot expect to find a close resemblance in other respects between two literary works so different in form and in motive as the *Mirour* and the *Balades*. It is only when we institute a comparison between the *Mirour* and the two other principal works, in Latin and English respectively, which our author used as vehicles for his serious thoughts, that we realize how impossible it is that the three should not all belong to one author. Gower, in fact, was a man of stereotyped convictions, whose thoughts on human society and on the divine government of the world tended constantly to repeat themselves in but slightly varying forms. What he had said in one language he was apt to repeat in another, as may be seen, even if we leave the *Mirour* out of sight, by comparison of the *Confessio Amantis* with the *Vox Clamantis*. The *Mirour* runs parallel with the English work in its description of vices, and with the Latin in its treatment of the various orders of society, and apart from the many resemblances in detail, it is worth while here to call attention to the manner in which the general arrangement of the French work corresponds with that which we find in the other two books.

In that part of the *Mirour* which treats of vices, each deadly sin is dealt with regularly under five principal heads, or, as the author expresses it, has five daughters. Now this fivefold division is not, so far as I can discover, borrowed from any former writer. It is of course quite usual in moral treatises to deal with the deadly sins by way of subdivision, but usually the number of subdivisions is irregular, and I have not found any authority for the systematic division of each into five. The only work, so far as I know, which shares this characteristic with the *Mirour* is the *Confessio Amantis*. It is true that in this the rule is not fully carried out; the nature of the work did not lend itself so easily to a quite regular treatment, and considerable variations occur: but the principle which stands as the basis of the arrangement is clearly visible, and it is the same which we find in our *Mirour*.

This is a point which it is worth while to exhibit a little more at large, and here the divisions of the first three deadly sins are set forth in parallel columns:

Mirour de l'omme.	*Confessio Amantis.*
i. Orguil, with five daughters, viz.	i. Pride, with five ministers, viz.
Ipocresie	Ypocrisie
Vaine gloire	Inobedience
Surquiderie	Surquiderie
Avantance	Avantance
Inobedience.	Veine gloire.
ii. Envie	ii. Envie
Detraccioun	Dolor alterius gaudii
Dolour d'autry Joye	Gaudium alterius doloris
Joye d'autry mal	Detraccioun
Supplantacioun	Falssemblant
Fals semblant.	Supplantacioun.
iii. Ire	iii. Ire
Malencolie	Malencolie
Tençoun	Cheste
Hange	Hate
Contek	Contek
Homicide.	Homicide.

In the latter part of the *Confessio Amantis* the fivefold division is not strictly observed, and in some books the author does not profess to deal with all the branches; but in what is given above there is quite enough to show that this method of division was recognized and that the main headings are the same in the two works.

Next we may compare the classes of society given in the *Mirour* with those that we find in the *Vox Clamantis*. It is not necessary to exhibit these in a tabular form; it is enough to say that with some trifling differences of arrangement the enumeration is the same. In the *Vox Clamantis* the estate of kings stands last, because the author wished to conclude with a lecture addressed personally to Richard II; and the merchants, artificers and labourers come before the judges, lawyers, sheriffs, &c., because it is intended to bring these last into connexion with the king; but otherwise there is little or no difference even in the smallest details. The contents of the 'third part' of the *Mirour*, dealing with prelates and dignitaries of the Church and with the parish clergy, correspond to those of the third book of the *Vox Clamantis*; the fourth part, which treats of those under religious rule, Possessioners and Mendicants, is parallel to the fourth book of the Latin work. In the *Mirour* as in the *Vox Clamantis* we have the division of the city population into Merchants, Artificers and Victuallers, and of the ministers of the law into Judges, Advocates, Viscounts (sheriffs), Bailiffs, and Jurymen. Moreover what is said of the various classes is in substance usually the same, most notably so in the case of the parish priests and the tradesmen of the town ; but parallels of this kind will be most conveniently pointed out in the Notes.

To proceed, the *Mirour* will be found to contain a certain number of stories, and of those that we find there by much the greater number reappear in the *Confessio Amantis* with a similar application. We have the story of the envious man who desired to lose one eye in order that his comrade might be deprived of two (l. 3234), of Socrates and his scolding wife (4168), of the robbery from the statue of Apollo (7093), of Lazarus and Dives (7972), of Ulysses and the Sirens (10909), of the emperor Valentinian (17089), of Sara the daughter of Raguel (17417), of Phirinus, the young man who defaced his beauty in order that he might not be a temptation to women (18301), of Codrus king of Athens (19981), of Nebuchadnezzar's pride and punishment (21979), of the king and his chamberlains (22765). All these are found in the *Mirour*, and afterwards, more fully related as a rule, in the *Confessio Amantis*. Only one or two, the stories of St. Macaire and the devil (12565, 20905), of the very undeserving person who was relieved by St. Nicholas (15757), of the dishonest man who built a church (15553), together with various Bible stories rather alluded to than related, and the long Life of the Virgin at the end of the book, remain the property of the *Mirour* alone.

If we take next the anecdotes and emblems of Natural History, we shall find them nearly all again in either the Latin or the English work. To illustrate the vice of Detraction we have the 'escarbud,' the 'scharnebud,' of the *Confessio Amantis*, which takes no delight in the flowery fields or in the May sunshine, but only seeks out vile ordure and filth (2894, *Conf. Am.* ii. 413). Envy is compared to the nettle which grows about the roses and destroys them by its burning (3721, *Conf. Am.* ii. 401). Homicide is made more odious by the story of the bird with a man's features, which repents so bitterly of slaying the creature that resembles it (5029, *Conf. Am.* iii. 2599); and we may note also that in both books this authentic anecdote is ascribed to Solinus, who after all is not the real authority for it. Idleness is like the cat that would eat fish without wetting her paws (5395, *Conf. Am.* iv. 1108). The covetous man is like the pike that swallows down the little fishes (6253, *Conf. Am.* v. 2015). Prudence is the serpent which refuses to hear the voice of the charmer, and while he presses one ear to the ground, stops the other with his tail (15253, *Conf. Am.* i. 463). And so on.

Then again there are a good many quotations common to the *Mirour* and one or both of the other books, adduced in the same connexion and sometimes grouped together in the same order. The passage from Gregory's Homilies about man as a microcosm, partaking of the nature of every creature in the universe, which we find in the Prologue of the *Confessio* and also in the *Vox Clamantis*, appears at l. 26869 of the *Mirour*; that about Peter presenting Judea in the Day of Judgement, Andrew Achaia, and so on, while our bishops come empty-handed, is also given in all three (*Mir.* 20065, *Vox. Cl.* iii. 903, *Conf. Am.* v. 1900). To illustrate the virtue of Pity the same quotations occur both in the *Mirour* and the *Confessio Amantis*, from the Epistle of St. James, from Constantine, and from Cassiodorus (*Mir.* 13929, 23055 ff., *Conf. Am.* vii. 3149*, 3161*, 3137). Three quotations referred to 'Orace' occur in the *Mirour*, and of these three two reappear in the *Confessio* with the same author's name (*Mir.* 3801, 10948, 23370, *Conf. Am.* vi. 1513, vii. 3581). Now of these two, one, as it happens, is from Ovid and the other from Juvenal; so that not only the quotations but also the false references are repeated. These are not by any means all the examples of common quotations, but they will perhaps suffice.

Again, if we are not to accept the theory of common authorship, we can hardly account for the resemblance, and something more than resemblance, in passages such as the description of Envy (*Mir.* 3805 ff., *Conf. Am.* ii. 3095, 3122 ff.), of Ingratitude (*Mir.* 6685 ff., *Conf. Am.* v. 4917 ff.), of the effects of intoxication (*Mir.* 8138, 8246, *Conf. Am.* vi. 19, 71), of the flock made to wander among the briars (*Mir.* 20161 ff., *Conf. Am. Prol.* 407 ff.), of the vainglorious knight (*Mir.* 23893 ff., *Conf. Am.* iv. 1627 ff.), and many others, not to mention those lines which occur here and there in the *Confessio* exactly reproduced from the *Mirour*, such as iv. 893,

> 'Thanne is he wys after the hond,'

compared with *Mir.* 5436,

> 'Lors est il sage apres la mein.'

Conf. Am. Prol. 213,

> 'Of armes and of brigantaille,'

compared with *Mir.* 18675,

> 'Ou d'armes ou du brigantaille,'

the context in this last case being also the same.

The parallels with the *Vox Clamantis* are not less numerous and striking, and as many of them as it seems necessary to mention are set down in the Notes to the *Mirour*, especially in the latter part from l. 18421 onwards.

Before dismissing the comparison with the *Confessio Amantis*, we may call attention to two further points of likeness. First, though the *Mirour* is written in stanzas and the *Confessio* in couplets, yet the versification of the one distinctly suggests that of the other. Both are in the same octosyllabic line, with the same rather monotonous regularity of metre, and the stanza of the *Mirour*, containing, as it does, no less than four pairs of lines which can be read as couplets so far as the rhyme is concerned, often produces much the same effect as the simple couplet. Secondly, in the structure of sentences there are certain definite characteristics which produce themselves equally in the French and the English work.

Resemblances of this latter kind will be pointed out in the Notes, but a few may be set down here. For example, every reader of Gower's English is familiar with his trick of setting the conjunctions 'and,' ˙but,' &c., in the middle instead of at the beginning of the clause, as in *Conf. Am. Prol.* 155,

> 'With all his herte and make hem chiere,'

and similarly in the *Balades*, e. g. xx. i,

> 'A mon avis mais il n'est pas ensi.'

Examples of this are common in the *Mirour*, as l. 100,

> 'Pour noble cause et ensement
> Estoiont fait,'

cp. 415, 4523, 7739, 7860, &c.

In other cases too there is a tendency to disarrangement of words or clauses for the sake of metre or rhyme, as *Mir.* 15941, 17996, compared with *Conf. Am.* ii. 2642, iv. 3520, v. 6807, &c.

Again, the author of the *Confessio Amantis* is fond of repeating the same form of expression in successive lines, e.g. *Prol.* 96 ff.,

> 'Tho was the lif of man in helthe,
> Tho was plente, tho was richesse,
> Tho was the fortune of prouesse,' &c.

Cp. *Prol.* 937, v. 2469, &c.

This also is found often in the *Mirour*, e. g. 4864-9 :

> 'Cist tue viel, cist tue enfant,
> Cist tue femmes enpreignant,' &c.

and 8294-8304,

> 'Les uns en eaue fait perir,
> Les uns en flamme fait ardoir,
> Les uns du contek fait morir,' &c.

The habit of breaking off the sentence and resuming it in a different form appears markedly in both the French and the English, as *Mir.* 89, 17743, *Conf. Am.* iv. 2226, 3201 ; and in several passages obscure forms of expression in the *Confessio Amantis* are elucidated by parallel constructions in the *Mirour*.

Finally, the trick of filling up lines with such tags as *en son degré, de sa partie*, &c. (e. g. *Mir.* 373, 865), vividly recalls the similar use of 'in his degree,' 'for his partie,' by the author of the *Confessio Amantis* (e. g. *Prol.* 123, 930).

The evidence of which I have given an outline, which may be filled up by those who care to look out the references set down above and in the Notes, amounts, I believe, to complete demonstration that this French book called *Mirour de l'omme* is identical with the *Speculum Hominis* (or *Speculum Meditantis*) which has been long supposed to be lost ; and, that being so, I consider myself at liberty to use it in every way as Gower's admitted work, together with the other books of which he claims the authorship, for the illustration both of his life and his literary characteristics.

DATE.—The *Speculum Hominis* stands first in order of the three books enumerated by Gower, and was written therefore before the *Vox Clamantis*. This last was evidently composed shortly after the rising of the peasants in 1381, and to that event, which evidently produced the strongest impression on the author's mind, there is no reference in this book. There are indeed warnings of the danger of popular insurrection, as 24104 ff., 26485 ff., 27229 ff., but they are of a general character, suggested perhaps partly by the Jacquerie in France and partly by the local disturbances caused by discontented labourers in England, and convey the idea that the writer was uneasy about the future, but not that a catastrophe had already come. In one passage he utters a rather striking prophecy of the evil to be feared, speaking of the strange lethargy in which the lords of the land are sunk, so that they take no note of the growing madness of the commons. On the whole we may conclude without hesitation that the book was completed before the summer of the year 1381.

There are some other considerations which will probably lead us to throw the date back a little further than this. In 2142 ff. it seems to be implied that Edward III is still alive. 'They of France,' he says, 'should know that God abhors their disobedience, in that they, contrary to their allegiance, refuse by way of war to render homage and obedience to him who by his birth receives the right from his mother.' This can apply to none but Edward III, and we are led to suppose that when these lines were written he was still alive to claim his right. The supposition is confirmed by the manner in which the author speaks of the reigning king in that part of his work which deals with royalty. Nowhere does he address him as a child or youth in the manner of the *Vox Clamantis*, but he complains of the trust placed by the king in flatterers and of the all-prevailing influence of women, calling upon God to remedy those evils which arise from the monstrous fact that a woman reigns in the land and the king is subject to her (22807 ff.). This is precisely the complaint which might have been expected in the latter years of Edward III. On the other hand there is a clear allusion in one place (18817–18840) to the schism of the Church, and this passage therefore must have been written as late as 1378, but, occurring as it does at the conclusion of the author's attack upon the Court of Rome, it may well have been added after the rest. The expression in l. 22191,

' Ove deux chiefs es sanz chevetein,'

refers to the Pope and the Emperor, not to the division of the papacy. Finally, it should be observed that the introduction of the name Innocent, l. 18783, is not to be taken to mean that Innocent VI, who died in 1362, was the reigning pope. The name is no doubt only a representative one.

On the whole we shall not be far wrong if we assign the composition of the book to the years 1376–1379.

FORM AND VERSIFICATION.—The poem (if it may be called so) is written in twelve-line stanzas of the common octosyllabic verse, rhyming *aab aab bba bba*, so that there are two sets of rhymes only in each stanza. In its present state it has 28,603 lines, there being lost four leaves at the beginning, which probably contained forty-seven stanzas, that is 564 lines, seven leaves, containing in all 1342 lines, in other places throughout the volume, and an uncertain number at the end, probably containing not more than a few hundred lines. The whole work therefore consisted of about 31,000 lines, a somewhat formidable total.

The twelve-line stanza employed by Gower is one which was in pretty common use among French writers of the 'moral' class. It is that in which the celebrated *Vers de la Mort* were composed by Hélinand de Froidmont in the twelfth century, a poem from which our author quotes. Possibly it was the use of it by this writer that brought it into vogue, for his poem had a great popularity, striking as it did a note which was thoroughly congenial to the spirit of the age[1]. In any case we find the stanza used also by the 'Reclus de Moiliens,' by Rutebeuf in several pieces, e. g. *La Complainte de Constantinoble* and *Les Ordres de Paris*, and often by other poets of the moral school. Especially it seems to have been affected in those 'Congiés' in which poets took leave of the world and of their friends, as the *Congiés Adan d'Arras* (Barb. et Méon, *Fabl.* i. 106), the *Congié Jehan Bodel* (i. 135), &c. As to the structure of the stanza, at least in the hands of our author, there is not much to be said. The pauses in sense very generally follow the rhyme divisions of the stanza, which has a natural tendency to fall into two equal parts, and the last three lines, or in some cases the last two, frequently

[1] A list of poems in which this stanza is used is given in *Romania*, ix. 231, by M. Gaston Raynaud.

contain a moral tag or a summing up of the general drift of the stanza.

The verse is strictly syllabic. We have nothing here of that accent-metre which the later Anglo-Norman writers sometimes adopted after English models, constructing their octosyllable in two halves with a distinct break between them, each half-verse having two accents but an uncertain number of syllables. This appears to have been the idea of the metre in the mind of such writers as Fantosme and William of Waddington. Here however all is as regular in that respect as can be desired. Indeed the fact that in all these thousands of lines there are not more than about a score which even suggest the idea of metrical incorrectness, after due allowance for the admitted licences of which we have taken note, is a striking testimony not only of the accuracy in this respect of the author, but also to the correctness of the copy which we possess of his work. The following are the lines in question :

276. 'De sa part grantement s'esjoït.'
397. 'Ly deable grantement s'esjoït'
2742. 'Prestre, Clerc, Reclus, Hermite,'
2955. 'Soy mesmes car delivrer'
3116. 'Q'avoit leur predicacioun oïe,'
3160. 'Si l'une est male, l'autre est perverse,'
4745. 'Molt plussoudeinent le blesce'
4832. 'Ainz est pour soy delivrer,'
6733 'Dame Covoitise en sa meson'
    (And similarly 13514 and 16579)
9617. 'Mais oultre trestous autrez estatz'
9786. 'Me mettroit celle alme en gage,'
10623. 'L'un ad franchise, l'autre ad servage,'
10628. 'L'un ad mesure, l'autre ad oultrage,'
13503. 'Dieus la terre en fin donna,'
14568. 'Et l'autre contemplacioun enseine.'
19108. 'D'avoltire et fornicacioun'
24625. 'Doun, priere, amour, doubtance,'
26830. 'Homme; et puis de l'omme prist'
27598. 'Qant l'angle ot ses ditz contez,'

This, it will be allowed, is a sufficiently moderate total to be placed to the joint account of author and scribe in a matter of more than 28,000 lines—on an average one in about 1,500 lines. Of these more than half can be corrected in very obvious ways : in 276, 397, we may read 'grantment' as in 8931 ; in 2955, 4832, we should read 'deliverer,' and in 9786 'metteroit,' this e being frequently sounded in the metre, e. g. 3371, 16448, 18532 ; we may correct 3160, 9617, by altering to 'mal,' 'autre'; in 4745 'plussoudeinement' is certainly meant; 13503 is to be corrected by reading 'en la fin,' as in 15299, for 'en fin,' 19108 by substituting 'avoltre' for 'avoltire,' and 27598 by reading 'angel,' as in 27731 and elsewhere, for 'angle.' Of the irregularities that remain, one, exemplified in 3116 and 14568, consists in the introduction of an additional foot into the measure, and I have little doubt that it proceeds from the scribe, who wrote 'predicacioun' and 'contemplacioun' for some shorter word with the same meaning, such as 'prechement' and 'contempler.' In the latter of these cases I have corrected by introducing 'contempler' into the text; in the former, as I cannot be so sure of the word intended, the MS. reading is allowed to stand. There is a similar instance of a hyper-metrical line in *Bal.* xxvii. 1, and this also might easily be corrected. The other irregularities I attribute to the author. These consist, first, in the use of 'dame' in several lines as a monosyllable,. and I am disposed to think that this word was sometimes so pronounced, see Phonol. § ix (*c*); secondly, in the introduction of a superfluous unaccented syllable at a pause after the second foot, which occurs in 10623, 10628 (and perhaps 3160); thirdly, in the omission of the unaccented syllable at the beginning of the verse, as :

> 'Prestre, Clerc, Reclus, Hermite,'—2742;
> 'Doun, priere, amour, doubtance,'—24625;
> 'Homme; et puis de l'omme prist'—26830.

Considering how often lines of this kind occur in other Anglo-Norman verse, and how frequent the variation is generally in the English octosyllables of the period, we may believe that even Gower, notwithstanding his metrical strictness, occasionally introduced it into his verse. It may be noted that the three lines just quoted resemble one another in having each a pause after the first word.

With all this 'correctness,' however, the verses of the *Mirour* have an unmistakably English rhythm and may easily be dis-tinguished from French verse of the Continent and from that of the earlier Anglo-Norman writers. One of the reasons for this is that the verse is in a certain sense accentual as well as syllabic, the writer imposing upon himself generally the rule of the alternate beat of accents and seldom allowing absolutely weak syllables[1] to stand in the even places of his verse. Lines such as these of Chrétien de Troyes,

> 'Si ne semble pas qui la voit
> Qu'ele puisse grant fès porter,'

and these of Frère Angier,

> 'Ses merites et ses vertuz,
> Ses jeûnes, ses oreisons,
>
> . . . . . .
>
> Et sa volontaire poverte
> Od trestote s'autre desserte,'

are quite in accordance with the rules of French verse, but very few such lines will be found in the *Mirour*. Some there are, no doubt, as 3327 :

> 'D'envie entre la laie gent,'

or 3645 :

> 'Que nuls en poet estre garny.'

So also 2925, 3069, 4310 &c., but they are exceptional and attract our notice when they occur. An illustration of the difference between the usage of our author and that of the Continent is afforded by the manner in which he quotes from Hélinand's *Vers de la Mort*. The text as given in the *Hist. Litt. de la France*, xviii. p. 88, is as follows (with correction of the false reading 'cuevre') :

> 'Tex me couve dessous ses dras,
> Qui cuide estre tous fors et sains.'

Gower has it

> 'Car tiel me couve soubz ses dras,
> Q'assetz quide estre fortz et seins.'

He may have found this reading in the original, of which there are several variants, but the comparison will none the less illustrate the difference of the rhythms.

SUBJECT-MATTER AND STYLE.—The scheme of the *Speculum Hominis* is, as before stated, of a very ambitious character. It is intended to cover the whole field of man's religious and moral nature, to set forth the purposes of Providence in dealing with him, the various degrees of human society and the faults chargeable to each class of men, and finally the method which

---

[1] Under this head I do not include the termination (*-ont* or *-ent*) of the 3 pers. pl. pres. tense, which was apparently to some extent accented, see ll. 1265, 1803, 1820, &c., and in one stanza even bears the rhyme (20294 ff.).

should be followed by man in order to reconcile himself with the God whom he has offended by his sin. This is evidently one of those all-comprehending plans to which nothing comes amiss; the whole miscellany of the author's ideas and knowledge, whether derived from books or from life, might be poured into it and yet fail to fill it up. Nevertheless the work is not an undigested mass : it has a certain unity of its own,—indeed in regard to connexion of parts it is superior to most medieval works of the kind. The author has at least thought out his plan, and he carries it through to the end in a laboriously conscientious manner. M. Jusserand in his *Literary History of the English People* conjectured reasonably enough that if this work should ever be discovered, it would prove to be one of those tirades on the vices of the age which in French were known as 'bibles.' It is this and much more than this. In fact it combines the three principal species of moral compositions all in one framework,—the manual of vices and virtues, the attack on the evils of existing society from the highest place downwards, and finally the versified summary of Scripture history and legend, introduced here with a view to the exaltation and praise of the Virgin. In its first division, which extends over nearly two-thirds of the whole, our author's work somewhat resembles those of Frère Lorenz, William of Waddington and other writers, who compiled books intended to be of practical use to persons preparing for confession. For those who are in the habit of constant and minute self-examination it is necessary that there should be a distinct classification of the forms of error to which they may be supposed to be liable, and sins must be arranged under headings which will help the memory to recall them and to run over them rapidly. The classification which is based upon the seven mortal sins is both convenient and rational, and such books as the *Somme des Vices et des Vertus* and the *Manuel des Pechiez*, with the English translations or adaptations of them, were composed for practical purposes. While resembling these in some respects, our author's work is not exactly of the same character. Their object is devotional, and form is sacrificed to utility. This is obvious in the case of the first-named book, the original, as is well known, of the *Ayenbite of Inwyt* and of Chaucer's *Persones Tale*, and it is also true of the *Manuel des Pechiez*, though that is written in verse and has stories intermingled with the moral rules by way of illustration. The author of this work states his purpose at once on setting forth :

> ' La vertu del seint espirit
> Nus seit eidant en cest escrit,
> A vus les choses ben mustrer,
> Dunt hom se deit confesser,
> E ausi en la quele manere.'

Upon which he proceeds to enumerate the various subjects of which he thinks it useful to treat, which are connected by no tie except that of practical convenience : ' First we shall declare the true faith, which is the foundation of our law . . . Next we shall place the commandments, which every one ought to keep ; then the seven mortal sins, whence spring so many evils . . . Then you will find, if you please, the seven sacraments of the Church, then a sermon, and finally a book on confession, which will be suitable for every one.'

On the other hand the *Mirour de l'omme* is a literary production, or at least aspires to that character, and as such it has more regularity of form, more ornaments of style, and more display of reading. The division and classification in this first part, which treats of vices and of virtues, have a symmetrical uniformity ; instead of enumerating or endeavouring to enumerate all the subdivisions under each head, all the numerous and irregularly growing branches and twigs which spring from each stem, the author confines himself to those that suit his plan, and constructs his whole edifice on a perfectly regular system. The work is in fact so far not a manual of devotion, but rather a religious allegory. The second part, which is ingeniously brought into connexion with the same general plan, resembles, as has been said, such compositions as the *Bible Guiot de Provins*, except that it is very much longer and goes into far more elaborate detail on the various classes of society and their distinctive errors. Here the author speaks more from his own observation and less from books than in the earlier part of his poem, and consequently this division is more original and interesting. Many parts of it will serve usefully to confirm the testimony of other writers, and from some the careful student of manners will be able to glean new facts. The last 2,500 lines, a mere trifle compared with the bulk of the whole, contain a Life of the Virgin, as the principal mediator between God and man, and the book ends (at least as we have it) with not unpoetical praises and prayers addressed to her.

It remains to be seen how the whole is pieced together.

Sin, we are told, is the cause of all evils, and brought about first the fall of Lucifer and of his following from Heaven, and then the expulsion of Adam from Paradise. In a certain sense Sin existed before all created things, being in fact that void or chaos which preceded creation, but also she was a daughter conceived by the Devil, who upon her engendered Death (1–216). Death and Sin then intermarrying produced the seven deadly Vices, whose names are enumerated, and the Devil, delighted by his progeny, sent Sin and her seven daughters to gain over the World to his side, and then called a conference with a view to defeating the designs of Providence for the salvation of Man, and of consummating the ruin which had already been in part effected (217–396). They resolved to send Temptation as a messenger to Man, and invite him to meet the Devil and his council, who would propose to him something from which he would get great advantage. He came, but before his coming Death had been cunningly hidden away in an inner chamber, so that Man might not see him and be dismayed. The Devil, Sin and the World successively addressed him with their promises, and Temptation, the envoy, added his persuasion, so that at length the Flesh of Man consented to be ruled by their counsels. The Soul, however, rejected them and vehemently expostulated with the Flesh, who was thus resolved to follow a course which would in the end ruin them both (397–612). The Flesh wavered and was in part dismayed, but was unable altogether to give up the promised delights; upon which the Soul informed her of Death, who had been treacherously concealed from her view, and to counteract the renewed enticements of Sin called in Reason and Fear to convince the Flesh of her folly. Reason was overcome in argument by Temptation, but Fear took the Flesh by the hand and led her to the place where Death lay concealed. The Flesh trembled at sight of this horrid creature, and Conscience led her back to Reason, who brought her into agreement with the Soul, and thus for the time the designs of the Devil and of Sin were frustrated (613–756). The Devil demanded that Sin should devise some remedy, and she consulted with the World, who proposed marriage between himself and the seven daughters of Sin, in order that from them offspring might be

*
d

produced by means of which Man might the more readily be
overcome. The marriage was arranged and the daughters of Sin
went in procession to their wedding. Each in turn was taken in
marriage by the World, and of them the first was Pride (757–1056).
By her he had five daughters, each of whom is described at length,
namely Hypocrisy, Vainglory, Arrogance, Boasting and Disobe-
dience, and lastly comes the description of Pride herself (1057–
2616). The same order is observed with regard to the rest. The
daughters of Envy are Detraction, Sorrow for others' Joy,
Joy for others' Grief, Supplanting and Treachery (Fals semblant)
(2617–3852). Anger has for her daughters Melancholy, Conten-
tion, Hatred, Strife, and Homicide (3853–5124). Sloth produces
Somnolence, Laziness (or Pusillanimity), Slackness, Idleness,
Negligence (5125–6180). Avarice bears Covetousness, Rapine,
Usury, Simony and Niggardy (6181–7704). Gluttony's daughters
are Voracity, Delicacy, Drunkenness, Superfluity, Prodigality
(7705–8616). Finally, Lechery is the mother of Fornication,
Rape, Adultery, Incest and Vain-delight (8617–9720). The
Devil assembled all the progeny of the Vices and demanded the
fulfilment of the promise made by the World, that Man should
be made subject to him, and they all together made such a violent
attack upon Man, that he surrendered himself to their guidance
and came to be completely in the power of Sin, whose evil influence
is described (9721–10032). Reason and Conscience prayed to
God for assistance against the Vices and their progeny, and God
gave seven Virtues, the contraries of the seven Vices, in marriage
to Reason, in order that thence offspring might be born which
might contend with that of the Vices (10033–10176). Each of
these, as may readily be supposed, had five daughters. Humility,
who is the natural enemy of Pride, produced ·Devotion to set
against Hypocrisy, Fear against Vainglory, Discretion against
Arrogance, Modesty against Boasting, and Obedience against
Disobedience, and after the description of all these in succession
follows that of Humility herself (10177–12612). So of the rest;
the five daughters of Charity, namely Praise, Congratulation,
Compassion, Help and Goodwill, are opposed each in her turn
to the daughters of Envy, as Charity is to Envy herself (12613–
13380). Patience, the opponent of Anger, has for her daughters
Good-temper, Gentleness, Affection, Agreement and Mercy
(13381–14100). Prowess, the opposite of Sloth, is the mother of

Watchfulness, Magnanimity, Resolution, Activity and Learning (or Knowledge), to the description of which last is added an exhortation to self-knowledge and confession of sins (14101-15180). Generosity, the contrary of Avarice, produces Justice, Liberality, Alms-giving, Largess and Holy-purpose, this fifth daughter being the opposite of Simony, the fourth daughter of Avarice, as Largess is of Niggardy, the fifth (15181-16212). Measure, the contrary of Gluttony, is the mother of Dieting, Abstinence, Nourishment, Sobriety, Moderation (16213-16572). Chastity, the enemy of Lechery, has for her daughters Good-care (against Fornication), Virginity, Matrimony, Continence and Hard-life (16573-18372).

Let us now, says our author, observe the issue of this strife for the conquest of Man, in which the Flesh inclines to the side of the Vices, and the Soul to that of Reason and the Virtues. We must examine the whole of human society, from the Court of Rome downwards, to decide which has gained the victory up to this time, and for my part I declare that Sin is the strongest power in this world and directs all things after her will and pleasure (18373-18420). Every estate of Man, therefore, is passed in review and condemned—the Pope and the Cardinals (18421-19056), the Bishops (19057-20088), the lower dignitaries of the Church, Archdeacons and others (20089-20208), the parish priests, the chantry priests, and those preparing for the priesthood (20209-20832), the members of religious orders, first the monks and then the friars (20833-21780), the secular rulers of the world, Emperors and Kings (21781-23208), great lords (23209-23592), knights and men of arms (23593-24180), the men of the law, pleaders and judges (24181-24816), the sheriffs, reeves and jury-men (24817-25176), the class of merchants and traders (25177-25500), that of artificers (25501-25980), victuallers (25981-26424), labourers (26425-26520). In short, all estates have become corrupted; whether the lay people are more to blame for it or the priests the author will not say, but all agree in throwing the blame on the world (or the age) and in excusing themselves (26521-26604). He addresses the world and asks whence comes all the evil of which he complains. Is it from earth, water, air or fire? No, all these are good in themselves. Is it from the heavenly bodies, sun, moon, stars, planet or comet? No, for the prayer of a good man can overcome all their influences. Is it from plants, birds, or beasts? But these all follow nature and do good.

From what then is this evil? It is surely from that creature to whom God has given reason and submitted all things on earth, but who transgresses against God and does not follow the rules of reason. It is from Man that all the evils of the age arise, and we read in prophecy that for the sin of Man all the world, with the creatures which it contains, shall be troubled. Man is a microcosm, an abridgement of the world, and it is no wonder that all the elements should be disturbed when he transgresses (26605–26964). On the other hand the good and just man can command the elements and the powers of the material world, as Joshua commanded the sun and moon to stand still and as the saints have done at all times by miracles, and he is victorious at last even over Death, and attains to immortality by the grace of God (26965–27120). Surely, then, every man ought to desire to repent of his sin and to turn to God, that so the world may be amended and we may inherit eternal life. The author confesses himself to be as great a sinner as any man; but hope is his shield by the aid and mercy of Jesus Christ, notwithstanding that he has so idly wasted his life and comes so late to repentance (27121–27360). But how can he escape from his sins, how can he dare to pray, with what can he come before his God? Only by the help of his Lady of Pity, Mary, maid and mother, who will intercede for him if he can obtain her favour. Therefore he desires, before finishing his task, to tell of her conception and birth, her life and her death (27361–27480). Upon this follows the tale of the Nativity of the Virgin, as we find it (for example) in the *Legenda Aurea*, her childhood and espousal, the Nativity of Jesus Christ and the joys of our Lady, the Circumcision and the Purification, the baptism of our Lord, his miracles and his passion, the Resurrection, the sorrows of our Lady and her joys, the Ascension and the descent of the Spirit, the life of the Virgin Mary with St. John, her death, burial, and assumption; and the poet concludes his narrative with a prayer to both Son and Mother that they will have mercy upon his pain because of the pains which they themselves suffered, and give him that joy in which they now rejoice. Especially he is bound to celebrate the praise of his Lady, who is so gentle and fair and so near to God who redeemed us (27481–29904). He begins therefore to tell first of the names by which she is called, and with the praises of her, no doubt, he ended his book, which, as we have it, breaks off at l. 29945.

This, it will be seen, is a literary work with due connexion of parts, and not a mere string of sermons. At the same time it must be said that the descriptions of vices and virtues are of such inordinate length that the effect of unity which should be produced by a well-planned design is almost completely lost, and the book becomes very tiresome to read. We are wearied also by the accumulation of texts and authorities and by the unqualified character of the moral judgements. The maxim in l. 25225,

> ' Les bons sont bons, les mals sont mals,'

is thoroughly characteristic of Gower, and on the strength of it he holds a kind of perpetual Last Judgement, in which he is always engaged in separating the sheep from the goats and dealing out to the latter their doom of eternal fire. The sentence sounds like a truism, but it contains in fact one of the grossest of fallacies. In short, our author has little sense of proportion and no dramatic powers.

As regards the invention of his allegory he seems to be to some extent original. There is nothing, so far as I know, to which we can point as its source, and such as it is, he is apparently entitled to the credit of having conceived it. The materials, no doubt, were ready to his hand. Allegory was entirely in the taste of the fourteenth century, dominated as it was by the influence of the *Roman de la Rose*, from which several of Gower's personifications are taken. The *Mariage des Sept Arts* was a work of this period, and the marriage of the Deadly Sins was not by any means a new idea. For example in MS. Fairfax 24 (Bodleian Libr.) there is a part of a French poem 'de Maritagio nouem filiarum diaboli,' which begins,

> ' Li deable se vout marier,
> Mauveisté prist a sa moiller :
> .   .   .   .
> De ceste ix filles engendra
> Et diversement les marya,' &c.

And no doubt other pieces of a similar kind exist.

The same is true as regards the other parts of the book, as has been already pointed out; the combination alone is original.

The style is uniformly respectable, but as a rule very monotonous. Occasionally the tedium is relieved by a story, but it is not generally told in much detail, and for the most part the reader has to toil through the desert with little assistance. It must not be supposed, however, that the work is quite without poetical merit. Every now and then by some touch of description the author betrays himself as the graceful poet of the *Balades*, his better part being crushed under mountains of morality and piles of deadly learning, but surviving nevertheless. For example, the priest who neglects his early morning service is reminded of the example of the lark, who rising very early mounts circling upward and pours forth a service of praise to God from her little throat:

> 'Car que l'en doit sanz nul destour
> Loenge rendre au creatour
> Essample avons de l'alouette,
> Que bien matin de tour en tour
> Monte, et de dieu volant entour
> Les laudes chante en sa gorgette.' (5635 ff.)

Again, Praise is like the bee which flies over the meadows in the sunshine, gathering that which is sweet and fragrant, but avoiding all evil odours (12853 ff.). The robe of Conscience is like a cloud with ever-changing hues (10114 ff.). Devotion is like the sea-shell which opens to the dew of heaven and thus conceives the fair white pearl; not an original idea, but gracefully expressed:

> 'Si en resçoit le douls rosé,
> Que chiet du ciel tout en celée,
> Dont puis deinz soi ad engendré
> La margarite blanche et fine;
> Ensi Devocioun en dée
> Conceipt, s'elle est continué,
> La Contemplacioun divine.' (10818 ff.)

The lines in which our author describes the life of the beggar show that, though he disapproves, he has a real understanding of the delights of vagabondage, with its enjoyment of the open-air life, the sunshine, the woods, and the laziness:

> 'Car mieulx amont la soule mie
> Ove l'aise q'est appartenant,
> C'est du solail q'est eschaulfant,
> Et du sachel acostoiant,
> Et du buisson l'erbergerie,
> Que labourer pour leur vivant' &c. (5801 ff.)

Other descriptions also have merit, as for example that of the

procession of the Vices to their wedding, each being arrayed and
mounted characteristically (841 ff.), a scene which it is interesting
to compare with the somewhat similar passage of Spenser, *Faery
Queene*, i. 4, that of Murder rocked in her cradle by the Devil
and fed with milk of death (4795), and that of Fortune smiling
on her friends and frowning on her enemies (22081 ff.).

Contemplation is described as one who loves solitude and
withdraws herself from the sight, but it is not that she may
be quite alone : she is like the maiden who in a solitary place
awaits her lover, by whose coming she is to have joy in secret
(10597 ff.). The truly religious man, already dead in spirit
to this world, desires the death of the body 'more than the
mariner longs for his safe port, more than the labourer desires his
wage, the husbandman his harvest, or the vine-dresser his vintage,
more than the prisoner longs for his ransoming and deliverance,
or the pilgrim who has travelled far desires his home-coming'
(10645 ff.). Such passages as these show both imagination
and the power of literary expression, and the stanzas which
describe the agony of the Saviour are not wholly unworthy of
their high subject :

> 'Par ce q'il ot le corps humein
> Et vist la mort devant la mein,
> Tant durement il s'effroia,
> Du quoy parmy le tendre grein
> Du char les gouttes trestout plein
> Du sanc et eaue alors sua ;
> Si dist : O piere, entendes ça,
> Fai que la mort me passera,
> Car tu sur tout es soverein ;
> Et nepourqant je vuil cela
> Que vous vuilletz que fait serra,
> Car je me tiens a toy certein.'   (28669 ff.)

The man who wrote this not only showed some idea of the
dignified handling of a tragic theme, but also had considerable
mastery over the instruments that he used ; and in fact the
technical skill with which the stanza is used is often remarkable.
There is sometimes a completeness and finish about it which
takes us by surprise. The directions which our author gives
us for a due confession of our sins are not exactly poetical,
but the manner in which all the various points of *Quomodo*
are wrapped up in a stanza, and rounded off at the end of it
(14869 ff.) is decidedly neat ; and the same may be said of the

reference to the lives of the holy fathers, as illustrating the nature
of 'Aspre vie':

> 'Qui list les vies des saintz pieres,
> Oïr y puet maintes manieres
> De la nature d'Aspre vie:
> Les uns souleins en les rocheres,
> Les uns en cloistre ove lour confreres,
> Chascun fist bien de sa partie;
> Cil plourt, cist preche, cil dieu prie,
> Cist june et veille, et cil chastie
> Son corps du froid et des miseres,
> Cist laist sa terre et manantie,
> Cil laist sa femme et progenie,
> Eiant sur tout leur almes cheres.'   (18253 ff.)

In fact, he is a poet in a different sense altogether from his
predecessors, superior to former Anglo-Norman writers both in
imagination and in technical skill; but at the same time he is
hopelessly unreadable, so far as this book as a whole is concerned,
because, having been seized by the fatal desire to do good in his
generation, 'villicacionis sue racionem, dum tempus instat, . . .
alleuiare cupiens,' as he himself expresses it, he deliberately deter-
mined to smother those gifts which had been employed in the
service of folly, and to become a preacher instead of a poet.
Happily, as time went on, he saw reason to modify his views in
this respect (as he tells us plainly in the *Confessio Amantis*), and he
became a poet again; but meanwhile he remains a preacher, and
not a very good one after all.

QUOTATIONS.—One of the characteristic features of the *Mirour*
is the immense number of quotations. This citation of authorities
is of course a characteristic of medieval morality, and appears in
some books, as in the *Liber Consolationis* and other writings of
Albertano of Brescia, in an extreme form. Here the tendency
is very pronounced, especially in the part which treats of Vices
and Virtues, and it is worth while to inquire what range of
reading they really indicate. A very large number are from
the Bible, and there can be little doubt that Gower knew the
Bible, in the Vulgate version of course, thoroughly well. There
is hardly a book of the Old Testament to which he does not
refer, and he seems to be acquainted with Bible history even
in its obscurest details. The books from which he most
frequently quotes are *Job*, *Psalms*, *Proverbs*, *Isaiah*, *Jeremiah*,
and *Ecclesiasticus*, the proverbial morality of this last book

being especially congenial to him. The quotations are some-
times inexact, and occasionally assigned to the wrong book;
also the book of *Ecclesiasticus*, which is quoted very frequently,
is sometimes referred to under the name of Sidrac and sometimes
of Solomon : but there can be no doubt in my opinion that these
Biblical quotations are at first hand. Of other writers Seneca,
who is quoted by name nearly thirty times, comes easily first.
Some of the references to him seem to be false, but it is possible
that our author had read some of his works. Then come several
of the Latin fathers, Jerome, Augustin, Gregory, Bernard, and,
not far behind these, Ambrose. The quotations are not always
easy to verify, and in most cases there is nothing to indicate that
the books from which they are taken had been read as a whole.
No doubt Gower may have been acquainted with some portions of
them, as for instance that part of Jerome's book against Jovinian
which treats of the objections to marriage, but it is likely enough
that he picked up most of these quotations at second hand.
There are about a dozen quotations from Cicero, mostly from
the *De Officiis* and *De Amicitia*, but I doubt whether he had
read either of these books. In the *Confessio Amantis* he speaks
as if he did not know that Tullius was the same person as Cicero
(iv. 2648). Boethius is cited four times, one of the references being
false ; Cassiodorus and Isidore each four times, and Bede three
times. Stories of natural history seem to be referred rather indis-
criminately to Solinus, for several of these references prove to be
false. Three quotations are attributed by the author to Horace
('Orace'), but of these one is in fact from Ovid and another from
Juvenal. He certainly got them all from some book of common-
places. The same may be said of the passage alleged to be from
Quintilian and of the references to Aristotle and to Plato. 'Marcial,'
who is quoted three times, is not the classical Martial, but the
epigrammatist Godfrey of Winchester, whose writings were
in imitation of the Roman poet and passed commonly under
his name. The distichs of Cato are referred to five times, and
it is certain of course that Gower had read them. Ovid is
named only once, and that is a doubtful reference, but the
author of the *Confessio Amantis* was certainly well acquainted at
least with the *Metamorphoses* and the *Heroides*. Valerius Maximus
is the authority for two stories, but it is doubtful whether he is
quoted at first hand. Fulgentius is cited twice, and 'Alphonses,'

that is Petrus Alphonsi, author of the *Disciplina Clericalis*, twice.
'Pamphilius' (i.e. *Pamphilus, de Amore*) is cited once, but not in
such a way as to suggest that Gower knew the book itself; and so
too Maximian, but the passage referred to does not seem to be in
the *Elegies*. The quotation from Ptolemy is, as usual, from the
maxims often prefixed in manuscripts to the *Almagest*. Other
writers referred to are Chrysostom, Cyprian, Remigius, Albertus
Magnus, Hélinand, Haymo, and Gilbert. We know from a
passage in the *Confessio Amantis* that Gower had read some of
the works of Albertus, and we may assume as probable that
he knew Gilbert's *Opusculum de Virginitate*, for his reference
is rather to the treatise generally than to any particular passage
of it.

He was acquainted, no doubt, with the *Legenda Aurea* or some
similar collection, and he seems to refer also to the *Vitae Patrum*.
The moral and devotional books of his own day must have been
pretty well known to him, as well as the lighter literature, to which
he had himself contributed (*Mir.* 27340). On the whole we must
conclude that he was a well-read man according to the standard
of his age, especially for a layman, but there is no need to
attribute to him a vast stock of learning on the strength of the
large number of authors whom he quotes.

PROVERBS, &c.—Besides quotations from books there will be
found to be a number of proverbial sayings in the *Mirour*, and
I have thought it useful to collect some of these and display
them in a manner convenient for reference. They are given in
the order in which they occur:

    1726. 'Chien dormant n'esveilleras.'
    1783.   'l'en voit grever
          Petite mosche au fort destrer.'
    1944. 'Pour tout l'avoir du Montpellers.'
    2119. 'Mais cil qui voet le mont monter,
          Ainçois l'estoet le doss courber,
          Qu'il truist la voie droite et pleine.'
    2182. 'Au despitous despit avient.'
    5521. 'Om dist, manace n'est pas lance.'
    5593. 'Endementiers que l'erbe es vals
          Renaist et croist, moert ly chivals.'
    5668. 'Cil qui ne voet quant ad pooir
          N'el porra puis qant ad voloir.'
    5811. 'Dieus aide a la charette.'
    6660. 'Poverte parte compaignie.'

7138. 'Mais l'en dist, qui quiert escorchée
Le pell du chat, dont soit furrée,
Luy fault aucune chose dire.'

7237. 'Comme cil qui chat achatera
El sac.'

7319. 'pour le tresor de Pavie.'

7969. 'Oisel par autre se chastie.'

8789. 'Aviene ce q'avenir doit.'

8836. 'Mais en proverbe est contenu,
Ly cous ad tout son fiel perdu
Et ad dieu en son cuer devant.'

9307. 'Quant fole vait un fol querir,
Du fol trover ne poet faillir.'

9446. 'Ce que polain prent en danture
Toute sa vie apres dura.'

12724. 'Escript auci j'en truis lisant,
Au vois commune est acordant
La vois de dieu.'

13116. 'du mal nage malvois port.'

13489. 'C'est un proverbe de la gent,
Cil qui plus souffre bonnement
Plus valt.'

14440. 'l'en dist en essampler
Qe dieus tous biens fait envoier,
Mais par les corns le boef n'apporte.'

15405. 'Ne fait, comme dire l'en soloit,
De l'autry quir large courroie.' (Cp. 24995.)

16117. 'L'en dist ensi communement
Bon fin du bon commencement.'

16511. 'vendre
Son boef pour manger le perdis.'

16532. 'Du poy petit.' (Cp. 15499.)

16943. 'Qant piere hurte a la viole,
Ou l'ostour luite au russinole,
Savoir poetz q'ad le peiour.'

17257. 'Om dist, Tant as, tant vals.'

17555. 'Qant homme ad paié sa monoie,
Quoy valt ce lors a repentir ?'

18013. 'L'en dist ensi communement,
Retrai le fieu bien sagement
Et la fumée exteinderas.'

18020. 'courser megre ne salt pas.'

20420. 'Cil qui sanz draps se fait aler,
Mal avera son garçon vestu.'

21085. 'Ly moigne, ensi comme truis escrit,
Ne sont pas fait de leur habit.'

22927. 'la fortune a les hardis
S'encline.'

23413. 'Trop est l'oisel de mesprisure
Q'au son ny propre fait lesure.'

24230. 'L'un covoitous et l'autre fals
Ils s'entracordont de leger.'
24265. 'Nul trop nous valt, sicomme l'en dist.'
24962. 'Sicome crepaldz dist al herice,
Maldit soient tant seigneurant.'
25010. 'Om doit seignour par la maisnie
Conoistre.'
25015. 'tiel corsaint, tiel offrendour.'
25302. 'Te dourra craie pour fourmage.'
27867. 'qui bien ayme point n'oublie.'
28597. 'De la proverbe me sovient,
Q'om dist que molt sovent avient
Apres grant joye grant dolour.'

Akin to the proverbs are the illustrations from Natural History, real or fictitious, of which there is a considerable number in the *Mirour*. These are of very various classes, from simple facts of ordinary observation to the monstrous inventions of the Bestiaries, which were repeated by one writer after another with a faith which rested not on any evidence of the facts stated, but upon their supposed agreement with the fitness of things, that is, practically, their supposed aptness as moral lessons, the medieval idea of the animal world being apparently that it was created and kept in being largely for the instruction of mankind. In taking the glow-worm as an illustration of hypocrisy (1130), the lark of joyous thankfulness (5637), the grasshopper of improvidence (5821), the lapwing of female dissimulation (8869), the turtle-dove of constancy (17881), the drone of indolence (5437), the camel of revengeful malice (4417), and the blind kitten of drunken helplessness (8221), the author is merely making a literary use of every-day observation. There are however, as might be expected, plenty of illustrations of a more questionable character. Presumption is like the tiger beguiled with the mirror (1561); the proud man who is disobedient to law is like the unicorn, which cannot be tamed (2101); the devil breaking down the virtue of a man by raising him high in his own conceit is like the osprey, which carries bones high in the air and breaks them by dropping them upon rocks (1849); Envy, who destroys with her breath the honour of all around her, is like the basilisk which kills all vegetation in the place where it is found (3745); the man-faced bird, which pines away because it has slain a man, is produced as a lesson to murderers

(5029); the bad father, who teaches his sons to plunder the poor, is like the hawk, which beats its young and drives them from the nest in order that they may learn to kill prey for themselves (7009); the partridge is a lesson against stinginess (7671); the contagiousness of sin is illustrated by the fact that the panther infects other animals with his spots (9253), and yet in another place (12865) the sweetness of the human voice when it utters praise is compared to the fragrance of the panther's breath. Contemplation is like the 'chalandre,' which flies up at midnight to the sky, and when on the earth will not look upon a dying person (10705); the fight between Arimaspians and griffons for emeralds is an image created for our instruction of the contest between the soul of man and the devil (10717); Devotion, who opens herself secretly to heaven and thus attains to the divine contemplation, is like the sea-shell which opens to the dew by night and from it conceives the pearl (10813); the spittle of a fasting man (according to Ambrose) will kill a serpent, and the fast itself will no doubt be effectual against the old serpent our enemy (18025). The bee does not come off well on the whole in these comparisons: he is chosen as the likeness of the idle and luxurious prelate, but this is for reasons which are not in themselves at all obvious, except that he has a sting and is unduly fond of sweets (19345). The prelate who protects his flock from encroachments of the royal or other authority is like the big fish which takes the smaller into its mouth to shelter them from the storm (19909); Humility is like the diamond, which refuses a setting of gold, but is drawn to the lowly iron, a confusion with the load-stone, arising from the name 'adamant' applied to both (12463). These are some of the illustrations which are drawn from the domain of Natural History, not original for the most part, but worth noting as part of the literary baggage of the period.

THE AUTHOR AND HIS TIMES.—We may gather from the *Mirour* some few facts about the personality of the author, which will serve to supplement in some degree our rather scanty knowledge of Gower's life. He tells us here that he is a layman (21772), but that we knew already; and that he knows little Latin and little French,—'Poi sai latin, poi sai romance' (21775), but that is only his modesty; he knows quite enough of both. He has spent his life in what he now regards as folly or

doubt the business of exporting wool would be combined with that of importing foreign manufactured goods of some kind. It is known from other sources that Gower was a man who gradually acquired considerable property in land, and the references in the *Mirour* to the dearness of labour and the unreasonable demands of the labourer (24625 ff.) are what we might expect from a man in that position.

He tells us that he is a man of simple tastes, that he does not care to have 'partridges, pheasants, plovers, and swans' served up at his table (26293 ff.); that he objects however to finding his simple joint of meat stuck full of wooden skewers by the butcher, so that when he comes to carve it he blunts the edge of his knife (26237 ff.). We know moreover from the whole tone of his writings that he is a just and upright man, who believes in the due subordination of the various members of society to one another, and who will not allow himself to be ruled in his own household either by his wife or his servants. He thinks indeed that the patience of Socrates is much over-strained, and openly declares that he shall not imitate it:

'Qui ceste essample voet tenir
Avise soy; car sans mentir
Je ne serray si pacient.' (4186 ff.)

But, though a thorough believer in the principle of gradation in human society, he emphasizes constantly the equality of all men before God and refuses absolutely to admit the accident of birth as constituting any claim whatever to 'gentilesce.' The common descent of all from Adam is as conclusive on this point for him as it was for John Ball (23389 ff.), and he is not less clear and sound on the subject of wealth. Considering that his views of society are essentially the same as those of Wycliff, and considering also his strong views about the corruption of the Church and the misdeeds of the friars, it is curious to find how strongly he denounces 'lollardie' in his later writings.

He has a just abhorrence of war, and draws a very clear-sighted distinction between the debased chivalry of his day and the true ideal of knighthood, the one moved only by impulses of vainglorious pride and love of paramours,

'Car d'orguil ou du foldelit,
Au jour present, sicomme l'en dist,
Chivalerie est maintenue.' (23986 ff.)

and the other, set only on serving God and righting the wrong, represented finely in the character of Prowess :

> ' Il ad delit sanz fol amour,
> Proufit sanz tricher son prochein,
> Honour sanz orguillous atour.' (15176 ff.)

Above all, our author has a deep sense of religion, and his study has been much upon the Bible. He deeply believes in the moral government of the world by Providence, and he feels sure, as others of his age also did, that the world has almost reached its final stage of corruption. Whatever others may do, he at least intends to repent of his sins and prepare himself to render a good account of his stewardship.

Let us pass now from the person of the author and touch upon some of those illustrations of the manners of the time which are furnished by the *Mirour*. In the first place it may be said that in certain points, and especially in what is said of the Court of Rome and the Mendicant orders, it fully confirms the unfavourable impression which we get from other writers of the time. Gower has no scruples at any time in denouncing the temporal possessions of the Church as the root of almost all the evil in her, and here as elsewhere he tells the story of the donation of Constantine, with the addition of the angelic voice which foretold disaster to spring from it. Of dispensations, which allow men to commit sin with impunity, he takes a very sound view. Not even God, he says, can grant this, which the Pope claims the power to grant (18493). The Mendicant friars are for him those 'false prophets' of whom the Gospel spoke, who should come in sheep's clothing, while inwardly they were ravening wolves. He denounces their worldliness in the strongest language, and the account of their visits to poor women's houses, taking a farthing if they cannot get a penny, or a single egg if nothing else is forthcoming (21379), reminds us vividly of Chaucer's picture of a similar scene. But in fact the whole of the Church seems to our author to be in a wrong state. He does not relieve his picture of it by any such pleasing exception as the parish priest of the *Canterbury Tales*. He thinks that it needs reform from the top to the bottom ; the clergy of the parish churches are almost as much to blame as the prelates, monks and friars, and for him it is the

*   e

corruption of the Church that is mainly responsible for the decadence of society (21685 ff.). These views he continued to hold throughout his life, and yet he apparently had no sympathy whatever with Lollardism (*Conf. Am. Prol.* 346 ff. and elsewhere). His witness against the Church comes from one who is entirely untainted by schism. Especially he is to be listened to when he complains how the archdeacons and their officers abuse the trust committed to them for the correction of vices in the clergy and in the laity. With the clergy it is a case of 'huy a moy, demain a vous'—that is, the archdeacon or dean, being immoral himself, winks at the vices of the clergy in order that his own may be overlooked; the clergy, in fact, are judges in their own cause, and they stand or fall together. If, however, an unfortunate layman offends, they accuse him forthwith, in order to profit by the penalties that may be exacted. 'Purs is the erchedeknes helle,' as Chaucer's Sompnour says, and Gower declares plainly that the Church officials encourage vice in order that they may profit by it: 'the harlot is more profitable to them,' he says, 'than the nun, and they let out fornication to farm, as they let their lands' (20149 ff.).

Setting aside the Church, we may glean from the *Mirour* some interesting details about general society, especially in the city of London. There is a curious and life-like picture of the gatherings of city dames at the wine-shop, whither with mincing steps they repair instead of to church or to market, and how the vintner offers them the choice of Vernazza and Malvoisie, wine of Candia and Romagna, Provence and Monterosso—not that he has all these, but to tickle their fancies and make them pay a higher price—and draws ten kinds of liquor from a single cask. Thus he makes his gain and they spend their husbands' money (26077 ff.). We find too a very lively account of the various devices of shopkeepers to attract custom and cheat their customers. The mercer, for example, is louder than a sparrow-hawk in his cries; he seizes on people in the street and drags them by force into his shop, urging them merely to view his kerchiefs and his ostrich feathers, his satins and foreign cloth (25285 ff.). The draper will try to sell you cloth in a dark shop, where you can hardly tell blue from green, and while making you pay double its value will persuade you that he is giving it away because of his regard for you and desire for your acquaintance (25321 ff.). The goldsmith purloins the gold and silver with which you supply him and puts a base alloy in its place; moreover, if he has made a cup for you and you do not call for it at once, he will probably sell it to the first comer as his own, and tell you that yours was spoilt in the making and you must wait till he can make you another (25513 ff.). The druggist not only makes profit out of sin by selling paints and cosmetics to women, but joins in league with the physician and charges exorbitantly for making up the simplest prescription (25609 ff.). The furrier stretches the fur with which he has to trim the mantle, so that after four days' wear it is obvious that the cloth and the fur do not match one another (25705 ff.). Every kind of food is adulterated and is sold by false weights and measures. The baker is a scoundrel of course, and richly deserves hanging (26189), but the butcher is also to blame, and especially because he declines altogether to recognize the farthing as current coin and will take nothing less than a penny, so that poor people can get no meat (26227). Wines are mixed, coloured and adulterated; what they call Rhenish probably grew on the banks of the Thames (26118). If you order beer for your household, you get it good the first time and perhaps also the second, but after that no more; and yet for the bad as high a price is charged as for the good (26161 ff.). Merchants in these days talk of thousands, where their fathers talked of scores or hundreds; but their fathers lived honestly and paid their debts, while these defraud all who have dealings with them. When you enter their houses, you see tapestried rooms and curtained chambers, and they have fine plate upon the tables, as if they were dukes; but when they die, they are found to have spent all their substance, and their debts are left unpaid (25813 ff.).

In the country the labourers are discontented and disagreeable. They do less work and demand more pay than those of former times. In old days the labourer never tasted wheaten bread and rarely had milk or cheese. Things went better in those days. Now their condition is a constant danger to society, and one to which the upper classes seem strangely indifferent (26425 ff.).

Curious accounts are given of the customs of the legal profession, and when our author comes to deal with the jury-panel, he tells us of a regularly established class of men whose occupation it is to arrange for the due packing and bribing of juries. He asserts that of the corrupt jurors there are certain captains, who are called 'tracers' (*traiciers*\), becauşe they draw (*treront*) the others to their will. If they say that white is black, the others will say 'quite so,' and swear it too, for as the tracer will have it, so it shall be. Those persons who at assizes desire to have corrupt jurymen to try their case must speak with these 'tracers,' for all who are willing to sell themselves in this manner are hand and glove with them, and so the matter is arranged (25033 ff.). The existence of a definite name for this class of undertakers seems to indicate that it was really an established institution.

These are a few of the points which may interest the reader in the reflection of the manners of society given by our author's 'mirror.' The whole presents a picture which, though no doubt somewhat overcharged with gloom, is true nevertheless in its outlines.

TEXT.—It remains to speak of the text of this edition and of the manuscript on which it depends.

In the year 1895, while engaged in searching libraries for MSS. of the *Confessio Amantis*, I observed to Mr. Jenkinson, Librarian of the Cambridge University Library, that if the lost French work of Gower should ever be discovered, it would in all probability be found to have the title *Speculum Hominis*, and not that of *Speculum Meditantis*, under which it was ordinarily referred to. He at once called my attention to the MS. with the title *Mirour de l'omme*, which he had lately bought and presented to the University Library. On examining this I was able to identify it beyond all doubt with the missing book.

It may be thus described :

Camb. Univ. Library, MS. Additional 3035, bought at the Hailstone sale, May 1891, and presented to the Library by the Librarian.

Written on parchment, size of leaves about $12'' \times 7\frac{3}{4}''$, in eights with catchwords; writing of the latter half of the 14th century, in double column of forty-eight lines to the column; initial letter of each stanza coloured blue or red, and larger illuminated letters at the beginning of the chief divisions, combined with some ornamentation on the left side of the column, and in one case, f. 58 v°, also at the top of the page. One leaf is pasted down to the binding at the beginning and contains the title and table of

contents. After this four leaves have been cut out, containing
the beginning of the poem, and seven more in other parts of the
book. There are also some leaves lost at the end. The first
leaf after those which have been cut out at the beginning has the
signature *a* iiii. The leaves (including those cut out) have now
been numbered 1, 1*, 2, 3, 4, &c., up to 162; we have therefore
a first sheet, of which half is pasted down (f. 1) and the other
half cut away (f. 1*), and then twenty quires of eight leaves
with the first leaf of the twenty-first quire, the leaves lost being
those numbered 1*, 2, 3, 4, 36, 106, 108, 109, 120, 123, 124, as
well as those after 162.

The present binding is of the last century and doubtless later
than 1745, for some accounts of work done by 'Richard Eldridge'
and other memoranda, written in the margins in an illiterate hand,
have the dates 1740 and 1745 and have been partly cut away
by the binder. The book was formerly in the library of Edward
Hailstone, Esq., whose name and arms are displayed upon a
leather label outside the binding, but it seems that no record
exists as to the place from which he obtained it. From the
writing in the margin of several pages it would seem that about
the year 1745 it was lying neglected in some farm-house. We
have, for example, this memorandum (partly cut away) in the
margin of one of the leaves: 'Margat . . . leved at James . . . in
the year of our Lord 1745 and was the dayre maid that year . . .
and her swithart name was Joshep Cockhad Joshep Cockhad
carpenter.' On the same page occurs the word 'glosterr,' which
may partly serve to indicate the locality.

The manuscript is written in one hand throughout, with the
exception of the Table of Contents, and the writing is clear, with
but few contractions. In a few cases, as in ll. 4109, 4116, 28941 f.,
corrections have been made over erasure. The correctness of
the text which the MS. presents is shown by the very small
number of cases in which either metre or sense suggests
emendation. Apart from the division of words, only about thirty
corrections have been made in the present edition throughout the
whole poem of nearly thirty thousand lines, and most of these are
very trifling. I have little doubt that this copy was written under
the direction of the author.

As regards the manner in which the text of the MS. has
been reproduced in this edition, I have followed on the whole the

system used in the publications of the 'Société des Anciens Textes Français.' Thus *u* and *v*, *i* and *j*, have been dealt with in accordance with modern practice, whereas in the MS. (as usual in French and English books of the time) *v* is regularly written as the initial letter of a word for either *u* or *v*, and *u* in other positions (except sometimes in the case of compounds like *avient, avoegler, envers, envie*, &c.), while, as regards *i* and *j*, we have for initials either *i* or *I* (*J*), and in other positions *i*. Thus the MS. has *vn, auoir*, while the text gives for the reader's convenience *un, avoir*; the MS. has *ie* or *Ie, iour* or *Iour*, while the text gives *je, jour*. Again, where an elision is expressed, the MS. of course combines the two elements into one word, giving *lamour, quil, qestoit*, while the text separates them by the apostrophe, *l'amour, qu'il, q'estoit*. Some other separations have also been made. Thus the MS. often, but by no means always, combines *plus* with the adjective or adverb to which it belongs : *plusbass, plusauant*; and often also the word *en* is combined with a succeeding verb, as *enmangeast, enserroit*: in these instances the separation is made in the text, but the MS. reading is recorded. In other cases, as with the combinations *sique, sicomme, nounpas, envoie*, &c., the usage of the MS. has been followed, though it is not quite uniform.

The final *-é* (*-és*) and *-ée* (*-ées*) of nouns and participles have been marked with the accent for the reader's convenience, but in all other cases accents are dispensed with. They are not therefore used in the terminations *-ez, -eez*, even when standing for *-és, -ées*, as in *festoiez, neez*, nor in *asses, sachies*, &c., standing for *assez, sachiez* (except l. 28712), nor is the grave accent placed upon the open *e* of *apres, jammes*, &c. Occasionally the diaeresis is used to separate vowels ; and the cedilla is inserted, as in modern French, to indicate the soft sound of *c* where this seems certain, but there are some possibly doubtful cases, as *sufficance, naiscance*, in which it is not written.

With regard to the use of capital letters, some attempt has been made to qualify the inconsistency of the MS. In general it may be said that where capitals are introduced, it has been chiefly in order to indicate more clearly the cases where qualities or things are personified. It has not been thought necessary to indicate particularly all these variations.

The punctuation is the work of the editor throughout ; that of the MS., where it exists, is of a very uncertain character.

Contractions, &c., are marked in the printed text by italics, except in the case of the word *et*, which in the MS. is hardly ever written in full except at the beginning of a line. In such words as *pest, pfit, pfaire*, there may be doubt sometimes between *per* and *par*, and the spelling of some of them was certainly variable. Attention must be called especially to the frequently occurring *-on̄* as a termination. It has been regularly written out as *-oun*, and I have no doubt that this is right. In Bozon's *Contes Moralizés* the same abbreviation is used, alternating freely with the full form *-oun*, and it is common in the MSS. of the *Confessio Amantis* and in the Ellesmere MS. of the *Canterbury Tales* (so far as I have had the opportunity of examining it), especially in words of French origin such as *devocioun, contricioun*. In the French texts this mode of writing is applied also very frequently to the monosyllables *mon, ton, son, bon, don, non*, as well as to *bonté, nonpas, noncertein*, &c. The scribe of the *Mirour* writes *doun* in full once (24625) with *don̄* in the same stanza, in *Bal*. xxi. 4 *noun* is twice fully written, and in some MSS. of the *Traitié* (e. g. Bodley 294) the full form occurs frequently side by side with the abbreviation. A similar conclusion must be adopted as regards *ān* (annum), also written *aun, glān, dāncer*, and the termination *-ānce*, which is occasionally found.

BALADES.

THE existence of the *Cinkante Balades* was first made known to the public by Warton in his *History of English Poetry*, Sect. xix, his attention having been drawn to the MS. which contains them by its possessor, Lord Gower. After describing the other contents of this MS., he says : 'But the *Cinkante Balades* or fifty French Sonnets above mentioned are the curious and valuable part of Lord Gower's manuscript. They are not mentioned by those who have written the Life of this poet or have catalogued his works. Nor do they appear in any other manuscript of Gower which I have examined. But if they should be discovered in any other, I will venture to pronounce that a more authentic, unembarrassed, and practicable copy than this before us will not be produced. . . . To say no more, however, of the value which these little pieces may derive from being so scarce and so little known, they have much real and intrinsic merit. They are tender, pathetic and poetical, and place our old poet Gower in a more advantageous point of view than that in which he has hitherto been usually seen. I know not if any even among the French poets themselves of this period have left a set of more finished sonnets; for they were probably written when Gower was a young man, about the year 1350. Nor had yet any English poet treated the passion of love with equal delicacy of sentiment and elegance of composition. I will transcribe four of these balades as correctly and intelligibly as I am able; although, I must confess, there are some lines which I do not exactly comprehend.' He then quotes as specimens *Bal.* xxxvi, xxxiv, xliii, and xxx, but his transcription is far from being correct and is often quite unintelligible.

DATE.—The date at which the *Cinkante Balades* were composed cannot be determined with certainty. Warton, judging apparently by the style and subject only, decided, as we have seen, that they belonged to the period of youth, and we know from a passage in the *Mirour* (27340) that the author composed love poems of some kind in his early life. Apart from this, however, the evidence is all in favour of assigning the *Balades* to the later years of the poet's life. It is true, of course, that the Dedication to King Henry IV which precedes them, and the Envoy which closes them, may have been written later than the rest; but at the same time it must be noted that the second balade of the Dedication speaks distinctly of a purpose of making poems for the entertainment of the royal court, and the mutilated title which follows the Dedication confirms this, so far as it can be read. Again, the prose remarks which accompany *Bal.* v and vi make it clear that the circumstances of the poems are not personal to the author, seeing that he there divides them into two classes, those that are appropriate for persons about to be married, and those that are 'universal' and have application to all sorts and conditions of lovers. Moreover, several of these last, viz, xli–xliv and also xlvi, are supposed to be addressed by ladies to their lovers. It is evident that the balades are only to a very limited extent, if at all, expressive of the actual feelings of the author towards a particular person. As an artist he has set himself to supply suitable forms of expression for the feelings of others, and in doing so he imagines their variety of circumstances and adapts his composition accordingly. For this kind of work it is not necessary, or perhaps even desirable, to be

a lover oneself; it is enough to have been a lover once: and
that Gower could in his later life express the feelings of a lover
with grace and truth we have ample evidence in the *Confessio
Amantis*. No doubt it is possible that these balades were
written at various times in the poet's life, and perhaps some
persons, recognizing the greater spontaneity and the more grace-
fully poetical character (as it seems to me) of the first thirty or
so, as compared with the more evident tendency to moralize in
the rest, may be inclined to see in this an indication of earlier
date for the former poems. In fact however the moralizing
tendency, though always present, grew less evident in Gower's
work with advancing years. There is less of it in the *Confessio
Amantis* than in his former works, and this not by accident
but on principle, the author avowing plainly that unmixed
morality had not proved effective, and accepting love as the
one universally interesting subject. When Henry of Lancaster,
the man after his own heart, was fairly seated on the throne,
he probably felt himself yet more free to lay aside the self-
imposed task of setting right the world, and to occupy himself
with a purely literary task in the language and style which
he felt to be most suitable for a court. In any case it seems
certain that some at least of the balades were composed with
a view to the court of Henry IV, and the collection assumed
its present shape probably in the year of his accession, 1399,
for we know that either in the first or the second year of
Henry IV the poet became blind and ceased to write.

FORM AND VERSIFICATION.—The collection consists of a Dedi-
cation addressed to Henry IV, fifty-one (not fifty) balades of
love (one number being doubled by mistake), then one, un-
numbered, addressed to the Virgin, and a general Envoy. The
balades are written in stanzas of seven or eight lines, exactly
half of the whole fifty-four (including the Dedication) belonging
to each arrangement. The seven-line stanza rhymes *ab ab bcc*
with Envoy *bc bc*, or in three instances *ab ab baa*, Envoy *ba ba* ;
the eight-line stanza ordinarily *ab ab bc bc* with Envoy *bc bc*,
but also in seven instances *ab ab ba ba* with Envoy *ba ba*.
The form is the normal one of the balade, three stanzas with
rhymes alike and an Envoy ; but in one case, *Bal.* ix, there
are five stanzas with Envoy, and in another, xxxii, the Envoy
is wanting. Also the balade addressed to the Virgin, which

is added at the end, is without Envoy, and there follows a general Envoy of seven lines, rhyming independently and referring to the whole collection.

The balade form is of course taken from Continental models, and the metre of the verse is syllabically correct like that of the *Mirour*. As was observed however about the octosyllabic line of the *Mirour*, so it may be said of the ten-syllable verse here, that the rhythm is not exactly like that of the French verse of the Continent. The effect is due, as before remarked, to the attempt to combine the English accentual with the French syllabic measure. This is especially visible in the treatment of the caesura. In the compositions of the French writers of the new poetry—Froissart, for example—the ten- (or eleven-) syllable line has regularly a break after the fourth syllable. This fourth syllable however may be either accented or not, that is, either as in the line,

'Se vous voulez aucune plainte faire,'

or as in the following,

'Prenez juge qui soit de noble afaire.'

The weaker form of caesura shown in this latter line occurs in at least ten per cent. of the verses in this measure which Froissart gives in the *Trésor Amoureux*, and the case is much the same with the *Balades* of Charles d'Orléans, a generation later. Gower, on the other hand, does not admit the unaccented syllable (mute *e* termination) in the fourth place at all; no such line as this,

'De ma dame que j'aime et ameray,'

is to be found in his balades. Indeed, we may go further than this, and say that the weak syllable is seldom tolerated in the other even places of the verse, where the English ear demanded a strongly marked accentual beat. Such a line as

'Vous me poetz sicom vostre demeine' (*Bal.* xxxix. 2)

is quite exceptional.

At the same time he does not insist on ending a word on the fourth syllable, but in seven or eight per cent. of his lines the word is run on into the next foot, as

'Et vous, ma dame, croietz bien cela.'

This is usually the form that the verse takes in such cases, the syllable carried on being a mute *e* termination, and the caesura coming after this syllable ; but lines like the following also occur, in which the caesura is transfered to the end of the third foot :

> 'Si fuisse en paradis, ceo beal manoir,' v. 3.
> 'En toute humilité sans mesprisure,' xii. 4.

So xvi. l. 2, xx. l. 20, &c., and others again in which the syllable carried on is an accented one, as

> 'Si femme porroit estre celestine,' xxi. 2.
> 'Jeo ne sai nomer autre, si le noun ;' xxiv. 1.

It must be noticed also that the poet occasionally uses the so-called epic caesura, admitting a superfluous unaccented syllable after the second foot, as

> 'Et pensetz, dame, de ceo q'ai dit pieça,' ii. 3.
> 'Qe mieulx voldroie morir en son servage,' xxiii. 2.

So with *dame, dames,* xix. l. 20, xx. l. 13, xxxvii. l. 18, xlvi. l. 15 [1] ; and with other words, xxv. l. 8, &c., *aime,* xxxiii. l. 10, *nouche,* xxxviii. l. 23, *grace,* xliv. l. 8, *fame.* In xx. 1 the same thing occurs exceptionally in another part of the line, the word *roe* counting as one syllable only, though it is a dissyllable in *Mir.* 10942. Naturally the termination *-ée,* as in iii. 2,

> 'La renomée, dont j'ai l'oreile pleine,'

does not constitute an epic caesura, because, as observed elsewhere, the final *e* in this case did not count as a syllable in Anglo-Norman verse.

On the whole we may say that Gower treats the caesura with much the same freedom as is used in the English verse of the period, and at the same time he marks the beat of his iambic verse more strongly than was done by the contemporary French poets.

MATTER AND STYLE.—As regards the literary character of these compositions it must be allowed that they have, as Warton says, ' much real and intrinsic merit.' There is indeed a grace and poetical feeling in some of them which makes them probably the best things of the kind that have been produced by English writers of French, and as good as anything of the kind which had up to that time been written in English. The author himself has

---

[1] Perhaps, however, *dame* was in these cases really a monosyllable, as apparently in *Mir.* 6733, 13514, 16579.

marked them off into two unequal divisions. The poems of the first class (i–v) express for us the security of the accepted lover, whose suit is to end in lawful marriage :

> 'Jeo sui tout soen et elle est toute moie,
> Jeo l'ai et elle auci me voet avoir;
> Pour tout le mond jeo ne la changeroie.' (*Bal.* v.)

From these he passes to those expressions of feeling which apply to lovers generally, 'qui sont diversement travailez en la fortune d'amour.' Nothing can be more graceful in its way than the idea and expression of *Bal.* viii, 'D'estable coer, qui nulle-ment se mue,' where the poet's thought is represented as a falcon, flying on the wings of longing and desire in a moment across the sea to his absent mistress, and taking his place with her till he shall see her again. Once more, in *Bal.* xv, the image of the falcon appears, but this time it is a bird which is allowed to fly only with a leash, for so bound is the lover to his lady that he cannot but return to her from every flight. At another time (*Bal.* xviii) the lover is in despair at the hardness of his lady's heart : drops of water falling will in time wear through the hardest stone ; but this example will not serve him, for he cannot pierce the tender ears of his mistress with prayers, how urgent and repeated soever ; God and the saints will hear his prayers, but she is harder than the marble of the quarry—the more he entreats, the less she listens, 'Com plus la prie, et meinz m'ad entendu.' Again (xiii) his state is like the month of March, now shine, now shower. When he looks on the sweet face of his lady and sees her 'gentilesse,' wisdom, and bearing, he has only pure delight ; but when he perceives how far above him is her worth, fear and despair cloud over his joy, as the moon is darkened by eclipse. But in any case he must think of her (xxiv) ; she has so written her name on his heart that when he hears the chaplain read his litany he can think of nothing but of her. God grant that his prayer may not be in vain ! Did not Pygmalion in time past by prayer obtain that his lady should be changed from stone to flesh and blood, and ought not other lovers to hope for the same fortune from prayer ? He seems to himself to be in a dream, and he questions with himself and knows not whether he is a human creature or no, so absorbed is his being by his love. God grant that his prayer may not be in vain ! He removes himself from her for a time (xxv) because of evil speakers, who with their slanders might injure her good name ; but she must know that his heart is ever with her and that all his grief and joy hangs upon her, 'Car qui bien aime ses amours tard oblie.' But (xxix) she has misunderstood his absence ; report tells him that she is angry with him. If she knew his thoughts, she would not be so disposed towards him ; this balade he sends to make his peace, for he cannot bear to be out of her love. In another (xxxii) he expresses the deepest dejection : the New Year has come and is proceeding from winter towards spring, but for him there is winter only, which shrouds him in the thickest gloom. His lady's beauty ever increases, but there is no sign of that kindness which should go with it ; love only tortures him and gives him no friendly greeting. To this balade there is no Envoy, whether it be by negligence of the copyist, or because the lover could not even summon up spirit to direct it to his mistress. Again (xxxiii), he has given her his all, body and soul, both without recall, as a gift for this New Year of which he has just now spoken : his sole delight is to serve her. Will she not reward him even by a look? He asks for no present from her, let him only have some sign which may bid him hope, 'Si plus n'y soit, donetz le regarder.' The coming of Saint Valentine encourages him somewhat (xxxiv) with the reflection that all nature yields to love, but (xxxv) he remembers with new depression that though birds may choose their mates, yet he remains alone. May comes on (xxxvii), and his lady should turn her thoughts to love, but she sports with flowers and pays no heed to the prayer of her prisoner. She is free, but he is strongly bound; her close is full of flowers, but he cannot enter it ; in the sweet season his fortune is bitter, May is for him turned into winter : 'Vous estes franche et jeo sui fort lié.'

Then the lady has her say, and in accordance with the prerogative of her sex her moods vary with startling abruptness. She has doubts (xli) about her lover's promises. He who swears most loudly is the most likely to deceive, and some there are who will make love to a hundred and swear to each that she is the only one he loves. 'To thee, who art one thing in the morning and at evening another, I send this balade for thy reproof, to let thee know that I leave thee and care not for thee.' In xliii she is fully convinced of his treachery, he is falser than Jason to Medea or

Eneas to Dido. How different from Lancelot and Tristram and the other good knights ! ' C'est ma dolour que fuist ainçois ma joie.' With this is contrasted the sentiment of xliv, in which the lady addresses one whom she regards as the flower of chivalry and the ideal of a lover, and to whom she surrenders unconditionally. The lady speaks again in xlvi, and then the series is carried to its conclusion with rather a markedly moral tone. At the end comes an address to the Virgin, in which the author declares himself bound to serve all ladies, but her above them all. No lover can really be without a loving mistress, for in her is love eternal and invariable. He loves and serves her with all his heart, and he trusts to have his reward. The whole concludes with an Envoy addressed to 'gentle England,' describing the book generally as a memorial of the joy which has come to the poet's country from its noble king Henry, sent by heaven to redress its ills.

PRINTED EDITIONS.—The *Balades* have been twice printed. They were published by the Roxburghe Club in 1818, together with the other contents of the Trentham MS. except the English poem, with the title ' Balades and other Poems by John Gower. Printed from the original MS. in the library of the Marquis of Stafford at Trentham,' Roxburghe Club, 1818, 4to. The editor was Earl Gower. This edition has a considerable number of small errors, several of which obscure the sense ; only a small number of copies was printed, and the book can hardly be obtained.

In 1886 an edition of the *Balades* and of the *Traitié* was published in Germany under the name of Dr. Edmund Stengel in the series of ' Ausgaben und Abhandlungen aus dem Gebiete der romanischen Philologie.' The title of this book is ' John Gower's Minnesang und Ehezuchtbüchlein : LXXII anglonormannische Balladen . . . neu herausgegeben von Edmund Stengel.' Marburg, 1886. The preface is signed with the initials D. H. The editor of this convenient little book was unable to obtain access to the original MS., apparently because he had been wrongly informed as to the place where it was to be found, and accordingly printed the *Balades* from the Roxburghe edition with such emendations as his scholarship suggested. He removed a good many obvious errors of a trifling kind, and in a few cases he was successful in emending the text by conjecture. Some important corrections, however, still remained to be made, and in several instances he introduced error into the text either by incorrectly transcribing the Roxburghe edition or by unsuccessful attempts at emendation.   I do not wish to speak with disrespect of this edition.   The editor laboured under serious disadvantages in not being able to refer to the original MS. and in not having always available even a copy of the Roxburghe edition, so that we cannot be surprised that he should have made mistakes. I have found his text useful to work upon in collation, and some of his critical remarks are helpful.

THE PRESENT TEXT.—The text of this edition is based directly on the MS., which remains still in the library at Trentham Hall and to which access was kindly allowed me by the Duke of Sutherland.   I propose to describe the MS. fully, since it is of considerable interest, and being in a private library it is not generally accessible.

The Trentham MS., referred to as T., is a thin volume, containing 41 leaves of parchment, measuring about $6\frac{1}{4}$ in. $\times$ $9\frac{1}{4}$ in., and made up apparently as follows : a^4, b^1, c^6, d—f^8 (one leaf cut out), g^1, h^4, i^2 (no catchwords).

The first four leaves and the last two are blank except for notes of ownership, &c., so that the text of the book extends only from f. 5 to f. 39, one leaf being lost between f. 33 and f. 34.

The pages are ruled for 35 lines and are written in single column.   The handwriting is of the end of the fourteenth or beginning of the fifteenth century, and resembles what I elsewhere describe as the 'third hand' in MS. Fairfax 3, though I should hesitate to affirm that it is certainly the same, not having had the opportunity of setting the texts side by side.   There is, however, another hand in the MS., which appears in the Latin lines on ff. 33 v° and 39 v°.

The initial letters of poems and stanzas are coloured, but there is no other ornamentation.

The book contains (1) ff. 5—10 v°, the English poem in seven-line stanzas addressed to Henry IV, beginning 'O worthi noble kyng.'

(2) f. 10 v°, 11, the Latin piece beginning 'Rex celi deus.'

(3) f. 11 v°—12 v°, two French balades with a set of Latin verses between them, addressed to Henry IV (f. 12 is seriously damaged).   This is what I refer to as the Dedication.

(4) ff. 12 v°—33, *Cinkante balades.*

(5) f. 33 v⁰, Latin lines beginning 'Ecce patet tensus,' incomplete owing to the loss of the next leaf. Written in a different hand.

(6) ff. 34—39, 'Traitié pour ensampler les amantz marietz,' imperfect at the beginning owing to the loss of the preceding leaf.

(7) f. 39 v⁰, Latin lines beginning 'Henrici quarti,' written in the hand which appears on f. 33 v⁰.

On the first blank leaf is the following in the handwriting of Sir Thomas Fairfax :

'Sʳ. John Gower's learned Poems the same booke by himself presented to kinge Henry ye fourth before his Coronation.'

(Originally this was 'att his Coronation,' then 'att or before his Coronation,' and finally the words 'att or' were struck through with the pen.)

Then lower down in the same hand :

'For my honorable freind & kinsman sʳ. Thomas Gower knt. and Baronett from
Ffairfax 1656.'

On the verso of the second leaf near the left-hand top corner is written a name which appears to be 'Rychemond,' and there is added in a different hand of the sixteenth century :

'Liber Hen: Septimi tunc comitis Richmond manu propria script.'

On the fifth leaf, where the text of the book begins, in the right-hand top corner, written in the hand of Fairfax :

'ffairfax N° 265
by the gift of the learned Gentleman Charles Gedde Esq. liuinge in the Citty of St Andrews.'

Then below in another hand :

'Libenter tunc dabam
Id testor Carolus Gedde
Ipsis bis septenis Kalendis
mensis Octobris 1656.'

On the last leaf of the text, f. 39, there is a note in Latin made in 1651 at St. Andrews (Andreapoli) by C. Gedde at the age of seventy, with reference to the date of Henry IV's reign. Then in English,

'This booke pertaineth to aged Charles Gedde,'

and inserted between the lines by Fairfax,

'but now to ffairfax of his gift, Jun. 28. 1656.'

Below follows a note in English on the date of the death of Chaucer and of Gower, and their places of burial.

The first of the blank leaves at the end is covered with Latin anagrams on the names 'Carolus Geddeius,' 'Carolus Geddie,' or 'Carolus Geddee,' with this heading,

'In nomen venerandi et annosi Amici sui Caroli Geddei Anagrammata,'

and ends with the couplet :

'Serpit amor Jonathæ (Prisciano labe) Chirurgo
Mephiboshæ pedibus tam manibus genibus,'

which is not very intelligible, but is perhaps meant to indicate the name of the composer of the anagrams.

In the right-hand top corner of the next leaf there is written in what might be a fifteenth-century hand, 'Will Sanders vn Just' (the rest cut away).

As to the statement made by Fairfax that this book, meaning apparently this very copy, was presented by the author to Henry IV, it is hardly likely that he had any trustworthy authority for it. The book must evidently have been arranged for some such purpose; on the whole however it is more likely that this was not the actual presentation copy, but another written about the same time and left in the hands of the author. The copy intended for presentation to the king, if such a copy there were, would probably have been more elaborately ornamented; and moreover the Latin lines on the last leaf, 'Henrici quarti' &c., bear the appearance of having been added later. The poet there speaks of himself as having become blind ' in the first year of king Henry IV,' and of having entirely ceased to write in consequence ; and in another version of the same lines, which is found in the Glasgow MS. of the *Vox Clamantis*, he dates his blindness from the *second* year of King Henry's reign. In any case it seems clear that his blindness did not come on immediately after Henry's accession; for the *Cronica Tripertita*, a work of considerable length, must have been written after the death of Richard II, which took place some five months after the accession of Henry IV. It would be quite in accordance with Gower's usual practice to keep a copy of the book by him and add to it or alter it from time to time ; the Fairfax MS. of the *Confessio Amantis* and the All Souls copy of the *Vox Clamantis* are examples of this mode of proceeding : and I should be rather disposed to think that this volume remained in the author's hands than that it was presented to the king. As to its subsequent history, if we are to regard the signature 'Rychemond' on the second leaf as a genuine autograph of Henry VII while Earl of Richmond, it would seem that the book passed at some time into royal hands, but it can hardly have come to the Earl of Richmond by any succession from Henry IV. After this we know nothing definite until we find it in the hands of the 'aged Charles Gedde' of St. Andrews, by whom it was given, as we have seen, to Fairfax in 1656, and by Fairfax in the same year to his friend and kinsman Sir Thomas Gower, no doubt on the supposition that he belonged to the family of the poet. He must have been one of the Gowers of Stittenham, and from him it has passed by descent to its present possessor.

The text given by the MS. seems to be on the whole a very correct one. For the *Cinqante Balades* it is the only manuscript authority, but as regards the *Traitié* it may be compared with several other copies contemporary with the author, and it seems to give as good a text as any. There seems no reason to doubt that it was written in the lifetime of the author, who may however have been unable owing to his failing eyesight to correct it himself. It was nevertheless carefully revised after being written, as is shown by various erasures and corrections both in the French and the English portions. This corrector's hand is apparently different from both the other hands which appear in the manuscript. The best proof however of the trustworthiness of the text is the fact that hardly any emendations are required either by the metre or the sense. The difficulties presented by the text of the Roxburghe edition vanish for the most part on collation of the MS., and the number of corrections actually made in this edition is very trifling.

In a few points of spelling this MS. differs from that of the *Mirour*: for example, *jeo* (*ieo*) is almost always used in the *Balades* for *je* (but *ie* in *Ded.* i. 4), and the *-ai* termination is preferred to *-ay*, though both occur; similarly *sui, joie, li, poi*, where the *Mirour* has more usually *suy, joye, ly, poy*, &c.

What has been said with reference to the *Mirour* about the use of *u* and *v, i* and *j*, applies also here (except that the scribe of this MS. prefers *i* initially to *I* and sometimes writes *u* initially), and also in general what is said about division of words, accents and contractions. The latter however in the present text of the *Balades* and *Traitié* are not indicated by italics. It should be noted that *que* in the text stands for a contracted form. The word is *qe* in the *Balades*, when it is fully written out, but *quil, tanquil,* &c., are used in the MS., *q̄om* must evidently be meant for *quom*, and we find *que* frequently in the *Mirour*. Such forms as *auerai, deuera, liuere,* &c., usually have *er* abbreviated, but we also find *saueroit* (viii. 2), *auera* (xvi. 3), *aueray* (xvii. 1), written out fully. Where the termination *-ance* has a line drawn over it, as in *sufficance, fiance* (iv. 2), it has been printed *-aunce*, and so *chancon* (xl. 3); but *aun* is written out fully. In general it must be assumed that *-oun* ending a word represents *on*, but in xxi. 4 we have *noun* written out fully in both cases.

In the matter of capitals the usage of the MS. is followed for the most part. The punctuation is of course that of the editor, and it may be observed that the previous editions have none.

TRAITIÉ.

THIS work, which is called by its author 'un traitié selonc les auctours pour essampler les amantz marietz,' is a series of eighteen balades, each composed of three seven-line stanzas without envoy, except in the case of the last, which has an additional stanza addressed 'Al université de tout le monde,' apologizing for the poet's French and serving as a general envoy for the whole collection, though formally belonging to the last balade. The stanzas rhyme *ab ab bcc*, a form which is used frequently in the *Cinkante Balades*, as also in Gower's English poem addressed to Henry IV and in the stanzas which are introduced into the eighth book of the *Confessio Amantis*. There are Latin marginal notes summarizing the contents of each balade, and the whole is concluded by some lines of Latin. As to the date, if we are to regard the Latin lines 'Lex docet auctorum' as a part of the work (and they are connected with it in all the copies), we have a tolerably clear indication in the concluding couplet:

'Hinc vetus annorum Gower sub spe meritorum
Ordine sponsorum tutus adhibo thorum.'

This was written evidently just before the author's marriage, which took place, as we know, near the beginning of the year 1398 (by the modern reckoning), and therefore it would seem that the *Traitié* belongs to the year 1397. It is true that one MS. (Bodley 294) omits this concluding couplet, but in view of the fact that it is contained not only in all the other copies, but also in the Trin. Coll. Camb. MS., which seems to be derived from the same origin as Bodl. 294, we cannot attach much importance to the omission.

In several MSS. the *Traitié* is found attached to the *Confessio Amantis*, and with a heading to the effect that the author, having shown above in English the folly of those who love 'par amour,' will now write in French for the world generally a book to instruct married lovers by example to keep the faith of their espousals. But though appearing thus as a pendant to the English work in the Fairfax, Harleian, Bodley, Trin. Coll. Camb., Wadham, Keswick Hall and Wollaton MSS., it does not necessarily belong to it. It is absent in the great majority of copies of the *Confessio Amantis*, and in the Fairfax MS. it appears in a different hand from that of the English poem and was certainly added later. Moreover the *Traitié* is found by itself in the Trentham book, and following the *Vox Clamantis* in the All Souls and Glasgow MSS., in both these cases having been added later than the text of that work and in a different hand. We cannot tell what heading it had in the Trentham or the All Souls MSS., but probably the same as that of the Glasgow copy, which makes no reference to any other work. 'This is a treatise which John Gower has made in accordance with the authors, touching the estate of matrimony, whereby married lovers may instruct themselves by example to hold the faith of their holy espousals.' This variation of the heading is certainly due to the author, and we are entitled to regard the *Traitié* as in some sense an independent work, occasionally attached by the author to the *Confessio Amantis*, but also published separately.

As to the versification, the remarks already made upon that of the *Balades* apply also to these poems.

The subject of the work is defined by the title: it is intended to set forth by argument and example the nature and dignity of the state of marriage and the evils springing from adultery and incontinence. The tendency to moralize is naturally much stronger in these poems than in the *Cinkante Balades*, and they are consequently less poetical. The most pleasing is perhaps xv, 'Comunes sont la cronique et l'istoire': 'Still is the folly of Lancelot and of Tristram remembered, that others by it may

take warning. All the year round the fair of love is kept, where
Cupid sells or gives away hearts.: he makes men drink of one
or the other of his two tuns, the one sweet and the other bitter.
Thus the fortune of love is unstable : the lover is now in joy and
now in torment, but the wise will be warned by others, as a bird
avoids the trap in which he sees another caught, and they will not
take delight in wanton love.' Many of the examples are from
stories already told in the *Confessio Amantis*, as those of Nec-
tanabus, Hercules and Deianira, Jason, Clytemnestra, Lucretia,
Paulina, Alboin and Rosamond, Tereus, Valentinian.

TEXT.—Of the *Traitié* there exist several contemporary copies
besides that of the Trentham MS. It is found appended to the
Confessio Amantis in MS. Fairfax 3, with a heading which closely
connects it with that poem ; it occurs among the various Latin
pieces which follow the *Vox Clamantis* in All Souls MS. 98, and
again in much the same kind of position in the MS. of the *Vox
Clamantis* belonging to the Hunterian Museum, Glasgow. The
first two of these copies are, I have no doubt, in the same hand-
writing, that which I call the 'second hand' of MS. Fairfax 3,
and I am of opinion that the third (that of the Glasgow MS.) is
so also. This question of the handwritings found in contemporary
copies of Gower will be discussed later, when the MSS. in question
are more fully described : suffice it to say at present that these
copies are all good, and they agree very closely both with one
another and with that of the Trentham book, while at the same
time they are independent of one another. They have all been
collated throughout for this edition. Besides these original copies
there is one in Harleian MS. 3869, which appears to be taken
from Fairfax 3, and also in the following MSS., in all of which
the *Traitié* follows the *Confessio Amantis*: Bodley 294, Trinity
College, Cambridge, R. 3. 2, Wadham Coll. 13, and the Keswick
Hall and Wollaton MSS. Of these Bodley 294 has been collated
for this edition, and the rest occasionally referred to.

The MSS. may be tabulated as follows, further description
being reserved for the occasions when they are more fully
used :—

F.—FAIRFAX 3, in the Bodleian Library, Oxford, containing the
Confessio Amantis, the *Traitié pour essampler*, ff. 186 v⁰-190, and
several Latin poems.

S.—ALL SOULS COLLEGE, OXFORD, 98, containing the *Vox*

Clamantis, Cronica Tripertita, a miscellaneous collection of Latin poems, and the *Traitié*, ff. 132–135.

T.—The TRENTHAM MS., described above.

G.—HUNTERIAN MUSEUM, GLASGOW, T. 2. 17, with nearly the same contents as S. The *Traitié* is ff. 124 v⁰–128.

H.—HARLEIAN 3869, in the British Museum, agreeing with F.

B.—BODLEY 294, in the Bodleian Library, containing the *Confessio Amantis*, the *Traitié*, and a few Latin pieces.

Tr.—TRINITY COLL. CAMB. R. 3. 2, with nearly the same contents as B.

W.—WADHAM COLL. OXF. 13, *Confessio Amantis* and *Traitié*, the latter imperfect at the end.

K.—In the library of J. H. Gurney, Esq., Keswick Hall, Norwich, with the same contents as F.

Λ.—Lord Middleton's MS., at Wollaton Hall.

The *Traitié* has been twice printed : first by the Roxburghe Club from the Trentham MS.[1], and then by Dr. Stengel, in both cases with the *Cinkante Balades*. The German editor unfortunately took as the basis of his text the copy in B, which is much inferior in correctness to those of several other MSS. which were within his reach[2]. He has also in many cases failed to give a correct representation of the MS. which he follows, and his collation of other copies is incomplete.

The text of the present edition is based upon that of F, which is at least as good as any of the three other copies which I have called contemporary, and has the advantage over two of them that it is perfect, whereas they have each lost a leaf. These four are so nearly on the same level of correctness that it matters little

---

[1] It must not be assumed however that the text of the Roxburghe Club edition accurately represents that of the MS. If such variations as autre (*for* lautre), ii. l. 21, En qui iv. 17, De vii. 6, Nest pas vii. 13, xiv. 7, &c., prendre x. 20, et uns xv. 15, El fait xvi. 18, and so on, are unnoticed in this edition, that is not owing to the negligence of the present editor, but because they are not in fact readings of the MS.

[2] For example B gives us the following variations in the first two balades :
Trait. i. l. 4 gouernance   6 discret   13 bon   20 et (*for* a)
ii. l. 1.   la spirit   qui ert   2 Est   4 Qui ert   *om.* dont
5 de (*for* le)   7 bone.
There are more bad mistakes here in two balades than in the whole text of the *Traitié* as given by any one of the four best MSS. On the other hand, ' creatoris ' in the heading of the first balade, and ' homme ' (for ' lomme ') in ii. 11, are mistakes of the German editor.

on other grounds which of them we follow.   A full collation is here given of T, S and G, and the readings of B are occasionally mentioned.   H and K are probably dependent on F.   Tr. is a moderately good copy, closely connected with B, but in view of the excellence of the other materials it is not worth collating; Λ is a manuscript of the same class, but rather less correct.   Finally the text of W, which is late and full of blunders, may be set down as worthless.

MIROUR DE L'OMME

OR

SPECULUM HOMINIS

Cy apres comence le livre François q'est apellé Mirour de l'omme, le quel se
divide en x parties, c'est assavoir :

¶ la primere partie est coment de la malice du diable pecché fuit conceu, et de la
maldite progenie des vices, qe puis de lui nasquirent, dont le frele homme
a grant peril de noet et jour par forte guerre toutdys est assailli.

¶ la seconde partie est coment resoun fuit conjoint al alme, dont les vertus morals
por l'omme defendre sont deinz la conscience par la divine grace inspirez
et fraunchement engendrez.

¶ la tierce partie est por considerer parentre d'eux l'estat des hommes sur terre
especialment de les haltz prelatz, ovesque lour archediaknes, officials, deans
et autres, q'ont la governaunce de l'espiritiele cure, et sount lumere et
essample de bien et d'onest vie.

¶ la quarte partie trete l'estat des Religious, si bien possessioners come mendiantz
q'ont lessé les vanités de cest present vie por contempler du ciel les joies
perdurables.

¶ la quinte partie trete l'estat du temporiel governement selonc le corps, le quel
appartient as Emperours, Rois et autres nobles Princes, qe devont main-
tenir la loy et doner justice a lour poeple liege.

¶ la sisme partie trete l'estat de la chivalerie et de les gentz d'armes, qui devont
le droit de seint esglise et la fraunchise supporter et defendre, et qu'ils ne
lesserount lour propre paiis destitut por travaillier en estranges regions a
cause de veine gloire q'ils ont de la renomée mondeine.

¶ la septisme partie trete l'estat des Ministres de la loy, c'est assavoir Jugges,
Pledours, Viscontes, Baillifs et Questours, qui sont juretz a foi tenir et
poiser le droit par tiele egalté que covetise ascunepart ne lour destorne.

¶ l'oetisme partie trete l'estat des Marchantz, Artificers et Vitaillers, qui selonc la
droite policie des Cités, si fraude et tricherie ne se mellont, sont au commun
profit honests et necessaires.

¶ la noefisme partie trete de ceo que chescun en soun endroit blasme le Siecle, et
coment le siecle des toutz partz notablement s'escuse, forsque soulement
de l'omme pecchour, en qui defaute les autres creatures sont sovent a mes-
chief et mesmes dieux en est auci corussez.

¶ la disme partie trete coment l'omme peccheour lessant ses mals se doit reformer
a dieu et avoir pardoun par l'eyde de nostre seigneur Jhesu Christ et de sa
doulce Miere la Vierge gloriouse.

MIROUR DE L'OMME *

[After the Table of Contents four leaves are lost, containing probably about forty-seven stanzas.]

———◆◆———

Escoulte cea, chascun amant,   f. 5
i tant perestes desirant
pecché, dont l'amour est fals :
ssetz la Miere ove tout s'enfant,
r qui plus est leur attendant,
fin avra chapeal de sauls :
rs est il fols qui ses travaus
t en amour si desloiauls,
nt au final nuls est joyant.
is quiq' en voet fuïr les mals,   10
tende et tiegne mes consals,
e je luy dirray en avant.
Ce n'est pas chose controvée,
nt pense affaire ma ditée ;
nz vuill conter tout voirement
ment les filles du Pecché
nt que tous sont enamouré
r leur deceipte vilement.
, amourouse sote gent,
scieussetz le diffinement   20
ce dont avetz commencé,
croy que vostre fol talent
angeast, qui muetz au present
son en bestialité.
Car s'un soul homme avoir porroit
anq' en son coer souhaideroit
siecle, pour soy deliter,
estout come songe passeroit
nient, et quant l'en meinz quidoit,
r grant dolour doit terminer :   30

Et puisque l'amour seculer
En nient au fin doit retorner,
Pour ce, si bon vous sembleroit,
Un poy du nient je vuill conter ;
Dont quant l'en quide avoir plenier
La main, tout vuide passer doit.

    Au commencement de cest
oevere, qui parlera des vices et
des vertus, dirra primierement
coment pecché anientist les crea-
tures et fuist cause originale dez
tous lez mals.

Tout estoit nient, quanq' om ore tient
Et tout ce nient en nient revient
Par nient, qui tout fait anientir :   39
C'est nient q'en soy tous mals contient
Du quoy tout temps quant me sovient,
M'estoet a trere maint suspir,
Que je voi tantz mals avenir
Du nient, car tous ont leur desir
En nient q'au siecle se partient ;
Que nient les fait leur dieu guerpir
Pour nient, q'en nient doit revertir
Et devenir plus vil que fient.
Jehan l'apostre evangelist
En l'evangile qu'il escrist   50
Tesmoigne q'au commencement
Dieux crea toute chose et fist,
Mais nient fuist fait sanz luy, ce dist :

* MS. Camb. Univ. Add. 3035   12 enauant

B 2

Dont saint Gregoire sagement,
Qui puis en fist l'exponement,
Par le divin inspirement
Du nient la forme nous aprist,
Disant que nient en soy comprent
Le noun du pecché soulement,
Car pecché tous biens anientist.   60
   Primer quant dieus ot fait les cieux,
Des tous angres espiritieux
Un Lucifer fuist principals ;
Mais du pecché q'estoit mortieux
Chaoit de les celestieux
Au nient devers les infernalx :
Pecché fuist source de les mals,
Tornant les joyes en travals,
De halt en bas changeant les lieux :
Nient est pecché ly desloyals,   70
Car par son vuill et ses consals
Volt anientir quanque fist dieux.
   Cil Lucifer nounpas solein
Chaïst du ciel, ançois tout plein
Des autres lors furont peris
Par pecché, dont ly soverein
Leur fist chaoir, siq' en certein
Du pecché vint ce que je dis,
Dont l'angre furont anientiz :
Mais tous vous avetz bien oïz,   80
Comme dieu puis de sa propre mein
Adam crea deinz paradis,
Et sa compaigne au droit divis
Le fist avoir du dame Evein.
   Pour le pecché, pour le forsfait,
Dont Lucifer avoit mesfait,
Dieus, q'en vist la desconvenue,
Coment son ciel estoit desfait,—
Pour ce tantost Adam fuist fait
Et Eve auci tout nu a nue   90
En paradis dessoutz la nue :
Siq' en apres de celle issue
Que de leur corps serroit estrait,
Soit restoré q'estoit perdue
Amont le ciel, a la value
Que Lucifer avoit sustrait.

Du noble main no duy parent
Estoiont fait molt noblement,
Car dieu le piere les forma :
Pour noble cause et ensement
Estoiont fait, quant tielement
A son ciel dieu les ordina :
En noble lieu dieu les crea
Et paradis tout leur bailla,
Que molt fuist noble au tiele gent ;
Mais l'en puet dire bien cela,
Helas ! quant le pecché de la
Les anientist si vilement.
   Chacun de vous ad bien oï
Coment Adam se departi
De Paradis, mais nepourquant,
Solonc que truis en genesi
Vous en dirray trestout ensi :
Dont falt savoir primer avant
Q'en Paradis avoit estant
Une arbre dieu luy toutpuissant,
Dont il les pommes deffendi
A Adam, qu'il n'en fuist mangant,
Et dist, s'il en mangast, par tant
Du mort en serroit anienti.   12
   Bien tost apres, ce truis escrit,
Cil Lucifer dont vous ay dit
S'aparçut de la covenance ;
Et ot d'Adam trop grant despit,
Qu'il fuist a celle joye eslit,
Dont mesmes par sa mescheance
Estoit cheeuz : lors sa semblance
Mua, sique par resemblance
En forme d'un serpent s'assit
Dessur celle arbre, et d'aquointance   1
Pria dame Eve, a qui constance
De sa nature ert entredit.
   Au frele et fieble femeline
En la figure serpentine,
Dessur celle arbre u qu'il seoit,
Ly deable conta sa covine :
Si dist, ' He, femme, pren sesine
Du fruit qui tant perest benoit :
Car lors serras en ton endroit

1 bien et mal, du tort et droit,   140
chant come dieu.' O la falsine !
ır ce q'ensi la promettoit,
ı femme son voloir tornoit
ontre la volenté divine.
  La femme, qui par tricherie
ıist du serpent ensi trahie,
angut le pomme, helas, mortal :
: quant ot fait la felonie,
ıntost s'en vait come fole amie
ur tempter son especial ;   150
t tant luy dist que parigal
e fist de cel origenal ;
e fruit mangut par compaignie.
nsi ly serpent fuist causal
u femme, et femme auci du mal
ausoit que l'omme fist folie.
  Au mors du pomme tant amer
ort et pecché tout au primer
edeinz Adam pristront demure :   160
ar il ne savoit excuser
a conscience, ainz accuser
e la mortiele forsfaiture.
elas ! cil qui tant fuist dessure
uist tant dessoutz en si poy d'ure ;
ar dieux luy fist nud despoiler :
ome sa malvoise creature,
tteinte ovesque la menure
e fist come traitre forsjuger.
  C'estoit du dieu le Jugement,
'Adam serroit vilaynement   170
otuz du Paradis en terre :
q'en dolour molt tristement
a viande et son vestement
roit a pourchacer et querre :
a femme auci pour son contrere,
e ce q'a dieu ne voloit plere,
ous jours a son enfantement,
uant vient au naturel affere,
oit tous ses fils et files trere
n plour et en ghemissement.   180
  Mais tout ce n'eust esté que jeeu,
i plus du paine n'eust ëeu ;
ais sur trestout c'estoit le pis

La mort, dont au darrein perdu
Furont loigns en enfern de dieu
Et piere et miere et file et fils,
Sanz fin pour demourer toutdis.
Lors pourray dire a mon avis,   f. 6
Du pecché vient en chacun lieu
Ce dont ly bon sont anientiz,   190
Car ciel et terre et paradis
De sa malice ad corrumpu.
  Pour ce vous dirray la maniere
Comment Pecché nasquit primere,
Et de ses files tout ades ;
Si vous dirray qui fuist son piere,
Et u nasquist celle adversiere
Trestout dirray cy en apres.
Ly deable mesme a son decess,
Quant il perdist sanz nul reless   200
Du ciel la belle meson cliere,
Lors engendra tieu fals encress,
Come vous orretz, si faitez pes ;
Car je vuill conter la matiere.

Comment Pecché nasquist du deble, et comment Mort nasquist du Pecché, et coment Mort espousa sa miere et engendra sur luy les sept vices mortieux.

  Ly deable, qui tous mals soubtile
Et trestous biens hiet et revile,
De sa malice concevoit
Et puis enfantoit une file,
Q'ert tresmalvoise, laide et vile,
La quelle Pecché noun avoit.   210
Il mesmes sa norrice estoit,
Et la gardoit et doctrinoit
De sa plus tricherouse guile ;
Par quoy la file en son endroit
Si violente devenoit,
Que riens ne touche que n'avile.
  Tant perservoit le deble a gré
Sa jofne file en son degré
Et tant luy fist plesant desport,
Dont il fuist tant enamouré,   220
Que sur sa file ad engendré
Un fils, que l'en appella Mort.

198 enapres   213 plustricherouse   217 agre

Lors ot le deable grant confort,
Car tout quidoit par leur enhort
De l'ome avoir sa volenté ;
Car quant ils deux sont d'un acort,
Tout quanque vient a leur resort
Le deble tient enherité.
  Au piere furont molt cheris
Pecché sa file et Mort son fils,   230
Car trop luy furont resemblant :
Et pour cela par son devis,
Pour plus avoir de ses norris,
La miere espousa son enfant :
Si vont sept files engendrant,
Qui sont d'enfern enheritant
Et ont le mond tout entrepris ;
Come je vous serray devisant,
Des queux nouns om leur est nomant
Et du mestier dont sont apris.   240
  Les nouns des files du Pecché
L'un apres l'autre en leur degré
Dirray, des quelles la primere
Orguil ad noun, celle est l'aisnée,
La tresmalvoise maluré,
Que plus resemble a son fals piere ;
L'autre est Envye, que sa chiere
Belle ad devant, et parderere
Plaine est du male volenté ;
Ire est la tierce, et trop est fiere,   250
Que jammais n'ot sa pes plenere,
Ainz fait trestoute adversité :
  La quarte est celle d'Avarice,
Que l'or plus que son dieu cherice ;
La quinte Accide demy morte,
Q'au dieu n'au monde fait service ;
La siste file en son office
C'est Glotonie, que la porte
Des vices gart, et tout apporte
Ce dont la frele char supporte ;   260
Du foldelit c'est la norrice :
Mais la septime se desporte,
C'est Leccherie, que se porte
Sur toutes autres la plus nice.
  Ensi comme je le vous ay dit,
Pecché du deable q'est maldit

Primerement prist sa nescance,
Et puis du Pecché Mort nasquit,
Dont plus avant comme j'ay descript
Par si tresmalvoise alliance   2
Nasquiront plain du malfesance
Ly autre sept, que d'attendance
Au deble sont par tout soubgit ;
Dont cil qui tous les mals avance,
Quant naistre vit ytiele enfance,
De sa part grantment s'esjoït.
    Comment le deable envo
    Pecché ovesque ses sept files a
    Siecle, et comment il tient puis so
    parlement pour l'omme enginer.
Ly deable, q'est tout plain du rage,
Quant vist qu'il ot si grant lignage,
Au Siecle tous les envoia :
Pecché la fole et la salvage   2
Ses propres files du putage
Parmy le Siecle convoia ;
Et tant y fist et engina
Que ly fals Siecle s'enclina
De faire tout par leur menage,
Par ceaux sa gloire devisa,
Par ceaux toutdis se conseila,
Par ceaux fist maint horrible outrage
  Chascune solonc son endroit
Office seculiere avoit   2
Le Siecle pour plus enginer :
Orguil sa gloire maintenoit,
Envie ades luy consailloit,
Et d'Ire fist son guerroier,
Et d'Avarice tresorer,
Accidie estoit son chamberer,
Et Glotonie de son droit
Estoit son maistre boteller,
Et Leccherie en son mestier
Sur tous sa chiere amie estoit.   3
  Cil qui trestous ceos mals engendr
Quant vist les files de son gendre
Mener le Siecle a leur voloir,
Lors comença consail a prendre,
Coment cel homme pot susprendre,
Le quel devant ot fait chaoir

254 lor *with erasure* (*prob. of a second* r)   269 plusauant   276 grantement

Du paradis le beau Manoir ;
Car bien scieust que par estovoir
Cel homme doit el siecle attendre,
Dont au petit tient son pooir,   310
Si l'omme n'en poet decevoir,
Pour faire en son enfern descendre.
    Ly deable, qui tous mals engine,
Quant vist qu'il ot par sa falsine
Du paradis l'omme abatu,
Hors de la joye celestine
En la deserte salvagine,
D'un autre mal lors s'est pourveu,
Dont l'omme q'ançois ot deçu
Treroit encore au plus bass lieu,   320
U l'en languist sanz medicine,
Au fin q'ensi serroit perdu
Sanz esperance de salu :
Oietz qu'il fist de sa covine.
    Au Siecle mesmes s'en ala,
Et tout son consail luy conta,
Et pria qu'il luy volt aider :
Tant luy promist, tant luy dona,
Que l'un a l'autre s'acorda,
Et le firont entrejurer ;   330
Mais pour son purpos achever
Communement volt assembler
Tous ses amys, et pour cela
Un parlement faisoit crier,
Par queux se pourroit consailler
Comme son purpos achievera.
    Les bries tantost furont escris
A ceaux qui furont ses amys,
Que tous vienent au parlement,
N'en est un soul qui soit remis :   340
Pecché la dame du paiis
Ove ses sept files noblement
Vint primer a l'assemblement ;
Le Siecle y vient ensemblement
Ove belle route a son devis ;
Mais Mort venoit darreinement :
Et lors quant tous furont present,
Le deable disoit son avis.
    Devant trestous en audience
Le deable sa reson commence,   350

Et si leur dist parole fiere :
' J'en ay,' fait il, 'al dieu offense
L'omme abatu par ma science
Du paradis, u jadis iere,
Dont il est mis a son derere
En terre plaine de misere :
Mais plus avant de ma prudence
Si en enfern de la terrere
Le porray trere en tieu maniere,
Lors serroit fait ce que je pense.   360
    ' Par ceste cause je vous pri,
Sicomme vous m'estez tout amy,
Consailletz moy en cest ovraigne,
Au fin que porray faire ensi.'
Pecché sa file respondi,
Si dist sa resoun primeraine :
' Piere, tenez ma foy certaine,
Je fray tricher la char humaine
Ove mes sept files q'ay norri :
Car s'il d'icelles s'acompaigne,   370
Ne poet faillir de male estraine,   f.
Dont en la fin ert malbailli.'
    Le Siecle auci de sa partie
Promist au deable son aïe,
Ensi le faisoit assavoir :
' Je fray,' ce dist, ' ma tricherie
De la richesce et manantie
Que je retiens en mon pooir ;
Du quoy trestout a ton voloir
Cel homme porray decevoir.   380
Du bien promettre faldray mie
Qu'il doit trestoute joye avoir,
Mais en la fin, sachiez du voir,
Je le lerray sanz compaignie.'
    Apres le Siecle parla Mort,
Que toute vie au fin remort :
' De l'omme je te vengeray,
Car pour deduyt ne pour desport
Du moy ne poet avoir desport,
Que je son corps ne tuerai ;   390
Mais pour voir dire, je ne say
Si l'alme mortefieray,
Car ce partient a ton enhort :
Fay bien de l'alme ton essay,

320 plusbass

Et je du corps responderay,
Qu'il doit venir a mon resort.'
  Ly deable grantment s'esjoït
De ce que chacun luy promist,
Dont chierement leur mercioit ;
Et oultre ce consail enquist,   400
Et pria que chascun luy dist
De leur avis que sembleroit,
S'il apres l'omme manderoit
Pour savoir ce qu'il en dirroit.
Sur quoy chacun luy respondist
Que bien affaire ce serroit,
Q'un messager a grant esploit
Apres luy maintenant tramist.
  Cil messager par son droit noun
Je l'oi nommer Temptacioun,   410
Qui droit a l'omme s'en ala :
Sanz noise faire ne halt soun
Dist son message, et sa resoun
El cuer de l'omme il oreilla,
Depar le deable et luy pria
Q'au venir tost se hastera,
U sont ensemble ly baroun ;
Et dist que quant venu serra,
Des tieux novelles il orra
Dont doit avoir sa garisoun.   420
  Temptacioun soutilement
Tant fist par son enticement
Que l'omme vint ovesque luy,
Pour savoir plus plenierement
La cause de tieu mandement :
Et maintenant, quant venoit y,
De sa venue s'esjoÿ
Ly deable, qui molt le chery
Ove tous les autres ensement.
Chacun de sa part le servi,   430
Que l'omme estoit tout esbahy
De l'onnour que chacun luy tent.
  Ly deble commence a parler,
Si dist pour l'omme losenger
Devant trestout le remenant :
'Bealsire, je t'ay fait mander,
Pour ce que vuil a toy parler
Au fin que soiez moun servant ;

Et si te soit ensi plesant,
Je t'en vois loer promettant   44
Tiel come tu vorras demander :
Ne t'en soietz du rien doubtant,
Trestous les jours de ton vivant
Tu porras joye demener.
  'He, homme, enten ce que j'ay dit,
Et n'eietz honte ne despit
Du quelque chose que te die :
Car si voes estre mon soubgit,
N'y ad honour, n'y ad proufit,
Q'apartient au presente vie,   45
Dont tu n'avras a ta partie
Si largement sanz nul faillie,
Que tu dirras que ce suffit :
Et si t'en fra sa compaignie
Pecché ma file suef norrie,
Pour faire trestout ton delit.'
  Pecché parloit apres son piere,
Q'estoit plesant de sa maniere :
'He, homme, croiez a ses dis,
Car de ma part te ferray chiere :   46
Si tu voes faire ma priere,
Dont ton corps serra rejoïz,
Ce que mon piere t'ad promis
En ceste vie t'ert complis ;
Car je serray ta chamberere
Pour faire tout a ton devis
Et tes plaisirs et tes delis,
Dont dois avoir ta joye entiere.'
  Et puis le Siecle du noblesce
Promist a l'omme sa largesce,   47
Et si luy dist pour plus cherir :
'He, homme, asculte ma promesse,
De moun avoir, de ma richesse
Te fray molt largement richir.
Car si mon consail voes tenir,
Tu dois no capitain servir ;
Et s'ensi fais, je t'en confesse
Que prest serray pour sustenir
Solonc que te vient au plesir
Ta vie plaine de leesce.'   48
  Mais a celle houre nequedent
Mort endroit soy n'y fuist present,

Auci pour l'omme consailler;
Car plain estoit du maltalent,
Qu'il ne savoit aucunement
Ne bell promettre ne donner:
Pour ce ne volt lors apparer,
Ainz en secré se fist muscer,
Et ce fuist par commun assent;
Car l'omme pour plus enginer   490
Lors ne voloient molester
Du chose contre son talent.
   Mais au darrein par son degré
Lors vint avant tout en celée
Temptacion ly decevant;
C'estoit ly messagier privé,
Qui primes l'omme ot amené,
Come je vous contay cy devant;
Cil dist a l'omme en consaillant:
'He, homme, a quoy vas tariant   500
De recevoir tiele ameisté,
Dont tu pourras toutdis avant
Avoir le corps par tout joyant
Sanz point d'aucune adverseté?'
   Mais cil qui lors ust bien oï
Temptacioun come il blandi
Par la douçour de sa parole,
Il porroit dire bien de fi
Que ja n'oïst puisqu'il nasqui
Un vantparlour de tiele escole: 510
Car plus fuist doulce sa parole
Que n'estoit harpe ne citole.
Dont l'omme quant il l'entendi,
Au tiele vie doulce et mole
La char, q'estoit salvage et fole,
Tantost de sa part consenti.
   La char de l'omme consentoit
A ce que l'en luy promettoit,
Si fist hommage et reverence
Au deable, qu'il luy serviroit: 520
Mais l'Alme moult dolente estoit,
Quant vist sa char sanz sa licence
Avoir mesfait de tiele offense;
Dont se complaint au Conscience
Que sur cela consailleroit,
Et maintenant en sa presence

A resonner sa char commence
Par ceste voie, et si disoit:
   Comment l'Alme aresona la Char,
q'avoit fait hommage au deable, et
comment au darrein par l'eide du
Resoun et de Paour le Char s'en
parti du diable et du Pecché et se
soubmist al governance de l'Alme.
'He, fole Char, he, Char salvage,
Par quel folour, par quelle rage   530
Te fais lever encontre moy?
Remembre toi q'al dieu ymage
Fui faite, et pour toun governage
Fui mis dedeinz le corps de toi.
He, vile Char, avoi, avoi!
Remembre aussi que tu la loy
Primer rompis en cel estage
U dieu nous avoit mis tout coi,
Dont nuyt et jour es en effroy.
Ne te suffist si grant dammage?   540
   'He, Char, remembre, car bien scies
Ly deable par ses malvoistés
Du tieu barat te baratta,
Dont en dolour tu es ruez
Des haltes joyes honourez
Q'a toy dieu lors abandona.
He, Char, pren garde de cela,
Ainz qu'il plus bass te ruera:
Cil qui sur tout est malurez,
C'est cil qui jadis t'engina,   550
Et tous les jours t'enginera,
Tanqu'il t'avra pis enginez.
   'He, Char, desserre ton oraille,
Enten, car je te le consaille;
Et certes si tu m'en creras,
Tieu grace dieus te repparaille
Que tu remonteras sanz faille
Au lieu dont jadys avalas: f. 8
Et autrement tout seur serras,
Si tu le deable serviras,   560
Quant ceste vie te defaille,
Tantsoulement pour toun trespas
Et toi et moi saldrons si bas,
Dont dieux ne voet que l'en resaille.

'He, Char, come tu fais grant
    folie,
Q'au tiele false compaignie
Si loigns de moy te fais attraire,
Que tout sont plain du tricherie :
Car tu scies bien que par envie
Le deble a toi est adversaire.   570
Pecché primer te porra plaire,
Mais au darrein te doit desplaire ;
Ly Siecle auci de sa partie,
S'il t'eust donné tout soun doaire,
Au fin te lerra q'une haire,
Que plus n'en porteras tu mie.

'He, Char, des tieux amys fier
N'estoet, car prou n'en dois porter ;
Come tu sovent as bien oï,
Que bel promettre et riens donner   580
Ce fait le fol reconforter :
Aguar pour ce, ainz que trahi
Soietz, je t'amoneste et pri.
He, Char, pour dieu fai que te di,
Laissetz tieux fals amys estier ;
Car, Char, si tu ne fais ensi,
Je, lass ! serray pour toi hony,
Que mieux t'en doie consailler.

'He, Char, remembre auci coment
Entre nous deux conjoigntement   590
En un corps suismes sanz demise :
Dont falt que resonablement
Soions tout d'un acordement.
Car s'il avient que d'autre guise
No cause soit deinz soi devise,
Lors devons perdre la franchise
Q'au nostre franc pooir attent ;
C'est de monter par bone aprise
En paradis, dont par mesprise
Susmes cheeus si folement.   600

'He, Char, tu porras bien entendre,
Mieux valt remonter et ascendre
En celles joyes plus haltaines,
Qe d'un bass en plus bass descendre,
U l'en ne doit socour attendre
Mais sanz fin les ardantes paines.
He, Char, s'au deable t'acompaines

Et a les autres ses compaines,
Ne dois faillir du paine prendre :
Mais, Char, si tu ta char restraines, 610
Tes joyes serront si certaines
Que sanz fin nul t'en poet reprendre.'
    La Char s'estuit et se pensa,
Et en partie s'esmaia
De ce que l'Alme a luy disoit.
Mais d'autrepart quant regarda
Les autres, tant s'en delita,
Que pour voirdire ne savoit
Au queu part trere se pourroit.
Mais au Pecché quant remiroit,   620
De son amour tant suspira
Et d'autrepart tant covoitoit
Le Siecle, qu'il tresoublia
Tout qanque l'Alme a luy precha.
    Et lors quant l'Alme s'aparçuit
Que contre luy la Char s'estuit,
Dont devoit estre governals,
Trop avoit perdu son deduyt :
Et nepourquant apres luy suyt
Ensi disant, 'He, desloyals !   630
Male es, pource te tiens as mals.
Mais bien verras que trop est fals
Cil anemy, qui te poursuit
Pour toi ruer es infernals :
Te fait moustrer les beals journals,
Dont pers memoire de la nuyt.

'He, Char, si fuissetz avisée
Come par tresoun ymaginé
Ly deble, qui te voet trahir,
Le riche Siecle t'a moustré   640
Et la plesance du Pecché,
Mais Mort, par qui tu dois morir,
Ne voet il faire avant venir,
Ainz l'ad muscé du fals conspir,
Que tu n'en soiez remembré !
Car il te vorra pervertir
Si fort que jamais convertir
Ne t'en lerra par nul degré.'
    Lors prist ly deable a coroucer,
Quant l'alme oïst ensi parler,   650
Et commanda que maintenant

645 nensoiez

Pecché de son plesant mestier
Ove tout le vice seculier
Fuissent la Char reconfortant,
Et qu'ils la feissont si avant
A leur delices entendant,
Dont Mort pourroit tresoublier.
Trestout en firont son commant,
Du quoy la Char fuist si joyant
Q'au Mort ne pot considerer. 660
   Mais l'Alme, que tout fuist divine,
Quant vist sa char q'ensi decline,
Reson appelloit et Paour,
Qui sont sergant de sa covine ;
Car sovent par leur discipline
La frele Char laist sa folour.
Pour ce celle Alme en grand dolour
Fist sa compleinte et sa clamour,
Sique la Char par leur doctrine
Pourroit conoistre la verrour 670
Du Mort, que l'autre tricheour
Ont fait muscer de leur falsine.
   Reson, q'a l'alme est necessaire,
Au Char de l'omme lors repaire,
Et Paour luy suioit apres :
Mais d'autrepart fuist au contraire
Temptacioun ly secretaire,
Q'au Char tempter ne falt jammes.
L'un volt entrer par bonne pes,
Mais l'autre se tenoit si pres 680
Au Char tempter du tiel affaire,
Par quoy la Char sanz nul decess
A tieu delit se tient ades,
Que Reson ne l'en pot retraire.
   Resoun la Char aresonna,
Et tant come pot la conseila
Du bonne contemplacioun
Que sa folie lessera :
Et ce luy dist, q'au fin morra
En grande tribulacioun. 690
Mais d'autrepart Temptacioun
Au Char fist sa collacioun,
Et tieux delices luy moustra,
Du pecché delectacioun
Et seculiere elacioun,

Par quoy la Char desresonna.
   Et quant Paour ce vist, coment
La Char par si fals temptement
S'estoit du Resoun departie,
Lors dist au Char tresfierement : 700
' He, Char tresfole et necligent,
He, Char mortiele, he, Char porrie,
Trop es deçu du deablerie,
Q'au toi muscont par tricherie
La Mort que vient sodainement.
Mais vien devers ma compaignie,
Si te moustray l'erbergerie
U l'ont muscé secretement.'
   Paour q'estoit espirital
Lors prist la Char superflual, 710
Si l'amena droit par la main
Serchant amont et puis aval
Trestous les chambres de l'ostal,
Tanqu'ils troveront au darrein
U Mort l'orrible capitein,
Covert d'un mantelet mondein,
Deinz une chambre cordial
S'estoit muscé trestout soulein,
En aguaitant la Char humein,
Quelle est sa proie natural. 720
   Mais quant la Char vist la figure
De celle horrible creature,
Dedeinz soy comença trembler,
Et tant se dolt en sa nature
Que tout tenoit a mesprisure
Ce dont se soloit deliter.
Vers Pecché n'osa plus garder,
Ne vers le Siecle au covoiter,
Ainz s'avisa du Mort tout hure :
Si volt vers Resoun retorner, 730
Sa conscience d'amender
Et servir l'Alme en vie pure.
   Paour ensi la Char rebroie,
Q'au Conscience la renvoie,
Et Conscience plus avant
Au bonne Resoun la convoie,
Et puis Resoun par juste voie
A l'Alme la fait acordant.
Dont l'Alme, q'ot esté devant

658 enfiront   719 Enaguaitant   735 plusauant

Du Char folie languissant, 740
Reprist s'espiritale joye,
Et vait la Char si chastiant
Par quoy la Char molt repentant
S'en part du deble et sa menoie.
  La Char du deble s'en parti
Et du Pecché tout autrecy,
Ne point el Siecle se fia :
Paour l'avoit tant esbahy,
Q'a l'alme tout se converti
Sicome Resoun l'amonesta. f.9
Mais quant ly deble vist cela, 751
Comment Reson luy surmonta
Sique de l'omme estoit failli,
Ove Pecché lors se conseilla,
Et puis au Siecle compleigna
Par grant tristour disant ensi :

    Comment la Char de l'omme
    s'estoit partie du deable par le con-
    seil du Resoun et de Paour: lors
    coment le deble s'en complaig-
    noit au Siecle et donna pour ce lez
    sept files du Pecché en mariage au
    Siecle pour l'omme plus enginer.

'He, Pecché, q'est ce que tu fais,
Par ton delit quant ne desfais
Paour du mort que l'omme meine ?
He, Siecle, pour quoy te retrais, 760
Qu[e] tu de ton honour n'attrais
Pour moy servir la Char humeine ?
Paour du mort ensi l'estreine,
Dont Resoun est la capitaine,
Q'a moy s'acordera jammais :
Du ceste chose je me pleigne,
Car s'il eschape moun demeine,
Lors ay perdu tous mes essais.'
  Pecché reconforta son piere,
Et si luy dist en tieu maniere : 770
'He, piere, je m'aviseray :
Je suy des autres sept la miere,
Au Siecle auci je suy treschiere,
Dont leur consail demanderay ;
Et solonc que je troveray,
Par leur avis te conteray

Que soit affaire en la matiere.
Car endroit moy me peneray,
Le corps, si puiss, je tricheray,
Dont l'omme dois avoir arere.' 780
  Au Siecle lors s'en vait Pecché,
Si ad son consail demandé,
Et ove ses files lors conspire
Come porront faire en leur degré
Que l'omme arere soit mené
Au deble qui tant le desire.
Mais nepourquant Paour le tire,
Q'a l'un ne l'autre ne remire,
Ainçois les ad tous refusé ;
Sique le Siecle, pour voirdire, 790
Ne Pecché ne le pot suffire,
Mais sanz esploit sont retorné.
  De ceste chose fuist dolent
Pecché, quant par s'enticement
Ne poait l'omme decevoir :
Mais ore oretz come falsement
Le Siecle par compassement
Au deable faisoit assavoir.
Il dist que c'il a son voloir
Les files Pecché poet avoir 800
En mariage proprement,
N'estoet doubter q'a son espoir
Il entrera tiel estovoir,
Dont l'omme ert tout a son talent.
  Ly deable quant oÿt cela,
Un petit se reconforta,
Et au Pecché de ce parloit
Pour savoir ce q'elle en dirra,
Et si luy plest q'ensi dorra
Ses files que l'en demandoit : 810
Car quant a soy, ce dist, sembloit
Le mariage bien seoit,
Dont tiele issue engendrera
Que soun lignage encresceroit,
Et l'omme, qui tant desiroit,
Encontre Reson conquerra.
  Pecché respont disant ensi :
'O piere, a ton voloir parmy
Mes files sont en ton servage :
Fay que t'en plest, q'atant vous dy, 820

Moult bon me semble et je l'ottry,
L'alliance et le mariage.
Le Siecle est bien soutil et sage,
Dont m'est avis, sanz desparage
Mes filles puiss donner a luy,
Pour engendrer de no lignage,
Dont conquerras tiel avantage
Pour guerroier toun anemy.'

Et pour voirdire courtement,
Tous s'acorderont d'un assent,   830
Le mariage devoit prendre :
Et maintenant tout en present
Le Siecle Orguil au femme prent,
Quelle ot le port de halte gendre.
Mais pour ce que l'en doit aprendre
Si noble feste de comprendre,
Comme fuist au tiel assemblement,
S'un poy m'en vuillez cy attendre,
Le vous ferray trestout entendre,
Sicome fuist fait solempnement.   840

**Comment les sept files du
Pecché vindront vers leur mariage,
et de leur arrai et de leur chiere.**

Chascune soer endroit du soy
L'un apres l'autre ove son conroi
Vint en sa guise noblement,
Enchivalchant par grant desroy ;
Mais ce n'estoit sur palefroy,
Ne sur les mules d'orient :
Orguil qui vint primerement
S'estoit monté moult fierement
Sur un lioun, q'aler en coy
Ne volt pour nul chastiement,   850
Ainz salt sur la menue gent,
Du qui tous furont en effroy.

Du selle et frein quoy vous dirray,
Du mantellet ou d'autre array ?
Trestout fuist plain du queinterie ;
Car unques prée flouriz en maii
N'estoit au reguarder si gay
Des fleurs, comme ce fuist du perrie :
Et sur son destre poign saisie
Une aigle avoit, que signefie   860
Qu'il trestous autres a l'essay
Volt surmonter de s'estutye.

Ensi vint a la reverie
La dame dont parlé vous ay.

Puis vint Envye en son degré,
Q'estoit dessur un chien monté,
Et sur son destre poign portoit
Un espervier q'estoit mué :
La face ot moult descolouré
Et pale des mals que pensoit,   870
Et son mantell dont s'affoubloit
Du purpre au droit devis estoit
Ove cuers ardans bien enbroudé,
Et entre d'eux, qui bien seoit,
Du serpent langues y avoit
Par tout menuement poudré.

Apres Envye vint suiant
Sa soer dame Ire enchivalchant
Moult fierement sur un sengler,
Et sur son poign un cock portant.   880
Soulaine vint, car attendant
Avoit ne sergant n'escuier ;
La cote avoit du fin acier,
Et des culteals plus d'un millier
Q'au coste luy furont pendant :
Trop fuist la dame a redouter,
Tous s'en fuiont de son sentier,
Et la lessont passer avant.

Dessur un asne lent et lass
Enchivalchant le petit pass   890
Puis vint Accidie loign derere,
Et sur son poign pour son solas
Tint un huan ferm par un las :
Si ot toutdis pres sa costiere
Sa couche faite en sa litiere ;
N'estoit du merriem ne de piere,
Ainz fuist de plom de halt en bass.
Si vint au feste en tieu maniere,
Mais aulques fuist de mate chere,
Pour ce q'assez ne dormi pas.   900

Dame Avarice apres cela
Vint vers le feste et chivalcha
Sur un baucan qui voit toutdis
Devers la terre, et pour cela
Nulle autre beste tant prisa :
Si ot sur l'un des poigns assis
Un ostour qui s'en vait toutdis

Pour proye, et dessur l'autre ot mis
Un merlot q'en larcine va.
Des bources portoit plus que dis,   910
Que tout de l'orr sont replenis :
Moult fuist l'onour q'om le porta.
   Bien tost apres il me sovient
Que dame Gloutonie vient,
Que sur le lou s'est chivalché,
Et sur son poign un coufle tient,
Q'a sa nature bien avient ;
Si fist porter pres sa costée
Beau cop de vin envessellé :
N'ot guaire deux pass chivalchée,   920
Quant Yveresce luy survient,
Saisist le frein, si l'ad mené,
Et dist de son droit heritée
Que cel office a luy partient.
   Puis vi venir du queinte atour
La dame q'ad fait maint fol tour,
C'est Leccherie la plus queinte :
En un manteal de fol amour
Sist sur le chievre q'est lecchour,
En qui luxure n'est restreinte,   930
Et sur son poign soutz sa constreinte
Porte un colomb ; dont meint et   **f. 10**
   meinte
Pour l'aguarder s'en vont entour.
Du beal colour la face ot peinte,
Oels vairs riantz, dont mainte enpeinte
Ruoit au fole gent entour.
   Et d'autre part sans nul demeure
Le Siecle vint en mesme l'eure,
Et c'estoit en le temps joly
Du Maii, quant la deesce Nature   940
Bois, champs et prées de sa verdure
Reveste, et l'oisel font leur cry,
Chantant deinz ce buisson flori,
Que point l'amie ove son amy :
Lors cils que vous nomay desseure
Les noces font, comme je vous dy :
Moult furont richement servy
Sanz point, sanz reule et sanz mesure.
   Comment lez sept files du Pecché
furont espousez au Siecle, des

quelles la primere ot a noun dame
Orguil.
   As noces de si hault affaire
Ly deables ce q'estoit a faire   950
Tout ordena par son devis ;
Si leur donna cil adversaire
Trestout enfern a leur doaire.
Trop fuist la feste de grant pris ;
Ly Siecle Orguil a femme ad pris,
Et puis les autres toutes sis.
Pecché leur Mere debonnaire
Se mostra lors, mais Mort son fitz
N'estoit illeoque a mon avis,
Dont fuist leur feste et joye maire.   960
   Au table q'estoit principal
Pluto d'enfern Emperial
Ove Proserpine s'asseoit ;
Puis fist seoir tout perigal
Le jofne mary mondial,
Qui richement se contienoit :
Puis sist Pecché, q'ove soy tenoit
Ses filles solonc leur endroit :
Mais pour servir d'especial
Bachus la sale ministroit,   970
Et Venus plus avant servoit
Toutes les chambres del hostal.
   Savoir poetz q'a celle feste
Riens y faillist q'estoit terreste,
Ny' fuist absent ascune Vice,
Chascun pour bien servir s'apreste :
Mais sur trestous ly plus domeste,
Qui mieulx servoit de son office,
C'estoit Temptacioun la nyce,
Q'as tous plesoit de son service ;   980
Car mainte delitable geste
Leur dist, dont il les cuers entice
Des jofnes dames au delice
Sanz cry, sanz noise et sanz tempeste.
   Lors Gloutonie a grant mesure
Du large main mettoit sa cure
As grans hanaps du vin emplir,
Le quel versoit par envoisure
As ses sorours, Orguil, Luxure,
Car trop se peine a leur servir.   990

Des menestrals om pot oïr,
Que tout les firont rejoïr
Par melodie de nature :
Et pour solempnement tenir
Le feste, a toute gent ovrir
Les portes firont a toute hure.
    Mais l'omme, qui de loigns s'estuit
En ascultant, quant s'aparçuit
Del tiel revel, du tiele joye,
La Char de luy par jour et nuyt   1000
De venir a si grant deduyt
Moult se pena diverse voie :
Mais l'Alme que Resoun convoie
Au Char que tielement foloie
Du Conscience ensi restuit,
Que partir ne s'en ose envoie ;
Ainz pour le temps se tient tout coie,
Comme bonne ancelle et l'Alme suit.
    Ensi comme je vous ay conté,
Les filles furont marié   1010
Hors de les chambres enfernals
Au Siecle, qui les tint en gré ;
Car sur chascune en soun degré
Cink autres laides et mortals
Puis engendra luy desloyals :
Moult s'entr'estoiont parigals
Les filles q'ensi furont née ;
Car tous leur fais et leur consals
Sont contraire a l'espiritals
Du malice et soutileté.   1020
    Entendre devetz tout avant,
Tous ceux dont vous irray contant,
Comme puis orretz l'estoire dite,
Naiscont du merveillous semblant ;
Car de nature a leur naiscant
Trestous sont mostre hermafodrite :
Sicome le livre m'en recite,
Ce sont quant double forme habite
Femelle et madle en un enfant :
Si noun de femme les endite,   1030
Les filles dont je vous endite
Sont auci homme nepourquant.
    Dont falt que l'Alme bien s'avise,
Que Resoun ne luy soit divise,

Pour soy defendre et saulf garder :
Les filles sont du tiele aprise,
Si bonne guarde ne soit mise,
Moult tost la pourront enginer.
Dont si vous vuillez ascoulter,
Les nouns des filles vuill conter   1040
Et leur engin et leur queintise,
Comment trichont de leur mestier,
Trestout pour l'Alme forsvoier ;
Ore ascultez par quelle guise.
    Orguil, des autres capiteine,
La nuyt gisoit tout primereine
Avoec le Siecle son amy :
Pecché sa mere bien l'enseigne,
Que celle nuyt fuist chamberleine,
Comment doit plere a son mary.   1050
Tant l'acolla, tant le blandi,
Dont celle nuyt avint ensi,
Qe dame Orguil tout grosse et pleine
Devint, dont moult se rejoÿ.
Mais du primere qui nasqui
Je vous dirray verray enseigne.

    Comment le Siecle avoit cink filesengendrezd'Orguil,desquelles la primere avoit a noun Ipocresie.
    Des files q'Orguil enfantoit
La primeraine a noun avoit
Ma damoiselle Ipocresie :
C'est une file que vorroit   1060
Q'au seinte l'en la quideroit ;
Pour ce du mainte fantasie
Compasse et fait sa guilerie :
Al oill se mostre et glorefie,
Dont par semblant la gent deçoit :
Tant plus come plourt ou preche ou prie,
Tant plus s'eslonge en sa partie
De dieu qui son corage voit.
    Ipocresie est singulere
Devant les gens, noun pas derere ;
Car u plus voit l'assemblement   1071
Ou a moster ou a marchiere,
Ipocresie en la corniere
Se contient moult devoltement ;

Et si nul povre de la gent
Lors quiert avoir de son argent,
Ipocresie est almosnere.
Car nul bien fait celeement
Pour dieu, ainz tout apertement
Pour la loenge seculere.   1080
    Roys Ezechie, truis lisant,
Par cause qu'il fuist demostrant
Le tresor q'ot el temple dieu
As messagiers du Babilant,
Par le prophete devinant
Par force apres luy fuist tollu.
Par ceste essample est entendu
Que le tresor q'om ad reçu,
Quel est a l'alme partenant,
Ne soit apertement veeu   1090
Au siecle; car tout ert perdu,
Si l'en s'en vait glorifiant.
    Ipocresie l'orguillouse
Resemble trop celestiouse ;
Car par son dit tous mals argue,
Mais deinz son cuer maliciouse
Trop est mondeine et viciouse,
Quant tout au plain serra conue.
Ipocresie est a la veue
Du saint habit dehors vestue,   1100
Auci comme l'aignel graciouse ;
Mais en la fin, quant se desnue,
Si comme le lou que l'aignel tue,
Perest cruele et perillouse.
    Ipocresie la nounstable
Reprove qu'il voit reprovable
En la condicioun d'autri,
Mais son grant crime abhominable,
Dont mesmes est en soy coupable,
Ne parle, ainz tout met en oubli.   1110
D'Ipocresie il est ensi,
Elle ad la face d'orr burny,
Et l'oill du cristal amiable,
Mais pardedeins le cuer de luy
Tout est du plom, mat et failly,
Et du merdaille nounvaillable.
    Dieus l'ipocrite ad resemblé
Au beal sepulcre q'est dorré,   f. 11

Dehors tout plain d'ymagerie,
Mais pardedeinz y gist muscé   1120
Puant caroigne et abhosmé,
Que l'ipocrite signefie :
Car pardehors ypocrisie
Resplent du sainte apparantie,
Mais pardedeinz le cuer celée
Gist toute ordure et tricherie :
Dont l'en poet lire en Ysaïe
Coment tieux gens sont maluré.
    Ipocresie est ensi belle,
Sicome ly verm que l'en appelle   1130
Noctiluca, c'est tant a dire
Luisant de nuit sicomme chandelle,
Mais du cler jour que riens concelle
Quant hom le voit et le remire,
Lors c'est un verm q'om fait despire,
Que riens ne valt en nul empire.
Ipocresie ensi porte elle
Apparisance du martire,
Mais au jour devant nostre sire
Lors appara come chaitivelle.   1140
    Ipocresie d'autre guise
Soy mesmes vilement despise
Devant tous en comun audit,
Et tout ce fait du fole enprise,
Au fin que l'en le loe et prise :
Dont saint Bernard, 'Helas !' ce dist,
'Ils ce font deable d'espirit,
Que l'en les tiene en leur habit
Corsaint du l'angeline aprise.'
Mais l'angle qui du ciel chaït   1150
D'un tiel corsaint moult s'esjoït,
Q'ensi sciet faire sa queintise.
    Ipocresie est accusé
De sotie et soutileté :
Car il est sot tout voirement,
Quant il son corps par aspreté
Du grief penance ad affligé,
Et s'alme nul merite en prent ;
Il est en ce sot ensement,
Q'au corps tolt le sustienement   1160
Et paist le Siecle et le malfée ;
Mais sur tout plus fait sotement,

1092 senvait   1131 adire   1158 enprent

Qu'il quide guiler l'autre gent,
Dont mesmes est au fin guilé.
   Trop est soutil a demesure,
Quant il deçoit en sa mesure
Tous autres q'ont en luy credence,
Emblant par false coverture
Les dignetés dont om l'onure
Du foy parfaite et reverence :   1170
Mais ove soy mesmes mal despense,
Quant il son corps met en despense
Pour s'alme anientir et destrure :
Trop ad tempeste en conscience
Q'ove l'un et l'autre ensemble tence,
Dont l'un et l'autre est en lesure.
   L'omme ypocrite en son endroit
Parentre deux est en destroit ;
Car deux debletz luy vont temptant :
L'un dist qu'il bien mangue et boit
Derere gent, par quoy qu'il soit   1181
Au siecle bell et apparant ;
Mais l'autre en est contrariant,
Et dist qu'il serra poy mangant,
Si q'om lè pale et megre voit
Au saint prodhomme resemblant :
Trop est soubtil ymaginant
Cil q'a ces deux accorder doit.
   Ipocrisie en dieu prier
As autres ne poet proufiter   1190
Et a soy mesmes fait dammage :
Car quant du siecle quert loer,
N'est droit que dieus l'en doit loer.
Mais ce dist Augustin ly sage,
Qui prie d'indevoult corage
Il prie contre son visage
Le juggement q'om doit doubter.
Mieulx valsist d'estre sanz langage
Muët sicomme l'oisel en gage,
Q'ensi fole oreisoun orer.   1200

**La seconde file d'Orguil, quelle
ad a noun Vaine gloire.**

   La Vaine gloire, q'est seconde,
De son sen et de sa faconde
C'est une dame trop mondeine :
Car pour la vanité du monde

Son corps ove tout dont elle abonde
Despent et gaste en gloire veine :
Tout se travaille et tout se peine
Pour estre appellé cheventeine,
Du quoy son vein honour rebonde.
Si tiel honour tient en demeine,   1210
Lors est si fiere et si halteine
Qu'il n'ad parail q'a luy responde.
   La Vaine gloire d'oultre mer
Par tout se peine a travailler,
Plus pour conquerre los et pris
Du mond pour son noun eshalcer,
Que pour servir et honourer
Dieu pour l'onour du paradis.
La Veine gloire en son paiis
Controve et fait novel devys   1220
De vestir et apparailler.
Quant Veine gloire est poestis,
Tous ceaux qui sont a luy soubgis
Sovent leur estoet genuller.
   Du Veine gloire ly client
Ne soeffre ja son garnement
Ne son souler ne sa chaulçure
Estre enboez, ainz nettement
Qanque est dehors al oill du gent
Parant, le garde en sa mesure,   1230
Si qu'il n'ait tache en sa vesture ;
Mais celle tache et celle ordure
Des vices, dont son cuer esprent,
Ne voet monder, ainz met sa cure
Au corps, et l'alme a nounchalure
Laist enboer tresvilement.
   Trop est la Veine gloire gay
Du vesture et tout autre array ;
Mais quant avient par aventure
Que celle dame sanz esmay   1240
S'est acemé du suhgenay,
Ove la pierrouse botenure
Du riche entaille a sa mesure,
He, qui lors prise la faiture,
Disant que c'est la belle maii
Et la tresbelle creature,
Ne quide lors que dieus dessure
La poet forsfaire en nul essay.

Mais courtement pour terminer,
La Veine gloire seculer   1250
Trop s'esjoÿt du vein honour,
Du pris, renoun, avoir, poer,
Du sen, science et bealparler,
Du beauté, force et de valour,
Du riche array, du beal atour,
Du fort chastel, de halte tour,
Et qu'il les gens poet commander :
Mieulx quide d'estre creatour
Que creature : he, quel folour,
Q'au mesme dieu voet guerroier !   1260
La Veine gloire laisse nient
Que toutdis ove soy ne retient
La cornette et la chalemelle,
Pour solacer, u qu'il devient :
Tous en parlont, 'Vei la q'il vient,
Vei la, qui sur tous mieulx revelle !'
Quant il asculte leur favelle,
Que tous luy prisont, cil et celle,
Tieu veine gloire luy survient,
Orguil luy monte en la cervelle,   1270
Dont s'alme laisse chaitivelle,
Et son corps glorious maintient.
Du bon saint Job tieu sont ly dit,
Que le vain homme s'esjoÿt
De la musike d'estrument ;
Mais quant il plus s'en rejoÿt,
Lors en un point du mort soubit
En la dolour d'enfern decent.
Auci parlant de tiele gent
Dist Ysaïe tielement,   1280
Que toute gloire et vain delit,
Que le vain siecle en soy comprent,
Serra torné soudainement
En le desert q'est infinit.
Saint Ysaïe demandoit
De Baruch, a quoy il queroit
En ceste vie a soy leesce,
Depuisque dieus envoieroit
Sur toute gent q'en terre soit
Pesance, dolour et tristesce.   1290
Johel auci cela confesse,
Q'au fin ert Veine gloire oppresse

Et tout confuse par destroit ;
Dont cils qui vuillont par noblesce
Monter la seculere haltesce
Devont descendre a mal exploit.
    Solonc le dit d'un sage auctour,
Gloire au riche homme c'est honour :
Du qui l'escript evangelin
Dit, quant es foires fait son tour,   1300
Trop ayme q'autre gent menour
Le saluent par bass enclin,
Comme s'il fuist Charles ou Pepin ;
Ne voet porter noun du voisin,
Mais noun du maistre et du seignour :
Si quert avoir l'onour terrin
As festes, car sicomme divin
Devant tous quert le see primour.   **f. 12**
    Mais si riche homme honour desire,
Du cause vient q'a ce luy tire ;   1310
Mais l'omme povre q'est haltein
Et quert l'onour avoir du sire,
Quant il n'ad propre seal ne cire,
Ne riens dont poet paier u mein,
Cil quert sa gloire trop en vein :
Car povre Orguil, je suy certein,
Comme Salomon le fait descrire,
C'est un des quatre plus vilein,
Que mesmes dieu tient en desdeign,
Et a bon droit le fait despire.   1320
    Ascun sa gloire vait menant
En soul sa malvoisté fesant,
N'en quert honour, ainz quert le vice,
Du quoy s'en vait glorifiant.
D'un tiel David vait demandant :
'A quoy fais gloire en ta malice
Tu q'es puissant du malefice ?'
Ne say queu deble a ce t'entice,
Quant nulle part porras par tant
Avoir honour ne benefice :   1330
Trop est ta gloire veine et nice,
Dont nul profit te vient suiant.
    O Gloire que tant es estoute,
Ce que saint Job te dist ascoulte :
Il dist, 'Si fuissez eshalcez
Jusques au ciel, enmy la route

1265 enparlont

Tu encherres, car dieus te boute,
Et come fymer au fin serres
Purriz, perduz et avilez.'
Auci de ce t'ad doctrinez 1340
Ly sages, qui te dist sanz doubte
De les humaines vanités,
En plour et doel ert occupiez
Le fin du Veine gloire toute.
   Au Veine gloire est resemblé
L'estorbuillon desmesuré,
Que par soufler de sa tempeste
Devant sa voie ad tout rué
Le fruyt dont l'arbre sont chargé :
Q'en tiele guise se tempeste 1350
La Veine gloire en homme honeste ;
Car tout le bien que l'omme aqueste,
Dont l'alme a dieu soit honouré,
Tieu gloire en soy le deshoneste ;
Si torne joye en grief moleste
Et en nounsaint la sainteté.
   La Vaine gloire ad Fole emprise,
C'est un servant du grant reprise,
Qui tous jours fait son mestre en-
      prendre
Les faitz qui sont de halt emprise, 1360
Au fin que l'autre gent luy prise,
Dont vain honour pourra comprendre.
Et pour cela tout fait despendre,
Corps, biens et temps sanz prou re-
      prendre,
Fors soul le vent, q'au dos luy frise.
S'il poet en vain honour ascendre,
Le corps laist travailler en cendre,
Mais l'alme en pert toute franchise.
   Encore une autre soe amie
Ad Vaine gloire en compaignie, 1370
Que par droit noun est appellé
Ma damoiselle Flaterie,
Que par tout est tresbien oïe,
Et des seignours moult bien amé :
C'est celle qui d'un page au piée
Fait q'en la court est allevé
A grant estat du seigneurie ;
C'est celle sur tous plus secrée,

Quant consail serra demandé,
Car a son dit n'est qui repplie. 1380
   L'en poet bien dire que Flatour
Est un soubtil enchanteour ;
Car par son vein enchantement
Fait croire au dame et au seignour
Que sur tous autres de valour
Sont plus digne et plus excellent :
Mais n'ont du bonté soulement
Un point, mais par blandisement
Il leur tresgette un si fals tour,
Pour avoegler la vaine gent, 1390
Qu'il quidont veoir clerement
Ce qu'il ne verront a nul jour.
   Mais Flaterie trop mesfait
Quant elle excuse le mesfait
Et en apert et en silence,
Et fait resembler a bien fait
Par argument q'est contrefait,
Du quoy la veine gent ensense :
Et pour gaigner un poi despense
Avoec l'autri pecché despense, 1400
Et le procure q'om le fait,
Dont suit mainte inconvenience
D'orguil et fole incontinence,
Dont maint homme ad esté desfait.
   Pour resembler Flatour, est cil
Semblable au coue du goupil,
Que le vilté covere au derere ;
Car ly flatour ensi fait il,
Tout qanq'il voit en l'autri vil
Du pecché covere en tieu maniere: 1410
Et auci il est mençongere,
Car s'un soul point en l'autre piere
Du bien, il en dirra tieu mil :
Solonc qu'il voit changer ta chere
Se torne avant et puis arere ;
Trop pent sa lange a pliant fil.
   Quoy que l'en parle du folie,
Toutdis l'en verras Flaterie
A l'autry dit estre acordant : 1419
'Bien' dist toutdis si l'en 'bien' die,
Et s'om dist 'mal,' lors 'mal' replie,
Et si l'en rit, il est riant ;

1368 enpert   1386 plusdigne   1413 endirra

Car sa parole et son semblant
Tout ert a l'autri resemblant :
Ne plus ne meinz ce signefie
Eccho, que qanq' om est sonant,
De la response est resonant
Tout d'un acord et d'une oÿe.
    As fils pour ce de l'adverser
La Flaterie en son mestier   1430
Est la norrice et la guardeine :
Si les endormist en peccher
Par son chanter et mailoller
En allaitant du gloire veine ;
Mais puis les hoste a mal estreine
De la mamelle q'est mondeine,
Dont suef les faisoit allaiter,
Et lors en perdurable peine
D'enfern, u que ly deable enseigne,
Sanz fin les fait escoleier.   1440
La tierce file d'Orguil, la quelle
ad a noun Surquiderie.
    La tierce fille par decente
Qe dame Orguil au mond presente,
L'en appella Surquiderie.
Celle est du cuer tant excellente,
Que d'acun autre ne talente
Avoir pareill en ceste vie.
Ly clercs qui ceste file guie
Tout quide en sa philosophie
Qu'il Aristotle represente ;
De les sept ars se glorifie,   1450
Quant soul logique ne sciet mie
Le firmament trestout extente.
    Ly Surquiders bien quide et croit
Du quelque vertu q'a luy soit,
Que par ce tous vait surmontant.
De son quider trop se deçoit :
Quant il meinz valt en son endroit,
Lors quide avoir nul comparant.
Ly Surquiders, sicome l'enfant,
Qe sa pelote est plus amant   1460
Que tout le tresor que l'en voit,
D'un petit bien se vait loant,
Dont il se quide estre auci grant
Come l'emperour du Rome estoit.

    Ly Surquiders, quant il est fortz,
Quide a lier lions et tors,
Dont il a Sampson contrevaile :
Ly Surquiders, eiant beals corps,
Quant se remire, il quide lors
Resembler Absolon d'entaile :   1470
Ly Surquiders hardis sanz faile
Tout quide a veintre la bataille,
Sicome fist Lancellot et Boors.
Quant Surquider les gens consaile,
N'est pas certain son divinaille,
Ne ses augurres ne ses sortz :
    Mais nepourquant par s'enticer
Sovent as gens fait comencer
Tieu chose que jammais nul jour
Ne la pourront bien terminer ;   1480
Dont en la fin leur falt ruer
De sus en jus leur grant honour,
Leur sen deschiet en grant folour,
Et leur richesce en povre atour ;
Leur peas destourne en guerroier,
Leur repos chiet en grant labour,
Tornent leur joyes en dolour :
Vei la le fin du Surquider !
    Surquiderie est celle tour,
Muré du fort orguil entour,   1490
En quel ly deable a son voloir
Gart tout l'espiritel errour
Des tous pecchés en leur folour
Dessoutz le clief du fol espoir.
Car cil q'est surquidous pour voir,
Combien qu'il soit du grant savoir,
Ly deable en tolt le fruit et flour,
Et soul le fuill luy laist avoir,   **f. 13**
Le quel d'un vent d'orguil movoir
Fait et l'abat au chief du tour.   1500
    Ly Surquiders que plus amonte
Est cil q'ad perdu toute honte ;
Car pour nul bien que dieus luy donne,
Pour adjugger au droit accompte,
Ne rent au dieu resoun ne conte ;
Ainz quide, qanque luy fuissonne,
Que destiné luy habandonne
Pour la vertu de sa personne,

1488 Surquidour

Dont il les autres tout surmonte.
Mais qant meux quide avoir coronne,
Dieu de s'onour luy descoronne,   1511
Et de son halt en bass desmonte.
    Ly Surquiders est singuler,
Q'a nully voet acompaigner,
Car il ad celle enfermeté
Que plus s'agregge par toucher ;
Et pour cela l'en solt nommer
Le mal *Noli me tangere.*
Car Surquiders en nul degré
L'autry toucher ne prent en gré,   1520
Ou soit en fait ou en parler,
Ainz en devient d'orguil enflé :
Car tout quide a sa volenté
Le siecle a son voloir mener.
    Surquiderie au compaignoun
Retient ove soy Presumpcioun,
Que tant du fol orguil esprent,
Qu'il quide tout le divin doun
Pour son merite en reguerdoun
Avoir deservy duement.   1530
Un clercs dist que presumement
Est traitres et confondement
D'umaine cogitacioun
Dedeinz le cuer secretement :
Car tout le bien q'a l'alme appent
Perverte a sa dampnacioun.
    Presumpcioun q'orguil desguise
Deçoit les gens par mainte guise,
Et les saintz hommes molt sovent,
Quant ils quidont de son aprise,   1540
Pour sainteté qu'ils ont enprise,
Qu'ils valont plus que l'autre gent ;
Dont veine gloire les susprent,
Et font des autres juggement,
Q'ils sont coupable a la Juise ;
Et deinz soy surquidousement
Pensont q'au dieu plenerement
Ont tout bien fait sanz nul mesprise.
    Presumptuouse veine gloire
Trestout attrait a sa memoire   1550
La sainte vie q'ad mené ;
Dont en certain se fait a croire

Que l'en ne trove en nulle histoire
Un autre de sa sainteté :
Et si luy vient prosperité,
Bon los, quiete, ou ameisté,
Ou du bataille la victoire,
Tout quide avoir par dueté
Deservy ; siq'en tieu degré
Sa bonté blanche refait noire.   1560
    Presumpcioun la surquidée
Est tielement en soy guilée,
Sicomme la Tigre en soy se guile,
Quant en sa voie voit getté
Le mirour, dont quant s'est miré,
Lors quide apertement sanz guile
Veoir dedeinz son filz ou file :
Mais ly venour trop se soubtile,
Q'ove soy les ad tous asporté.
Ensi ly deables prent et pile   1570
Quanque Presumpcioun compile ;
Quant quide avoir, tout est alé.
    Au presumptive gent c'estoit
Q'en l'evangile dieu disoit :
' Je vous ay,' fait il, 'honouré,
Et vous par orguillous endroit,
Encontre courtoisie et droit,
M'avetz au fin deshonouré.'
Car pour bien ne prosperité,
Q'au tiele gent dieus ad donné,   1580
Ne pour vertu le quelque soit,
Des tieus n'ert dieu regracié ;
Mais come ce fuist leur propreté,
Chascun sur soy les biens reçoit.
    De la presumptuouse rage
Aucun y a, ce dist ly sage,
Qui quide nestre franchement,
Q'au dieu n'en doit aucun servage,
Nient plus que l'asne q'est salvage,
Q'au bois sanz frein jolyement   1590
S'en court trestout a son talent,
Mais qui luy fist primerement,
Ne qui luy donne pastourage
Ne sciet ; et ensi folement
Se contient sanz amendement
Ly presumptif deinz son corage.

1522 endevient

Pour ce ly sage Salomon
Ce dist : 'O tu, Presumpcioun,
O tu malvoise, o tu vilaine,
Qui te crea ?' Dy et respoun !　　1600
Qui te donna sen et resoun?
Qui te donna la vie humaine?
Qui te donna viande et laine ?
Qui te donna bois et champaine ?
As tu rien propre ?　Certes noun :
Tout est a dieu q'as en demaine.
Dy lors q'est ce q'orguil te maine,
Quant tu rien as mais d'autri doun ?
Presumpcioun ad une amye,
Cousine de Surquiderie,　　　　1610
C'est Vaine curiosité,
Q'est d'orguillouse fantasie ;
Car tous jours serche l'autri vie,
Et de soy ne s'est remembré :
Trop se fait sage et surquidée,
Quant sciet et jugge en son degré
Tous autres, et soy ne sciet mie.
Dont Bernard dist, ' Trop ad torné
Sa sapience en vanité
Cil q'autri sciet et soy oublie.'　　1620
Mais de la curiouse gent,
Q'ensi presumptuousement
Scievont et juggont chacuny,
En l'evangile proprement
Dieus dist que pour leur juggement
Forsjuggé serront et puny.
Par Isaïe dieus auci
Dist qu'il destruiera parmy
La sapience au sapient,
Qui se fait sage de l'autry ;　　　1630
Mais fals orguil tout prent sur luy,
Come c'il fuist sire omnipotent.
De l'orguillouse Surquidance
Vous dy qu'elle ad de s'aqueintance
Derision, qui d'orguil rit
Tous autres de sa mesdisance,
Leur fait, leur dit, leur contenance
Escharne et mocke par despit :
Car dieus tiel homme unques ne fist
Si vertuous ne si parfit　　　　1640
Que cil musard ne desavance,

Et par escharn et par mesdit
L'autry vertus par contreplit
Des vices torne a la semblance.
Saint Job se plaignt disant ensi :
' Des tieux,' ce dist, 'suy escharni
Qui meindre sont du temps et age.'
Saint Job se plaignt disant auci,
Que la simplesce de celluy
Q'est just et humble de corage　　1650
Ly derisour le desparage.
Mais un grant clerc q'estoit bien sage,
Maximian dist, qui d'autri
Desrit, n'ert mesmes sanz partage,
Ainz en desris et en hontage
Le fin doit revertir sur luy.
Dedeinz la bible essample truis,
Q'escharn au fin serra perduz,
Sicomme d'Egipciens estoit,
Q'en servitute les Hebrus　　　　1660
Tenoiont a leur propres us ;
Mais sur tous mals pis leur faisoit
Cils du paiis en leur endroit,
Quant chascun les escharnisoit :
Mais leur escharn de sus en jus
Dieu moult soudeinement changoit ;
Enmy la rouge mer salvoit
Les uns, et l'autres ad conclus.
Ce nous dist sage Salomon,
Que vile abhominacioun　　　　1670
A dieu sont tout ly derisour :
Et pour ce la dampnacioun
De leur mockante elacioun
Au juggement u n'ert fals tour
Dieus apparaille sanz retour.
De ce David nous est auctour,
Q'au dieu fait reclamacioun
Disant, ' O dieus, droit Juggeour,
Tu mockeras le mockeour
Du fole ymaginacioun.'　　　　1680
Derisioun pour luy servir
Ad fait un servant retenir,
Que l'en appelle Malapert.
Par tout u cil pourra venir,
Honte et Vergoigne fait suïr
Pour mals qu'il leur dist en apert :

Car moult sovent a descovert
Dist chose que serroit covert,
Pour les gens simples escharnir ; 1689
Mais coment qu'il as autres sert, **f. 14**
L'en trove au court, j'en suy bien cert,
Qui volentiers le voet oïr.
  Si centz fuissont en compaignie,
Soul Malapert du janglerie
Trestous les serroit surmontant :
Plus est jolys que n'est la pie,
Devant les autres dance et crie,
U que la presse voit plus grant ;
Car il surquide que son chant
Soit molt plus douls et plus plesant 1700
Que soit nulle autre melodie,
Et que son corps soit avenant ;
Pour ce se moustre et met avant,
Que rien luy chalt qoi nuls en die.
  Cil Malapert ly bealpinée,
Alant le pass engalopée
Ove la ceinture bass assisse,
Par tout, u vient a l'assemblée,
A luy se sont tout ascoultée,
Qu'il endirra du fole aprise ; 1710
Car si nuls soit deinz la pourprise
Curtois sanz nul vilain enprise,
Cil Malapert ly malsenée
Par contrefait tout le devise :
Si l'autre en ad response mise,
Lors serra son escharn doublée.
  Pour ce t'en fait ly sage aprendre
Que derisour ne dois reprendre ;
Car cil qui derisour reprent,
Quert a soy mesmes tache prendre : 1720
Car jammais fol ne doit comprendre
Le bien de ton chastiement,
Ainz t'en harra et laidement
Te mockera devant la gent.
Pour ce l'en dist, tu dois entendre
Que chien dormant aucunement
N'esveilleras, car autrement
D'abay ne te pourras defendre.
  **La quarte file d'Orguil, la quelle
ad a noun Avantance.**

  La quarte file enorguillant
Par tous ses ditz s'est avantant ; 1730
Pour ce son noun est Avantance.
Cil q'est de ceste file amant,
Et en voir dire et en mentant
Sovent s'avante en sa parlance
De son grant sen, de sa puissance,
De sa valour, de sa substance ;
Ne fait nul bien dont est celant,
Ainz dist toute sa sufficance,
Dont il son propre honour avance ;
Herald n'en dirroit plus avant. 1740
  Le Vanteour de plus en plus
De vanter ne s'est abstenus,
Dont croit qu'il son honour remonte :
Car s'il soit beals ou fortz ou prus,
Au fin q'as tous ce soit conus,
Fait mainte longe et belle conte ;
Et s'il soit riches, lors acompte
Devant trestous combien amonte
Le grant tresor qu'il tient reclus :
Trop s'esjoÿt, quant il reconte 1750
Come il les autres gens surmonte
Des bonnes mours et des vertus.
  Qui bien entent les ditz des sages
Et s'orguillist, il est nounsages,
Du soy pour faire aucun avant :
Car s'il soit beals et pense oultrages,
Repenser doit deinz ses corages
Ce que Boëce en est parlant ;
Si dist que l'oill de son voiant
Perest si fieble en reguardant, 1760
Qu'il plus ne voit fors les ymages
Dehors ; mais si par tout avant
Pourroit veoir le remenant,
Ne se tendroit a les visages.
  Hom list que linx ad tiele veue,
Si trespersante et si ague,
Que tresparmy les murs du pierre
Voit clerement la chose nue :
Dont dist Senec, ' He, dieus aiue
Que l'oill de l'omme en tieu manere, 1770
Dehors, dedeinz, devant, derere,
La vile ordure et la matiere

1700 plusdouls   1704 endie   1715 enad   1740 plusauant   1758 enest

Q'en nostre corps gist retenue
Verroit du regardure clere :
Ore voi je tiele qui s'appiere,
Que lors volt estre desconue.'
    Et d'autre part s'orguil deinz soy
Se vante et face son buffoy
Du force dont qu'il est plener,
Repenser doit deinz son recoy   1780
Que molt sovent d'un petit quoy
S'effroie ; car l'en voit grever
Petite mosche au fort destrer.
Saint Augustin s'en fait parler,
Si dist, ' O force, tien te coy ;
Quant tu la puice resister
Ne puis au lit pour reposer,
Me semble que ta force est poy.'
    Et s'om se vante de richesce,
Solonc Boëce je confesse   1790
Ly bien mondein sont decevable :
Seurté promettont et leesce,
Et donnont paour et tristesce ;
Promettont l'omme seignorable,
Et le font serf, et de nounstable
Promettont chose permanable ;
Des grans delices font promesse,
Et sont poignant, et de la fable
Promettont estre veritable :
Au fin se pleignt qui les adesce.   1800
    Et oultre ce, qui bien remire,
Ly bien mondain sont a despire,
Qu'ils promettont de leur falsine
A sauler l'omme et a suffire
Au tout ce que ly cuers desire ;
Et en certain par leur saisine
Suffraite donnont et famine ;
Car qui plus ad, plus enfamine.
Mais fole orguil de son empire
Si ferme croit l'onour terrine,   1810
Q'aler jammais quide en ruine,
Pour rien que l'en luy porra dire.
    Ly philesophre q'estoit sage
Dist, ' Tiel quel es deinz ton corage,
Tiel ta parole expressera.'
Ce piert d'orguil, q'en son oultrage
De sa science et son lignage

Et de ses biens se vantera :
Car ses vertus tout contera,
Au fin que tous sachont cela,   1820
Siqu'il n'ait pier du voisinage
En la Cité u tiel esta :
Comme Salomon le tesmoigna,
Sovent l'en voit venir dammage.
    Par soun prophete Sephonie
Dieus dist que gens de vanterie
D'entour les soens il hostera.
Si dist auci par Jeremie
Que la vantante halte vie
De halt en bass la ruera,   1830
Toute arrogance humilera :
Et ensi dieus nous manaca
Par Salomon et Isaïe :
' Heu,' dist, ' cil qui se vantera !
Par ce toutdis de luy serra
Trestoute vertu forsbanie.'
    Del phariseu l'en vait lisant
Pour ce q'el temple son avant
De ses bienfaitz au dieu faisoit,
Son pris perdist de maintenant   1840
Et son loer du bienfesant :
Mais cil qui pupplican estoit
Tout autrement se contienoit,
De ses mesfais mercy prioit :
Dont l'un, q'ert juste pardevant,
De son avant se pervertoit,
Et l'autre, qui devant pecchoit,
Devint just par soy despisant.
    Ce dist Solyn en l'escripture :
' Ossifragus de sa nature   1850
C'est un oisel qui soulement
Du moel des oss prent sa pasture ;
Mais quant ne poet par aventure
L'oss debriser, lors monte au vent
Volant en halt, et guarde prent
D'ascune roche, et tielement
Puis laist chaoir l'oss pardessure,
Que tout en pieces le purfent :
Ensi devoure a son talent
Sa proie parmy la fendure.'   1860
    Ly deable auci par cas semblable,
Pour faire l'omme saint muable,

Primerement le fait monter
En vaine gloire surquidable,
Et par ce fait qu'il est cheable
Dessur la roche de vanter.
Ce dist David en son psalter :
'Qui d'orguil fait son cuer lever,
Dieus contre luy se fait levable' :
Et ensi comme falcon muer   1870
Le fiert, dont l'estoet tresbuscher
Si bass dont puis n'est relevable.
De Lucifer hom vait lisant,
Tantost qu'il ust fait son avant,
Qu'il volt le see divin ascendre
Et resembler au toutpuissant,
Dieus le rua de maintenant
Jusq'en abisme, et fist descendre
El fieu qui toutdiz art sanz cendre.
En ciel fist dieus vengance prendre   f. 15
D'orguil qui s'en aloit vantant :   1881
Par ce poet om essample prendre
Que bobancers fait a reprendre,
Car il au deable est resemblant.
   La vanterie en terre auci
Dieus hiet et toutdis ad haï.
Du Nabugod ce poet om lire,
Qui se vantoit jadys ensi
Qu'il Babiloyne ot establi
En gloire de son halt empire :   1890
Mais ainz qu'il pot au plain suffire
Son grant orguil vanter et dire,
Soudainement tout s'esvany,
Et transmua par le dieu ire
Sa forme d'omme en beste pire
Sept auns, ainz qu'il en ot mercy.
   Simon Magus quant se vantoit
Q'en halt le ciel voler vorroit,
Par l'art magike en l'air bien sus
Au Rome en son orguil montoit ;   1900
Mais quant plus halt monter quidoit,
Soudainement dieus l'ot confus,
Et de son halt le ruoit jus ;
Dont il le corps ot confundus,
Et l'alme as deables s'en aloit.
Vei la le gaign q'en orguil truis :

Quant l'en se vante estre au dessus,
Par cas plus tost chaoir l'en doit.
   Par autre guise s'est vanté
Le Vanteour desmesuré,   1910
Dont luy maldie Jhesu Crist :
Car si d'amour tout en secré
Soit d'une dame bien amé,
En soy vantant par tout le dist,
Dont l'autre honour trop amerrist.
Plust ore a dieu cil q'ensi fist,
Ou fait, ou fra, fuist forsjuggé,
Et par la goule en halt pendist ;
Quant faire pecché ne suffist,
Mais q'om se vante du pecché.   192c
   O dieus, comment il se desroie
Le Vanteour, quant il donnoie,
Seant d'encoste ses amours !
C'est cil alors qui tout mestroie,
C'est cil qui terre ad et monoie,
C'est cil qui sciet trestous honours,
C'est cil q'est fort en grans estours,
C'est cil qui conquerra les tours,
C'est cil qui valt par toute voie ;
Sa langue est plaine des valours,   1930
Mais plus promette en quatre jours
Q'en cinquant ans ne compleroie.
   Car qui s'avante volenters,
Sovent avient qu'il est mentiers,
Contant du soy que ja n'estoit :
S'il n'ait en bource deux deniers,
Il dist qu'il ad ses tresorers
Pour achater que bon luy soit,
Dont sa largesce faire doit.
Tieu conquerrour l'en loeroit,   1940
Car s'il soit d'armes custummers,
Il dist tieu chose parferroit,
La quelle enprendre n'oseroit
Pour tout l'avoir du Montpellers.
   Tout ensement come le paintour,
Quant il portrait un grant estour,
Fiert les grans cops en sa painture,
Tout autreci ly Vanteour
En recontant de sa valour
Se vante et parle a demesure :   1950

1896 enot   1901 plushalt   1908 plustost   1949 Enrecontant

Mainte merveille et aventure,
Sa grosse langue afferme et jure
De son sen et de sa folour,
Du peas et d'armes, q'a nulle hure
Estoient voir, ainz controveure,
Dont quide eshalcer son honour.

Le Vanteour sovent sur soy
Emprent qu'il est privé du Roy,
Si qu'il n'en poet avoir essoigne ;
Et dist as gens, 'Parlez au moy :   1960
Si vous me donnez le pourquoy,
Je fray l'exploit de vo busoigne.'
Jaket son varlet le tesmoigne,
Et dist au fin que l'en luy doigne,
'Tout est ce voir, tenez ma foy.'
Ensi les larges douns enpoigne ;
Mais en la fin c'est grant vergoigne,
Car sa vantance est tout gabboy.

Sicomme du vertu corporal,
Quant orguil par especial   1970
Devant les autres ad le gré,
Se vante et fait desparigal,
Tout ensi de l'espirital,
Quant fait aucune charité,
Ou soit apert ou soit privé,
Au double ou plus s'en est vanté,
Comme s'il fuist tout celestial :
Sique les biens du tout degré,
Dont corps et alme sont doé,
Sa langue soule torne en mal.   1980

Le Vanteour de sa semblance
Porte au geline resemblance,
Que de ses oefs criant entour
S'en vait, dont l'en aparcevance
Prent de son ny, si q'au finance
Tout pert ses oefs par sa clamour :
Et ensi fait ly Vanteour ;
Quant il ad fait aucun bon tour,
N'el voet celer, ainz par bobance
S'en vante pour acquere honour   1990
Au corps ; mais l'alme au darrein jour
S'en vait sanz part du bienfaisance.

Mais pour descrire en sa maniere,
Ly Vanteour est ly fol liere,

Qui tout s'afforce en sa covine
D'embler la gloire a dieu le piere,
A qui tout honour se refiere ;
Mais il le tolt de sa ravine.
Et a soy propre le destine.
Par quoy du redde discipline   2000
Drois est qu'il son orguil compiere :
Pour s'avantance q'est terrine
En paine que jammais ne fine
De son avant ert mis derere.

La quinte file d'Orguil, la quelle
ad a noun Inobedience.

La quinte, ensi come je le pense,
Son noun est Inobedience ;
Q'a nully voet estre soubgis
Pour digneté ne pour science,
Ne porte a nully reverence,
Tant ad le cuer d'orguil espris.   2010
C'est un pecché par quoy ly fitz
Sovent des pieres sont malditz,
Quant par vertu d'obedience
Ne vuillont estre bien apris.
C'est un pecché q'a son avis
N'ad cure de la dieu offence.

C'est un pecché de son mester
Qui taire voet quant dust parler,
Et quant dust parler se voet taire.
C'est un pecché q'apostazer   2020
Fait maint et mainte reguler,
Trestout lessant et frocke et haire.
C'est un pecché qui fait desplaire
La femme qui n'est debonnaire
Au mary, qui la volt amer.
C'est un pecché qui le contraire
En toutes choses vorra faire,
Q'a nul bien se voet acorder.

C'est un pecché q'ad trop de peine,
Quant force a servir le constreine ;   2030
Sovent grondile a bass suspir,
Trop ad la volenté vileine.
Qui plus d'amour vers luy se peine
Del faire aler ou retenir,
Tant plus se fait desobeïr :
Si plus ne puet contretenir,

Tout maldirra du bass aleine,
Q'au nulle loy voet obeïr,
Pour faire droit ne droit suffrir
N'a son prochein n'a sa procheine. 2040
   C'est un pecché que son amant
Aprent qu'il soit desobeissant
Vers dieu et vers son voisinage :
Vers qui des deux soit malfaisant,
Jammais du gré n'ert repentant,
Dont confesser voet le dammage,
Ne faire peas de son oultrage.
Ne croit q'au dieu doit son hommage,
Et a tout autre rien vivant
Il ad contraire le corage : 2050
Nul le pourra treter si sage,
Q'as autres le face acordant.
   Desobeisance en sa pectrine
Ad le cuer dur plus que perrine,
Que n'amollist aucunement
Pour la divine discipline,
Que dieu par droite medicine
Envoit pour son amendement :
Ainz, quanque dieus benignement
Luy donne a son relievement, 2060
Il le destorne a sa ruine ;
Et pour ce q'en gré ne le prent,
Du double mal la paine attent
En fieu d'enfern, qui ja ne fine.
   Quant ceste file se mesprent
Vers dieu, et dieu revengement
Prent en pité, dont l'en chastie,
Ou soit par mort de son parent,
Ou soit du perte ou d'accident,
De blesceure ou de maladie, **f. 16**
Orguil de ce dieu ne mercie ; 2071
Ainz en tençant trestout deffie
Encontre le chastiement
De dieu, mais puis de sa folie
Ne pert tantsoulement la vie,
Mais l'alme perdurablement.
   Car saint Gregoire bien le dist,
Solonc que truis en son escript,
Que dieu chastie son amy,
Tanqu'il a soy l'ad fait soubgit : 2080

Mais s'il avient par autre plit
Qu'il ne s'ament, ainz en oubli
Met le chastiement de luy,
C'est un vray signe q'a celluy
Dieus ad sa grace tout desdit,
Et voet au fin qu'il soit peri ;
Dont son orguil soit remeri,
Quant corps et alme ensemble occit.
   Grant mal vient par desobeissance ;
L'apostre en porte tesmoignance, 2090
Disant que par desobeïr
D'Adam primer vint la vengance,
Dont naiscons serf et en penance ;
N'est un qui ce poet eschuïr :
Moises le dist, cil q'obeïr
Ne voet al dieu precept tenir
Solonc la divine observance,
Il doit par juggement morir ;
Dont puis sanz fin l'estoet perir,
Et languir en desesperance. 2100
   Del unicorn ce dist Solyn,
N'el poet danter aucun engin,
Mais moert ainz q'om le poet danter,
Tant ad le cuer gross et ferin.
Orguil ensi le fol cristin
Sanz obeïr le fait errer
Du bonne aprise et salvager ;
Par quoy ne sciet son dieu amer,
Ne vivre egal ove son voisin,
Tout ordre fait desordener, 2110
N'ad cure du loy seculer,
Ne doubte du precept divin.
   Cil q'Inobedience meine
Resemble au corps du char humeine
Q'est mort, dont om ne poet plier
Les membres ; car pour nulle peine
Au soverein n'au sovereine
Orguil se voet humilier.
Mais cil qui voet le mont monter,
Ainçois l'estoet le doss courber 2120
Qu'il truist la voie droite et pleine :
Orguil pour ce ne poet durer
Amont le ciel en halt aler,
Car ne s'abesse a nul enseine.

2067 lenchastie   2072 entencant   2090 enporte

Urse et Lioun qui sont salvage,
Ostour et la faucon ramage,
Dedeinz un an jusques au mein
L'en poet danter au saulf menage ;
Mais deinz sessante al dieu servage
Pour reclamer c'est tout en vein   2130
Un fol pecchant.   He, queu vilein !
Quant par precher du chapelein,
Ne pour fieblesce de son age,
Ne reconoist son soverein ;
Ainz plus se fait de dieu loigntein
Que ne fait beste en le boscage.

L'orguil de l'Inobedient
En ceste siecle auci sovent
Fait guerre sourdre et grant distance ;
Dont la maldiont mainte gent,   2140
Et dieus la maldist ensement.
Ce duissont savoir cils du France,
Que dieus hiet la desobeissance,
De ce q'encontre leur ligance
Chascun par guerre se defent
De faire hommage et obeissance
A celluy qui de sa nescance
Le droit depar sa mere prent.

Dame Orguil trop s'entente mist,
Quant ceste file ensi norrist,   2150
Baillant a luy deux servitours,
Dont ly primer ad noun Despit,
Qui curtoisie sanz respit
Guerroie et dist maintes folours :
L'autre est Desdaign, q'en toutez courtz
Parole et fait tout a rebours,
N'agarde a ce que Resoun dist.
Dame Orguil, l'aisné des sorours,
Ces deux servantz pour leur errours
Avoec sa file les assist.   2160

Despit la sert en son degré,
Que ja ne souffre de bon gré
Que l'en luy donne aucune aprise ;
Ne combien qu'il en soit prié
En sa science ou faculté
D'enseigner autre, en nulle guise
Ne voet ce faire, ainz le despise :

Q'a son avis l'autry franchise
Luy est servage abandonné ;
Et pour cela de sa mesprise   2170
Le pris de son voisin desprise,
Au fin qu'il mesmes soit prisé.
Asses trovons d'essamplerie
Q'en despiser ad grant folie,
Et molt sovent mal en avient :
Ce parust bien du feel Golie,
Quant despisoit de s'estoutie
David, q'a sa bataille vient ;
Mais dieu, qui tout crea du nient,
Pour l'orguil qui son cuer retient   2180
Fist tant qu'il en perdist la vie.
Au despitous despit avient,
Car mort soubite luy survient
Du permanable vilenie.

'Way,' ce dist Isaïe, 'a vous,
Q'as autres estes despitous !
Car quant vous serrez enlassé
A despire autrez, lors de tous
Serretz despit' ; dont entre nous
Falt bien que soions avisé.   2190
Ce dist David en son decrée :
'Ly toutpuissant deinz son pensée
Despise tous les orguillous,'
Et tout le mond les tient en hée :
Drois est pour ce que maluré
Soiont aveoc les malurous.

Par Moÿsen dieus a sa gent
Dist, que s'ils son commandement
Vorront despire, lors en vain
Les champs font semer du frument,   2201
Ou planter vine aucunement ;
Car dieus trestout le fruit et grain
Leur fra tollir au forte main ;
Ils gaigneront sanz avoir gain,
Et viveront sanz vivement.
He fol orguil, qui tols le pain,
Trop es au propre corps vilain,
Et t'alme nul proufit en prent.

Par Ezechiel dieu disoit,
A cause que son poeple erroit   2210

Ses covenances despisant,
Tieux reetz dist qu'il extenderoit,
Dont pris trestous attrapperoit
En tieu prisoun, que puis avant
Nuls leur puet estre rechatant,
Ainz y morront sanz nul garant.
Vei la le fin q'avenir doit
Au despitous desobeissant;
Car cil q'au dieu n'est obeissant
Au deable obeiera par droit.   2220
  Roy Salomon de son aprise
Dist, cil qui povre gent despise
Reproeche fait au creatour.
Et Malachie en tiele guise
Demande, puisque d'une assise
Un dieus de tous estoit fesour,
Pour quoy la dame ou le seignour
Despiseront la gent menour,
Que de nature et de franchise
Ont alme et corps semblable a lour.
A ce demande, O despisour,   2231
Tu dois respondre a grant Juise.
  Despit, qui porte cuer inflat
Du vent d'orguil, dont il abat
Humblesce par desobeissance,
Ne fait honour a nul estat,
N'au duc, n'au conte, n'au prelat,
Ne voet soutz l'autry governance
Servir, mais par contrariance
Du dit, du fait, du contenance   2240
Desobeït du cuer elat.
Gregoire en porte tesmoignance,
Que cuer enflé de tiele estance
Au toute verité debat.
  Despit, qui sert Delacioun,
Naist d'une eructuacioun
De l'estommac au deble issant,
Du quelle par temptacioun
A l'homme donne inflacioun
D'orguil que dieu vait despisant.   2250
D'un malvois ny s'est evolant,
Et au peiour s'est retornant,
S'est fait a sa dampnacioun
Deinz la puante goule ardant

De Sathan, u mort est vivant
D'eterne lamentacioun.
  Desdaign, quant passe aval la rue,
Par fier regard les oels il rue
Dessur les povres gens menuz;
Et si nul povre le salue,   2260
Il passe avant comme beste mue,
Que ne respont a leur saluz :   f. 17
Et s'om ne dist le bien venuz,
Lors son orguil luy monte sus,
Que l'en n'agarde a sa venue;
Sicomme lioun, encore et plus,
Rampant s'en vait col estenduz,
Comme s'il volsist toucher la nue.
  Desdeign des autrez se desdeigne,
Come l'escripture nous enseigne;   2270
Sicome Judas se desdeignoit
Du bienfait de la Magdeleine,
Quant d'oignt versoit la boiste pleine,
Dont de Jhesu les piés oignoit :
Un archeprestre auci estoit,
Que de Jhesu se desdeignoit,
Quant l'omme languissant en peine
Au jour de Sabat garisoit :
L'un contre dieu desdeign portoit,
Et l'autre contre sa procheine.   2280
  Ce nous dist Salomon le sage,
Que cil qui plus deinz son corage
Est d'indignacioun prochein,
Cil est plus pres d'estre en servage
As autres vices ; car l'outrage,
Que gist el vice de desdeign,
Tant fait le cuer gross et vilein,
Qu'il n'est egal vers son prochein,
Ne soubgit vers son seignorage;
Tout obeissance tient en vein,   2290
D'umilité se tient forein
D'orguil en le plus halt estage.
  De celle generacioun
Portant les oels d'elacioun
Ove la palpebre en halt assisse,
Que ja d'umiliacioun
Ne prent consideracioun,
Les oels du tiele gent despise

2242 enporte   2284 pluspres   2292 plushalt

Roy Salomon de son aprise ;
Et le prophete ne les prise,   2300
Ainz dist en reprobacioun,
Que dieus les oels de halte enprise
Humilera de sa reprise
En la basse obscuracioun.

Mais d'autre part Danger auci,
Qui du Franchise est anemy,
A ceste route associa
Dame Orguil pour servir ensi,
Que jammais au voloir d'autri
De son bon gré n'obeiera.   2310
Unques Danger fuist ne serra
Amé, qu'il unques nul ama,
Car Groucer, ly vilain failly,
De son consail toutdis esta :
Qui plus vers luy s'umilera,
Plus trovera contraire en luy.

Orguil, qui tous biens desordeigne
Et trestous mals au point ordeigne,
Trois autres sers fist ordeigner,
Queux Inobedience meine   2320
Chascune jour de la semeigne
Pour luy servir et consailler.
Murmur hom fait l'un appeller,
Et l'autre, q'est trop adverser,
Rebellion, qui dieu desdeigne ;
Contumacie oï nommer
Le tierce, qui s'umilier
Ne voet pour nul amour ne peine.

Pour Murmur et Rebellioun
Dieus se venga, car nous lison   2330
Que les Hebreus, qu'il ot mené
Hors du servage a Pharaon,
En la deserte regioun
Trestous occit pour ce pecché ;
Q'un soul de tous en salveté,
Fors soul Caleph et Josué,
En terre du promissioun
Ne pot venir ; car sanz pité
Dieu, qui vist leur rebelleté,
Les ot mis a perdicioun.   2340

La terre en soy se desferma,
Et en abisme transgluta

Dithan et Abiron vivant ;
Et puis du ciel dieus envoia
La flamme, qui tout vif bruilla
Choré ove tout le remenant,
Q'a luy s'estoiont adherdant :
Que cils furont ly plus puissant
De les Hebreus, mais pourcela
Qu'ils deinz soy furont murmurant,   2350
Dieus se venga, que plus avant
Les autres par ce chastia.

A Saül dieus disoit ce point,
Que d'aguilloun contre le point
C'est dure chose a regibber :
Mais Orguil ne s'en garde point,
Combien qu'il soit constraint et point
De dieu, pour ce ne veot lesser
Encontre dieu de rebeller :
Car il ad un son consailler,   2360
Que jammais ert en humble point,
Contumacie l'oi nommer,
Q'au tout precept q'om doit garder
Cil fait encontre tout a point.

Contumacie se refiere
As trois parties : la primere
A mesmes dieu fait sa mesprise,
Et la seconde au piere et miere,
Et l'une et l'autre est trop amiere ;
La tierce au gent du sainte eglise,   2370
Q'a leur somonce et leur aprise
Ne s'obeït, ainz les despise,
Et leur sentence met derere.
De ces trois pointz, dont je devise,
Dieus se corouce en mainte guise,
Et prent vengance horrible et fiere.

Seron le Prince de Surrie
Cil vint en sa contumacie
A rebeller encontre dieu,
Comme cil q'au dieu n'obeia mye ;   2380
Si volt combatre en s'estultie
Ove bon Judas le Machabieu ;
Mais au parfin fuist tout vencu.
Antiochus aussi refu,
Q'a dieu d'orguil se contralie,
Dont puis fuist mort et confundu.

Asses des autres l'en ad veu
Perir de celle maladie.
   Fils contumas a son parent
El viele loy par juggement,   2390
Atteint quant il en fuist prové,
Tantost serroit molt vilement
Amené pardevant la gent
Au porte, u cils de la cité
Le verront estre forsjuggé,
Que cil q'ot cuer de dureté
A dure mort soudeinement
Des pierres serroit lapidé :
De tiel fait soient essamplé
Ly fils d'Orguil qui sont present.   2400
   Desobeissance en sa maison
Deux autres ad, dont l'un par noun
Contrarious est appellé,
Et l'autre Contradiccioun,
Par quelle, ensi comme nous lison,
Dieus ove son poeple estoit iré,
Qu'il ot d'Egipte hors mené ;
Et ce fuist quant la dureté
Du roche versoit a fuisoun
Cliere eaue, dont cils abevré   2410
Furont, q'avant sa deité
Contredisoiont au perroun.
   De l'autre vice a son deces
Au poeple precha Moÿses,
Qu'ils s'en duissont bien abstenir :
Si les remembra leur viels fetz
Contrarious, dont maintz griefs fees
Dieus leur en ot fait sustenir.
N'est pas legier contretenir
Ne rebeller du fol conspir   2420
Au dieu, qui poet sanz nul reles
Par son dit faire tout perir :
Et q'a ce mal doit mal venir,
Ly sages le tesmoigne ades.
   De Nichanor fuist apparant
Que dieus orguil vait despisant ;
Car il avoit oultre mesure
Empris orguil, quant ly tirant
Jerusalem vint guerroiant ;

Mais quant quidoit estre a dessure,   2430
Dieu le rua par aventure,
Dont il perdist le chief al hure,
Q'estoit porté de maintenant
Deinz la Cité sanz nul demure,
Pour moustrer la disconfiture
De l'orguil qu'il avoit si grant.
   A ceste route s'associe
Blaspheme la dieu anemie,
Q'ad d'orguil si tresvilain port,
Q'au mesmes dieu dist vileinie.   2440
' Way soit,' pour ce dist Ysaïe,
' A tous qui font si mal report.'
Ce parust bien, quant de son tort
Senacherib vint au plus fort
Pour guerroier Roy Ezechie
En blasphemant ; dont sanz desport
Vengance de soudaine mort
L'envoia dieus pour s'estultie.
   Du viele loy je truis ensi,
Que ly blasphemus sanz mercy   2450
De male mort morir devoit :
Si lis de la novelle auci,
Quant nostre sire en crois pendi,
Un des larrons q'ove luy pendoit   f. 18
En mesdisant le blasphemoit ;
Dont maintenant dieus se vengoit,
Car quant le corps s'estoit fini,
La fole alme en enfern plungoit :
Qui ceste essample bien conçoit,
Estre en purra le mieux garni.   2460
   Des tous pecchés q'Orguil estable,
C'est un des tous le plus grevable ;
Sicomme le nous fait essampler
L'apocalips, qui n'est pas fable,
D'un monstre horrible espoentable
Dont saint Jehans fait deviser,
Q'issoit de la parfonde meer ;
Si ot escript cil adverser
Enmy le front le noun au deable,
C'estoit blaspheme, a despiser   2470
Le noun de dieu et aviler
Les saintz q'au dieu sont concordable.

La descripcioun d'Orguil en especial.

N'est pas tresdoulce celle Miere,
Dont tant du progenie amere
Est descendu, comme vous ay dit;
Ainz tant perest horrible et fiere
Qe n'est si fort, s'au droit le fiere,
Qe maintenant n'ad desconfit
Le corps ovesque l'espirit.
Car comme plus haltement s'assit   2480
Orguil du prince en la chaiere,
Et plus se vante et s'esjoÿt,
Tant plus le tient dieus en despit
Et le tresbuche a sa misere.
   Orguil perest si veine et fole,
Qe les plus sages elle affole,
Quant a sa part les poet attraire:
Orguil qant moustre sa parole,
Ne voet souffrir q'om reparole
Du chose que luy soit contraire: 2490
Orguil sovent se veste en haire
Devant les gens en saintuaire,
Et par soy meine vie mole:
Orguil soulein tout quide a faire;
Dont ne requiert d'ascun affaire
Son dieu plus que le vent que vole.
   Orguil vantparle en toute assisse,
Et quiert qu'il soit primer assisse,
Comme sur trestous ly plus eslit:
Plus est Orguil de halte enprise   2500
Que n'est Lioun deinz sa pourprise,
Ou que destrer quant il henyt:
Unques ne vi si fait escript,
El quel Orguil au plain descrit
Trovay, tant ad en luy mesprise;
Ne ja par moy poet estre dit,
Car proprement dieus la maldit,
Dont est bien digne a la Juise.
   Sidrac, qant il d'Orguil treta,
Dist et par resoun le prova,   2510
Orguil endroit de sa malice
Fuist le primer apostata:
Pour ce dist Salomon cela,
Que dieus et homme par justice

Devont haïr si orde vice:
L'alme orguillouse peccatrice
Par Moÿsen dieus commanda
Q'om l'osteroit de son service;
Car Orguil plest en nul office,
Ainz loigns des tous biens perira.   2520
   Orguil est celle enfermetée,
Que le triacle de sauntée,
Q'om fait de vertu et doctrine,
Torne en poison envenimé.
Au frenesie est comparée,
Que tolt la resoun enterine,
Siqu'il n'ad doubte en sa covine
De dieu ne de sa discipline;
Ne d'omme nul s'est ahontée,
Ne de son propre estat la line   2530
Conoist, tanqu'il en sa ruine
Trestout au deable soit alé.
   Sur tous pecchés pour acompter
Orguil fait plus a redoubter
De sa tresfiere vassellage;
Car c'est des vices le primer,
Q'assalt et fiert le chivaler,
Et le darrein a son passage.
He, halt Orguil du bass estage,
Devant trestous de ton lignage,   2540
Comme file et heir, tu dois porter
Apres ton piere l'eritage
Du regioun u ja n'assuage
Ly fieus, qui doit sanz fin durer.
   O comme perverse et maluré
Perest Orguil en tout degré,
Dont dieus se venge en chacun plit.
Ly sages dist que dieus le sée
As ducs destruit par ce pecché,
Et en leur lieu seoir y fist   2550
Ceux qui sont humbles d'esperit.
Ytieu vengance ad dieu confit,
Comme David l'ot prophetizé,
As riches, mais au gent petit,
Solonc que Salomon escrit,
Plus asprement serra vengé.
   La halte poesté divine
L'Orguil des gens ove leur racine

Sanz reverdir ensechera,
Dont filz et file ert en ruine ; 2560
Et en leur lieu pour medicine
Les debonnaires plantera :
Leur terre auci subvertira
Des tieles gens, q'il ne lerra
A leur proufit ne blé ne vine ;
Ainz jusq'au fundament le fra
Trestout destruire, et puis dorra
Au gent paisible la saisine.
   Trop est Orguil en soy maldite,
Si est le lieu u q'elle habite, 2570
Si sont auci tous ses amys.
L'Orguil del angre fuist despite
El ciel, et puis refuist desdite
As noz parens en paradis ;
Orguil en terre ad les paiis
Ove les inhabitans malmis ;
Orguil en l'air est contredite,
Et en enfern serront toutdis
Ly deable ovesque l'espiritz
Par dame Orguil que les endite. 2580
   Serf doit honour au seignourie,
Et filz amour sanz estultie
Doit a son piere par doulçour ;
Dont dieus demande en sa partie
Par son prophete Malachie,
Et vers Orguil fait sa clamour :
' Si je suy sire, u est l'onour,
Si je suy piere, u est l'amour,
Que l'en me doit et donne mie ? '
Responde, Orguil, di la verrour ; 2590
Tu l'as tollu de ton errour,
Dont reson est q'il t'en chastie.
   He, Orguil, fole capiteine
Des vices et la primereine,
De jadis te fay remembrer ;
Encore car sur toy l'enseigne
Apiert, quant tu le sée halteine
Encontre dieu vols attempter.
Tu vols tous autres surmonter,
Dont la justice dieu ruer 2600
Te fist en la plus basse peine.
Dy lors pour quoy tu viens clamer
La terre, quant tu as plener

Trestout enfern a ton demeine.
   He, Orguil, ce n'est resoun mie,
Que de la terre avras partie ;
Car c'est a nous tout proprement,
Qui naiscons de l'umaine vie,
Et devons porter compaignie
Chascun vers autre bonnement : 2610
Mais a cela tu n'as talent,
Car compaignie a toy n'apent,
Ainz tu quiers avoir la maistrie :
Pour ce retray toy de la gent,
Et tien d'enfern le regiment,
Car ce partient a ta baillie.

Des cynk files dame Envye, dont la primere ad a noun Detraccioun.

Ore a parler du progenie
Qe vient naiscant du dame Envie,
La primere est Detraccioun :
Celle est d'Acord droit anemie, 2620
Q'ad de sa faulse janglerie
Destruite mainte regioun ;
Car jammais parle si mal noun
Du voisin ne de compaignoun,
Dont peas et fame soit blemie.
Qui pres de luy tient sa mesoun,
Sovent orra tiele enchesoun,
U trop avra du vilanie.
   Haymo, qui molt estoit sachant,
De ceste fille est difinant, 2630
Si dist que c'est uns anemys
Qui d'autri mal se vait janglant,
Et d'autri bien se vait tesant :
Car jammais jour a nul devys
Ne se consente a l'autri pris,
Et nepourquant devant le vis
Losengera, mais au tournant
Du doss lors dirra son avis
Si mal que nuls le pourra pis ;
Du quoy saint Job s'estoit pleignant.
   Sicomme se musce ly serpent 2641
En l'erbe, et point soudeinement
Qant hom le touche, tout ensi   f. 19
Detractour d'enviouse dent
Mordt en secré la bonne gent ;

Dont l'en doit abhosmer celuy
Par qui ly bon sont detrahy.
Ly sages le vous dist ensi,
Que cil q'au detrahir mesprent
S'est obligez al anemy   2650
Qu'il ne s'en poet partir de luy,
Si plus du grace ne luy prent.
  Maria la soer Moÿses
Son frere detrahist du pres, ·
Qu'il ot pris femme ethiopesse :
Mais sa detraccion apres
La fist porter trop chargant fees ;
Car dieus en son corous l'adesce
Du lepre, qui par tout la blesce,
Dont par sept jours gisoit oppresse ; 2660
Mais lors l'en fesoit dieu reles.
Du cest essample me confesse,
Qe j'ay matiere overte expresse
De laisser saint prodhomme en pes.
  Saint Isaïe tielement
Dist a la Babiloine gent :
'Pource que detrahi avetz
A mesmes dieu primerement
Et as ses saintz communement,
Vous fais savoir que vous serrez   2670
Et detrahiz et avilez
Ou lac q'est plain d'orribletés
Du bass enfern parfondement.'
He, comme poet estre espoentez,
Que ly prophete ad manacez
Si tresespoentablement !
  Iceste fille malurée
Ad un soen chambirlain privée,
Qui Malebouche oï nommer.
Cil est toutdis acustummé   2680
Derere gent au plus celée
De mentir et de malparler :
Trop fait sa langue travailler
Pour ses mensonges avancer,
Dont bonne fame est desfamée ;
Car par son conte mesconter
Le bien en mal fait destorner,
Dont sert sa dame tout en gré.
  Cil Malebouche mesdisant,

Par ce qu'il voit un soul semblant, 2690
Voet dire qu'il ad veu le fait ;
Et d'une parole ascultant,
Tout une conte maintenant
De sa malice propre fait.
Pour ce de son tresmal agait
Sovent avient as bons deshait,
Ainz qu'ils s'en vont aparcevant ;
Car s'il ne voit aucun forsfait,
De sa mençonge contrefait
Ja ne serra le meinz parlant.   2700
  Quant Malebouche soul et sole
Voit homme ove femme qui parole,
Combien qu'ils n'eiont de mesfaire
Voloir, nientmeinz, 'Vei ci la fole !'
Dist il, 'Vei cy comme se rigole !
Trop est comune leur affaire.'
De malparler ne s'en poet taire ;
Pour ce sovent, u qu'il repaire,
Sanz nul deserte esclandre vole,
Que rougist dames le viaire ;   2710
Par quoy maldiont le contraire
De Malebouche et de s'escole.
  Quant ceste fille son amy
Vorra priser vers ascuny,
'Salve,' endirra darreinement ;
Lors contera trestout parmy,
Si male teche soit en luy ;
Sique du pris le finement
Ert a blamer : et molt sovent,
Quant om parolt de bonne gent,   2720
Lors fait comparisoun ensi,
Sique le pris q'al un y tent
N'est dit pour pris, ainz soulement
Pour amerrir le pris d'autry.
  Ensi si Malebouche morde,
C'est pour le mal quoy q'il recorde,
Dont sont destourbé ly plusour ;
Car toutdis trait la false corde,
Du quelle a son poair discorde
L'acord q'est fait de bon amour ; 2730
Et s'il par cas soit courteour,
Sovent reconte a son seignour
Tieu chose qu'il sciet la plus orde

                2733 plusorde

Des autres ; mais certes honour
Ne poet avoir que losengour
Escoulte et est de sa concorde.
  Cil Malebouche ad male aleine,
Et porte langue trop vileine,
Q'a detrahir est tout parfite
Et piere et miere et soer germeine, 2740
Moigne, Frere, Canoun, Noneine,
Prestre, Clerc, Reclus, Hermite,
Les grans seignours, la gent petite ;
En malparler neis un respite,
Que tous derere doss n'asseine :
S'il leur mals sciet, leur mals recite,
Et s'il n'en sciet, lors il endite
Du mal qu'il tient en son demeine.
  Fagolidros, comme fait escire
Jerom, en grieu valt tant a dire   2750
Comme cil qui chose q'est maldite
Mangut, dont le vomit desire :
Et ensi cil q'en voet mesdire,
De l'autri mals trop se delite
A manger les ; mais au vomite
Les fait venir, et les recite,
Quant il les autres voet despire :
Mais la viande ensi confite
A soy et autre desprofite,
Car corps et alme en sont ly pire.   2760
  J'en tray David a mon auctour,
Qe soutz la lange au detractour
Gisont cink pointz que dieus maldie ;
Des queux mesdit est ly primour,
Cil amerrist d'autri l'onour ;
Et amertume en sa partie,
Que serche l'autry vilenie ;
Ly tierce point c'est tricherie,
Que par deceipte vait entour
Et cause les descors d'envie,   2770
Dont sovent la paisible vie
Despaise et met en grief destour :
  Labour, dolour sont au darrain
Dessoutz la langue du vilain ;
Car detractour ne s'est tenu,
Qu'il ne labour du cuer et main,
Dont la dolour de son prochain

De sa malice soit accru.
Pour ce ly saint prophete dieu
Dist qu'ils leur lange ont fait agu   2780
Comme du serpent, et plus grevain
Dedeinz leur lieveres ont reçu
Venym, que quant s'est espandu,
Fait a doubter pres et longtain.
  A male langue est resemblant
L'espeie d'ambe partz trenchant,
Ce nous dist sage Salomon ;
Car d'ambe partz ly mesdisant
Des bons et mals vait detrahant :
Dont ly prophete en sa leçon   2790
Se plaignt et dist, par enchesoun
Qu'il volt suïr bien et resoun,
Luy detrahiront ly alqant.
He, dieus, du langue si feloun
Qui passera ? Je certes noun,
Quant si prodhomme n'ert passant.
  Mais qui du lange espeie font,
Dont bonne fame se confont,
Dieus les maldist par Jeremie ;
Et dist q'au male mort morront,   2800
Sique leur femmes demourront
Soleinement en triste vie
Sanz nul confort du progenie ;
Car dieus voet bien qua l'en occie
Leur jofne gent, u qu'il s'en vont,
Si q'en leur maison soit oïe
La vois du doel, qui brait et crie :
C'est le loer qu'ils porteront.
  Ly saint prophete en son escript
Les lievres tricherous maldit,   2810
Q'au detrahir par tout se ploiont
De leur mensonge et leur mesdit ;
Dont il ensi dieu prie et dist :
'O dieus, fai que fals lievres soiont
Tout mutz, et que les oels ne voiont,
Qe l'autry mal au cuer convoiont,
Dont male langue s'esjoÿt ;
Car l'un et l'autre tant envoiont
Des mals, q'ilz molt sovent desvoiont
Les bonnes gens de leur delit.'   2820
  Malveise langue ja ne fine,

Ainçois compasse et ymagine
Comme poet la bonne gent trahir.
Ja n'iert si bonne la veisine
Ne le voisin, que par falsine
Ne fra ses dentz au doss sentir ;
Car en mensonge et fals conspir
C'est sa plesance et son desir,
Dont met les autres a ruine :
Semblable l'en la poet tenir   2830
Au deble, qui du fals mentir
Est proprement piere et racine.
     Comme la saiette du leger,
Quelle ist du main au fort archer,
Entre en la char q'est tendre et
       mole,   **f. 20**
Mais du grant peine et grant danger
La tret om hors au resacher,
Tout ensi vait de la parole
Que de malvoise langue vole :
Legierement le noun affole   2840
D'un homme, qui puis amender
N'en poet ; et ensi nous escole
Alphonses, qui de bonne escole
Fist l'un a l'autre comparer.
     Solins d'un serpent fait conter,
Le quel Sirene om fait nommer,
Corant par terre comme chival,
Si vole en l'air come l'esperver,
Mais qanq'il touche par souffler,
Ainz que l'en poet sentir le mal,   2850
Occit de son venim mortal.
Ensi la bouche au desloyal
Par souffle de son malparler
La renomée du bon vassal
Soudaignement en un journal
A tous jours mais ferra tourner.
     Le souffle au bouche detrahant
C'est le mal vent du Babilant,
Dont dieus se pleint du violence
Par Jeremie, ensi disant :   2860
' Ils vont encontre moi levant
Leur cuer, leur vois, et leur sentence,
Si comme le vent du pestilence.'
He, vice odible el dieu presence,

Solonc l'apostre tesmoignant
Tu fais a mesmes dieu l'offense,
Dont as perdu la conscience,
Que mais n'en scies estre tesant.
     Langue enviouse du feloun
Trois en occit de sa leçon,   2870
Comme saint Jerom le fait escrire,
Soy mesme et puis son compaignoun
Q'escoulte sa detraccioun ;
Car saint Bernars ne sciet descrire
Qui soit de deux plus a despire :
Si fait auci le tierce occire,
Vers qui la desfamacioun
De sa malice a tort conspire :
Cil ad du siecle son martire,
Et l'autre ont leur dampnacioun.   2880
     Malvoise bouche a nul desporte,
Ainz tout le pis q'il sciet reporte
Par mesdisance et fals report :
Semblance a la hyene porte,
Que char mangut de la gent morte ;
Car Malebouche rounge et mort
Ensi le vif sicomme le mort ;
Car quique veille ou quique dort,
Ou face chose droite ou torte,
Tout fait venir a son resort.   2890
He, quelle bouche horrible et fort,
Que tout mangut et riens desporte !
     La hupe toutdis fait son ny,
Et l'escarbud converse auci,
Entour l'ordure et le merdaille ;
Mais de ces champs qui sont flori
N'ont garde : et par semblance ensi
Malvoise langue d'enviaille
De l'autri vice et ribaudaille
A ce se tient et se paraille,   2900
Pour detrahir de chacuny ;
Mais des vertus dont l'autre vaille,
Pour les oïr n'ad point d'oraille,
Ne bouche a parler bien de luy.
     Par tout u Malebouche irra,
Disfame ades luy suiera :
C'est un pecché trop violent ;
Car l'escripture dist cela,

Que cil q'autry disfamera
Et tolt le bon noun de la gent,   2910
Cil pecche plus grevousement
Que cil qui d'autri tolt et prent
Ses biens; car ce par cas pourra
Redrescer par amendement,
Mais l'autre jammais plainement
Au paine se redrescera.
  'Way,' ce dist dieus, 'a l'omme
    soit,
Par qui l'esclandre venir doit,
Dont il ou autre ert disfamez;
Car au tiel homme mieulx serroit   2920
Que mole du molyn pendoit
Au coll, et fuist en mer noiez.'
Dieus dist auci, ' Crevez, coupiez,
Tes oels, tes mains, dont esclandrez
Estes, car mieulx,' ce dist, ' valroit
Entrer tout voegle et desmembrez
El ciel, q'en enfern tout membrez
Ardoir sanz fin en grief destroit.'
  Encontre l'envious mesdit
Par le prophete dieus ce dist: 2930
' Tu as d'envie esclandre mis
Envers tes freres, dont maldit
Serretz, car pleinement escrit
Sont tes mensonges et folz ditz,
Dont tu les autres as laidis;
Que te serront apres toutdis
A ton reprouche et ton despit
Encontre ton visage assis;
Car quant du siecle es departiz
Lors ton esclandre ert infinit.'   2940
  El viele loy, qui disfamant
Mesdist du vierge, truis lisant,
En trois degrés ot sa penance;
Primer au piere de l'enfant
D'argent cent cicles fuist rendant,
Si fuist batuz pour sa penance,
Et pour parfaire l'acordance
La vierge prist en governance,
Et tient espouse a son vivant:
Dont m'est avis par celle usance   2950

Disfame n'est pas sanz vengance
Du siecle ou de la mort suiant.
  Mais sur tous autres cil pis fait,
Q'esclandre de son propre fait;
Soy mesmes car deliverer
Lors ne s'en poet de son mesfait:
Quant il est cause du forsfait,
C'est droit qu'il ait la blame entier;
Et ce pour nous endoctriner
Ezechiel fait tesmoigner.   2960
Mais male langue ne tient plait
De sainte escripture essampler,
Ainz quert disfame a son danger,
Et al autry, comment qu'il vait.
  Disfame ad de sa retenue
Deux autres serfs en son aiue,
Des queux l'un Vituperie ad noun,
N'est plus feloun dessoutz la nue;
Du bouche car trestout desnue
Les mals d'autry condicioun: 2970
Derere doss dist sa leçoun,
Et tout fait sa disputeisoun
De l'autry vice, et tant argue
Q'au fin c'est sa conclusioun,
De l'autry tolt le bon renoun
En corps, et soy en alme tue.
  Tant comme prodhomme en son
    degré
Soit de greignour honesteté,
Plus just, plus douls, plus debonnaire,
Tant plus Envie malurée   2980
Du vituperie ymaginée
S'applie a dire le contraire.
David se plaignt de tiel affaire,
Et dist qu'il presde son viaire
Le vituperie ad escoulté
Des gens plusours pour luy desfaire.
He, vice, trop es de mal aire,
Dont ly bien sont en mal torné.
  Reproef est l'autre, qui devant
Les gens lour mal vait reprovant   2990
De ce qu'il plus les poet grever;
Nounpas q'ils soient amendant,

Mais pource que par malvuillant
D'envie les voet reproever,
Pour leurs mals faire aperticer.
De la festue sciet parler,
Q'el oil d'autri voit arestant,
Mais son oill propre laist ester
Tout plain d'ordure sanz drescer
Ses propres mals en amendant.   3000
   Ly sages dist, cil q'est espris
De ceste vice bien apris
Jammais serra, car toute aprise
Hiet : car il ad deinz soy compris
Si grande envie, dont le pris
Del autri sen comme fol desprise ;
Et sur ce dist de sa mesprise
Parole de si fole enprise,
Que l'autre en ert tout entrepris
De l'escoulter, dont la juise   3010
Au fin sur soy serra remise,
Que tantz des mals sur autre ad mis.
   He, Malebouche, tant mal fais,
Dont sont et ont esté desfaitz
Plusours ; mais sicomme dist ly sage,
Quiconque soit, ou clers ou lais,
Qui vorra dire l'autri lais,
Cil orra de son propre oultrage
Soudeinement novelle rage ;
Car qui les autres desparage,   3020
C'est droit qu'il sente le relais
De la tempeste et de l'orage,
Dont il les autres vente, et nage
Tant qu'il en soit au fin desfais.
    La seconde file d'Envye, q'ad a
    noun Dolour d'autry Joye.
De la seconde file apres   f. 21
Que naist d'Envie, ad mal encres,
Si ad noun d'autry bien Dolour ;
La quelle deinz son cuer jammes
N'ot une fois amour ne pes,
Ainz est tout plain du mal ardour : 3030
Car ly chald feus sans nul retour
D'envie bruyt de nuyt et jour
Son cheitif cuer sanz nul reles ;

Tant comme voit autre avoir l'onour
Devant luy, lors de sa tristour
Ne poet garir ne loign ne pres.
   Iceste file plain d'envie,
Quant doit venir au mangerie,
U grant serra l'assemblement,
Si homme ne l'onoure mie   3040
Dessur toute la compaignie,
De son manger perdra talent :
Car quant regarde l'autre gent
Seoir de luy plus haltement,
Dedeinz son cuer tous les desfie,
Ne ja pour clarré ne pyment
Ne se conforte aucunement,
Tant est du deable malnorrie.
   Et d'autre part, quant sciet et voit
Q'une autre q'est de son endroit   3050
Soit reputé de luy plus bele,
Ou plus de luy faitice soit,
Ly cuers d'envie tant enboit,
Que tout entrouble la cervele ;
Car lors se tient a chativelle
Et a soy mesme en fait querelle,
Quant l'onour d'autry aparçoit.
Ensi luy vient toutdis novelle
Paine, et comme l'en plus revelle
Du joye, tant plus est destroit.   3060
   Dissencioun ne falt jammes,
Que ceste fille tout ades
Ne suit sicomme sa chamberere,
Et porte trop le cuer engress,
Quant voit un autre du plus pres
Avoir l'onour et la chaere
Devant sa dame ; et lors la fiere
L'estat del autre au nient affiere,
Disant que c'est contre la pees
Q'om met ensi sa dame arere :   3070
Ainçois duist estre la primere,
Et l'autre duist suïr apres.
   Itiel Dolour au court du Roy
Sovent se plaignt, si comme je croy,
Quant voit des autres plus privez,
Dont n'ose faire aucun desroy.

Lors deinz son cuer tout en recoy
Envie eschalfe ses pensés,
Dont ad dolours ymaginés ;
Car s'il fuist a ses volentés,　　3080
Nuls serroit plus privé du soy :
Mais lors maldist ses destinés ;
Car quant sur tous n'est eshalciez,
De son estat luy semble poy.
　Sovent entour religioun
Y fait sa conversacioun
Itiel Dolour, quant vont eslire
Leur primat, mais quant il le doun
N'en prent, lors pour confusioun
Nuls sa dolour pourra descrire :　　3090
Quant voit q'uns autres serra sire,
Envie le deboute et tire,
Et tolt toute devocioun,
Q'au paine poet ces houres dire.
Trop est tiel orguil a despire,
Que duist estre en subgeccioun.
　Et nepourquant tout tiele entente
En general trop se desmente,
Quant presde luy voit avancer,
Ou soit parent ou soit parente ;　　3100
Car il perdroit sa propre rente
Pour l'autry faire damager.
Car pour prier ne pour donner,
Ne pour les membres decouper,
A l'autry proufit ne consente ;
Ainz plourt, quant autri voit rier.
Pour ce dolour sanz terminer
Ert tout soen propre par descente.
　De tiel pecché furont commeu
Ly maistre Scribe et Phariseu,　　3110
Q'estoiont de la Juerie,
Qant ont Jehan et Pierre veu
Precher comment ly fils de dieu
Estoit levé du mort en vie ;
Du poeple dont une partie,
Q'avoit leur predicacioun oïe,
Sont au baptesme et foy venu :
Dont leur grant joye multiplie,
Mais l'autre de leur false envie
De leur joye ont dolour reçu.　　3120

De les grans biens que dieu auci
Fist, tancomme fuist en terre yci,
Quant de son tresbenigne ottroy
Les languisantes gens gary,
Qui du santé sont esjoÿ,
Les maistres de la viele loy
Du dolour furon en effroy,
De l'autry joye ert leur annoy.
He, cuer d'envye mal norry,
Qui ne voet faire bien du soy,　　3130
Et sa dolour maine a rebroy
De ce qu'il voit bienfaire autry.
　De tiel dolour David prioit,
Que sur le chief revertiroit
Le doel de luy q'en fuist dolent ;
Car qui tiel doel deinz soi conçoit,
Comme ly prophete nous disoit,
Iniquité tout proprement
De luy naist a l'enfantement,
La quelle nepourquant descent　　3140
El haterel du luy toutdroit,
Du qui nasquist primerement :
Si chiet el fosse au finement
Qu'il mesmes de sa main fesoit.
　Baruch se plaignt, q'estoit prophete,
Si dist : 'Way moy del inquiete,
Que dieus dolour sur ma dolour
M'ad adjusté, sique quiete
N'en puiss trover en nulle mete.'
Ensi diront cil peccheour ;　　3150
Car sur dolour dolour peiour
Leur doit venir u n'est sojour,
Ainz toute paine y ert complete ;
C'est en enfern, u la tristour
Est perdurable sanz retour,
La prent Envye sa dyete.

La tierce file d'Envye, q'ad noun
Joye d'autry mal.

　La tierce soer est molt diverse,
A la seconde soer reverse,
Mais sont d'envie parigal ;
Si l'une est mal, l'autre est perverse,　　3160
Que l'un sanz l'autre ne converse,
Les tient lour Miere einz son hostal.

Ceste ad noun Joye d'autri mal :
De ce dont plouront communal
Sa joye double, et lors reherce
Chançon d'envie especial,
Q'elle ad apris du doctrinal
Sa miere, celle horrible adverse.
   Quant voit gent aller en declin,
Ou soit estrange ou de son lin,   3170
Tournant de richesce en poverte,
Tantost dirra, 'Vecy le fin !
Quanqu'il conquist du mal engin,
Ore ad perdu par sa deserte.'
Ensi le noun d'autry perverte,
Et s'esjoÿt, quant elle est certe
Du grief qui dolt a son veisin :
Sicomme goupil d'oreile overte
Les chiens escoulte, ensi la perte
De l'autri fait soir et matin.   3180
   Quant ceste fille est courteour,
Et voit ceaux de la court maiour
Leur lieu de halt en bass changer,
Et perdre au fin bien et honour,
Sique l'en fait commun clamour
Pour leur estat plus aviler,
Lors ne falt pas a demander
Si ceste fille en son mestier
Se rejoÿt de leur dolour,
En esperance d'aprocher   3190
Plus pres du prince a demourer,
Et commander en lieu de lour.
   Par tout yceste est enviouse,
Mais quant elle est religiouse,
Tant plus d'ardante envie boit,
Et plus se fait lée et joyouse,
Quant voit la fame ruinouse
De son confrere, quelqu'il soit ;
Voir si ce fuist de saint Benoit,
Et il en pure vie estoit,   3200
Encore la maliciouse,
Si mal de luy parler orroit,
Dedeinz son cuer s'esjoyeroit.
Vei la la fille perillouse !
   Ensur les autrez soers d'Envie
A ceste soer plus est amye

Detraccioun sa soer primere ;
Que molt sovent par compaignie
De Malebouche sa norrie
Fait envers luy sa messagiere :   3210
Le mal d'autry l'une a derere
Reconte, et l'autre la matiere
Ascoulte du joyouse oïe ;
Car d'autry perte elle est gaignere,
Si quide avoir celle adversiere   **f. 22**
Honour del autry vilanie.
   Tout va le mond a son desir,
Quant Malebouche poet oïr,
De ses voisins q'est desfamant :
De son mesdit, de son mentir   3220
Du rire ne se poet tenir,
Tant s'en delite en ascultant.
Pour ce q'est mesmes forsvoiant,
Vorroit que tous de son semblant
Fuissent malvois ; pour ce cherir
Fait Malebouche en son contant,
Que l'autri vices met avant,
Et les vertus fait resortir.
   C'il q'est de ceste fille apris,
Trop est du fole envie apris ;   3230
Car il se souffre de son gré
Du propre estat estre arreris,
Par si q'un autre en ait le pis :
Sicome d'un homme estoit conté,
Qui de sa propre volenté
Eslust d'avoir l'un oill hosté,
Issint q'uns autres ses amys
Ust ambedeux les oils crevé.
Trop fuist ce loign du charité,
Quant ensi fuist le jeu partis.   3240
   Au tiele gent, ce dist ly sages,
Qu'ils ont leur joye des damages
Dont voient leur veisin grever ;
Et d'autre part deinz leur corages,
Quant ils font mesmes les oultrages
De mesfaire ou de mesparler,
En ce se faisont deliter.
Par quoy David en son psalter
Se plaignt des tieles rigolages,
Et dist, 'Si je de mon sentier   3250

Me moeve, lors de m'encombrer
S'esjoyeront comme d'avantages.'
  Ezechiel prophetiza
As filz Amon disant cela,
Que pour ce qu'ils joyous estoient
Sur le meschief as fils Juda,
Dieus d'orient envoiera
Les gens qui leur destruieroient
Si nettement, que n'y lerroient
Leur noun sur terre, ainz l'osteroiont,
Que puis memoire n'en serra: 3261
Pour ce fols sont qui se rejoyont
Sur l'autry mal, et point ne voient
Le mal qui puis leur avendra.

  As ses disciples par un jour
Dieus dist, q'en leur tristesce et plour
Ly mondes s'esleëscera.
C'estoit parole dur a lour,
Mais il dist puis, que leur tristour
En joye au fin revertira;   3270
Et cil qui de leur doel pieça
Se fist joyous, dolent serra,
Quant la tenebre exteriour
Soudainement luy surprendra,
U joye aucune ne verra,
Ainz infinit sont ly dolour.

  Ce dist ly sage en general:
Quiconque s'esjoÿt du mal,
Serra du mal au fin noté
Et puny par especial   3280
Du vengement judicial:
Car qui du mal font leur risée,
Leur lieu et paine est ordeiné
En l'infernale oscureté,
Comme l'evangeile est tesmoignal,
U que ly dent sont grundillé
Et plour est indeterminé,
Sanz nul espoir memorial.
  La quarte file d'Envie, q'est dite
Supplantacioun.
  La quarte fille par droit noun
Est dite Supplantacioun,   3290
Q'aprent d'Envie son mestier,
De contrôver occasioun

Par faulse mediacioun
Coment les gens doit supplanter,
Ou par priere ou par donner:
Car pour soy mesmes avancer,
Du quel qu'il soit condicioun
N'en voet aucun esparnier,
Que ne luy fait desavancer,
Ou soit ce lai ou soit clergoun.   3300
  Car quique voet bargain avoir
Du terre ou du quiconque avoir,
Et en bargaign mesure tent,
Quant Supplant le porra savoir,
Tantost ferra tout son povoir
A destourber que l'autre enprent,
Et sur ce moult plus largement
Ferra son offre au paiement,
Pour l'autri faire removoir
De son bargaign; car voirement   3310
Il se damage proprement,
Dont son voisin doit meinz valoir.
  Mais quant Supplant en court royal
Voit autre plus especial
De luy en bonne office estant,
Curtois devient et liberal,
Si donne a ceaux qui sont menal,
Et vait au seignour blandisant,
Et entre ce vait compassant
Le mal d'autry, jusques atant   3320
Qu'il pourra tenir au final
Ce que ly autres tint devant:
Ensi son propre estat montant
Fait son voisin ruer aval.
  Mais s'en la seculere guise
Supplant se queinte et se desguise
D'envie entre la laie gent,
Asses plus met de sa queintise
En ceaux qui sont de sainte eglise.
Qui garde au court de Rome en prent,
La poet om au commencement   3331
L'effect du fals supplantement
Veoir ove toute la mesprise;
Et puis avant communement
Tous ensuient l'essamplement
De si tresauctentique aprise.

3330 enprent

Mais au meschant qui pove*r*e esta
Envie ne se mellera,
Quant il n'ad quoy dont supplant*er*
Le poet, ainz est curtoise la,   3340
Et d'autre part se tournera ;
C'est envers ceaux qui pier a pier
Vivont, es queux pourra trover
Richesce, honour, sens et poer ;
Car de nature regnera
U plus des biens voit habonder :
Com*m*e plus voit autre en pris mont*er*,
Tant plus Supplant l'enviera.

    Supplant d'envie trop se ploie
As *p*rocurours et se suploie,   3350
Si qu'ils soiont de sa partie ;
Sovent leur don*n*e riche proie
Et plus promet, et beal l*our* proie
Q'a son pourpos facent aïe :
Ensi par sa procuracie,
Par son deceipte et par veisdye,
Et par despense du monoye
Aquiert office, honour, baillie,
Dont s'esjoÿt du faulse envie,
Qant voit son prou q*ue* l'autre annoye.

    Ce dist Tulles en l'escripture,   3361
Que mort, dolour, n'autre lesure
D'ascune chose q'est foraine,
N'est tant contraire a no nature
Com*m*e est qua*n*t l'en *p*ar conjecture
Fait q'autri perde et mesmes gaine.
Mais ce q*ue* chalt, quiq*ue* s'en plaigne,
Supplant sur l'autry mal bargaine ;
Mais tant le fait par coverture,
Qu'il ad ne compain ne compaine   3370
Qui poet savoir son ov*er*aigne,
Ainçois qu'il ait *p*arfait sa cure.

    Supplant nou*n*pas les biens d'autri
Tantsoulement attrait a luy,
Ainz les honours et dignetés,
Dont voit les autres esbaudy.
N'ad cure q'en soit arrery,
Mais qu'il soit mesmes avancés ;
Pour ce se ploie de tous lées,
Dont en honour soit eshalciez   3380

De ce q'un autre ert escharny :
Mais Aristole en ses decrés
Dist certes, q'entre les pecchés
C'est un des tous le plus failly.

    Supplant endroit de sa vertu
Bien fait du Jacob Esaü,
Son *p*ropre frere n'esparnie.
David dist q*ue* le filz de dieu,
Q'estoit par fals Judas deçu,
S'en complaignoit en *p*rophecie,   3390
Disant qu'il supplant magnefie
Sur moy de sa tresfalse envie.
Mais au *p*arfin Judas deçu
Estoit, car plain du deablerie
Par male mort perdi la vie,
Si ot la boële espandu.

    Supplant ad de sa nacio*u*n
Trois servantz : c'est Ambicio*u*n,
Qui vait entour pour espier
Les gens et leur condicio*u*n ;   3400
Mais l'autre est Circumvencio*u*n,
Cil sciet les causes *p*rocurer ;
Q'au paine nul se sciet garder
Que cils ne facent enginer
Du false ymaginacio*u*n :   **f. 23**
Ly tierce dont vous vuil parler
Confusio*u*n l'oï nom*m*er,
Qui plus des autres est felo*u*n.

    Ambicio*u*n c'est ly currour
D'Envie, qui s'en vait entour   3410
Par tout, u q'om l'envoiera :
Si est auci ly *p*rocurour
Des nobles courtz, qui tolt l'ono*ur*
D'autry, q'a soy compilera.
D'Ambicio*u*n prophetiza
Baruch, qui molt le manaça,
Disant, le fin de son labour
En meschief se convertira ;
Car c'est droitz q'autry ruera
Qu'il soit ruez au chief de tour.   342c

    ·De Circumvencio*u*n le rage,
Si com*m*e dist Salomon ly sage,
En les fols envious habite ;
Qui sont de si tresfel corage,

Que ja prodhomme en nul estage
Vuillent amer, ainçois despite
Ont sa resoun et contredite ;
Car quant voient qu'il lour endite
Contraire chose a leur usage,
Ils ont malice tost confite   3430
Du fals compass, dont sanz merite
Ils l'en ferront paine et damage.
    Confusioun c'est ly darrein
Qui sert Supplantement au mein ;
Car cil ne laist jusq'en la fin,
Tant comme prodhomme trove sein,
Il suit come bercelet au sein,
Pour luy ruer a son declin.
Ja nuls serra si bon cristin,
Qui mors ne soit de ce mastin,   3440
Si dieus ne soit de luy gardein.
Mais q'ensi confont son voisin,
Doit bien savoir que tiel engin
Serra puny come du vilein.
    Confusion, dist Jeremie,
Est de si grande felonie,
Q'il les labours du piere et miere,
Les berbis ove la vacherie,
Trestout du malvois dent d'envie
Runge et mangut, que riens y piere; 3450
N'est chose qu'il laist a derere,
Ainçois devoure et filz et frere
Ove tout cele autre progenie :
Car tant ad sa malice fiere,
N'est tant prodhomme, s'il le fiere,
Qu'il ne tresbusche en ceste vie.
    Mais en le livre au sage truis,
Qu'un tiels malvois serra destruis ;
Qu'il est escript que peccheour,
Qui tient supplantement en us,   3460
Par double voie ert confondus
Du supplant a son darrein jour :
Car Mort supplantera s'onour
Du siecle, dont fuist supplantour,
Et puis serra du ciel exclus
Pour son pecché du fol errour :
Si l'un est mal, l'autre est peiour,
Car doublement serra confus.

    La quinte file d'Envie, q'est dite
Fals semblant.
    D'Envie encore une enviouse,
La quinte file plus grevouse,   3470
Naist, et le noun du Fals semblant
Enporte, et est si perillouse,
Si trescoverte et enginouse,
Que quant trestout le remenant
Des files, dont j'ay dit devant,
Mener le mal d'envie avant
Faillont, yceste tricherouse
Le meine, sique nul vivant
S'en aparçoit, jusques atant
Qu'elle ait tout fait la venimouse. 3480
    Cil q'est du Fals semblant norry,
Plus asprement deçoit celuy
Vers qui plus porte compaignie ;
Car come plus fait semblant d'amy
Apertement, tant plus vous dy
Qu'il ad covert sa tricherie.
Qui ceste file meine et guie,
Pour ce qu'il plest a dame Envie,
Est sur les autres estably
Son procurour et son espie,   3490
De qui deceipte et felonie
Ont maint prodhomme esté trahy.
    Du Fals semblant la bele chere
Odibles est et semble chiere ;
Du bien parole en mal pensant,
La chose doulce fait amere,
L'avant fait tourner en derere,
Si fait le blanc en noir muant :
Trop est son oignt au fin poignant,
Du venym mordt en son baisant, 3500
Et en plourant rit la trichere.
Ostour en penne de phesant,
Ne poet faillir en mal fesant
Que sa malice au fin ne piere.
    Ce dist Tulles, qu'il n'est dolour
D'aucun tort fait, qui soit peiour,
Comme est quant l'en deceipte pense
Par coverture interiour,
Et par semblant exteriour
Du bon amour fait apparence.   3510

3451 aderere   3471 falsemblant

Ce parust bien d'experience,
Quant Judas fist la reverence
Baisant la bouche al salveour;
C'estoit d'amour bonne evidence
Dehors, mais deinz sa conscience
Ly semblant fuist d'un autre tour.

    Pour Fals semblant a droit servir,
Sa miere Envie ad fait venir
Bilingues, q'ad en une teste
Deux langues pour les gens trahir. 3520
N'est qui s'en poet contretenir,
Tant ad coverte sa tempeste;
Car d'une langue piert honeste
Al oill, que tout du joye et feste
Parolt, mais l'autre en soy tapir
Fait sa malice deshoneste,
Dont plus q'escorpioun agreste
Fait sa pointure au fin sentir.

    Du double langue la parole
Trop semble debonaire et mole; 3530
Mais tant est dur, ce dist ly sage,
Que tresparmy le ventre vole
Au cuer, dont maint prodhomme affole,
Ainçois qu'ils scievont son langage.
Ses ris q'om voit du lée visage
Sont mixt de doel deinz le corage,
Dont puis les innocens tribole:
A celle urtie q'est salvage
Resemble, que gist en l'ombrage
Muscée dessoutz la primerole. 3540

    Plus que nul oile par semblant
Sont mol ly dit du Fals semblant,
Solonc David, mais pour voirdire
Ils sont come dart redd et trenchant.
Tiel envious de son vivant
Est monstre horrible pour descrire:
Face ad d'un homme, qui le mire,
Mais du serpent la coue tire
Ove l'aiguiloun dont vait poignant;
Du tiel venym le fait confire, 3550
Que nul triacle poet suffire
Garir le mal au languisant.

    Ce dist Sidrac, que doulcement
Le harpe sonne, et nequedent

La langue mole au losengour,
Quant faire en voet deceivement,
Sonne asses plus deliement
A celuy q'en est auditour.
Ly sages dist, que blandisour
Qui suef favelle par doulçour 3560
Est un droit las al innocent,
Dont sont attrapé ly plusour:
Quant l'en meulx quide avoir honour,
De sa parole plus y ment.

    Du Fals semblant om poet escrire,
Qu'il est semblable pour descrire
Au Mirre, que du bon odour
Delite et au gouster enpire;
Car l'en ne trove en nul empire
Racine, gumme ne liquour, 3570
Que d'amertume soit peiour:
Ensi du traitre losengour
Molt sont plesant au dame et sire
Les ditz, mais puis au chief de tour
Luy fait convertont en dolour,
Dont pardevant les faisoit rire.

    Qui les oisealx deçoit et prent
Moult les frestelle gaiement,
Dont en ses reetz les porra traire;
Et ensi ly bilingues tent 3580
Ses reetz, quant il plus belement
Parole pour les gens desfaire.
He, vice al oill tant debonnaire,
Tu as du joye le viaire,
Et le penser come mort dolent:
Tu es la reule de contraire,
Le beau solail q'en toy s'esclaire
Par toy s'esclipse trop sovent.

    Ly sages dist que nuls s'affie
En celluy, qui par sophistrie 3590
Parole, sique nuls l'entent;
Car tiel a dieu ne plerra mie,
Si est odible en ceste vie
Et pert les graces du present.
Maldit soient tout tiele gent,   **f. 24**
Ce dist ly sages ensement;
Et ly prophete auci dieu prie,
Qu'il perde et mette a son tourment

La langue que si doublement
Trestous deçoit par tricherie.　　3600
　Dieus par Baruch nous dist cela :
'Way soit a l'omme et way serra,
Qui donne a boire a son amy,
Le quel du fiel se mellera,
Dont puis quant l'autre enyvrera,
Sa nuetée verra parmy ;
Que despuillez et escharny
De ce serra plus malbailly,
Dont il sa gloire plus quida.'
Mais double lange, atant vous dy,　3610
Si du fiel ne soit myparty,
Jammais parole ne dirra.
　David demande en son psalter,
Q'est ce que l'en pourra donner
Au langue double en resemblance :
Si dist q'om le doit resembler
A la saiette agu d'acier,
Que du main forte vole et lance ;
Dont riens poet avoir contrestance,
Ainçois tresperce et desavance　　3620
Le corps en qui la fait lancer :
Ensi ou plus sanz arestance
Ly langue double en sa parlance
Plusours en fait desavancer.
　Auci David nous essamplant
La langue double est resemblant
Au vif carbon de feu q'espart ;
Qui bruit soy mesmes tout avant,
Et sur les autrez puis s'espant,
Qui sont decoste luy a part :　　3630
Car langue double de sa part
Plus que carbon enflamme et art
Ceulx q'envers luy sont enclinant ;
Mais pource q'ensi se depart
De dieu, au fin avra le hart
De l'enfernale paine ardant.
　Les mals du double lange ensi
Descrist ly sages, que par luy
Sont gens paisibles perturbez,
Et les fortz chastealx enfouy,　　3640
Et les cités murés auci
Destruit, et les vertus ruez

Du poeple, et les plus fortz tuez :
Tant fait par ses soubtilités,
Que nuls en poet estre garny.
De les tresclieres matinées
Trop fait obscures les vesprées ;
C'est cil qui n'est ne la ne cy.
　Au langue double en malvoisté
Perest un autre associé,　　3650
Qui Falspenser om est nommant :
L'un est a l'autre tant secré,
Que l'un sanz l'autre en nul degré
Voet dire ou faire tant ne quant.
Ly tiers y est, q'en leur garant
Sovente fois se met avant ;
Cil par droit noun est appellée
Dissimulacioun, qui tant
Sciet les faintises de truant,
Dont maint prodhomme sont guilée.　3660
　Cist trois se sont d'un colour teint,
Et par ces trois furont ateint
Ly frere q'ont Josep deçu :
Trop fuist leur cuer d'envie peint,
Quant ont ensi leur frere enpeint
En la cisterne et puis vendu :
Mais Job, q'estoit l'amy de dieu,
Dist que penser de mal estru
Dieu le destruit, q'au fin ne meint.
Ce parust bien en mesme lieu :　3670
Josep fuist sur Egipte eslieu,
Quant tous si frere sont destreint.
　Des tous pecchés qui sont dampnable
Ly fals pensiers est connestable
En l'avantgarde au Sathanas,
Et fait que l'alme en est menable
Ove mainte vice abhominable
Encontre dieu ; mais tu orras
Comme ly prophete Micheas
Dist, 'Way te soit, qui pensé as　3680
Du chose q'est descovenable ' :
Et David dist, s'ensi le fras,
Des tes pensers tu descherras,
Solonc que tu en es coupable.
　Par Jeremie dieu divise
Le vengement, q'en aspre guise

3624 enfait　　　3643 plusfortz　　　3671 Josep　　　3676 enest

Au malpenser envoiera,
Q'est d'indignacioun esprise
Comme fieu, que jammais pour l'en-
prise
Du Falspenser n'exteignera :   3690
Car comme ly cuers d'envie esta
Toutdis ardant, ensi serra
Du Falspenser la paine assisse.
Trop pourra penser a cela
Qui soy coupable en sentira,
Quant fin n'ara de sa juise.

**La discripcioun d'Envie propre-
ment.**

D'Envie çe sont ly mestier :
Son proesme a detrahir primer,
Et s'esjoÿr de l'autry mals,
Et doloir sur le prosperer   3700
De ses voisins, queux supplanter
Ses paines met et ses travals ;
Et par semblant q'est feint et fals
Se fait secré d'autry consals,
Et puis le fait aperticer,
Dont les meschines et vassals,
As queux se fist amys corals,
Fait en la fin deshonorer.

Uns clers d'Envie ensi commente,
Si dist que celle est la serpente   3710
Que plus resemble a son fals piere :
Car nuyt ne jour son cuer n'alente
Sur l'autry mal, ainz atalente
Tout autry bien mettre a derere :
C'est du malice la marchiere ;
C'est le challou deinz la perriere,
Qui porte fieu deinz son entente ;
C'est le rasour qui nous fait rere
La barbe contre poil arere,
Que jusq'al oss prent sa descente : 3720
C'est celle urtie mal poignant,
Que d'amertume vait bruillant
La rose qui luy est voisine ;
C'est ly serpens toutdis veillant,
Q'en l'ille Colcos fuist gardant
Le toison d'orr, dont par covine,
Q'en fist Medea la meschine,

Jason de sa prouesce fine
Portoit grant pris en conquestant
Malgré la geule serpentine.   3730
He, false Envie malvoisine,
Comme tu par tout es malvuillant !

Envie est cil dragon mortiel,
Ove qui l'archangre seint Michel,
Sicomme l'apocalips devise,
Se combatist, pour ce q'en oel
L'amour accusoit fraternel,
Et volt pervertir en sa guise ;
Mais dieu en ad vengance prise
Par son saint angre, q'il molt prise, 3740
Qui le dragon malvois et viel
Venquist tanq'au recreandise,
Et luy ruoit del halte assisse
Bass en enfern perpetuel.

Envie d'omme resonnable
De son venym est resemblable
Au Basilisque en sa figure ;
Q'est uns serpens espoentable,
Sur toutes bestes plus nuisable,
Q'estaignt et tolt de sa nature   3750
Du fuil et herbe la verdure :
En tous les lieus u qu'il demure
Riens est qui soit fructefiable.
Ensi d'Envie la sufflure,
Honour, bonté, sen et mesure
De ses voisins fait descheable.

Envie par especial
Sur tous mals est desnatural,
Car si trestout ussetz donné,
Et corps et biens en general   3760
A l'envious, cil au final
Du mal t'ara reguerdonné.
He, envious cuer maluré,
Ne scies comme dieus t'ad commandé
D'amer ton anemy mortal ?
Et tu ton bon amy en hée
Sanz cause tiens trestout du grée.
Respon, pour quoy tu fais si mal.

Sicomme du lepre est desformé
En corps de l'omme la beuté,   3770
Ensi de l'alme la figure

Envie fait desfiguré.
Ly sages l'ad bien tesmoigné,
Q'Envie fait la purreture
Des oss a celuy qui l'endure.
He, vice, comme peres oscure !
Tu as ce deinz le cuer muscé,
Dont le corage est en ardure,
Que nuyt et jour a demesure,
En flamme met ton fals pensé.　　3780
　Dedeinz la bible ensi je lis,
Q'om solt la lepre gent jadis
De la Cité forainement
Faire habiter es lieus sultis :
Mais pleust a dieu et seint Denys,
Que l'en feist ore tielement　　f. 25
De l'enviouse male gent ;
Siqu'ils fuissent souleinement
Enhabité loign du païs.
Prodons du deable se defent,　　3790
Mais noun d'Envie aucunement ;
Ensi valt l'un de l'autre pis.
　En ces trois poins Roy Salomon
D'Envie fait descripcioun,
Disant q'Envie ad l'oill malvois,
Et bouche de detraccioun,
Ove pié de diffamacioun :
N'est pas sanz vice q'ad ces trois.
Qui list jadis de les fortz Rois
Les crualtés et les desrois,　　3800
Sur tous tourmens ly plus feloun,
Dont cil tirant furont destrois,
C'estoit Envie ove le surcrois,
Comme dist Orace en sa leçoun.
　Ly mons Ethna, quele art toutdiz,
Nulle autre chose du paiis
Forsque soy mesmes poet ardoir ;
Ensi q'Envie tient ou pis,
En sentira deinz soy le pis.
A ce s'acorde en son savoir　　3810
Ly philesophre, et dist pour voir
Q'envie asses plus fait doloir
Son portour, qui la tient saisis,
Que l'autre contre qui movoir

Se fait, car l'un matin et soir
La sente, et l'autre en est guaris.
　Au maladie q'est nommé
Ethike Envie est comparé.
C'est un desnaturel ardour,
Que deinz le corps u s'est entré　　3820
De son chalour demesuré
Arst comme ly fieus dedeinz le four ;
Dont enseschist du jour en jour
Le cuer ove tout l'interiour,
Que dieus en l'alme avoit posé ;
Siqu'il n'y laist du bon amour
Neis une goute de liquour,
Dont charité soit arousée.
　Envie ensur tout autre vice
Est la plus vaine et la plus nice :　　3830
Sicomme ly sages la repute,
Envie est celle peccatrice,
Qes nobles courtz de son office
Demoert et est commune pute.
A les plus sages plus despute,
A les plus fortz plus fait salute,
Et as plus riches d'avarice
Plus fait Envie sa poursute :
A son povoir sovent transmute
L'onour d'autry de sa malice.　　3840
　Uns clers en son escript difine
Disant : ' N'est cil qui tant encline
Au deable sicomme fait Envie ;
La quelle a sa primere orine
En paradis fist la ruine,
Dont abeissa la nostre vie.'
He, quel aguait, quele envaïe
Nous faisoit lors de sa boidie,
Q'elle ot muscé deinz sa peytrine !
Et ore n'est ce point faillie ;　　3850
En tous païs la gent escrie
Que trop endure sa covine.

**De les cink files de Ire, des queles
la primere ad noun Malencolie.**

Si plus avant vous doie dire
Des filles qui se naiscont d'Ire.

Cynk en y ad trop malurés,
L'une est malvoise et l'autre est pire :
Way, pourra dire cel Empire,
U que se serront mariés :
Car plus persont desmesurés
En fais, en dis, et en pensés,   3860
Que nulle langue poet descrire.
Peas, concordance et unités
Ont sur tous autres desfiés,
Et plus les faisont a despire.
    La primere est Malencolie,
C'est une file trop hastie,
Que se corouce du legier
Pour un soul mot, si nuls le die,
Voir d'une paile ou d'une mye
Se vorra malencolier.   3870
Cil qui le voet acompaigner,
Souffrir l'estoet sanz repleder,
O tout laisser sa compaignie :
Ne valt resoun pour l'attemprer,
Car l'ire sourt deinz son penser
Comme du fontaine la buillie.
    Quant ceste fille prent seignour,
Qui plus pres est son servitour,
En aese au paine vivera ;
Ainz chier compiert le grant irrour 3880
De luy, qui maintes fois le jour
Pour poy du riens l'avilera.
Sovent sa maisoun troublera,
Ses officers remuera :
Sa femme n'ert pas sanz dolour,
Car ja si bonne ne serra,
Comme plus d'amer se penera,
Tant meinz avra son bon amour.
    Malencolie en ire flote
Et de discort tient la riote ;   3890
Car pour le temps que l'ire dure
Ne luy plerra chançon ne note :
Si tu bien dis, le mal en note,
Si tu voes chald, il voet freidure,
Quant tu te hastes, il demure,
Ore est dessoutz, ore est dessure,
Ore hiet et ore d'amour assote,
Ore voet, noun voet ; car sa mesure

Plus est movable de nature
Que n'est la chace du pelote.   3900
    Malencolie en son bourdant
Se melle ensi comme combatant,
Car ire et jeu tient tout d'un pris :
Quique s'en vait esparniant,
S'il poet venir a son devant,
Il fait a son povoir le pis.
Ne sont pas sanz corous ses ris,
Non sont sanz maltalent ses dis,
Petit dura son beau semblant ;
Si rien vait contre son devis,   3910
Sovent enbronchera le vis ;
Plus est divers que nul enfant.
    A son fils ce dist Salomon,
Q'en son hostell ne soit leoun
En subvertant de sa moleste
Et sa familie et sa maisoun :
Mais reule essample ne resoun
Le Malencolien n'areste,
N'ad cure de maniere honneste,
Ainz comme noun resonnable beste 3920
A son corous quiert enchesoun ;
Quar quant ly vers tourne en sa teste,
Lors brait et crie et se tempeste
Si comme du meer l'estorbilloun.
    Ly sages dist, ' Comme la Cité
Quelle est overte et desmurée,
Ensi celuy qui s'espirit
N'ad de ce vice refrené.'
Car l'un et l'autre en un degré
Legierement sont desconfit ;   3930
L'une est tost pris sanz contredit,
Et l'autre, comme ly sages dist,
Sicomme vaisseal q'est debrusé
Le cuer ad rout par si mal plit,
Qu'il sapience en fait ne dit
Ne poet garder en salveté.
    Et ly prophetes dist auci,
Que le corage de celluy
Q'ad ceste vice, en flamme attent
Que d'ire esprent, sique par luy   3940
S'eschalfe, sanz ce q'ascuny
Le touche ou grieve ascunement :

3855 eny   3878 pluspres   3915 Ensubuertant

Mais deinz son cuer tout proprement
Tieux fantasies d'ire aprent,
Dont souffre les hachées ensi
Si comme femme a l'enfantement :
C'est un mervaille qu'il ne fent
Del ire dont est repleny.
    Malencolie a sa despense
Ad pour servir en sa presence   3950
Deux vices ove soy retenu ;
Ly uns de deux a noun Offense,
Et l'autre ad noun Inpacience.
Offense est plus chald que le fu,
Pour poy ou nient d'ire est commu,
N'ad si privé dont soit conu,
Tant est soudain ce qu'il enpense ;
Car moult sovent par ton salu
Et ton bon dit il t'ad rendu
Et maldit et irreverence.   3960
    L'Inpacient envers trestous
Est fel et trop contrarious ;
Car l'autry dit au paine prise,
Et en response est despitous,
Soudain et malencolious,
Que point ne souffre aucune aprise.
Trop est un tiel de sa mesprise
Au pacient paine et reprise,
Qu'il du folie est desirrous
Et quiert discort en toute guise ;   3970
Car ainz q'estouppe soit esprise
Del fieu, cil esprent de corous.
    Inpatience s'est guarnie
De deux servantz en compaignie ;
Dont l'un est Irritacioun,
C'est ly pecchés que dieus desfie ; **f. 26**
Come Moÿses en prophecie
Au poeple hebreu fist sa leçoun,
Quant firont leur processioun
En terre de promissioun,   3980
Disant que ce leur ert partie
En cause de destruccioun ;
Et puis fuist dist, sicomme lisoun,
D'Ezechiel et Jeremie.
    Mais Provocacioun d'irrour
Est ly seconde servitour ;

Car d'ire dont son cuer esprent
Tiele estencelle vole entour,
Dont il provoce en sa chalour
Les autres en eschalfement   3990
De corous et descordement :
Et tant y monte que sovent
Encontre dieu vait la folour ;
Dont se revenge irrousement
De l'un et l'autre ensemblement,
Sicome tesmoignont ly auctour.
    Baruch, qui saint prophete estoit,
Au poeple d'Israel disoit,
Pource q'en ire ont provocé
Leur dieu, il s'en revengeroit   4000
Et comme caitifs les bailleroit
A ceulx qui les tienont en hée :
Sovent auci pour ce pecché
Vers Babiloigne et Ninivé
Dieus asprement se corouçoit.
Trop est ce vice malsené,
Que fait que dieus est coroucé
Et le provoce a ce qu'il soit.
    C'est ly pecchés fol et salvage,
Que quant par cas ascun damage   4010
Luy vient du perte ou de lesure,
Tantost come forsené s'esrage,
Dont dieu reneye et desparage,
Que pour le temps que l'ire endure
Ne sciet q'est dieu, tant perest dure ;
N'y ad serment q'a lors ne jure,
Dont dieu provoce en son oultrage :
Trop est vilaine creature,
Qui laist son dieu pour aventure
Et prent le deable a son menage.   4020
    Par le prophete qui psalmoie
Dieus dist, ' Cil poeples que j'amoye
M'ont provocé vilainement,
En ce que je leur dieu ne soie ;
Dont je par mesme celle voie,
En ce qu'ils ne sont pas ma gent,
Provoceray leur nuysement,
Et comme cils q'ont fait folement,
Leur tariance faire en doie :
Quant ne vuillont come pacient   403

Que soie leur, tout tielement
Ne vuil je point q'ils soiont moye.'
  Par ce que vous ay dit dessus,
Fols est a qui ce n'est conus
Que bon est q'om Malencolie
Eschive, par qui les vertus
Come pour le temps sont confondus,
Par qui resoun se mortefie
Et tourne en la forsenerie,
Par qui sovent en compaignie   4040
Les bonnes gens sont esperdus,
Par qui maint hom en ceste vie
Soy mesme et puis son dieu oublie,
Dont en la fin serra perdus.

  **La seconde file de Ire, c'est
Tençoun.**

  La file d'Ire q'est seconde
Sa langue affile et sa faconde
D'estrif et de contencioun :
Ne parle point comme chose monde,
Ainz par tencer tous ceux du monde
Revile par contempcioun.   4050
Comme plus l'en fait defencioun,
Tant plus est plain d'offencioun ;
Sa langue n'en sciet garder bonde,
Ainz crie sanz descencioun
Plain d'ire et de dissencioun,
Dont environ luy lieus redonde.

  C'est grant mervaile au tele peine
Coment luy vient si longe aleine,
Que sans mesure brait et tence ;
Car de sa langue q'est vileine   4060
Pour une soule la douszeine
Rent des paroles par sentence.
Si tout le siecle en sa presence
Volt contreplaider sa science,
N'en taiseroit de la semeine ;
Ainz tout le pis que sciet ou pense
Par contumelie et par offence
Encontre tous respont souleine.

  Iceste fille en propre noun
Est appellé dame Tençon,   4070
Quelle en parlant nully respite,

Seigneur, voisin, ne compaignoun,
Mais pource q'elle est si feloun,
Au debles est amie eslite.
Qui juste luy du pres habite,
Doit bien savoir ce q'elle endite
N'est pas l'aprise de Catoun ;
Car quanque l'ire au cuer excite,
Sa langue est preste et le recite,
Voir si ce fuist confessioun.   4080
  Vers son amy Tençon diverse,
Quant le consail apert reherse
Q'a luy conta secretement :
Tant comme plus sciet q'al autre adverse,
S'irrouse langue q'est perverse
Plus le reconte apertement.
He, dieus, come il desaese attent
Qui ceste file espouse et prent ;
Car en tous poins ele est traverse,
Ne lerra pour chastiement :   4090
Qui faire en poet departement,
Fols est q'ensemble ove luy converse.
  Cil q'unqes tencer ne savoit,
Tout plainement de ce porroit
Du male femme avoir aprise,
Quant vers son mary tenceroit :
Car viene quanque venir doit,
N'en lerra, quant elle est esprise,
D'un membre en autre le despise,
Que pour bastoun ne pour juise   4100
Un soul mot ne desporteroit ;
Car ce tendroit recreandise,
En tençant perdre sa franchise,
Q'elle est serpente en son endroit.
  Ja ne poet estre tant batue
Tençon, par quoy serra rendue
Darreinement que ne parole
Si halt que bien ert entendue,
D'overte goule et estendue.
Maldite soit tieu chanterole !   4110
Bien fuist si tiele russinole,
Sanz encager au vent que vole,
Serroit parmy le bek pendue ;
Car l'en ne trove nulle escole,

Baston ne verge ne gaiole,
Qe poet tenir sa lange en mue.
    Trois choses sont, ce dist ly sage,
Que l'omme boutent du cotage
Par fine force et par destresce :
Ce sont fumée et goute eauage,   4120
Mais plus encore fait le rage
Du male femme tenceresse.
De converser ove tiele hostesse
Meulx valt serpente felonesse
Et en desert et en boscage ;
Car l'une ove charme l'en compesce,
Mais l'autre nuyt et jour ne cesse,
Ainz est sanz nul repos salvage.
    Depar dieus a la male gent
Dist Jeremie tielement :   4130
' Pour faire vostre affliccioun
J'envoieray ytiel serpent,
As queux aucun enchantement
Ne poet valoir, tant sont feloun.'
Ce sont cil en comparisoun
Q'ont male femme a compaignoun,
As quelles nul chastiement
Ou du priere ou du bastoun
Les pourra mener a resoun,
Tant sont salvage et violent.   4140
    Cest un dit du proverbiour,
Qe des tous chiefs n'est chief peiour
De la serpente ; et tout ensi
Des toutes ires n'est irrour
Pis que du femme ove sa clamour,
Quant tence : car ly sage auci
Ce dist, que deinz le cuer de luy
Folie buylle tresparmy
Comme du fontaine la liquour.
Riens sciet q'a lors ne soit oï ;   4150
Trop mette en doubte le mary,
S'il ad forsfait, de perdre honour.
    Tençon, q'a nul amy desporte,
Son cuer enmy sa bouche porte ;
Ce dist ly sage en son aprise :
Car qanq' en son corage porte
Laist isser par l'overte porte,
Que de l'oïr c'est un juise.

Senec auci Tençon divise
A la fornaise q'est esprise,   4160
Dont ert jammais la flamme morte ;
Car toute l'eaue de Tamise,
Neisque Geronde y serroit mise,
N'en poet valoir, tant perest forte.
    Tençon, que toutdis est contraire,
De sa nature en fin repaire
En bouche au femme malurée.   f. 27
Danz Socrates de tiel affaire
Senti quoy femme en savoit faire ;
Car quant s'espouse l'ot tencée   4170
Et il se taist trestout du grée,
Lors monta l'ire et fuist doublé,
Dont il ot muillé le viaire
D'un pot plain d'eaue q'ot versée
Dessur sa teste et debrisée :
Trop fuist tiel homme debonnaire.
    Car sanz soy plaindre ascunement,
Ou sanz en prendre vengement,
Dist, ' Ore au primes puiss veïr
Comment ma femme proprement   4180
M'ad fait le cours du firmament ;
Car pluvie doit le vent suïr :
Primer me fist le vent sentir
De sa tençon, dont a souffrir
M'estoet celle eaue.'   Et nequedent
Qui ceste essample voet tenir
Avise soy ; car sans mentir
Ja ne serray si pacient.
    Ly sage dist que par l'espée .
Plusours des gens ont mort esté,   4190
Mais nounpas tantz, sicomme disoit,
Comme sont par lange envenimée :
Si dist que molt est benuré
Q'est loign du lange si maloit,
Ne parmy l'ire s'en passoit,
Ne q'en tieu jug jammais trahoit,
N'en tieux liens ne s'est liée,
Qe sont, ce dist, en leur endroit
Asses plus durr q'acier ne soit,
Et plus grevous q'enfermeté.   4200
    Si dist auci que le morir
De Tençoun plus q'enfern haïr

4169 ensauoit   4178 enprendre   4190 on

E 2

L'en doit, dont puis il te consaile,
Q'ainçois que tiele lange oïr
Tu dois l'espines desfouir
Pour haie en faire et estoupaile
Parmy l'overt de ton oraille,
Qe tu n'escoultes le mervaille :
Car sa lesure om doit fuïr
Comme du leon qui l'omme assaille ;
Car lange ad vie et mort en baille, 4211
Dont l'en garist et fait perir.
    Saint Jaques ce fait tesmoigner,
Que de nature om poet danter
Toute autre beste que l'en prent ;
Mais male lange du tencer
N'est cil qui sciet engin trover
De luy danter aucunement.
Car c'est la goufre plain du vent,
Dont Amos la malvoise gent 4220
Depar dieus faisoit manacer,
Disant qu'il leur enmy le dent
En volt ferir si roidement,
Que plus que feu doit eschaulfer.
    Saint Augustins le nous enseigne,
Que de trestous n'est overeigne
Qui tant s'acorde et est semblable,
As oevres queux ly deable meine,
Sicomme Tençoun de la vileine.
Mais pour ce q'elle est tant nuysable
Q'au dieu n'a homme est amiable, 4231
Ly malvois angre espoentable
Doit contre luy porter l'enseigne :
Car nuls fors luy n'est defensable
A souffrir, quant elle est tençable,
Le cop de sa tresforte aleine.
    Ly saint prophete Zacharie
Par demonstrance en prophecie
Vist une femme en l'air seant
En une pot q'estoit polie 4240
De verre, et ot en compaignie
Deux femmes que la vont portant.
Si ot a noun par droit nommant,
Ensi comme l'angre fuist disant,
Iniquité du tencerie ;
Q'estoit porté en terre avant

As mals pour estre y conversant,
Comme leur espouse et leur amie.
    De les deux femmes q'ont porté
Amont en l'air Iniquité 4250
Essample avons en terre yci.
Chascune est d'autre supportée,
Quant tencer voet en son degré
De sa malice ove son mary ;
Car lors s'assemblont tout au cry
Comme chat salvage, et tout ensi
Vienont rampant du main et pié.
Du tenceresse a tant vous dy ;
Mais qui bonne ad, bien est a luy,
Ja ne me soit autre donné. 4260
    Le pot du verre est frel et tendre
Et de legier om le poet fendre,
Mais lors s'espant que deinz y a ;
Auci legier sont pour offendre
Les femmes, que nuls poet defendre
Que tout ne vole cy et la
Leur tençoun que plus grevera.
Sur tieles femmes escherra
La sort du males gens, que prendre
Mondaine paine par cela 4270
Pourront, mais dire way porra
Cil qui covient tieu paine aprendre.
    Rampone ove Tençoun sa cousine
Demoert toutdis et est voisine,
Que porte langue envenimé
Plus que n'est langue serpentine ;
Si ad toutdis plain la pectrine
D'eisil et feel entremellé ;
Dont si par toy serra touché,
De l'amertume ers entusché : 4280
Car de sa bouche, q'est canine,
Abaiera la malvoisté
De toy et de ton parenté,
N'est mal q'a lors ne te destine.
    Car Tençon q'est deinz son en-
tente
Naufré d'irrour porte une tente,
Q'est du rampone, au cuer parmy ;
Mais par la bouche se destente,
Et lors au tout plus large extente

Fait l'autry vices extenter ;   4290
Car toutdis a son destenter
Esclandre y est ove Desfamer,
Qui font la plaie si pulente,
Que si l'en n'ait un triacler
Pour les enfleures allegger,
Mortz est qui la puour en sente.
　　Tençon auci n'est pas guarie
Du celle irrouse maladie,
Q'est dite Inquietacioun :
C'est de nature l'anemie,   4300
Que sanz repos le cuer detrie
Et du venim mortal feloun
Est plain, sique soy mesmes noun,
Ne son voisin ne compaignoun
Laist reposer, maisq'om l'occie.
Qui presde luy maint environ,
Se guart sicome d'escorpioun,
S'il voet mener paisible vie.
　　Mais come Tençon dont l'en se
　　pleint
Entre les males femmes meint,   4310
Entre les hommes mals ensi
Maint contumelie irrous atteint,
Dont pacience est trop constreint :
Car Salomon, comme je vous dy,
Dist, plus legier est au demy
Porter grant fes que soul celuy
Q'ad cuer du contumelie enpeint :
Car il ad d'ire forsbany
Toute quiete loign de luy,
Si ad le pont d'amour tout freint.   4320
　　Ly sages dist que ceste vice
Doit ly mals oms de sa malice
Tout proprement enheriter :
Mais way dirront en son service
Son fils, sa femme et sa norrice,
Et chascun q'est son officer ;
Car sanz desport les fait tencer.
Semblable est au salvage mer,
Quant la tempeste plus l'entice,
Dont ne se pourra reposer :   4330
Q'en tiel orage doit sigler,
Merveilles est s'il n'en perisse.

**La tierce file de Ire, q'est appellé
Hange.**
　　Ore ensuiant vous vorrai dire
Du tierce file que naist d'Ire ;
Hange est nomé de pute orine :
Je ne puiss tous ses mals escrire,
Mais en partie vuil descrire
De sa nature la covine :
C'est celle que deinz sa pectrine
Ire ad covert que ja ne fine,   4340
Ainz nuyt et jour sur ce conspire,
Jusques atant que la ruine
De son voisin ou sa voisine
Tout plainement porra confire.
　　Cil q'ad ce vice est sanz amour,
Car l'Ire q'est interiour
Ne souffre pas que l'amour dure :
Combien que par exteriour
Sicomme ton frere ou ta sorour
Te fait semblant par coverture,   4350
Soutz ce d'irouse conjecture
Compasse, tanq'en aventure
Te poet moustrer le grant irrour
Du quoy son cuer maint en ardure :
Tiele amisté trop est obscure,
Q'en soy retient mortiel haour.
　　Pour ce s'un tiel devant ta face
Semblant de bon amour te face,   f. 28
Ne t'assurez en son desport ;
Car soutz cela portrait et trace   4360
De t'enginer au faulse trace
De double chiere et double port.
Quant plus te fait joye et confort
Devant la gent, lors au plus fort
Dedeinz son cuer il te manace ;
Quant meulx quides estre en salf port,
Du vent la perillouse sort
En halte mer te boute et chace.
　　Ly sages te fait assavoir,
Que d'un amy loyal et voir   4370
Mieulx te valroit en pacience
Souffrir a plaies recevoir,
Que les baisers q'au decevoir
Te sont donnés du providence :

Car bon amy s'il fiert ou tence,
Ce vient d'amour, no*n*pas d'offence,
Qu'il te chastie en bon voloir;
Mais qui te hiet en conscience,
S'en un soul point te reve*r*ence,
En mil te fra vergoigne avoir.   4380
    Cil qui te hiet, ce dist ly sage,
Devant les oels de ton visage
Par grant deceipte lermera,
Mais quant verra son avantage
Ou en champaine ou en boscage
De ton sanc il se saulera.
Six sont q*ue* dieus unq*ue*s n'ama;
L'un est cuer q'ymaginera
Du malpenser l'autry dam*m*age:
Auci Senec dist bien cela,   4390
Que sur tous autres pis ferra
Irrour muscé deinz fals corage.
    Ce dist Tulles, que d'amisté
Hange est le venim maluré,
Dont sont plusours sodeinement,
Qua*n*t ils quidont meulx estre amé,
Mortielement enpuison*n*é
De tieu poiso*u*n que tout les fent:
Pour ce ne fait pas sagement
Cil qui d'un tiel la grace attent;   4400
Car ja n'ert grace tant trové,
Q'om poet apres aucunement
En tiel lieu estre seurement
U pardevant estoit en hée.
    Qui contre Hange riens mesfait,
Si tost n'en poet venger le fait,
En coy retient ses maltalens,
De son rancour semblant ne fait,
Mais il engorge le forsfait
Tout pres du cuer deinz son pou*r*pens;   4411
Dont pour priere de les gens,
Ou des amys ou des parens,
L'acord n'en serra ja parfait,
Ainçois qu'il voit venir le temps
Q'il p*r*endre en poet tieux vengeme*n*s,
Dont l'autre as tous jours soit desfait.
    Hange est bien semblable au Camele,
Qua*n*t hom le bat en la maisselle

Ou autrepart dont ad lesure,
Tout coy le souffre et le concelle;   4420
Mais soit certain ou cil ou celle
Qui l'ad batu, quant verra l'ure,
Soudainement par aventure
Ou mort ou fiert de sa nature,
Du quoy revenge sa querelle.
Du malvois hom*m*e ne t'assure,
Car par si faite coverture,
Qua*n*t voit son point, il te flaielle.
    Mais Hange q'ensi le ferra
Jam*m*ais bien ne se confessa;   4430
Car combien qu'il son maltalent,
Quant il au chapellain irra,
Dist pour le temps q'il le lerra,
Tost apres Pasques le reprent,
Com*m*e chiens font leur vomiteme*n*t.
He, dieus, par quel encombrement,
Tant com*m*e en tiele vie esta,
Voet recevoir le sacrement;
Dont s'alme p*er*durablement
Par son pecché forsjuggera.   4440
    Trop est vilains q'en bon*n*e ville
Son hoste herberge et puis reville,
Quant il ad dit le bien venu.
Ensi fait ceste irrouse fille;
Qua*n*t deinz son cuer les mals enfile
Et les baratz dont s'est com*m*u,
L'espirit saint qui vient de dieu,
Q'avant en s'alme ot retenu
Pour herberger, alors exile,
Et le malfé prent en son lieu: 4450
Mal est ytiel eschange eslieu,
Si plustost ne se reconçile.
    Beemoth, q'ove la lampreie engendre,
C'est uns serpens, tu dois entendre,
Q'ainçois q'il vait pour enge*n*drer
La istson venym aillours attendre
Come pour le temps, et puis rep*r*endre
Le vient, qua*n*t ad fait son mestier:
A ce l'en poet bien resembler
Haÿne, que son coroucer   4460
Au jour de Pasques fait descendre
Et laist le al huiss du saint moster,

Et quant revient puis del autier,
Tantost recourt al ire extendre.
　Itieles gens font asses pis
Q'unqes ne firont les Juÿs,
Du nostresire en croix desfere ;
Car a ce que leur fuist avis
A l'omme soul ce fuist enpris,
Nounpas a dieu ; mais l'autre affere 4470
Fait l'omme crucifix en terre
Et a la deité tient guerre,
Encontre ce qu'il ad promis,
Qu'il voet son dieu servir et crere.
O comment ose ensi mesfere
Cil q'est du sainte eglise apris ?
　De les Juÿs je truis lisant,
Pour ce q'ils furont malvuillant
Et odious au loy divine,
Antiochus fuist survenant, 4480
Qui leur haoit et fuist tirant,
Et sicomme dieus leur mals destine,
Il les destruit du tiele hatine
Qu'ils par long temps de la ruine
Ne se furont puis relevant.
Quoy serra lors du gent cristine,
Q'enmy le cuer ont la racine
Dont nuls au paine est autre amant ?
　Haÿne a dieu par nul degré
Ne poet donner ses douns en gré 4490
Ne ses offrendes acceptables ;
Car cil q'au dieu n'ad soy donné,
N'est droit que dieus ait accepté
Ses biens, ainz soient refusablez.
Deinz les vaissealx abhominablez
Viandes ne sont delitablez,
Ainçois om est tout abhosmé ;
Tout tielement par cas semblablez
Cil ne poet faire a dieu greablez
Les faitz, q'ad malvois le pensée. 4500
　Haÿne s'est associé
Du Malice et Maligneté.
Malice endroit de sa partie
Ad ces trois pointz en propreté,
Cuer double plain du malvoisté,
Les lievres plain du felonie,

Et malfesantes mains d'envie.
Icil qui meine tiele vie
Sovent son dieu ad coroucié ;
Et pour cela dist Ysaïe, 4510
Way soit au tiel, car sa folie
Perest trop vile et malurée.
　Du double cuer les gens deçoit,
Feignant de noun veoir q'il voit ;
Et des fals lieveres plus avant
Par semblant parle en tiele endroit
Comme bon amy le faire doit :
Mais quant voit temps, lors maintenant
Des males mains vait malfesant,
Et fait overt et apparant 4520
Que pardevant se tapisoit ;
Comme terremoete tost s'espant,
Soudainement et vient flatant,
Quant l'en meinz quide que ce soit.
　Grant pecché fait qui fait malice ;
Car soulement pour celle vice
Dieus fuist menez a repentir
Qu'il ot fait homme, et par justice
Sur celle gent q'iert peccatrice
Les cieux amont faisoit ovrir 4530
Et pluyt sanz nul recoverir ;
Dont toute beste estuit morir
Fors l'arche, en quel Noë guarisse.
Par tieus vengances sovenir
Hom doit malices eschuïr,
Dont l'en pert grace et benefice.
　Mais a parler de la covine,
Maligneté, q'est la cousine
De Hange par especial,
Celle est qui porte la racine 4540
Dont le venym sanz medicine
Croist ou jardin precordial,
Q'engendre fruit discordial ;
Car tout ensi comme le dial,
Se tourne ades deinz sa pectrine,
Pour compasser comment le mal
Pourra mener jusq'au final,
Dont l'autre soient en ruine.
　Come pour merite a recevoir
L'en voue a sercher et veoir **f. 29**

Les lieus benoitz et les corseintz : 4551
Ensi ly mals du malvoloir
Promette et voue a decevoir
Et de mal faire a ses proscheins.
Maligneté ne plus ne meinz
Est des malvois ly capiteins,
Que plus d'erf fait esmovoir :
C'est cil qui dist devant lez meins,
' Je voue a dieu, si je suy seins,
Je fray les autres mal avoir.' 4560
   Quant depar dieus ly feus survient
Du ciel et fist ce q'appartient
Del viele loy au sacrefise,
Lors du Maligneté luy vient,
Que mal Cahim en hange tient
Son frere Abel par tiele guise,
Dont fuist maldit et sa franchise
Perdist en terre, et sanz dimise
Serf a les autres en devient.
David auci le prophetize, 4570
Q'exterminer de sa juise
Dieus doit la gent maligne au nient.
   Haÿne encore en son aiue
Ad deux servans de retenue,
Ce sont Rancour et Maltalent.
Rancour sicomme l'oisel en mue
Gist deinz le cuer, que ne se mue,
Et contre amour l'ostel defent,
Q'il n'y poet prendre herbergement :
Car il hiet son aquointement, 4580
Mais ja n'ert ire si menue
Q'en remembrance ne la prent,
Et la norrist estroitement,
Tanq'elle au plain soit tout parcrue.
   De Rancour tant vous porrai dire,
Qe les petites causes d'ire
En un papir trestout enclos
Dedeinz son cuer les fait escrire,
Et Maltalent y met la cire,
Quant voit le title escript au dos ; 4590
Et si les garde en son depos,
Mais ja ly cuers n'ert a repos,
Devant q'il voit ce q'il desire,
C'est quant pourra son mal pourpos

Venger, et lors le fait desclos
Si plain que tous le porront lire.
   L'en porra par resoun prover
Que Hange endroit de son mestier
Du deable est plus malicious ;
Car deable unques n'avoit poer 4600
Sanz cause un homme de grever,
Mais Hange du malvois irrous
Sanz cause hiet et est grevous.
Trop est ce pecché perilous ;
Car dieus s'en plaigt deinz le psalter,
Come les Juÿs fals tricherous
Trestout du gré malicious
Par hange le firont tuer.
   Soy mesmes hiet qui hiet autry, .
Et qui soy mesmes hiet ensi 4610
Dieus le herra, j'en suy certains :
Et lors quoy dirrons de celuy,
Qe nulle part ad un amy,
Ne dieu ne soy ne ses prochains ?
Me semble droit q'uns tieus vilains
Soit mis du toute gent longtains,
U que l'en hiet et est haÿ,
C'est en enfern, u n'est compains,
Ainz tout amour y est forains,
Et l'un a l'autre est anemy. 4620
   Haÿne en fée comme son demeine
Est d'Ire celle chamberleine
Que nuyt et jour ove luy converse :
Haÿne est celle buiste pleine
Du venym, dont chascun se pleigne
Par tout u l'en l'espant ou verse :
Haÿne est celle horrible herce,
Que deinz son cuer tue et enherce
Et son prochein et sa procheine :
Si est la pestilence adverse, 4630
Que trop soudainement reverse
La vie que l'en tient plus seine.

   **La quarte file de Ire, q'est
appellée Contek.**

   La quarte file q'est irouse
Perest cruele et perilouse,
Que de sa lange point n'estrive,
Les jangles du litigiouse

Ne quiert, ainz quant est corouçouse,
Tantost pour soy venger s'avive,
Et en devient tantost hastive;
Dont son coutell maltalentive   4640
Y trait et fiert maliciouse,
Q'a lors n'esparne riens que vive :
De nulle resoun est pensive,
Tant a combatre est coragouse.

    Et pour cela, ce m'est avis,
Son noun serra par droit devys
Contek, tout plain de baterie.
Quiconque soit de luy suspris
Tant ad le cuer d'irrour espris,
Que pacience ad forsbanie.   4650
Car quant Contek le poeple guie,
Tous se pleignont de sa folie
Par les Cités, par les paiis ;
Mais riens ly chalt qui plourt ou crie,
Ainçois quiert avoir la mestrie,
Dont son barat soit acomplis.

    Quant Hange, q'est sa soer germeine,
Hiet son prochein ou sa procheine,
Et n'ose mesmes soy venger,
Au Contek vient et si s'en pleigne, 4660
Et luy promet de son demeine
Pour l'autry teste debriser :
Prest est Contek pour son loer
Combatre et faire son mestier,
Si prent les douns a male estreine ;
Et quant celuy poet encontrer,
Tantost l'estoet ove luy meller,
Si l'aresonne a courte aleine.

    Ove ses haspalds acustummés
Contek es foires et marchées   4670
Son corps brandist enmy la route ;
Vers qui voet faire ses mellées
Cil serra tost aresonnés ;
Mais du resoun n'aguarde goute
Ly fols, ainçois y fiert et boute,
Qu'il nul excusement escoulte,
Comme pour le temps fuist esragiez :
Car du peril aucun n'ad doute,
Tant met s'entencioun trestoute
De parfournir ses crualtés.   4680

    Les gens du pees sont en freour
Par Contek et par son destour ;
Et maintesfois avient issi,
Que sans hanap ly Conteckour
Falt boire mesmes le liquour
Qu'il verser vorroit a l'autri ;
Le mal sovent rechiet sur luy,
Le quel vers autres ad basti,
Et de folie la folour
Enporte, siqu'il chiet enmy   4690
La fosse qu'il ot enfouy,
Si prent le fin de son labour.

    Sovent avient grant troubleisoun,
Quant ceste file en sa mesoun
Ses deux sorours poet encontrer,
Malencolie avoec Tençoun ;
Car n'est amour que par resoun
Pourra ces trois entracorder :
L'une est irouse en son penser,
L'autre est irouse en son parler,   4700
La tierce fiert de son bastoun.
Qui tiele gent doit governer
Sovent avra grant destourber,
Voir si ce fuist mestre Catoun.

    Contek ad un soen attendant,
Mehaign a noun ly mesfesant,
Qui trop est plain du mal oltrage :
Riens que soit fait en combatant
Ne luy souffist, jusques atant
Qu'il pourra prendre en avantage   4710
Ascun des membres a tollage,
Soit main ou pié, ou le visage
Desformer, sique lors avant
L'autre en doit sentir le damage :
Pour ce se guarde chascun sage
D'acompaignier au tiel sergant.

    El viele loy je truis certain
Et du Contek et du Mehaign,
Par ire quant ascun feri
Ou sa prochaine ou son prochain, 4720
Solonc l'effect de son bargaign
Serroit ovelement puny :
S'il ot fait plaies a l'autry,
Lors fuist replaiez autrecy,

4639 endeuient   4660 senpleigne   4714 endoit

Ou oill pour oill, ou main pour main ;
Par juggement l'en fist de luy
Ce dont les autres ot laidy,
Et du gentil et du vilain.
  Auci del ancien decré,
Quant ly seigneur ot mehaigné   4730
Son serf du membre ou du visage,
Par ce serroit ly serfs blescé
En lieu d'amende quit lessé,
Comme enfranchy de son servage.
He, come fuist droite celle usage,
Quant povre encontre seignourage
Maintint ! Mais ore c'est alé :
Ly povre souffront le dammage,
Si font l'amende del oultrage,
Ce m'est avis torte equité.   f. 30

  Contek du Fole hastivesse   4741
Fait sa privé consailleresse,
Que n'ad ne resoun ne mesure :
Quiconque en son corous l'adesce,
Molt plus soudeinement le blesce
Que ne fait fouldre pardessure,
Quant vient du sodeine aventure ;
Car Folhastif de sa nature
De nul peril voit la destresce,
Ainz tout par rage le court sure,   4750
Tanqu'il ait fait sa demesure,
Ou soit desfait, car l'un ne lesse.
  Et pour cela dist Ysaïe
Q'om doit fuïr la compaignie
De l'omme q'ad son espirit
En ses narils, car sa folie
Grieve a celluy qui l'associe.
Et Salomon auci te dit,
Q'ove folhardy pour nul excit
Tu dois aler, car pour petit   4760
Il te metra la jupartie,
Dont tu serres en malvois plit ;
Qu'il ad le cuer si mal confit,
Meller l'estoet, maisq'om l'occie.
  Ly folhastif son fol appell
A poursuïr pour nul reppell
Ne voet lesser a tort n'a droit ;
Dont molt sovent tout le meinz bel

Luy vient, come fist a Asahel,
Qui frere de Joab estoit,   4770
Apres Abner quant poursuioit,
Qui bone pees luy demandoit,
Mais l'autre q'estoit fol et feel
En son corous tant le hastoit,
Q'en haste quant il meinz quidoit
Sur luy reverti le flaiell.
  Mais au final si me refiere
Au fol Contek, qui piere et miere
De sa main fole et violente
Blesce ou mehaigne, trop est fiere 4780
Et trop perest celle ire amere.
Q'au tiel oultrage se consente,
Cil n'est pas digne a mon entente
De vivre ensi come la jumente,
Ne tant come chiens de sa manere
Ne valt ; car chascun beste avente
Nature, mais en sa jovente
L'omme est plus nyce que la fiere.

  **La quinte file de Ire, q'est
  appellé Homicide.**
  De ceste file je ne say
Comment ses mals descriveray,   4790
Ma langue a ce ne me souffist :
Car soulement quant penseray
Du grant hisdour, ensi m'esmay
Que tout mon cuer de ce fremist.
La nuyt primere quant nasquist,
Ly deable y vint et la norrist
Du lait mortiel, si chanta way,
En berces u la fole gist,
Et Homicide a noun le mist,
Q'est trop horrible a tout essay.   4800
  Cil q'est a ceste file dru,
Privé serra de Belsabu
Et de l'enfern chief citezein ;
Car il met toute sa vertu,
Que par ses mains soit espandu
Sicome du porc le sanc humein.
Du false guerre est capitein,
Dont maint prodhomme et maint vilein
Par luy sont mort et confondu,
Car c'est sa joye soverein :   4810

4745 plussoudeinent

Quant poet tuer du propre mein,
Jammais ne querroit autre jeu.
　Fol Homicide en sa partie
Ne voet ferir maisqu'il occie
La povre gent noun defensable ;
Ne pour mercy que l'en luy crie
Laisser ne voet sa felonnie,
Car d'autry mort n'est merciable.
He, vice trop abhominable,
Horrible, laide, espoentable,　　　4820
En qui pités est forsbanie,
Dont mort eterne et perdurable
T'aguaite ove paine lamentable
Del infernale deverie !
　Fol Homicide en sa contrée
Pour poy du riens, quant est irré,
Ne chalt de son voisin tuer ;
Ainz dist que tout est bien alé,
S'il poet fuïr en salveté
Ou a chapelle ou a mouster ;　　　4830
Mais ce n'ert pas pour confesser,
Ainz est pour soy deliverer,
Par quoy ne soit enprisonné :
Del alme soit comme poet aler,
Maisque le corps poet eschaper,
Confessioun est oubliée.
　Avant ce que ly fieus s'espant,
Fume et vapour s'en vont issant ;
Et tout ensi ce dist ly sage,
U q'omicide vient suiant,　　　4840
Manace doit venir devant
Come son bedell et son message.
Terrour, Freour a son menage
Vienont ove luy, que le corage
Des innocens vont despuillant ;
Que si l'en n'eust plus de dammage,
As simples gens trop fait oultrage
Cil q'ensi les vait manaçant.
　Car quant Manace y est venu,
As simples cuers trop est cremu,　　　4850
Voir plus que fouldre ne tonaire :
Du soun q'est de sa bouche issu
Quant les orailles sont feru,

Jusques au cuer descent l'esclaire.
Q'au dieu ne poet Manace plaire
Nous en trovons bon essamplaire
De les manaces Eseau,
Qant dist qu'il voit Jacob desfaire :
Dieu le haoit de tiel affaire
Et a Rebecke en ad desplu.　　　4860
　Mais l'Omicide ad un servant
Q'est d'autre fourme mesfaisant
Mortiel, et si ad Moerdre a noun :
Cist tue viel, cist tue enfant,
Cist tue femmes enpreignant,
Cist ad du rien compassioun,
Cist est et traitres et feloun,
Cist tue l'omme par poisoun,
Cist tue l'omme en son dormant,
Cist est ly serpens ou giroun　　　4870
Qui point du mortiel aguiloun,
Dont l'en ne poet trover garant.
　Trop perest Moerdre horrible et fals
En compassant ses fais mortals,
Comme plus secré pourra tuer ;
Car n'ose aperticer ses mals :
Pour ce sicome ly desloyals
Occist la gent sans manacer.
Envers le mond se voet celer,
Mais ja pour dieu ne voet lesser,　　　4880
Qui tout survoit et monts et vals :
Mais sache bien cil adverser,
Quant dieus vendra pour ly juger,
Tout serront overt ses consals.
　He, Moerdre du male aventure,
Q'occit encontre sa nature
Sans avoir mercy ne pité !
Dont dieus, qui tout voit pardessure,
Maldist si faite coverture
De luy qui fiert ensi celé,　　　4890
Que ja du sanc n'est saoulé.
Mais sache bien cil maluré,
Le sanc d'umeine creature
Vengance crie a dampnedée,
Dont trop poet estre espoenté
Qui s'ad mis en tiel aventure.

Dedeins la bible escript y a,
Que quant Rachab et Banaa
Le filz Saoul en son dormant,
Le quel hom Hisboseth noma,   4900
Moerdriront, David pourcela
Tantost les aloit forsjugant,
Si furont mort tout maintenant :
Dont fuist et est tout apparant
Que dieus Moerdrer unques n'ama ;
Mais sicome dieus le vait disant,
Qui fiert d'espeie, sans garant
Au fin d'espeie perira.

N'est pas sans moerdre la puteine,
Quant ce que de nature humeine   4910
Conceive ne le vait gardant :
Ascune y a q'est tant vileine
Que par les herbes boire exteigne
Ce q'ad conceu de meintenant ;
Ascune attent jusques atant
Que le voit née, et lors vivant
Le fait noier en la fonteine ;
Ascune est yvre et en dormant
Surgist et tue son enfant :
Vei cy d'enfern la citezeine !   4920
Au plain nul poet conter le mal
Que d'Omicide en general
Avient, dont soy nature pleint ;
Car ce q'elle en especial
Fait vivre, l'autre desloyal
A son poair du mort exteint,
Que par son vuill petit remeint :
Dont mesmes dieu et tout ly seint
Le dampnont comme desnatural ;
En terre auci, si ne se feignt,   **f. 31**
La loy tout homicide atteint   4931
Condempne au jugement mortal.

El viele loy du poeple hebreu,
Si l'un avoit l'autre feru
En volenté de luy tuer,
De son voloir qu'il ad eeu
Pour homicide il fuist tenu,
Dont l'en le firont forsjuger
Et si l'eust occis au plener,
Tantost firont avant mener   4940

Le frere au mort ou le neveu,
Qui duist le sanc du mort venger,
Et mort pour mort sanz respiter
A l'omicide fuist rendu.
Cil d'autrepart qui son voisin
Ou par aguait ou par engin
Du fals compas alors tua,
Ne se pot rembre de nul fin,
Que morir ne l'estoet au fin,
N'estoit riens que le garanta :   4950
Car mesme dieu ce commanda,
Q'om de son temple esrachera,
De son autier le plus divin,
Un tiel feloun, s'il y serra,
Et q'om son sanc espandera
Qui d'autri sanc se fist sanguin.

Trop fist Achab a dieu destance,
Quant il Naboth par l'ordinance
De Jesabell au mort conspire ;
Car dieus de mesme la balance   4960
De l'un et l'autre prist vengance :
Et d'autrepart l'en pourra lire
Coment Nathan du nostre sire
Vint a David, pour luy descrire
Qu'il n'ert pas digne au dieu plesance
De son saint temple au plain confire ;
Q'il ot fait faire Urie occire
Pour Bersabé fole aquointance.

Chaÿm son frere Abel occit,
Et pour cela dieus le maldit   4970
Avoec toute sa progenie ;
Et puis la loy dieus establit,
Et a Noë ensi le dit,
' Quiconque de l'umaine vie
Le sanc espant, que l'en l'occie ; '
Sique son sanc du compaignie
De l'omme et toute rien que vit
En soit hosté sans esparnie :
Car qui nature contralie
Doit estre as tous ly plus sougit.   49..

Mais l'Omicide, u q'il repaire,
Ad toutdis un soen secretaire ;
C'est Crualté, q'est sans mercy,
Q'aprist Herodes l'essamplaire,

4918 endormant

Dont les enfans faisoit desfaire
Entour Bethlem, qant dieus nasqui ;
Mais dieus se venga puis de luy.
Asses des autres sont auci,
Des queux hom poet essample traire,
Qui ont esté par ce peri ;　4990
Car dieus n'ad pité de celuy
Qui du pité fait le contraire.

　　Vengance la dieu anemie
A Crualté tant est amie
Qe riens ne fait sanz son assent ;
Si font de Rancour leur espie,
Et par l'aguard d'irrouse envie
Tienont le mortiel parlement.
Sur quoy ly sage tielement
Nous dist, que la malvoise gent　5000
Se voet venger en ceste vie ;
Dont sur vengance vengement
Leur envoit dieus au finement
Du mort que jammais ert complie.

　　Ezechiel prophetiza
Disant, pour ce q'Ydumea
En sa malice de reddour
Ot fait vengance as fils Juda,
Sa main vengante extendera
Dieus, pour destruire y tout honour, 5010
Si q'en la terre tout entour
Ne lerra beste ne pastour,
Ainz toute la desertera.
Mais fol n'en pense au present jour ;
Dont, qant meulx quide estre a sojour,
Le coup desur son chief cherra.

　　Par Ysaïe ensi dist dieux :
' O tu vengant, o tu crueux,
Tu qui soloies gens plaier,
Ore es en terre au nient cheeuz ;　5020
Que je t'ai plaiés et feruz
Du plaie de ton adversier,
Dont a guarir n'est pas legier :
Molt ert cruel le chastoier
Dont tu serras ades batuz ;
Car pour ton corps poindre et bruiller
Serpent et fieu sanz terminer
Apparaillez sont a ton us.'

　　Solyns, qui dist mainte aventure,

D'un oisel conte la figure　5030
Q'ad face d'omme a diviser,
Mais l'omme occit de sa nature ;
Et tost apres en petite hure
Se court en l'eaue a remirer,
Dont voit celuy q'ad fait tuer
A son visage resembler ;
Et lors comence a demesure
Si grant dolour a demener,
Q'il moert sanz soy reconforter
Pour la semblable creature.　5040

　　He, Homicide, je t'appell,
Remembre toy de cest oisel
Et d'autres bestes ensement,
Qe nul des tous est tant cruel
Qu'il son semblable naturel
Vorra tuer, mais autrement
Chascun sa proie acuilt et prent ;
Mais tu desnaturelement
Ton proesme et ton amy charnel
Deproies et t'en fais sanglent.　5050
He, homme, vien au jugement,
Et dy pour quoy tu est si fel.

　　La discripcioun de Ire par especial.
　　Ore ay je dit et recitée
Les filles qui sont d'Ire née,
Come trop faisont a redoubter.
Molt est cel homme benuré
Qui s'en abstient, car leur pecché
Le corps et alme fait grever :
Car l'un ainçois fait periler
Que l'ure vient de terminer　5060
La vie q'est ennaturée ;
Et l'autre fait desheriter
Du ciel, u peas enheriter
Doit sans nul fin glorifié.

　　He, Ire, ove ta cruele geste,
En tous tes fais es deshonneste,
Et en tous lieux la malvenue ;
Car dieus ove qanque y est celeste,
Et homme ove quanque y est terreste
Fais estormir de ta venue.　5070
Fols est qui de ta retenue
S'aquointe, car dessoutz la nue

Ne fais avoir forsque moleste,
Du quoy l'en fiert ou tence ou tue :
Si la puissance serroit tue,
Tout fuist destruit, et homme et beste.
   He, Ire tant espoentable,
Q'au corps n'a l'alme es delitable,
Ne say du quoy tu dois servir,
Qant nulle part es acceptable.   5080
Dont saint Jerom te fait semblable
As furiis, qui font ghemir
L'enfern des almes espenir ;
Ce sont qui tout font estormir
L'abisme en paine perdurable :
Et tu la terre ensi fremir
Fais, dont par tout l'estoet sentir
Ta crualté desmesurable.
   Ire est en soy toutdis divise,
Car de soy mesmes ne s'avise   5090
Et de l'autry nul garde prent,
D'enflure dont elle est esprise :
Au cardiacre l'en divise
Le mal de luy, car tristement
Fait vivre, et trop soudeinement
Le cuer ensecche tielement
Q'a luy guarir n'est qui souffise ;
Noumpas le corps tansoulement
En fait perir, mais asprement
Destourne l'alme a sa juise.   5100
   Ce dist uns clercs, et le diffine,
Du cruele Ire qui ne fine,
Du quoy nature en soi se pleignt,
Q'elle est semblable en sa covine
Au fieu gregois, dont la cretine
Del eaue le chalour n'exteignt.
Ainz art trestout qanq' elle atteint :
Ensi n'est resoun qui restreint
Le cuer u q'Ire la ferine
De crualté le rage enpeint ;   5110
Ainz qanq' enmy sa voie meint
A son poair met en ruine.
   En l'evangile dieus nous dist :
' Gens qui sont povre d'espirit
Le ciel avront tout proprement :'
Et d'autrepart je truis escript,

Que dieus la terre auci promist
A ceaux qui debonnairement
Vivont. He, Ire, dy comment
Et u quiers ton herbergement ?   5120
Quant ciel et terre t'est desdit,   **f. 32**
Il covient necessairement
Q'enfern te donne hostellement,
U ton corous ert infinit.

Ore dirra de Accidie et de ses cink files, dont la primere est Sompnolence.

Pour vous conter en droite line
D'Accidie, ove qui le Siecle alline,
Celle ad cynk files enfanteez ;
Des quelles tiele est la covine
Qe pour labour du camp ne vine
A nul temps serront travaillez,   5130
Ne ne serront abandonnez
A les prieres ordeinez,
Comme sont precept du loy divine,
Ainz queront ease des tous lées :
Dont Sompnolence, ce sachies,
La primere est de cest orine.
   De Sompnolence atant vous dy,
Quiconque soit son droit norry
Fait son office en ce q'il dort :
S'il ad du lit, lors couche ensy,   5140
Si noun, solonc l'estat de luy
Lors autrement quiert son desport ;
Mais pour consail ne pour enhort
Ne fait labour, n'a droit n'a tort,
Ainz comme pesant et endormy
Ses deux oils clos songe au plus fort,
Et ensi gist comme demy mort,
Qu'il est d'Accidie ensevely.
   En ease Sompnolence vit,
Quant poet dormir sanz contredit   5150
Sur mole couche q'est enclose
De la curtine, u son soubgit
Ne son servant pour nul proufit
Ne pour dammage esveiler l'ose ;
Car lors en aise se repose,
Et pense au tout le text et glose,

Comme plus plerra pour son delit ;
Mais s'il doit lever une pose,
Ce semble a luy molt dure chose,
Tanq'il revait couchier ou lit.　5160
　Qant deinz son lit serra couchiée,
Pour luy grater ert affaitiée,
Ou soit varlet ou soit meschine,
Par qui serra suef maniée
Le pié, la main, et la costié,
Le pis, le ventre avoec l'eschine ;
D'ensi grater ades ne fine,
Tanq'en dormant son chief recline.
Tiele est sa vie acustummé,
Ne la lerroit pour l'angeline :　5170
Mieulx ayme l'aise q'est terrine
Que d'estre en paradis aisée.
　Son chamberlain ses fées perdra,
S'il molement n'ordeinera
Son lit des draps et du litiere ;
Et que sur tout n'oubliera
Q'il d'eauerose arosera
Et les linceaux et l'oreillere ;
Car lors se couche a lée chiere,
Ne ja pour soun de la clochiere　5180
Au matin se descouchera :
Ainz le labour de sa priere
Laist sur la Nonne et sur le frere ;
Asses est q'il ent soungera.
　Car Sompnolence ad joye grant
Quant poet songer en son dormant,
Et dist que ses avisiouns
Vienont de dieu, dont en veillant
Sicome luy plest vait divinant ;
Car solonc ses condiciouns　5190
En fait les exposiciouns,
Et met y les addiciouns
De sa mençonge en controevant ;
Mais a les premuniciouns,
Qui sont a ses perdiciouns,
Ne vait du rien considerant.
　Un deblet q'est asses petit
A provocer son appetit,
Au fin q'il dorme plus et plus,
Sur tous les autres est eslit ;　5200

Ly quel serra toutdis au lit
Et tempre et tard luy bienvenus.
Le noun de luy n'est desconus,
Ainz est as dames bien conus,
Tirelincel en chambre est dit :
Qant l'alme enhorte a lever sus,
Tirelincel dist, ' Couchiez jus,
Car moun consail n'ert pas desdit.'
　Au prime ou tierce qant s'esveile,
Si lors se lieve c'est merveille ;　5210
Car son deblet qui l'ad en cure
Tout suef cornant dedeinz l'oreille
En mainte guise le conseille,
Si dist, ' Atten jusqus al hure
Que satisfait a ta nature ·
Eietz si preu ta norreture,
Remembre toy du chalde teille
U es touchiés, je te conjure ;
Car c'est la chose, je te jure,
Que longue vie t'appareille.'　5220
　Mais quant pour loer deservir
Au sompnolent estoet servir,
Et q'au matin son mestre appelle,
' Ore ça vien tost !' he, quel suspir,
He, quel dolour, quant doit partir
Hors du chalour de sa lincelle !
Dont au chaucier de sa braielle
Enmy dormant fait sa querelle,
Qu'il plus au plain ne poet dormir.
Q'ad tiel varlet ou tiele ancelle,　5230
Souhaider poet que cil et celle
Fuissent alé sanz revenir.
　Ly Sompnolent sicome l'enfant
Quiert estre deinz son lit couchant,
Qant pour le froid n'en voet lever ;
Et fait ensi pitous semblant
A descoucher, jusques atant
Qu'il poet sa chemise eschaufer :
Demy se lieve, et recoucher
Tantost se fait et l'oreiller　5240
Enbrace, et puis luy dit avant,
' Dy, que me voes tu consailler,
Ou plus dormir ou descoucher ? '
Vei la du deable droit servant !

5188 enveillant　　5191 Enfait　　5193 encontroeuant

Au Sompnolent trop fait moleste,
Quant matin doit en haulte feste
Ou a mouster ou a chapelle
Venir; mais ja du riens s'apreste
A dieu prier, ainz bass la teste
Mettra tout suef sur l'eschamelle,   5250
Et dort, et songe en sa cervelle
Qu'il est au bout de la tonelle,
U qu'il oït chanter la geste
De Troÿlus et de la belle
Creseide, et ensi se concelle
A dieu d'y faire sa requeste.

   Ly sages dist que sicome l'uiss
Deinz son chanel et son pertuis
Se tourne et moet aiseement,
Ensi en ease encore et plus   5260
Par nuyt et jour du commun us
Dedeinz son lit ly Sompnolent
Se tourne et moet a son talent
Solonc le corps; mais nequedent
Resoun del alme est tout confus:
Car danz Catouns ce nous aprent,
Que long repos de songement
Norrist les vices au dessus.

   El livre de levitici
Dieus ad defendu que nully   5270
A Sompnolence doit entendre;
Car c'est un pecché desgarni,
Qui du laron et d'anemy
Laist sa maison fouir et fendre
Sanz resister et sanz defendre:
Q'ainçois q'il porra garde prendre,
Ou q'il le cuer ait esveilly
Pour grace et pour vertu reprendre,
Ly laron vient pour luy surprendre,
De ses pecchés tout endormi.   5280

   Dieus a les gens du Babilant,
Q'en leur pecchés furont dormant,
Par son prophete Jeremie,
'Dorment,' ce dist, 'cil fol truant,
Et si songent en leur songant
Du sempiterne songerie,
Dont lever ne se pourront mie.'
He, Sompnolence au char amie,
Tu moers tant comme tu es vivant,

Et puis enfern te mortefie,   5290
Sique tu es toutdis sanz vie;
Trop perdist dieus en toy faisant.

   Iceste fille ad une aqueinte,
Qe molt se fait paisible et queinte,
Sique labour ne la surquiere:
Tendresce a noun, si est trop feinte
Et du petit fait sa compleinte,
Voir, si ly ventz au doss la fiere.
Ne vait as champs comme charuere,
N'a la montaigne comme berchere,   5300
Ne poet souffrir si dure enpeinte;
Mais comme la tendre chamberere
Du tout labour se trait arere;
Trop est en luy nature exteinte.

   Mais quant Tendresce est chamber-
         leine
Au frere, au moigne, ou a nonneine,
Cel ordre vait trop a rebours;
Car pour cherir la char humeine
Dormont tout suef a longe aleine,
Et sont de leur vigile courtz.   **f. 33**
N'est pas bien ordiné ce cours;   5311
Car ce dist dieus, q'es roials courtz
Sont cil qui vestont mole leine,
Nounpas en cloistres n'en dortours;
Mais tant sont tendre ly priours,
N'ont cure a ce que dieus enseigne.

   Tendresce est celle que debat
Au cuer et le corage abat,
Et si luy dist, 'Prens remembrance
Que tu primer fus delicat   5320
Norry, pour ce sustien l'estat
Dont es estrait du jofne enfance.'
Ensi le cuer met en errance,
Dont le corage desavance
Et du soubgit fait potestat,
C'est de sa char, q'en habondance
Repose, et l'alme a sa penance
S'en vait tout povre et desolat.

   Ly sages dist parole voire:
'O come amiere est la memoire   5330
A l'omme pensant de la mort,
Quant est enmy sa tendre gloire!'
Car tout luy changera l'estoire

Soutz terre, uque ly serpens mort
Sa tendre char, et la qu'il dort
Un oreiller boscheus et tort
Avra de la crepalde noire :
Mais que pis est, l'alme au plus fort
En paine irra par desconfort,
U sanz mercy l'en desespoire.   5340
  Dieus, qui jadis fuist coroucié
Au poeple hebreu pour lour pecché,
Ensi disant leur manaça :
  La tendre femme que son piée
Planter au terre n'est osée
Pour sa tendresce, temps verra,
Qant par suffreite mangera
Ses propres filz.' Dy lors quoy fra
Cil homme tendre en son degré :
Quant de la femme ensi serra,   5350
Je croy que l'omme pis avra
Que femme pour sa tendreté.
  Mais qui Tendresce voet descrire,
Solonc les clercs il porra dire
Que c'est du cuer une moleste,
Dont le corage tant enpire
Qu'il laist la char tenir l'empire
Sur l'alme plus que fole beste.
Car au labour d'umeine geste,
Dont l'en pain et vesture acqueste,
N'ad volenté que poet souffire,   5361
N'a dieu servir ja ne s'apreste.
La vie q'est tant deshonneste
Du cristien om doit despire.
  Tendresce est ly malade sein,
Q'au tout labour est fieble et vein,
Et fort as tous ses eases prendre
Es chambres sanz aler longtein :
Ensi comme l'oill ensi la main
Cherist et guart tout mol et tendre,
Car il ne voet sa char offendre   5371
Pour l'alme ; mais il doit entendre,
Q'en ceste vie unques vilein
Ne poet si grief labour enprendre,
Que plus grevous pour luy sur-
        prendre
Luy dorra dieus a son darrein.

        5338 plusfort

*   F

La seconde file de Accidie, q'est appellée Peresce.

  Peresce, q'est de ceste issue
La soer seconde, ja ne sue,
Ce sachies bien, pour nul labour ;
Ainz coy sicomme l'oisel en mue   5380
Se tient, q'au labour ne se mue
Pour nul proufit de nuyt ne jour.
Quiq'est des armes conquerour,
Ou de les champs cultefiour,
Peresce est hors de retenue,
Q'al un ne l'autre est soldeour :
Maisqu'il le corps ait a sojour,
Ja d'autre bien ne s'esvertue.
  Peresce, tant comme l'ivern dure,
Ne voet issir pour la freidure   5390
De labourer en champ ne vine,
N'en temps d'estée pour la chalure :
Si tous fuissont de sa nature,
Je croy que trop y ust famine.
Peresce ensi come chat ferine,
Qui volt manger piscon marine,
Mais noun ses piés de la moisture
Voet eneauer deinz la cretine,
Quiert des proufis avoir seisine,
Mais de les charges point ne cure.   5400
  Peresce quant a manger vient
Et est assis, legier devient ;
Mais puis, qant faire doit servise,
En tant comme poet lors s'en abstient,
Et au busoign du loign se tient,
Comme cil q'est plain de truandise :
Quique les autres blame ou prise,
Maisqu'il poet avoir sa franchise,
N'ad cure d'autre, quoy q'avient :
Trop est tiel servant de reprise ;   5410
Car prendre voet ce que souffise,
Mais du deserte ne fait nient.
  Qui faire voet son messager
Du lumaçoun, ou son destrer
De l'asne, ensi porra cil faire
Qui le perceus voet envoier
Pour ses busoignes reparer.
Car tard y vait et tard repaire :

        5386 Qal lun (cp. 5591)

Qant l'en mieulx quide a bon chief traire
La cause, lors serra l'affaire   5420
De la busoigne au commencer.
C'est ly sot qui ne cure guaire
Du bien, d'onour, ne d'essamplaire,
Dont l'en porroit bien essampler.
    Peresce, pour warder son frein,
Toutdis d'encoste bien prochein
Fole esperance meyne ove soy ;
Et d'autrepart nounpas longtein
Vait Folquider son chambirlein.
Ce sont qui scievont en recoy   5430
Promettre molt et donner poy :
Qui se purvoit de leur arroy,
Huy sur la chance de demein
Expent, et prent son aese en coy ;
Mais au darrein, qant n'ad du quoy,
Lors est il sage apres la mein.
    Om dist, qant ées son aguilon
Avra perdu, lors a meson
Se tient et ce que l'autre apporte
Devoure, siq'en nul sesoun   5440
A pourchacer sa guarisoun
Se vole ; et ensi nous enhorte
Peresce, que nuls doit sa porte
Passer pour labour que l'en porte,
Tant comme de ses voisins entour
Poet apromprter dont se desporte :
Mais en la fin se desconforte,
Quant par ce falt tenir prisoun.
    Peresce, sicome dist ly sage,
En yvern pour le froid orage   5450
Ne voet arer, dont en estée
Luy falt aler en beguinage ;
Mais n'est qui pain ne compernage
Luy donne en sa necessité ;
Car par l'apostre est desveié
Le pain a qui n'ad labouré ;
Et c'est auci ne loy n'usage,
Solonc que truis en le decré,
Cil qui le charge n'ad porté,
Qu'il en doit porter l'avantage.   5460
    Peresce de sa retenance
Ad Coardie et Inconstance,

Souhaid et Pusillamité ;
Ly sage en porte tesmoignance,
Que d'inconstante variance
Sovent avra sa volenté
D'un point en autre rechangé ;
Car cuer de mutabilité
Ly pent toutdis en la balance ;
Dont voet, noun voet, par tieu degré
Qu'il tout son temps en vanité   5471
Lerra passer sanz bienfaisance.
    Auci Peresce pour servir
Y vient Souhaid, qui par desire
Covoite toute chose avoir,
Disant sovent a bass suspir,
'He, dieus me doignt a mon plesir
Argent, chastell, ville et manoir ! '
Mais ja son pié ne voet movoir
Pour mettre main, dont son voloir   5480
Porra d'ascune part complir :
Siq'en la fin doit bien savoir,
Ainz qu'il s'en poet aparcevoir
Poverte luy doit survenir.
    Mais Pusillamité la nyce
Sert a Peresce d'autre vice ;
Car celle n'ose commencer
Sur soy d'enprendre ascun office,
Ou de labour ou de service,
Du quoy se porroit proufiter ;   5490
Ainz est tant plain de supposer
Et des perils ymaginer,
Que cuer luy falt, sique justice
En pert, dont mesmes soy aider
Ne voet, ainz laist trestout aler,
Et l'onour et le benefice.
    Coardz les vertus assaillir,
Ne les pecchés n'ose eschuïr ;
Car c'est cil fol, comme dist ly sage,
Qui la putaigne a son plesir   **f. 34**
Areste et lie et fait tenir   5501
Pour bordeller en son putage,
Sicomme la beste en pasturage ;
Qu'il n'ad point tant du vasselage,
Qu'il resister sache ou fuïr,
Ainçois se laist a son hontage

     5460 endoit   5464 enporte   5483 senpoet   5494 Enpert

Effeminer de son corage,
Dont fait hommesse en soy perir.
    Sicome l'enfant se tourne en voie,
Et n'ose aler avant la voie   5510
Pour l'oue que luy sifflera,
Pour meinz encore se desvoie
Ly fol coard, qant om l'envoie.
Tieu messager petit valra ;
Car combien q'il fort corps avra,
Le cuer dedeinz malade esta,
Du quoy le pulmon et la foie
Ove tout l'entraile tremblera :
Tieu parlesie ne guarra
Cil qui guarist Ector de Troie.   5520
    Om dist, 'manace n'est pas lance' :
Mais au coard parmy la pance
Luy semble avoir esté feru
D'un mot del autry malvuillance.
Trop est du povre contenance ;
Car quant il voit l'espeie nu,
Tout quide avoir le ferr sentu :
C'est un mal championn de dieu,
Q'ensi Peresce desavance ;
Trop est le pain en luy perdu,   5530
Qant corps et alme est sanz vertu
De l'un et l'autre sustienance.
    Car, si Peresce dont vous dis
Fait l'omme tard et allentis
Solonc le corps de ce q'appent
Au monde, encore plus tardis
Fait le corage et plus eschis
De ce que l'alme proprement
Duist faire a dieu ; car point ne rent,
N'en dit n'en fait n'en pensement,   5540
Les charges qui luy sont assis
Du sainte eglise, et meëment
Prier ne poet aucunement,
Ne juner, si ne soit envis.
    Atant vous dy je de Peresce,
En halt estat qant est clergesce
Chargé de cure et prelacie,
Si lors dirra matins ou messe,
Ce fait ensi comme par destresce ;
Car au primer de sa clergie   5550

Devocioun luy est faillie,
Du quoy ne preche ne ne prie,
Ainz laist celle alme peccheresse
Sanz bonne garde en sa baillie
Perir ; car tout le charge oublie
Del ordre dont elle est professe.
    Peresce auci fait q'omme lais,
Ja soit il sessant auns et mais,
Ne sciet sa paternoster dire,
A dieu prier pour ses mesfais ;   5560
Dont qant au Moustier s'est attrais,
Ja d'autre chose ne s'atire,
Mais quique voet jangler et rire
A luy de maintenant se tire,
Q'au paine s'il ses mains jammais
Vorra lever vers nostre sire.
Tieu vielard fait son dieu despire
Et est au deable trop curtais.
    En l'evangile est dieus disant,
Que l'arbre nient fructefiant   5570
Hom doit ardoir ; lors quoy serra
Cil q'ove les arbres est crescant,
Et est mortiel et resonnant,
S'il point ne fructefiera ?
Quant sa jovente passera
Sanz vertu qu'il en portera,
Et sa vielesce est survenant,
Et qu'il baraigne ensecchera,
Sanz reverdir l'alme ardera,
Car d'autre bien n'est apparant.   5580

La tierce file de Accidie, quelle est appellée Lachesce.

    La tierce fille apres suiant,
D'Accidie quelle est descendant,
Trop ad pesante contenance :
N'est chose qui du maintenant
Voet faire, ainçois en tariant
Mettra tous biens en pourloignance.
De son noun la signefiance   ·
A ses fais porte tesmoignance,
Car Lachesce hom la vait nommant,
Q'est lache au toute bienfaisance ;   5590
Q'al un n'a l'autre pourvoiance
Du corps ne d'alme est entendant.

Endementiers que l'erbe es vals
Renaist et croist, moert ly chivals:
Ensi quant om par lacheté
Ses fais pourloigne et ses journals
Espiritals ou corporals,
Tancome ses jours ad pourloigné,
Son temps luy est mortefié;
Sique merite en nul degré   5600
Luy doit venir, quant nuls travals
Ad fait, car veine volenté
Que n'est des oevres achevé
Est a les sounges perigals.

     Des causes q'il tient entre mein
Lachesce dist, 'Demein, demein,'
Et laist passer le jour present.
Quant siet decoste son prochein,
Mainte excusacioun en vein,
Du chald, du froid, du pluie et vent,   5610
Allegge a son excusement;
Mais toutes voies il attent,
Sique jammais son oevere au plein
Serra parfait; ainz lentement
Trestout met en delaiement,
Et le divin et le mondein.

     Tout ce q'appent a dieu servise
Lachesce en sa darreine assise
Le met; car il ne vient jammes
Les jours du feste au sainte eglise   5620
Par temps, ainz dist q'asses suffise
S'il vient au temps baiser la pes:
Et d'autrepart s'abstient ades,
Qu'il n'ert en trestout l'an confes,
Fors q'une fois, pour nulle aprise,
Et ce serra du Pasques pres,
Quant pourloigner ne s'en poet mes:
Vei la devoute truandise!

     Trop court vers dieu Lachesce en dette,
Q'au temps ne paie et se desdette   5630
La dueté de son labour.
Dieus la devocioun rejette
Du prestre, qant il huy tresjette
Ses houres tanq'en autre jour:
Car que l'en doit sanz nul destour
Loenge rendre au creatour

Essample avons de l'alouette,
Que bien matin de tour en tour
Monte, et de dieu volant entour
Les laudes chante en sa gorgette.   5640
     Lachesce fait le Pelerin
Enlasser, siqu'il son chemin
Ne poet parfaire duement,
Dont son loer pert en la fin:
Car qui ne sert jusq'au parfin,
Comme l'evangile nous aprent,
N'est apt ne digne aucunement
Du ciel a son definement;
Ainz par le juggement divin
Doit perdre tout le precedent   5650
De son labour, que plus n'en prent
Que cil qui jammais fuist cristin.

     Lachesce est celle charuere
Que lente et reguardant arere
Sa main fait mettre a la charue:
La tour commence auci primere,
Mais ne la poet parfaire entiere,
Dont om au fin l'escharne et hue.
Je truis que de la gent hebrue
La rereguarde fuist vencue,   5660
Quant par lachesce estoit derere,
Dont Amalech les fiert et tue:
Mais ja tieu chose n'eust venue,
S'avant fuissent ove la banere.

     Om ne doit mettre a nounchaloir
Proverbe q'est du grant savoir,
Car jadis om solt dire ensi:
Cil qui ne voet quant ad pooir,
N'el porra puis qant ad voloir,
Ainz serra son pourpos failli.   5670
Lachesce fait tout autrecy
Du tout ce q'appartient a luy:
Quant poet ne fait le soen devoir,
Par quoy sovent est escharni;
Car quant au fin s'est enpovri,
Lors quiert ce que ne poet avoir.

     Senec le dist, q'a son avis
Trop s'aliene et est caitis
Du foy cil qui sa repentance
Deferre tanqu'il soit antis,   5680

Quant du jofnesse est desfloris,
Et q'au peccher n'ad sufficance;
Car c'est un povre bienvuillance,
Q'a dieu lors offre la pitance
Du viele lie q'est remis,
Qant tous les flours par fole errance
De sa jovente et sa substance
As deables ad offert toutdis.
 Ce dist ly deable au Lacheté :
' Jofne es et ta jolieté   **f. 35**
Te poet encore long durer, 5691
Et lors porras ta malvoisté
Par loisir a ta volenté
Tout a belle houre redrescer.'
Ensi le met en folquider,
Plus nyce que le prisonner
Qui tout jour voit l'uiss desfermé,
Dont il pourroit en saulf aler,
Mais ne se voet desprisonner,
Tanq'il au gibet soit mené. 5700
 Mais a Lachesce avient sovent,
Que par son fol deslaiement,
Quant voit comment ad tous perdu,
Les biens du siecle et ensement
Les biens del alme, et folement
Son temps en mal ad despendu,
Lors deinz son cuer s'est enbatu
Tristesce, dont tant est commu,
Que sa mort propre tristement
Desire, et est tant esperdu 5710
Que ja pour homme ne pour dieu
Ne s'en conforte ascunement.
 De la tristesce q'est mondeine
Ly sages son enfant enseigne
Qu'il doit fuïr la maladie,
Q'au cuer del homme est tant greveine,
Comme est la tine au drap du leine,
Ou verm que l'arbre mortefie.
Car la tristesce en sa folie
Les oss ensecche, et puis la vie 5720
Escourte et la vielesce meine,
Avant que l'oure soit complie
Que nature avoit establie :
C'est maladie trop vileine.
 Tristesce est celle nyce fole

Que la resoun trestoute affole,
Sique ly deable a son plesir
De luy se jue et se rigole;
Et si la prent de tiele escole
Dont l'art est sanz recoverir. 5730
Car du Tristesce le conspir
Fait Obstinacioun venir,
Que verité tient a frivole,
Sique resoun ne voet oïr,
Du pecché pour soy repentir ;
Car du pardoun ne tient parole.
 Le vice d'Obstinacioun
Par nulle predicacioun
A repentance ne s'applie,
Mais par fole hesitacioun 5740
De sa continuacioun
Pert grace, dont en heresie
Argue et tient que sa folie
Est tant alé q'en ceste vie
N'en poet faire emendacioun :
Dont il la dieu mercy desfie,
Que confesser ne se voet mye,
Ainz chiet en desparacioun.
 Molt ad grant joye ly malfée
Quant l'omme ad fait desesperé ; 5750
Car lors le meine par le frein
Tout voegle apres sa volenté,
Q'au droite voie en nul degré
Rettourner sciet, siq'au darrein
Se pent ou tue de sa mein ;
Dont est du double mort certein,
Comme fuist Judas ly maluré.
Ce dist saint Job, ' Trop est en vein
Que l'omme vit jusq'au demein,
Qui s'est en desespoir rué.' 5760
 Desesperance l'insolible
C'est ly pecchés que deinz la bible
Par Jeremie dieus blama,
Et la nomma le vice horrible ;
Disant qu'il tant la fra passible
Des mals que souffrir la ferra,
Sique chascun que la verra
Sur luy sa teste movera,
Et tous dirront, ' Vei l'incredible,
Q'en dieu mercy ne se fia ! 5770

Dont sanz mercy puny serra
Du mort dont nuls est revertible.'
La quarte file d'Accidie, quelle
est appellée Oedivesce.
La quarte file soer Peresce
Celle ad a noun dame Oedivesce,
Que de nul bien se voet meller,
Car par amour ne par destresce
N'ad cure qui doit chanter messe,
Ne qui les champs doit labourer,
Maisq'al hasard pourra juer,
Ou a merelle ou eschequer,   5780
Ou a la pierre jetteresse :
Vei la le fin de son mestier !
Car pour prier ne pour loer
D'autre bienfait ja ne s'adresce.
Si l'omme oedif poet a les dées
Juer, tout ad ses volentés
Compli, car jammais autre joye
Ne quiert, tant comme prosperités
Du gaign luy vient ; mais plus d'asses
Du perte a son hasard s'effroie :   5790
Car quant ad perdu sa monoie,
Lors met ses draps et sa couroie,
Mais s'il tout pert, lors comme desvés
Maldit et jure vent et voie,
Son baptesme et son dieu renoie,
Et tout conjure les malfées.
Dame Oedivesce meine et guie
Ceaux qui par faignte truandie,
Quant sont a labourer puissant,
Se vont oiceus au beggerie ;   5800
Car mieulx amont la soule mie
Ove l'aise q'est appartenant,
C'est du solail q'est eschaulfant,
Et du sachel acostoiant,
Et du buisson l'erbergerie,
Que labourer pour leur vivant
Et d'estre riches et manant,
Voir si ce fuist de seignourie.
L'Oiceus ja se pourvoit du nient,
Mais q'un jour vait et autre vient :   5810
Il dist, ' Dieus aide a la charette ! '
Mais du labour q'a ce partient
Ja de sa main ne la sustient ;

Ainz plus oedif que l'oisellette,
De tous labours loign se desmette,
Q'au corps ne rent sa due dette
N'a l'alme fait ce que covient ;
Car pour loer que dieus promette
Ne moet son pié de la voiette,
U qu'il son fol penser enprient.   5820
Ly grisilons en temps d'estée
Chante et tressalt aval le pré
Joliement en celle herbage ;
Mais ja n'aguarde en sa pensée,
Quant ce bell temps serra passé,
U lors vitaille et herbergage
Avoir pourra, ainz comme volage
Oedif s'en vait en rigolage,
Et se pourvoit en nul degré :
Dont puis, quant vient le froid orage, 5830
Lors sanz hostell et compernage
Languir l'estoet en povreté.
Mal s'esjoÿt et chante en vein
Ly grisilons, quant au darrein
Son chant luy doit tourner en plour :
Ensi malfait l'oiceus humein,
Q'au siecle ne voet mettre mein,
Ne cuer d'amer son creatour.
Ly sages dist que cest errour
Est vanité, quant pourchaçour   5840
Son pourchas laist au tieu vilein :
Quant il s'estrange au tout labour,
Resoun le voet que tout honour
Et tout proufit luy soit forein.
Ly sages dist, nuls poet comprendre
Les griefs mals q'Oedivesce emprendre
Fait a la gent du fole enprise :
Car quant la char q'est frele et tendre
N'au dieu n'au siecle voet entendre,
A labourer d'aucune assise,   5850
Lors sanz arest deinz sa pourprise
Des vices ert vencue et prise,
Comme cil qui n'ad dont soi defendre.
Seint Jeremie en tiele guise
Dist q'Oedivesce ove sa mesprise
Sodome causa de mesprendre.
Dame Oedivesce est celle fole
Que plustost son aqueinte affole,

Justefier devant la gent :
Et ensi veint secretement
Le droit, que nuls le contretence.
   Car quant Richesce vient pledant,
Poverte vait sanz defendant :
Richesce donne et l'autre prie,
Richesce attrait en son guarant   6220
Le jugge, questour et sergant,
Par queux sa cause justefie ;
Car Covoitise qui s'applie
A la Richesce, ne voit mye
Le droit du povre mendiant.
Que jugges ne serroit partie
La loy defent, mais l'orr deffie
Le droit et met le tort avant.
   Ly covoitous, quant s'aparçoit
Que presde luy jofne homme soit, 6230
Q'est riche des possessions
Et innocent, lors en destroit
Son cuer remaint comment porroit
Ses retz pourtendre a tieux buissons.
Sovent l'attret des beals sermons,
Sovent d'aprest, sovent des douns,
Dont l'innocent se fie et croit
En les fallas de ses resouns ;
Mais l'autre en ses conclusiouns
Au fin l'attrappe et le deçoit.   6240
   Mais quant avient que son voisin
Tient presde luy rente ou molyn,
Qe vendre en bon gré ne voldra,
Cil covoitous du fals engin
Met tiel obstacle en son chemin,
Dont en danger le ruera :
Car falsement l'enditera,
Ou d'autre part luy grevera,
Du quoy ly povres en la fin,
Ou de son corps hony serra,   6250
Par fine force ou il lerra
Sa terre a ce tirant mastin.
   Sicomme le Luce en l'eaue gloute
Du piscon la menuse toute,
Qu'il presde luy verra noer,
Ensi ly riches ne laist goute
Des povres gens q'il pile et boute :

Mais c'est le pis de son mestier,
Comme plus se prent a devorer,   f. 38
Tant meinz se pourra saouler :   6260
Ce met le voisinage en doubte
Sicomme perdis de l'esperver,
Q'a luy soul n'osent resister,
Combien qu'ils soient une route.
   Mais je ne dy pas nequedent
Que Covoitise soulement
Es cuers des riches gens habite ;
Ainçois les cuers du povre gent
Assault et point asses sovent ;
Et combien qu'il ne leur profite,   6270
Voir s'il n'en gaignont une myte,
Le vice encore les endite,
Dont sont coupable en pensement
L'evesque ensi comme l'eremite :
Solonc que chascune appetite,
Dieus met leur cause en juggement.
   Ly povre covoitous n'areste
Ne son corps mesmes ne sa beste
Solonc les sains commandemens,
Qu'il ne labourt au jour du feste,   6280
Si ce ne soit pour la tempeste
Que survient de l'orrible temps ;
Mais lors s'atourne d'autre sens
De faire ses bargaignemens,
A la taverne, u deshoneste
Sa vie meine en janglemens.
Vei la les nobles sacremens,
Dont envers dieu fait sa requeste !
   Du covoitise trop s'avile
Cil q'au marché du bonne vile   6290
Envoit a vendre son frument,
Et par deceipte puis s'affile,
Et vient y mesmes de sa guile
Pour l'achater tout proprement ;
Et plus en donne de l'argent
Que la commune de la gent
Vendont, et ensi se soubtile,
Qu'il la chierté monter sovent
Fait du marché ; si perdont cent
Par ce q'il soul le gaign enpile.   6300
   Du covoitise mal s'espleite

6262 lesperner (for lesperuer)   6295 endonne

Q'ad sa mesure trop estreite,
Soit pynte ou lot, dont il le vin
Vent en taverne par deceite:
Car de mesure contrefeite
Sovent se pleignont ly voisin,
Et sur trestous ly pelerin
S'en pleint, qui lass en son chemin
S'en vait et d'argent ad souffreite.
Mais dieus, qui voit le mal engin, 6310
Rent larges paines au parfin
A luy qui tant estroit coveite.

Ly covoitous en son ayue
Ad cynk servans de retenue,
Des queux Chalenge est ly primer;
Soubtilité la desconue,
Que sa faulsine ne desnue
Est la seconde, et Perjurer,
Perest ly tierce, et puis Tricher
Ly quartz, et lors de son mestier 6320
Ingratitude s'esvertue
Du Covoitise acompaigner:
Qui tieus compaigns doit encontrer
Se poet doubter de leur venue.

Pour fals chalenge sustenir
Ly fals plaintif y doit venir,
Qui fals tesmoign ove luy merra;
Si falt auci pour retenir
Fals advocat pour plee tenir,
Et fals notaire auci vendra, 6330
Qui competent salaire avra;
Fals assissour y coviendra;
Mais pour la cause au point finir
Chalenge de son orr dorra
Au jugge, et lors tout seur serra
Que tout ert fait a son plesir.

Chalenge auci d'un autre endroit,
Ou soit a tort ou soit a droit,
Au povre gent de leur bargaign
Retient leur sold que paier doit; 6340
Combien qu'il nul defaute voit,
Encore pour le petit gaign
Ascune part retient ou main.
Mais d'une chose soit certain,
Comme Malechie le disoit,

Q'ensi chalenge son prochain
Dieu le chalenge a son derrain
Du male mort, qu'il luy envoit.

Au Fals chalenge un autre vice
Est adjousté de son office, 6350
Q'om nomme Fals occasioun;
C'est ly droit cousins d'Avarice,
Car pour guaigner le benefice
Legierement troeve enchesoun
Sovent sanz cause et sanz resoun
A deguerpir son compaignoun;
'Chascuns pour soy,' ce dist, 'chevise':
Pour mesmes recevoir le doun,
A l'autre en fra destourbeisoun:
Fols est qui tiel amy cherice. 6360

Au Babiloine et a Chaldée,
Q'au tort le poeple ont chalengé,
Par Jeremie dieus manda,
Puisqu'ils sur gent de povreté
Ont leur chalenge compassé,
D'espeie il leur chalengera;
Dont ly plus fortz se tremblera,
Et ly plus sage ensotera,
Et le tresor q'ont amassé
Trestout l'espeie devora; 6370
Et ensi rechalengera
Le povre droit q'ont devoré.

Soubtilité, qui vient apres,
Se tient du Covoitise pres
Comme s'amye et sa chamberere,
Par qui consail l'autry descres
Compasse, dont son propre encres
Pourra tenir, car a son piere
Ferroit tresget en sa maniere:
Car elle ad Guile a sa baniere, 6380
Qui de sa cause tout le fes
Enporte, sique par sa chiere
Quant est devant ne quant derere
Nuls s'aparçoit de luy jammes.

Soubtilité dieus n'ayme mye,
Ainz la maldist par Isaïe;
Car la soubtile Covoitise
Ad toutdis en sa compaignie
Et Conjecture et Guilerie,

Et si retient auci Queintise :   6390
Car l'evangile nous devise,
Que de la seculere aprise
Om truist plus quointes de boidie
Et plus soubtils d'une autre guise,
Qe ne sont cil q'ont tout assisse
L'alme en divine queinterie.

  L'areine au mer, ce dist Ambrose,
Quant voit que l'oistre se desclose,
Mette une pierre en la fendure,
Dont n'ad poair qu'il se reclose :   6400
Mais quant l'escale n'y est close,
Le piscon prent a l'overture
Et le devore en sa nature.
Ensi du False conjecture
Ly Covoitous son gaign dispose
Sur l'innocente creature,
Et le devoure a sa mesure,
Q'au paine y laist ascune chose.

  Perjurie, q'ad sa foy perdu,
Entre les autres s'est tenu   6410
Au Covoitise pour servir :
C'est cil qui n'ad cremour de dieu ;
Maisqu'il del orr soit retenu,
La conscience en fait fuïr ;
Car voir en fals sovent vertir,
Et fals en voir fait revertir.
C'est cil qui pour amy et dru
Falsine fait ove soy tenir ;
Que loialté ne poet venir,
Si l'autre soit avant venu.   6420

  Grant pecché fait qui se perjure,
Et ensi fait qui le procure ;
Car peiour est le perjurer
Que l'omicide en sa nature :
Car l'en verra par cas tiele hure
D'un homme l'autre poet tuer,
Mais l'en ne porroit deviser
Perjurie de justefier
Par resoun ne par aventure :
Dont trop se poet espoenter   6430
Cil fals jurour qui pour loer
Met si grant fait a nounchalure.

  Mais quoy dirrons du fals jurour,
Qui le saint corps son salveour
Fait desmembrer du pié en teste
Par grans sermens, dont chascun jour
Il s'acustumme sanz paour ?
Je dy, l'irresonnable beste
Valt plus de luy, soit cil ou ceste ;
Car qui q'ensi son dieu tempeste,   6440
C'est du filz dieu ly tourmentour,
Qui le flaielle et le moleste.
He, quelle cause deshonneste
Du creature au creatour !

  Qui par l'eglise jure et ment,
Trestout perjure proprement
Qanq'en eglise est contenu ;
Et qui le ciel et firmament
Perjure, lors trestout comprent
Les angles et le throne dieu :   6450
Dont Ysaïe en son hebreu,   **f. 39**
'Way,' dist, ' au fals jurour mestru
Q'ensi mesfait son serement.'
C'est un des vices plus cremu,
Q'expressement est defendu
Par le divin commandement.

  Mais ly perjurs doit bien savoir,
Qe par nulle art q'il sciet avoir
De sa parole ymaginée,
Dont par fallace a son espoir   6460
Quide a jurer et decevoir,
Ert du pecché plus escusée ;
Ainçois luy double le pecché,
Quant dieus en quide avoir guilé,
Qui tout survoit le fals et voir ;
Car c'est escript en le decré,
Solonc q'om charge le jurée
Il doit son charge recevoir.

  Quiconque met sa main au livre
A fals jurer pour marc ou livre,   6470
En ce qu'il tent sa main avant
A perjurer, tout se delivre
De dieu, a qui sa foy suslivre,
Comme cil qui jammais enavant
A luy quiert estre appartienant,
Et son hommage maintenant
Pour tout le temps qu'il ad a vivre

Au deable fait en son jurant,
Qui s'esjoÿt du covenant
Et en enfern le fait escrivre.   6480
   N'est pas resoun que l'en oublie
L'avisioun de Zacharie,
Q'en halt le ciel voler veoit
Un grant volum, dont il lors prie
Al angre quoy ce signefie ;
Qui dist que ce de dieu estoit
La maleiçon, que descendoit
A les maisons de ceaux toutdroit
Qui sont perjurs en ceste vie,
Et pardedeinz escript avoit   6490
Le juggement que leur portoit
Sentence d'escumengerie.
   Perjurie ad un soen compaignoun,
Qui naist du deable et ad a noun
Mençonge, qui jammais parla
Parole, si tresfalse noun ;
Dont vait a sa perdicioun,
Sicomme David prophetiza.
Par Malachie aussi cela
Dieux dist qu'il tieux accusera,   6500
Et leur malvois condicioun
A tesmoigner se hastera :
Ne say comment s'excusera
Q'attent tiele accusacioun.
   Ly quartz q'au Covoitise encline,
C'est Tricherie q'est terrine,
A qui Deceipte est attendant
Ove Falseté, q'est sa cousine.
Par leur consail, par leur covine
Ly covoitous vait compassant   6510
Comme soit les terres conquestant ;
Et d'autre part ly fals marchant
Par leur avis son gaign divine ;
L'un font de l'orr riche et manant,
Et l'autre de leur conspirant
Des terres mettont en seisine.
   Cil Tricherous au repaiage
De l'autry bien prent le tollage
Par fals acompte ou autrement ;
Et quant ad fait l'autri dammage,   6520
Guaigné le tient en son corage,

Come s'il l'ust trové franchement.
Mais cil qui triche l'autre gent
Doit bien savoir, au finement
Que ce n'ert pas son avantage ;
Car il se triche proprement
De tout le bien q'a l'alme appent,
Et ce tesmoigne bien ly sage.
   El viele loy lors fuist ensi,
Que cil q'ot triché vers l'autri   6530
Du quelque chose, il la rendroit
Entiere arere envers celluy
Qu'il ot triché, ovesque auci
La quinte plus que ce n'estoit,
Et puis offrende a dieu dorroit,
Du quoy son pecché rechatoit,
Sicomme la loy l'ot establi.
Mais ly Tricher q'est orendroit
Sur l'alme laist a faire droit,
Dont cent mil fois plus ert puny.   6540
   Encore Triche de son lyn
Ad sa cousine et son cousin
Tout presde luy pour consailler ;
Ce sont et Fraude et Malengin.
Bien fuist, s'ils fuissent en l'engin
Pour loign jetter en halte mer ;
Car ce sont qui jammais plener
Leur covenance font guarder
N'envers dieu n'envers leur voisin :
Ce sont cils qui de leur mestier   6550
Font nele ove le frument semer,
Dont decevont maint homme au fin.
   Ce sont q'ont double la balance
Et la mesure en decevance,
L'un meinz et l'autre trop comprent ;
Du meindre vendont au creance,
Du greindre par multipliance
Achatont de la povre gent :
Plus ont deservy jugement
Que lieres que l'en treine et pent. 6560
La bible en porte tesmoignance,
Dieus en la viele loy defent
Mesure et pois que doublement
Se fait a la commun nuisance.
   Entre les autres pour servir

6561 enporte

u Tricherie vient Conspir,
a torte cause q'ymagine ;
t pour ce qu'il n'en doit faillir,
onfederacioun venir
  fait, par qui le droit engine ;   6570
Iais Champartie en leur covine
e haste, et nuyt et jour ne fine,
e la busoigne au point finir.
e sont ly troy par qui falsine
ame Equité vait en ruine,
t tort se fait en halt tenir.
  U Tricherie vait, du pres
ient Circumvencioun apres,
ve son compaign q'ad noun Brocage :
e sont qui portont le grief fes   6580
u Covoitise et tous les fetz
arfont ; car l'un en son corage
rimer coviette l'avantage,
t l'autre en fait le procurage
olonc qu'il voit venir l'encress ;
'au paine ascuns serra si sage,
ui n'ert deceu par leur menage,
'ils par deux fois l'eiont confess.
  La voegle Ingratitude vient
pres les autres, et se tient   6590
ve Covoitise main au main :
'est ly pecchés q'au cuer enprient
blivioun, dont riens sovient
'onour, du bien, que son prochain
ad fait devant, ainz comme vilain
e chescun prent, mais en certain
nul redonne et tout retient :
'est cil q'est toutdis fieble et vain
l'autry prou, mais fort et sain
u propre bien prest se contient.   6600
  La foy, sicomme ly sages dist,
'Ingratitude s'esvanist
nsi comme glace se relente ;
ar deinz brief temps trestout oublist
e bien q'ainçois ascuns luy fist,
'au guerdonner ne se talente.
ols est q'au tiel amy presente
Argent ou orr ou terre ou rente ;
ar quant plus donner ne suffist,

Lors le deguerpe et destalente,   6610
Et au busoign plus que jumente
Irresonnable l'escondist.
  A l'omme ingrat, tu dois savoir,
Que trop perest ce nounsavoir,
Si tu tes biens trestous dorroies ;
Car prest serra de recevoir,
Mais redonner de son avoir
Ja n'ert ce temps que tu le voies :
Et d'autre part, si toutes voies
Al homme ingrat servy avoies   6620
Mill auns a ton loyal pooir,
En un soul jour tout le perdroies ;
Et quant meulx fait avoir quidoies,
Il te ferroit pis decevoir.
  Ingratitude des seignours
Du povre gent prent les labours,
Mais point n'aguarde leur merite
A guerdonner ; car povre as courtz
Ne poet que faire ses clamours,
Mais ja pour tant denier ne myte   6630
N'en porte : auci la gent petite
Ingratitude leur excite
Au sire qui les fait honours,
Que sa bonté serra desdite ;
Et moult sovent qui plus profite
As tieus, meinz ad de leur amours.
  Ingratitude est toutdis une
Q'au Covoitise se commune ;
C'est cil q'au soir les biens du jour
Oublist et tout son propre adune,   6640
Car nulle chose en fait commune :
C'est cil qui porte sanz amour
Le cuer, car vers son creatour,   **f. 40**
Qui l'ad donné sen et vigour,
N'en rent mercys ne grace aucune :
C'est cil a qui si tout honour
Ussetz donné, au chief de tour
Ne t'en redorroit une prune.
  En l'omme ingrat ja ne te fie ;
Car s'il t'avoit sa foy plevie,   6650
Et dieu juret et tous les seintz
Q'il jammais jour de sa partie
Ne te faldroit, ainz sanz partie

6584 enfait

Te volt amer malade et seins,
Pour ce ne serres plus certeins ;
Car s'il te voit depuis constreins
Du poverte ou du maladie,
Ja plus ne luy serres procheins :
L'en poet bien dire as tieus vileins,
Poverte parte compaignie.   6660
   D'Ingratitude escript je truis
La cause dont serra perdus ;
Car l'omme ingrat est sanz pité,
En tant que s'il trovast al huiss
Son piere et miere ensi confus,
Q'au pain begant fuissont alé,
Et par meschief desherbergé,
Ja pour ce d'ospitalité
Ne serroiont par luy rescuz,
Ainçois serroiont refusé.   6670
Fils q'ensi laist son parentée,
C'est pecché qu'il doit vivre plus.
   L'ingrat q'ensi se desnature
Est pis que chiens en sa nature :
Car chien son seignour vif et mort
Aime et defent a sa mesure,
Mais l'omme ingrat a toi nulle hure
Amour ne loialté ne port ;
Pour ton baiser il te remort,
Fay droit a luy, il te fra tort,   6680
Pour t'onour il te deshonure :
C'est cil qui mal pour bien report,
Dont dieus pour son tresmalvois port
Le hiet, et toute creature.
   Pour ce que l'omme ingrat est tiel,
Il est nommé desnaturel,
Dont quanque dieu fist et crea,
En terre, en l'air, en mer, en ciel,
Le dampnont, car pis q'amer fiel
Le trove qui le goustera :   6690
Pour ce dieus le despisera,
Nature auci l'abhomera,
Et l'angre q'est espiritiel
Ove toute beste le harra,
Fors soul ly deable, a qui plerra,
Car deable en soy sont autretiel.
      Quant hors del arche el temps
         pieça

Noë le corbyn envoia
Sur tous les autres en message,
Desnaturel trop s'esprova,   670
Q'a luy depuis ne retourna
Pour reconter de son rivage ;
Dont la domeste et la salvage
De toute beste en celle nage
Le corbin de ce fait dampna :
Mais plus me semble en son corage
Que l'omme ingrat se desparage,
Que l'oisel q'ensi s'en vola.
   A ce corbin pres toute gent
Sont resemblable au jour present ; 671
Car chascun prent de son veisin
Quanq'il poet prendre aucunement
Du bien, d'onour, d'avancement ;
Mais puis s'om le demande au fin
Guerdoun, lors sicomme le corbin
S'esloigne, et de son malengin
S'escuse du guerdonnement ;
Et ensi le pomme enterin
Prent cil qui puis le soul pepin
A redonner se fait dolent.   672
   Je croy, quant Antecrist vendra,
Plus des desciples ne merra,
Q'Ingratitude atant ou plus
Ove soy ne meyne ; et de cela
Verrai tesmoign me portera
L'experience en trestous lieus.
L'amour commun ore est perdus,
Si est l'amour novel conçuz,
Du Covoitise qui naistra :
Ne say queu part hucher les huiss, 673
Ingratitude u je ne truis
Tout prest qui me respondera.
   Dame Covoitise en sa meson
Est la norrice du treson,
Que de sa mamelle allaiter
Le fait, et puis met environ
Des vices une legioun,
Que le devont acompaigner :
Peril y vient son escuier,
Qui toutdis fait ove soy mener   674
Soudeigne chance et Mal renoun :
U tieux serront a consailer

e prince, trop se poet doubter
a gent de celle regioun.
  La Covoitise n'ert soulaine,
'as tantes vices s'acompaine,
ue luy servont comme soldier ;
ar leur emprise ensi bargaine,
e l'alme pert qant le corps gaine :
our ce dist dieus, que plus legier 6750
'oill de l'aguile outrepasser
oet ly chameals, q'en ciel entrer
a Covoitise q'est mondaine.
ue valt pour ce de covoiter
e halt honour q'est seculer,
Dont puis en bass enfern l'en baigne ?
  Du Covoitise ensi diffine
'apostre, et dist q'elle est racine
De trestous mals plus nyce et veine.
enec auci de sa doctrine 6760
Du pestilence et du morine
ist la plus fiere et plus grieveine
'est Covoitise, qui se peine
n labour, en dolour, en peine,
in quiert de ce que ja ne fine ;
ar jammais jour de la semeine
e dist asses de son demeine,
inz comme plus ad, plus enfamine.
  Ly sages dist que saouler
e se pourront en covoiter 6770
es oils, mais tout cela q'ils voient
oldront avoir par souhaider ;
Dont molt sovent maint fol penser
u cuer du covoitous envoiont.
chab et Jesabel quidoiont,
uant ils la vyne covoitoiont,
ar ce leur pourpos achiever
ue l'innocent Naboth tuoiont ;
ais as tous autres essamploiont
omme tiel pourchas fait a doubter. 6780
  Auci Joram filz Josapha
es mals essamples essampla,
uant il du fole Covoitise
es propres freres sept tua
our les Cités queux leur donna

Leur piere, dont la manantise
Voloit avoir ; mais sa juise
Par lettre Helie le devise,
Disant q'a male mort morra.
Si morust puis du tiele assisse, 6790
Que sa boële en orde guise
Parmy le ventre se cola.
  La noctua de nuyt oscure
Voit clierement de sa nature
Quiconque chose que ce soit,
Mais au clier jour sa regardure
N'est pas si cliere ne si pure :
Dont saint Ambrose resembloit
Le Covoitous au tiel endroit ;
Car clierement du siecle voit 6800
Les temporals en chascune hure,
Mais dieu, q'est la lumere au droit,
Dont l'alme d'omme enrichir doit,
L'oill fault a regarder dessure.
  Crisostomus ce vait disant,
Qe l'oill qui sont deinz soy pesant
Voient le meulx en tenebrour.
Senec auci s'en vait parlant,
Si dist que l'oill acustummant
A les tenebres, du clier jour 6810
Mirer ne pourront la luour.
Tieux sont ly oill du Covoitour,
Q'es biens oscurs vont regardant
De la richesse et vain honour,
Mais poy sont qui du fin amour
Les biens verrais sont covoitant.
  Par tieus enseignes dois savoir
Que Covoitise soul d'avoir
Tous mals apporte en son office ;
Car sens perverte en nounsavoir, 6820
Et verité verte en nounvoir,
Et d'equité fait injustice,
Si rent malgré pour benefice,
Et la bonté tourne en malice
Et bienvuillance en malvoloir ;
Trestous vertus destourne en vice
En luy qui covoitise entice ;
C'est le parfit de son devoir.

6762 plusfiere et plusgrieueine

**La seconde file d'Avarice, la
quele ad a no*u*n Ravyne.**

La file q'est en ceste line
Seconde est appellé Ravyne,   6830
Que vivre fait des biens d'autry.
Sicom*m*e le coufle en sa famine
Tolt les pulsins de la gelline,   **f. 41**
Et les transporte envers son ny,
Si font trestout ly soen norry:
Car n'est qui *pro*pre presde luy
Pourra tenir, dont la saisine
Ne voet avoir de chascuny;
N'ad cure qui soit enmaigri,
Mais q'elle ait crasse la peitrine.   6840
    Par le *pro*phete truis escript,
Qe com*m*e leon, quant il rougit,
Tressalt pour sa ravine faire,
Et meintenant sa proie occit,
Encore du plus fier habit
Ly Raviner fait son affaire.
Si est sa violence maire,
Car l'un nature fait attraire,
Et l'autre contre reso*u*n vit;
L'un prent asses et lors retraire   6850
S'en fait, mais l'autre p*ar* contraire
Toutdis retient son appetit.
    Ly Tigres, qant sa proie quiert,
Si point ne trove qu'il requiert,
Sicom*m*e saint Job le tesmoigna,
Tantost de sa nature piert;
Et ensi sovent le compiert
Cil q'autry bien ravinera.
Car Salomon nous dist cela,
Tieux est qui l'autry proiera   6860
Ne ja pour ce plus riches iert,
Ainz au meschief plus en serra;
Car qua*n*t sa proie luy faldra,
Lors du vengance dieus le fiert.
    'Way toy,' ce disoit Ysaïe,
'Qui fais ta proie en felonye;
Car quant serres au proier lass,
Lors serres proie au deablerie:'
Tout autrecy dist Jeremie.
Pour ce t'avise que tu fras,   6870

Car quant tu vieve proieras
Et l'orphanin destruieras,
Combien q*ue* dieus en ceste vie
Ne se revenge, seur serras,
Quant tu ta vie fineras,
Way t'en serra sanz departie.
    En Baruch truis, de tiele gent
Dieus molt espoentablement
Par l'angre dist, ' Esta, esta,
Sanz reto*ur*ner du vengement.   68
Houstes leur orr, houstes l'argent,
Car dissipat trestout serra
Ce q'ont d'autry proiés pieça:
N'ert membre qui sufficera, ˙
Tant serront fieble du to*ur*ment,
Et leur visage ennercira
Com*m*e pot d'esteign, q*ue* l'en verra
Neircir de les carbo*u*ns sovent.'
    Au Raviner de sa semblance
Ly fresnes porte resemblance,   68
Car soutz l'ombrage q'est fresine
N'est plante n'erbe q*ue* crescance
Avoir porra, mais descrescance;
Trop est la fresne malveisine.
Ensi fait l'om*m*e de ravine,
Ne laist jardin ne champ ne vine,
Dont il ne fait sa pourvoiance,
Ne laist ne riche ne beguyne,
Qu'il tout ne pile a sa covine;
Si vit de l'autry sustienance.   6
    Ravine fait le fals sergant
De l'autry biens fals acomptant;
Ravine fait qui chose emblé
Achat quant il en est sachant;
Ravyne fait qui receyvant
Larro*u*n herberge acoustum*m*é;
Ravyne fait q'en sa contrée
Les povres gens ad manacée,
Dont vont truage a luy rendant;
Ravyne fait que le soldée   6
Detient, quant hom*m*e ad labouré;
Ravyne auci font ly tirant.
    Ravyne font l'executour,
Qui sont fals et *per*secutour

6845 plusfier   6861 plusriches   6862 enserra   6904 enest

As queux serroient amiable :
Mais uns clercs dist que lour amour
Resemble au chien, qui nuyt et jour
Al huiss fait garder de l'estable
Les chivals queux ly sire estable ;
Mais si morine les destable,   6920
Lors est ly guardein devorour,
Que plus ne leur est defensable,
Ains prent q'au soy voit profitable,
Le crass ove tout la char de lour.
    Ravyne tient de s'alliance
Trois autres plain du malfesance,
Dont Robberie en son mestier
Est de sa primere aquointance ;
Larcine auci du retienance
Y vient pour l'autre acompaigner ; 6930
Ly tierce que j'oï nommer,
C'est Sacrilege l'adverser,
Qui sainte eglise desavance :
Cil q'ad ces trois se poet vanter,
N'est qui les poet ensi danter,
Dont ne ferront leur pourvoiance.
    Du Robberie ove son compas
Ly Marchant ne se loent pas,
Car ils en sentent le dammage :
Qant quidont passer au mal pas, 6940
De leur argent et de leur dras
Il leur despuille en son oultrage :
C'est cil q'aprent au voisinage
Parler ce dolourous language,
Que leur fait dire, 'Herrow, helas !'
Pour ce n'est autre qui plus sage
Ravine tient, dont en message
L'envoit a faire son pourchas.
    Sovent om voit les mains liez,
Sovent les coffres debrisez, 6950
U se governe Robberie :
Pour meulx venir a ses marchées
Des hostelliers en les Cités
Sovente fois fait son espie.
Mal fait le droit du marchandie
Qui tout acat et paie mye,
Mais plus encore est malsenés
Qui pour mes biens m'encordie et lie :

Quant autrement ne m'en mercie,
Ly deables l'en doit savoir grés. 6960
    U Robberie fait son tour,
Dame Avarice est en destour,
Quant l'autre commence a sercher
Deinz son hostell par tout entour ;
Mais au darrein, quant vient au tour
U sont ly cofre d'orr plener,
Lors ne fait pas a demander,
Quant Avarice voit piler
Ses biens en un moment de jour,
Q'avant Cent auns ad fait garder, 6970
S'il ait dolour deinz son penser,
Qe deables n'ot unques maiour.
    Mais au darrein n'ert pas segur
Ly Robbeour q'enclos du mur
Deinz la Gaiole gist en ferrs ;
Et plus luy ert encore dur,
Quant entre d'eux font lour conjur
Ly coll et hart, dont au travers
Pent au Gibet et pale et pers.
Lors rent ses debtes tout apers, 6980
Qu'il jadis tollist en oscur,
Pour ce ly fals larrouns culvers
Au temps present serroit convers
Pour doubte du mal temps futur.
    C'est ly pecchés q'en Exody
Au poeple dieus le defendi ;
C'est ly pecchés quel reprovoit
En son psalter le Roy Davy ;
C'est auci ly pecchés sur qui
Confusion se tient toutdroit, 6990
Comme Salomon le nous disoit :
Et s'aucun parcener en soit,
De l'alme ad les vertus haÿ,
Dont cil qui tous biens desrobboit
El temps Adam, piler le doit
Du mort soudaine sanz mercy.
    Que Robberie est digne a pendre
Dedeinz la bible om poet aprendre :
L'essample Achar nous est donnée,
Dont nous devons aprise prendre, 7000
Au Jericho quant par mesprendre
Le mantell rouge avoit emblée

6939 ensentont   6946 plussage   6992 ensoit

Et une reule d'orr forgée :
Mais quant ce savoit Josué,
Tout luy faisoit la chose rendre,
Et puis l'occit en son pecché ;
Car dieus ensi l'ot commandé,
Dont nulle loy le pot defendre.

L'ostour, q'est un oisel du proie,
Bat ses pulsins et cacche en voie   7010
Hors de son ny, ne plus avant
Ne leur voet paistre aucune voie,
Si que leur falt au force proie
Ravir ensi comme fist devant
Leur piere, et ce nous vait disant
Ambroise ; et ensi son enfant
Ly malvois piere enhorte et proie
Qu'il soit a ravine entendant ;
Dont vait la povre gent pilant
Et du vitaille et du monoie.   7020

Larcine n'est pas tant apert
Comme Robberie, ainz plus covert
Fait son agait, quant ce poet estre ;
Et nepourquant tant est culvert,
Que quant ne truist les huiss overt, **f. 42**
Lors entre amont par la fenestre,
Quant sciet q'absent y est ly mestre,
Ne ly servant serront en l'estre :
Tout ce qu'il trove au descovert
Prent en celée sanz noise acrestre ; 7030
Ensi se fait vestir et pestre,
Dont l'autre sa richesse pert.

Larcine es foires et marchées
S'embat enmy les assemblées
Les riches bources pour copier
Et les culteals a les costées ;
N'en chalt a qui ils ont custées,
Quant n'est qui l'en vient a culper.
Et nepourquant grant encombrer
Sovent eschiet de son mestier,   7040
Dont est des maintes gens huez,
Si q'au final pour l'amender
Laist ses orailles enguager,
Que puis ne serront desguagez.

Larcine auci par autre guise,
Quant doit servir, son fait desguise
Au sire du qui la maisoun

Governera ; car lors sa prise
Diversement est de reprise,
Puis qu'il ad tout a sa bandon :   705
Des toutes partz prent environ
Et au garite et au dongon,
Ne laist braiel ne laist chemise,
Neis la value d'un tison,
Dont il ne prent sa partison,
Puisqu'il la main ait a ce mise.

Office soutz la main du liere
Sicomme chandelle en la maniere
Du poy en poy gaste et degoute ;
Car il sa main viscouse emblere   70(
Ja ne la poet tenir arere,
Ainçois par tout u q'il la boute
Luy fault piler ou grain ou goute
Tout en celée, que point ne doute
D'acompte, si nuls le surquiere,
Ne de ce qu'il sa foy ad route :
Qui tieux servans tient de sa route,
Poverte n'est pas loign derere.

Soubtilement de son mestier
Larcine se sciet excuser ;   707
Car si n'en soit atteint au fait,
Ja nuls le savra tant culper,
Q'ainçois se lerra perjurer
Que regehir ce q'ad mesfait :
Et s'om l'atteint de son forsfait,
Lors ses cauteles contrefait,
Que merveille est de l'escoulter,
Pour soy guarir, plus que ne fait
Ly goupils qui fuiant s'en vait
Devant les chiens pour soy garder. 70(

Rachel se mist en jupartie
De son honour et de sa vie,
Quant de Laban en tiele guise
Avoec Jacob s'estoit fuié,
Et par Larcine avoit saisie
Les dieus son piere ; u la juise
Ot deservy, mais par queintise
Que femmes scievont de feintise
Ensi covry sa felonnie,
Q'atteinte n'en estoit ne prise ;   70(
Du quoy la culpe fuist remise,
Dont elle avoit mort deservie.

La statue d'Appollinis
Au Rome estoit par tieu devis
Fait deinz le temple antiquement ;
D'un fin drap d'orr mantell du pris
Avoit vestu, et en son vis
Grant barbe d'orr ot ensement,
Le destre bras portoit extent
L'anel ou doi moult richement ;   7100
Mais par Larcine un Dyonis
Tout luy despuilla plainement.
Mais ore oietz comme faitement
Il s'escusa, quant il fuist pris.

Quant l'emperour luy demanda
Pour quoy le mantell d'or embla,
' Seignour,' ce dist, ' par vostre grée
J'en vous dirray comment il sta.
L'orr en soy deux natures a ;
Il est pesant, dont en estée   7110
N'affiert que dieus l'ait affoublée,
Froid est auci, du quoy ly diée
El temps d'yvern refroidera :
Pour ce le mantell l'ay houstée ;
Car s'il l'ot guaire plus portée,
Il le poet faire trop de mal.

Auci, seignour, vous plest entendre
Ce que je fis del anel prendre :
Certainement il le m'offry,
Car je le vi sa main estendre,   7120
Et je n'osay le dieu offendre,
Ainz en bon gré resceu de luy
Le doun en disant grant mercy :
La barbe d'orr je pris auci,
Nounpas que je le pensay vendre,
Mais pour ce que son piere vi
Sanz barbe, dont vouldray celuy
Resembler a son propre gendre.'

Fuist il soubtils cil q'a l'empire
Sceust s'excusacioun confire   7130
De tieu response colourée ?
Certes oïl ; et pour descrire
Le temps present, qui bien remire,
Hom voit pluseurs en tiel degré
Pilant, robbant leur veisinée,
Et ont leur cause compassé,

Qu'il semble al oill que doit suffire :
Mais l'en dist, qui quiert escorchée
Le pell du chat, dont soit furrée,
Luy fault aucune chose dire.   7140
Mais Sacrilege d'autre voie
Du sainte eglise prent sa proie,
Ou soit chalice ou vestement
Ou les offrendes de monoie :
Si dieus tiel homme ne benoie,
N'est pas mervaille, qant d'argent
Ou d'yvor celle buiste prent
U est repost le sacrement.
He, fol cristin, come il forsvoie
Q'ensi despuille proprement   7150
Son dieu, et quant dieus est present,
Ne quide pas que dieus le voie !

Dieus des tous ceux fait sa que-
relle,
Du sacrilege et les appelle,
S'ils n'en font restitucioun,
Ly quelque soit, ou cil ou celle,
Q'au tort detient, emble ou concele
Ses dismes duez de resoun,
Ou tolt les biens de sa mesoun,
Soit chose sacre ou sacre noun.   7160
Mais sacre chose, u que soit elle,
Quiconque en fait mesprisioun,
Du sacrilege il est feloun,
Comme s'il tolsist de la chapelle.

Trop est cil malfeloun deceu
Q'ensi desrobbe maison dieu,
Et de ses biens fait le descres,
Par qui tout bien sont avenu :
Moult poy redoubte sa vertu
Qui sa maison ne laist en pes ;   7170
Car certes il se prent trop pres,
Q'au mesmes dieu ne fait reles,
Cil soldoier de Belsabu :
Mais il verra tieu jour apres,
Quant veuldroit bien q'au double encres
Ust restoré ce q'ad tollu.

Des les vengances qui lirroit
Dedeins la bible, il trouveroit
Que dieus moult trescruelement

De sacrilege se vengoit.   718c
Nabuzardan l'un d'aux estoit
De qui dieus prist le vengement ;
Roy Baltazar tout ensement,
Qant but de saint vessellement
Et en ce se glorifioit,
Lors apparust soudainement
La main q'escript son juggement
Devant la table u qu'il seoit.

En Babyloyne la Citée
Fuist la vengance nounciée   7190
Que dieus a les malvois ferra
Q'ont son saint temple violé,
Solonc q'estoit prophetizé
Par Jeremie : et ce serra
En bass enfern ; car par cella
Q'om Babyloine nommera,
La Cit d'enfern est figurée ;
U Sacrilege demorra
Ove l'angre qui se desacra,
Sique jammais n'ert resacré.   7200

Mais d'autre voie manifeste
Son sacrilege, qui la feste
Des saintz ne guart q'est dediez,
Ainçois labourt, dont il adqueste
Prouffit et gaign du bien terreste
Es jours qui sont saintefiez
A dieu et privilegiez,
Sicomme tesmoigne ly decrez.
La bible auci de vielle geste
Que rien soit vendu n'achatez   7210
Defent es festes celebrez,
Ainz en repos soit homme et beste.

**Ore dirra de la tierce file d'Ava-
rice, la quelle ad noun Usure.**
La tierce file ad noun Usure,
Dont Avarice trop s'assure,
Si maint entour la riche gent,   **f. 43**
Et sur les povres sans mesure
Et sanz mercy par mesprisure
Son gaign pourchace ; car l'argent
Q'aprester doit al indigent
Sans surcrois au repaiement,   7220
Jammais appreste, ainz a toute hure

Son gaign trete au commencement ;
Car poy luy chault au finement,
Maisqu'il en rit, si l'autre plure.

Ses brocours et ses procuriers
Retient ove luy comme soldoiers
Cil Usurer deinz la Cité,
Qui vont serchans les chivaliers,
Les vavasours et l'escuiers :
Qant ont leur terres enguagé   7230
Et vienont par necessité
D'aprompter, lors ly maluré
Les font mener as usurers,
Et tantost serra compassé
Ce q'est de novel appellé
La chevisance des deniers.

Comme cil qui chat achatera
El sac, ainçois que le verra,
Ensi vait de la chevisance :
Car qui deniers apromptera   7240
Fault achater, mais ce serra
Sanz veue, noun sanz repentance ;
Et lors fault faire sa fiance
Du paiement, et par semblance
Puis doit revendre q'achata
Au meindre pris. He, queu balance,
Q'ensi le creançour avance
Et le dettour destruiera !

El viel et novel testament
Usure mesmes dieux defent :   7250
Lors est soubtil a mon avis
Cil burgois, qui si faitement
Savra par son compassement
D'usure colourer le vis,
Et la vestir par tieu devis,
Sique les autres de paiis
Ne la savront aucunement
Conoistre, ainz qu'ils en soient pris ;
Dont lour covient au double pris
Achater son aquointement.   7260

Du charité ne vient ce mye,
Q'Usure ad toutdis son espie
Sur ceux qui vuillont aprompter :
Car comme plus ont mestier d'aïe,
Tant plus s'estrange en sa partie,

     7181 aux *in ras*   7224 enrit   7258 ensoient

Pour plus attraire en son danger
Ceux que luy vuillont aquointer :
Mais ja se sciet nuls tant quointer,
Q'ainçois q'il viegne au departie
Qe de son fait se doit loer ;　7270
Ainz qui plus quiert d'acompaigner
Plus perdra de sa compaignie.

En les Cités ad une usage,
Qui prent long jour de son paiage
Sa perte verra plus prochein :
Comme plus le debte monte en age,
De tant plus monte en halt estage
Le pris de ce dont fait bargein.
Que ceste chose est tout certein
Scievont tresbien ly chambrelein,　7280
Dont ly seignour ont grant dammage ;
Pour cynk acate et paie ou mein
Pour sisz, si paiez au demein,
Car c'est d'usure l'avantage.

' Vien,' dist Usure, ' a ton plaisir,
Si te repose en mon papir,
Q'ert de ma propre main escrit.'
Mais je dy, si te fais tenir
En tieu repos, ne poes faillir
Q'au fin serras lass et sougit.　7290
Sicomme ly champs d'un grein petit
Se multeplie a grant proufit
Et fait ton large grange emplir,
Ensi la somme q'est confit
El papir croist, mais d'autre plit
Ta bource vuide a son partir.

Trop vait d'usure soubtilant
Q'est mesmes d'usure apromptant,
Quant voit q'il poet par aventure
La soumme apprester plus avant,　7300
Pour plus gaigner q'il pardevant
N'en perdist au primere usure.
Cil q'ensi doublement usure
Et fait le vice ou le procure,
Au deables est le droit marchant ;
Dont en la Cité q'est oscure
Pour gaign q'il prent a present hure
Prendra le gaign del fieu ardant.

Soubtilité ne Faux compas

Ove Malengin ne fauldront pas　7310
Al usurer, qu'ils leur aïe
Ne luy ferront a son pourchas,
Dont gaignera les six pour aas
Des busoignous q'attrappe et lie.
Mais par Osee en prophecie
De la marchande tricherie
Dieux se complaint, que par fallas
L'en fait usure en ceste vie ;
Mais pour le tresor de Pavie
N'estoet a morir en ce cas.　7320

En les Cités noun soulement,
Ainz d'autre part forainement
Usure maint en les contrés,
Et vent a Noel son frument,
Mais pour ce que sa paie attent
Jusques a Pasques, ert doublez
Le pris d'icell.　He, queu marchiés !
Ce q'om achat en les marchiés
Pour quatre souldz communement,
Usure a ses accoustummez　7330
Pour six souldz par les chiminez
En attendant sa paie vent.

Les riches gens Usure endite,
Quant a la gent povre et petite,
Q'a labourer covient pour lour,
Devant la main pour une myte
Q'om leur appreste, et poy proufite,
Vuillont ravoir un autre jour
Deux tant ou plus de lour labour :
L'usure d'un tiel creançour　7340
De la commune est trop despite,
Et dieus ascoulte a leur clamour ;
Si q'en la terre est en haour,
Et en le ciel auci despite.

**Ore dirra de la quarte file
d'Avarice, la quelle ad noun
Simonie.**

La file quarte et averouse
Elle est clergesse covoitouse,
Quelle est appellé Simonie,
Du faculté trop enginouse ;
Car tant du siecle est curiouse,
Qe tout corrumpe sa clergie.　7350

Ne lerrai maisque je le die,
Cil clers a qui celle est amie
Trop est sa vie perillouse ;
Car qui bien sciet et ne fait mie,
L'escole de philosophie
Est a son fait contrariouse.

Du Simonie ay tant oÿ,
Om puet tout temps de l'an parmy
Trover les foires au plener
Au Court de Rome, et qui vient y, 7360
Maisqu'il soit fort del orr garny,
Faillir ne puet de marchander.
Pluralités y puet trouver,
Et les prebendes achater,
Et dispensacions auci,
Pardoun et indulgence entier :
Si bien sa bource puet parler,
Que l'eveschiés irront ove luy.

Simon demeine grans desrois
Entre les clers es Courtz des Rois,
Que plus ne scievont que nature : 7371
Car de Canoun ne d'autres lois
N'entendont latin ne gregois,
Pour construer sainte escripture ;
Mais de la temporiele cure
Scievont malice sanz mesure,
A donner un consail malvois :
Et nepourquant ensi procure
Les lettres cil q'est sanz lettrure,
Qu'il est eslit au plus hault dois. 7380

Ore est ensi, chescuns le voit,
La penne plus de bien envoit,
Et plus enclinont a ses partz
Ly seignour pour luy faire esploit,
Q'au meillour clerc, qui sciet au droit
Respondre a ses divines pars.
Ore est auci que tes sept marcs
Plus t'aideront que les sept ars,
Car nostre Court ainsi pourvoit :
Si largement ton orr depars, 7390
Ainz ers Evesque, tu Renars,
Qe l'aignel q'est de dieu benoit.

Jerom, Tulles, et Aristote
Se pourront juer au pelote

Dehors la porte en nostre Court,
Combien que leur science flote,
Quant Simon n'est en lour conflote.
Du remenant chascuns tient court,
Mais celle part u Simon court
Chascuns la main tendue acourt, 7400
Si luy criont a haulte note
'Bien viene cil qui nous honourt !'
Car quant la bource bien labourt,
D'un tiel clergoun no Court assote.

Pour ce l'escole du clergie f. 44
En nostre Court n'est pas cherie,
Q'elle est si povre et donne nient ;
Car la duesse Simonie
A nully porte compaignie
Forsq'au gent riche, et la se tient. 7410
Du nostre Court qui bien souvient
Bien puet savoir u ce devient,
Q'argent ainz que philosophie
Monte en estat, q'au peine avient,
Qant Simon ove son or survient,
Poverte avoir la prelacie.

Ore fault au clerc roial support ;
Ore falt servir et q'il se port
Plain de losenge en tout office ;
Ore falt argent ; car a no port 7420
Q'ad nul des trois nul bien report,
Ainz vuide irra sanz benefice.
Mais quant la file d'Avarice
Est en la Court mediatrice,
C'est Simonie ove son recort,
Du Court subverte la justice,
Et de ses douns loy fait si nyce,
Qe tout obeie a son acort.

En l'evangile truis lisant
Qe le vendant et l'achatant 7430
De seculere marchandise,
Q'el temple furont bargaignant,
Dieus en chaça. Du maintenant
Quoy dirrons lors, qui sainte eglise
Acat ou vent par covoitise ?
Je croy pour compter la reprise
Poy gaigneront itiel marchant,
Qant dieus a jour de grant Juise

7380 plushault   7433 enchaca

Leur prive et houste sa franchise
Et mette en paine plus avant.   7440
   Jehans q'escript l'apocalis
D'un angel ad la vois oïs,
Que dist, ' Levetz et mesuretz
Le temple ove tout l'autier assis.'
Au temps present, ce m'est avis,
L'en fait ensi, car des tous lées
Est sainte eglise mesurées,
Combien vaillent les Eveschées ;
Car solonc ce qu'ils sont de pris
L'espiritales dignetés   7450
Serront poisez et bargaignez,
C'est la coustume en noz paiis.
   Ezechiel du tiele voie
Dist, cil q'acat n'en avra joye.
Sur ce dist Ysaïe auci
Qe sicomme l'acatant forsvoie,
Ensi ly vendant se desvoie,
Et l'un et l'autre en sont laidi.
Essample avons de Giesy,
Quant il le doun de dieu vendy   7460
A Naaman, qui se rejoye
Du lepre dont il fuist guari :
Le mal sur l'autre reverti
Pour vengement de la monoie.
   Ensi, quant om ordre benoit
Ou sacrement d'ascun endroit
Acat ou vent de no creance,
De Symonie il se forsvoit ;
Car ce que franchement donnoit
Dieus au primere commençance,   7470
Ne doit om mettre en la balance
Comme terriene soustienance.
Mais Simonie atant deçoit
Les clers, q'ils tout en oubliance
Mettont et bible et concordance,
Qe nuls forsq'a son gaign ne voit.
   Du viele loy fuist commandé,
Qe ce q'au dieu fuist consecré
Ne duist om vendre n'achater :
Mais quoique parlont ly decrée,   7480
Simon du penne q'ad dorrée,
Quoy par donner, quoy par gloser,

Le tistre en sciet si bien gloser,
N'est un qui le puet desgloser,
Tanqu'il la lettre ait si glosée,
Que pour Simon ly despenser
La Court est preste a despenser
Quanq'il desire en son pensée.
   De la quinte file d'Avarice, la
   quele ad noun Escharceté.
   La quinte file, soer germeine
A celles q'Avarice meine,   7490
Son noun est dit Escharceté :
De son office elle est gardeine
Et tout reserve a son demeine,
Et pain et chars et vin et blée.
Sa Miere ensi l'ad commandé,
Et oultre ce luy ad baillé
Tout son tresor, mais a grant peine
Le guart, sique sa largeté
N'a dieu n'a homme en nul degré
N'en fait un jour de la semeine.   7500
   A ceux qui luy devont servir
Sovent sermone ove grant suspir
Disant comment, quant et pour quoy
Et u leur covient abstenir ;
Sique largesce maintenir
Ou en apert ou en recoy
N'osent, ainz se tenont tout coy :
Car tant comme plus il ait du quoy,
Tant plus s'afforce d'esparnir ;
Que certes fermement je croy,   7510
Cil q'est privé de son secroy
Puet de suffraite asses oïr.
   L'eschars enfrons estroit enhorte
Celuy qui doit garder sa porte,
Q'il povre gent n'y laist entrer,
Ne leur message avant reporte
Au paneter, qu'il leur apporte
Du pain pour leur faym estancher :
Ou autrement il fait lier,
Que nul mendif y doit passer,   7520
Un grant mastin, q'a nul desporte :
Pour ce du chien fait son portier,
Qe s'aucuns povre vient crier,
De sa maisoun nul bien ne porte.

Du leon et de loup la vie
C'est a manger sanz compaignie,
Comme dist Senec ; mais nepourqant
L'enfrons eschars au mangerie
Ne quiert avoir amy n'amye,
Ainz tout solein s'en vait mangant ; 7530
Et de s'escharceté menant
Les grans tresors vait amassant,
Nonpas pour soy, car sa partie
N'en ose prendre a son vivant,
Dont un estrange despendant
Apres sa mort tout l'esparplie.

L'enfrons eschars, voir a son piere,
Ad cuer plus dur que nulle piere
Sanz faire aucune bienfesance ;
Car nous lisons que la Rochiere   7540
Au gent hebreu, qui dieus ot chiere,
Donna del eaue sufficance
El grant desert ; mais habondance
Combien qu'il ait, du bienvuillance
Vilains enfrons, si nuls le quiere,
A nul jour dorra la pitance :
Tieu boteler ja dieus n'avance,
Ainz soif ardante le surquiere.

Je lis auci deinz le psaltier
Q'om puet du pierre mel sucher,   7550
Et oille de la roche dure :
C'est forte chose a controver ;
Plus fort encore est a trouver
Bonté, largesce ne mesure
En l'omme eschars, car de nature
Nul bien ferra, ainz d'aventure
Ce vient, s'il unques proufiter
Veuldra vers une creature ;
Et quant le fait en aucune hure,
Au miracle om le puet noter.   7560

C'est cil q'au povre gent desdit
Le pain, dont Salomon escrit
La Cité se grondilera :
C'est ly berbis qui sanz proufit
De soy as aultres son habit
Du bonne layne portera.
Escharcement qui semera,
Escharcement puis siera,

Solonc ce que l'apostre dit :
Drois est q'as povres poy dorra,   757
Qu'il poy pour ce resceivera
De cel avoir q'est infinit.

Pour ce que sanz misericorde
Escharceté son cuer encorde,
Q'as povres gens ne se desplie,
Et qu'il d'almoisne ne recorde,
Ainçois a charité descorde
Et tout as propres oeps applie,
Puis qant la mort luy est complie,
Et l'alme pour mercy supplie,   758
A son clamour dieus ne s'acorde :
Car cuer qui du pité ne plie,
Dieus a l'encontre ensi replie,
Et lie a mesme celle corde.

**Ore dirra la descripcioun de
Avarice par especial.**

O Avarice la mondeine,
Qe ja n'es de richesce pleine,
Tu es d'enfern ly droit pertus ;
Car qanque enfern tient en demeine
N'est uns qui jammais le remeine,
Ainz ert illeoc sanz fin reclus ;   759
Ensi sont tout ly bien perclus
Q'en ton tresor retiens enclus,
Q'a ton prochein n'a ta procheine, f. 4
Qui vont du poverte esperduz,
N'en partes, dont au fin perduz
Serras de l'infernale peine.

A l'averous desresonnal
Riens est qui soit celestial,
Ce dist ly sage, ainz tout s'applie
Au siecle, et d'ice mondial   760
Dedeinz la goule cordial
N'iert unques plain en ceste vie.
Cil q'ad le mal d'idropesie,
Comme plus se prent a beverie,
Tant plus du soif desnatural
Ensecche ; et tiele maladie
Ad l'averous de sa partie,
Comme plus ad, meinz est liberal.

Ce dist l'apostre, q'avarice
Est des ydoles le service.   761

7538 plusdur   7553 Plusfort

Amon, pour ce q'ensi servist,
De la cruele dieu justice
Deinz sa maisoun pour s'injustice
Des ses gens propres uns l'occist :
Dont dieus par Jeremie dist,
‘ Pour l'avarice en quelle il gist
Je suy irrez, et pour le vice
Je l'ay feru, dont il languist.'
He qant dieus fiert, qui le garist ?
N'est qui, si dieus ne l'en garisse. 7620
    Dame Avarice est dite auci
Semblable au paine Tantali,
Q'est deinz un flum d'enfern estant
Jusqu'au menton tout assorbi,
Et pardessur le chief de luy
Jusqu'as narils le vait pendant
Le fruit des pommes suef flairant ;
Mais d'un ou d'autre n'est gustant,
Dont soit du faym ou soif gary,
Les queux tous jours vait endurant. 7630
Dont m'est avis en covoitant
Del averous il est ensi.
    Le philosophre al averous
Ce dist, qu'il est malvois a tous
Et a soy mesmes plus peiour,
C'est cil q'est riche et souffreitous,
Du propre et auci busoignous,
Comme s'il du rien fuist possessour :
Dont en parlant de tiel errour
Dist Marcials que jammais jour 7640
Tant comme vivra n'a soy n'a vous
Proufitera d'aucun bon tour ;
Ainz est d'aquester en dolour
De ce dont jammais ert joious.
    L'en dist, mais c'est inproprement,
Qe l'averous ad grant argent ;
Mais voir est que l'argent luy a :
En servitude ensi le prent,
Sique par resoun nulle aprent
Pour son prou faire de cela ; 7650
Mais comme cil qui s'enfievrera
N'ad pas la fievre, ainz fievere l'a
Soubgit, malade et pacient,
Qu'il n'ad savour dont goustera,

Ensi cil q'averous esta
Sert a son orr semblablement.
    Dame Avarice celle escole
Tient, u sempres chascun s'escole
Et entre y pour estudier,
Nounpas d'aprendre a la citole, 7660
Ainz est que chascun soul ou sole
A soy pourra l'orr amasser.
Trois pointz aprent, dont ly primer
C'est ardantment a covoiter,
Et puis du main dont bien ne vole
Escharcement les biens user,
Et puis estroitement guarder
L'orr q'il detient comme en gaiole.
    L'omme averous ensi se riche,
Tant comme plus ad, plus en est chiche :
Mais au darrein, sicomme perdis 7671
Q'es champs a sa veisine triche,
Se puet tenir pour fol et niche ;
Car quant meulx quide a son avis
De son avoir estre saisis,
Soudainement serra suspris
Du mort, qui les riches desriche ;
Dont Jeremie quant je lis,
Savoir pourray q'a son devis
Fols est q'en tiel avoir se fiche. 7680
    Des quatre pointz Bede en parlant
Vait avarice moult blamant :
L'un est q'il tolt des gens la foy ;
L'autre est q'amour fait descordant ;
Du tierce il est descharitant ;
Ly quarte tient tous mals en soy,
En ce q'a dieu deinz son recoy
Graces ne rent, s'il n'ait pour quoy
De la peccune survenant ;
Car autrement se tient tout coy 7690
Sanz dieu conoistre ne sa loy :
C'est un pecché trop deceivant.
    He, vice du mal espirit,
Ascoulte que Bernars t'ad dit,
Que trop perest chose abusée
Que tu q'es verm vil et petit
Quiers estre riche et ton delit
Avoir du siecle habandonné,

Quant pour toy dieus de magesté,
Par qui ly siecles fuist creé,   7700
Sa deité pour ton habit
Volt abeisser, et povreté
Souffrir, dont soietz essamplé.
He fol, pren garde a cest escrit !

**Ore dirra de les cink files de
Gloutenie, dont la primere est
appellée Ingluvies.**

Ore escultez trestous du pres,
Si vous vuillez oïr apres
Du Glotonie et sa venue,
Que porte au siecle tiel encres,
Du quoy le ciel est en descres
Et pert sovent sa revenue.   7710
Cink files sont de ceste issue,
Qui sont du pecché retenue,
La primere est Ingluvies :
Qui ceste file tient en mue,
S'il au plustost ne la remue,
Serra dolent a son deces.
    Cil q'est a ceste file enclin,
Il ad son appetit canin ;
Car sicomme chiens gloute et de-
        voure
Sibien au soir come au matin,   7720
Ne chault d'ascun precept divin
Pour agarder le temps ne l'oure,
Ainz paist son ventre, et tant l'onoure
Que du phisique ne laboure
Par l'abstinence d'un pepin :
C'est cil qui pense tant rescoure
Le corps, q'al alme ne socoure,
Ainz laist aler vuid et farin.
    N'est coufle ne corbin ne pie,
Quant du caroigne ad fait l'espie,   7730
Qui tire tant gloutousement
Comme fait cil glous a mangerie,
Qe riens n'y laist au departie
Forsque les oss tantsoulement.
Ne quiert amasser son argent,
Ainçois qu'il ait primerement
Sa large pance au plein garnie,
Sicome le grange est du frument ;

A autre dieu car nullement
Forsq'a son ventre il sacrefie.   7740
    Au palme qant om juer doit,
N'iert la pelote plus estroit
D'estouppe a faire un bon reboun,
Qe n'iert le ventre en son endroit
Du glous, qui tout mangut et boit.
Ne luy souffist un soul capoun,
Ainçois le boef ove le moltoun,
La grosse luce et le salmoun,
A son avis tout mangeroit.
Cil qui retient de sa maisoun   7750
Tiel soldoier en garnisoun,
Il falt du loign q'il se pourvoit.
    C'est cil qui du commun usage
Quiert large esquiele a son potage,
Si quiert auci large esquilier,
Car plus que beste q'est sauvage
Sa bouche extent d'overt estage,
Comme s'il volsist tout devorer
Le potage ove le potagier.
N'est riens qui le puet saouler,   7760
Ainz comme de Cilla le vorage
Les eaues par la haulte mier
Degloute, ensi cil adversier
Demeine en manger son oultrage.
    Ingluvies pour dire au plein
Aucunement, ne juyn ne plein,
Est au bien faire sufficant :
Car qant est juyn, lors est si vein,
Q'unqes en paradis Evein
Du pomme n'iert si fameillant,   7770
Dont lors puet faire tant ne qant
Pour faim que luy vait constreignant ;
N'apres manger n'est il pas sein,
Car lors devient il si pesant,
Q'au paine puet son ventre avant
Porter.   Maldit soit tieu vilein !
    C'est ly pecchés dont Job disoit
Qe tout covert du crasse avoit
La face, et de son ventre auci
Trestoute s'alme dependoit,   7780
Et cuer et force et quanque estoit
Se sont mys en l'umbil de luy ;   **f. 46**
Dont ainz q'il ait son temps compli,

Devient corrupt et tout purri ;
Sique du ventre a qui plaisoit
Les autres membres sont hony,
Et pour le corps qu'il tant emply
L'alme en famine perir doit.

Ore dirra de la seconde file de Gule, la quelle ad noun Delicacie.

De Gule la seconde file
Es noblez courtz la bouche enfile   7790
De ces seignours tantsoulement,
Si est privé de leur famile ;
Q'es tous delices reconcile
Leur goust au Gule proprement
Pour vivre delicatement :
Dont elle ad noun semblablement
Delicacie la soubtile,
Car n'est si sages qui la prent,
Qu'il n'ert deceu soudainement
Et pris de la charniele guile.   7800

De ceste file ly norris
Des autres est ly plus cheris,
Qui servent Gloutenie au main ;
Primer le pain dont ert servis
Falt buleter par tieu devis,
Qe tout le plus meillour du grain
Ert la substance de son pain :
Turtel, gastel et paindemain,
Et pain lumbard a son avis,
Et puis les gafres au darrain,   7810
C'est de ses mess ly primerain,
Du quoy sa bouche ert rejoïz.

Ne vuil les nouns del tout celer
Des vins q'il ad deinz son celer,
Le Gernache et la Malveisie,
Et le Clarré de l'espicer,
Dont il se puet plus enticer
A demener sa gloutenie ;
Si n'est il point sanz vin florie,
Dont chasteté soit deflorie :   7820
Mais d'autre vin n'estoet parler,
Que chascun jour luy multeplie,
Diversement dont soit complie
La gule de son fol gouster.

Si nous parlons de sa cusine,

Celle est a Jupiter cousine,
Q'estoit jadys dieus de delice,
Car n'est domeste ne ferine
Du bestial ne d'oiseline
Qe n'est tout prest deinz cel office :
La sont perdis, la sont perdice,   7831
La sont lamprey, la sont crevice,
Pour mettre gule en la saisine
De governer tout autre vice ;
Car pour voir dire elle est norrice,
Vers quelle pecché plus s'acline.

Ly delicat ne tient petit
Pour exciter son appetit ;
Diverses salses quiert avoir
Et a son rost et a son quit,   7840
Dont plus mangut a son delit.
Selonc que change son voloir,
Son parlement fait chascun soir,
Et as ses Coecs fait assavoir,
Qu'ils l'endemein soient soubgit
Tieu chose a faire a leur povoir,
Du quoy le corps pourra valoir ;
Car poy luy chault de l'espirit.

Mais si par aventure avient
De haulte feste que survient,   7850
Sique juner luy coviendra,
Et q'il par cas ne mangut nient
Piscon ne char, ainz s'en abstient ;
Quidetz vous point q'il par cela
Sa gloutenie abatera :
Certainement que noun ferra ;
Ainz au plus fort lors la maintient,
D'aultres delices qu'il prendra ;
De jun la fourme guardera,
De gule et la matiere tient.   7860

Lors quiert a soy delice attraire
Du compost et d'electuaire
Et de l'espiece bien confite :
De luy gaignont l'ipotecaire
Qui scievont tieux delices faire ;
Ly Coecs auci moult se proufite
De qui delice il se delite,
Du past ou du potage quite,
Au nees du bon odour que flaire,

Du quoy son appetit excite :   7870
Tant plus ly Coecs prent du merite,
Comme plus fait la delice maire.
   Sicomme Sathan environoit
Les terres, ensi faire doit
Ly Coecs, par tous paiis irra
Pour bien aprendre en son endroit,
Ainçois q'il sache bien au droit
Potages faire, dont plerra
Au delicat qu'il servira :   7880
Du quelque terre qu'il serra,
Riens valt s'il d'autre apris ne soit.
He, dieus, tiels sires de pieça
Ne pense, quant il allaita
Le povre lait qu'il desiroit.
   Des dames sont, sicomme je croy,
Que mangont en la sale poy,
Qant sont devant les autrez gentz,
Mais puis, qant sont en leur recoi,
U plus n'y ad que dui ou troi,
Bien font de ce l'amendementz   7890
Par delicatz festoiementz
Es chambres, qant ne sont presentz.
Leur sires paiont le pour quoy,
Mais ja n'en ficheront les dentz ;
Combien q'ils paient lez despens,
Ne bruisseront a tiel arbroy.
   Les dames de burgoiserie
Sovent auci par compaignie
Font pour parler leur assemblés ;
Si font guarnir Delicacie   7900
Comme leur aqueinte et leur amie,
Q'a sa maison l'enfermetés
De leur flancs et de leur costées
Vendront garir ; mais tant sachetz,
Q'autre physique n'usont mye,
Maisque soient bien festoiez,
Et en gernache au matinez
Font souppes de la tendre mie.
   Delicacie apres souper
D'ascun delice a resouper   7910
Quiert autresfois novellement ;
Et puis matin pour son disner,
Voir devant jour, sovent lever

Se fait ; ce veons au present
En ce paiis, dont sui dolent :
Car Salomon ly sapient
Ce dist pour nous enchastier,
'Way a la terre u sont regent
Itieu princier, car elle attent
Poverte et soudain encombrer.'   7920
   Le vice auci dont nous lison
S'est mis ore en religion,
Et donne novelle observance,
En lieu de contemplacioun
A prendre recreacioun
Du delitable sustienance,
Pour bien emplir la grosse pance :
Si laist luy moignes sa pitance
Et prent sa saturacioun ;
Sique la reule et la penance   7930
Du Beneit mis en oubliance
Ore ont ly moigne en no maisoun.
   Tiels est qui richement mangue,
Mais poverement il se vertue,
Car tout ly membre sont enclin,
Main, bouche, nees, oraile et veue,
Chascun de ceaux primer salue
Le ventre sicomme leur divin,
Et font l'offrende du bon vin ;
Mais ja du boef de saint Martin   7940
Ly tendre estomac ne s'englue.
He, dieus, quoy pense itieu cristin ?
Bien puet savoir comment au fin
Tous tieux delices dieus argue.
   Au primer establissement
Dieus les viandes de la gent,
Du beste, oisel, piscon du mier,
Fist ordiner tout proprement
Sanz les curies autrement
Des grantz delices adjouster :   7950
Mais ore il falt braier, streigner,
Et tout de sus en jus tourner,
Que dieus ot fait si plainement ;
Dont m'est avis q'en son manger
Ly delicatz voldra changer
Et dieu et son ordeignement.
   Et d'autre part a sa nature

Ly delicatz trop desnature,
Quant l'estomac q'est asses plein
Provoce a passer sa mesure   7960
Par saulses et par confiture,
Q'om fait tous jours prest a sa mein.
Il est auci vers son prochein
Grevous, q'il tantz des biens soulein
Devoure en une petite hure,
Q'as plusours par un temps longtein
Porroit souffire. He, quel vilein,
Q'offent trestoute creature !
　　Oisel par autre se chastie ;
Et ensi puet de sa partie   7970
Qui l'evangile a droit lira
Du riche, qui toute sa vie   f. 47
Vivant en sa delicacie
Son chaitif corps glorifia,
Mais a Lazar qui s'escria
Au porte et de son pain pria
Ne volt donner la soule mye ;
Dont lour estatz la mort changa,
Ly Riches en enfern plonga,
Et l'autre en ciel se glorifie.   7980
　　Cil qui fuist riche et poestis
Estoit en flamme ardante mis,
Et cil qui povre et vil estoit
Fuist ove les saintz du paradis
El sein du patriarche assis :
L'eschange moult se diversoit,
La goute d'eaue l'un rovoit,
Sa langue dont refroideroit
En l'ardour dont il fuist suspris ;
Mais qui la mie ne donnoit   7990
Au povre, resoun le voloit
Qu'il de la goute fuist mendis.
　　Pour ce nous dist l'apostre Piere,
Qe cil qui delicat s'appiere
Et se delite en geule et feste,
Ne puet faillir maisq'il compiere ;
Car quelq'il soit, ou fils ou piere,
Il doit perir sicomme la beste.
Car c'est le pecché deshoneste,
Qui toute vertu deshoneste,   8000
Et trestout vice a sa baniere

Apres soy trait, comme cil q'apreste
Au char toute folie preste,
Et trestout bien met a derere.
　　En manger delicatement
Le temps s'en passe vainement,
La resoun dort et tout s'oublit,
Le ventre veile et tant enprent
Qe plus ne puet ; mais nequedent
La langue encontre l'appetit   8010
Encore a taster un petit
S'afforce, et a son ventre dist,
' He, ventre, q'est ce ? dy comment :
Ne pus tu plus de rost ne quit ?
Je ne t'en laiss encore quit,
Ainz falt a faire mon talent.'
　　N'est il bien sot qui paist et porte
Son anemy, qui luy reporte
Reproeche et mal pour son bon port ?
Ce fait cil qui sa char conforte,   8020
Qu'elle en devient rebelle et forte,
Et il est mesmes le meinz fort
Du resoun, quelle sanz resort
S'en part, qant voit du char la sort,
Comment a Gule se resorte,
Qe qant pecché la point ou mort,
N'en a povoir jusq'a la mort
A guarir de la plaie morte.
　　Ly sages dist, qant om d'enfance
Norrist du tendre sustienance   8030
Son serf, apres luy trovera
Rebell, plain de desobeissance ;
Car si tu sers serf au plaisance,
De honte il toy reservira :
Et qui plus a sa char plairra,
Tant plus se desobeiera
Contraire a toute bienfaisance.
Car qui sa pees au char dorra,
N'en porra faillir qu'il n'avra
La guerre jusques al oultrance.   8040
　　Par ce pecché, ce dist ly sage,
Ont mainte gent de lour oultrage
Esté jusq'a la mort peri.
Par ce pecché devient le rage,
Du quoy la gent devient sauvage,

Que dieus d'Egipt avoit guari ; .
Si ont depuis leur dieu guerpi
Et les ydoles ont servy.
Ce truis escript d'ice lignage
El livre deutronomii ;   8050
Mais ainz q'om laist son dieu ensi,
Je loo laisser le compernage.
    'Asculte ça,' dist Ysaïe,
'Tu Babilon, la suef norrie,
Que delicat te fais tenir,
Pour geule et pour delicacie
Baraigne et souffraitouse vie
Soudainement te doit venir,
He, delicat, pour toy guarnir.'
Tu pus auci la vois oïr   8060
Comment l'apocalips t'escrie,
Et dist, sicomme te fais joïr
De tes delices maintenir,
Dolour d'enfern te multeplie.
    Saint Job raconte la penance,
De la divine pourvoiance
Q'au delicat est ordeiné,
Dont cil qui porte remembrance
Fremir se puet de la doubtance ;
Car jusque enfern ert adrescé   8070
Sa voie, u qu'il serra bruillé
Du flamme, en negge et puis rué,
Et le doulçour de sa pitance
Serront crepalde envenimé :
Ja d'autre pyment ne clarée
Lors emplira sa vile pance.
    Mais les richesces qu'il pieça
Par son delit tantz devora,
Dieus pour revenger sa querele
Lors de son ventre les trera ;   8080
Le chief des serpens suchera,
Sicomme fait enfes la mamelle,
Et en suchant la serpentelle
Du langue parmy sa boëlle
Luy point, siq'elle l'occira.
He, trop est froide la novelle,
Quant mort ensi se renovelle
Sur luy q'au plain jammais morra.
    Tout ce, dist Job, avenir doit

Au delicat qui ne laissoit   8090
De sa viande au povre gent,
Ainz tout au soy l'approprioit ;
Dont en la fin n'est q'a luy soit
Du bien ou grace aucunement,
Ainz mangera tout autrement
Del herbe amiere, et son pyment
Serra du fiel, dont qant le boit
Tout l'estomac desrout et fent :
C'est as tiels glous le finement
De festoier en tiel endroit.   8100
    Ly delicat qui solt user
La chalde espiece a son manger,
Sicome reconte Jeremie,
L'estoet par famine enbracier
Puante merde a devorer
El lieu de sa delicacie ;
Sique du faim la desgarnie
Morra, qu'il plus ne porra mye
En son chemin avant aler.
He, delicat, tu q'en ta vie   8110
Ta vile pance as tant cherie,
Chier dois ton ventre comparer.
    Ore dirra de la tierce file de
Gule, la quelle ad noun Yveresce.
    La tierce file au deable proie,
Dont Gloutenie multeploie,
C'est Yveresce la nounsage,
La quelle au boire tout se ploie
Et en bon vin trestout emploie
Son bien, son corps, et son corage.
Mais qui se prent a tiel usage,
Tantz mals suient a son menage,   8120
Que tous reconter ne pourroie ;
Dont l'alme pert le seignourage
Du corps, et corps de son oultrage
Trestous ses membres plonge et noie.
    Iceste file beveresse
Ne prent ja cure d'autre messe,
Ou a moustier ou a chapelle,
Forsq'au matin primer s'adresce
A la taverne, et se professe
Tout droit au bout de la tonelle ;   8130
El lieu du Crede au boire appelle,

Et ainçois moille sa frestelle,
Qu'il du viande aucune adesce,
Si noun que soit de la fenelle;
Dont boit q'en toute sa cervelle
Ne remaint sens plus que d'anesse.
   Tant boit Yveresce a demesure,
Q'a son quider trestout mesure
Le ciel ove tout le firmament, ·
Si voit deux lunes a celle hure :   8140
Trop perest sages pardessure,
Et pardessoutz tout ensement,
Quanque la terre en soy comprent,
Ou soit langage ou autrement,
De toute chose la nature
Despute et donne jugement;
Qu'il est alors plus sapient
Qe dieus ou autre creature.
   Yveresce fait diverse chance,
Latin fait parler et romance   8150
Au laie gent, et au clergoun
Tolt de latin la remembrance :
Yveresce fait un Roy de France
A la taverne d'un garçoun :
Yveresce tient come en prisoun
Le corps, q'issir de la maisoun
Ne puet, mais de sa folquidance
Se croit plus fort que n'est leoun :
N'est pas ovele la resoun
Q'Yveresce poise en sa balance.   8160
   Yveresce est celle charettiere
Qui sa charette en la rivere   **f. 48**
Ou en la fosse fait noier;
Car u q'Yveresce est la guidere,
Lors n'est resoun, sen ne maniere,
Q'au droit port se puet convoier;
Ainçois les fait tous forsvoier,
Et en leur lieu fait envoier
Pecché, que meyne ove soy misere :
Car soit seigneur ou communer,   8170
Quant il se volra communer
D'Yveresce, falt q'il le compiere.
   Mais certes trop est chose vile,
Quant tieu pecché seigneur avile;

Bon fuist qu'il n'en fuist avilez,
Car tous en parlont de la vile,
Et chascun son pecché revile,
Et dieus en est trop coroucez.
Cil qui s'est mesmes malmenez,
Comment serront par luy menez   8180
Les gens qui sont de sa famile ?
Noun bien, car nief qui plus q'asses
Se charge, falt q'en soit quassés,
Dont soy et autres enperile.
   Mal est d'avoir le corps honiz,
Mais l'alme perdre encore est pis ;
Ce fait homme yvre en son degré.
Car il n'ad corps, ainz enfieblis
Plus que dormant s'est endormis,
Et la resoun s'en est alé,   8190
Dont l'alme serroit governé.
Di lors, q'est il ? Ne say par dée.
Il n'est pas homme au droit devis,
Ne beste, ainz est disfiguré,
Le monstre dont sont abhosmé
Dieus et nature a leur avis.
   Yveresce est propre la cretine,
Que par diluge repentine
Les champs semez ensi suronde,
Sique n'y laist grain ne racine,   8200
Ainz tout esrache et desracine.
Yveresce ensi, dessoutz sa bonde
Ja n'ert vertu dont l'alme habonde
Que tout ensemble ne confonde ;
Si tolt au corps la discipline,
Qe membre a autre ne responde :
C'est des tous vices la seconde,
Qe l'alme et corps met en ruine.
   Ly pecchés dont je vois parlant
Ensi comme deable est blandisant, 8210
Et semble suef de son affaire,
C'est un venym doulz apparant.
Saint Augustin le vait disant,
L'omme yvres est en soy contraire,
Q'il n'ad soy mesmes pour bienfaire,
Ne sciet ne puet comment doit faire ;
Car il n'est soulement pecchant,

Ainz est de soy par son mesfaire
Trestout pecché, corps et viaire
Ove tout le membre appartenant.　8220
　　Tout ensement comme du chitoun,
Qui naist sanz vieue et sanz resoun,
Et point ne voit ne point n'entent,
Si vait de la condicioun
Del yvre ; car discrecioun
Du corps ou d'alme ad nullement :
Les oels overtz ad nequedent,
Mais comme plus larges les extent,
Tant voit il meinz soy enviroun ;
Le cuer de l'omme ad ensement,　8230
Mais il n'ad tant d'entendement
Qu'il sciet nommer son propre noun.
　　L'omme yvere par fole ignorance
De soy ne d'autre ad conuscance :
Ce parust bien el temps jadys,
Quant Loth par sa desconuscance
D'yveresce enprist la fole errance,
Dont ses deux files avoit pris
Et par incest s'estoit mespris ;
Mais ja n'eust il le mal enpris,　8240
S'il fuist du sobre remembrance.
Pour ce trop boire a mon avis
Des tous pecchés c'est un des pis,
Qui tolt au cuer la sovenance.
　　L'omme yvere en soy trop se deçoit,
Qu'il quide a boire qui luy boit ;
C'est le bon vin, dont il est pris
Et liez, siq'en tiel destroit
N'ad membre propre q'a luy soit,
Ne resoun dont il soit apris ;　8250
Ainz est plus sot et plus caitis
Que nulle beste du paiis.
Dont saint Ambrose ensi disoit,
Que des tous vices ly soubgis
Et ly plus serf a son avis
C'est Yveresce en son endroit.
　　Sicome prodhomme le moustier
Quiert pour devoutement orer,
L'omme yvre fait par autre guise,
Si quiert taverne a son mestier :　8260
Car la taverne au droit juger

Est pour le deable droite eglise,
U prent des soens le sacrefise.
Le corps lors paiera l'assise
De son escot au taverner,
Mais puis la mort pour la reprise,
Qant plus la bource ne suffise,
Lors falt sanz fin l'alme engager.
　　Saint Isaïe en son divin,
'Way vous,' ce dist, 'q'au jour matin　8270
Levetz et jusques au vesprée
A la taverne estes enclin,
D'yveresce plain plus que porcin :
Car proprement par tieu pecché
Ly poeples est chaitif mené,
Si ont mainte autre gent esté
Perdu de la vengance au fin.'
Pour ce ly sage en son decré
Sicomme la mort nous ad veé,
Que nous ne bevons trop du vin.　8280
　　Uns clercs dist, Yveresce est celle
Q'encontre dieu tient la turelle,
U sont tous vices herbergez,
Pour guerre que se renovelle,
Dont chascun jour vient la novelle
A dieu, dont trop est coroucez,
Q'ils ont tous vertus forschacez :
Par quoy dieus les ad manacez
Par Jeremie, et les appelle
Disant q'as tous tieux forsenez　8290
Il tient sa coupe apparaillez
Plain de vengance a la tonelle.
　　Iveresce, qui dieus puet haïr,
Les uns en eaue fait perir,
Les uns en flamme fait ardoir,
Les uns du contek fait morir,
Les uns occist sanz repentir,
Les uns attrait a desespoir,
Les uns fait perdre leur avoir,
Les uns joïr et surdoloir,　8300
Les uns desfame par mentir,
Les uns trahist par nounsavoir,
Les uns tolt resoun et povoir,
Les uns fait droite foy guerpir.
　　He, orde, vile et felonnesse

8228 pluslarges　　　　8251 plussot

Est la folie d'Yveresce,
Par qui l'en pert grace et vertu
Du sen, beauté, force et richesce,
Science, honour, valour, haltesce :
Saunté du corps en est perdu,   8310
Et ly cynk sen sont confondu,
Ly bien parlant en devient mu,
Et ly clier oill tourne en voeglesce ;
N'ad pié dont il soit sustenu,
Ne main par qui soit defendu,
N'oraille qui d'oïr ne cesse.
    La bounté en devient malice,
La sobre contienance nice,
Et la resoun desresonnal,
Si fait tout bien tourner en vice.   8320
Fols est pour ce que l'excercice
En prent, dont vienont tant de mal ;
Car c'est le vice especial
Q'est fait du consail infernal
Leur procurour, qui nous entice,
Pour mener a cel hospital
U sont ly tonell eternal
Plain de misere en son office.
    Ore dirra de la quarte file de
    Gule, q'ad noun Superfluité.
    La quarte file est de surfait
Si plain que tous les jours surfait,   8330
Sibien en boire q'en manger.
Sur tous les autres plus forsfait ;
Car de son ventre le forsfait
Est de vomite en grant danger,
Ou autrement l'estoet crever :
Si doit la goule acomparer
Ce qu'il de gule a tant mesfait ;
Sanz digester, sanz avaler
Laist sa viande a realer,
Par ou entra par la revait.   8340
    D'ice pecché par dueté
Le noun est Superflueté,
Q'est l'anemye de mesure :
Cil qui de luy ert entecché
Jammais du bouche sanz pecché
Mangut ne boit en aucun hure :
Il porte d'omme l'estature,

Et est semblable de nature
Au chien, qant ad le ventre enflé
Plain de caroigne et vile ordure,   8350
Dont pardessoutz et pardessure
S'espurge, et est trop abhosmé.   **f. 49**
    Come plus le vice dont vous dy
Est riches, tant plus ert laidy
Du jour en aultre ; car lors a
Delicacie a son amy,
Par qui consail se paist parmy,
Tanqu'il empli le ventre avra,
Sicome tonell q'om emplira ;
Q'avant qu'il superfluera   8360
Ne cesse emplir, et puis auci,
Qant vuid est, se reemplira,
Et past sur past adjoustera,
Comme cil q'au deable est le norri.
    Sicome pour siege l'en vitaille
Chastell, ensi ly glous se taille
Quant doit juner a lendemein :
Qui lors verroit dirroit mervaille
Comment le ventre d'omme vaille
Tant engorger devant la mein.   8370
Mais quidez vous q'un tiel vilein
Du juner paie son certein
A dieu ? Nenil ; ainçois il faille :
Car dieus des tous glous tient desdein,
Et d'un tiel qui se paist trop plein
Maldist le ventre ou tout l'entraile.
    Sicomme ly malvois hosteller,
Quant il enprent pour hosteller
Prodhomme, et puis vilainement
De son hostell deshosteller   8380
Le fait, ensi cil adversier
Par l'orde superfluement
De gule, en son vomitement
Desgette le saint sacrement,
Q'il ot deinz soy fait herberger,
Et el lieu de son dieu reprent
Le deable.   O quel eschangement,
Ensi pour mort vie eschanger !
    D'ice pecché tresbien apiert,
Cil qui le fait chier le compiert,   8390
Car d'oultrageuse gloutenie,

8310 enest   8312, 8317 endeuient   8322 Enprent
*   H

Quant plus devoure que n'affiert,
Primer au corps le mal refiert,
Et l'alme apres en est perie.
He, vice plain du vilainie,
Du corps et alme l'anemie,
Par toy et l'un et l'autre piert :
Ja dieus ta bouche ne benye,
Ce dont ta pance as replenie
Fait que famine l'alme adquiert.   8400
   Ore dirra de la quinte file de
Gule, q'ad noun Prodegalité.
   La puisné file apres la quarte
Ne boit par pynte ne par quarte,
Ainz par tonealx et par sestiers,
C'est ly pecchés qui se departe
De dieu, au siecle et tout departe
Et son catell et ses deniers
En festes et en grantmangiers,
Sanz estre au povre parçoniers.
Son tynel largement essarte
Soul pour les honours seculiers,   8410
Nounpas comme cil q'est aumosniers,
Si noun de Venus et de Marte.
   Iceste file du Pecché
L'en nomme Prodegalité.
Follarges est en sa despense ;
Sovent devoure en une année
Plus q'en deux auns la faculté
De ses gaignages recompense.
Ly sires q'a ce vice pense
Avant le fait ne contrepense   8420
Le fin ; car de tieu largeté
Combien q'il quiert la reverence
Du siecle, dieus irreverence
Luy rent sanz avoir autre gré.
   Ly prodegus q'ad seigneurage
Non soulement son heritage
Du follargesce fait gloutir,
Ainz de son povre veisinage
Tolt leur vitaille sanz paiage ;
Sicomme ly loups, qant vient ravir
Sa proie, ensi pour maintenir   8431
Sa geule il fait avant venir
Ce q'est dedeinz le mesuage

Des povres, dont se fait emplir :
L'en doit tieu feste trop haïr
Dont l'autre plourent lour dammage.
   Ly prodegus deinz sa maisoun
Son pourvoiour Extorcioun
Retient ; cil fait la pourvoiance :
Par tout le paiis enviroun   8440
N'y laist gelline ne capoun,
Ainz tolt et pile a sa pitance,
Ove tout celle autre appourtenance ;
Et si ly povre en fait parlance,
Lors fait sa paie du bastoun,
Dont met les autrez en doubtance.
Cil q'ensi sa largesce avance
N'en duist du large avoir le noun.
   Ne luy souffist tantsoulement
Ensi piler du povre gent,   8450
Ainçois des riches aprompter
Quiert et leur orr et leur argent,
Pour festoier plus largement ;
Car riens luy chalt qui doit paier,
Maisq'il s'en pourra festoier.
Et nepourqant n'y doit entrer
Ly povres, dont avient sovent
Tieux Mill paient pour son disner
Qe ja n'en devont pain gouster :
Maldit soit tieu festoiement !   8460
   Si ly follarges ust atant
Come ot Cresus en son vivant,
Qui dieu del orr om appelloit,
Trestout le serroit degastant,
Et au darrein en son passant
En dette et povre en fin irroit :
Car dame Geule luy deçoit,
Q'en son hostell mangut et boit,
Si font ly autre appartienant
Des vices solonc leur endroit ;   8470 .
Chascuns luy sert comme faire doit,
L'un apres l'autre a son commant.
   Sa soer primere Ingluvies
Pour luy servir des larges mess
De son hostell est Seneschal :
Delicacie puis apres
Devant luy taille a son halt dess

8394 enest   8444 enfait   8455 senpourra   8459 devoit

Du manger plus delicial:
Dame Iveresce en son hostal
Est boteler especial, 8480
Qui de sa coupe sert ades:
Sa quarte soer superflual
De la cusine est principal:
Itiel consail retient de pres.
  Si la commune gent menour
N'ait les richesces du seignour,
Dont largement sa geule emploie,
Nientmeinz qanq'il porra le jour
Gaigner, au soir par sa folour
Du follargesce il engorgoie: 8490
Et s'il par cas falt de monoie,
Lors son coutell et sa courroie,
Au fin q'il soit bon potadour,
Enguage pour le ventre joye;
Siq'il poverte enmy la voie
Luy vient au fin de son labour.
  Qui follargesce meyne ensi,
Trop povrement ert remeri
Au fin, qant sa despense cesse:
Dist l'un, 'C'est grant pité de luy:' 8500
Bon compains fuist,' dist l'autre auci:
Ly tierce dist, ' Je le confesse;
Mais ore est sa folie expresse.'
Vei la le fin de follargesce!
Primer du siecle est escharni,
Ne dieus de sa part le redresce,
Siq'au final en sa destresce
Ascune part n'ad un amy.

  **Ore dirra la descripcioun de
  Gule par especial.**

  Tout autrecy comme la norrice
Par son laiter l'enfant cherice, 8510
Si fait ma dame Gloutenie:
Tous les pecchés moet et entice
Et maintient du fol excercice,
D'amender ne se pourront mye:
Car de l'umaine fole vie
Tient Gule la connestablie,
Comme cil qui sur tout autre vice
Conduit et l'avantgarde guye,
Et tous suiont sa compaignie
Chascun endroit de son office. 8520

  Phisique conte d'un grief mal
Q'est appellé le loup roial;
Cil guaste toute medicine
Et si n'en guarist au final.
Ensi ly glous superflual
Devore et gaste en sa cusine
Le domest et le salvagine,
Ne laist terreste ne marine,
Oisel, piscoun ne bestial,
Ne bois ne pré ne champ ne vine, 8530
Pepin ne fruit, flour ne racine,
Ainz tout deguaste en general.
  Mill Elephantz, sicome je truis,
Tous en un bois sanz quere plus,
Senec ensi le fait escrire,
Porront bien estre sustenuz;
Mais l'omme, a ce q'il soit repuz,
La mer, la terre et l'air aspire,
N'est chose que luy poet suffire.
He, queu miracle de tiel sire, **f. 50**
Qui deinz son ventre ad tout reclus! 8541
Mais ja sa paunce tant ne tire,
Que plus sa bouche ne desire,
N'est riens q'estanche ce pertus.
  Trestous les jours comme chapellain
Ses houres dist ly glous villain,
Pour remembrer sa gloutenie:
Au matin dist, ' Je n'ay pas sain
La teste, dont m'estoet proschain
Manger, car juner ne puiss mie:' 8550
Mais autrement ja dieu ne prie,
Ainçois d'une houre en autre crie,
'Ore ça du vin la coupe plain!'
Puis dist sa vespre et sa complie
De gule tanq'au departie,
Q'il n'ad poair du pié ne main.
  He fole Gule, ascoulte ça,
Enten comment te manaça
L'apostre, qui te dist ainsi:
' Le ventre a quique ce serra 8560
Q'au manger tout se pliera,
Et la viande de celluy,
Par quoy le ventre s'est joÿ,
Le ventre et la viande auci
Dieus ambedeux destruiera.'

H 2

Car tout au fin serra purri,
Quanque ly glous devoure icy
Puis la crepalde devoura.

He, Gule, des tous mals causal,
Tu es ly pescheur infernal,   8570
Q'ove ta maçon soubtilement
Dedeinz le pomme q'ert mortal
Dame Eve par especial
Preis par la goule fierement,
Et la treinas trop vilement
Ovesque Adam le no parent
Du paradis tanq'en ce val
U n'est que plour et marrement.
He, Gule, tu es proprement
De tous noz mals l'origenal.   8580

De Gule, sicome dist ly sage,
Ont mainte gent resceu damage
Et sont jusq'a la mort peri :
De Gule avient le grant oultrage,
Par quoy la gent devient salvage,
Qe dieus d'Egipte avoit guari,
Mais ils l'avoient deguerpi
Et les ydoles ont servi.
Ce truis escript de ce lignage
El livre deutronomii ;   8590
Mais ainz q'om lerroit dieus ensi,
Meulx valt laisser le compernage.

De Gule qui vouldra chanter
Ses laudes, om la poet loer
De sesze pointz, dont je l'appelle :
L'estommac grieve au digestier,
La resoun trouble au droit jugier,
Le ventre en dolt ove la bouelle,
La goute engendre et la cervelle
Subverte, et l'oill de cil ou celle   8600
Cacheus les fait enobscurer,
La bouche en put plus que chanelle,
L'oraile auci et la naselle
Du merde fait superfluer.

Gule ensement adquiert pecché,
Luxure induce en propreté
Et ja son dieu ne cesse offendre ;
Gule auci tolt en son degré

Science, honour, force et saunté,
Si tolt richesce et fait enprendre   8610
Poverte, que l'en hiet aprendre ;
Gule ensement nous fait susprendre
Du mainte male enfermeté ;
Physique ne le puet defendre
Qe mort subite au fin n'engendre,
Dont en enfern s'est avalé.

**Ore dirra de les cink files de
Leccherie, des quelles la primere
ad noun Fornicacioun.**

Luxure, que les almes tue,
N'est pas des files sanz issue,
Ainz en ad cink trop deshonnestez :
Resoun de l'alme en est perdue,   8620
Et pour le corps ont retenue
Nature avoec les autres bestes.
Sicomme la mer plain de tempestes
Les niefs assorbe, ensi font cestes
A quique soit leur dru ou drue :
Qui lire en voet les vieles gestes
Verra q'au fin de leur molestes
Mainte mervaille est avenue.

Ces files dont vous dis dessure
Le corps par soy chascune assure 8630
De son charnel delitement ;
Dont la primere endroit sa cure
En tielles gens son fait procure
Qui vont sanz ordre franchement
Desliez, maisque soulement,
Sicome nature leur aprent,
Faisont le pecché de nature,
Que Fornicacioun enprent ;
Car c'est le noun tout proprement
De ceste file en sa luxure.   864

Iceste Fornicacioun
N'ad cure de Religioun,
Du prestre noun ne de mari ;
Ainz du meschine et vallettoun
Procure leur assembleisoun,
Et dist bien que pour faire ensi
Ce n'est pecché mortiel, par qui

omme ert dampnez : mais je vous di,
e n'est que fals mençonge noun.
i l'escripture n'est failli, 8650
ui fait ce vice ert malbailli,
il n'ait avant de dieu pardoun.
  Om fait de ce pecché les mals
lus commun es jours festivals
en autre jour de labourer :
ant la meschine et ly vassals
ont deschargez de leur travals,
ors mettont lieu del assembler :
ant Robin laist le charuer
t Marioun le canoller, 8660
un est a l'autre parigals :
a jour ne vuillont celebrer ;
our leur corps faire deliter
ont cure de l'espiritals.
  **Ore dirra de la seconde file de
Luxure, la quele ad noun Stupre.**
  Une autre file ad Leccherie,
est plaine de delicacie ;
t comme l'oisel abat les flours
e l'arbre qant la voit flourie,
nsi fait Stupre en sa folie,
est la seconde des sorours. 8670
est un pecché des males mours,
ar ja ne quiert en ses amours
ascune femme avoir amie
noun du vierge, u les honours
bat, qant de ses fols ardours
on pucellage ad desflourie.
  Ja Tullius, qui plus habonde
u Rethorique, en sa faconde
e parla meulx que cil ne fait,
inçois qu'il vierge ensi confonde ; 8680
ar si la vierge luy responde,
u'elle assentir ne voet au fait
evant que l'affiance en ait
u mariage, lors attrait
a main et jure tout le monde
ue son voloir serra parfait :
nsi du false foy desfait
t desflourist la joefne blounde.
  De Stupre cil qui se delite

Pour decevoir la vierge eslite 8690
Sa false foy sovent engage
Ove la parole bien confite ;
Mais si tout ce ne luy proufite,
Au fin qu'il puist son fol corage
Par ce complir, lors d'autre rage,
Sicomme la beste q'est sauvage,
Qant faim luy streigne et appetite
Sa proie, ensi de son oultrage
Au force tolt le pucellage,
Q'a sa priere fuist desdite. 8700
  Mais cil n'ad pas la teste seins
Q'aval les preetz a les Tousseins
Des herbes vait les flours serchant :
Mais d'autre part je sui certeins,
Qe cil enquore est plus atteintz,
Q'en joefne vierge vait querant
Ce qu'il ne puet parfaire avant,
Qant la tendresce d'un enfant
Ne puet souffire plus ne meinz.
Q'ove tiele vait luxuriant, 8710
C'est auci come desnaturant
Du corps et alme ensi vileins.
  Mais quoy dirrons du viele trote,
Du jovencel qant elle assote,
Si quiert avoir les fruitz primers :
Par quoy s'atiffe et fait mynote,
Et pour luy traire a sa riote
L'acole et baise volentiers,
Si donne pigne et volupiers
Et ses joials et ses deniers, 8720
Dont met le jofne cuer en flote ;
Si q'au darrein par tieus baisers,
Par tieux blanditz, par tieux loers,
La viele peal ly jofne frote.
  As autres jofnes femelines
De Stupre et de ses disciplines
Sovent auci vient grant dammage : **f. 51**
Quant de lour corps ne sont virgines,
Et que l'en sciet de leur covines,
Par ce perdont leur mariage, 8730
Dont met esclandre en lour lignage,
Sique pour honte en leur putage
Tout s'enfuiont comme orphelines,

Dont croist sur honte plus hontage,
Qant au bordell pour l'avantage
De sustienance sont enclines.
   Sur tout pis fait en cest endroit
La fole, qant enfant conçoit ;
Car lors luy monte le pecché
Dedeinz le cuer, qant l'aparçoit :   8740
Du quoy les medicines boit
Pour anientir q'est engendré,
Ou autrement, qant le voit née,
Moerdrir le fait tout en secrée,
Si qu'il baptesme ne reçoit ;
Tant crient avoir la renomée
Q'elle ad perdu virginité :
He, comme ly deable la deçoit !

**Ore dirra de la tierce file de
Luxure, q'ad noun Avolterie.**

   La tierce fille de Luxure
Trestoute esprent de fole ardure,   8750
Dont dieu et son voisin offent :
C'est, comme l'en dist au present
   hure,
La mere de male aventure,
Et son office en soy comprent
A violer le sacrement
De matrimoine, et soulement
Vivre a la loy de sa nature ;
Si ad a noun tout proprement
Avoulterie, q'a la gent
Des almes fait la forsfaiture.   8760
   C'est ly pecchés qui fait les cous,
Dont maint homme ad esté jalous,
Et sont encore a mon avis ;
Car tantz de cel ordre entre nous
Sont profess et Religious,
Q'om dist q'au poy nuls est maritz
Qui de ce tache n'est laidis,
Combien que ce n'apiert ou vis :
Le mal est si contagious
Q'au paine eschape un soul de diss,
Mais cil q'en est au plain guaris   8771
Poet dire qu'il est gracious
   Resoun le voet et je le croy,
Que cil qui fait le mal de soy

En duist porter la blame auci ;
Mais ore est autrement, je voi,
La dame fait le mal, par quoy
Ly sire enporte tout le cry.
Aval les rues quant vient y,
Dist l'un a l'autre, 'Vei le cy ;'   8780
Ensi luy font moustrer au doy :
Trestous en parlont mal de luy ;
Et si ne l'ad point deservy,
C'est trop, me semble, encontre loy.
   Mais trop perest cil cous benoit,
Qui point ne sciet ne point ne voit
Comment sa femme se demeine,
Et s'om luy conte, pas ne croit,
Aviene ce q'avenir doit :
Lors ert au meinz guari du peine   8790
Dont jalousie se compleine.
Mais dieus luy donne male estreine,
Je di pour moy, ly quel q'il soit,
Qui de ma femme male enseigne
Me dist, quant je la tiens certeine ;
Ne quier savoir del autre endroit.
   D'Avoulterie au temps present
Om parle moult diversement,
Que trop commun est son affaire :
Ascuns le font apertement,   8800
Ascuns le font covertement,
Mais l'un ne l'autre est necessaire :
Mais qui le fait en secretaire
Meinz pecche, qant de son mesfaire
Ne sourt esclandre de la gent ;
Pour ce la femme debonnaire
Du pecché covere le viaire,
Et laist le cuill aler au vent.
   Trop perest plain de guilerie
La femme que d'Avoulterie   8810
S'aqueinte, par quoy son baroun
Houster pourra de jalousie :
Car lors fait mainte flaterie
De semblant et de fals sermoun,
Sique de sa conivreisoun
Avoulterie en la meisoun
Ly sires, qui n'aparçoit mye,
Le souffre sanz suspecioun.

He comme dessoutz le chaperoun
Luy siet la coife de sotie.   8820
   Bien sciet la femme en son mestier
Son follechour entraqueinter
Ove son baroun du bienvuillance,
Dont il se porra herberger
Sovente fois et sojourner,
Qant luy plerra, d'acustumance.
O leccherouse pourvoiance,
Dont l'avoultier ensi s'avance,
Et luy maritz desavancer
Se fait de sa tresfol cuidance ;   8830
Ne say si soule sa creance
Luy doit par resoun excuser.
   He, comme ly sires est deçu
Quant il dirra luy bienvenu
Au tiel amy en son venant !
Mais en proverbe est contenu,
' Ly cous ad tout son fiel perdu
Et ad dieu en son cuer devant : '
Dont a sa femme est obeissant,
Si n'ose parler tant ne qant,   8840
Ainz est du sot amour vencu,
Q'il n'est jalous de nul semblant.
Q'ensi vait homme chastiant
Trop ad la femme grant vertu.
   Mais s'il avient que ly baroun
Soit jalous, et q'il sa leçoun
Dist a sa femme irrousement,
Lors moult plus fiere que leoun
Et plus ardante que charboun
La femme de corous esprent,   8850
Si luy respont par maltalent :
' He, sire, cest accusement
Certes, si de vo teste noun,
N'ad esté dit d'aucune gent :
Sanz cause, dieu le sciet comment,
Vers moy queretz tiele enchesoun.'
   Et lors deschiet trestoute en plour,
Et en plourant fait sa clamour,
Maldist trestout son parentée,
Maldist le lieu, le temps, le jour,   8860
Maldist trestout le consaillour,
Maldist le prestre en son degré,

Par qui fuist unques mariée :
Si dist, ' O dieus de magesté,
Qui toute chose vois entour,
Tu scies comment il est alé.'
Voir dist, mais par soubtilité
Ensi s'escuse en sa folour.
   Sicomme la hupe en resemblant,
Qui fait maint fals pitous semblant,
Quant om vouldra sercher son ny,   8871
Si plourt la femme en suspirant ;
Mais ja ly cuers n'est enpirant,
Combien que l'oill se moustre ensi.
Mais par ce veint son fol mari,
Q'au fin tout piteus et marri
La baise et vait mercy criant
Pour sa peas faire ovesque luy ;
Si dist qu'il jammais pour nully
Serra jalous de lors avant.   8880
   Ensi ert chastié ly sire
Q'ad cuer plus suple que la cire,
Le quel la femme pliera
Toutdis apres qant le desire.
Et lors ne chalt qui le remire,
Ainçois vergoigne ensi perdra,
Et ensi baude deviendra,
Que puis ne doubte qui viendra
Soutz sa chemise pour escrire
La carte que tesmoignera   8890
Q'Avoulterie y demourra,
Quant n'est qui l'ose contredire.
   Sur toutes files de Luxure
Se tient yceste plus segure
En ses folies demenant ;
Car s'elle engrosse a la ceinture,
Bien sciet au tiele forsfaiture
N'est pas a sercher son garant ;
Quique ses buissouns vait batant,
L'oisel au mari nepourquant   8900
Demorra : mais ce n'est droiture,
Quant tiel puis ert enheritant,
Q'om voit sovent d'un tiel enfant
Venir mainte male aventure.
   Mais ce que chalt, au jour present
Om voit la mere molt sovent

8848 plusfiere   8858 enplourant   8897 autiele

Un tiel enfant plus chier tenir ;
Et d'autre part, ne say comment,
Dieu souffre au tiel heritement
Et escheoir et avenir :   8910
Mais sache bien sanz null faillir,
Qe ja ne puet en hault saillir
Racine tiele aucunement,
N'overage se puet establir
Sur fondement de tiel atir,
Comme l'evangile nous aprent.

  Mais veigne ce que venir doit,   f. 52
La male espouse en son endroit
S'avoulterie ne lerra,
Ainz se confourme a ce que soit :   8920
Sovent par ce les douns reçoit,
Son corps au vente dont metra,
Sovent auci redonnera,
Dont son corps abandonnera.
Et l'un et l'autre est trop maloit ;
Mais de deux mals plus grevera,
Quant son baroun anientira
Du poverte ainz q'il s'aparçoit.

  L'espouse q'ensi s'abandonne
Et les chateaux son mari donne   8930
A son lecchour, grantment mesfait ;
Car ja n'ert chose que fuissonne
Soutz tiele mein, ainz desfuissonne,
Tanq'en poverte venir fait
La maison u ly pecchés vait.
Sovent essample de tiel fait
Cil qui les paiis environne
Porra veoir, car d'un attrait
Richesce ovesque ytiel forsfait
Fortune ensemble ne saisonne.   8940

  Di par resoun si je creroie
L'espouse quelle je verroie
Abandonné du fol amour.
Qant elle ensi sa foy desloie
Vers son mari, comment dirroie
Q'elle ert certaine a son lecchour ?
Non ert ; ainz comme ly veneour,
Qui vait serchant le bois entour,
Quert elle avoir novelle proie,
Dont il avient q'au present jour   8950

Tiel chante ' J'aym tout la meillour,'
Q'est plus comune que la voie.
  Celle avoultiere voet jurer
A quique soit son avoultier
Que 'ja nul jour estoie amye
Forsq'a toy soul, q'es ly primer,
Et certes tout le cuer entier
Te laisse et donne en ta baillie.'
Mais qant elle ad sa foy mentie
Vers son baroun, ne croi je mie   8960
Que sages ons se doit fier ;
Et nepourquant de la sotie
Je voi pluseurs en ceste vie,
Qui ne se sciovont prou garder.

  Mais cil qui tous les mals entice,
C'est ly malfiés, par l'excercice
Que vient de la continuance
La femme fait au fin si nice,
Dont est de son baroun moerdrice.
O dieus, vei quelle mescheance,   8970
Du fole femme q'en semblance
Plus porte al homme de nuisance
Q'escorpioun ne cocatrice !
Ly sage en porte tesmoignance,
Q'om doit fuïr telle aqueintance,
Car dieus le hiet de sa justice.

  Mais quoy dirrons des fols maritz,
Qui de leur part se sont mespriz
D'avoulterie, et ont faulsé
Leur foy ? Certes de mon avis   8980
Cils font encore asses du pis
Que ne font femme en leur degré :
Car ly mary pres sa costée
Ad soubgite et abandonnée
Sa femme, que luy est toutdis
Preste a sa propre volenté ;
Dont n'est ce pas necessité
Qu'il d'autres femmes soit suspris.

  Ce nous recontont ly auctour,
Quiconque soit fait gouvernour   8990
A surveoir l'estat d'autri,
S'il mesmes soit d'ascun errour
Atteint, plus ert le deshonnour
De luy, qant il mesfait ensi,

8907 pluschier   8909 autiel   8974 enporte

ne d'autre ; et pourcela vous di,
lus est a blamer ly mary,
Depuisqu'il est superiour,
Que celle q'est soubgite a luy
Et est plus frele et fieble auci
Sibien du sens comme de vigour. 9000
  He, certes cil est trop apert,
Qui pres sa femme tout apert
Deinz sa maisoun tient concubine,
Trop est malvois, trop est culvert,
Q'ensi ses pecchés fait overt,
Molt petit crient la foy cristine :
La femme, qant voit la covine,
Que son mari tient sa meschine,
Du cuer et corps ses joyes pert ;
Vers dieu se pleint deinz sa poitrine, 9010
Mais son mary la discipline,
Que parler n'ose a descovert.
  Pour ce q'ensi la loy offendont
De matrimoyne et tant entendont
A leur pecché, ils perdont grace,
Par quoy leur heritages vendont
Et en poverte puis descendont :
Om voit plousours de celle trace,
Et s'aucun tiel les biens pourchace
Du siecle, nepourquant bien sace, 9020
Nul bien apres la mort ly pendont,
Ainz ont leur joye en ceste place
Tous tieus : au fin dieus lez forschace
Du ciel, s'ils ainçois ne s'amendont.
  Je n'en say point coment ce vait,
Mais om le dist, cil q'ensi fait
D'avoulterie son talent,
Trois peines luy sont en agait ;
Ou par mehaign serra desfait,
Ou desfamez ert de la gent,   9030
Ou il mourra soudainement ;
A ce q'om dist certainement
Ne doit faillir que l'un n'en ait.
He, quel pecché trop violent,
Que tolt les joyes du present
Et ad auci le ciel forsfait !
  Avoulterie est en sa mete
Du pestilence la planete,

Dont mainte gent sont malbailli :
Du grant venym dont est implete 9040
Sempres la terre est tout replete,
Mais cil qui sont infect de luy
Au paine qant serront gari.
Essample avons qu'il est ensi
Du viele loy par le prophiete ;
Et du novelle loy auci
L'experience chascun di
Nous fait certains de l'inquiete.
  La bible en porte tesmoignance
Comme du primere commençance, 9050
Qant dieus avoit fourmé les gens,
Envoia puis mainte vengance
Pour le pecché dont fai parlance,
Selonc l'istoire d'anciens ;
Et qui bien guarde en son purpens,
N'est pas failli en nostre temps
D'ice pecché la mescheance :
En chascun jour de cell offens,
Si dieus n'en mette le defens,
Doubter poons de la vengance.   9060
  En la Cité Gabaonite
Dieus pour la femme du Levite,
Qe l'en pourgue au force avoit,
Fist que la gent en fuist maldite
Et en bataille desconfite,
Destruite et morte en tiel endroit
Qe nuls au paine y remanoit.
C'est ly pecchés que Job nomoit
Le fieu gastant qui riens respite,
Ainz tout devoure et tout enboit   9070
Le bien del alme, quelque soit,
Sanz laisser chose qui proufite.
  Pour ce l'en doit bien redoubter
Le matrimoine a violer ;
Car c'est le sacrement de dieu,
Q'en paradis tout au primer
Il mesmes le fist confermer
Et consecrer de sa vertu ;
Dont puis l'avienement Jhesu
Du sainte eglise est maintenu   9080
Ly sacrement de l'espouser.
Par quoy trop serra confondu

Qui l'espousaille ad corrumpu,
S'il grace n'ait de l'amender.
    Ore dirra de la quarte file de
Luxure, quelle ad noun Incest.
    Dame Incest est la quarte file,
Q'au leccherie tout s'affile,
Si ad les prestres retenus
Pour borderller aval la vile :
Incest auci tous ceux avile
Qui les saintz ordres ont rescuz,   9090
Ou soit ce moigne ou soit reclus,
Ou frere ou nonne, tout conclus
Les tient Incest sans loy civile :
Car deinz sa court jammais en us
N'iert mariage meinz ou plus
Des ceaux qui sont de sa famile.
    O come fait orde tricherie
Incest entour la prelacie,
Pour refuser sa sainte eglise,
Q'est pure et nette en sa partie !   9100
Mais cil q'en fait la departie
Serroit bien digne de juise.
Molt fait cil prelat fole enprise,
Q'ad si tresbonne espouse prise,
Qant l'ad sa droite foy plevie,
S'il puis avoec puteine gise :
Itiel eschange est mal assisse   **f. 53**
Et trop hontouse a sa clergie.
    Incest du prestre portant cure
Trop perest orde sa luxure   9110
Endroit du loy judiciale,
Quant il par sa mesaventure,
Par l'orde pecché de nature,
Corrumpt la file espiritale,
Q'est propre sa parochiale,
Dessoutz sa guarde pastourale,
Dont l'alme tient a sa tenure :
D'un tiel pastour la cure est male,
Q'ensi destreint sa propre aignale,
Et la devoure en sa pasture.   9120
    Incest moignal n'est pas benoit
Selonc la reule saint Benoit,
Car ja n'en garde l'observance.
Concupiscence luy deçoit,

Qe point n'en chalt, u que ce soit,
Ainz met trestout en oubliance,
Et la vigile et la penance,
Ove tout celle autre circumstance
Qu'il de son ordre faire doit ;
Siq'au darrein de s'inconstance   9130
Et du pecché continuance
Incest apostazer l'en voit.
    En l'ordre q'est possessouner
Incest, quant il est officer
Et vait les rentes resceivant,
Pour sa luxure demener
Despent et donne maint denier,
Dont a ses Abbes n'est comptant.
Mais plus me vois esmerveillant
Du povre frere mendiant,   9140
U ad du quoy pourra donner
Si largement, q'il tout ayant,
Q'irroit au pié son pain querant,
De halt Incest doit chivauchier.
    D'Incest del ordre as mendiantz
Je loo que tous jalous amantz
Pensent leur femmes a defendre :
Ly confessour, ly limitantz,
Chascun de s'aquointance ad tant
Pour confesser et pour aprendre, 9150
Que ce leur fait eslire et prendre
Tout la plus belle et la plus tendre,
Car d'autre ne sont desirantz.
Itiel Incest maint fils engendre
Dessur la femeline gendre,
Dont autre est piere a les enfantz.
    Incest est fole de Nonneine,
Celle est espouse au dieu demeine,
Mais trop devient sa char salvage
Qant son corps a luxure meine,   9160
Quel jour que soit de la semeine,
Dont corrumpt le dieu mariage :
Et d'autre part trop est volage
Ly fols lecchiers qui fait folage
Du matrimoine si halteine ;
Car plus d'assetz cil fait oultrage
Qui dieu espouse desparage,
Que cil qui fait de sa procheine.

Incest auci fait son office
Qant une bonne dame entice   9170
La quelle ad chasteté voué,
Mais de sa char devient si nice
Que de luxure fait le vice,
Dont elle enfreint sa chasteté :
Nientmeinz ycelle niceté
Nous veons sovent esprové.
Ne sai si dieus en fait justice
Apres la mort, car le decré
De ceste vie a tieu pecché
Despense bien pour l'avarice.   9180
    Incest encore est d'autre chiere
Entre la gent fole et lecchiere,
Quant s'assemblont les parentés,
C'est assavoir file ove son piere,
Ou autrement filz ove sa miere,
Ou frere au soer s'est acouplez.
Incest les ad trop encharnez,
Qant sont d'un sanc et d'un char nez,
Q'ensi mesfont de leur charniere ;
Puisq'autres femmes sont assetz,   9190
Trop sont du freleté quassez
Cils qui pecchont de tieu maniere.
    Ore dirra de la quinte file de
Luxure, quelle ad noun Foldelit.
    La quinte file est Foldelit,
Q'au peine poet dormir en lit,
Tant en luxure se delite,
Si est commune a chascun plit,
En fait, en penser et en dit :
Par ce que deinz son cuer recite
Les fols pensers, son corps excite,
Dont plus que nature appetite   9200
Encroistre fait son appetit
Du flamme que nulluy respite,
Ainz chasteté tient si despite
Que riens puet estre tant depit.
    Chascune jour de la semaine,
Vei, Foldelit sa vie maine
Preste au bordell sanz nul retrait :
Trop vilement son corps y paine
Qant est a chescun fol compaine,
Qe riens luy chalt quel ordre il ait ;

Ainz quique voet venir au fait,   9211
Elle est tout preste en son aguait
Et offre et souffre son overaigne :
Mais certes c'est un vil mesfait,
Qant de son corps la marchée fait,
Du quoy sa char vent et bargaine.
    Trestout le mond ne puet garder
La fole pute au foloier;
Qant elle esprent du fol amour ;
Mais s'il avient que sanz danger   9220
Porra ses joyes demener
Sanz nul aguait a bon leisour,
De tant fait son delit maiour,
En quanque de si fol amour
Sciet en son cuer ymaginer :
Quant pute gist ove son lecchour,
Sovent controvent tiel folour
Dont trop deveroient vergunder.
    He, pute, ascoulte, en cest escrit
Par Jeremie dieus t'ad dit,   9230
Que tu ton chaitif corps as mis
A chascun homme a chascun plit
Ensi commun au Foldelit
Comme sont les voies du paiis,
U ly prodhons et ly caitis
Communement a leur devis
Porront aler, grant et petit.
He, pute, q'est ce que tu dis ?
Comment respondras a ces dis,
Dont dieus t'appelle en ton despit ?
    Responde, o pute, ne scies tu   9241
Queu part vergoigne est devenu ?
De tes parens essample toi,
Q'en paradis se viront nu,
Dont vergondous et esperdu
Tantost chascun endroit de soy
D'un fuill covry le membre coy.
Mais tu, putaine, avoy, avoy !
Es tant aperte en chascun lieu,
Sanz honte avoir d'ascune loy,   9250
Que je dirray, ce poise moy,
Tu as vergoigne trop perdu.
    Pute et lecchour sont resemblé
A la pantiere techelée,

Q'auci les autres fait tachous
Des bestes solonc leur degré
Q'a luy se sont acompaigné ;
Et ensi cil q'est leccherous
Par son pecché contagious
Tost fait les autres vicious,   9260
Queux vers luy tient associé ;
Tout sicomme ly berbis ruignous
Corrumpt du fouc les autres tous
De sa ruignouse enfermeté.
    El viele loy dieus defendi
Q'entre les gens qui sont de luy
Ne soit bordell ne bordellant
Pour la luxure de nully :
Mais au jour d'uy, ne sai par qui,
La loy se tourne nepourquant,   9270
Et est souffert par tout avant
Que l'en bordelle maintenant.
Mais une chose je vous di,
Que ja decré d'ascun vivant
N'ert par resoun si avenant
Comme ce que dieus ot establi.
    Mais cestes jofnes pucellettes
Auci se faisont jolivettes
Pour Foldelit q'est courteour,
Vestont les cercles et les frettes,   9280
Crimile, esclaires et burettes
Et bende avoec la perle entour ;
Mais qant ont mis si bel atour,
Par Foldelit font maint fol tour
En chantant a leur chançonettes,
Qe tout sont fait du fol amour,
Pour faire que les gens d'onour
Se treont a leur amourettes.
    Quant Foldelit la jofne guie,
Sur tout desire d'estre amye   9290
A luy pour qui vait languissant ;
Mais pour sa honte elle ose mie
Demander telle druerie,
Si ce ne soit par fol semblant :
Et lors reguarde en suspirant,
Et puis suspire en reguardant,
Pour l'omme traire a sa folie,   f. 54
Que tant valt a bon entendant

Sicomme dirroit, 'Venetz avant,
Je vuill avoir ta compaignie.'   9300
    Sovent ensi par sa presence
Le fol corage d'omme ensense,
Qui pardevant n'en ot desir ;
Mais quant la femme assalt commence,
Lors falt que l'omme ait sa defence,
Dont fiert quant meulx ne poet garir.
Quant fole vait un fol querir,
Du fol trover ne poet faillir ;
Car tost sciet fol quoy fole pense,
Et tost se sont au consentir,   9310
Dont sovent au petit loisir
Ferront la longue dieu offense.
    Mais s'il avient en telle guise
Que l'en ad guarde sur luy mise,
Dont femme a son loisir faldra,
Lors falt a sercher la queintise
Que femmes scievont du feintise,
Dont ses guardeins desceivera ;
Mais sache bien chascuns cela,
Ja nuls si fort luy guardera   9320
Que le pourpos dont est esprise
Au bon loisir ne parfera ;
Si forte chose ne serra,
Q'amour du Foldelit ne brise.
    Ensi quant Foldelit maistroie
La jofne, lors par toute voie
Que cuers ymaginer porroit
Celle art du femme en soi desploie,
Dont l'omme assote et veint et ploie,
Que tout le tourne a son endroit   9330
La femme q'ensi se pourvoit :
Tantost q'uns fols amans la voit
Ne se porra tourner en voie
Des fols regars qu'il aparçoit ;
Si quide que la belle soit
Sur tout sa souveraigne joye.
    Un arcbalaste en la turelle
Est celle dame ou dammoiselle,
Quelle as gens prendre tout s'esgaie ;
De la blanchour de sa maisselle,   9340
De sa poitrine et sa mamelle
La moustre fait, que l'en l'essaie :

9269 Iourduy   9285 Enchantant   9295 ensuspirant   9296 enreguardant

Mais sur tout fait plus grieve plaie
Qant les fols cuers corrumpt et plaie
Des fols regars, dont l'omme appelle.
N'ad membre dont les gens n'attraie,
Si est ly reetz dessoutz la haie,
Dont om les fols oiseals hardelle.
O dieus, comment acompter doit
La femme qui par tiel endroit   9350
Les gens sur luy fait assoter ?
Des tantes almes qui deçoit
Elle ert coupablez au bon droit
Devant dieu, car par reguarder
La volenté vient de toucher,
Que valt atant deinz son penser
Comme s'il ust fait tout a l'esploit
Le pecché ; et ce puiss trover
En l'evangile tesmoigner,
Sicomme dieu mesmes le disoit.   9360
Mais si la femme mette cure
En foldelit, d'asses plus cure
Cil homme qui par tout s'avance,
Et fait desguiser sa vesture,
Et ad bien basse la ceinture,
Et sur tout ce carolle et dance
Ove bien jolye contienance :
D'amours est toute sa parlance,
Et ensi par tiele envoisure
Prent d'une et d'autre l'aqueintance ;
Car tant est plain de variance   9371
Q'il quiert novelle a chescune hure.
Du foldelit tout se convoie,
Qant doit venir par celle voie
U que verra les dammoiselles ;
Ne puet faillir, maisq'il les voie,
Que par delit son cuer n'esfroie,
Tant est suspris d'amour de celles.
Ne chalt si dames ou pucelles,
Noupas les bonnes mais les belles, 9380
Des quelles poet avoir sa proie ;
Siq'il sovent deinz les ridelles
Les taste si soient femmelles,
C'est un solas dont se rejoye.
De nulle chose guarde prent
Cil qui du foldelit esprent,

Un soul estat ja n'esparnie ;
Ou soit Religiouse gent,
Ou mariez ou continent,
Ou sage ou pleine de folie,   9390
Ou soit virgine ou desflourie,
Ou soit parente, pour se mie
Ne voet laisser ce qu'il enprent ;
Ne sciet q'amour plus signefie,
Mais toutes femmes sont amye
Dont puet complir son foltalent.
En chascun lieu, ou que ce soit,
Quiconque parle ou parler doit
Du bien, d'onour, d'oneste vie,
Ly fols amantz a son endroit   9400
Trestout le conte tourneroit
En autres ditz de leccherie :
Et qui voet faire compaignie
Au Foldelit par janglerie,
Par quoy son gré deserviroit,
Ja n'estoet autre courtoisie
Mais tout parler de puterie,
Dont plus son cuer rejoyeroit.
Mais qant au fin pour son mesfaire
Serra somons de s'ordinaire,   9410
Et est soutz peine amonestez
Pour soy de son pecché retraire,
Si fra, ce dist ; mais qant repaire
U sont ses foles ameistés,
Tant plus assote en ses pensés
Comme plus d'amour soit travailez,
Dont fait apres folie maire ;
Combien qu'il soit escoumengez,
Ses foldelitz recommencez
Ne lerra pour le saintuaire.   9420
Mais Foldelit, qant avenir
Ne poet a faire son desir
De celle u q'ad son cuer assis,
Du fol amour l'estoet languir,
Ne puet manger, ne puet dormir,
En plour tout changera ses ris,
Comme s'il estoit du tout ravis ;
Lors fait les notes et les ditz,
Si fait ove ce maint fol suspir,
Dont a sa dame soit avis   9430

9343 plusgrieue

Q'il de s'amour soit tant suspris,
Qe sanz retour l'estoet morir.
   Mais si tout ce ne poet valoir
Au fin qu'il pourra son voloir
Parfaire, lors du meintenant
Il offre a donner son avoir ;
Et s'il par ce ne puet avoir
De son amour le remenant,
Encore quiert il plus avant
La Maquerelle, q'est sachant   9440
Plus que ly deable a tiel devoir ;
Et si luy vait trestout contant,
La quelle luy vait promettant,
Du quoy s'est mis en bon espoir.
   L'en dist ensi par envoisure,
Ce que polain prent en danture
Toute sa vie apres dura ;
Ensi du jofne femme endure
En sa vielesce la luxure
Que de s'enfance acoustuma ;   9450
Du foldelit tant comme pourra
La jofne se delitera
Sanz point, sanz reule et sanz mesure,
Et qant n'est qui la requerra
Pour sa vielesce,˙lors serra
La Maquerelle de nature.
   Et ensi qant au rigolage
Pour la fieblesce du viel age
Ne peut souffire proprement,
De lors sustient par son brocage   9460
La jofne gent en leur putage
Par son malvois excitement :
Car l'art du Maquerelle aprent,
Par quoy des gens reporte et prent
Du leccherie leur message ;
Q'encore elle ad delitement
Pour traiter a tiel parlement,
Dont rejoÿt son fol corage.
   Ce veons bien que de nature,
Quant jofne busche de verdure   9470
Ne puet ardoir primerement,
Om met du sech, et par sufflure
Tantost s'esprent tout en ardure,
Et l'un et l'autre ensemblement.

Ensi vait de la jofne gent ;
Qant ne s'acordont a l'assent
Du Foldelit, lors deinz brief hure
La Maquerelle les esprent
De son malvois enticement,
Et les enflamme de luxure.   9480
   Sicomme l'en voit que les veisines
Vendont au marché lour gelines,
Tout tielement vent et bargeine
La Maquerelle les virgines,
Et les fait estre concubines
Au fol lecchour qui les asseine
Et donne la primere estreine ;
Et si les fiert de celle veine,
Q'apres des nulles medicines   **f. 55**
Serra guarie.   O quelle peine   9490
Om deust donner a la vileine
Que ce procure ove ses falsines !
   Et tiele y a q'en sa vielesce
Devient d'amour la sorceresse ;
Dont, qant ne puet par autre voie,
Les cuers d'amer met en destresce :
Mais plus que deable elle est deblesce,
Quant foldelit ensi convoie ;
Et qui par tiele se pourvoie
De l'amour dieu loign se desvoie ;   9500
Car il au primes se professe
Au deable, et puis son dieu renoie :
Vei la tresdolorouse joye,
Q'ensi laist dieu pour la duesse !
   Du Foldelit auci se pleint
Nature, au quelle meinte et meint
Se sont forsfait de leur folie,
Quant leur luxures ont enpeint
Comme jadys˙firont ly nounseint
En la Cité de Sodomie,   9510
Quelle en abisme ert assorbie.
C'est celle horrible leccherie
En quelle toute ordure meint ;
Dieus et nature le desfie :
Mais plus parler n'en ose mie,
Car honte et resoun me restreint.
   L'en puet resembler Foldelit
Au salemandre, quelle vit

De sa nature el fieu ardant;
Ensi du fol dont vous ay dit   9520
Ly cuers toutdis sanz nul respit
S'eschalfe et art en folpensant
D'ardour qui tout vait degastant
En ceste vie, et plus avant
Le corps avesques l'espirit
Enflamme, u que ly fol amant
Pour nulle amye ert refreidant,
Car tout amour luy est desdit.

  Trop fuist du Foldelit apris
Uns philosophes de jadys,   9530
Qui Epicurus noun avoit:
Car ce fuist cil q'a son avis
Disoit que ly charnels delitz
Soverain des autres biens estoit,
Et pour cela trestout laissoit
Les biens del alme et se donnoit
A sa caroigne; dont toutdis
Depuis son temps assetz om voit
De ses disciples, qui toutdroit
Suiont s'escole a tiel devis.   9540

  Resoun est morte en telle gent
Vivant noun resonnablement,
Ensi comme fait la beste mue.
Si ont perduz entendement,
Ensi come pert son gustement
Cil q'est malade en fiebre ague,
Qui plus desire et plus mangue
Contraire chose qui luy tue,
Qu'il ne fait pain de bon frument
Ou chose dont se revertue: 9550
Ensi qui Foldelit englue
Del alme nul phisique entent.

  L'apostre par especial
Ce dist, que l'omme bestial
Ne puet gouster ne savourer
Viande q'est espirital:
Rois Salomon dist autre tal,
Q'en malvoise alme a demourer
Puet sapience nulle entrer,
N'en corps soubgit a folpenser   9560
Des vices qui sont corporal
Jammais se deigne enhabiter:

Car qui pecché voet herberger
Tout bien forsclot de son hostal.
  Ce dist Senec de sa science,
Que la plus grieve pestilence
Q'om en ce siecle puet avoir,
C'est foldelit d'incontinence,
Qant om a sa caroigne pense
Et s'alme laist a nounchaloir.   9570
Ce sont ly porc horrible et noir
Es queux ly deable ad son pooir,
Comme l'evangile nous ensense;
Car quant ne sciet u remanoir,
Lors Foldelit matin et soir
Le herberge en sa conscience.

  Dieus, qui le saint prophete estable,
Un mot q'est molt espoentable
Par Amos dist, comme vous dirrai:
De la maisoun foldelitable,   9580
Au leccherie acoustummable,
Ce dist dieus, 'Je destruierai
Le septre et tout anientirai,
Q'onour ne joye n'y lerrai,
Ainz trestout bien fray descheable.'
Des tieux parolles je m'esmay,
Car tu scies bien et je le say,
Que dieux dist ne puet estre fable.

  Du Foldelit naist Fol desir,
Qui porte cuer du fol suspir,   9590
Ove l'oill climant du fol reguart;
La bouche ne se sciet tenir,
Que les fols ris avant venir
Ne fait; et puis enseigne l'art
Du fol toucher, du quoy s'espart
Ly fieus du leccherie et art,
Que la raisoun fait amortir,
Sique la chasteté s'en part,
Et lors luxure de sa part
Tout son voloir fait acomplir.   9600

  As portes d'enfern vait huchant
Cil qui les femmes vait baisant,
Saint Bede le fait tesmoigner;
Mais trop est fol qui huche atant,
Dont il les portes soit entrant:
Car tant puet homme fol hucher

Q'entrer l'estoet ; car ly porter
Les portes pour soy desporter
Legerement vait desfermant,
Et laist celluy qui voet entrer   9610
Tanq'en la goule a l'adverser,
U piert la voie large et grant.
  Du foldelit avoir solas,
Danz Tullius, comme tu orras,
Nous dist de son enseignement,
'Luxure est vile en chascun cas,
Mais oultre trestous autrez estatz
Elle est plus vile en viele gent,'
Ou soit du fait ou soit d'assent ;
L'un pis et l'autre malement   9620
Ne s'en pourront excuser pas.
Senec demande tielement,
Qant la Vielesce en soy mesprent,
Di lors, Jovente, quoy ferras ?
  Qui s'est au Foldelit donné
Tantsoulement du freleté
Ne pecche, ainçois soi mesme entice
Plus q'il ne souffist au pecché ;
Toutdis remaint en volenté,
Du quoy sa fole char fait nice :   9630
Dont dist Bernards que par justice
La soule volenté du vice
Plus ert punie et condempnée.
Voloir que toutdis voet malice,
S'il toutdis en enfern perisse,
C'est resoun et droite equité.
  **Ore dirra la descripcioun du
  Leccherie par especial.**
  Je truis escript que Leccherie
A la tresorde maladie
Du lepre en trois pointz est semblable :
Le primer point ce signefie,   9640
Que lepre d'omme en char purrie
Fait tache molt abhominable ;
Luxure ensi q'est incurable
Fait tache en l'alme plus grevable,
Dont a null jour serra guarie :
Q'au dieu primer fuist resemblable,
Luxure, q'est desamiable,
La fait semblable au deblerie.

Lepre est auci si violente
Que l'air ove tout le vent que vente 9650
D'encoste luy fait corrumpu :
En ce Luxure represente ;
Car par tout, u q'elle est presente,
Les gens q'a luy se sont tenu
Leur bonnes mours et leur vertu,
Dont l'alme serroit maintenu,
Fait destourner en mal entente,
Q'au paine se sont aparçu
De leur folie, ainz sont deçu
Et en vielesce et en jovente.   9660
  Ly tierce point q'en lepre esta,
C'est q'elle de nature fra
Al homme avoir puante aleine ;
Ensi Luxure, u que s'en va,
Plus que nuls dire le pourra
Puit en ordure trop vileine
Devant la magesté halteine ;
Des tous pecchés el vie humeine
N'est un qui plus fort puera :
Pour ce la halte voie meine,   9670
U ly puours sanz fin remeine,
Et jammais bon odour serra.
  He, Leccherie, en tout empire
Comme l'en te doit par droit despire !
Car par ta flamme violente,
Come deinz la bible om porra lire,
Les cink cités au grant martire
Tu feis foundrer par grief descente
Jusq'en abisme la pulente ;   f. 56
U la vielesce et la jovente   9680
Par toi les faisoit dieus occire,
Q'un soul n'eschapa la tourmente,
Mais Loth, qui portoit chaste entente,
Pour ce l'en guarist nostre sire.
  Du Leccherie la despite
Ly philosophes nous recite
Six pointz des queux fait a loer ;
Oietz comme chascun nous proufite :
Primer du corps qui s'en delite
La force fait amenuser,   9690
Et l'alme apres fait occier,
La bonne fame en mal tourner,

          9618 plusvile   9669 plusfort   9684 lenguarist

Et la richesce fait petite,
La cliere vois fait enroer,
Et les oils cliers fait avoegler :
Loenge tiele est mal confite.

He, Leccherie plain d'ordure,
Ovesque ta progeniture
Maint cuer humein as affolé ;
Car qui tu tiens dessoutz ta cure,　9700
Au paine s'il jammais une hure
Te voet laisser de son bon gré.
Helas, tant belle chasteté,
Espousaille et virginité,
As corrumpu de ta luxure,
Ou soit en fait ou en pensé ;
Poi truis qui se sont bien gardé
Tout nettement sanz ta blemure.

He, Leccherie ove tes cink files,
Comme tes delices sont soubtiles,　9710
Dont fais no frele char trahir !
Au corps plesantes sont tes guiles,
Mais as nos almes sont si viles
Que devant dieu les fait puïr.
Quoy dirray plus puant plesir ?
Delit au mort, joye au suspir,
Ce sont ly bien que tu compiles.
Dieus doint q'en puissons abstenir :
Au benuré se puet tenir
Qui corps par ton delit n'aviles.　9720

Ore dirra comment ly debles
autre fois fist son parlement, pour
agarder ~t assembler toute la pro-
genied_　.sque sont engendrez :
puis le r　age q'estoit parentre
le S^i　Pecché, sicome ad esté
dit pardevant.

Ore ai par ordre au fin complie
Mon conte de la progenie
Des vices, qui sont descenduz
Du deable et du Pecché s'amie,
Selonc que la genologie
Avetz oï du meinz en plus.
Tant sont ly mal en terre accrus,
Que si ly toutpuissant dessus

N'en deigne faire son aïe,
Ly malfiés, qui les ad en us　9730
Trestous ensemble retenus,
Fra contre nous mainte envaïe.

Car tout ensi comme vous ay dit,
Ly deable, qui tant est maldit,
Donna les files du Pecché
Au Siecle, qui leur est marit,
Dont plus avant comme j'ay escrit,
Il ad sur celles engendré
Les autres que vous ay nomé.
Savoir poves q'en son degré　9740
Ly deable molt se rejoÿt
Voiant si large parentée,
Dont tout quide a sa volenté
De l'omme avoir l'alme en soubgit.

Et pour cela tout maintenant
Un autres fois, sicomme devant,
Ly deable pour soy consailler
Pecché, q'est son primer enfant,
Et puis trestout le remenant
Au parlement fist assembler ;　9750
Mais devant luy qant vist estier
Si grant lignage seculier,
Comme de sept files sont naiscant,
Grantment se prist a conforter ;
Si les commence a resonner, .
Comme vous orretz parler avant.

Ly deables lors commence a dire :
' He, Pecché, chief de mon empire,
Primerement je pleins au toy
Et a ces autres que je mire,　9760
Dont tu es dame et je su sire,
Q'en ma presence yci je voy :
Je vous en pry, consaillez moy
Par vostre engin, que faire doy
Del homme, que je tant desire.
Soubgit fuist jadys a ma loy,
Mais puis apres, ne say pour quoy,
De sa raisoun me fait despire.

Pecché, tu scies qu'il est ensi :
En paradis je fui saisi　9770
Jadis del homme a mon talent,
Q'a moy servir se consenti,

A mon voloir et s'obeï ;
Mais puis apres, ne say comment,
Resoun de l'alme le defent,
Q'a moy ne voet acordement :
Paour auci s'est esbahy,
Car Conscience le reprent ;
Sique je faille molt sovent,
Que je n'ay plain poair de luy.   9780
   Et pour ce par commun avis
Le Siecle, q'est bien mes amis,
Fis marier a mon lignage,
Qui loyalment m'avoit promis,
De l'omme tout a mon devis
Me metteroit celle alme en gage,
Dont c'est bien drois q'il se desgage
Et mette l'omme en mon servage.'
Mais quant le Siecle ad tout oïz,
Lors il adresça le visage,   9790
Et dist que tout fuist son corage
De faire ce qu'il ot enpris.
   Lors fuist grant noise des tous lées,
Chascun disoit, 'Bien ad parlés
Ly Siecle, et tous devons aider,
Qui sumes de ses parentées,
A faire tous ses volentés.'
Ensi commençont a traiter
Comment pourroient mestreter
La char del homme et losenger   9800
D'engins et des soubtilités.
Si se firont entrejurer
Trestous ensemble et conjurer
Le mal dont serroit attrappez.
   Et lors ly Siecle ove sa semence
A tempter l'omme recommence ;
Dont tielement le forsvoia,
Que pour consail ne pour defense
Du Resoun ou du Conscience
La char de luy ne s'aresta,   9810
Qe trestout ne s'abandonna
Au foldelit, dont foloia,
N'en voloit faire resistence
Pour l'Alme que l'aresonna ;
Car nulle resoun ascoulta,
Ainz tient le Siecle en reverence.

   Ly deable qui fuist tout lour piere,
Auci Pecché, q'estoit la miere,
Avoec le Siecle et sa mesnie
Des vices, dont fuist a baniere,   9820
Ascuns devant, ascuns derere,
Firont a l'omme une envaïe.
Chascuns le fiert de sa partie,
Ly uns d'orguil, ly uns d'envie ;
Mais Gule y vient la tavernere,
Que l'estandard du Leccherie
Porte en sa main, et hault escrie,
' Ore est a moy, que je luy fiere.'
   Lors Avarice ove son fardell
Vient au bataille, et un sachell   9830
Des ses florins tenoit tout plein,
Dont l'omme fiert comme d'un flaiell :
Mais cil, quant senti le catell,
Ne resçut point tieux cops en vein ;
Ainz maintenant tendist sa mein
Et se rendist au capitein,
Qui l'amena droit au chastell
D'Accidie, u qu'il chascun demein
Au deable paia son certein,
Comme cil q'ert prisoun du novell.   9840
   Et lors s'assemblont tous les vices,
Chascun apportoit ses delices
Pour leur prisoun reconforter ;
Mais ils ne furont pas si niçes
A souffrir que deinz leur offices
Resoun al Alme y puet entrer,
Ne Conscience s'esquier,
Ainz du chastell firont fermer
Les entrées des portes colices,
Qe tout sont fait du fol penser ;   9850
Dont l'omme ne puet remembrer
De son dieu ne de ses justices.
   Ore ad le Siecle ove s'alliance
De l'omme tout le governance,
Q'ascuns ne puet parler a luy,
Si ce ne soit par l'aqueintance
Du Pecché, qui celle ordinance
Sur tous les autres ad basty :
Par quoy Resoun s'est departy,
Et Conscience s'est fuï,   9860

9786 mettroit

Q'ils ne sont plus du retenance.
Si dieus n'en face sa mercy,
Trop longement poet estre ensi,
Ainz qu'il ait sa deliverance.
   O quelle generacioun,   **f. 57**
Primerement delacioun,
Q'ove touz lez autrez dieus maldit :
Quant en fay memoracioun
Mon cuer du contourbacioun
Est pres tout mat et desconfit :   9870
Car ore au peine nully vit,
Q'ascune fois ne soit soubgit
De leur malvois temptacioun.
Maldit soit l'oure quant nasquit
Pecché, dont corps ad son delit,
Et l'alme sa dampnacioun.
   O quel lignage trop adverse,
Dont la fortune nous adverse,
Et mesmes dieu point ne s'acorde
A l'omme q'ensi se diverse,   9880
Qant des pecchés chascun diverse
Du jour en jour tant se recorde :
Mais tant sont vices a la corde
Des queux Pecché cel homme encorde,
Q'au peine si ne le reverse
U toute joye se descorde,
Si dieus de sa misericorde
Ne trait celle alme a luy converse.
   **Ore dirra de la propreté du
Pecché par especial.**
   L'apocalips q'est tout celeste
Reconte d'un horrible beste,   9890
Q'issoit de la parfonde mer :
Corps leopart, ce dist la geste,
Mais du leoun ot geule et teste,
Des piés fuist urce a resembler,
Sept chief portoit cil adversier,
Si ot disz corns pour fort hurter,
Ove disz couronnes du conqueste :
Merveille estoit del esguarder,
Trop se faisoit a redoubter,
Car trop demenoit grant tempeste. 9900
   Le noun du beste l'en nomoit
Pecché ; mais ce q'il corps avoit

Tout techelé, ce signefie
Diverses mals, dont nous deçoit ;
La geule du leon, c'estoit
Q'il tout devoure en sa baillie ;
Sept chiefs, as sept pecchés s'applie ;
Mais de disz corns fait envaïe
As disz preceptz que dieus donnoit :
Les disz couronnes par meistrie,   9910
Ce sont victoire en ceste vie,
Qu'il sur les gens conquerre doit.
   C'estoit le monstre a qui donné
Fuist plain poair et plain congié,
Au fin qu'il duist contre les seintz
Combatre et veintre du pecché.
O dieus, comme dure destiné !
Qant tieles gens serront atteinz,
C'est grant dolour as tous humeinz ;
Car nous autres, qui valons meinz, 9920
Ne sai comment serrons guardé
Du beste qui tant est vileins :
Pour moy le dy, je m'en compleins,
Trop sui de son venym enflé.
   Ce beste auci des piés et bras
Fuist urce, et par ce tu porras
Savoir que l'urce ad tost occis
Sa proie, quant la tient en bas
Soubz luy, et par semblable cas
Tost serra mort et entrepris   9930
Cil qui Pecché avera soubmis.
Helas, Pecché, je te maldis,
Car par les files que tu as
Par tout le siecle a mon avis
Et les cités et les paiis
Par toy porront bien dire, helas !
   Helas, Pecché, comme es grant
     mestre !
Par doulçour que fais de toi nestre
Trestout le mond sempres t'onourt,
Et laie gent et clerc et prestre,   9940
Dont leur delit pourront acrestre :
Pour toi servir chascuns y court,
Par toi vient Mort primer au court,
Par toi tout bien en mal destourt,
Par toi tout droit vait a senestre,

Par toi l'en rit, par toi l'en plourt,
Par toi la fantasie sourt,
Dont sont deçu tout ly terrestre.
　　Je te resemble a les Sereines,
Qant par leur doulces vois halteines,
U qu'ils chantont par halte mer,　9951
Attraire font en leur demeines
Les niefs siglans, et par soudeines
Tempestes puis les font noyer.
Au chat auci te doy sembler,
Quant du sourris se fait juer,
Et puis l'occit mangant ses treines.
Comme clier estée te fais moustrer,
Plain des flourettes au primer,
Mais en yvern sont pas certeines.　9960
　　Je te resemble au poire douche,
Qui porte bon savour au bouche
Et est a l'estommac grevable :
Je te resemble au noire mouche,
Les pures chars qant souffle et touche,
Corrumpt et fait abhominable :
Je te resemble au songe et fable
Q'au toute gent son deceivable :
Je te resemble au celle couche
Dont nuls au peine est relevable :　9970
Tu es d'enfern le connestable,
Par qui tout mal se claime et vouche.
　　Je te resemble au buiste close,
U son venym ly deable enclose ;
Auci je te resemble au pie,
Qant sur caroigne soi repose :
Tu as visage de la rose,
Et es plus aspre que l'urtie :
Tu es sophistre en la clergie,
Dont l'art conclude en heresie :　9980
Ne say la ryme ne la prose
Dont la centisme part endie
De ta malice, en ceste vie
Ne te falt plus ascune chose.
　　Qui du Pecché prent remembrance
Comment primer a sa naiscance
Du ciel les angres fist ruer,
Comme puis Adam par fole errance
Envers son dieu mist en destance,

Et puis en terre fist noyer　　　9990
Trestous forsque piscon du mer
Et soul Noë, qui dieus salver
Voloit ovesque s'alliance,
Et puis encore fist errer
Pour les ydoles honourer
Les gentz encontre leur creance.
　　Des cestes choses qui bien pense,
Et puis reguarde a l'evidence,
Comme chascun jour l'en puet veoir
Mortiele guerre et pestilence,　　10000
Que du Pecché trestout commence,
Lors doit il bien hidour avoir :
Car n'est cité, chastel, manoir,
En quel ne se fait remanoir
Pecché, car tous obedience
Luy portont, et pour dire voir
Ou pour delit ou pour l'avoir
Luy font honeur et reverence.
　　Sur tous les regnes q'ore sont
Pecché commant, Pecché somont,　10010
Et tous au Pecché font hommage :
Et molt plus tost d'assetz le font,
Car ly malfiés, qui tout confont,
Toutdis recovere al avantage,
De ce qu'il fist le mariage
Jadis du Siecle a son lignage,
Comme je vous contay paramont.
Si dieus ne pense a tiel oultrage
Rescourre, trop ert le dammage
Des almes que perdu serront.　　10020
　　Mais des tous biens cil q'est ra-
　　　cine
Ne laist ja mal sanz medicine ;
Combien que ly malfiés soit fort
Par Pecché q'est de sa covine,
Nientmeinz de la vertu divine
Dieus en volt faire son confort
Pour l'alme, a resister le tort
Du deable et du malvoise sort,
La quelle vient de celle orine
Que meyne jusques a la mort :　　10030
Mais ore oietz comme se remort
Resoun par Conscience fine.

Ore dirra comment Resoun et
Conscience prieront dieu remedie
contre les sept vices mortielx
ove leur progenie, et dieus donna
sept vertus a Resoun contre
eaux.

Trestous vous avez bien oï,
Qant Pecché l'omme avoit saisi
En sa prisonne, meintenant
Resoun et Conscience auci
Loign de la court furont bany :
Mais ils s'aleront plus avant
Pour soi compleindre au toutpuissant
De ce que vous ay dit devant,　　10040
Comment cel homme estoit ravi
Des vices, dont il avoit tant,
Par quoy ne furont mais puissant
A gouverner l'estat de luy.

Enmy la court superiour
Devant dieu firont leur clamour
Ensi Resoun et Conscience :
Leur advocat et procurour,
Et sur tout leur coadjutour,
C'estoit Mercy, qui d'eloquence　　**f. 58**
Tous autres passoit du science.　　10051
Cil contoit en la dieu presence
Le grant meschief, le grant dolour,
Dont il prioit avoir defense :
Dieus luy donna bonne audience
Et sur ce luy promist socour.

Mais pour ce que les sept pecchés
Furont au Siecle mariez,
Comme je dis au commencement,
Et que tant sont multepliez　　10060
Les files q'en sont engendrez,
Dieus ordina semblablement
Un mariage, oietz comment.
Il ot sept files proprement,
Les quelles des tous biens doez
Au Resoun donna franchement
En mariage, et cil les prent
Pour l'enchesoun que vous orrez.

Dieus, qui lez choses tout pourvoit,
Pour ceste enchesoun le faisoit,　　10070

De Resoun ensi marier,
Qu'il des vertus q'espouseroit
Autres vertus engendreroit,
Dont se pourront multeplier ;
Sique chascune en son mestier
Doit contre un vice resister,
Un contre un autre, au tiel endroit
Que l'Alme se pot enforcer
Son fol corps a desprisonner,
Q'a lors des vices pris estoit.　　10080
Resoun, q'estoit et simple et sage,
Molt s'esjoÿt deinz son corage
Qu'il tieles femmes duist avoir,
Q'estoient de si halt parage,
Comme de son propre dieu lignage,
Dont il fuist mis en bon espoir
Les vices mettre a nounchaloir ;
Car dieus l'accrust du grant pooir,
Si luy donnoit en heritage
De son saint ciel le beau manoir,　　10090
U qu'il sanz fin doit remanoir
Et tenir en franc mariage.
Resoun, qui bien s'estoit pourveu
Au jour des noeces, ot vestu
La robe yndoise ove blanche raie ;
Par l'un colour est entendu
Constance en le service dieu,
Et l'autre que du blanchour raie
Signe est du netteté verraie ;
La coife auci dont dieus s'appaie　　10100
Portoit, que tout estoit cosu
De sapience : ensi s'esgaie
Resoun, qui son penoun desplaie,
Que ja des vices n'ert vencu.
Les dames vienont de la tour,
Chascune estoit du noble atour,
En blanche robe bien vestue.
Mais Conscience fait maint tour
Pour adrescer la gent entour,
Q'a celle feste estoit venue ;　　10110
Comme Mareschals les uns salue,
Les uns cherist, les uns argue,
Par tout se peine a faire honour :
Sa robe estoit comme d'une nue,

La quelle au plus sovent se mue
Diverse, et change sa colour.

Les dames ensi bien pareies
Se mistront hors de les pareies
Vers le moustier de saint delit,
U que leur mary toutes veies   10120
Comme ses amies et ses preies
Leur attendoit ; si ot eslit
Trois menestrals, ly quel sont dit
Bon pensement, Bon fait, Bon dit,
Qui les cornont par leur journeies,
Dont s'esjoyont grant et petit
Des joyes qui sont infinit,
Qui valont oultre tous moneies.

Chascune dame en son degré
Portoit son noun aproprié   10130
Escript, dont fuist la meulx vailante ;
Encontre Orguil Humilité,
Encontre Envie est Charité,
Et encontre Ire la tençante
Est Pacience la taiçante ;
Encontre Accidie la dormante
Prouesce y vient apparaillée ;
Contre Avarice la tenante
Franchise y vient la despendante,
N'ert pas ovele l'assemblé :   10140
Et puis encontre Gloutenie,
Q'est de nature l'anemie,
La dame y vient q'ad noun Mesure ;
Et lors encontre Leccherie
Vient Chasteté la dieu amye
Tout coiement sanz demesure :
Et meintenant vient pardessure
Ly prestres qui tous les assure,
Qui Gracedieu, si je bien die,
Avoit a noun, mais par droiture,   10150
Pour ce qu'il savoit de lettrure,
Ad l'espousaille au fin complie.

En la presence au soverein
Vient Conscience primerein,
Q'au moustier les dames mena,
U Gracedieu leur chapellein
Les faisoit prendre mein au mein,
Et depar dieu les affia ;

Et puis leur messe ensi chanta
Qe dieus en bon gré l'accepta,   10160
Car l'Alme y offrist son certein,
Itiel comme dieus le commanda :
Resoun ses femmes moult ama,
Car moult furont du noble grein.

Ensi dieus de sa courtoisie
Encontre l'orde progenie
Des vices, qui tant sont maldit,
Au fin que l'alme en soit guarie,
Par mariage il associe
Les sept vertus, comme vous ai dit, 10170
Qui sont verrai, bon et parfit
Par grace du seint espirit,
Au Resoun, qui de sa partie
S'enforce dont soit desconfit
Ly deable, et l'Alme a son droit plit
Remise : oietz chançoun flourie.

**Puisq'il ad dit devant comment
Resoun espousa les sept vertus,
ore dirra comment contre chascune
file des vices engendra une file
des vertus. Et primerement com-
mencera a parler de les cink files
les quelles sont engendrez de
Humilité, dont la primere file ad
noun Devocioun, contre le vice de
Ypocrisie.**

Humilité cink files meine,
Par quelles l'Alme se remeine
Au Resoun, dont tu dois nomer
Devocioun la primereine,   10180
Quelle en secré simple et souleine
Y vient, qant voet son dieu prier.
Ensi nous fist dieus enseigner
Q'au temps que nous devons orer
N'ert chambrelein ne chambreleine,
Ainçois devons les huiss fermer
Pour noz prieres affermer ;
Car dieus ascoulte au tiel enseine.

La vertu de Devocioun
Toutdis retient en sa maisoun   10190

10115 plussouent   10168 ensoit

Une autre, que n'est pas aperte :
Celle ad tóut proprement a noun
La bienamé sainte Oreisoun,
Qe ja ne quiert ou gaign ou perte
Du siecle avoir pour sa decerte,
Ainz loign des gens si comme deserte,
Que nuls en sache si dieus noun
En dieu priant se tient coverte,
Q'Ipocresie ne perverte
Ne son penser ne sa leçoun.   10200
   Q'om doit orer souleinement,
Q'om doit orer tout pleinement,
Q'om doit en lermes dieu prier,
Q'om doit orer bien humblement,
Q'om doit orer communement,
Q'om doit auci continuer,
Q'om doit la bonne peas orer,
Q'om doit par orisouns aider
Son Roy, auci la morte gent,
Q'om doit par priere allegger   10210
Noz vices, tout ce puiss moustrer
Escript du viel essamplement.
   Q'om doit orer soul et celée :
Ce fist ly prophete Helisée,
Qant il sur soy les huiss ferma,
Que nuls agardoit son secré,
Par quoy l'enfant q'ot mort esté
En dieu priant resuscita ;
Et Moÿses en l'arche entra
Tout soul, qant pour le poeple ora :
Seint Luc auci par tiel degré   10221
Dist que no sire soul monta
En la montaigne, u qu'il pria,
Qant l'autre gent s'estoit alé.
   Q'om doit orer tout plainement
Senec nous fait enseignement,
Si dist, qant l'en dieu priera,
Sanz parler curiousement
Et sanz nul double entendement
Du plain penser plain mot dirra,   10230
Car double lange dieus n'orra :
David tesmoigne bien cela,
Disant que dieus au toute gent   f. 59
Est prest, qant om l'appellera,

Maisque tout verité serra
Q'il prie, et nounpas autrement.
   Que l'en doit faire oracioun
Par grande humiliacioun,
Ce dist David, 'Soiez soubgit
Au dieu sanz point delacioun,   10240
Si fai ta supplicacioun.'
Et tout ensi je truis escript
Que Daniel jadys le fist ;
Trois fois le jour au terre il gist
En sa genuflectacioun,
Priant au dieu q'il le guarist,
Q'en Babyloigne ne perist
D'estrange fornicacioun.
   De Machabeu auci lisant
Je truis q'au terre engenulant,   10250
Et tout le poeple ovesque luy,
S'estoiont mis en dieu priant
Qu'il leur aidast du fel tirant,
Antiochus leur anemy,
Le poeple dieu q'ot poursuÿ ;
Dont leur priere dieus oÿ,
Si fist de sa vengance tant
Qe tout vivant son corps purry :
Jerusalem s'estoit guari
Par ce que vous ai dit devant.   10260
   Q'om doit orer en lermoiant,
De ce nous ert Sarre essamplant,
Q'en plours prioit trois jours et nuytz,
Au fin que dieus luy fuist aidant
De honte q'om luy vait disant
Pour sept barons q'elle ot perduz :
Des plours Thobie auci je truis,
Qant voegle estoit et fuist confus
Du femme qui luy vait tençant :
Molt fuist leur plours de grans vertus,
Car l'un et l'autre est socourrus,   10271
Sicomme l'istoire est devisant.
   Dans Helchana cil espousoit
Anne et Phenenne, et avenoit
Sique dame Anne estoit bareine ;
Mais de ses lermes dieu prioit,
Dont Samuel deinz brief conçoit ;
C'estoit priere bonne et seine.

10197 ensache

Et qui dist que la Magdaleine
Lors ne plouroit au bone estreine,
Qant au manger u dieus seoit   10281
Pour un poy d'eaue chalde et veine
Du vie gaigna la fonteine,
Qe des tous mals la garisoit?
    Q'om doit auci toutdis orer
Saint Luc le fait bien tesmoigner :
Quant nostre sire ot en sa guise
Conté comment se doit troubler
Ly mals du siecle et adverser
Contre le jour du grant Juise,   10290
As ses disciples lors devise,
Que s'ils en vuillont la reprise
Et les tourmens sauf eschaper,
Par grant devocioun enprise
Priere sanz recreandise
Leur falt toutdis continuer.
    L'apostre dist q'au dieu plesance
Molt valdra la continuance
Del homme just en dieu priant :
La bible en porte tesmoignance,   10300
Qant Amalech par mescreance
Ove Josué s'est combatant ;
Tant comme ses mains estoit levant
Dans Moïses en dieu priant,
Ot Josué la meillour lance ;
Mais qant des mains fuist avalant,
Ert Amalech a son devant
Et Josué fuist en balance.
    Q'om doit communement prier
L'en poet avoir bon essampler   10310
De Josaphat Roy de Juda,
Qant le grant host vist assembler,
Qe trop faisoit a redoubter,
Des Ciriens qu'il redoubta :
Le poeple en commun s'assembla,
Chascuns devoutement pria
Qe dieus les volsist socourer :
La vois commune dieus oya,
Dont chascun autre entretua
Des anemys a l'encontrer.   10320
    Q'om doit auci prier la pes
Essample nous avons du pres

Par le prophete Jeremie,
Qant commandoit que sanz reles
Au poeple quel estoit remes
Du transmigracioun en vie,
De lors avant chascuns supplie
Qe dieus en pes maintiene et guie
Jerusalem, sique jammes
Soit d'anemys prise ou saisie,   10330
Sique sa loy n'en soit blemie,
Ne de son poeple y soit descres.
    Qe pour le Roy et pour ses fitz
L'en doit orer j'en suy tout fis,
Car ce faisoit Baruch escrire
A Joachim, q'ert ses amys,
Qu'il feist prier en son paiis
Pour Nabugod, qui tint l'empire,
Et pour son fils, qui puis fuist sire,
C'est Baltazar ; dont puiss je dire,   10340
Puisqu'il ensi firont jadys
Pour Roy paien, meulx doit souffire
Priere que l'en doit confire
Pour cristien, ce m'est avis.
    Un autre essample en troveras,
Si tu la bible bien liras,
Comment Cirus ly Rois Persant
Donna congé a Scribe Esdras
D'edifier en son compas
Jerusalem, qui pardevant   10350
Fuist gaste : et ce faisoit par tant
Qe tous fuissent pour luy priant
Deinz la cité cils q'en ce cas
Y duissont estre enhabitant,
Au fin que dieus ly toutpuissant
Governe ses roials estatz.
    Q'om doit orer pour la gent morte
Essample avons que nous enhorte
De Machabeu certainement :
Et sur ce resoun le nous porte   10360
Que l'en par droit aide et supporte
Celluy qui n'ad dont proprement
Se poet aider ; car cil q'attent
En purgatoire n'ad comment
Pour allegger sa peine forte,
Si noun qu'il plest au bonne gent

Prier pour son alleggement,
Qe dieus en pité le conforte.

  Q'om doit orer remissioun
Des pecchés, je truis mencioun ; 10370
Cils d'Israel ensi faisoient
Venant de leur captivesoun :
Esdras commença s'oreisoun,
Et cils del oïr s'assembloiont
En la Cité u qu'ils estoiont,
Dont de lour mals pardoun prioiont,
De ce q'en fornicacioun
Estranges femmes pris avoiont :
Pour ce q'ensi se repentoiont
Dieus en fist l'absolucioun. 10380
  Mais en priant oultre trestout
Il falt que l'omme en soit devout,
Car meulx valt prier sanz parole
A celluy qui son cuer y bout,
Qe vainement a parler moult
Sanz bien penser, du lange sole :
Car sainte lange ove pensé fole
Ne valt ja plus que la frivole,
Que sanz merite dieus debout ;
Sicomme l'en fait de la citole, 10390
Dont en descord la note vole
Et grieve a celluy qui l'escoult.
  Cuers q'a sa lange se descorde
En sa priere a dieu n'acorde ;
Ainz l'un ove l'autre ensemblement,
Qant lange son penser recorde
Et ly pensiers son cuer remorde,
Lors prie a dieu devoutement,
Par si qu'il prie honnestement :
Car ja si bon n'ert le pyment, 10400
S'il en puante coupe et orde
Soit mis, au boire om pert talent ;
Ne cil qui prie laidement
Ja n'ara dieu de sa concorde.
  Isidre, q'estoit clerc parfait,
Dist que priere est lors bien fait,
Qant om ne pense point aillours ;
Mais qant ly pensiers se retrait,
Du quoy ly cuer au siecle vait,

Qanque l'en prie est a rebours. 10410
Seint Augustin ly grans doctours
Dist que priere des criours,
Ove cuer muët, est inparfait,
Qant bouche et cuer sont descordours :
Combien q'om prie as grans clamours,
N'est resoun qu'il merite en ait.
  Ne poet valoir celle oreisoun
Q'om prie sanz devocioun ;
Ainz om la doit bien resembler
As nues fuiles du buissoun, 10420
Qe fruit ne porte en sa saisoun ;
Auci resemble au messager
Q'om fait sanz lettres envoier
Et sanz enseignes pour aler
Devers estrange regioun f. 60
Au sire que l'en voet prier :
Ove vuide main le fist mander,
Dont vuid reverte a sa maisoun.
  Mais cil q'au droit voet dieu prier
L'estoet encore a reguarder 10430
Q'il porte ove soy ascun present
De son bon oevere a presenter,
Tiel que son dieu voet accepter ;
Dont pour le doun q'est precedent
Luy deigne plus benignement
Donner pitous entendement
A ce que l'en voet supplier :
Car qui s'ordeine tielement
Lors doit avoir par juggement
Un doun pour autre doun donner. 10441
  Je truis escript en Exodi,
Qe Moÿses le dist auci
Au poeple et ensi les enhorte,
Qe devant dieu se doit nully
Vuid apparer, ainz donne ensi
Q'il pour son doun loer reporte ;
Car a celuy clot dieus sa porte
Qui toutdis prie et riens apporte,
Un tiel n'est pas le dieu amy :
Mais q'umblement vers dieu se porte
Et s'alme des bienfaitz supporte, 10451
Cil fait molt beal present a luy.

L'en porra prendre essamplerie
El temps qant regnoit Ezechie,
Comment ly poeples lors prioit :
Chascuns y plourt, chascuns y crie,
Chascuns requiert, chascuns supplie,
Et sur trestout chascuns donnoit
Offrende solonc son endroit :
Car lors fuist la priere au droit   10460
Ove la devocioun complie ;
Dont nostre sires l'acceptoit,
Grantoit, voloit et confermoit
Que leur priere fuist oïe.

    L'en puet essampler ensement
Q'om doit donner devoutement,
En Exodi qui bien lirra,
Qant l'en faisoit primerement
Celle arche du viel testament,
Chascun ses douns y presenta   10470
Priant, et dieu les accepta :
Devocioun fist tout cela,
Car dieus les cuers voit et entent,
Et quant le fait s'acordera,
Lors est tout fait q'appartendra
A prier dieu plainerement.

    Q'en Oreisoun soit grant vertu
Essample avons q'est contenu
Dedeinz la bible, u Moÿses
El grant desert le poeple hebreu   10480
Mena, du ciel survint un fieu
Par sa priere, et les malves,
Q'encontre dieu furont engres,
Tout arst, q'un soul n'y fuist remes,
Droit pardevant celle arche dieu.
El novell testament apres,
Qui bien lira des seintz les fees,
Maint beal miracle en est venu.

    La vertu du bonne Oreisoun
Est la verraie guarisoun   10490
Encontre toute pestilence
Q'al alme fait invasioun ;
Car selonc la temptacioun
Des sept pechés ove lour semence
Sainte oreisoun, q'en dieu commence,
Sept bonnes cures contrepense,

Dont guarist leur infeccioun,
Sicomme Jerom de sa science,
Pour nous en donner l'evidence,
Reconte la devisioun.   10500
    Encontre Orguil primerement
Sainte Oreison molt humblement
Au terre se genulle en bas ;
Puis bat son pis molt reddement
En cas q'Accidie le surprent ;
Son cuer esveille isnele pas,
Et puis encontre les fallas
D'Envie et d'Ire dist, ' Helas ! '
Pour prier plus devoutement :
As tous pardonne leur trespas,   10510
Au fin que par semblable cas
Luy face dieus pardonnement.
    Encontre les mals d'Avarice
Seinte Oreisoun de soun office
En halt le ciel vait regardant ;
U voit tant riche benefice,
Dont tient cel homme plus que nyce
Qui d'Avarice est covoitant :
Et puis encontre le pecchant
Du Leccherie le puant   10520
Et Gloutenie ove sa delice,
Des lermes s'alme vait lavant
Et ensi se vait guarisant
Du toute espiritiele anguisse.
    Devocioun en ses prieres
Suspire et plourt par six manieres,
Dont ad remors le pensement :
Ses malvoistés q'il voit plenieres,
Dont ad mesfait, sont les primeres
Par quoy plourt au commencement :
Et puis qant pense le tourment   10531
Qu'il ad deservy duement,
D'enfern les peines tant amieres,
Trestout deschiet en plourement ;
Car lors ne sciet sanz dieu comment
Se puet aider en ses miseres.
    Ly tierce plour que luy constreigne
C'est du prochein et du procheine,
Pour lour mesfait, pour leur pecché,
Q'il voit tout jour de la semeine: 10540

    10488 enest   10499 endonner   10506 isuele

Et puis, qant voit comme se desmeine
De ses voisins l'adverseté,
Lors plourt et prie en grant pité,
Comme s'il sentist en son degré
Del autri grief toute la peine,
Au fin que dieus en salveté
Le corps a sa prosperité
Et l'alme a sa mercy remeine.
   Le quinte plour c'est qant il pense
Comme ceste vie est plain d'offense,
Et de bienfaire en aventure,   10551
Si crient du char la negligence,
Q'il n'en deschiece el dieu presence;
Car ce nous dist sainte escripture,
Qui bien sta voie q'a nulle hure
Soit jus rué de sa monture,
Dont ait blemy la conscience:
Car molt sovent qui plus s'assure
Plus tost cherra, si dieus n'el cure
Par support de sa providence.   10560
   Le siste plour n'est pas en vein,
Ainz est tout ly plus soverein
Dont la bonne alme puet plorer:
C'est pour l'amour de dieu soulein,
A qui tout ly cynk sen forein,
Ove le corage tout entier,
Sont mis de servir et amer
Par si tresardant desirer,
Qe tout le joye q'est mondein
Luy semble anguisse et encombrer;
Dont falt toutdis a suspirer   10571
Au fin q'il soit de dieu prochein.
   Du plour q'ensi vous ai descrit
En l'evangile truis escrit:
'Cil est benoit qui plourt yci
En corps; car puis en espirit
Des joyes qui sont infinit
Serra joyous devant celluy
Par qui tout bien sont remery':
Car dieus demande de nully   10580
Forsque le cuer luy soit soubgit
En droit amour, car cil q'ensi
Enploie son desir en luy
Prent des tous bien le plus parfit.

· Comme l'escripture nous diffine,
Devocioun q'est bonne et fine
Ad Contemplacioun s'amie
De son consail, de sa covine;
Que nuyt et jour jammais ne fine
Pour dieu sercher de sa partie: 10590
A ce tout met et tout applie
Son cuer, son corps, sanz departie
Ja d'autre chose n'est encline;
Dehors vit par humeine vie,
Mais pardedeinz elle est ravie
Siq'en pensant toute est divine.
   Lors ayme a estre solitaire,
Dont en les angles se fait traire,
Siq'en repost soulainement
Poet sa devocioun parfaire;   10600
Car ne voet point que son affaire
Soit aparceu d'aucune gent:
Mais la se tient tout coiement
En contemplant son pensement,
Sicomme la vierge solait faire,
Qant ayme et vergondousement
Soulaine son amy attent,
Dont soit ravie en secretaire.
   Quant la bonne alme ensi sultive
En l'amour dieu est ententive,   10610
Dont soit ravie a son amant,
Comme fuist saint Paul, lors est pensive
En halt le ciel contemplative,
Dedeinz son cuer considerant
Comment entre eaux sont diversant
Le ciel et terre en leur estant:
L'un donne joye et l'autre prive,   f. 61
L'une est petite et l'autre grant,
L'un est des tous biens habondant,
Et l'autre du poverte estrive.   10620
   Lors voit que l'un ad belle haltesce,
Et l'autre est basse et tout oppresse,
L'un ad franchise, l'autre ad servage,
L'un ad clarté, l'autre ad voeglesce,
L'un ad desport, l'autre ad destresce,
L'un est constant, l'autre est salvage,
L'un est certain, l'autre est volage,
L'un ad mesure, l'autre ad oultrage,

L'un ad vilté, l'autre ad noblesce,
L'un est paisible, et l'autre esrage, 10630
L'un est tresfole, et l'autre est sage,
L'un fait guarir, et l'autre blesce.

   Quant tout ce poise en sa balance,
Et plus avant prent remembrance
De son amour, de son desir,
Q'elle ad vers dieu, lors n'ad plesance
Du ceste vie, ainz par semblance
Commence au siecle de morir,
Et pour despire et vil tenir
Qanque le mond poet contenir   10640
D'Orguil ove toute s'alliance:
Car tant luy tarde au dieu venir
Q'en ceste vie fait sentir
Tout autre joye a luy penance.

   Car cils qui sont vrai contempliers
Sont demy mort as seculiers,
Si desiront la mort present
Plus que sauf port ly mariners,
Ou plus que fait ly labourers
En attendant son paiement,   10650
Plus que gaigners son augst attent,
Ou que viners son vinement,
Ou plus que fait ly prisonners
Son rançoun et delivrement,
Ou plus que son revienement
Ly peregrins q'est long aliers.

   Gregoire dist en son escrit,
En contemplacioun qui vit
Du riens ou monde est en paour;
Comment q'il plourt, comment q'il rit,
Toutdis se tient en un soul plit,   10661
Tant est suspris de fin amour,
Qui luy constreigne nuyt et jour:
Pour regarder de son seignour
La face, c'est tout son delit,
C'est son penser sanz nul rettour;
Dont dieus luy donne au chief de tour
Tout son desir sanz contredit.

   Des philosophres ot plusour
Qui dieu conustrent creatour   10670
Par ses foraines creatures,
Son sens, sa beauté, sa valour;

Mais nepourqant le droit savour
Leur faillist, ainçois d'autres cures
Demeneront leur envoisures,
Ly uns pour savoir les natures
Des bestes et d'oisealx entour,
Ly autres firont conjectures
D'astronomye et des figures,
Q'a dieu ne firont plus d'onour.   10680

   Mais Contemplacioun en dieu
Qui l'ad, lors est de grant vertu,
Q'il est ad dieu conjoint ensi
Par si tresamourous englu,
Qe tout en un se sont tenu
Sanz departir: o dieus mercy!
De dieu penser tout est norry,
Repu, vestu et rejoÿ,
Dont corps et alme est soustenu:
Il met soy mesmes en oubly   10690
Par fin amour q'il ad de luy,
Tanq'il soit tout a luy venu.

   Trop est l'amour fins et loyals
Qui tous les eases et travals
Oublist pour soul de dieu penser,
En qui tous biens sont principals.
Tiels cuers est bien celestials,
Qant tielement sciet dieu amer;
Dont om pourra le contempler
A celle eschiele resembler   10700
Que vist Jacob, qui parigals
Ove l'angel dieu se fist luter;
Jusques au ciel la vist estier,
Dont y montont ly dieu vassals.

   Du Contemplacioun la foy
Moult bien resembler je le doy
A la chalandre en sa nature,
La quelle au mye nuyt tout coy
Devers le ciel prent son voloy
Si halt comme puet en sa mesure; 10710
En terre auci qant y demure,
Ne voit malade en ascune hure
Qui doit morir, ainz en effroy
S'en tourne et vole a grant alure:
Cist oisel porte la figure
Du Contemplacioun en soy.

10634 plusauant   10650 Enattendant

En la deserte regioun
Pres du paiis Cithaie ad noun
Sont unes molt horribles bestes,
Q'ont corps et coue du lioun,　　　10720
Et portont d'aigle la façoun
Des pées, des eles et des testes,
Si vont corrant par les terrestes,
Volant par l'air sicomme tempestes,
Oisel et beste, et sont Griffoun,
C'est lour droit noun selonc les gestes :
Ne pourra faillir des molestes
Cil q'ils tienont en lour bandoun.

　Deinz le desert q'ai susnomé
La riche pierre y est trové　　　10730
Que l'en appelle Smaragdine,
Q'est des Griffons si fort gardé,
Qe par bataille ert conquesté
Ainçois que l'omme en ait seisine :
Mais une gent y ad veisine
Encoste celle salvagine,
Qui Arimaspi sont nomé,
Si n'ont q'un oill, mais tant est fine
Qe plus que deux leur eslumine
Du molt soubtile clareté.　　　10740

　Par celle gent, q'est bien hardie,
La riche pierre y est cuillie
Malgré Griffoun ne leur aguait ;
Mais nepourqant de leur partie
Trop font au gent dure envaïe,
Ainçois que nuls la pierre en ait.
Pour nostre essample est tout ce fait,
Comme saint Remy le nous attrait,
Qui fuist expert de la clergie :
Ce n'est pas chose contrefait,　　　10750
Car Contemplacioun parfait
Du grant misteire signefie.

　Pour parler du desert primer,
Ce doit a nous signefier
Un cuer desert du toute cure
Du quelque chose seculier ;
Et puis du pierre pour parler,
Quelle est bien cliere en sa verdure,
Pour ce q'elle est tant fine et pure,
Tout signefie par figure　　　10760

Le dieu que nous devons amer ;
Mais ly Griffoun de leur nature
Sont deable, qui nous courront sure
De tout bon oevere a resister.
　Car toutdis qant prodhomme enprent
A cuiller deinz son pensement
Dieu, q'est la pierre des vertus,
Ly deable par enticement
La pierre contre luy defent,
Q'au fin ne soit par luy tenuz :　　　10770
Mais celle gent q'ai dit dessus
D'un oil tout soul, qant sont venuz,—
C'est l'oil du cuer, dont clierement
Dieu voiont,—tantost ont vencuz
Le deable, car ja n'ert deçuz
Cil qui voit dieus parfaitement.

　C'est l'oill parfit, par quel om voit
Trover la pierre q'est benoit,
Quelle ad el ciel sa residence ;
C'est l'oill qui fait prier au droit,　　　10780
Q'ipocresie en nulle endroit
De la mondeine reverence
Luy touche, ainz dieu soul voit et pense ;
C'est l'oill de qui tout bien commence,
C'est l'oill q'en halt le ciel pourvoit
Et la vitaille et la despense,
Dont pardevant la dieu presence
Sanz fin celle alme vivre doit.

　La vertu q'est en contempler
Gregoire le fait resembler　　　10790
Al aigle blanc qui s'esvertue
Sur tous oisealx en halt voler,
Et d'autre part sanz obscurer
Il ad des oils si cliere veue,
Q'en regardant ne les remue
Pour clareté q'est espandue
Du solail, qant prent a raier,
Ainz celle ray q'est plus ague
Des oils reguarde nu a nue,
Dont fait ses joyes demener.　　　10800
　Albertes, qui savoit asses,
Et qui sovent l'ot esprovez,
Dist que d'oiseals est la nature,
Certainement qant les verrez

Leur nys avoir par leur degrés
Amont les arbres plus dessure,
C'est signe du bonne aventure :
Ensi l'umaine creature
Qant ad son cuer plus halt levez   f. 62
Vers dieu par conscience pure,   10810
Lors la bonne alme plus s'assure
Q'elle est plus digne d'estre amez.

   Devocioun q'ensi s'acline
A dieu, Isidre la diffine
Semblable au mouscle en son degré ;
La quelle au ryve q'est marine
S'escales overe a la pectrine,
Si en resçoit le douls rosé,
Que chiet du ciel tout en celée,
Dont puis deinz soi ad engendré   10820
La margarite blanche et fine ;
Ensi Devocioun en dée
Conceipt, s'elle est continué,
La Contemplacioun divine.

   Devocioun q'est si guarnie,
Ove Contemplacion s'amie,
Qant sont ensemblement conjoint,
Tant sont fort contre l'envaïe
D'Orguil et fole Ypocresie,
Qe jammais jour serront desjoint :   10830
Car il y ad ne nerf ne joynt,
Ne veine, que tout ne soit joynt
Au dieu servir en ceste vie ;
Par quoy dieus ne les oublist point,
Ainz au darrein, qant vient a point,
Ove soy sanz fin les glorifie.

   **Ore dirra de la seconde file de
   Humilité, la quelle ad noun Paour,
   contre le vice de Veine gloire.**
   Icelle fille q'est seconde
D'Umilité nette est et monde,
La quelle dieus nomoit Paour :
Si nage tous jours contre l'onde   10840
Du Veine gloire et la confonde ;
Car qant beauté, sen ou valour,
Richesce, force ou vain honour
Luy font sembler qu'il est meillour
Des autres, dont Orguil habonde,

Paour repense un autre tour
Que tout ce passe au darrein jour,
Et q'a ses fais falt qu'il responde.
   De ceste vertu nous ensense
Roy Salomon de sa science,   10850
Qui dist que le commencement
Du droite et pure sapience
C'est en paour du conscience
A doubter dieu primerement :
Car cil q'au dieu doubter se prent,
Du Veine gloire ja mesprent,
Car Paour toutdis contrepense,
Et dist deinz soy tout coiement,
Ne puet finir joyeusement
La gloire que sanz dieu commence.   10860
   Trois choses sont, Paour confesse,
Dont Vaine gloire nous adesse ;
Car l'alme y ad primerement,
Quelle ad deinz soi resoun impresse,
Du quoy resemble en sa noblesse
As angles par entendement ;
Et puis le corps secondement,
Q'est de ses membres noblement
Doé ; la tierce est la richesse
Du siecle, qui nous est present :   10870
Mais chescun d'eux ad nequedent
Un anemy qui trop luy blesce.
   Encontre l'alme tout primer
Ly deable y vient pour essaier,
Au fin qu'il par temptacioun
Pourroit la raisoun forsvoier,
Et l'alme ove ce faire envoier
D'enfern a la dampnacioun :
Luy corps d'umeine nacioun
Des verms la congregacioun   10880
L'aguaite en terre a devourer :
Q'en prent consideracioun,
Fols est, si veine elacioun
Luy face yci glorefier.
   Pour les richesses dont vous dy
Ly lieres est nostre anemy,
Qant les desrobbe et tout asporte ;
Et Salomon nous dist auci,
Que plusours ont esté peri

10809 plushalt   10812 plusdigne   10818 enrescoit   10882 Qenprent

Pour la richesse que l'en porte : 10890
Trop est pour ce la joye torte,
Que Vaine gloire nous apporte,
Car le certain pourra nully
Savoir du fin ; dont nous enhorte
Paour, q'est gardein a la porte,
Que nuls en soit trop esjoÿ.

    Paour endroit de ce s'effroie,
Dont Vaine gloire se rejoye ;
Car l'un a l'autre sont contraire,
Que d'un acord ne d'une voie   10900
Serront jammais, ainz tout envoie
Vait l'un del autre en son affaire ;
Qe l'un plest, l'autre ne puet plaire,
Qe l'un fait, l'autre voet desfaire ;
L'un quiert le siecle et se desroie
Du vanité, q'y pense attraire,
Et l'autre pense pour bien faire,
Au fin q'il ait parfaite joye.

    Uluxes, qant par mer sigla,
Tout sauf le peril eschapa   10910
De les Sereines ove leur chant :
Un bon remedie y ordina,
Qu'il les orailles estouppa
Des mariners, q'ils riens oiant
Y fuissent, mais toutdroit avant
Leur niefs aloient conduisant,
Ne destourneront ça ne la ;
Car s'ils en fuissent ascoultant,
Peris fuissent du maintenant
Du joye que l'en y chanta.   10920

    Ensi, qant Veine gloire vente
De beauté, force ou du jovente,
Ou du richesce ou du parage,
Qant Paour voit q'ensi tourmente,
S'oraille estouppe et son entente,
Qe point n'ascoulte a lour langage,
Ainz tout tiel orguillous orage
En ce fals siecle, q'est marage
Du flaterie q'est presente,
Eschape, et si conduit comme sage
Sa nief toutdroit au sauf rivage,   10931
U n'est tempeste violente.

Ly sage Salomon disoit,
Qui toutdis crient il est benoit ;
Car sicomme ly nounsage myre
Plusours occist, plusours deçoit,
Ensi fortune en son endroit,—
Qant l'en meulx quide a estre sire
Et monter en plus halt empire,
Fortune plus le fait despire,   10940
Et lors le met plus en destroit :
Soudainement sa roe vire,
Que nuls au jour d'uy porroit dire
Ce que demein avenir doit.

    Pour ce Senec le nous enseine,
Disant que cil qui paour meine,
Ce q'il ne voit ce crient il plus.
Ly clerc Orace auci s'en pleigne,
Si dist bien que la sort humeine
S'est a un tendre fil penduz ;   10950
Qant om meulx quide estre au dessus,
Si le fil brise, est tost cheeuz :
Nuls est certain de son overeigne,
Tout ly plus cert en sont deçuz,
Car molt sovent om truist al huiss
Ce que l'en quide estre longteine.

    Maistre Aristole en son escript
Dist q'om doit criendre du petit ;
Car du sintelle q'est petite
Sovent naist un grant feu soubit : 10960
Petit serpens grant tor occit,
Sicomme Senec le nous endite :
Mais d'autre essample nous excite
Ly sages, qui paour recite ;
Si dist, du poy qui tient despit
Du poy en poy se desprofite,
Dont au darrain par sort soubite
Deschiet trestout en malvois plit.

    Ly sages ce te vait disant,
' Ne soies sanz paour vivant,   10970
Ne ja dirrez comme fol hardy,
" J'ay fait pecchés, et nepourquant
N'est riens que m'en vait contristant " :
Trop est cil fol qui dist ensi ;
Car la dieu ire et la mercy

10896 ensoit   10918 enfuissent   10939 plushalt   10943 au Iourduy
10954 ensont

Tost vienont, quant ce plest a luy ;
Mais l'ire dieu s'est regardant
Tantsoulement dessur celluy
Q'en ses pecchés gist endormy ;
Soudainement sur tiel s'espant.'   10980
   C'est grant peril, tu dois savoir,
Sanz paour esperance avoir,
Du quoy presumpcioun engendre ;
Et d'avoir paour sanz espoir
Ce fait venir en desespoir.
Sanz l'un ne doit om l'autre prendre ;
Mais si tu d'umble cuer et tendre
Voes l'un ove l'autre bien comprendre,
Lors envers dieu fras ton devoir :
Si plainement tu dois entendre   10990
Qe des pecchés du quelque gendre
Verray pardoun dois rescevoir.
   Mais nous veons q'ascune gent
Ja n'averont paour autrement,
Mais soul pour doubte seculier
Du corporiel punisement,
Ou perte avoir de leur argent :
Du tiel paour scievont doubter,   f. 63
Car s'ils pourront quit eschaper
Sanz l'un ou l'autre chastier,   11000
Du corps et de l'avoir present,
Lors ont leur joye si plener,
Q'ils laissont le paour aler,
Apres la mort qui leur attent.
   Mais autrement des gentz om voit
Qui criemont dieu, mais noun a droit,
Car ce font pour fuïr la peine
D'enfern, u ly mals estre doit,
Auci pour ce que dieus envoit
Anguisse en ceste vie humeine,   11010
C'est ly paours qui pecché meine :
Sicomme l'en poet trover enseigne,
La gent paiene ensi faisoit,
Pour la vengance dieu souleine,
Q'au plus sovent lour fuist greveine ;
Nuls d'autre cause dieu cremoit.
   Essample en as, si guarde prens,
Qant rois Oseë fuist regens

En Israel, lors surveneront
Evehi et Babiloniens   11020
Ove tout plein des Assiriens,
Qui les cités y conquesteront
En Samarie, ou demoureront.
Mais qant lioun les devoureront,
Du grant paour furent dolentz ;
Pour sa vengance dieu douteront,
Mais as fals dieus sacrifieront,
Car ce laisseront a nul temps.
   Qui bien se mire au present jour,
Du tiele gent verra plusour,   11030
Qui tant comme sentont la moleste,
Molt cremont dieu du grant paour,
Plus pour le mal que pour l'amour
Q'ils ont vers luy ; ainz sicomme beste,
Qant voient cesser la tempeste,
Ja n'ert leur vie plus honneste,
Ainz se revertont au folour,
N'y ad paour qui leur areste :
Maisque du corps eiont la feste,
Tout oubliont le viel dolour.   11040
   Itiel paour, q'est ensi pris,
Du vertu ne doit porter pris,
Car dieus de sa part ne le prise.
Saint Augustins dist son avis,
Paour q'est sanz amour compris
Pert sa merite en toute guise,
Car qant d'ascune paine assise
Hom crient et doubte la Juise
Plusque de perdre paradis,
Il pert l'onour de sa franchise,   11050
Que dieus avoit en l'alme mise,
Puisq'en servage il est soubmis.
   A les Romains en conseillant
Par ses epistres envoiant
L'apostre envoia son message ;
Si dist q'ils fuissent enpernant,
Sique paour de son bobant
Ne les pot mettre en son servage,
Pour perte ne pour avantage
Du siecle avesques son oultrage,   11060
Qe leur pot faire aucun tirant ;

11006 adroit   11015 plussouent   11017 enas
11053 enconseillant

Mais que tout franc de leur corage,
Malgré le siecle ove son visage,
Soient a soul dieu entendant.
  Quiconque ait homme plus cremu
Que dieu, tost cherra despourveu,
Si comme ly sages nous ensense :
Auci j'ay deinz la bible lieu
De Mardochée le bon Judieu,
Q'au tiel paour fist resistence ;   11070
Car pour paour du conscience
Ne volt tollir la reverence
Q'il devoit donner a son dieu,
Et la donner par violence
A fals Aman, q'ert plain d'offense,
Et la voloit avoir eeu.
  Prodhomme estoit cil Mardochée,
De qui Aman n'estoit doubtée,
Ainz volt son dieu soul redoubter :
Car tout bon homme en son degré 11080
Deinz soy ad une liberté,
Par quoy rien doubte seculier ;
Mais ly malvois fol losenger
Q'est a son pecché coustummer,
Cil ad paour d'adverseté :
Dont dist ly sage proverber,
Tous tieux paour tient en danger
Par servitute du Pecché.
  Cil fols qui tiel paour enprent
Du siecle, fol loer en prent   11090
Sicomme fist la gent Moabite,
Qui se doubteront durement,
Nounpas pour dieu, ainz soulement
Pour Josué, qui leur visite :
Mais Josué ce leur acquite,
Car pour loer de leur merite
En son servage il les comprent,
Dont jammais puis il lour respite :
Vei la comment cil se profite
Qui crient le siecle folement.   11100
  En l'evangile truis escript,
' N'eietz paour de luy q'occit
Le corps, qant plus ne porra faire,
Ainz luy q'ad plain poair parfit,
Q'il poet le corps ove l'espirit

El feu d'enfern sanz fin desfaire.'
Pour luy dois criendre de mesfaire,
Pour luy t'abandonne au bien faire ;
Car il te puet par autre plit
Donner le ciel a ton doaire :   11110
Itiel paour est necessaire,
Dont ly loer sont infinit.
  Molt valt paour du bon endroit,
Sicomme Judith le recontoit
A Olophernes l'orguillous
Du poeple dont venue estoit ;
Disant que chascuns se doubtoit
Des grans pecchés, dont ils trestous
Furont coupable et paourous.
Mais dieus sur ce lour fuist pitous, 11120
Qant vist la gent que luy cremoit ;
Dont en la fin furont rescous,
Occis fuist ly vein glorious,
Judith sa teste luy coupoit.
  Ce dist David ly saint prophete,
'Qui dieu cremont au droite mete,
N'est meschief dont soient desfaitz'
Si dist auci que la diete
Dont l'alme quiert estre replete
Ne leur doit amerrir jammais.   11130
Ly sages dist, 'Cil clers ou lais
Qui son dieu crient pour ses bienfais,
Il avera vie bien complete :
Car quique soit ensi parfaitz,
Qant ad sa conscience en paix,
Molt est par tout en grant quiete.'
  El livre de levitici
Dieus a son poeple dist ensi,
' Je vuill,' ce dist, ' que vous cremetz
Mon saintuaire, et puis, vous di, 11140
Les jours q'a moy sont establi
Je vuill que vous saintefiez :
Car s'ensi criendre me vuilletz,
Beal temps ove grant plenté des bleedz,
Frument et oille et vin auci,
Sanz guerre en pes vous averetz.'
Trop porront estre beneurez
Qui tiel loer ont deservi.
  Par Moÿsen auci j'ay lieu,

Que dieus dista son poeple hebreu, 11150
'Si mes commans vuilletz doubter,
Lors vous pourretz en chascun lieu,
Par tout u serretz devenu,
Sanz nul paour enhabiter.'
D'Elye en poet om essampler,
Qant Jezabell luy fist guaiter
Au mort, par ce qu'il cremoit dieu,
Par tout, u qu'il voloit aler,
Dieus luy faisoit saulf conduier,
Q'ascune part n'ert arestu.   11160
　　Le dieu sermon auci l'en doit
Doubter, q'ensi le commandoit
La viele loy, quant establiz
Fuist que la gent s'assembleroit,
Que Moÿses leur precheroit
De dieu les saintz sermons et ditz,
Au fin q'il fuissent bien apris
Endroit paour : car qui toutdis
Dieu crient et ayme en tiel endroit,
Ly sages dist, ja n'ert suspris   11170
Du siecle, ainz doit avoir son pris
De dieu, qui son corage voit.
　　Par Jeremie escript je voi,
'Dieus dist, a qui regarder doi
Forsq'a celluy q'en droit timour
Crient mes paroles et ma loy?'
Et Neemye auci du soy
Pria son dieu par tiel atour :
'O dieus, saint piere et creatour,
Entens, beau sire, le clamour   11180
De tes servantz, q'en droite foy
Ont tout lour cuer mis en paour
De ton saint noun et ton amour,
Que riens desiront forsque toy.'
　　Thobie el paour dieu vivant
Enseina son treschier enfant
Pour criendre dieu du jofne enfance ;
E si luy dist, que pour ytant
Serroit de tous biens habondant,
Du corps et alme en suffisance.   f. 64
Judith en porta tesmoignance,   11191
Si dist, 'O dieus, c'est m'esperance,
Tout cil q'au droit te vont doubtant,

Ils en averont ta bienvuillance
Et serront grans en ta puissance,
Par toy no dieu, q'es toutpuissant.'
　　Je truis escript en Ysaïe,
Qu'il molt tresdure prophecie
Dist sur Egipte, dont la gent
Dieu creindre ne voloiont mye :   11200
Si dist, que pour leur estoultie
Se vengeroit dieus fierement ;
Dont ly futur et ly present,
Qui l'orront dire ensi comment,
Se doubteront de tiel oÿe.
Secré sont ly dieu juggement,
Comme plus le peccheour attent,
Plus sa vengance multeplie.
　　Quant dieus son poeple ot aquité
Du servitute a salveté,   11210
Par Moÿsen leur dist cela,
Qe s'ils luy tienont redoubté
En droit paour d'umilité,
Prosperité leur avendra ;
Mais autrement les manaça
Qu'il les la voie remerra,
Dont pardevant les ot mené,
Et en servage remettra,
U chascun s'espoentera
De leur primere adverseté.   11220
　　Et oultre ce leur dist auci,
Qe s'ils n'eussent paour de luy,
Il les dourroit paour mondein ;
Dont tant serroient esbahy,
Q'au soir dirroient, 'Dieus, ay my !
O si verrons venir demein !'
Et au matin dirront en vein,
'Helas ! qui nous ferra certein
Que nous verrons le soir compli ?'
Ensi qant dieus hoste sa mein,   11230
Qui ne voet criendre dieu soulein
Ert d'autre paour anienty.
　　Molt est paour de grant vertu,
Qant om le met tout soul en dieu,
Car tiel paour d'especial
Tout autre paour ad vencu ;
Cil q'ad paour il ad salu :

Et par paour om prent tout mal ;
Car le paour q'est mondial
De tous mals est origenal :   11240
Mais qant dieus est pour soi cremu
En droit paour espirital,
Ja n'ert tiel paour corporal,
Dont l'alme serra corrumpu.

  Le droit Paour pour deviser,
Al huiss du chambre il est huissher,
Qui porte defensable mace ;
Dont, quant ly deable voet entrer
Pour faire l'alme foloier,
Paour le fiert enmy la face   11250
Et le deboute au force et chace :
Paour auci la Char manace,
Qe d'orguil n'ose forsvoier :
Paour est gardeins de la place,
U il herberge Bonne grace,
Et laist Pecché dehors estier.

  Paour jammais commence chose,
Ainçois qu'il deinz son cuer pourpose
Au quel fin ce pourra venir ;
Dont, si bon est, son fait despose, 11260
Et si mal est, lors le depose
Pour doubte de mesavenir.
Ensi se guart d'enorguillir,
Car bien conoist que le finir
De la mondeine veine glose
En grant tristour doit revertir ;
Mais qui dieu crient, ne poet faillir
Q'au fin sanz tout paour repose.

  Paour est ly bons tresorers,
Qui gart tous les tresors entiers   11270
Qui deinz le cuer sont enserré,
Sique nuls malvois adversiers
Embler porra les bouns deniers
Qui des vertus sont tout forgé,
Dont l'alme serra rançonné :
Auci Paour est comparé
Du gardin au bon sartiliers,
Qui celle urtie maluré
Ove la racine envenimé
Estrepe d'entre les rosiers.   11280
  Et d'autre part par droit appell

Paour est guaite du chastell,
Qui ja ne dort de nuyt ne jour ;
Mais s'il ascoulte ascun revell,
Il vait tantost sus au qernell,
Savoir q'amonte ytiel clamour,
Et lors, s'il voit peril entour
Du liere ou d'autre guerreiour,
Tost va fermer son penouncell
Et sa baniere enmy la tour ;   11290
Si la defent par tieu vigour
Qe ja n'ad guarde du quarell.

  C'est ly bons gaites bien cornant
Q'esveille le Ribauld dormant,
Q'a la taverne ad tout perdu,
U gist tout yvres en songant
Q'il est plus riche et plus puissant
Qe Charlemains unques ne fu.
Cil q'est des vices tant enbu,
Ne conoist dieu ne sa vertu,   11300
Qant l'alme est yvre et someillant ;
Mais ly bons gaites de salu
Par son corner l'ad tant esmu,
Dont il esveille meintenant.

  Ly sage en son proverbe dist :
' En ses pecchés qui long temps gist,
Resemble au fol qui dort ou nief,
Tancomme en halte mer perist ' :
Q'ainçois q'il aucun garde en prist,
L'en voit perir sanz null relief.   11310
Cil q'en prisonne auci soubz clief
Gist, et attent le hart deinz brief
Pour le forsfait dont il forsfist,
Sovent par vanité du chief
Tout songe q'il sanz nul meschief
Au noece et feste s'esjoÿst :

  Ensi ly peccheour s'esjoie,
Sicomme dormant, qui ne s'esfroie,
Ainz que vengance luy surprent,
Si ly bons gaites ne luy voie,   11320
Qui deinz le cuer en halt cornoie
Q'il perdurable peine attent :
Mais lors s'esveille et se repent,
Et voit des oils tout clierement
Qe tout est songe et veine joye,

Dont s'est mesalé longement;
Pour ce laist son fol errement
Et se reprent au droite voie.

　Au Job venoiont trois amys
Pour conforter de leur bons ditz : 11330
L'un Eliphas ce luy disoit,
Q'es nuytz q'om solt estre endormis
Lors du paour fuist tant espris,
Q'au meinz ly cuers de luy veilloit.
Ensi cil qui dieu ayme et croit,
De son amour paour conçoit,
Que luy ferra veiller toutdis
Dedeins le cuer, comme faire doit,
Pour penser s'il d'ascun endroit
Vers son amour ait riens mespris. 11340

　Mais qui ne crient de son coragé,
Ainçois se prent au rigolage,
Est resemblable a cel enfant
Qui tout vendist son heritage;
Dont en luxure et en putage
Vait ses folies demenant
En terre estrange, u fuist paiscant
Les porcs, et ot famine atant
Q'il fist des glauns son compernage;
Mais lors au fin vint escriant　11350
Paour, dont il mercy criant
Revint au piere et son lignage.

　Paour, q'al alme riens concele,
Tout quatre pointz chante et repelle
Les peccheours ; si dist primer,
'U es?' Di, fol, je t'en appelle:
El siecle, qui toutdis chancelle,
U rien certain om puet trover,
Ore es trop froid jusq'au trembler,
Ore es trop chald jusq'au suer,　11360
Ore es trop plain en ta bouelle,
Ore es trop vuid par trop juner;
En un estat n'y pus estier,
Tous jours ta paine renovelle.

　Ce dist le livre Genesis,
Qant Adam ot le pomme pris,
Lors tielement dieus l'appelloit:
'U es?' ce dist, mais ly caytis
N'osa respondre, ains comme futis,
Pour ce q'il nu tout se veoit,　11370

Entre les arbres se musçoit;
Dont cil qui toute rien pourvoit
Luy fist chacer du paradis
Aval, u susmes orendroit,
La que la femme en doel conçoit,
Et l'omme ad son labour enpris.

　Mais ore vuil savoir de toy,
Si nueté mist en effroy
Adam, n'es tu ore auci nu?
Certainement oÿl, je croy,　11380
Si tu te penses en recoy
Comment tu es primer venu,　f. 65
Et puis au fin tout desvestu
T'en partiras ; dont lors si tu
N'as fait ascun bienfait, du quoy
Devant dieu soiez revestu,
Je tiens le temps tout a perdu,
Dont grant doubtance avoir je doy.

　Le point seconde c'est, 'Quoy fais?'
Si tu regardes a tes faitz,　11390
Paour t'en dirra meintenant
Qe cent mil fois sont tes mesfaitz
Du greignour pois que tes bienfaitz.
Itiel acompte est mal seant,
Si es en doubte nepourqant
Du vivre au fin que l'amendant
Facez ; car Mort de ses aguaitz
Par aventure ert survenant,
Qant plus te vais glorifiant,
Dont ont esté plusours desfaitz.　11400

　Qe tu morras tout es certeins,
Mais au quelle houre es nouncerteins,
Ou en quel lieu tu n'en saveras:
Mestre Helemauns, qui fist toutpleins
Lez Vers du Mort, tesmoigne au
　　meinz
Qe mort t'ad dist comme tu orras:
'Houstez voz troeffes et voz gas,
Car tiel me couve soubz ses dras
Q'assetz quide estre fortz et seins.'
Mort t'ad garny de ses fallas,　11410
Dont par droit ne t'escuseras,
Si tu par luy soies atteins.

　Deux autres pointz je truis escrit
En Genesis, que l'angel dist

El grant desert, u qu'il trova
L'ancelle Agar, que s'en fuÿt
Enceinte d'un enfant petit,
Danz Abraham quel engendra,
Et Ismahel puis luy noma;
Dont celle ancelle s'orguilla,   11420
Et de sa dame tint despit,
Par quoy sa dame l'enchaça
Et la batist et desfoula,
Dont l'autre en paour s'en partist.

  Mais qant cel angel, comme vous dy
Agar trova, lors dist a luy,
' Dont viens, Agar? ne me celetz :
Et puis vous me dirrez auci,
U vas.' Agar luy respondi
Tout comme devant oÿ avetz.   11430
' Agar,' dist l'angel, ' rettournez,
Au Sarre, q'est ta dame, irrez,
Dieus te commande a faire ensi,
Et basse a luy te soubmettez ;
Car si pardoun luy prieretz,
Trover pourras grace et mercy.'

  Ensi Paour te dist, ' Dont viens ? '
Tu viens, caitifs, si t'en souviens,
De la taverne au deablerie,
U plus vileins q'esragé chiens   11440
Tu as despendu tous les biens
Que dieus ot mys en ta baillie,
Au fin que l'alme meulx garnie
En ust esté ; mais la folie
Du veine gloire, que tu tiens,
Les t'ad hosté, dont en partie
Paour ta conscience escrie ;
Quoy dirray lors, si n'en reviens ?

  Je dy, revien et toy soubmette :
Paour t'appelle en sa cornette,   11450
Que porte molt horrible soun :
Revien,' ce dist, ' a la voiette,
Qe ly malfiés ne te forsmette
En la deserte regioun :
Rettourne arere en ta maisoun,
Et te soubmette a ta raisoun,
Si fai ta conscience nette,
Et puis responde a ta leçoun,

U vas, si tu le scies u noun ' :
Paour te chante en sa musette.   11460
  Paour te dist, ' U vas ? dy moy :
Au Mort, qui n'ad pité de toy,
Et puis apres au juggement
Devant luy q'est tant just en soy,
Qe n'est pour prince ne pour Roy
Dont voet flecchir aucunement ;
Et puis irrez sanz finement
A cel Herode le pulent,
Qui fait tenir le grief tournoy
En bass enfern du male gent.   11470
He, fol, si tu bien penses ent,
Molt doit ton cuer estre en effroy.'

  Ce dist Jerom, que quoy qu'il face,
Mangut ou boit, plourt ou solace,
Paour toutdis le fait entendre,
Comme s'il oiast deinz brief espace
Un corn cornant, qui luy manace,
Et dist, ' Vien ton acompte rendre' :
Du tiel paour se fist susprendre,
Dont son penser faisoit descendre 11480
La jus en celle horrible place
En son vivant ; si ot plus tendre
La conscience pour ascendre
Amont a la divine grace.

  Paour q'au droit se voet tenir,
Un fois le jour se vait morir,
Et en enfern fait la descente,
U qu'il ne voit forsque suspir,
Doloir, plorer, plaindre et ghemir,
En feu de sulphre u se tormente: 11490
Crepald, lusard, dragoun, serpente,
Cils font la paine violente,
Mais sur trestout, qant voit venir
Le deable, lors deinz son entente
En ceste vie il se repente,
Q'apres ne luy falt repentir.

  Une autre fois deinz sa memoire
Paour s'en vait en pourgatoire,
Et voit y moult diverse peine
Laide et puiante, horrible et noire, 11500
Plus que nuls cuers le porroit croire,
Ou langue dire q'est humeine :

Atant q'enfern celle est grieveine
Mais d'une chose tout souleine,
Q'en pourgatoire l'alme espoire
En fin d'avoir sa joye pleine,
Mais en enfern elle est certeine
Du perdurable consistoire.

    Par droit Paour cil q'ensi pense
D'enfern la paine et la sentence,   11510
Que sanz mercy toutdis endure,
Et puis dedeins son cuer compense
Du pourgatoire l'evidence,
Quel froid y ad et quelle arsure,
Je croi q'il ad tresbonne cure
Trové ; et s'il apres tient cure
Du veine gloire, et reverence
Du siecle quiert, je ne l'assure
En celle gloire q'est dessure
Pour venir en la dieu presence.   11520

    Ly sages dist en sa doctrine
Qe la coroune et la racine
Du sapience c'est paour,
Qant envers dieu soulein encline
Par droit amour et discipline ;
Car qui dieu crient ovesque amour,
Lors n'est vertu qui soit meillour.
Paour est mol plus que la flour,
Et plus poignant que n'est l'espine,
As bons est joye, as mals hidour ;   11530
Qui son cuer serche en tenebrour
Paour la chandelle enlumine.

    Paour qui dieu aime et confesse,
C'est le tresor et la richesse
De l'alme, ce dist Ysaïe ;
Et David dist parole expresse,
'Qui dieu criemont en droite humblesse
Dieus les eshaulce et glorifie.'
Ce dist la vierge auci Marie,
'Du progenie en progenie   11540
La mercy dieu leur ert impresse,
Qui criemont dieu en ceste vie.'
Pour ce fols est q'a ce ne plie,
Qant elle en fait si beau promesse.

    Du droit Paour je truis escript,
Saint Jeremie ensi le dist

A dieu par droite humiliance :
'O Roys du poair infinit,
Qui est celluy sans contredit,
Qui ne doit criendre ta puissance ?   11550
Sur tout puiss faire ta plesance,
Car trestous susmes ta faisance,
Sibien ly grant comme ly petit.'
O dieus, pour ce c'est ma creance,
N'est creature en nulle estance,
Q'a ton poair ne soit soubgit.

    **Ore dirra del a tierce file de Hu-
milité, quelle ad noun Discrecioun,
contre le vice de Surquiderie.**

    D'Umilité la tierce file
Ne laist que Surquidance avile
Celle alme q'est par luy gardée ;
Ainçois trestoute orguil exile,   11560
Et toute vertu reconcile,
Si est Discrecioun nomée :
Qant sens, valour, force ou beauté,
Honour, richesce ou parentée
Luy font des autres plus nobile,
Au dieu soulein rent grace et gré,
Pensant toutdis d'umilité
Qe sa nature est orde et vile.

    Discrecioun en governance
Ad tout quatre oils, en resemblance   11570
Des bestes, dont par leur figure   f. 66
L'apocalips fait remembrance :
De l'oill primer sanz variance
Voit clierement sa propre ordure ;
De l'autre voit la grande cure
Du siecle que chascuns endure ;
Du tierce oil voit la permanance
Du ciel, u est la joye pure ;
Du quarte oil voit la peine dure
D'enfern ove celle circumstance.   11580

    Des quatre partz cil q'ensi voit
Ne doit orguil avoir par droit ;
Car pour soy mesmes regarder,
Comment son piere l'engendroit,
Comment nasquit du povere endroit,
Comment par mort doit terminer,
Comment les verms devont ronger

Sa char puante et devourer,
Comment l'acompte rendre doit
Des biens que dieus l'ad fait bailler,
Par tous ces pointz considerer   11591
Orguil de cest oil ne conçoit.
   Pour regarder le siecle avant,
Si tu richesce y es voiant,
Poverte encontre ce verras,
Si saunté, maladie atant,
Si joye, dolour habondant,
Qe pour veoir trestous estatz,
Les uns en halt, les uns en bas,
Tout gist parentre six et as,   11600
Tant est fortune variant :
Si de cel oil bien garderas,
Ne croi que tu t'orguilleras
Du siecle, q'est si deceivant.
   Mais l'oil qui vers le ciel regarde
Par resoun ne doit avoir garde
D'orguil ; car la verra tout voir
Qe cil qui tint y l'avantgarde
Des angles, en la reregarde
D'enfern orguil luy fist chaoir :   11610
Auci David nous fait savoir,
Qe presde dieu porra manoir
Nuls orguillous ; dont cil q'agarde
De cest oill, puet tresbien veoir,
Poy valt orguil françoise avoir,
Q'au Surquider n'est pas bastarde.
   De l'oill q'envers enfern s'adresce,
Qe nulle orguil son cuer adesce
Par resoun doit bien eschuïr :
Car la verra comme gist oppresse
Orguil en peine felonnesse   11621
Du flamme que ne puet finir.
Qui de tiels oils se fait pourvir
D'orguil se porra bien guenchir,
Qe surquidance ne luy blesce ;
Et s'il tiels oils volra tenir,
Tout droitement porra venir
Au ciel, u dieus coronne humblesce.
   Discrecioun bien ordiné
Par quatre causes hiet Pecché :   11630
Primer pour ce que le corage
De l'omme par sa malvoisté

Destourne de sa liberté,
Et fait que l'omme est en servage ;
Auci Pecché de son oultrage
Corrupte fait la dieu ymage,
Puante, vile et abhosmée,
C'est l'alme, quelle se destage :
Pour ce Pecché du toute hontage
La droite mere est appellée.   11640
   L'en sert pour loer au final,
Car sans loer om prent au mal
D'ascun service sustenir ;
Mais quique soit official
Du Pecché par especial,
De son loer ne doit faillir :
L'apostre dist que le merir
Qe l'en du Pecché doit tenir,
C'est celle mort q'est eternal.
Fols est pour ce qui voet servir   11650
Pour tiel reguerdoun deservir,
Dont le proufit est infernal.
   Mais ly discret ove ses oils cliers
Est des vertus ly charettiers,
Q'es fosses ne les laist cheïr :
Si est auci par haltes mers
Du nief de l'alme conduisers,
Q'au port arrive sans perir.
Du trop se sciet bien abstenir,
Et a trop poy noun assentir,   11660
D'ascune part n'est oultragiers ;
Bien sciet aler, bien revenir,
Bien sciet les causes parfournir,
Dont est bien digne des loers.
   Discrecioun deinz sa peitrine
Toutdis prent garde a la doctrine
Que Salomon luy vait disant,
Qui dist q'au vanité decline
Trestout le siecle ove sa covine,
N'est un soul rien q'est permanant. 11670
Ce vait dieus mesmes tesmoignant,
Qe ciel et terre en temps venant
Et l'un et l'autre se termine ;
Excepcioun fait nepourqant
Qe sa parole ert ferm estant
Du perdurable discipline.
   Du vanité trestout est vein

Le siecle, et l'omme est auci vein,
Pour qui le siecle fuist creé.
Trois choses le me font certein,   11680
L'estat de l'omme est nouncertein
Et plein de mutabilité:
Primer de sa mortalité
Saint Job le dist en son degré:
'Comme l'ombre, ensi la vie humein;
Huy tu le voies en saunté,
Mais point ne scies u ert trové,
Si tu le voes sercher demein.'
    He, dieus, q'est cil qui ne dirroit
Qe l'omme vanité ne soit?   11690
Qant huy ce jour tes oils voiant
Chantoit, dançoit et caroloit,
Et a jouster les grés avoit,
Et tous criont, 'Vaillant! vaillant!'
Et se sont mis a son devant
Pour son honour sicomme servant:
Mais au demein di que ce soit;
Q'iert tous paiis hier pourpernant,
Soubz poy de terre ore est gisant,
N'est uns qui jammais le revoit.   11700
    Par ses mortalités ensi
L'omme est trop vein; si est auci
Sa curiosité trop veine:
Car tous les faitz q'om fait icy
Comme songe se passont parmy,
Molt est la gloire nouncerteine.
Le songe en sa figure enseine
Les joyes de la char humeine;
Qant l'en meulx quide estre saisy
De l'un ou l'autre en son demeine, 11710
Sicomme la chose q'est foreine,
Semblablement sont esvany.
    L'omme est encore, pour voir dire,
Des pecchés que sa char desire
Sur tout plus vein, bien me sovient:
Car du pecché dont l'alme enpire
L'omme est des autres bestes pire,
Et au plus malvois fin devient.
Si toutes bestes vont au nient,
Qe chalt, qant plus ne lour avient? 11720
Mais l'omme, q'est des bestes sire,

Par pecché que son corps detient
Sanz fin celle alme enfern retient:
Tieu vanité fait a despire.
    Trestous ces pointz Discrecioun
Reguarde en sa condicioun,
Dont se pourvoit par ordinance,
Comme s'ordina pour sa maisoun
Cil Rois q'ot Ezechias noun,
A qui dieus faisoit pardonaunce: 11730
Discrecioun sanz fole errance
Fait sagement sa pourvoiance,
Le corps sustient en sa raisoun,
Et l'alme en juste governance
Sanz orguil et sanz surquidance
En ciel fait sa provisioun.
    Qant femme est belle et om la prise,
Au mirour court, si s'en avise,
Et s'esjoÿt qant se pourvoit;
Mais si sa face ait tache prise,   11740
Lors fait sa peine en toute guise
Tanq'elle au plain garie en soit:
Du conscience en tiel endroit
En le mirour se mire et voit
Discrecioun q'est bien aprise;
Et solonc ce q'elle aparçoit,
Ou laide ou belle, ensi se croit,
Et ensi son estat divise.
    Discrecioun tout a son gré
Ad trois servantz en leur degré,   11750
Des queux orretz les nouns avant,
Ordre, Maniere, Honesteté;
Dont qui par Ordre est governé
Toutdis luy vait encosteiant
La reule dont ly dieu sergant,
Chascuns solonc son afferant,
Sont de leur ordres ordiné,
Qe trop derere ou trop devant
N'est uns qui vait le point passant
Q'appartient a sa dueté.   11760
    Et d'autre part auci Maniere
Devant la gent et parderere
Perest toutdis de si bon port,   **f. 67**
Noun orguillouse, ainçois sa chere
Vers tous porte amiable et chere,

Dont tous luy font joye et desport :
Car courtoisie est de s'acort,
Q'a nul bien unques se descort,
Ainçois la sert comme chamberere.
Cassodre en son escript recort,   11770
Et dist toute autre vertu mort,
Si ceste n'est avant guyere.
 Ce dist Senec, q'en trestous lieus
Om doit cherir et loer plus
Maniere, car qui Manere a,
Il ad la guide des vertus.
Car sanz Maniere sont confus
Tout autre vertu q'om avra :
Beauté, Jovente que serra,
Richesce ou force a quoy valdra,   11780
S'il n'ait ove ce Manere en us ?
Cil q'est discret, u qu'il irra,
S'aucune chose luy faldra,
Prent du Manere le surplus.
 Pour la descrire proprement,
Bonne maniere en soi comprent
De l'omme toute la mesure,
Dont il governe honnestement
Son corps et son contienement,
Primer au creatour dessure,   11790
Et puis au toute creature :
Trop halt ne vole a desmesure,
Auci ne trop en bass descent,
Ainz comme voit venir l'aventure
Des temps, des causes, a tout hure
Se contient bien et sagement.
 Nature en soy se pourveoit,
Les membres d'omme qant fourmoit,
Si fist les beals aperticer,
Nounpas les lais, ainz les musçoit.   11800
Par tiele essample et tiel endroit
Honesteté se fait guarder ;
Car des vertus dont aourner
Se puet en faire ou en parler,
Dont corps et alme enbelli soit,
Se veste et laist les lais estier ;
Car nullement voet adescer
La chose en quelle ordure voit.
 Primer qant homme dieus crea,

Des deux natures luy fourma,   11810
C'est d'alme et corps ensemblement,
Et deux delices leur donna,
Dont chascuns se delitera
Au dieu loenge soulement :
L'un est au corps tout proprement,
Qe les cynk sens forainement
Luy font avoir, mais pour cela
Qe l'autre a l'espirit appent,
Ce vient d'asses plus noblement
Dedeins le cuer, u l'alme esta.   11820
 Oïr, veoir, flairer, gouster,
Taster, ce sont ly cynk porter,
Par queux trestous les biens foreins
Vienont le corps pour deliter ;
Mais q'om n'en doit pas mesuser
Discrecioun est fait gardeins.
Car trestous biens qui sont mondeins
Bons sont as bons, mals as vileins ;
Mais ly discret se sciet temprer,
Q'il ja n'en ert par mal atteins ;   11830
Solonc q'il ad ou plus ou meins,
Honnestement se fait guarder.
 Ly bien mondain q'ay susnomé,
Du quoy ly corps s'est delité
Par les cynk sens, si j'en dirroie,
N'est q'une goute de rosée,
Dont si mon corps ay abeveré
Ma soif estancher ne porroie,
Au regard de celle autre joye,
Dont l'alme boit et se rejoye   11840
Pensant a la divinité :
C'est la fontaine cliere et coye,
La quelle saunté nous envoye,
Si tolt la soif d'enfermeté.
 As ses disciples dieus disoit :
'Quiconque de celle eaue boit
Qe je luy donne, en soy sourdra
Une fontaine au tiel exploit,
Q'en perdurable vie droit
Sanz nul arest saillir le fra.'   11850
C'est la fonteine pour cela,
Discrecioun dont bevera,
Et noun du goute que deçoit

Par vanité, dont secchera :
L'un comme fantosme passera,
Mais l'autre sanz fin estre doit.

Discrecioun surquide point,
Ainz met les choses a ce point,
U voit tout la plus saine voie :
Resoun toutdis l'argue et poignt   11860
Et sustient, siq'en un soul point
Du droit chemin ne se forsvoie.
Des deux biens au meillour se ploie,
Et de deux mals le pis renoie ;
Bien sciet eslire a son desjoint,
Q'il puis ne dirra, ' Je quidoie' :
Car sapience le convoie,
Q'as tous temps est ove luy conjoint.

Je sui certains que Salomon
N'estoit pas sans discrecioun,   11870
Qant il l'espeie demandoit
Pour faire la divisioun
Du vif enfant, pour qui tençoun
De les deux femmes fait estoit :
Par loy escript ce ne faisoit,
Ne commun us ce ne voloit,
Ainz la discrete impressioun,
Q'il deinz son cuer de dieu avoit,
Tiel juggement lors l'enseinoit,
Dont tous loeront sa raisoun.   11880

Ensi discrecioun vaillable
Fait l'omme de vertu menable
De l'une et l'autre governance,
C'est l'alme et corps ; car profitable
N'est chose plus ou busoignable,
Que tient mesure en la balance.
Vers dieu primer sa pourvoiance
De l'alme fait, et puis avance
Le corps sanz nul pecché dampnable
D'orguil ou fole surquidance,   11890
Par quoy puis pour sa bienfesance
Reçoit la vie perdurable.

**Ore dirra de la quarte file de
Humilité, quelle a noun Vergoigne,
contre le vice d'Avantance.**

Encontre l'orguil d'Avantance,
Que maint prodhomme desavance,

Naist une file d'umble endroit,
La quelle guart sanz fole errance
Del huiss du ferme circumstance
Sa bouche, comme David disoit ;
Ses lieveres clot, q'il n'en forsvoit.
Vergoigne ad noun : bien se pourvoit
Q'en dit n'en fait n'en contenance   11901
Se vante, ainz taist comme faire doit ;
Et s'aucuns priser luy voldroit,
Pour ce ne fait greigneur parlance.

Vergoigne ad une damoiselle,
Hontouse ad noun, molt perest belle,
Et molt se sont entresemblable :
Mais Honte pour descrire est celle,
Qe ja si faulse n'est querelle,
S'om la surmet q'elle est coupable,
Tantost sa chere en est muable ;   11911
Mais Vergoigne ad la chere estable,
Si du falsine l'en l'appelle,
Qant voit bien que ce n'est que fable,
Mais si la culpe est veritable,
Tantost ly change la maiselle.

Molt est Vergoigne simple et coye,
Car toutdis d'umble cuer se ploie,
Sique jammais en orguil monte
Pour l'onour que le siecle envoie :   11920
Jammais du bouche se desploie
Pour soy vanter en nul acompte,
Ainz ad le cuer si plain de honte,
Qe s'aucun autre le raconte,
Toute sa chere tourne en voie :
Del pris du siecle se desmonte,
Dont voelt que l'alme se remonte
En honour et parfaite joye.

Qui du Vergoigne est vertuous,
Ensi tout soul comme devant tous 11930
Eschuie en soy trestoute vice ;
Car du penser q'est vicious
Commence a estre vergoignous,
Comme cil qui ses mals apertice.
Car qant Vergoigne est en l'office
De l'alme, et que pecché l'entice,
Tantost, comme femme a son espous,
S'escrie et prie la justice

De dieu, au fin q'il l'en guarise
Des mals qui sont si perilous.   11940
  Car la Vergoigne dont parole
N'est par norrie de l'escole,
Sicomme l'en fait communement,
Quant om rougist la face sole
Pour truffes ou pour la parole
Q'ascuns luy dist devant la gent:
Mais Vergoigne est tout autrement;
Car deinz le cuer fait argument,
Qant l'omme pense chose fole,
D'oneste resoun le reprent,   11950
Si dist que dieus voit clierement
Tout le secret dont il affole.   f. 68
  Et nepourqant ce dist le sage,
Qe cil qui rougist le visage
Par vergonder de sa folour,
C'est un bon signe du corage;
Car quiq'il soit, il crient hontage,
Dont meulx doit garder son honour.
Car ce distront nostre ancessour,
'Honte est ly droit chief de valour, 11960
Que soit en toute vassellage':
Dont gart le corps sanz deshonour,
Et fait que l'alme est conquerrour
Du ciel, u toute orguil destage.
  Ly philosophre ce tesmoigne,
Qe nul vivant, en sa busoigne
Qant ad mesfait, porroit avoir
Greignour penance que Vergoigne;
Qu'elle en secré sanz autre essoigne
Trestout le cuer fait esmovoir   11970
Si fort que de la removoir
Ne il ne autre ad le pooir,
Ainz siet plus pres que haire au moigne;
Car deinz le cuer fait l'estovoir
De honte et doel matin et soir,
Dont ses pensers martelle et coigne.
  De son parable en essamplant
Ly sages ce nous vait disant,
'Devant grisile fouldre vait;
Et ensi grace vait devant   11980
Vergoigne comme son entendant,
Dont gracious en sont ly fait.'

Car grace est toutdis en agait
Contre tous mals, dont se retrait
Vergoigne, qant voit apparant
Temptacioun d'ascun forsfait:
Par resoun ne serra desfait
Cil q'ad conduit tant sufficant.
  A Thimotheu l'apostre escrit,
Par son consail et son excit   11990
Qe femme se doit aourner
Honestement de son habit,
Maisq'a Vergoigne soit soubgit,
Qe fait les dames saulf garder.
Ce dist ly sage proverbier:
'La grace q'est en vergonder
Valt sur trestout fin orr eslit':
Car son office et son mestier
Maintient et gart sanz reprover
Le corps ovesques l'espirit.   12000
  De la Vergoigne estoit garni
Saint Job, qant il disoit ensi,
'Ce dont jadys me vergondoie
Est avenu, la dieu mercy.'
David le saint prophete auci
Dist que tous jours enmy sa voie
Vergoigne encontre luy rebroie,
Que luy tollist la veine joye
D'orguil, qui l'avoit assailly.
Dont vergonder tresbien me doie, 12010
Depuisq'en ceaux vergoigne voie,
Q'au dieu furont prochein amy.
  Tout comme toi mesmes fais garnir
Par ta Vergoigne d'eschuïr
Les vices qui sont a reprendre,
Ensi te falt bien abstenir
Del autry honte descovrir;
Car cuer honteus doit estre tendre,
Et d'autry honte honte prendre;
Car s'autry mal porrez entendre, 12020
Du quoy sa honte doit venir,
Celer le dois et bien defendre:
Ce puiss tu bien d'essample aprendre,
Comme deinz la bible hom puet oïr.
  L'un fils Noë, qui Cham ot noun,
Qui puis en ot la maleiçoun,

11939 lenguarise   11973 pluspres   11982 ensont   · 12026 enot

Les secretz membres de son piere
La qu'il gisoit en yvereisoun
Moustroit par sa desrisioun
A Sem et a Japhet son frere ;   12030
Mais cils par vergondouse chere
En tournant leur visage arere
Doleront de la visioun ;
Si luy coeveront la part derere,
Qe vilainie n'y appere,
Dont puis avoient beneiçoun.

   Si la vergoigne est necessaire
Au fin que tu ne dois mesfaire,
Ce n'est Vergoigne nequedent,
Qant pour la gent te fais retraire, 12040
Sique tu n'oses le bien faire
Pour dieu plesance apertement :
De ce nous mostra plainement
Judith, quelle au consailement
De Vago le fel deputaire
La chambre entra souleinement,
U ly Prince Olophern l'attent,
Dont dieus complist tout son affaire.

   Molt valt apert et en privé
Vergoigne soit ensi guardé   12050
Q'apres ne soions vergondez ;
Car dieus, vers qui riens est celée,
Ce nous ad dit et conseilé,
Q'au fin nous verrons desnuez
Noz hontes et noz malvoistés.
Par l'evangile auci trovetz,
Que ja n'est chose tant privé
Q'aperticer ne la verretz :
Ce q'en l'oraille consailletz
Sur les maisons serra preché.   12060

   Quoy valt ce lors que l'en se vante,
Puisque la chose ert apparante
A jour de dieu judicial ?
Me semble que la poy parlante
Vergoigne serra plus vaillante
Qe n'iert Vantance a ce journal :
Car qant langue est superflual,
Trestout bien fait tourner en mal
D'orguil, dont elle est gobeiante ;
Mais la Vergoigne especial   12070

Du pris doit porter coronnal,
Que bien faisoit et fuist taisante.

   Vergoigne ad une sue aqueinte,
Noblesse ad noun, molt perest seinte,
Et poy tient de l'onour mondein,
U voit la gloire courte et feinte :
De la nobleie ne se peinte,
Ainz ad le cuer noble et haltein,
Dont puet venir a son darrein
A l'onour q'est plus soverein ;   12080
Pour ce fait mainte belle enpeinte,
Et fiert maint beau cop de sa mein,
Dont false orguil trestout au plein
Abat et met soubz sa constreinte.

   Celle est sans falte la noblesce
Quelle est par droit la garderesse
De l'alme.   O fole Avanterie,
Comme tu es pleine de voeglesce,
Qant tu te fais de gentillesce
Avanter, et tu n'el es mye :   12090
Terre es et terre au departie
Serras, et tiel a ma partie
Sui je : di lors en ta grandesce
Q'est plus gentil ? Si je voir die,
Qui plus vers dieu se justefie,
Plus est gentil, je le confesse.

   Auci si meulx de moy vestu
Soiez, je n'en douns un festu ;
Ou si tu mangez meulx de moy
Pour ta richesce, et sur ce tu   12100
Te vantes, lors de sa vertu
Vergoigne te puet dire, Avoy !
Car tous les bestes que je voy
Nature veste de sa loy,
Et puis q'ils soient sustenu,
Les paist la terre ensi comme toy ;
Pour ce cil qui se vante en soy,
De Vergoigne ad son pris perdu.

   Ore dirra de la quinte file de Hu-
milité, quelle ad noun Obedience.
   La quinte file bonne et belle
Obedience l'en l'appelle,   12110
Que naist du Resoun et d'Umblesce :
Plus est soubgite que l'ancelle,

Ne puet monter en sa cervelle
La chose dont Orguil l'adesce,
Ce sciet son Abbes et s'Abesse
En la maisoun u est professe,
Que ceste file est sans querelle,
Ainz s'obeït et se confesse
Solonc la droite reule expresse
Et au moustier et au chapelle.   12120

Quiconque soit le droit amant
De ceste file, tout avant
A dieu du corps et du corage
S'obeie ; et s'il aviene tant
Q'adverseté luy soit venant,
De ses chateaux perte ou damage,
Ou de pourchas ou d'eritage,
Ou maladie en son corsage,
Ou piere ou mere ou son enfant
Ou l'autre gent de son lignage   12130
Verra morir, tout coy s'estage,
Q'encontre dieu n'est murmurant.

Tout scies tu bien que tu morras,
Et nientmeins tu le prens en gas,
Disant que tous devons morir :
Di lors q'est ce que tu ferras.
Pour quoy pour l'autri mort plouras,
Qant tu ta propre mort ghemir
Ne voes ? Pour fol te puiss tenir,
Qant l'autri mort ne fais souffrir,   12140
Comme tu ta propre souffreras :
Car deux biens t'en porront venir, f. 69
L'un que tu fras le dieu plesir,
Et l'autre c'est pour ton solas.

Obedience du bon gré,
Solonc que dieus l'ad commandé,
Tient les preceptz du sainte eglise,
Et son prelat et son curée
Chascun solonc sa dueté
Honourt comme doit par bonne guise,
Et ses parens en toute assise,   12151
Si comme la loy luy est assisse,
Sert et obeie en leur degré ;
As ses seigneurs tient lour franchise,
Et ses soubgitz point ne despise :
Molt ad le cuer bien ordiné.

L'en doit honour au president,

Du quelque loy q'il est regent,
Depuisqu'il est jugge establi
En sainte eglise ou autrement :   12160
Par Moïses car tielement
El livre deutronomii
Dieus dist et puis comande ensi,
Que cil qui ne s'est obeï
Solonc son saint commandement
Au prestre et autre jugge auci,
Je vuil, quiconque soit celly,
Qu'il en morra par juggement.

L'onour de tes parens enseine
L'apostre par tresbonne enseigne, 12170
Si te promet pour l'obeïr
Sur terre longue vie et seine ;
Et de la loy puis te constreigne
Qe d'obeisance dois servir
Ton prince, et puis te dois vuïr
A tes voisins, et chier tenir .
Et ton prochein et ta procheine
Sans orguillous desobeïr ;
Dont humblement le dieu plesir
Ferras et ton proufit demeine.   12180

Mais par diverse discipline
Au prelacie, q'est divine,
Et au terriene seigneurage
Dois obeïr en ta covine ;
L'un ad ton corps en sa seisine,
Et l'autre ad t'alme en governage :
Sur quoy dist Salomon le sage,
' Obeie t'alme au presterage,
Maisque la teste soit encline
Au prince, et ensi sanz oultrage   12190
Par obeissance te desguage :
Fai d'un et d'autre la doctrine.'

Et sur trestout obeie toy
A ton baptesme et a ta foy
Solonc ton dieu as joyntes meins.
Ce dist l'apostre endroit de soy
Enfourmant la novelle loy
Par ses epistres as Romeins
Et as Hebreus, ne plus ne meinz :
' Gardetz,' ce dist, ' voz cuers de-
deinz,
Qe la creance y soit tout coy ;   12201

Car je vous fais tresbien certeins,
C'est impossible a les humeins
De plaire a dieu s'ils n'ont ce quoy.'
　Je truis escript auci cela,
Qe l'omme just du foy vivra,
Et dieus en porte tesmoignance
En s'evangile quant precha;
Si dist, 'Qui se baptizera,
Gardant la foy sanz variance,　　　12210
Tout serra sauf; car par creance
Serront soubgit a sa puissance
Tous mals, que riens luy grevera :
Et cil qui par desobeissance
S'est mis au fole mescreance,
Par juggement dampné serra.'
　Abel en foy sacrifia,
Dont en bon gré dieus l'accepta,
Mais du Cahym le refusoit :
Noë, qui droite foy guarda,　　　12220
Fesoit celle arche dont salva
Les vies que dieus commandoit :
La foy d'Enok, que dieus veoit,
Le fist ravir au tiel endroit,
Q'il mort terrene ne gousta ;
Et Sarre, qant baraine estoit,
Par droite foy q'en dieu creoit
De Abraham un fils porta.
　Et d'Abraham l'obedience
Puis apparust qant main extense 12230
Ot pour son fils sacrefier ;
Mais dieus en fesoit sa defense,
Et si luy dist q'en sa semence
Trestoutes gens volt benoier.
Q'om doit obedience amer
Ly sages nous fait enseiner,
Et donne a ce bonne evidence,
Qant dist que plus fait a loer
Obedience d'umble cuer
Qe sacrefice ove tout l'encense.　　12240
　De Isaak auci je lis,
Qui molt estoit du foy garnis,
Qant pour le temps q'ert a venir
Volt benoïr Jacob son fitz :
Et puis Jacob a son avis

Des dousze enfans volt plus cherir
Joseph, et pour plus eslargir
Ses graces luy fist benoïr :
Du foy c'estoit trestout enpris,
Dont dieus, qui savoit lour desir　12250
Et leur creance, fist complir
Qe l'un et l'autre avoit requis.
　Qant Moïses nasquist primer,
L'en luy faisoit pour foy muscer
Trois moys, siqu'il ne parust mye ;
Et puis, qant fuist aulqes plener,
Pour foy se fist aperticer,
La file Pharao s'amie
Lessant, q'avant l'avoit norrie ;
Et puis se mist en jeupartie,　　12260
Qant il l'Egipcien tuer
Fesoit de ce qu'il ot laidie
Sa foy ; dont dieus de sa partie
Luy fist en grant estat monter.
　Puis Moïses en foy feri
La rouge mer, que s'en parti
En deux, dont ly Hebreu passeront ;
Mais Pharao qui les suÿ
Ove ses Egipciens auci
En halte mer sanz foy noieront : 12270
Ly autre apres qui foy garderont
Ove Josué tout conquesteront
La terre, dont furont seisi.
Par ce que cils la foy ameront
Du viele loy, nous essampleront
Qe la novelle eions cheri.
　La foy du novel testament
Devons cherir, car povere gent
Encontre toute crualté
Des les tirantz primerement　　12280
Venquiront vertuousement
Le siecle, et ont en dieu fondé
La foy du cristieneté ;
Dont semble a moy q'en no degré
Bien devons estre obedient,
Puisque cil ont la foy gaigné,
Que par nous soit si bien gardé,
Que nous la perdons nullement.
　L'apostre donne au foy grant pris,

Du quoy ly saint furont apris, 12290
Qant les miracles en fesoient,
Dont convertiront les paiis :
Par foy le feu, qant fuist espris
Pour les ardoir, ils exteignoient ;
Par foy les bouches estouppoient
De ces lyons, q'ils ne mordoient ;
Par foy soubmistront l'espiritz,
Par foy les mortz resuscitoiont,
Par foy le siecle surmontoiont,
Par foy gaigneront paradis. 12300
  Sachetz que la fondacioun
Du toute no Religioun
C'est foy, comme saint Jehan le dist ;
Car qant a no salvacioun,
La foy fait supplicacioun
Devant la face Jhesu Crist ;
Et ce que l'oill jammais ne vist,
Ne cuer de l'omme ne l'aprist,
Ainz est en hesitacioun,
La droite foy trestout complist ; 12310
Et la que resoun ne souffist,
La foy fait mediacioun.
  En l'evangile, pour voir dire,
Ne lis je point que nostre sire
Ascun malade fesoit sein,
Q'au foy riens voloit contredire ;
Mais cils qui le creioiont mire
Et fils au piere soverein,
Sur tieux mettoit sa bonne mein,
Dont corps et alme tout au plein 12320
Mist en saunté que duist souffire :
Par cest essample sui certein
Qe des tous biens le primerein,
C'est droite foy que l'alme enspire.
  La foy est celle treble corde,
Du quelle Salomon recorde
Q'au paine jammais serra route :
Car cil q'au droite foy s'acorde,
Lors char et monde et deble encorde
Et lie, sique celle route 12330
Ne puet grever du grein ou goute
A l'alme dont la foy degoute ;
Car grace y est de sa concorde,
Que tous ensemble les deboute, f. 70

Et luy conduit sanz nulle doute
Au porte de misericorde.
  Le lyen dont la foy nous lie
Tous les lyens d'Adam deslie,
Des queux ainçois nous ot liez
D'origenale felonnie, 12340
Qant nous creons que dieus Messie
Est de la doulce vierge nez,
Ove les articles ordinez
Du sainte eglise et confermez :
Et si prover ne porrons mye
La foy par sensibilités,
Merite avons le plus d'asses
De croire la sanz heresie.
  Pour ce t'obeie en ton voloir,
Si comme saint March te fait savoir,
A qui s'obeiont vent et mer ; 12351
Car meulx valt obeissance avoir
A soul dieu, que pour nul avoir
Du vanité les gens flater :
David le dist en son psalter,
'Meulx valt en dieu soul esperer
Q'es princes': car cils n'ont pooir
Forsque le corps de toy grever ;
Mais dieu te puet par tout aider,
Si tu vers luy fais ton devoir. 12360
  La droite foy est fondement,
Ce dist Senec, que seurement
Supporte toute sainteté
Si fermement et loyaument,
Que nuls la puet ascunement
Par grief d'ascune adverseté
Flechir un point du verité,
Ne par donner prosperité
Du siecle ove tout le bien q'appent ;
Car foy q'est ferm enracinée 12370
Est corrumpue en nul degré,
Ainz verité tient et defent.
  Mais comme l'apostre nous aprent,
Par ce q'om croit tantsoulement
La foy, om nul loer reporte,
S'il ne fait oultre ce q'appent
Des bonnes oeveres ensement ;
Car foy sanz oevere est chose morte :
Et d'autre part son oevre amorte

12291 enfesoient

Cil qui sanz foy son oevere apporte.
Ly deables croit tout fermement 12381
La foy de Crist, mais mal enhorte :
A luy resemble cil qui porte
La foy et fait malvoisement.
  Mais la vertu d'Obedience
Au droite foy son point commence,
Et puis procede en son bienfait.
N'est pas en vein ce q'elle pense :
Car u que fra la reverence,
Du cuer ains que du corps le fait; 12390
Et d'autre part ne se retrait,
Par tout le siecle u q'elle vait
Et voit des poveres l'indigence,
Qe lors a sa bource ne trait,
Et s'obeït, si riens y ait,
Pour leur donner de sa despense.
  Obedience el cuer humein
Est au chival du bounté plein,
Ou au bonne asne resemblant :
L'un court plus tost et plus certein, 12400
Qant om le meine par le frein
Qe qant soulein se vait corant ;
L'autre est tout commun obeissant
Au mestre ensi comme au servant,
Tant au seignour comme au vilein ;
Frument ou feve en un semblant,
Maisq'il son charge soit portant,
N'ad cure quelque soit le grein.
  Senec t'enseigne que tu fras ;
Si tout le mond veintre voldras, 12410
Lors a raisoun te fai soubgit :
Par ce q'ensi t'obeieras,
Le siecle veintre tu porras,
Si conquerras bien infinit.
Pour ce, solonc que j'ay descrit,
D'umilité sans contredit
En cuer et corps toy mette en bas,
Sique le mond soit desconfit,
Et tu le corps ove l'espirit
Amont el ciel eshaulceras.   12420
  D'Obedience la vertu
Tu puiss essampler de Jhesu,
Qant il de sa treshumble port,

Comme cil qui n'estoit esperdu,
Pour rançonner que fuist perdu,
Se fist obedient au mort
Par ceaux qui luy firont grant tort :
Mais il nous donne en ce confort
Q'obedience soit tenu,
Moustrant que c'est un tout plus fort,
Qe l'alme encontre orguil support,
Et la fait humble devers dieu.   12432

**Ore dirra la descripcioun de la
vertu de Humilité par especial.**

  Gregoire dist en son Moral,
Trois choses par especial
D'umilité font demoustrance :
C'est le primer et principal,
Ses sovereins en general
Obeie sanz desobeissance,
En fait, en dit, en contenance ;
Puis n'appara par demoustrance 12440
Q'a son pareil soit parigal,
Ne des soubgitz vaine honourance
Requiere ; car d'umiliance
Lors portera verrai signal.
  'Humilité,' seint Bernard dist,
'Soy mesmes tant tient en despit
Que nuls la porroit tant despire' :
D'umilité saint Bede escrit,
Qe c'est la clief soubz quelle gist
Science, dont tout bien respire.   12450
Q'umilité l'en doit eslire,
Du Tholomé l'en porra lire,
Q'estoit un philosophre eslit,
Qui dist : 'Tous sages a descrire,
Cil est plus sages, pour voir dire,
Qui plus est humble d'espirit.'
  Humilité la graciouse
A l'arbre belle et fructuouse
Est resemblable en sa covine ;
Car tant comme l'arbre plus ramouse
Soit, et du fruit plus plentivouse, 12461
De tant vers terre plus s'encline :
Semblable auci je la diffine
Au piere dyamant tresfine,
Q'en orr seoir est dedeignouse,

De la richesse se decline
Et est au povre ferr encline,
Si en devient plus vertuouse.
    La palme endroit de sa nature
Porte une fourme d'estature   12470
Sur toutes arbres plus souleine;
Elle ad son trunc en sa mesure
Petit par terre et pardessure
Le trunc est gross: ce nous enseigne
Humilité, que l'alme meine
Humble et petite en vie humeine
Sanz orguil et sanz fole cure:
Par terre croistre se desdeigne,
Mais vers le ciel est grosse et pleine
Plus que nulle autre creature.   12480
    L'umble est semblable au bon berbis,
Q'a nous proufite en tous paiis,
Mais son honour ne quiert ne pense;
Et puis au fin q'il soit occis
Il souffre, siq'en nul devis
Voet faire aucune resistence:
Et par semblable obedience
L'omme humble ne quiert reverence,
Combien qu'il digne soit du pris,
Ne ja pour tort ne pour offense,   12490
Q'ascuns luy fait, sa conscience
Ne serra ja d'orguil espris.
    Humilité, ce semble a moy,
Se tient semblable au fils du Roy,
Q'est jofne et sucche la mamelle;
Q'il porte grant honour, du quoy
Petit luy chalt, ainz souffre coy
Que l'en luy trete et cil et celle:
Humilités ensi fait elle,
En halt estat plus est ancelle,   12500
Et meinz loenge quiert du soy;
Sicomme solail deinz sa roelle,
Comme plus y monte, plus est belle,
Et plus commune al esbanoy.
    Cil q'est vrais humbles d'espirit
Plus q'a son propre s'obeït
Al autry sen, q'il voit plus sage;
Car chascun autre plus parfit
De soy repute, et plus profit

En quide avoir d'autry menage,   12510
Qe de son propre governage:
Pour ce les faitz de son corage
A l'autry consail tient soubgit;
Il met soy mesmes en servage,
Dont du franchise l'avantage
Avoir porra, q'est infinit.
    Ly sages de son essamplaire
Te dist, 'Tant comme tu soiez maire,
Tant plus t'umilie au toute gent':
Si dist auci, qe pour dieu plaire   12520
Meulx valt ove l'umble et debonnaire
Vivre en quiete simplement,
Q'ove l'orguillous de son argent
Partir et vivre richement.   **f. 71**
Pour ce pren garde en ton affaire,
Si fai selonc l'essamplement
Du sage, ou certes autrement
T'estoet compleindre le contraire.
    Ce dist dieus, qu'il eshaulcera
Quiconque en soi s'umilera,   12530
Mais qui d'orguil soy proprement
Eshaulce, il le tresbuchera;
Car cuer sovent soy montera
Encontre son ruinement.
Om dist auci q'abitement
En terre basse seurement
Valt plus q'en halt, u l'en cherra:
Pour ce cil qui vit humblement
Se tient en bass si fermement,
Qe d'orguil monter ne porra.   12540
    Combien que l'umble soit gentil
Et vertuous plus q'autre Mill,
Encore deinz son cuer desire
Qe nuls luy tiene forsque vil,
Car de sa part ensi fait il:
C'est la vertu que nostre sire
Loa, qant vint de son empire,
A ce q'il volt l'orguil despire,
Dont jadys fuismes en peril;
Vilté souffrist sans escondire: 12550
Bien devons donque humblesce eslire,
Puis q'ensi faisoit ly dieu fil.
    Sa doulce mere auci Marie

Nous lessa bon essamplerie
Q'umilité soit bien tenu ;
Car sur trestoute humaine vie
Elle estoit humble en sa partie.
Pour ce portoit le fils de dieu,
Par qui l'orguil fuist abatu,
Dont noz parentz furont deçu,   12560
Qant ils perdiront leur baillie
Du paradis ; mais en salu
Qui voet remonter a ce lieu,
Lors falt q'umilité luy guye.

   Ly deable, q'avoit grande envie
Au saint Machaire et a sa vie,
Ensi luy dist par grant irrour :
' Si tu te junes en partie,
Je fai plus, car sanz mangerie
M'abstien toutdis et sanz liquour ; 12570
Et si tu es en part veilour,
Je fai plus, car de nuyt ne jour
Unques des oils ne dormi mye ;
Et si tu fais en part labour,
Je fai plus, car sanz nul retour
Et sanz repos je me detrie.

   ' En tout ce je te vois passant ;
Mais tu fais un point nepourqant,
Du quoy ne te puiss surmonter ;
Ainz tu m'en vas si surmontant,   12580
Qe n'ay poair de tant ne qant,
Q'a toy porroie resister :
Et c'est que tu tout au primer
D'umilité te fais guarder,
Dont dieus par tout te vait gardant.'
Par cest essample om puet noter,
Que qui se voet humilier
Il ad vertu de beau guarant.

   Auci l'en puet estre essamplé
Du viele loy, q'umilité   12590
Dieus ayme ; et ce parust toutdroit,
Qant Rois Achab, q'avoit pecché
Vers dieu, s'estoit humilié ;
Car tantost qu'il s'umilioit,
Dieus son pecché luy pardonnoit,
Et en ses fils le transportoit ;
Helye ensi luy ot contée.
Asses des autres l'en porroit

Trover d'essamples, qui voldroit
Sercher l'escriptz d'antiquité.   12600
   Quoy plus coustoit et meinz valoit,
Et plus valoit et meinz coustoit,
Jadis uns sages demanda :
Et uns autres luy respondoit,
Q'orguil plus couste en son endroit,
Et sur tout autre meinz valdra ;
Mais cil q'umblesce gardera
Meinz couste et plus proufitera
Au corps et alme, quelque soit.
Dont m'est avis que cil serra   12610
Malvois marchant q'achatera
Le peiour, qant eslire doit.

   **Ore dirra de les cink files du
Charité, des queles la primere ad
noun Loenge, contre le vice de
Detraccioun.**

   Encontre Envie est Charité,
Quelle est au resoun mariée ;
Si ad cink files voirement,
Dont la primere est appellée
Loenge, q'est des tous amée ;
Car celle loue bonnement
Et ayme toute bonne gent :
N'est qui plus charitousement   12620
Se contient en bonne ameisté ;
Detraccioun hiet nequedent,
Car male bouche aucunement
Jammais serra de luy privé.

   Loenge au dieu primer s'extent,
En ciel, en terre, en firmament,
Et en toute autre creature :
Car le prophete tielement
As angres dist primerement
Et as les corps qui sont dessure, 12630
Solaill et lune, estoille pure,
Q'ils dieu loer devont toute hure :
La mer de sa part ensement,
Feu, neif, gresil, glace et freidure,
Ly jours, la nuyt en lour nature,
Chascuns loenge a dieu purtent.
   Sicomme les choses paramont
Loenge au dieu reporteront,

Ly saint prophete dist q'ensi
Les choses que sur terre sont 12640
Loenge au creatour ferront:
Riens est vivant en terre, qui
Ne doit loenge faire a luy,
Oisel, piscon et beste auci,
Ove les reptils, dieu loeront,
Et l'arbre qui sont beau floury;
La terre en soy n'en est failly,
Qe tous loenge au dieu ne font.
 Mais au final, je truis escrit,
Loenge fait tout espirit 12650
Au dieu q'est seigneur soverein;
Mais sur trestout grant et petit
Pour dieu loer en chascun plit
Plus est tenu l'estat humein:
Car il nous forma de sa mein,
Et puis rechata du vilein
Qui nous avoit au mort soubgit.
Pour ce loons dieu primerein,
Qe son bienfait ne soit en vein,
Mais que luy sachons gré parfit. 12660
 Et si tu voes au droit donner
Loenge au dieu, lors falt garder
Qe tu ne soiez en pecché.
Saint Piere le fait tesmoigner,
Qe dieus ne le voet accepter,
S'il soit du male gent loé:
Ly sage auci par son decré
Dist que ce n'est honesteté
Q'om doit en pecché dieu loer;
Car qant le cuer as entusché, 12670
Falt que la langue envenimé
En soit, dont bien ne puet parler.
 Ly Rois David commence ensi:
'O dieu, beau sire, je te pry,
Overetz mes leveres que je sace
Donner loenge au ta mercy.'
Et d'autre part il dist auci:
'O dieus, vous plest il que je face
A ton saint noun loenge et grace?'
Et puis dist en une autre place: 12680
'Je frai loenge au dieu, par qui
Je serray saulf, quique manace;

Car dieus mes detractours forschace,
Par ce que fai loenge a luy.'
 En Judith l'en porra trover,
Mardoche faisoit dieu prier,
Qu'il de son poeple en ceste vie
Loenge vorroit accepter;
Car David dist en son psalter,
Qe mort ne loera dieu mye; 12690
Car l'alme q'est ensi partie
Ne fait loenge en sa partie,
Dont dieu porra regracier:
Pour ce vivant chascuns s'applie
Au dieu loer, q'il nous repplie
Loenge que ne puet plier.
 En charité si tu bien fras,
Dieu en soy mesmes loeras,
Q'est toutpuissant en son divin,
Et puis pour dieu t'acorderas, 12700
Solonc que digne le verras,
Donner loenge a ton veisin
De sa vertu, de son engin.
Loer le dois sanz mal engin,
Car d'autry bien n'envieras;
Mais si voes estre bon cristin,
Au pris d'autry serras enclin,
Et l'autry blame excuseras.
 Rois Salomon ce nous aprent,
Qe l'en doit charitousement 12710
Du bonne langue sanz mestrait
Loer la gloriouse gent
Qui vivont virtuousement   **f. 72**
Et sont des bonnes mours estrait;
Car qui plus valt de son bienfait,
C'est drois q'il plus loenge en ait,
Et que l'en parle bonnement
Par tout u tiel prodhomme vait:
Si male bouche est en agait,
Iceste vertu le defent. 12720
 Ly sage ce nous vait disant,
Solonc que pueple vait parlant
L'estat de l'omme s'appara:
Escript auci j'en truis lisant,
Au vois commune est acordant
La vois de dieu; et pour cela

12660 Maisque   12672 Ensoit   12716 enait

L 2

Catoun son fils amonesta,
Q'il ne soy mesmes loera
Ne blamera ; car sache tant,
Ou bons ou mals quelq'il serra,   12730
Le fait au fin se moustrera ;
N'est qui le puet celer avant.

　Catoun dist, ' Tu ne loeras
Toy mesmes, ne ne blameras ' :
Enten l'aprise qu'il t'en donne :
Il dist, ' Fai bien, car si bien fras,
Ton fait doit parler en ce cas,
Maisque ta bouche mot ne sonne.'
La bouche qui se desresonne
Abat les flours de la coronne,   12740
Et fait ruer de hault en bas :
Qui trop se prise il se garçonne,
Et cil qui l'autry despersonne
Ne serra sanz vengance pas.

　Mais si des gens loé soiez,
Pour ce ne te glorifiez ;
Ainz loez dieu du tiele prise,
Et fai le bien que vous poetz,
Si q'en son noun loenge eietz,
Comme Salomon te donne aprise :
Car si malfais, n'as point enprise   12751
Loenge au droit, car de mesprise
C'est tort si l'en serra loez.
L'apostre dist, ' Del bien vous prise ;
Mais d'autre part je vous desprise,
Qant a malfaire vous tournez.'

　La vertu de Laudacioun,
Quelle est du generacioun
De Charité, jammais nul jour
Ne fist malvois relacioun   12760
Par enviouse elacioun
A l'autry blame ou deshonour ;
Ainz qant la bouche au detractour
Mesdit et parle en sa folour
Pour faire desfamacioun,
Encontre tout tiel losengour
Loenge vait du bon amour
Pour faire l'excusacioun.

　Mais ceste vertu nepourqant
Toutdis s'avise en son loant,   12770
Qe pour l'onour d'autry ne die

Plus que n'est voir ou apparant ;
Car ja pour nul qui soit vivant
Ne volra faire flaterie:
Ainz que voir sciet de la partie,
Du bien, d'onour, du curtoisie
Pour l'autry pris ce vait disant ;
Et s'il voit l'autry vilainye,
Tout coy se tient, n'en parle mye,
N'ad pas la langue au fil pendant. 12780

　Ce dist ly sage proverber,
' Meulx valt taire que folparler,
Ou soit d'amy ou d'adversaire ' :
Car nuls doit autre trop priser ;
Ainçois plustost q'om doit flater,
Du parler om se doit retraire :
Et d'autre part il valt meulx taire,
Ou soit apert ou secretaire,
Qe par envye ascun blamer :
Dont en ce cas qui voet bien faire,
Du trop et meinz est necessaire   12791
Mesure en son parlant garder.

　Mais ceste vertu en balance
Du flaterie et mesdisance
Son pois si ovel gardera,
Qe son amy pour bienvuillance
Du flaterie ja n'avance,
Et d'autre part ne blamera
Son anemy, quelq'il serra,
Plus que resoun demandera :   12800
Ainz vers chascun la circumstance
Du charité reservera ;
La bonne cause loera,
Et l'autre met en oubliance.

　Ce nous dist Tullius ly sage,
Q'en trop priser est tant d'outrage
Comme est en trop blamer, ou plus.
Par trop priser je fai damage,
Qant le saint homme en son corage
Par vaine gloire ay abatuz ;   12810
Du ma losenge l'ay deçuz,
Dont pert le fruit de ses vertus :
Mais si je di l'autry hontage,
Je fai mal a mes propres us,
Qe l'autry fame ay corrumpuz,
Mais il de s'alme ad l'avantage.

'Autry pecché,' ce dist l'auctour,
'Dampner ne dois, car c'est folour :
Si tu prens remembrance a toy,
Par cas tu fus ou es peiour,   12820
Ou tu serras n'en scies le jour,
Car chascun homme est frel du soy.'
Et nepourqant sovent je voy,
Huy est abatuz au tournoy,
Qui l'endemein ert le meillour,
Dont portera le pris ; par quoy
En charité, ce semble a moy,
Chascuns doit autre dire honour.

    Cil qui loenge tient au droit
Envers autry, et mesmes soit   12830
Despit del autry false envye,
Ou desfamez au tort, n'en doit
Doubter, car dieus qui trestout voit
Par son prophete Sephonie
Ce dist : 'Ma gent, que voi laidie,
Despite, abjecte, ert recuillie
Par moy, qui leur en ferray droit ;
Si leur dourray de ma partie
Loenge et noun sanz departie,
Je frai ce chier que vil estoit.'   12840

    Ly bons hieralds ce doit conter
Dont l'autry pris puet avancer,
Et autrement il se doit taire :
Ensi la vertu de loer
L'en doit au balsme resembler,
Que porte odour si debonnaire,
Dont la doulçour devant dieu flaire.
De l'autry vice ne sciet guaire,
S'ascuns luy voldra demander ;
Pour ce Loenge en son affaire   12850
Est de son droit le secretaire
Du Charité pour deviser.

    Sicomme d'estée par les cliers jours
Aval les pretz, u sont les flours,
L'ées vole et vait le mel cuillante,
Mais de nature les puours
Eschive, et quiert les bons odours
De l'erbe que meulx est flairante,
Ensi Loenge bien parlante
Autry desfame vait fuiante,   12860

N'ascoulte point les mesdisours,
Essample prent de l'ées volante,
Au riens s'en vait considerante
Forsq'as vertus et bonnes mours.

    Sicomme Solyns dist en sa geste,
La Panetere est une beste
Que porte si tresdoulce aleine,
Q'espiece d'ort ne flour agreste
Ne valt pour comparer a ceste :
Car tiel odour sa bouche meine,   12870
Qe toute beste qui l'asseine
Y court pour estre a luy procheine,
Presdu spelunce u que s'areste.
Ensi je di, la bouche humeine,
Si de loenge soit certeine,
Sur tout odour plus est honeste.

    David le dist en prophecie,
Que la divine curtoisie
Est tant benigne et merciable,
Que ly plus poveres qui mendie,   12880
S'il du bon cuer loenge die
Au dieu, son dit ert acceptable.
O quelle vertu charitable,
Qe l'omme fait au dieu loable,
Et prosme au prosme en ceste vie
Chascuns vers autre est honourable :
C'est une armure defensable
Encontre malparler d'Envie.

    **Ore dirra de la seconde file du
    Charité, quelle ad noun Conjoye.**
    Du Resoun et du Charité
La file q'est seconde née   12890
Tout s'esjoÿt de l'autry joye,
Si ce soit par honesteté ;
Car du toute prosperité
Dont voit que son voisin s'esjoye,
Maisque ce vient par bonne voie,
Ensemble ove l'autre se rejoye
Sans enviouse iniquité :
Si sagement son cuer convoie,
Que ja d'envye ne forsvoie,
Dont l'alme serra forsvoiée.   12900

    Pour ce q'ensi se conjoÿt
Des biens dont l'autre s'esjoÿt,

Conjoye Reso*un* l'appella.   **f. 73**
De ce vertu cil q'est parfit
L'onour et le com*m*un p*r*oufit
Plusq*ue* son p*r*opre il amera:
Car charité, dont plein esta,
Ne souffre qu'il enviera
Ne son seignour ne son soubgit;
Ainz com*m*e pl*us* l'autry bien verra,
Tant plus du cuer s'esjoyera;   12911
Molt ad deinz soy bon espirit.

Qui ceste vertu tient en cure
D'envie ne puet avoir cure,
Qant voit un autre en sa p*r*esence
Qui pl*us* de luy la gent honure ;
Car del autry bone aventure
Joÿst sanz enviouse offense,
Si beauté soit, force ou science,
Honour, valour, pris, excellence,   12920
Dont son voisin voit au dessure,
Par ce qu'il l'autri bien compense,
Il ad g*r*ant joye, qant il pense
Qe dieus tant don*n*e au creature.

En l'evangile qant je lis
Com*m*ent la femme ert conjoÿs,
Sa dragme qant avoit p*er*du
Et retrové, lors m'est avis
C'estoit en n*ost*re essample mis
Pour conjoïr del autry pru.   12930
Ce dist auci le fils de dieu,
' Qant peccheour vient a salu,
Trestous les saintz du p*ar*adis
Luy conjoyont': par ce vois tu
Tout s'acordont a ce vertu
Les hom*m*es et les espiritz.

Ore dirra de la tierce file de
Charité, quelle ad no*u*n Compas·
sio*u*n.

Si com*m*e la vertu de Conjoye
De l'autry joye se rejoye,
Tout ensement d'autry dolour
La tierce file se desjoye,   12940
Po*ur* doel del autry plour lermoie,
Et d'autri trist elle ad tristour:
Car ja son cuer n'ert a sojour,
Tant com*m*e verra de nuyt ou jo*ur*,

Qe son voisin p*ar* male voie
Du corps ou d'alme est en destour,
Ainçois com*m*e cil q'est en l'estour
Aide a muer les mals envoie.

Compassio*u*n ne s'esjoÿt
Qant ses voisins voit a mal plit,   12950
Ainçois se doelt de leur dolour,
Et ce qu'il puet sans contredit
Les reconforte en fait et dit:
Au gent malade est visitour,
As fameilantz est viandour,
Et ceux q'ont soif abeyve lour,
Si don*n*e au povre son habit,
Au prison*n*er est confortour,
Au pelerin est herbergour
De son hostell et de son lit.   12960

Compassio*u*n la beneurée,
Qant n'ad du quoy en son degré,
Dont puet don*n*er al indigent,
Alors du cuer et du pensée
Suspire et plourt en charité
Le mal d'autry conjoyntement;
Et sur ce fait confortement
Par consail et monestement,
Q'om doit souffrir adv*er*sité
De les dolours qui sont p*r*esent,   12970
Q'apres porra sanz finement
Avoir sa joye app*ar*aillé.

Om doit doloir bien tendreme*nt*,
Ou soit d'estrange ou du pare*nt* ;
De ce nous suismes essamplé
Du Roy David, q'estoit dolent,
Qant om luy dist com*m*e faiteme*nt*
Dessur les montz de Gelboée
Gisoit ly Rois Saül tué,
Et Jonathas pres sa costée.   12980
L'un l'ot haÿ mortielement
Et l'autre estoit son bienamé,
Mais par com*m*une charité
Del une et l'autre mort s'offent.

Et d'Absolon je lis auci,
Qant il du guerre s'orguilly
Contre son piere, et en boscage
Fuiant par ses cheveux pendi,
U q*ue* Joab le pourfendi

Des lances ; mais qant le message
Vint a David, lors son visage   12991
Comme du fontaigne le rivage
Trestout des lermes se covery :
Ne pensoit point du grant outrage
Q'il ot souffert, ainz en corage
Se dolt sur le dolour d'autry.

En une histoire auci je lis,
Qant Alisandre el temps jadis
Par guerre en Perse poursuoit
Roy Daire, qu'il ot desconfis,   13000
Et Daire, qui s'estoit fuïz
Pour soi garir, qant meinz quidoit,
Des ses privetz un le tuoit ;
Dont, pour loer qu'il esperoit
Du tiele enprise avoir conquis,
Vers Alisandre y vait toutdroit,
Et dist qu'il son seigneur avoit
Moerdry pour estre ses amys.

Mais quidetz vous q'il s'esjoÿ,
Ly Rois, qant la novelle oÿ ?   13010
Noun certes, ainçois qant survient,
Et vist le corps q'estoit moerdry,
Pour la compassioun de luy
Tantost si tristes en devient
Qe du plorer ne s'en abstient,
Si fist au corps ce q'appartient
De sepulture. Atant vous dy,
De cest essample qui sovient
Avoir compassion covient,
Puisq'un paien faisoit ensi.   13020

Solonc l'istoire des Romeins
Un Senatour y ot la einz,
Q'ot a noun Paul, cil guerroia
Un noble Roy fort et halteins,
Si fuist par luy cil Rois atteins,
Qe desconfit pris l'amena :
Sa petitesse lors pensa
Paul de soy mesme, et compensa
L'autry grandesse dont fuist pleinz,
Vist come fortune le rua,   13030
Et du compassioun qu'il a
Dist qe fortune fuist vileins.

Combien que Paul au volenté
Ust victoire et prosperité,
Compassion ot nepourqant
Del autry grande adverseté,
Tout fuist que l'autre avoit esté
Long temps son mortiel adversant.
Ce faisoit Paul ly mescreant,
Et Paul l'apostre bien creant   13040
Dist que devons en unité
Ove les plorans estre plorant :
Del un et l'autre en essamplant
Faisons le donque en charité.

Compassioun del autry peine
D'essample nostre sire enseine
En Lazaron resuscitant,
Qant vist plorer la Magdaleine
Ove Martha sa sorour germeine.
He, quel pité del toutpuissant !   13050
Il en fremist du meintenant,
Et d'autri plour fuist lermoiant,
Et d'autry doel sa dolour meine.
O qui s'en vait considerant,
Trop ert d'envye forsvoiant
Qui cest essample ne remeine.

**Ore dirra de la quarte file du
Charité, quele ad noun Support,
contre le vice de Supplantacioun.**

Encore a parler plus avant,
Du Charité la quarte enfant
Celle est du grace bien guarnie
Encontre Envye et son supplant ;
Support ad noun en supportant   13061
La bonne gent de son aÿe.
Par tout u voit que dame Envie
A supplanter se fait partie,
Tantost Support se mette avant,
Succourt son prosme et justefie,
Q'il ne deschiece en vilainye,
Q'estoit en honour pardevant.

L'apostre dist que charité
Selonc sa droite dueté   13070
Doit a soy mesmes commencer.
Pour ce Support en son degré

Vers dieu prim*er*ement son gré
Fait pour soi mesmes supporter :
Sur charité se fait planter,
Siq*ue* d'envye supplanter
Ly deables n'av*er*a poesté
De son corage le penser ;
Par quoy porroit desavancer
L'alme en qui dieus s'est avancé. 13080

   Et puis env*er*s le siecle aucy
Support p*ar* tout se fait garny,
Qe quoiq*ue* nuls en parlera,
Ses faitz serront tesmoign de luy,
Qe du bonté sont repleny,
Dont mesmes se supportera :
Et oultre ce tant com*me* porra
A chascun autre il aidera ;
Car pour le p*r*oufit del autry
Ses p*r*opres biens menusera ;   **f. 74**
De sa partie nuls cherra,   13091
Si redrescer le puet ensi.

   Ly pilers sustient la meso*u*n,
Et l'oss la char soy enviro*u*n,
Et l'om*me* sage en son endroit
De son savoir, de sa reso*u*n,
Supporte la condic*i*o*u*n
Des autres qu'il no*u*nsages voit :
Par tout u puet, com*me* faire doit,
Defent lo*u*r tort, sustient lo*u*r droit ;
Si est au fieble com*me* basto*u*n   13101
Ou main, dont il supponez soit :
Du charité bien se pourvoit
Q'ensi respont a sa leço*u*n.

   Ne tient la vertu de Support
Cil qui le vice et le mal port
De son voisin aide et supporte ;
Ainçois cil fait a dieu grant tort,
Q'ascunement sustient atort
De son engin la cause torte :   13110
Car quiq*ue* les malvois conforte,
Dont la malice soit plus forte,
N'ad pas du vertu le confort,
Dont par Support loer reporte ;
Ainz falt q'om bon*ne* gent desporte,
Car du mal nage malvois port.

Om doit supporter bon*ne* gent
Q'au tort portont accusement,
Siq*ue* lo*u*r corps n'en soit en peine ;
Et ceaux qui font malvoiseme*n*t   13120
Om doit bien charitousement
Redrescer, siq*ue* l'alme seine
En soit : car cil q'ensi se meine,
Du droit Support tient en demeine
La vertu, dont loer reprent
Du charité plus sovereine ;
Car qui q'ensi le corps destreine,
Al alme fait supportement.

   Seneques dist auci, du cuer,
Sicom*me* du corps, om doit curer
Chascun les plaies del autry   13131
Par un douls oignement p*r*imer,
Et c'est p*ar* beal amonester,
Dont puist amender son amy
Qant male tecche voit en luy ;
Et puis, s'il ne s'amende ensi,
Lors doit om poindre et arguer ;
Mais au final, qu'il soit guary,
Falt emplastrer le mal p*ar*my
Des griefs penances a porter.   13140
   Qui la vertu voldra comp*r*endre
Du vray Support, puet bien ap*r*endre
De ce q*ue* dieus nous supporta,
Qant il voloit son fils descendre
Pour supporter et pour defendre
Adam, qui ly malfiés pieça
Avoit ruez ; et pour cela
La mort souffrist et rechata
De son support l'umaine gendre :
Pour nous joÿr il se pena,   13150
Jusq'en abisme il s'avala,
En halt le ciel pour no*u*s ascendre.

   Ore dirra de la quinte file de
Charité, quelle ad no*u*n Bonne
Entenc*i*o*u*n, contre le vice de
Faulx semblant.

   La quinte file p*ar* droit noun
L'en nom*me* Bonne Entencioun,
Que naist du Charité parfite ;
Quelle en nulle condicioun

13083 enparlera   13112 plusforte   13119 nensoit   13123 Ensoit   13126 plussouereine

Du fraude ou circumvencioun
Par fals semblant jammais endite
Parole de sa bouche dite ;
Ains plainement dist et recite   13160
Ce dont il pense et autre noun :
N'ad pas la face d'ypocrite,
En quelle la falsine habite,
Dont il deçoit son compaignoun.

De ceste vertu le semblant
Qu'il te ferra n'est dissemblant
A son penser, ainz son entente
A sa parole est resemblant ;
Dont vait les graces assemblant
As quelles l'alme se consente.   13170
Ne vait pas par la male sente
Au tiel amy cil qui s'assente ;
Mais je m'en vois dessassentant
A Fals semblant, qui me presente
Tous biens al oill, et puis j'en sente
Tous mals, q'il me vait presentant.

Au dist du sage je m'affiere,
Qui dist, ' Meulx valt que cil te fiere
Qui deinz son cuer le bien te pense,
Qe cil te baise enmy la chere   13180
Qui par losenge et false chere
Tient deinz son cuer muscé l'offense ' :
Siq' ains que tu porras defense
Avoir, t'en fait sa violence,
Dont ton estat met a derere ;
Mais l'autre, combien q'il te tence,
Toutdis gart en sa conscience
Du charité l'entente chere.

Je truis escript en la clergie,
' L'entente, quoy q'om face ou die,
En porte le judicial' :   13191
Car, quoy q'om fait en ceste vie,
Nuls puet soy mesmes fuïr mie
Deinz son entente cordial ;
Ou soit ce bon ou soit ce mal
L'en doit bien savoir au final
Ce que l'entente signefie :
Dont bonne entente especial
Doit bien porter le coronnal
Du toute bonne compaignie.   13200

Le bon entente en son penser
Est bon, et qant vient au parler
Meillour, et puis qant vient a faire
Tresmeulx, siq' au droit deviser
Les deux fins et le my plener
Sont sanz defalte pour dieu plaire :
C'est le tresfin electuaire,
Que Charité l'ipotecaire
Ad fait pour tous les mals curer,
Qe vienont de la deputaire   13210
Envie, quelle en son mesfaire
Fait tous les biens en mal tourner.

Mais bon entente en sa baillie
Est semblable a la bonne lye,
Qe le vessell ove tout le vin,
Et l'un ove l'autre en sa partie,
D'odour et seine beverie
Fait garder savourable et fin :
Car qant l'entente a chascun fin
Est bon et plain sanz mal engin,   13220
Les faitz suiont du bonne vie ;
Dont om est en l'amour divin
Si charitous et si cristin,
Qu'il est suspris de nulle envie.

Ore dirra la descripcioun de la vertu de Charité par especial.

O Charité du bounté pleine,
Sur toutes autrez sovereine,
L'apostre te fait tesmoigner
Qe tu es celle quelle meine
La voie au ciel, u comme demeine
Deis proprement enheriter :   13230
Tu es cil bon hospiteller,
Par qui se volt dieus herberger
El ventre d'une vierge humeine :
Nuls te porroit au plain loer ;
Tu es du ciel le droit princer,
Et Roys de la vertu mondeine.

Les philosophres du viel temps
Sur tout mettoiont cuer et sens
Pour enquerir la verité,
Les queux de tous les biens presens
Sont de vertu plus excellentz :   13241
Les uns du grant felicité

13175 iensente   13185 aderere   13191 Enporte   13241 plusexcellentz

Delit du corps ont plus loée,
Les uns richesce ont renommé,
Les uns en firont argumentz
Q'oneste vie en son degré
Sur tous est la plus beneuré ;
Ensi dist chascun ses talentz.

   Mais Paul, l'apostre dieu loyal,
Le grant doctour celestial,   13250
Q'estoit au tierce ciel raviz,
Desprovoit leur judicial,
Moustrant par argument final
Qe sur tout bien doit porter pris
La Charité par droit devis :
C'est celle q'ad deinz soy compris
Toutes vertus en general,
Dont vif et mort homme est cheriz ;
Car toutes gens luy sont amis,
Et dieus luy est especial.   13260

   Du Charité pour deviser,
En trois pointz hom la doit loer :
C'est de doulçour primerement ;
Car soulement pour dieu amer
Ne puet adversité grever
D'ascune peine q'est present :
Du verité secondement
Hom la doit faire loëment,
Car en tresfine loyalté
Maintient le cuer de son client,   13270
Siq'envers dieu n'envers la gent
A nul jour ferra falseté :

   Du tierce pris que l'en luy donne
Digne est a porter la coronne ;
Car si trespreciouse esta
De la vertu que luy fuisonne,
Q'achater puet en sa personne   **f. 75**
Son dieu et tous les biens q'il a.
O quel marchant, q'ensi ferra !
La bource dont il paiera   13280
Du covoitise point ne sonne,
Ainz de vertu q'au dieu plerra
Du fin amour, et pour cela
Dieus soi et tous ses biens redonne.

   O Charité la dieu amye,
Comme peres sage en marchandie !

Des toutez partz tu prens le gaign ;
Meulx valt donner la soule mie,
Maisque ce vient de ta partie,
Qe sanz toi donner tout le pain ;   13290
Et plus reçoit loer certain
Qui par toi june un jour soulain,
Q'uns autres, sanz ta compaignie
S'il volt juner un quarantain ;
Car tu ne fais ascun bargain
Dont ton loer ne multeplie.

   Du Charité que l'alme avance
Si l'en voet faire resemblance,
Hom la puet dire et resembler
De son effect, de sa semblance,   13300
Q'elle est le droit pois ou balance,
Dont saint Michieus fait balancer,
Qe riens y puet contrepriser ;
Ce fait les almes surmonter,
Sique le deable ove s'alliance
Est desconfit del agarder,
Qant n'ad du quoy dont puet grever
Par contrepois a l'amontance.

   Du Charité ce dist Fulgence
Par la divine experience,   13310
Q'elle est la source et la fonteine,
Du quelle trestout bien commence
A governer la conscience
Et vertuer la vie humeine :
Si est la voie bonne et seine,
Par quelle qui d'aler s'asseine
Ne puet errer du necligence,
Ainz jusq'au joye sovereine
Par vertu du bon overeigne
Irra devant la dieu presence.   13320

   Ambroise dist que Charité
Comprent en soy tout le secré
Et le misteire d'escripture,
Qe sainte eglise ad confermé,
Dont nostre foy est approvée :
Restor de nostre forsfaiture,
C'est Charité la belle et pure,
Quelle ad deinz soy de sa nature
Des trestous biens la propreté ;
Car en humeine creature   13330

     13245 enfiront   13247 plusbeneure   13303 ypuet

Toute autre vertu est obscure
Qant n'est de celle esluminée.
  Gregoire ce nous vait disant,
'Trois portes sont au ciel menant,
Dont foy est la primere porte,
Que meine droit en oriant;
Car par la foy primer s'espant
Lumere que le cuer conforte :
Et la secunde au north resorte,
C'est esperance, que reporte   13340
Bauldour au pecché repentant
Du vray pardoun, et si l'enhorte,
Par quoy s'avise l'alme morte
Et quiert le droit chemin avant :
  'La tierce porte est la plus certe,
Q'envers mydy se tient overte ;
Car au mydy plus haltement
Le solail monte toute aperte,
Et de son halt sur la deserte
Se laist raier plus ardantment :   13350
C'est Charité q'ensi resplent
Du fin amour dont elle esprent
En dieu, vers qui tout se converte
Et vers ses proesmes ensement :
Cil q'au ce porte huchant attent,
Entrer y doit par droit decerte.'
  La Cedre endroit de sa nature
Sur toutes arbres d'estature
Est la plus halte au droite lyne,
Et maint toutdis en sa verdure ;   13360
D'encoste qui jammais endure
Corrupcioun de la vermine ;
Car ly douls fuil et la racine
Flairont de vertu si tresfine,
Qe riens forsque la chose pure
Ne maint du pres : ensi diffine
Ly clercs que Charité tolt fine
Des noz pecchés la vile ordure.
  O Charité, dieus te benye !
Car par ta sainte progenie   3370
Des filles que tu fais avoir,
La compassante tricherie
Des falses files dame Envie
Destruire fais de ton pooir,

Qe ja ne porront decevoir
Celluy que tu voes recevoir
A demorrer en ta baillie :
Car q'en toy maint doit bien savoir
Q'il maint en dieu sanz removoir,
Ce nous tesmoigne la clergie.   13380

**Ore dirra de les cink files de
Pacience, des quelles la primere
ad noun Modeste, contre le vice
de Malencolie.**

D'une autre dame vuil descrire,
Qe des vertus tient un empire,
Si est appellé Pacience ;
Celle ad cink filles pour voir dire,
Les quelles sanz pointure d'ire
Les almes gardont sanz offense :
Car ja leur cuer irrous ne pense,
Ne ja leur langue en ire tence
Par malpenser ne par mesdire,
Ne ja serra leur main extense   13390
Pour faire au corps ascun defense,
Dont l'alme en son estat enpire.
  De cestes filles la primere
Par vertu de sa bonne mere
En ire ja ne se tempeste,
Ainz est vers tous amye chiere
Sanz malencoliouse chere.
La damoiselle ad noun Modeste,
Q'est en ses ditz et faitz honneste :
Combien q'ascun luy fait moleste,   13400
A coroucer n'est pas legiere,
Ainz au buffet que l'en luy preste
En l'une jowe, l'autre preste
Purtent, au fin que l'en luy fere.
  Selonc la dieu parole expresse,
Q'om list en l'evangile au messe,
Iceste vertu se contient :
Du columb porte la simplesce,
Qe jammais d'ire la destresce
Par mal eschaulfe ne ne tient   13410
Le cuer de luy, ainz s'en abstient ;
Car Pacience la retient,
Quelle est sa mere et sa maistresse,

13347 plushaltement   13350 plusardantment   13359 plushalte

Siq'au tout temps qant l'ire vient,
Bien luy remembre et luy sovient
Q'ire est en soy sicomme deablesce.
   Modeste auci n'est pas souleine,
Ainz ad toutdis sa chambreleine,
Q'om nomme Bonne compaignie,
Que ja ne sente irrouse peine,   13420
Ainz tendrement vers tous se peine
De faire honour et curtoisie ;
Et s'il avient q'ascuns luy die
Parole dont elle est laidie,
Respont de si tresmole aleine,
Qe toute ire et malencolie
De l'autre qui la contralie
Ferra plus souple que la leine.
   Bien est Modeste vertuouse,
Curtoise et sobre et bien joyouse 13430
Vers chascun homme en son degré :
Par celle estoit la gloriouse
Athenes jadys graciouse,
Du bonne escole esluminée ;
Car par ce s'estoit esprové
Ly philosophre et accepté,
Qui plus sanz malencoliouse
Parole, a luy qui tarié
L'avoit, gardant la sobreté
Ne dist chose contrariouse.   13440
   Le saint apostre en son escrit,
Qu'il as profess de son habit
Manda, disoit qu'ils tielement
Soient modestez d'espirit,
Qu'il soit conu, dont plus parfit
En puissont estre l'autre gent
De leur tresbon essamplement ;
Car dieus y vient procheinement
A chascun homme q'ensi vit.
Pour ce je loo communement   13450
Qe nous vivons modestement
Malgré dame Ire et son despit.
   **Ore dirra de la seconde file de
Pacience, quele ad noun Debon-
aireté, contre le vice de Tençoun.**
   La soer q'apres vient secundaire
Trop est curtoise et debonnaire,

Si ad noun Debonnaireté ;
Q'encontre Tençoun se fait taire ;
Car ja parole de mal aire
Parmy sa bouche n'ert parlé,
Ainz est taisante et avisé
Et en apert et en privé,   13460
N'est qui la puet irrouse faire :
Dont m'est avis en mon degré,
Cil q'est au tiele marié   f. 76
Par resoun ne se doit displaire.
   Bien vit en ease la maisnye,
U dame Debonnaire guye
L'ostell, car lors aucunement
N'iert deinz les murs tençoun oïe,
Ainçois par sens et curtoisie
Du mole aleine simplement   13470
Prie et commande ensemblement ;
Et s'il y falt chastiement,
Sanz ire ensi se tient garnie,
Qe point al oultrage se prent,
Et si ne laisse nequedent
Qe solonc droit ne justefie.
   Saint Augustin ce nous diffine,
' Meulx valt,' ce dist, 'q'om se decline
Et fuie la tençon par soy,
Que du parole serpentine   13480
En la maniere femeline
Respondre et veintre le tournoy.'
Meulx valt que tout l'argent du Roy
Garder la langue sanz desroy ;
Car danz Catons de sa doctrine
Dist, qant om voit resoun pour quoy,
Qui se sciet taire plus en coy
Plus est prochein au loy divine.
   C'est un proverbe de la gent,
' Cil qui plus souffre bonnement   13490
Plus valt' : et certes c'est au droit,
Car souffrir debonnairement
Fait l'omme ascendre molt sovent
En halt estat de son endroit,
Qui sanz souffrance honour perdroit :
Pour ce sens et resoun serroit
Avoir souffrance tielement ;
Car si nuls garde enprenderoit

13428 plussouple   13446 Enpuissont

Du bien et mal, sovent verroit
Et l'un et l'autre exp*er*iment. 13500
   De l'evangile en essamplaire
Avons com*m*ent au debon*n*aire
Dieus la terre en ⟨la⟩ fin don*n*a,
Et puis au povre en son doaire
Don*n*a le ciel. He, deputaire !
Dame Ire u se pourvoiera,
En quel lieu se herbergera,
Qant terre la refusera,
Et d'autre p*ar*t ne porra gaire
Le ciel avoir, lors coviendra 13510
Q'enfern la p*r*eigne, et pour cela
Remembre toy de cest affaire.
   Ore dirra de la tierce file de
Pacience, quelle ad no*u*n Dilec-
cio*u*n, contre le vice de Hange.
   Encontre Hange la p*er*verse
Dame Pacience la converse
Ad une fille de beal age,
La quelle deinz bon cuer conv*er*se ;
Du quoy malice ou chose adv*er*se
Ne laist entrer en son corage,
Ainz tient du fin amour l'estage :
Dont Ire, qui les cuers destage, 13520
D'ascun corous jam*m*ais la p*er*ce.
Molt est benigne celle ymage,
Car a nul hom*m*e quiert dam*m*age
Plus q*ue* l'enfant qui gist en berce.
   A son primer original
Reso*u*n par nou*n'* especial
Iceste file fist nom*m*er
Dileccio*u*n, q'espirital
En ceste vie bien pour mal
Fait rendre sanz soy revenger : 13530
Car son amour tout au primer
Vers dieu, q'om doit sur tout amer,
P*er*est si ferme et cordial,
Qe creature en nul mestier
Ne puet haïr, qant le penser
Luy vient de dieu celestial.
   Saint Augustin fait deviser
Qe trois man*er*es sont d'amer ;
Dont le primer no*u*s est dessus,

C'est env*er*s dieu au com*m*encer ; 13540
Et l'autre presde nous estier
Chascune jour veons al huss,
Ce sont no p*r*oesme ; et oultre plus
Du tiers amour sumes tenus
Nous mesmes en amour garder,
Que corps et alme en ait salutz :
Cil q'ad ces trois bien retenuz
De droit amour se puet vanter.
   Saint Augustin ly g*r*ant docto*u*r
Dist a soy mesmes, ' Grant erro*u*r
Et g*r*ant folie j'en ferroie, 13551
Si je mon dieu, mon creato*u*r,
Sur tout le terrien honour
N'amasse ; car a ce que soie
Et vive, qant je nient estoie,
Une alme me don*n*a, q'est moye,
Qe chascun membre en sa vigo*u*r
Sustient et mes cink sens emploie,
Des queux je sente, ascoulte et voie,
Odoure et parle chascun jour. 13560
   ' Et q*ue* je vive ordeinement,
Si m'ad don*n*é dieus ensement
Savoir de l'alme reson*n*able,
Siq*ue* par ce le bien m'aprent ;
Car qant nature en soi mesp*r*ent,
Tantost reso*u*n la tient coupable :
Mais autre chose meulx vailable
M'ad dieus don*n*é, q'est merciable,
C'est le bien vivre a son talent ;
Dont de sa grace p*er*manable 13570
Puis me fait vivre p*er*durable
En joye p*er*durablement.'
   Ore ay je dit com*m*ent au fin
L'en doit tenir l'amour divin,
Et puis falt regarder avant
Com*m*e l'autre amour soit bon et fin,
Le quel devons a no voisin ;
Sicom*m*e l'apostre vait disant,
Qui dist q*ue* tout ly bien vivant
N'ont q'un soul chief, dont sont te-
   na*n*t, 13580
C'est Crist, dont sont nom*m*é cristin,
Et sont com*m*e membre app*ar*tiena*n*t

13503 en fin   13524 Plusq*ue*   13546 enait   13551 ienferroie

Au chief, dont resoun le commant
Qe d'un amour soient enclin.
　　Si comme l'un membre s'associe
A l'autre, et fait tout son aïe,
Ensi nous devons a toute hure
Sanz ire et sanz malencolie
Porter amour et compaignie
Chascun vers autre en sa mesure.
Car ce voit om de sa nature,　　　13591
Qe qant l'un membre en aventure
Se hurte a l'autre en sa partie,
Et fait par cas ascun lesure,
Pour ce cil qui le mal endure
Sur l'autre se revenge mye.
　　Ensi comme membre bien assis
Nous devons entramer toutdis,
Voir, sicomme dieus le commandoit,
Devons amer noz anemys;　　　13600
Car soulement qui ses amys
Tient en amour, n'ad pas au droit
Dileccioun, ainz qui reçoit
L'amour d'autry amer le doit,
Car par resoun l'ad deserviz:
Ensi ly pupplican fesoit,
Mais dieus en gré pas ne reçoit
L'amour q'ensi se fist jadys.
　　Plus que moy mesme en mon recoy
De tout mon cuer amer je doy　　　13610
Mon dieu, et puis mon proesme auci
Semblablement atant comme moy;
Mais Charité comprent en soy
Qe m'alme tendray plus cheri
Que je ne fray le corps d'autri:
Car pour salver trestout parmy
Le siecle ne freindray ma loy,
Dont pecché face encontre luy
Qui m'ad fourmé; car tout ensy
Je truis escript, et je le croy.　　　13620
　　Dileccioun n'ad pas sotie
Du fol amour, ainz le desfie,
Et d'autre part auci ne tient
Son consail ne sa compaignie
Ove ceaux qui meinont fole vie:
Du tiele gent ainz s'en abstient,

13614 pluscheri

Et nepourqant bien ly sovient
Du Charité, par quoy luy vient
Compassioun de leur folie;
Commune as tous les bons devient,
Et as malvois, comme luy covient,
Du Charité se modefie.　　　1363
　　En six pointz tu te dois garder
De commuuer et consailler:
Guar toy de l'omme q'est nounsage;
Comme plus te fras ove luy parler,
Tant meinz le porras doctriner;
Et d'autre part en nul estage
Au derisour ne te parage,
Car a soy mesmes quiert hontage　1364
Qui voelt tiel homme acompaigner;
N'a luy q'ad langue trop volage
Jammais descovere ton corage
Du chose que tu voels celer:
　　Et d'autre part ne t'associe
A l'omme q'ad malencolie;
L'essample en puiss avoir du fu,
Qui plus le leigne y multeplie,
Tant plus la flamme s'esparplie;
Ensi l'irous qant est commu,　　　1365
Comme plus l'en parle honour ou pru,
Tant en devient plus irascu,　　　f. 7
Fuietz pour ce sa compaignie:
N'al yvere ne descovere tu
Ton consail, ce t'ad defendu
Ly sage en son essamplerie.
　　Fols est qui se fait consailler
Ove celluy qui consail celer
Ne sciet: pour ce ly sages dist
Qe nuls son consail doit mostrer　1366
Al yvere; car bon essampler
Abigaïl de ce nous fist,
Qant a Nabal ne descoverist
Son consail, qant yveres le vist,
De ce q'elle ot fait presenter
Viande, q'au desert tramist
Au Roy David, q'en gre le prist,
Dont puis luy rendoit son loer.
　　Que dist Senec ore ascultez:
'Q'est ce,' dist il, 'que vous querretz

13652 endevient

De l'autre qu'il doit bien celer 13671
Ce que tu mesmes ne celetz ?
Dit q'une fois s'est avolez
Ja nuls le porra reclamer.'
Alphonse dist, ' Tu dois garder
Ton consail comme ton prisonner
Clos deinz le cuer bien enserrez ;
Car s'il te puet hors eschaper,
Il te ferra tieux mals happer
Dont tu serras enprisonnez.' 13680
   Dileccioun communement
Tous ayme, et pour ce nequedent
Ove l'orguillous point ne s'aqueinte ;
Car Salomon ce nous defent,
Disant pour nostre essamplement,
' Cil qui pois touche en avera teinte
La main d'ordure, et tiele atteinte
Luy falt souffrir cil q'ad enpeinte
Sa cause ove l'orguillouse gent' :
Car qant aignel quiert son aqueinte 13691
Du leon, trop perserra queinte,
S'il au final ne se repent.
   Mais l'en doit bien avoir cheri
Bonne ameisté, car tout ensi
Nous dist Senec ly bon Romein,
Q'assetz meulx valt pour son amy
Morir que pour son anemy
Vivre ; car cil n'ad le cuer sein
Q'est en discort de son prochein,
Ainz en languist chascun demein,
Dont en vivant est mort demy ; 13701
Qe meulx valsist morir au plein
En Charité, q'estre longtein
D'amour que dieus ad establi.
   Amour est de sa dueté
Ly droit portiers du Charité,
Qui laist entrer de son office
Resoun, Mesure et Loyalté,
Et comme la dame d'Equité
Entre les autres vient Justice, 13710
Qui meyne Peas en son service,
Et comme l'enfant ove sa norrice
Cil duy se sont entrebeisé :
Sique d'Amour le benefice

Du guerre exteignt toute malice
Et nous fait vivre en unité.
   Ly sage en son escript diffine
Qe l'orr et l'argent que l'en fine
Riens valt en comparacioun
A l'amisté q'est pure et fine ; 13720
Car bons amys d'amer ne fine,
Ainz fait continuacioun.
Pour ce, qant as probacioun
D'un tiel, sanz hesitacioun
Met ton estat en sa covine
Sanz ire et sanz elacioun ;
Car il ad sa relacioun
Sicomme la chose q'est divine.
   Amy q'est de tiele amisté,
De fine et ferme loyalté, 13730
Tout mon amour je luy presente.
Ambroise dist en son decré :
' Mon bon amy est l'autre je ' ;
Car ma personne il represente,
Et combien que le temps tourmente,
Ou gele ou negge ou pluit ou vente,
Ou fait chalour desmesuré,
Mon boun amy ne se destente,
Ainz tient vers moy son bon entente,
Comment que soie fortunée. 13740
   Mais en un prophetizement
Je lis que vendront une gent
Qe tout serront soi soi amant :
La cause pour quoy doublement
Dist ' soy,' vous dirray brievement :
Car double amour nous est devant,
Au dieu l'un est appartenant,
L'autre au voisin ; et nepourqant
Ne l'un ne l'autre au temps present
Est uns q'au droit le vait gardant ; 13751
Ainz, si nuls ayme meintenant,
C'est pour soy mesmes proprement.
   Primerement s'omme ayme dieu,
En ce quiert il son propre pru,
Car bien sciet dieus luy poet aider,
Donner honour, donner salu,
Si puet auci de sa vertu
Tout bien retraire et esloigner ;

13700 enlanguist   13686 enauera

Pour ce voet il son dieu amer,
Mais tout ad mys en oublier   13760
Les biens dont dieus l'ad revestu,
C'est corps et alme, en son poer
Qe dieus du nient volait fourmer,
Par quoy d'amer homme est tenu.

Et pour garder le siecle en bas,
Di voir si tu me troveras
Bonne ameisté du franche atour.
Pour verité dire en ce cas,
Je di, si tu richesce n'as,
Office ou digneté d'onour,   13770
Par quoy tu es de moy maiour,
Et que je voie chascun jour
Qe tu bienfaire a moy porras,
Tu as failly de mon amour ;
Mais si je sente ton socour,
Mener me puiss u tu voldras.

Mais puisque j'ayme a mon profit,
Ce n'est resoun q'amour soit dit,
Du covoitise ainz est la vente,
Qant lucre m'ad d'amer soubgit ;   13780
Tout ay pour moy l'amour confit,
Non pour l'autry, car si n'avente
Mon prou d'amer, ne me consente ;
Sique le proufit que je sente
Est cause dont mon espirit
Tantsoulement d'amer s'assente ;
Mais au jour d'uy par celle sente
S'en vont trestous, grant et petit.

Dieus a saint Piere demandoit
Diverses foitz s'il luy amoit,   13790
Et cil respont, ' Certes, beal sire,
Tu scies bien que je t'ayme au droit.'
O qui vit ore, en tiel endroit
Q'au dieu, qui tous noz cuers remire,
Porroit ensi respondre et dire
Sanz ce que dieus l'en volt desdire ?
Je croy certain que nuls y soit :
Car ce savons, deinz nostre empire
Amour de jour en jour s'enpire,
Et s'esvanist que nuls le voit.   13800

Ne say ce q'en apres vendra,
Mais qui l'escript bien entendra,

Sicomme l'apostre nous enhorte,
Et n'ayme, alors dur cuer avera :
Car il nous dist tresbien cela,
Qe l'alme en ceste vie est morte
La quelle amour en soy ne porte ;
Non pas l'amour dont l'en apporte
Profit du siecle, ainz ce serra
Dileccioun, q'est pure et forte,   13810
Dont l'alme en dieu se reconforte
Sicomme je vous ay dit pieça.

   **Ore dirra de la quarte file de
   Pacience, q'ad noun Concorde,
   contre Contek.**

Du Pacience naist apres
La quarte file, et est du pres
Norrie, ensi comme meulx covient,
Dedeinz les chambres dame Pes ;
Si tient en compaignie ades
Amour, par quoy jammais avient
Contek en place u q'elle vient.
Elle ad a noun, bien me sovient,   13820
Concorde, plaine des bienfetz ;
As gentz q'ovesque soy retient
D'estrif ne d'ire ne partient
Porter les charges ne les fes.

C'est la vertu dont les cités
Sont en leur point au droit gardez ;
C'est la vertu, comme truis escrit,
Par qui poy croist en chose assez,
Et sanz qui sont desbaratez
Les grandes choses en petit ;   13830
C'est la vertu par quoy l'en rit
En corps et alme a grant delit ;
C'est la vertu dont sont semez
Les champs dont chascun homme vit ;
C'est la vertu dont vient proufit
Sanz nul damage en tous degrés :

C'est la vertu que fait la lance
Tourner en sye, et malvuillance
En bon amour, et la ravine
En pure almosne, et la nuisance   13840
En bien commun, siq' abondance
Envoit, et hoste la famine.   **f. 78**
Nient plus que l'arbre sanz racine,

Ou que sanz herbe medicine,
Sont en nature de vaillance,
Nient plus valt homme en sa covine,
S'il voet tenir la loy divine,
Qant n'ad Concorde en s'alliance.

   Concorde ad une sue amye,
C'est Unité, que luy falt mye   13850
Au pes garder en son degré ;
Dont dist David en prophecie :
' O comme joyouse compaignie
Et bonne, quant fraternité
Cohabitont en unité ' :
Car mesmes dieus lour est privé,
Et comme lour frere s'associe.
Molt est Concorde benuré,
Q'est compaigne a la deité,
Et donne pes en ceste vie.   [gence
   Mais uns grantz clercs q'ot noun Ful-
Nous dist par droite experience, 13862
Qe soubz le cercle de la lune,
Queu part q'a sercher l'en commence,
Pour mettre y toute diligence,
N'est pleine pes n'a un n'a une.
En l'eir primer n'est pes ascune,
Car deble y sont queux dieus y pune
Qui tout sont plain de grant offense,
Si nous font guerre en lour rancune ;
Dont pour sercher la pes commune
En l'air voi je nulle evidence.   13872
   La pes en terre est forsbanie
Par gent toutplein de felonnie,
Qui vuillont pes ne tant ne qant :
En mer auci pes est faillie,
Car la tempeste y vente et crie,
Dont maint peril est apparant :
Enfern sanz pes vait languissant,
U vont les almes tourmentant   13880
De ceaux q'ont mené male vie :
Lors falt a sercher plus avant
Dessur la lune en contemplant,
Car pardessoubz la pes n'est mie.
   Ensi la file de Concorde
Ces ditz et autres bien recorde,
Au fin que par son recorder

Paisible envers son dieu s'acorde ;
Sique dame Ire de sa corde
Par mal ne luy puet encorder :   13890
Car ja ne puet om recorder
Concorde en ire descorder
A son voisin, ainz qui descorde,
L'amour quiert elle et l'acorder,
Pour tous ensemble concorder
En pes et en misericorde.
   Ore dirra de la quinte file de
Pacience, quelle ad noun Pités,
contre Homicide.
   La quinte file paciente
Molt perest tendre en son entente
Vers tous ; mais elle est au contraire,
Q'al Homicide ne s'assente :   13900
Dont ad a noun par droit descente
Pités la doulce et debonnaire ;
La quelle en trestout son affaire
Retient Mercy comme secretaire,
Que ja n'avera la main extente
D'espeie a la vengance traire,
Et s'autres voit en ce mesfaire
Dedeins son cuer trop se desmente.
   Molt plus y ad diverseté
Entre Homicide et la Pité,   13910
Qe n'est parentre fu ardant
Et l'eaue de la mer salé ;
Car comme le fu q'est enbracé
Del eaue s'en vait estreignant,
Ensi Pités fait le guarant
Contre Homicide, et du tirant
Converte en doulçour la fierté.
U que Pités serra regnant,
Le regne en vait establissant ;
Ce dist Cassodre en son decré.   13920
   De Rome Constantin pieça
Nous dist, que cil se provera
Seigneur de tous, qui par vertu
Serf du Pité se moustrera :
Et Tullius nous dist cela,
Qe cil q'est du Pité vencu
Doit du victoire avoir escu
Perpetuel pardevant dieu.

Saint Jake dist, cil qui ferra
Sanz pité juggement, perdu   13930
Serra qant vient en autre lieu,
U qu'il pité ne trouvera.
    La vertu dont vous ay chanté
N'ad pas le cuer d'ire enchanté
Pour tuer homme en juggement,
Si ce ne soit par equité,
Dont soit destruite iniquité
De laroun et de male gent
Pour le commun profitement;
Et nepourqant pitousement   13940
Toutdis retient sa charité:
'Tuetz,' ce dist, et nequedent
S'en dolt que l'autre duement
Ad deservi d'estre tué.
    Ensi Pité nounpas moerdrice
Souffre a tuer solonc justice,
Mais ja par tant est meinz vailable;
Car pour nulle ire que l'entice,
Ou de rancour ou de malice,
Pité de soy n'est pas vengable,   13950
Ainz est de son droit connestable
D'Amour, pour faire pes estable.
L'apostre dist, q'en son office
Pités a tout est proufitable:
Est la vertu plus defensable
De crualté contre le vice.
    Pités est le treacle droit
Que tout garist en son endroit
Le cuer de venimouse enflure,
Qe d'aposteme riens y soit   13960
Du viel rancour, dont Ire boit:
Ainçois trestoute mesprisure
Que l'en l'ad fait par demesure,
Pour la mercy, dont elle est pure,
Met en oubly, que plus n'en voit:
Car vengance a la creature
Quelle est semblable a sa nature,
Pour tout le monde ne querroit.
    **Ore dirra la descripcioun de la
    vertu de Pacience par especial.**
    He, debonnaire Pacience,
Comme est gentile ta semence   13970

Des files, q'ay dessus nommé!
Pour faire a toy la reverence,
Du naturele experience
Ly philosophre t'ad loé,
Disant que tu du propreté
As la vengance aproprié
Deinz ta paisible conscience,
Par soule debonnaireté
A veintre toute adverseté
Sanz faire tort ou violence.   13980
    Ly martir, qui par grief destour
Du paine avoient maint estour,
N'en furont venqu nequedent;
Ainz toute peine exteriour
Par Pacience interiour
Venquiront bien et noblement.
Du Job avons l'essamplement,
Qant il ot perdu plainement
Saunté du corps et tout honour
Du siecle, encore pacient   13990
Estoit, dont venquist le tourment
Ensemble avoec le tourmentour.
    Du Pacience en faitz et ditz
Molt furont ly martir jadis
Expert, car le cruel martire
De leur bon gré nounpas envis
Souffriront, si q'a leur avis
Rendiront grace a nostre sire,
Qu'il a tieu fait les volt eslire.
Des confessours l'en porra lire   14000
Auci, qui pour leur espiritz
Garder firont lour corps despire,
Dont puis gaigneront cel empire
Q'est plain des joyes infinitz.
    Gregoire dist que par souffrir
Les mals qui pourront avenir
Du siecle, qui tous mals envoie,
Hom se puet faire droit martir
Sanz le martire de morir:
Car combien que tuez ne soie,   14010
Je me martire d'autre voie
Du Pacience simple et coie,
Du quelle ades me fais garnir,
Issint que nullement me ploie

D'adversité, qant se desploie,
Et les meschiefs me fait sentir.

Ce dist David, que dieus est pres
As tous ceaux q'ont le cuer oppres
Du tribulacioun mondeine :
Sur quoy Bernars souhaide ades,   14020
Q'il puist toutdiz sanz nul reles
De tribulacioun la peine
Avoir yci par tiel enseigne,
Qe l'ameisté luy soit procheine
De dieu et sa divine pes :
Car qant dieus est en la deinzeine,
Du toute anguisse q'est foreine
Ne puet chaloir n'avant n'apres.

Si nous faisons la dieu aprise,
Par nous n'ert la vengance prise;   **f. 79**
Car dieus ce dist, comme vous dirray,
Q'il volt que toute la mesprise   14032
Et la vengance soient mise
En son agard, et il du vray
Le vengera ; dont bien le say
Fols est qui se met a l'essay
De soy venger par autre guise :
Qant dieu mon champion aray,
Ne falt que je m'en melleray,
Puisq'il voet faire tiele enprise.   14040

L'apostre en son escript diffine
Et dist, comme feu q'attempre et fine
Metall, si q'om le puet forger,
Ensi l'adversité terrine
Attempre et forge la covine
De Pacience en son mestier :
Car la fortune d'adverser
Fait l'omme sage expermenter
Selonc la droite medicine ;
Qe qant le tourment seculer   14050
Nul autre rien puet terminer,
Lors Pacience le termine.

Ce voit om, ainz que la chalice
Soit digne a si tressaint office,
Ou que la coupe d'orr ensi
Soit mise au table d'emperice,
Leur falt souffrir dure justice

Du feu, dont sont purgé parmy,
Et des marteals maint cop auci ;
Mais qant serront au plein bourny,   14060
Lors ont honour de leur service :
Du Pacience ensi vous dy,
Ainçois q'elle ait tout acomply,
Soffrir ly faldra mainte anguisse.

Ly mestres q'ad chien afaité
Ja ne luy fra tant deshaité,
Qant il l'avra plus fort batu,
Qe tost apres de son bon gré
Ne salt sus et en son degré
Fait joye a luy qui l'ad feru,   14070
En signe qu'il n'est irascu :
Ensi sanz gleyve et sanz escu
Fait l'omme qui s'est esprové
De Pacience la vertu ;
Car il ne voet que defendu
Soit par corous ou revengé.

Piscon y ad, ce dist un sage,
Quelle en nature ad tiele usage,
Qant le tourment verra plus grant,
Et la tempeste plus salvage,   14080
Plustost se baigne enmy le rage
Et s'esjoÿt plus que devant.
Je dy du Pacience atant,
Qant plus le siecle est adversant,
Et sa fortune plus volage,
Plus tendrement en vait loant
Son dieu, et plus se met avant
Au tout souffrir de bon corage.

O Pacience, comme toy prise
Ly sage Ovide en son aprise,   14090
Disant que toute autre vertu
Que tu n'as en ta garde prise,
N'est sufficant d'ascune enprise,
Plus q'une femme q'ad perdu
Son baroun : car bien le scies tu,
N'ad pas le corps au droit vestu,
Q'ad double cote sanz chemise ;
Ne cil est pas au droit pourveu,
Q'ad Mill des autrez retenu,
Si ta vertu n'y soit commise.   14100

14064 *in ras.*   14067 plusfort   14079 plusgrant   14080 plussaluage
                  14082 plusque   14086 envait

M 2

Ore dirra de les cynk files de la
vertu de Prouesce, des quelles la
primere ad noun Vigile, contre le
vice de Sompnolence.

Encontre Accide lasse et lente
Resoun, a qui travail talente,
S'est a Prouesce mariée,
Q'est une dame bonne et gente
Et corps et alme bien regente;
Si ad cynk files engendrée,
Dont la primere est appellée
Vigile sainte et benurée,
Que par nature et par descente
Hiet Sompnolence en son degré; 14110
Car long dormir au matiné
Ne puet amer en son entente.

Vigile plus dormir ne quiert,
Mais tant comme resoun le requiert,
Dont soit nature sustenue,
Escharcement, que trop n'y ert;
Et largement, comme meulx affiert,
D'esveiller l'alme s'esvertue:
Pour ce, qant Sompnolence englue
Les oels du corps, yceste argue 14120
Les oels du cuer, et si les fiert,
Que vuille ou noun le corps remue,
Plus que falcoun, qant de sa mue
S'en ist et puis sa proie adquiert.

Vigile est celle chambreleine
Q'esveille le pastour souleine
Pour les ouailles saulf garder:
Vigile porte auci l'enseigne
Des champiouns queux dieus enseigne,
Qant devont contre l'adverser 14130
Combatre; et ce scievont primer
Canoun et moigne reguler,
Si fait ly frere et la noneine,
Si font ly autre seculer,
Chascun endroit de son mestier
A labourer Vigile meine.

A l'omme qui s'est endormi
La loy civile dist ensi,
Comment, s'il ait ou droit ou tort,
Les drois ne font socour a luy, 14140

Ainçois socourront a celluy
Qui veille: et tout ytiel enhort
Nous fist Catoun, siq'au plus fort
Veillons; car il dist et recort,
Q'en tiel les vices sont norry,
Qui trop de sa coustume dort:
Q'il est au siecle ensi comme mort,
Car tout bien sont en luy failly.

Mais la vigile proprement
La beneiçoun de dieu attent, 14150
Qant om l'enprent et bien maintient;
Car nostre sire tielement
Par s'evangile, qui ne ment,
Le promettoit, bien me sovient,
Et dist, qant il ensi avient,
Qe luy seigneur par cas y vient,
Et son serf trove bonement
Veillant, pour benuré le tient,
Dont sur tout ce q'a luy partient
Des biens luy fait estre regent. 14160

As ses desciples commandoit
Dieus, qant endormiz les trovoit,
'Veilletz,' ce dist, 'que point n'entretz
En temptement de fol endroit:
Car l'espirit,' ce lour disoit,
'Est prest as toutes malvoistés,
Et la char frele des tous lées':
Pour ce leur dist, 'Veilletz, oretz,'
Pour l'alme garder en son droit;
Car ja maisouns n'ert desrobbez 14170
U ly gardeins s'est esveillez
Pour garder ce que faire doit.

Le castell serra bien secur,
U que Vigile pardessur
Les murs vait serchant enviroun:
Quelque le temps soit, trouble ou pur,
N'y laist entrer ne mol ne dur
Que puist grever a la maisoun.
Car qant malfié sicomme laroun
En l'alme par temptacioun 14180
Entrer voldroit tout en oscur,
Vigile esveille de randoun
Ses soers, que vienont a bandoun
Pour faire le defense au mur.

Pour ce Constance en sa venue
Perseverance ad retenue
Deinz son hostel a luy servir,
Le regne dieu pour deservir ;
Car celle afferme le desir,   14360
Dont chascun membre s'esvertue,
A commencer et acomplir
Le dieu labour sans allentir,
Dont corps et alme ait son ayue.

    L'apostre dist, 'Tous sont cur-
      rour' ;
Mais ceste soule au chief du tour
Loer devant les autres gaigne :
Toutes vertus sont combatour,
Mais ceste au fin est venqueour,
Qui la coronne tient certaine ;   14370
Toutes s'en vont a l'overaigne,
Mais ceste ensi comme soveraigne
Trestout le gaign de lour labour
Reçoit au fin de la semaigne :
Car tout est celle vertu vaine
Q'a ceste ne fait son retour.

    Toute autre vertu se desvoie,
Si ceste au point ne la convoie ;
Toute autre vertu gist oppresse,
Si ceste amont ne la survoie :   14380
Ne puet venir aucune voie
A dieu qui ceste ne professe,
C'est des vertus la guideresse,
C'est des vertus la droite hostesse,
La quelle porte a sa courroie
Trestous les cliefs, siq'au distresce
Celle est au soir herbergeresce,
Sans qui nuls puet entrer en joye.

    Sans ceste vertu tout avant
Volt nostre sire a nul vivant   14390
Le ciel promettre ne donner ;
Mais l'evangile est tesmoignant,
Qe cil q'est droit perseverant
Salfs ert et doit enheriter
Le ciel ; sique perseverer
Pour merite acquere et loer
A chascun fin meulx est vaillant :
Pour ce se doit om aviser,

        14371 senvont

Qant voet bon oevere commencer,
Q'il soit jusq'en la fin constant.   14400
    **Ore dirra de la quarte file de
Prouesce, la quelle ad noun Solli-
citude, qui est contraire au** [f. 1
vice de Oedivesce.
    La quarte file de Prouesce
Solicitude hiet Oedivesce,
Car celle n'ert jammais oedive :
Ou du penseie bien impresse,
Ou du parole bien expresse,
Ou du bien faire elle ert active ;
Toutdis labourt, toutdis estrive,
Et quiert le bien dont l'alme vive,
Et dont le corps en sa destresce
Ait sa viande sustentive :   14410
Ne l'un ne l'autre point ne prive
Par trop poverte ou trop richesce.

    Thobie a dieu devoutement
Pria molt resonnablement,
Qe du richesce l'abondance
Ne du poverte le tourment
Ne luy dorroit, ainz soulement
Sa necessaire sustienance :
Car par si mesurée balance
L'alme en son point ne desavance,
N'au corps tolt le sustienement ;   14421
Ensemble quiert lour pourvoiance,
Ne plus ne meinz mais sufficance
Pour faire a dieu ce q'il appent.

    Mais sur trestout je truis escrit
Q'au main oiseuse soit desdit
Le pain, que point n'en mangera :
Auci qant dieus ot entredit
Au primer homme et contredit
Son paradis, lors commanda   14430
Q'au labourer en terre irra
Et en suour pourchacera
Le pain, dont chascun homme vit :
Dont m'est avis, cil qui serra
Solicitous molt luy valdra,
Car corps et alme en ont proufit.

    A chascun homme droiturer
Les labours de ses mains manger

        14436 enont

David en son psalter enhorte :
Auci l'en dist en essampler   14440
Qe dieus tous biens fait envoier,
Mais par les corns le boef n'apporte :
Helie, qui se desconforte,
Combien que l'angel le conforte
Disant qu'il devoit pain gouster,
Ove ce nientmeinz labour reporte
De la journeie longe et forte
Que dieus luy fist depuis aler.
   Pour ce nous disoit en ses vers
Pamphilius ly sages clercs,   14450
Qe joyntement dieus et labour
Nous apportont les biens divers :
Car sanz labour, soiez tout certz,
Ne puet om faire ascun bon tour,
N'a siecle n'a son creatour :
Noz mains nous serront labourour,
Car pour ce sont al corps adhers,
Q'ils devont faire au corps socour ;
Et noz cuers serront nuyt et jour
Tantsoulement a dieu convers.   14460
   D'umeine vie qui sovient
Sciet bien q'au labourer covient
Le fieble corps pour sustenir ;
Et l'alme ne vit pas du nient,
Grant peine et labour y partient,
Q'en son droit point la voet cherir.
Pour ce le corps a maintenir
Ascuns s'en vont les champs tenir,
De qui labour le pain nous vient ;
Ascuns sont clercs et ont desir   14470
Pour faire tout le dieu plesir,
Dont l'alme en bon estat devient.
   Ove ceste vertu dieus dispense,
La quelle paie la despense
Al alme et corps, sicomme doit faire.
C'est la vertu que providence
Retient, si prent bonne evidence
De la formie en son affaire ;
Quar qant le jour d'estée s'esclaire,
Lors fait sa pourvoiance attraire,   14480
Dont puis, qant froid d'yver commence,
A sa cuillette en saulf repaire,

Et vit par ese en son doaire ;
Mais l'omme oedif de ce ne pense.
   Mais qui par covoiter d'avoir
Solicitude voet avoir,
N'est pas honeste tiele enprise ;
Car q'ensi fait son estovoir,
Il fait la vertu removoir
Loigns en pecché du covoitise :   14490
Mais qui le prent par bonne guise,
Solicitude a chascun lise
Du providence a recevoir
Ce dont puet vivre en sa franchise ;
Car si ma chose me souffise,
De tant porrai le meulx valoir.
   Je lis q'en terre nostre sire
Pour ses despenses a voir dire
Ot soufficance de monoie ;
Mendicité ne volt eslire   14500
Ne la richesce tout despire,
Ainçois tenoit la meene voie :
Pour ce bon est q'om se pourvoie ;
Car si dieu tous les biens envoie,
Et volt en terre ensi confire
Sa pourvoiance, lors serroie
Trop a blamer si ne querroie
Ce qui me doit par droit souffire.
   De les apostres qui lirra,
Parmy leur actes trovera,   14510
Combien q'ils propreté n'avoient,
Poverte nulle les greva ;
Ainçois des biens q'om leur donna
Au sufficance ils habondoiont :
Mais pain oiseus point ne mangoiont,
Car ou labour des mains fesoiont,
Ou sicomme dieus leur commanda
Precher la droite foy aloiont ;
Siq'en tous lieus u q'ils venoiont
De leur labour dieus s'agrea.   14520
   Joseph par la vertu divine
Trois auns devant vist la famine,
Dont maint paiis puis fuist grevé ;
Mais il, ainçois que la ruine
En vint, de nuyt et jour ne fine,
Par grant labour tanque amassé

Avoit des bledz, dont la contrée
D'Egipte en la necessité
Fuist salve soubz sa discipline,
Si fuist trestout son parentée : 14530
Sa providence en fuist loé,
Par quoy troveront medicine.
  A luy q'est droit solicitous,
Covient q'il soit laborious
En deux pointz : le primer serra
Labour du cuer bien gracious,
Sovent contrit et dolerous
De ses pecchés ; et puis cela
Autre labour luy coviendra,
Dont il au corps pourchacera 14540
Ce q'est pour l'omme busoignous
Noun soul pour soy, ainz il le fra
Pour son voisin ce qu'il porra,
Car tiel labour est vertuous.
  Solicitude la guarnie
Primer labourt, si quiert et prie
Le regne dieu celestiel,
Au fin que s'alme en soit guarie ;
Car ce nous dist le fils Marie,
En terre qant il fuist mortiel, 14550
'Primer,' ce dist, 'queretz le ciel,
Car lors tout bien q'est temporiel
Du quelque chose multeplie' :
Dont semble a moy q'espiritiel,
Sibien comme labour corporiel,
Est proufitable a ceste vie.
  Qui bien Solicitude meine,
La vie active en soy demeine,
Sicomme fesoit de sa partie
Martha la suer du Magdeleine, 14560
Qant nostre sire en char humeine
Mangoit deinz leur hostellerie ;
La Magdaleine as piés Messie
S'assist, et Marthe au compaignie
Par grant labour toute souleine
Servoit : Martha nous signefie
La necessaire active vie,
Et l'autre contempler enseine.
  Ambroise, qui s'en vait tretant,

Les deux vertus vait devisant ; 14570
Si dist plus halte et honourable
Est celle vie en contemplant ;
Mais vie active nepourqant
Est au commun plus proufitable,
Pour vie humeine et plus vaillable.
A ce tout furont concordable
Ly philosophre cy devant,
Q'elle est as tous si busoignable,
Qe sanz luy gaire n'est durable
En terre riens que soit vivant. 14580
  Isidre dist, 'Cil q'au primer
Se fait en vie active entrer
Pour le proufit commun enprendre,
Par celle active bien mener
En l'autre, q'est de contempler,
Du plus legier puet condescendre ;
Mais l'omme oedif est a reprendre,
Qui nul bien sciet, ne voet aprendre
De labour faire en nul mestier :
Pour ce bon est en quelque gendre
A labourer, que puis engendre 14591
Proufit de l'alme et corps entier.' f. 82

**Ore dirra de la quinte file de
Prouesce, la quelle ad noun
Science, contre le vice de Necli-
gence.**

  Encontre fole Necligence
La quinte file ad noun Science :
Celle est de l'alme droit Priour,
Q'el cloistre de sa Conscience
Le cuer du fine intelligence
Et le voloir sanz nul errour
Defent et guart par nuyt et jour.
Du Reson est remembrançour, 14600
Que tout remeine en sa presence ;
Du temps passé est recordour,
Et le present voit tout entour,
Et le futur pourvoit et pense.
  Science poise la parole,
Ainçois que de la bouche vole,
S'il soit a laisser ou a dire ;
Car ja ne parle du frivole.

Molt est apris du bonne escole
Cil q'a sa discipline tire ;   14610
Bien dist, bien pense et bien desire,
Bien sciet, bien fait, bien se remire,
Du fine resoun se rigole,
Fole ignorance fait despire,
Bien sciet la meene voie eslire
Parentre dure chose et mole.

   Science que depar dieu vient
Mesure en sa science tient,
Q'ensi l'apostre nous aprent,
Disant que chascun s'en abstient   14620
De plus savoir que luy covient,
Mais que l'en sache sobrement.
Saint Bernards le dist ensement,
Et si nous donne essamplement
De l'estomac, qui trop se ghient,
Qant om le paist trop plainement ;
N'en puet avoir nouricement,
Ainz maladie luy survient.

   Coment porroit en sa mesure
Le sen d'ascune creature   14630
Savoir le sen du creatour ?
N'est pas resoun, n'est pas droiture,
Qe ly mortieux y mettont cure ;
Car ce n'appartient pas a lour,
Ainz ferme foy et fin amour
Ce doit om bien avoir tout jour
A dieu luy toutpuissant dessure ;
Car autrement tout sont folour
Les argumentz au desputour,
Qant plus de sa science asseure.   14640

   Qant le fils dieu, qui tout savoit,
A ses disciples recontoit
Par queux signals, par quelle guise
Le jour de juggement vendroit,
Ils luy demandont la endroit
Le certain temps de la Juise ;
Mais il leur dist que tiele assise
En son poair dieus ot assise,
Par quoy ne leur appartienoit
Science de si halte enprise :   14650
Dont m'est avis, fole est l'aprise
De plus savoir que l'en ne doit.

De saint Bernard ce truis escrit :
'Ascuns y sont qui pour delit
L'art du science ont conquesté ;
Mais qant om l'ad par si mal plit,
Lors n'est ce pas vertu parfit,
Ainz vaine curiousité :
Ascuns science ont covoité,
Par quoy plus soient honouré,   14660
Et dont puissont avoir proufit
D'argent et d'autre digneté ;
Mais cils qui l'ont par tiel degré,
N'est pas honour, ains est despit.'

   Cil q'ad science du clergie,
Ne falt point qu'il se glorifie
En beal parole noncier,
Ainçois covient qu'il sache et die
Dont soy et autres edefie
Au bien de l'alme ; et ce trover   14670
De saint Jerom bon essampler
Porrons, qant il estudier
Voloit en la philosophie
Du Tulle pour le beau parler ;
Mais dieus l'en fesoit chastier,
Pour ce que vain fuist sa clergie.

   Prodhomme qui science quiert
Du vanité point ne requiert,
Ainçois la quiert par tiel endroit
Q'il fait tout ce que meulx affiert ; 14680
Du siecle nul loer adquiert
Du bien, d'onour, plus q'il ne doit.
Gregoire dist, 'Comment que soit,
Qui bien sciet et mal se pourvoit
Du propre main soy naufre et fiert ;
Mais qui science tient au droit,
Le corps en est yci benoit,
Et l'alme paradis conquiert.'

   C'est la science que dieus prise,
Qant om retient la bonne aprise   14690
En l'alme sanz oblivioun ;
Dont soy defent de la feintise
Du deable, qui par mainte guise
Devant nous sa temptacioun
Presente plain d'illusioun,
Pour faire ent no confusioun ;

Car il conoist de sa quointise
La nature et complexioun
De nous et la condicioun,
Dont plus soubtilement s'avise.   14700
    Si sanguin soie de nature,
Lors me fait tempter de Luxure,
D'Orguil et de Jolietée ;
Malencolie si j'endure,
Lors ert d'Envie ma pointure
En tristesce et en malvoistée ;
Si fleumatik soie attemprée,
Lors Gloutenie et Lacheté
Me font tempter en chascune hure ;
Si coleric, que soie irrée,   14710
Discord lors m'ert abandonnée,
Dont sui temptez a demesure.
    Pour ce cil qui Science meine
Du vray prouesce sovereine,
Au tout plus fort combateroit
Encontre celle vice humeine
Qe plus l'assalt et plus l'estreine,
Selonc ce q'il en sente et voit :
Car qui chastel defendre doit,
U q'il est fieble, la endroit   14720
Mettra defense plus procheine ;
Et ensi par semblable endroit
Du malfié se defenderoit
Chascun bon homme en son demeine.
    Au Rome el grant paleis jadys
Fesoit Virgile a son avis
Pluseurs ymages en estant,
Et en chascune enmy le pis
Ot noun du terre ou du paiis
Escript, et puis fesoit avant   14730
Sur un chival d'arrein seant
Un chivaler q'ert bel et grant,
Si ot l'espeie ou main saisiz.
Ly mestres qui ce fuist fesant
Du grant science estoit sachant,
Mais ore oietz par quel devis.
    Qant terre ascune ou regioun
Pensoit de sa rebellioun
Encontre Rome a resister,
L'ymage q'en portoit le noun   14740

Escript, tantost a grant randoun
Fist une clocke en halt sonner ;
Et maintenant le chivaler
S'espeie commença branler
Vers celle ymage qui le soun
Ot fait ; et ensi d'encombrer
Leur Cité firont saulf garder
Ly citezein tout enviroun.
    Ensi ly sages du science
L'ymage de sa conscience   14750
Enmy son pis escrivera ;
Du quoy, qant pecché le commence
Tempter, tantost du sapience
La sainte clocke il sonnera,
Sique Resoun soy guarnira
Et des prieres s'armera,
L'espeie ou main de penitence,
Dont par vertu defendera
Du pecché s'alme et guardera
Par la divine providence.   14760
    Uns grans clercs q'ot noun Dionis
Reconte que par son avis
L'alme est semblablez au mirour,
Que de nature en soy compris
Reçoit ce q'est devant luy mis
Et en semblance et en colour :
Cil q'est de tous les mals auctour,
C'est ly malfié, ly tricheour,
Pardevant l'alme en tiel devis
Se transfigure nuyt et jour,   14770
Dont il meulx quide en sa folour
L'alme en serra plus entrepris.
    Car sicomme del oill la prunelle,
Ou soit ce chose laide ou belle,
Qe passe pardevant sa voie,
Malgré le soen de sa casselle
La fourme et la semblance d'elle
Ne puet guenchir, maisque la voie,
Ne l'alme auci, malgré q'il doie,
L'ymaginer q'au cuer convoie   14780
Au primer point de la querelle   f. 83
N'el puet du tout hoster envoie ;
Mais lors luy falt pour sa manoie
Q'au dieu bien sagement appelle.

Ou soit veillant ou soit dormant,
Toutdis ly deable est compassant
Pour l'alme faire forsvoier;
Mais lors vait il trop soubtilant,
Qant l'omme tempte en son pensant
Ascun tiel oevere ymaginer　　14790
Que semble bon au commencer,
Mais bien sciet cil fals adverser,
Le fin en serra deceivant.
Par si tressoubtil enginer
Ad fait maint homme tresbucher,
Q'assetz quide estre ferm estant.

　　Pour ce l'apostre nous defent
De croire ensi legierement,
Combien q'il ait du bien semblance,
A tout espirit : car tieux ment,　　14800
Qui l'en quide au commencement
Estre verray en apparance.
Mais ly sage homme en governance,
Ainz q'il deschiece en ignorance
Qant a ce point, molt sagement
Consail demande et sa vuillance
Reconte et met en l'ordinance
Du prestre par confessement.

　　Si chose vient en ta pensée,
Ainz que le fait soit commencé,　　14810
Fai ce que Salomon t'enseigne,
C'est que tu soiez consaillé :
Car fait du consail apprové
Du repentir ne porte enseigne ;
Et si d'ascun mal overeigne
Soyez coupable, toy remeine
Au bon consail, dont reparée
Soit le mesfait ; et que la peine
Apres ta mort ne soit greveine,
Un confessour te soit privée.　　14820

　　Saint Job endroit de sa partie
Dist, ' Tant est fieble humaine vie,
Q'au paine en bien se puet tenir ' :
Car pecché, qui la char desfie,
La fait tant frele et mal norrie
Qe sovent change son desir ;
Dont trop porroit mesavenir,
Si voie n'eust a revenir

Du vray Science, que la guye
Par confess et par repentir :　　14830
Pour ce confession oïr
Primerement fuist establie.

　　Uns clercs Boëce en sa leçoun
La fourme de confessioun
En sept maneres nous aprent,
Des quelles il fait mencioun
Par science et discrecioun,
Et si les nomme tielement :
C'est qui, quoy, u, qant et comment,
Ove qui, pour quoy darreinement,
Ce sont ly sept divisioun.　　14841
A chascun part partie appent,
Dont il falt necessairement
Au confess rendre sa resoun.

　　Primer de qui s'om voet descrire,
Ly confess son estat doit dire,
Queux homme il est, malade ou seins,
Ou riche ou povre, ou serf ou sire,
Ou clercs ou lais, n'el doit desdire,
S'il est champestre ou citezeins,　　14850
Ensi dirra les pointz tous pleins :
Et lors falt que ly chapelleins
Son age et son estat remire,
Car en l'estat qu'il est atteins
Le pecché poise plus ou meinz,
Soit de mesfaire ou de mesdire :

　　Et puis apres le quoy dirra,
C'est le pecché tiel qu'il peccha
Sanz riens celer d'aucun endroit:
Et u le fist confessera ;　　14860
C'est qu'il le lieu devisera,
Ou lieu forain ou lieu benoit :
Et qant le fist reconter doit,
S'au jour du feste le faisoit,
Ou jour ou nuyt, ce contera,
Ou si quaresme lors estoit,
Ou autre témps le quelque soit,
Un point del tout ne celera :

　　Et puis comment ; c'est q'il devise
Tout plainement et bien s'avise　　14870
De son pecché la circumstance,
Par quel delit, par quelle guise,

　　　　14793 enserra

Par soudain cas ou longe enprise,
Par savoir ou par ignorance,
Et qantes fois fist la fesance,
Et selonc ce q'estoit par chance
Apert ou privé la mesprise,
Et s'il ad fait continuance,
Tout ce dirra sanz oubliance
Qui voet tenir la droite assisse : 14880
  Et puis ove qui ; ce signefie,
Il dirra l'aide et compaignie
Q'il avoit a son pecché faire,
Et qantz et queux de la partie :
Et au darrein falt q'il en die
Pour quoy le fist, ne s'en doit taire,
Ou pour profit q'il en volt traire,
Ou pour delit q'a soi duist plaire,
Ou pour l'onour de ceste vie ;
Car en ce trois gist tout l'affaire, 14890
Dont ascun homme poet forsfaire,
Sicomme je truis en la clergie.
  Confessioun doit estre entiere,
Qe riens y doit lesser derere :
Pour ce l'escript du conscience
Om doit parlire en tieu maniere,
Sique l'acompte en soit plenere.
Ce dist Boëce en sa science :
' Cil q'est naufrez et garir pense,
Devant le mire en sa presence, 14900
Sicomme la plaie est large et fiere
Descoverir doit sanz necligence ;
Lors puet garir.' Ceste evidence
Essample donne a la matiere.
  Nient plus que ly naufrez garist
Sanz bon enplastre que souffist,
Nient plus cil qui s'ad confessé
Se fait garir par ce qu'il dist,
Mais deux emplastres covenist,
Ainçois q'il soit au plain sané ; 14910
Contricioun l'une est nommée,
Que toute en plour s'est remembrée
De ses pecchés, comme jadys fist
Rois Ezechie en son degré,
Par quoy pardoun luy fuist donné
En la maniere qu'il requist.

Contricioun ne voet souffrir
Son client en pecché dormir,
Ainçois l'escrie en conscience
Q'il doit confession suïr : 14920
Et qant au point la poet tenir,
Lors fait du plour sa providence,
Le quel, depuis q'il le commence,
Ne cesse, tanq' al audience
De dieu parviene le suspir.
Au tieu message dieus despense,
Q'a luy par tiele obedience
Contrit ses lermes vient offrir.
  Pecché, sicomme le fieu ardant,
De l'eaue s'en vait esteignant, 14930
Mais chalde lerme pour l'exteindre
Y falt. O, qui verroit ardant
Sa maisoun et de maintenant
Ne se voldroit a l'eaue enpeindre
Pour le peril du fieu restreindre ?
En si grant haste, encore et greindre,
Ly contritz l'eaue vait cerchant ;
Et si par cas la puet atteindre,
Tout son poair y met sanz feindre,
Q'il en soit largement versant. 14940
  Crisostomus en son decré
Nous dist, que tout ert mesurée
La fourme de contricioun,
Qant vient du cuer bien ordiné,
Selonc la droite egalité
Du pecché delectacioun :
Mais celle meditacioun
Que fait la mediacioun,
Par quoy l'en doit en equité
Plorer en contemplacioun, 14950
Bernards nous fait relacioun ;
Ore escoultez en quel degré.
  A grant resoun plorer cil doit,
Qui tendrement deinz soi conçoit
L'ingratitude au peccheour ;
Primerement q'il contre droit
Desobeït en son endroit
A dieu son piere et creatour,
A qui par reson tout honour
Om doit donner de bon amour ; 14960

Et d'autre part om doubteroit
D'offendre a si tresbon seignour,
Soubz qui vivons de nuyt et jouȓ,
Car chascun de son bien reçoit.
    Mais de plorer encore plus
Grant cause y ad, sicomme je truis,
Q'au dieu le fitz avons fait tort,
Q'est homme pour nous devenuz,
Trahiz, penez et fort batuz,
Et au darrain souffrist la mort   14970
Pour nous donner vie et confort.
O qui deinz soy tout ce recort,
Du tendre cuer et s'est pourveuz,   **f. 84**
S'il lors ne puet trover le port
De plour, ne say par quel report
Il serra lors au plour renduz.
    Encore om puet considerer
Trois choses pour plus exciter,
Dont peccheour serra plorant,
Qu'il est atteint par son peccher   14980
Comme laroun, traitre et puis moertrer :
Primer laroun, qu'il est emblant
Le bien de l'alme resonnant,
Qe dieus luy bailla commandant
Qu'il le devoit multeplier,
Dont il au fin serra comptant ;
Mais s'il n'ad quoy dont soit paiant
Il ad grant cause de plorer.
    Mais est il traitre? Certes si :
Car il le chastel ad trahi   14990
Du cuer u fuist l'entendement,
En quel, qant Pecché l'assailli,
Par grace l'Alme se guari
Et faisoit son defendement :
Mais cil qui par contendement
Du deable en fist le rendement,
Et au Pecché se consenti,
Ne puet faillir du pendement,
S'il grace n'ait d'amendement,
Et soit contrit de plour auci.   15000
    Est il moertrer? Oïl. Du quoy?
He, certes d'une file au Roy,
C'est l'Alme, q'est la dieu figure,
Car il la fist semblable au soy ;

Mais cil moertrer par son desroy
L'ad fait tuer de vile ordure
Encontre resoun et nature ;
Dont dieus et toute creature
Au fin dirront, 'Vilains, avoy !'
Qui tout ce pense et lors ne plure, 15010
Il m'ad mys a desconfiture,
Que plus ne say que dire en doy.
    Mais sur tout il ad belle grace
Pour son pecché, si l'omme sace
Plorer par tiele discipline :
Je lis que lerme chalde esrace
Le deable et hors du cuer le chace,
Q'il n'ose attendre la covine,
Nient plus que mastin ou mastine
Attent celle eaue en la cuisine,   15020
Qant om lour gette enmy la face.
Contricioun trop perest fine
A luy q'ensi ses plours diffine,
Dont verray pardoun se pourchace.
    Et oultre ce je truis escrit,
Si ly confess serra parfit,
Ne doit plus estre pourposable
De rettourner en ascun plit
A son pecché, ainz tout delit
Quel est a l'alme descordable   15030
Renoncera de cuer estable ;
Et pour les mals dont est coupable
Tendra soi mesmes en despit,
Dont ert vers dieu plus amiable :
Car s'il ensi soit resonnable,
Adonque est il verray contrit.
    Mais ad il plus encore affaire,
Dont ly confess a dieu repaire
Plainerement? Certes si a :
Car reparer falt et refaire   15040
Les mals de son primer affaire ;
Dont satisfaccioun ferra
Et sa penance portera,
Sicomme ly chapellains dirra :
Pour son delit doit paine traire,
Car de nature l'en verra
Q'au plus sovent om garira
Le froid par chald, q'est son contraire.

        14981 *in ras.*   14996 enfist   15012 endoy   15047 plussouent

Trestous pecchés que nous desvoiont,
Ou envers nostre dieu forsvoiont   15050
Ou envers nostre proesme apres,
Ou vers nous mesmes se reploiont ;
Dont envers qui plus se comploiont,
Selonc l'effect de noz mesfetz,
Du peine en porterons le fess :
Si envers dieu soit ly mals fetz,
De ce prieres nous envoiont
Pardoun, et d'autre part reles
Nous fait almoisne des forsfetz
Q'envers noz proesmes se desploiont.
    Mais en ce cas tu dois entendre, 15061
Qe tant puet om son proesme offendre,
Sicomme tollir son heritage,
Ou s'il sa male fame engendre,
Q'a lors n'est autre forsque rendre,
Dont restitut soit le damage :
Mais si d'envie ou d'aultre oultrage
D'orguil, qui vient du mal corage,
Son proesme offent, lors porra prendre
Et le pardoun et l'avantage   15070
D'almoisne ; mais son fals tollage
Ly falt au fin ou rendre ou pendre.
    Mais ce q'au freleté partient,
Si corporiel pecché nous tient,
Selonc que poise la balance
De noz delices, il covient,
Au confesser qant homme vient,
Qu'il en resçoive sa penance
De juner ou d'autre observance
Solonc la droite circumstance,   15080
Om doit le corps desporter nient.
Du confesser qui ceste usance
Voldra tenir, n'ad mais doubtance
De ses pecchés, s'il ne revient.
    Confession est celle tour
Au quelle acuillont leur retour
Tous ceaux q'a dieu vuillont tourner.
Saint Piere, qant ot fait le tour
Qu'il renoia son creatour,
Revint a dieu par confesser :   15090
La Magdaleine auci plener
Confesse avoit le pardonner

De ses pecchés : pour ce de lour
Porrons nous autres essampler
De la confessioun amer,
Qe l'ire dieu change en amour.
    Ore dirra la descripcioun de la
vertu de Prouesce par especial.
    Les filles de Prouesce néez
Lour droitz nouns et lour propretés,
Comme vous ay dit, avetz oÿ ;
La bonne mere en soit loez,   15100
Par qui d'Accide les pecchés
Sont des vertus tout anienty :
Car du Prouesce tant vous dy,
Qe du leon plus est hardy,
Et d'oliphant plus fort assetz,
Plus que Solail durable auci,
Qant en un jour le ciel parmy
Transcourt les cercles et degrés.
    Saint Job, q'estoit de dieu eslit,
Sur terre vie humeine escrit   15110
N'est autre que chivalerie :
Car chascun homme q'icy vit
Covient, ainçois q'il soit parfit,
Trois guerres veintre en ceste vie,
Que molt sont plein de felonnie :
La char du primere envaïe
L'assalt de son tresfol delit,
Le siecle de sa tricherie,
Ly deables d'orguil et d'envie,
Q'au peine serront desconfit.   15120
    Mais cil prous championn de dieu
Qui du Prouesce ad la vertu,
Des bonnes armes s'est armé,
Du bon hauberc, de bon escu,
De healme fort, d'espé molu,
Que des vertus sont tout forgé,
Dont il veint toute adverseté
Du char, du siecle et du malfié,
Q'encontre luy sont arestu.
He, comme Prouesce est benurée, 15130
Q'ensi maintient son adoubé
Au fin q'ils tout soient vencu !
    Des tieles armes bien et fort
Les saintz apostres par confort

Au Pentecoste s'adouberont;
Dont doubte n'avoient du tort
De ces tirantz jusq'a la mort,
Mais pardevant cel temps doubteront.
Et puisq'ils Prouesce acuilleront,
As tous perils s'abandonneront,   15140
Q'au char fesoiont nul desport;
Et tout le siecle despiseront,
Et le fals deable ensi materont
Q'il tout s'estuyt a leur enhort.
    He, quel honour Prouesce atire!
Son chivaler l'en puet bien dire,
Q'il est bien digne d'estre Roy:
Car il conquiert le fort empire
Sanz quel nul homme est verrai
    sire,
C'est q'il est conquerrour du soy.   15150
Resoun, constance et bonne foy
Luy font trover assetz du quoy
Des biens del alme q'il desire;
Dont il sa guerre et son tournoy
Maintient par si tresfort conroy,
Qe tous les mals fait desconfire.
    Seneques dist du vray Prouesce,
Qe tous les mals dont par duresce
Fortune la puet manacer,
N'ont force envers sa hardiesce   15160
Plus q'une soule goute encresce
Les undes de la halte mer.
O dieus, comme vaillant chivaler,   f. 85
Qui par Prouesce puet gaigner
Le ciel ove toute la grandesce,
Et veintre tout mal adverser,
Charnel, deablie et seculer,
Sanz mortiel plaie que luy blesce.
    Prouesce est bien de vertu plein,
Car tout ly bien qui sont mondein,   15170
Sicome delit, proufit, honour,
Sont tout soubgit dessoubz sa mein;
Dont est sanz vice soverein,
Et use les comme droit seignour
Par fine vertu sanz errour:
Il ad delit sanz fol amour,
Proufit sanz tricher son prochein,
Honour sanz orguillous atour;

Si est du siecle conquerour,
Et puis du ciel serra certein.   15180

    Ore dirra de les cink files de
Franchise, des quelles la primere
ad noun Justice, contre Covoitise.
    Sicomme le livere nous devise,
Contre Avarice naist Franchise,
Si est a l'alme necessaire:
Les vices q'Avarice prise
Franchise en sa vertu despise
Et fait ses oeveres au contraire.
Elle ad cink files du bon aire,
Q'envers le siecle et saintuaire
Se gardont sanz vilain enprise;
Des quelles la primere et maire   15190
Justice ad noun, q'en droit affaire
Guerroie encontre Covoitise.
    De ceste vertu bonne et fine
La loy civile ensi diffine,
Et dist: 'Justice est ferm constant
Du volenté que ja ne fine,
Q'au riche et povre en jouste line
Son droit a chascun vait donnant':
A nully triche et nul trichant
La puet tricher, car tout avant   15200
Tient Equité de sa covine,
Q'ove sa balance droit pesant
Vait la droiture ensi gardant,
Q'al un n'al autre part s'acline.
    Platouns nous dist tout platement
Qe ceste vertu proprement
Fait l'omme solonc son degré
Par reule et par governement
Envers dieu et envers la gent
Bien vivre; car d'onesteté   15210
Rent a chascun sa dueté,
As ses seignours honour et gré,
As ses voisins molt bonnement
Fait compaignie et ameisté,
As ses soubgitz grace et pité;
Vers nul des trois estatz mesprent.
    Civile du viele escripture
Endroit d'umeine creature
Deinz briefs motz tout comprent la loy

Q'attient a resoun et mesure : 15220
C'est ' Fai a autre la mesure,
Sicomme tu voes q'il face a toy.'
Q'ensi justice tient en soy
N'est covoitous, tresbien le croy,
Del autry bien par conjecture ;
Ainz son voisin lerra tout coy,
Car conscience en son recoy
L'enseigne affaire sa droiture.

Justice que les droitz avance
Encore ad de sa retenance 15230
Trois autrez, dont se puet fier,
Prudence, Force et Attemprance.
Chascun des trois en sa faisance
Ad trois offices a guarder :
Prudence sert tout au primer,
Le dit, le fait et le penser,
Comme dist Platoun, sanz fole errance
Au droite lyne fait reuler
Du resoun sanz rien covoiter
Del autry contre dieu plesance. 15240

Prudence, dist sâint Augustin,
L'amour du cuer guart enterin,
Q'il soulement quiert et desire
Les richesses quelles sanz fin
Devont durer ; car son engin
Et son aguait, dont il conspire,
Trestout sont mis a cel empire
U le conqueste ja n'enpire,
Ainz ly pourchas est tout divin :
Vers la se tient, vers la se tire, 15250
Nulle autre chose le detire,
Dont soit au covoitise enclin.

C'est la prudence du serpent,
Qant hom luy fait enchantement,
Soubtilement lors s'esvertue,
Des ses orailles l'une estent
Plat a la terre fermement,
Et l'autre estouppe de sa cue,
Q'elle en oiant ne soit deçue :
C'est une aprise contenue 15260
En l'evangile proprement,
Dont nostre sire nous argue,
Et s'elle soit bien retenue,
Molt puet valoir au temps present.

Qant Covoitise nous assaille,
Tendrons au terre l'une oraille,
C'est assavoir, nous penserons
Comme tout fuist nostre commen-
çaille
Du vile terre et de merdaille ;
Et l'autre oraille estoupperons 15270
Du keue, si considerons
Q'en terre au fin revertirons,
La serra nostre diffinaille.
S'ensi Prudence garderons,
Je croy que poy covoiterons
La terre que si petit vaille.

' Cil q'ad prudence en son avoir
Ad tous les biens q'om puet avoir,'
Ce dist Senec : car ly prudent
Ad temperance en son savoir, 15280
Et cil q'est temperat pour voir
Il ad constance fermement,
Et ly constant du rien present
Se fait doloir ascunement,
Et qui du riens se fait doloir
Ne porra vivre tristement :
Et ensi suit par consequent
Prudence ad ce que puet valoir.

Force est si forte de corage,
Ne quiert ne lucre n'avantage 15290
Du proufit qui du siecle vient ;
Et d'autre part pour nul orage
Ne crient ne perte ne damage,
Que par fortune luy survient ;
Mais sur tous mals il se sustient,
Au destre ne s'abeisse nient,
N'au part senestre se destage ;
Le ciel covoite et la se tient,
Car en la fin, bien luy sovient,
Le siecle n'est que vain ombrage. 15300

Et Attemprance est si garnie,
La chose ne covoite mye
Dont en la fin doit repentir ;
Car pour les biens de ceste vie
La droite loy que l'alme guie
Forsfaire voet pour nul desir :
De trop se sciet bien abstenir,
Et meinz q'assetz ne voet tenir ;

N

Ovel se tient de sa partie.
Vers dieu se fait tant convertir,   15310
Qe riens luy porra pervertir
Au fin q'il la justice oublie.

Attemprance est la meene voie,
En juggement qui droit convoie
Parentre justice et reddour ;
C'est la vertu que ne forsvoie
Ou par priere ou par monoie,
Ou par hatie ou par amour ;
Ainz tient justice en sa vigour,
Chastie et pent le malfesour,   15320
Dont bien commun se multeploie :
Pité nient meinz interiour
Se dolt du paine exteriour,
Qe d'autry mal n'ad point du joye.

Ce dont je parle n'est justice
Itiel comme vendont cil Justice,
Selonc que parle le decré,
Qui pour le gaign de lour office
La vertu font tourner en vice,
Qant droit vendont et equité ;   15330
Dont font semblable le pecché
A Judas, qui le corps de dée
Vendist par voie d'avarice :
Mais vray Justice en son degré
Ne volt falser sa loyauté
Pour tout l'avoir q'est en Galice.

Ly philosophre nous reconte,
Justice les vertus surmonte
Pour garder le commun proufit ;
Du covoitise ne tient conte,   15340
Ainz sur tous biens du siecle monte
Et dessoubz dieu se tient soubgit :
Dont cil qui par justice vit
Doit sur tous autres estre eslit
Au Roy, au Prince, au Duc, au Conte ;
Car franchement sanz nul despit
Fait droit, dont puis serra parfit,
Qant Covoitise ert mise a honte.

Ore dirra de la seconde file
de Franchise, la quelle ad noun
Liberalité, q'est contraire au
vice de Usure.   f. 86

Franchise a guarder sa droiture

Encontre l'averouse Usure   15350
Ad la seconde de sa geste,
C'est Liberalité la pure,
Que tant est franche de nature,
Tant liberale et tant honneste,
Qe sa richesce as tous est preste :
Car pour nul bien que celle apreste
Ne quiert ja plus que sa mesure ;
Meulx voet donner que mal aqueste
Resceivre, car du tiel conqueste
Ne prent sa coffre la tenure.   15360

De ce vertu cil q'est doé
Asses luy semble avoir gaigné,
Qant il apreste a ses amys
Ou a qui autre en son degré,
S'il puet avoir de dieu le gré
Et de son proesme grans mercys :
En les Cités, en les paiis,
U tiel prodhomme est poestis,
Molt valt sa liberalité
Au povre gent q'est entrepris ;   15370
Qant duist paier au double pris,
Socourt a la necessité.

Usure dolt de la covine,
U ceste vertu est voisine,
Car qanque Usure par brocage
Attrait dessoubz sa discipline
Del orphanin ou l'orphanine,
Qui pour meschief mettont en gage
Leur moebles et leur heritage,
Iceste vertu les desgage,   15380
Qant voit d'Usure la falsine :
Car tant est franche de corage,
Ne lerra point au tiel paiage
Garder son proesme de ruine.

Par tout u Liberal s'en vait
Usure ad toutdis en agait
Pour sa falsine redrescer ;
Et tout ce pour deux causes fait,
Qe l'un ne l'autre soit desfait,
Ne le dettour ne l'usurer :   15390
Le corps de l'un fait socourer
Q'est au meschief de nounpaier,
Et l'autre du mal gaign retrait,
Dont s'alme devoit periller :

Molt fait tieu vertu a loer,
Par qui vienont tant du bienfait.
    Mais d'autre part s'il ensi soit
Q'au liberal ly povres doit,
Et n'ad dont paier la monoie,
Pour ce jammais d'ascun endroit   15400
Ne fait que povre en ert destroit,
Ainz luy pardonne toute voie.
Au charité tout se convoie,
Ne quiert le soen, ainz le desvoie,
Ne fait, comme dire l'en soloit,
De l'autry quir large courroie ;
Ainçois ses propres biens emploie,
Dont l'autre son proufit reçoit.
    Le quelque Liberal ad plus,
Ou la richesce ou les vertus,   15410
Et l'un et l'autre franchement
Departe as povrez gentz menuz :
Mais ja pour tant de luy resçuz
Ne quiert leur orr ne leur argent,
Ne leur chapoun ne leur frument ;
Ainçois de dieu loer attent,
Et pour cela met a refus
Tout   autre   bien ;   dont   dieus   ly
rent
Cent mil fois plus d'avancement
De son tresor qu'il ad la sus.   15420
    Ore dirra de la tierce file de
Franchise, la quelle ad noun Al-
mosne, contre le vice de Ravine.
    La tierce file de Franchise,
C'est une dame que dieu prise
Et ad a noun pitouse Almosne,
La quelle par divine aprise
Ravine hiet et sa mesprise :
Molt sont contraire leur personne,
L'un fait a l'autre molt dissonne,
Car l'une tolt et l'autre donne ;
L'une a deservy par juŷse
Le hart, et l'autre la coronne,   15430
L'une est malvoise et l'autre bonne,
L'une aime et l'autre dieu despise.
    Du franche Almosne la nature
Se tient d'especiale cure

Les povrez gens a socourer,
Selonc q'il voit le temps et l'ure,
De sa viande et sa vesture,
De son florin et son denier :
Et sur tout ce fait envoier
Entour les villes pour sercher   15440
De la maison, de la demure,
U puet les indigentz trover ;
Ne sciet ou meulx porra gaigner
Q'aider la povre creature.
    Thobie enseigna son enfant,
Q'il de ses biens soit entendant
De faire almoisne a dieu plesance :
Roy Salomon auci disant
S'en vait et son fils enseignant,
' Honoure dieu de ta substance,   15450
Et donne au povre la pitance,
Plus en serra ta sufficance
Et plus te serront habondant
Tes biens a la multipliance ' :
Car cil qui fait la dieu chevance
Ne puet faillir du gaign suiant.
    Qui droite almoisne fait et use
Ses biens par ce ja n'amenuse,
Nient plus que jadys la farine
Q'estoit ou pot de la recluse,   15460
N'auci que l'oille deinz la cruse,
La quelle par vertu divine,
Comme Heliseüs le divine
Au povere vedve et orphanine,
De tant comme plus estoit effuse
Revient tout pleine et enterine ;
Dont fuist garie en la famine
Que par Sarepte estoit diffuse.
    Comment Almoisne s'esvertue
Essample avons, car dieus la veue
Au saint Thobie en ce rendist,   15471
Q'au ciel s'almoisne estoit venue ;
Dont dieus envoia de sa nue
Saint Raphael, qui le garist.
Au bon Corneille Jhesu Crist
Auci son angel y tramist
Pour estre de sa retenue,
Q'estoit paiens, mais ce q'il fist

D'almoisne dieu en gré le prist,
Par quoy sa foy luy fuist rendue. 15480
Qui donne almoisne il se proufite,
Qant il pour chose si petite
Reprent tant large avancement :
De cest essample nous excite
La vedve que donna deux myte,
Comme l'evangile nous aprent ;
Car tant puet homme franchement
Un soul denier de son argent
Donner du volenté parfite,
Q'il par decerte plus reprent   15490
Q'uns autres, s'il donnast tiel Cent
De sa richesce mal confite.

   Pour ce chascun ove largez meins,
Selonc q'il ad ou plus ou meinz,
La povere gent almoisnera
Sanz escondit des motz vileins :
Si l'en soit du richesce pleins,
Ses douns au povre eslargira,
Et du petit un poy dorra ;
Et s'il du quoy doner n'ara,   15500
Du large cuer q'il ad dedeinz
En lieu du fait, qant ce faldra,
Son bon voloir aprestera
Pour l'amour dieu et de ses seintz.

   Je sui de Marcial apris,
Qe cil qui tient ses douns en pris
Et donne tristement a dieu,
Qant ad ses douns ensi partiz
Des deux proufitz s'est departiz,
C'est q'il ses douns q'il ad rendu 15510
Et le merite ad tout perdu :
Mais cil qui n'est pas esperdu,
Ainz voet oïr les povrez cris,
Et ad le bras prest estendu
Pour donner, cil ert entendu
De grant loer, ce dist l'escris.

   Si droite Almoisne a dieu se fiere,
Om doit donner ove lée chiere
Au cry du povre gent menour,
Q'Almoisne luy soit oreillere :   15520
Car Salomon en sa maniere
Nous dist que trop fait grant folour
Qui clot s'oraille a tiel clamour

Des povres, et n'est auditour
Pour leur donner de s'almosnere ;
Car q'ensi fait, verra le jour
Q'il criera vers dieu socour
Sanz nul exploit de sa priere.

   L'apostre dist que dieu s'agrée
Qant om luy donne du bon gré ;   15530
Car dieus reguarde soulement
Du cuer la bonne volenté.
Seneques dist en son degré
Qe nulle chose aucunement
Est achaté si chierement,
Comme celle q'est darreinement
Du longue priere adquestée ;   **f. 87**
Car q'ensi donne, son doun vent,
Dont en la fin loer ne prent :
Vei la folie et nyceté !   15540

   Et si tu voes doner a droit,
Des propres biens covient q'il soit
L'almoisne que tu voes bailler :
Car autrement en nul endroit
Dieus en bon gré ne la reçoit,
Q'il ne voet estre parçoner
De pilour ne de ravener :
Et si du propre voes donner,
Encore il covient que ce soit
En nette vie, car denier   15550
De ta main ne voet accepter
Dieus, qant ton cuer en pecché voit.

   D'un homme riche truis escrit,
Qui jadis une eglise fist
Del autri bien q'ot par ravine ;
Mais qant l'evesque vint au plit
Del dedier, le deable y vist
Seoir et avoir pris saisine ;
Si dist d'orrible discipline,
' Ja ceste eglise n'ert divine,   15560
Ainz est a moy parenterdit,
Car tout fuist faite du falsine.'
Ensi disant par sa ruine
S'en vole, et tous les murs desfist.

   Pour ce dist dieus par Ysaïe :
' Q'est ce que vous par tirannie
Maison a mon oeps atiretz ?
Je n'y prendray herbergerie.

Le ciel ma propre sée guarnie
Perest, et terre, ce sachetz,　15570
Est l'eschamelle de mes piés.
Quel mestier ay, lors responetz,
De vo richesce mal cuillie?
Noun ay, ainz tout ert refusez:
Mais quique fait mes volentés,
Son doun refuseray je mye.'
　La question je truis escrite
Du bon saint Job, qui nous recite:
' S'almoisne vient du torte line,
O quel espoir de sa merite　15580
En poet avoir cil ypocrite
Qui l'autri bien tolt par ravine?'
Ce dont quide avoir medicine
Luy fra languir, car la divine
Justice almoisne ensi confite
Desdeigne; car de la covine
Dieus ne puet estre, u que falsine
Se melle, ainçois la tient despite.
　Quiconques par ypocrisie
Almoisne donne ou june ou prie,　15590
Ore escoultez comme faitement
Dist nostre sire en Jeremie:
Il dist que tiele gent faillie
Semont le blé, mais nequedent,
Qant messon vient darreinement,
Nul fruit en ont, ainz folement
L'espine en cuillont et l'urtie,
Dont serront point molt asprement:
Ensi guilour pour guilement
Serra guilé de guilerie.　15600
　Almoisne est doun, nounpas bargaign,
Car droite Almoisne ne quiert gaign
Reprendre de s'almoisnerie;
C'est q'il ne quiert loer humain
Du cuer, du bouche ne du main:
Du cuer primer, ce signefie
Qe veine gloire n'en ait mye,
Dont en son cuer se glorifie,
Ne de la bouche son prochain
N'en quiert loenge en compainie,
Ne d'autre main sa rewardie　15611
Attent forsque de dieu soulain.

Ce nous tesmoigne l'escripture,
Qe sicomme d'eaue la moisture
Extaignt du fieu la violence,
Si fait Almoisne en sa nature,
Du pecché la tresvile ordure
Extaignt del infernal descense;
Dont falt que chascun se pourpense,
Pour luy de qui tout bien commence
Donner almoisne en sa mesure　15621
Pour espourger sa conscience;
Car poy sont cils qui sanz offense
N'eiont mestier de celle cure.
　O quel surcrois du gaignerie
Almoisne prent en marchandie,
Voir plus d'asses que ly sergant
Q'ot cink besantz a sa partie,
Et pour ce q'il deinz sa baillie
Les fist au double surcrescant,　15630
Sur cynk Cités fuist seignourant:
Mais qui d'almoisne est droit marchant
Adquiert tout autre seignourie,
L'amour de dieu q'est toutpuissant,
Le ciel ove tout q'est pourtienant,
En joye et perdurable vie.
　Je lis q'almoisne est le semaille
Le quel, au fin qu'il cresce et vaille,
En megre terre et noun en crasse 15639
Om doit semer; car un soul maile
Q'om de s'almoisne au povere baille
Valt plus q'a donner une masse
Au riche, q'ad tout plain sa tasse:
Et qui du pité se desquasse
Et donne au povre la myaille
Du pain, dont il sa faim aquasse,
Si poy d'almoisne excede et passe
Le feste au riche et le vitaille.
　Ly sages dist en sa maniere,
' Si le povre homme te requiere, 15650
Donnetz, et si n'en targetz mye,
Ainçois que toy la mort surquiere':
Lors ert trop tard, si l'en te quiere,
Qant perdu as ta manantie.
Pour ce donnetz en ceste vie,
Car la lanterne meulx te guie

15581 Enpoet　15596 enont　15597 encuillont　15642 qadonner

Devant la main que parderere :
Tantcomme tu as la seignourie,
Meulx valt donner la soule mye,
Q'apres la mort la paste entiere.   15660
    Ly sages te dist ensement,
'Ce que l'en donne au povre gent
Est a dieu mesmes apresté,
Et il a cent fois plus le rent.'
Car il dist mesmes tielement,
'Quiconque as povres ait donné
El noun de moy par charité,
A moy le donne, et de bon gré
Je le resceive, et proprement
Frai que ce serra repaié.'   15670
O comme almoisne est benurée,
Quelle ad si bon repleggement.
    Escoulte qui le povre oublie
Que Raphael dist a Thobie :
'Meulx valt,' ce dist, 'a dieu donner
Almoisne, que la tresorie
Combler d'estroite muscerie,'
Du quoy le deable est tresorer.
Ce dist David en son psalter :
'Cil est benoit qui reguarder   15680
Deigne a la povre maladrie
Pour leur desease socourer ;
Car les mals jours ne doit doubter
Ne les perils de ceste vie.'
    Ce dist Senec, 'Al indigent
Dorrai des mes biens franchement,
Au fin que sauf sanz indigence
Du corps et alme ensemblement
En soie ' : car tout voirement
Saint Isaïe nous ensense,   15690
Disant que cil qui fait expense
D'almoisne, dieux le recompense
En halt le ciel molt richement
De sa lumere et sa presence,
U sanz tenebre en conscience
Il verra dieu tout clierement.
    Almoisne ensi comme procurour
S'en vait au ciel superiour,
Si fait la voie et le brocage   15699
Vers dieu et vers les seintz entour,

Dont sont resçuz en grant honour
Tous cils qui l'ont en lour message
Mandé devant la main comme sage :
Car franche Almoisne en son langage
Tant sciet parler au creatour,
Et porte ove luy tant riche gage,
Que l'alme des tous mals desgage
Et la remette en bon amour.
    Q'Almoisne les pecchés exteigne
Nous en trovons aperte enseigne,   15710
Car Daniel ce vait disant
Au Roy qui Babiloine meine,
Q'il des grans biens de son demeine
Almoisne au povre soit donnant,
Dont ses pecchés soit rechatant.
He, quel finance soufficant,
Qe l'alme a salveté remeine,
Et le fait franc qui pardevant
Fuist en servage du tirant :
Vei la, comme bonne chambreleine !
    Almoisne est celle chamberere   15721
Que l'alme lave nette et clere,
Q'ascune tache n'y appiert :
Du ciel Almoisne est la portiere,
Qui tous les soens ove lour charrere
Y laist entrer, qant om le quiert :
Qant om saint Julian requiert
Pour bon hostel, Almoisne y ert,
Sicomme la tresbonne hostelliere :   f. 88
Almoisne ensi, comme meulx affiert,
A tout bienfaire se refiert,   15731
Et tous les mals met a derere.
    Almoisne est faite en mainte guise,
Dont je te dirray la divise,
Bon est si tu l'entenderas :
Primer tu q'as richesce adquise
Dorras la cote et la chemise
Au povre, qant nud le verras,
De saint Martin t'essampleras ;
Manger et boire auci dorras   15740
As fameillous, car tiele aprise
Del dieu commandement en as ;
Auci d'almoisne herbergeras
Celluy qui n'ad meson u gise.

Auci d'almoisne visiter
Tu dois malade et prisonner
De tes biens et de ta presence :
D'almoisne donne ton denier,
U meulx le quidez assener,
Nounpas a chascun qui te tence, 15750
Ainz du suffraite l'evidence
Tu dois sercher de ta prudence,
Et u tu vois greigneur mestier,
Dorretz du large main extense ;
Mais la plus grevouse indigense
C'est riche en povreté tourner.

Je lis d'un homme qui pieça
Fuist riche, et puis luy fortuna
Q'il devint povre, et pour soy pestre
Trois de ses filles ordina 15760
Au bordell, siqu'il par cela
Viveroit, qant meulx ne poait estre.
Mais celle nuyt par sa fenestre
Saint Nicholas, qui scieust bien l'estre,
Argent et orr aval rua,
Sique l'almoisne de sa destre
Les files ove leur fol ancestre
Du pecché tint et remonta.

O quel essample nous entrait
Cil saint, q'ensi fist son aguait 15770
De nuyt pour ses almoisnes faire ;
Assetz le pot bien avoir fait
Du jour, mais il volt son bienfait
Celer sanz sa loenge en traire ;
De tant estoit s'almoisne maire.
Ly sages dist, ' Si voes dieu plaire,
Fai que ly povres almoisne ait
Muscé trestout en secretaire
Deinz son giroun, car ly bienfaire
De tiele almoisne a dieu s'en vait.'

Ensi l'almoisne de tes biens 15781
Dorras, et puis falt une riens,
Qe si plus sages es d'autry
Et tu d'almoisne au droit soviens,
En tous les lieus u que tu viens
Ton sen dorras a chascuny,
Q'est du bon consail desgarny :
Car Salomon te dist ensi,

Qe s'au tiel point ton sen detiens,
Tu pecchez, car l'orr enfouy 15790
Et sens muscé, qant n'est oÿ,
Ne l'un ne l'autre vale riens.

En general l'almoisne est grant,
Qui plus sciet ou plus est puissant,
Qant son voisin voit en destresse
Du charge qui trop est pesant,
Aider luy doit de maintenant
De sa force et de sa vistesce,
Pour supporter l'autry fieblesce ;
Car c'estoit la doctrine expresse 15800
Du saint Apostre en son vivant :
Pour ce jofne homme a la vielesce
Et ly viels homme a la jofnesse,
Chascun vers l'autre soit aidant.

Ly saint prodhomme sont tenu
Prier, car c'est en chascun lieu
Almoisne al alme et grant profit.
Du bon saint Piere j'ay bien lieu,
Combien q'il d'orr n'estoit pourveu,
Pour ce s'almoisne n'escondist 15810
Au povre clop, ainçois luy dist,
' Va t'en tout sein,' et cil guarist :
Mais au jour d'uy n'est pas veeu
L'almoisne q'est ensi confit,
Et nepourqant c'est un excit
Q'om doit donner almoisne a dieu.

Du petit poy serra donné,
Du nient l'en dorra volenté ;
Car si tu n'as du quoy donner,
Encore as tu la liberté 15820
D'avoir le cuer piteus et lée :
Poverte n'en dois allegger ;
Cil n'est pas povere a droit jugger
Q'ad poy ou nient ove large cuer,
Ainz cil est povre et malurée
Q'ad molt et plus voet convoiter ;
Mais qui la savera bien garder,
Poverte est noble et beneurée.

Le philosophre en son aprise
Poverte en sept maneres prise ; 15830
Si dist a son commencement
Qe c'est un bien que l'en despise.

Si nous agardons la divise,
Bonne est, car dieus tout franchement
Son ciel donne a la povre gent ;
L'estat du povre il ensement
Eslut, qant vint a sa juise,
Dont fuist despit trop vilement :
Lors m'est avis, qui bien l'enprent,
C'est un estat du bonne enprise.   15840
  Celle est auci la droite mere
Du saunté et la remuere
De toute cure et de destance ;
Car n'est gloutouse ne lechiere,
Dont maladie luy surquiere,
Ne trait phisique a sa queintance :
Poverte auci de s'alliance
Ne fait avoir la guerre en France,
N'est mye as armes coustummere ;
N'ad pas le siecle en governance,   15850
Ainz en quiete et en souffrance
Met toute cure loign derere.
  Poverte auci du sapience
Fait controver l'experience
De dieu servir, amer, doubter :
Quique debat ou crie ou tence,
N'est qui la quiert en evidence,
Dont ait destourbé le penser
D'ymaginer, de contempler,
Pour biens et mals considerer,   15860
Tanq'il tout voit de sa prudence ;
Et lors est sage a terminer,
N'est autre q'un soul dieu amer,
Par qui tout bien fine et commence.
  Poverte est celle marchandie,
Dont perdre l'en ne porra mye,
Car mesmes dieus promis nous a
Qe cil qui laist en ceste vie
Pour luy parent ou manantie,
Ou chose quelque ce serra,   15870
Centante plus resceivera
En vie que jammais faldra.
O comme poverte multeplie !
Sage est qui la bargaignera,
Car pour nient om l'achatera,
Et tout reprent au gaignerie.

Poverte est la possessioun
Du quelle en nulle sessioun
N'est qui la part voet chalanger :
Dont dist ly sage Salomon,   15880
Q'un tout soul oef deinz la mesoun
Q'en ese l'en porra manger
Meulx valt que la meson plener
Du qanq' om porroit souhaider,
U l'en doit manger en tençoun.
O comme te dois eleëscer,
Franche poverte sanz danger !
Tous ont envye, mais tu noun.
  Poverte sanz sollicitude,
Tu es du vray beatitude   15890
Felicité, car tu deinz toy
As sufficance et plenitude.
Quique des gens ait multitude,
Tu as soul dieu deinz ton recoy,
Qui te pourvoit assetz du quoy,
Dont tu te tiens peisible et coy,
N'est qui tes biens de toy exclude.
Ne say dont plus loer te doy ;
Si dieus te voet donner a moy,
Bien viene : ensi de toy conclude.   15900
  **Ore dirra de la quarte file de
Franchise, la quelle ad noun Lar-
gesce, contre le vice d'Escharceté.**
  La quarte file ad noun Largesce,
Que d'Avarice n'est oppresse,
Ainz hiet vilaine Escharceté :
Franchise l'ayme et la professe,
De son hostel commanderesse
L'ad fait pour sa grant largeté ;
Dont la poverte en son degré
Reçoit en hospitalité :
Ne laist un soul avoir destresce
Tant comme porra du charité,   15910
Maisque par trop necessité
Son propre estat en ce ne blesce.
  Car la vertu de mon escrit
Ne parle yci du plus parfit,
Q'om doit ses biens tout refuser
Et du poverte le despit
Souffrir du siecle en povre plit :

15914 plusparfit

Bien fait qui ce porra durer ;   f. 89
Mais nepourquant ly droiturer,
Qui dieus des biens fait habonder,
S'il solonc sa richesce vit   15921
Et voet Largesce au droit mener,
Ce doit souffire a son loer,
Qant il est humble d'espirit.
  As bons est bonne toute chose,
Car l'omme bon bien se dispose
Des biens que dieus luy ad donné ;
Ne tient pas avarice close
D'Escharceté, ainz la desclose
Par mesure et par largeté   15930
Sanz point de prodegalité.
Ne quiert pour ce la renomée
Du poeple ne la veine glose,
Ainçois le fait de dueté,
Au fin que dieus l'en sache gré
Du conscience en la parclose.
  La vertu de Largesce en soy
Le my tient entre trop et poy ;
Dont si tu voes largesce faire,
Fai selonc ce que tu as quoy ;   15940
Despen sur tiele gent et toy,
U meulx verras que soit a faire :
Car si tu fais despense maire
Que n'est du resoun necessaire,
Ce n'est largesce, ainz est desroy ;
Et sur la gent q'est de mal aire
Si tu despens, c'est au contraire
Du resoun et de bonne loy.
  Ice t'enseigne Marcial,
Que soietz large et liberal   15950
Envers tous autres parensi
Q'a toy n'en facetz trop du mal ;
Car ce n'est pas largesce egal :
Et d'autre part te dist auci
Danz Tullius, q'a ton amy
Largez soietz, maisque d'autry
Ne piletz par especial,
Dont ta largesce soit compli ;
Car l'un et l'autre sont bany
Loigns de largesce natural.   15960
  Largesce pour bon governage

Ad retenu de son menage
Discrecioun et Attemprance.
Discrecioun, q'est assetz sage,
Voiant le temps, le lieu, l'usage,
Et son estat et sa soubstance,
Fait ordiner la pourvoiance,
Et lors par juste circumstance
Attrait les bons a son hostage,   15969
Pour avoir leur bonne aqueintance ;
Mais sur trestout pour dieu plesance
Y met le plus de son coustage.
  Discrecioun te fra despendre
La que tu puiss honour reprendre,
Et Attemprance endroit de luy
Te fait de sa mesure entendre
Q'au trop ne dois ta main extendre ;
Car si tu follargesce ensi
Fais, dont tu soiez anienti,
Ly sages dist, comme je te dy,   15980
Tu fais comme cil qui soi surprendre
Se laist comme fol et malbailly
De son tresmortiel anemy,
Qant n'ad rançoun dont porra rendre.
  Ce dist David en son escript,
'Selonc ton cuer et t'espirit
Ou plus ou meinz dieus te dorra' :
Au cuer eschars dorra petit,
Au large dorra large habit,
Dont largement largesce fra :   15990
Mais au large homme bien esta,
Car seignour de ses biens serra,
Dont porra faire son delit ;
Mais l'autre n'ad dont s'aidera,
Ainz en grant doubte il servira,
Q'a ses richesces est soubgit.
  Dans Tullius ly bons parliers
Encontre les eschars aviers
Ensi parlant de sa doctrine,
Dist que trestout sont communers   16000
Les biens de l'omme seculiers
Solonc nature et loy divine ;
Si te consaille en sa covine
Depuisque dieus ensi diffine
Et voet que soions parconiers,

15935 lensache

Comme plus fortune te destine,
Fai ta largesce au gent voisine
De ta viande et tes deniers.
  Au vray largesce dieu fuisonne,
Et ce parust en sa personne,   16010
Qant de sa propre large mein
Viande a cink Mil hommes donne :
De sa largesce tous estonne,
Car du petit tout furont plein ;
C'estoit le fait du soverein
Pour essampler le poeple humein
Qe qui largesce au droit componne,
Dont fait proufit a son prochein,
Dieus est en ce comme capitein,
Qui sa largesce au fin coronne.   16020
  Dieus qui fait droit a chascuny
Te dist en l'evangile ensi,
' Rende a Cesar q'a Cesar dois,
Et donne a dieu que dois a luy ' :
Comme jadis fit Jacob, le qui
A dieu donna la disme, ainçois,
Par ce q'a dieu donna ses droitz,
Dieux ly donna molt bel encroiss,
A son paiis quant reverti :
Sique del une et l'autre loys   16030
Bon est, des biens que tu reçois
La disme soit a dieu parti.
  Cil q'est droit large en sa partie
Tout de sa propre pourpartie
Fait sanz ravine sa largesce ;
Au covoitise ne s'applie,
Ainz du justice bien complie
Au point tout son affaire adresce :
Si donne au povre gent oppresse,
Et fait as nobles sa noblesse,   16040
Des toutes partz se justefie,
Sique son noun du bien encresce ;
Par quoy comme sa demesne hostesse
Tient Bonne fame en compaignie.
  Sidrac te dist tout ensement,
' Qant covoitise te susprent,
Tantost te dois rementevoir
De ton bon noun, sique la gent
Mal n'en diont, car nul argent

Te porra contre ce valoir ;   16050
Ainz te valt meulx bon noun avoir
Qe Mill tresors d'ascun avoir.'
Si dist auci qu'il proprement
Meulx ayme a perdre son manoir,
Ainz que son proesme a decevoir,
Dont porroit gaigner laidement.
  Par tout u que Largesce irra,
Bon noun ades luy suïra
Du renomée ; dont dist ly sage,
Qe ce plus que nul or valdra   16060
A celluy qui dieus amera,
Et plus en porte d'avantage.
Roy Salomon au franc corage
De sa largesce en chascun age
Par tout le monde om parlera :
Meulx valt largesce que parage,
Car sanz largesce seigneurage
N'est riens si vil comme est cela.
  La gent par tout le siecle prie
Que dieus Largesce salve et guie 16070
Pour profit que de luy avient :
' Largesce,' dist le povre et crie ;
La vois de tiele heraldie
Pour luy qui povrez gentz sustient
Jusques as nues monte, et vient
Pardevant dieu, qui le retient,
Et donne le Seneschalcie
Du ciel ove tout le bien q'attient ;
U sa largesce puis maintient
En corps et alme sanz partie.   16080
  **Ore dirra de la quinte file de
Franchise, quelle ad noun Saint
pourpos, contre le vice de Si-
monie.**
  Franchise ad sa cinkisme file,
La quelle ses clergons n'affile
Du Simonye ou d'Avarice ;
Ainçois se guart q'en champ ne
    ville
Sa conscience ja n'avile
Par doun, priere, ou par service,
Dont elle acate benefice,
Q'ensi ne voet en nulle office

Du sainte eglise entrer l'ovile :
N'est pas si sote ne si nyce,   16090
Q'offendre voet la dieu justice
Ou par Canoun ou par Civile.
  De ceste franche dammoiselle
Le noun Saint pourpos om appelle ;
Car son corage est tout divin,
Comme la verraie dieu ancelle,
Que jammais cure ne chapelle
Desire avoir par mal engin :
Par luy le vice Simonin
Ne fait l'eschange du florin,   16100
Ne pour l'exploit de sa querelle
Les lettres vont en parchemin,
Ne ly message, en son chemin
Qui vole plus que l'arundelle.
  Ly clercs q'ensi s'est pourposant
Ne vait point les seignours glosant,
Ensi comme fait ly courteiour ;   **f. 90**
Ne d'autri mort est expectant,
N'a Rome s'en vait pas serchant,
Ensi comme fait cil provisour   16110
Du symonie devisour,
Voir plus que n'est cil assissour
Qui vait l'enqueste devisant ;
Ainz tout attourne son amour
Vers dieu, sanz qui de nul honour
L'estat desire tant ne qant.
  L'en dist ensi communement,
' Bon fin du bon commencement,
Du bon pourpos vient bon exploit ' :
Et je vous dy tout tielement,   16120
Ly clercs qui ceste file aprent
Son commencer bon estre doit.
Qant le saint ordre de Benoit
Primerement pour dieu reçoit,
Son noun doit suïr proprement,
Qu'il de benoit ne soit maloit ;
Car clercs qui tourne en tiel endroit
C'est un mal retrogradient.
  Melchisedech fuist le primer
Qui dieus eslust pour celebrer   16130
El ordre de presbiterie :
Saint pourpos ot au commencer,

Car autrement, n'estuet doubter,
De dieu eslit ne fuist il mye ;
N'achata point par Simonye
Ses ordres, ne pour rectorie
Si saint estat volt covoiter :
La viele loy nous signefie,
Q'ensi devons de no partie
En sainte eglise ministrer.   16140
  Aron auci du viele loy
Estoit Evesque al plus halt Roy
Par droite eleccioun divine,
Du saint pourpos q'il ot en soy,
Pour sa justice et pour sa foy,
Dieus s'agrea de sa covine ;
Ne pourchaça de sa falsine,
Ne par brocage simonine
Le mitre ne l'anel au doy :
Soient de tiele discipline   16150
Ly clerc qui sont en ce termine ;
Meulx en valdront, tresbien le croy.
  U la vertu du Saint pourpos
El cuer du prestre gist enclos,
Ja Simonie n'ert enclose,
Ainz tout le mal en ert forsclos ;
Du sainteté fait son parclos,
Si q'Avarice entrer n'y ose.
He, dieus, comme est honeste chose,
Qant conscience ensi repose   16160
Du sainte eglise en bon repos,
Quant Simonie ne l'oppose :
Cil prelatz q'ensi se dispose
Bien gardra son divin depos.
  C'est la vertu que l'en diffine
Semblable au seinte pelerine,
Qui son voiage bien commence,
Et bien le vait, et bien le fine :
Celle est auci la dieu meschine,
Qe deinz ses chambres en silence
Son cuer ove tout ce q'elle pense 16171
Luy dist, et cil donne audience :
Celle est del arbre la racine,
Que porte fruit du providence :
Celle est sanz neele le semence,
Dont om la paste fait divine.

Ore dirra la descripcion de la
vertu de Franchise par especial.

O comme Franchise ad belle issue,
Dont d'Avarice se dessue
Chascun prodhomme en son corage!
N'est riens si franc dessoubz la nue,
Car qui de celles s'esvertue   16181
Trestout ert franc de vil servage,
D'argent et d'orr et du pilage;
Car d'Avarice en nul estage
De plus ou meinz son cuer englue:
Benoit soit tiele seignourage
Q'as povrez gentz fait avantage
Et a soy mesmes grant aiue.

   Franchise pense bien cela,
Que du malvoise mammona   16190
Dieu commanda q'om face amys,
Et q'om son tresor comblera
El ciel, u ja ne ruillera:
Franchise en tient le dieu devis;
Dont qant d'icy serra failliz,
Son tabernacle en paradis
Appareillé prest trovera,
U riches ert et manantis
De la richesce que toutdis
Sanz fin en joye luy durra.   16200

   Quant dieus en terre descendoit,
Franchise lors ove luy venoit,
Dont l'Avarice a l'anemy,
Q'el gouffre de Sathan tenoit
Et soubz les cliefs d'enfern gardoit
Des almes q'il avoit trahi:
Franchise tous les enfranchi
Et leur rançon paia parmy,
Et grant richesce leur donoit
En paradis; pour ce vous dy   16210
Faisons franchise envers autry
Sicomme vers nous dieus le fesoit.

   Ore dirra de les cink files que
   naiscont de la vertu de Mesure,
   des quelles la primere ad noun
   Diete, contre le vice de Ingluvies.

Encontre vile Gloutenie

Naist une vertu bien norrie
Du resoun et divine grace;
Mesure ad noun, la dieu amye:
Cink files ad en compaignie,
Chascune suit sa mere au trace,
Des quelles l'alme se solace,
Dont falt que chascun homme sace
Les nouns de ceste progenie.   16221
O ventre glous, mal prou te face,
Car la primere te manace
Qe trop manger ne dois tu mie.

   De cestes files la primere
Par consail de sa bonne mere
En droite nominacioun
Diete ad noun, la dieu treschiere,
Quelle a mesure toute entiere
En viande et potacioun   16230
Se prent: car pour temptacioun
Ne quiert sa recreacioun,
Si noun que resoun la requiere;
Et lors par estimacioun
Sa droite sustentacioun
Prent entre vuide et trop plenere.

   Cil qui de ceste s'esvertue,
Ja pour gloutouse sustenue
Glouteëment ne mangera;
Ne ja pour haste au jour se mue, 16240
Ainçois q'il voit celle houre due
Pour manger, mais ce ne serra
Au matin qant se levera.
Car ja son ventre n'emplera,
Dont s'alme vuide soit tenue,
Ainz au primer dieu servira,
Dont l'alme se desjunera,
Et puis laist que le corps mangue.

   Le ventre vit en grant quiete,
Qui se governe par Diete   16250
Et vit solonc bonne attemprance
De sa pitance consuëte;
Car qui se paist au droite mete,
Son corps du santé bien avance.
Cil q'ensi fait n'avera doubtance
Q'il doit morir du mal du pance,
Si noun q'il d'ascune planete

Soit corrupt d'autre circumstance :
Dont m'est avis meulx valt pitance
Qe Gloutenie trop replete.   16260
  Par vray Diete bien se guie
Cil q'a son ventre ne s'applie
Pour gloutenie soulement,
Du quoy la char se glorifie,
Ainz voet que l'alme soit norrie
Avoec le corps ensemblement :
Auci qant sainte eglise aprent
Q'om doit juner devoutement,
Ce voet juner de sa partie ;
Par quoy molt resonnablement   16270
Qant doit venir au juggement
S'escusera de gloutenie.
  Ore dirra de la seconde file de
Mesure, la quele ad noun Abstin-
ence, contre le vice de Delicacie.
Une autre file de Mesure
Loigns des delices se mesure,
Ne voet pas estre delicat ;
Ainz s'en abstient en chascune hure,
Tanque famine la court sure,
Du quoy devient et maigre et mat :
Mais lors, qant force le debat,
Un poy mangut, pour son estat   16280
Tenir en droit de sa nature.
C'est la vertu que sanz rebat
Ove Gloutenie se combat,
Et la met a desconfiture.
  Quiconque ceste file meine,
Ne se delite en paindemeine,
Ainz mangut pain d'une autre paste,
Ne par delit bon vin asseine ;   **f. 91**
Combien q'en ait sa coupe pleine,
Molt est petit ce qu'il en taste :   16290
Ainz tient en toise l'arcbalaste,
Dont l'alme tret et fiert en haste
La char q'est contre luy halteine,
Et toute sa delice guaste :
En tiele guise il la repaste,
Qu'il fait courtois de la vileine.
  Mais s'il avient ensi par cas
Qe l'abstinent d'ascun solas

Par compaignie estuet manger,
Des bons mangers le doulz ou crass,
Ou boire vin des beals hanaps,   16301
La bouche s'en poet deliter
Des tieus delices savourer,
Mais ja ly cuers de son gouster
Par mal ne s'en delite pas ;
Ainz rent loenge a dieu loer,
Dont bouche se fait solacer
Ly cuers dist, ' Deo gracias.'
  U ceste vertu l'ostel guarde,
Le deable d'y venir se tarde,   16310
Car point ne trove y du vitaille
Dont il la frele char enlarde,
Ne dont les fols delitz rewarde,
Ainz des tieux mess y trove faille :
Lors qant ne trove que luy vaille,
Le siege laist, que plus n'assaille ;
Car Abstinence n'est couarde,
Ainçois l'enchace et fiert et maille,
Dont il s'en fuit de la bataille,
Q'il n'ose attendre l'avantgarde.   16320
  Sainte Abstinence en sa mesoun
Retient comme pier et compaignoun
Discrecioun en compaignie :
Si l'une hiet replecioun,
Celle autre endroit de sa resoun
L'estat du trop juner denye ;
Mais toute voie ensi la guye,
Sique la frele char chastie
Et la met en subjeccioun
Par poy manger ; mais q'elle occie
Sa char, cela ne souffre mye   16331
Par tressoubtile inspeccioun.
  La loy divine ne dist pas
Ensi, que tu ne mangeras,
Ainçois te dist et te defent
Que gloutenie nulle fras.
Pour ce te covient en ce cas
Parentre deux discretement
Guarder ; car si trop pleinement
Mangues, lors ton sentement   16340
Du gloutenie accuseras,
Et si tu es trop abstinent,

    16290 entaste   16291 entoise

Nature en dolt, que folement
Lors tu toy mesme occieras.
Mais q'abstinence soit parfait,
Encore il falt que plus soit fait,
Comme saint Gregoire nous divise ;
Qui dist que si ly povres n'ait
Ce que du bouche l'en retrait,
Tiele abstinence dieu ne prise ;   16350
Car qui s'abstient par tiele guise
Ne fait a dieu son sacrifise,
Ainz d'avarice trop mesfait,
D'escharceté qu'il ad enprise,
Qant la viande q'est remise
As propres oeps guarder le fait.
   Encore al Abstinent covient
Qe deinz son cuer bien luy sovient
Q'il d'ascun pecché n'ait lesure.
Isidre dist que qui s'abstient   16360
En son pecché, c'est tout pour nient ;
Q'ensi font deable, qui nulle hure
Vuillont manger, mais sanz mesure
Leur pecché par malice endure.
Mais l'omme qui bien se contient
En abstinence droite et pure,
Ensi comme vous ay dit dessure,
C'est cil qui dieus ove luy retient.
   Ore dirra de la tierce file de
Mesure, quelle ad noun Norreture,
contre le vice de Superfluité.
   Mesure encore y enfantoit
Sa tierce file en son endroit,   16370
Que Norreture est appellé ;
C'est celle que mangut et boit
Tout prest a desrainer son droit
Encontre Superfluité :
C'est la vertu plus mesuré,
En qui n'ert pas desmesuré
Le goust, maisque la vie en soit
Norrie en sa necessité :
A l'alme rent sa dueté,
Et fait au corps que faire doit.   16380
   Selonc s'estat et son pour quoy
Se fait norrir de plus ou poy,
S'il fort ou fieble ait le corsage,

S'il fait labour ou se tient coy,
Tout ce compense en son recoy,
Et sa jofnesse ou son viel age :
Solonc son temps et son usage
Mangust du meillour compernage,
Et boit del meulx q'il ad du quoy ;
Dont poet suffire en son corage   16390
Ou a priere ou a l'overage
Solonc la dueté de soy.
   Dieus qui fourma trestoute beste,
Ou soit marrine ou soit terreste,
Tous les norrist de sa mesure,
Dont ils vivont solonc lour geste,
Et ly salvage et ly domeste,
Sanz faire excess de norreture :
Mais l'omme q'est al dieu figure
Et est plus digne de nature,   16400
S'il soit plus malnorri de ceste,
Lors m'est avis q'il desnature ;
Car sur trestoute creature
Resoun voet bien q'il soit honeste.
   C'est la vertu que tout se plie
A mesure et a courtoisie ;
Bon manger ad, bien le mangue,
Le claret boit et la florie ;
Mais ce n'est pas par gloutenie,
Ainz est par sa nature due,   16410
Sique sa force est maintenue,
Dont soy et autrez meulx aiue
Ou soit du siecle ou de clergie :
Qant dieus la Gloutenie tue,
A ceste q'ensi s'esvertue
Dorra la perdurable vie.
   Ore dirra de la quarte file de
Mesure, quelle ad noun Sobreté,
contre le vice de Yveresce.
   La quarte file en ceste histoire
L'en nomme Sobreté du boire,
La quelle jammais par excesse
Pert sa science ou sa memoire ;   16420
A la taverne n'est notoire
Pour soy aqueinter d'Yveresce.
Vin donne au cuer sen et leësce,
Qant homme sobrement l'adesce,

Sicomme dist l'escripture voire;
Et autrement dolour, tristesce,
Infermeté, folour, fieblesce,
Plus que nul homme porroit croire.
  Mais la vertu de Sobreté
Est en ce cas tant mesurée,   16430
C'est pour le meulx, qant le vin boit;
Et pour conter sa digneté
D'especiale honnesteté,
En quatre pointz loer l'en doit:
Primer bien gart en son endroit
De l'omme en sa franchise soit
Du resoun q'est a luy donné,
Et tous les membres en lour droit
Sustient, ensi que nul forsvoit,
Ne pert sa franche poesté.   16440
  Puis fait le seconde avantage,
Car l'omme franc du vil servage
Du Gloutenie fait guarder;
Et puis sustient le seignourage,
Dont l'espirit en son estage
Dessur la char fait seignourer,
Sique l'enfernal buteller,
Qui fait les glous enyverer
De son tresmalvois tavernage,
Ne luy puet faire forsvoier,   16450
Ainz droitement le fait mener
Usques au fin de son voiage.
  Le quarte bien especial,
Dont Sobreté nous est causal,
C'est q'elle garde salvement
Du cuer la porte principal,
C'est nostre bouche natural;
Sique le deable ascunement
N'y entre ove son enticement,
Comme fist a no primer parent,   16460
Qui de sa bouche le portal
Overy, et puis ficha le dent
El pomme, qui soudainement
Deinz paradis luy fuist mortal.
  Qant dieus qarante jours juna,
Le deable trop se soubtila,
Combien que ce fuist tout en vein;
La bouche encore luy tempta,
Et en tieu fourme luy rova,

'Dy que ces pierres soient pain': 16470
Mais dieus, qui scieust devant la
   main
Tous les agaitz du mal vilain,
Par Sobreté luy resista;
Dont bon serroit a tout humain   **f. 92**
Garder la bouche ensi certain
Comme nostre sire la guarda.
  Du Sobreté l'en doit loer
Celly q'ensi se fait guarder:
De saint Jerom escript je truis,
Qui dist, 'La bouche tout primer   16480
Doit l'avantgarde governer
En la bataille des vertus':
Si bien ne soit gardé cel huiss,
Le deable y entre et fait confus
Tout quanq'il puet dedeinz trover,
Dont corps et alme sont perduz:
Mais cil q'est sobre est au dessus
Pour fort combatre et resister.
    **Ore dirra de la quinte file de
    Mesure, quelle ad noun Modera-
    cion, contre le vice de Prodegalité.**
  La quinte de Mesure née
Est Moderacioun nomée,   16490
Que les cliefs porte et est gardeins
Du pain, du char, du vin, du blée,
Chascun office en son degré
Fait governer de plus ou meinz:
Des biens que passont par ses meins
Trop large n'est ne trop vileins,
Ainz est bien sage et mesurée;
Bien fait dehors, bien fait dedeinz,
Bien fait a soy, bien as procheinz,
Dont dieus reçoit son fait en gré.   16500
  Cil q'est de ceste file apris,
Excess par luy ja n'ert enpris
Plus q'il ne doit par droit enprendre,
Ainz sa mesure tient toutdiz:
Il expent bien les noef des disz,
Mais disz de noef ne voet expendre.
Comme son estat le poet comprendre,
Partie de ses biens voet prendre,
Et part donner a ses amys,
Mais oultre ne se voet extendre; 16510

Car pour sa bouche ne voet vendre
Son boef pour manger le perdis.
   Ce nous dist dieus pour essampler :
' Cil qui voet tour edifier,
Primer doit son acompte faire
Q'il ait du quoy dont poet paier
Des propres biens sanz aprompter,
Pour acomplir tout son affaire :
Car s'il commence sanz parfaire,
Les gentz dirront de luy contraire,
Pour ce qu'il prist a commencer   16521
Ce qu'il ne pot a bon chief traire.'
Lors m'est avis meulx valt a taire
Qe grant oultrage a desmener.
   Selonc l'effect de ceste aprise
Iceste file bien s'avise
Q'en son hostel nient plus expent
Mais ce q'a resoun luy suffise ;
Car tiel excess fuit et despise
Dont suit poverte au finement :   16530
Si molt avera lors molt enprent,
Du poy petit mesurement ;
Ensi par ordre se devise,
Noun pas au ventre soulement,
Ainz au commun du povre gent,
Ses biens departe en tiele guise.
   Ore dirra la descripcioun de la
vertu de Mesure par especial.
   Par ce que vous ay dit dessure
Savoir poetz, bonne est Mesure,
Du quelle naist si bonne orine,
Dont corps et alme en droite cure   16540
Sont en santé.   Qui bien se cure
De leur phisique et discipline,
Qe bonne et seine est leur covine
Trois choses nous en font doctrine :
Primerement sainte escripture,
Et puis nature a ce s'acline,
Si fait la beste salvagine
Et tout mondeine creature.
   Qui l'escriptures voldra lire,
Que les doctours firont escrire,   16550
Notablement trover porroit,
Qe du manger om doit despire

Oultrage, et la mesure eslire
Que par resoun suffire doit.
Nature auci voet q'ensi soit,
Car pour regarder bien au droit,
Des tous les bestes q'om remire
L'omme ad la bouche en son endroit
Et plus petit et plus estroit,
Pour ce que poy luy doit suffire.   16560
   Nature auci se tient content,
Qant om la paist petitement,
Du poy volt estre sustenue,
Car lors vit elle longuement ;
Et s'om la paist trop plainement,
Legierement s'est abatue.
Trestoutes bestes soubz la nue
Deinz soy mesure ont contenue,
Sicomme nature leur aprent :
Puisque si fait la beste mue,   16570
La resonnable trop se mue
Qant se paist oultragousement.

   Ore dirra de les cink files queles
naiscont de la vertu de Chasteté,
dont la primere ad noun Bonne-
garde, contre le vice de Fornica-
cion.
   Encontre Leccherie frelle
Une autre vertu bonne et belle
Dieus de sa grace y ordina,
Et a Resoun donna ycelle,
Dont puet defendre la querelle
De l'Alme, et puis si la nomma
Dame Chasteté, quelle enfanta
Cink files : mais q'amys serra   16580
A la primere dammoiselle,
Ja fornicacioun ne fra ;
Car ceste ensi le gardera
Qu'il ja vers autre ne chancelle.
   Iceste file Bonneguarde
Estroitement les cynk sens garde,
Siq'ils ne devont forsvoier ;
L'oraille n'ot, ne l'oill reguarde,
Ne bouche parle par mesgarde,
Ne nees delite en odourer,   16590

Ne main mesprent au foltoucher,
Du quoy le cuer font enticer
Au folpenser deinz son einzgarde;
Ce sont le forain officer,
Qui du malfaire ou mal lesser
La char font hardie ou couarde.
    Les cynk sens par especial,
Ce sont ly porte et fenestral,
Par queux le deable y est entrant
A l'alme par si fort estal   16600
Qe molt sovent le resonnal
En bestial vait destournant :
Mais saint Jerom te vait disant,
Qe jammais deable ert pourpernant
La tour du cuer judicial,
Si Bonnegarde y soit devant
Pour garder que tout ferm tenant
Soient du chastel ly portal.
    Ly saint Apostre nous defent
De parler leccherousement ;   16610
Car le parler de ribaldie
Corrumpt les bonnes mours sovent :
De tiel soufflet molt tost s'esprent
Le fieu de chalde Leccherie.
Pour ce la bouche de folie
Si Bonneguarde bien ne guie
En ce q'a son office appent,
Le cuer s'assente en sa partie,
Si tret la char en compaignie,
Dont ils sont ars ensemblement. 16620
    Quel es, ytiel ert ta parole,
Honeste ou laide ou sage ou fole,
Car ce dont cuers habonde al hure
S'en ist plustost de bouche et vole :
Ce tesmoignont de leur escole
Le philosophre et l'escripture.
Mais Bonnegarde bien s'en cure,
Sa lange ne laist pas sanz cure,
N'ad point la goule chanterole
Pour dire ou chanter de luxure,   16630
Ainz de resoun q'est au dessure
La lange tient comme en gayole.
    Du chose que n'est pas a faire
Sanz emparler om se doit taire,

Ce dist Senec, dont m'est avis
Q'om doit du leccherouse affaire
De bouche clos scilence attraire,
Et guarder soy par tiel devis
Qe ses paroles et ses ditz
Soient d'onesteté toutditz :   16640
Car qui de si fait essamplaire
Se voet garder, je truis escris,
Qe grant honour luy est promis
En ciel, u tout honour repaire.
    El main du lange est vie et mort,
Dont sages est qui s'en remort,
Si q'il sa lange poot danter.
La bouche souffle a malvois port,
Qant des folditz fait son report ;
Car ce voit om, que par souffler   16650
Le fieu tantost estenceller
Commence, et si continuer
Sufflant voldra, lors a plus fort
La flamme esprent ; ensi parler
Du mal les mals fait enticer,
Et donne as vices le support.
    Senec te dist que ta parole   **f. 93**
Du vanité ne du frivole
Ne soit. Enten, tu foldisour :
Dieus dist, du quanque l'en parole 16660
Om doit compter a celle escole,
U q'il ert mesmes auditour :
Lors croy je bien que cil lechour,
Qui meulx quide ore en fol amour
Queinter ses ditz, dont se rigole,
Perdra l'esploit de son labour,
Qant ly chançons se tourne en plour
Et toute ardante ert la carole.
    De folparler te dois retraire ;
' Mieulx valt,' ce dist ly sage, 'a taire
De folparler, car par cela   16671
Sovent avient folie maire.'
De ce nous fist bon essamplaire
Uluxes, qant il folparla
A Circes et a Calipsa ;
Du folparler les enchanta,
Dont leur fesoit folie faire ;
Auci, qant il les rescoulta,

16653 plusfort

O

Des lo*ur* fols ditz tant assota
Q'il du reso*un* ne savoit gaire.   16680
    Pour ce luy covient abstenir
Du folpa*r*ler et foloïr,
Qui selonc Bon*n*egarde vit;
Car s'il l'oraille voet ove*r*ir,
Au paine se porra cove*r*ir,
Qu'il chasteté sovent n'oblit.
Qui les chançons en mer oït
De les Sereines, s'esjoÿt,
Qe tout le cuer le font ravir ;
Mais soubz cela du mort soubit,   16690
Qant il meulx quide estre a bon plit,
En halte mer luy font perir.
    Auci covient guarder la veue,
Car l'oill q'au folregard se mue
Sovent reporte au cuer dam*m*age :
David, qant passa pa*r* la rue,
Des fols regartz son cuer englue
Voiant la beauté du visage
Du Bersabé, dont fist folage :
Auci Paris ne fist q*ue* sage,   16700
Qant vist Heleine, q'ert venue
En l'isle presde son rivage ;
Pour l'oill lessa le cuer en gage,
Trop fuist l'eschange chier vendue.
    Pour ce bon est q'om s'apa*r*aille
De bien garder l'oill et l'oraille ;
Car si le deable overt les voit,
Un dart y tret en repostaille,
Dont fiert le cuer pa*r* tiele entaille,
Tanq*ue* Reso*un* tout morte y soit: 16710
Et lors l'attorne a son endroit,
Et dist au main, 'Tastetz tout droit,
C'est suef et moll q*ue* je te baille,
Fai ce que l'om*m*e faire doit' :
Ensi la sote gent deçoit,
Qant Bon*n*egarde lo*ur* defaille.
    Quintiliens uns sages clercs
Dist q*ue* les oils, qant sont ove*r*tz,
As vices sont la halte voie,
Dont vont au cuer tout au t*r*avers, 16720
Et tost ruer luy font enve*r*s,
Et les vertus tollont envoie.

He, quel meschief cel oil emploie,
Pa*r* folregard qant se desploie
Et du p*r*odhom*m*e fait pe*r*vers !
Pour ce, siq*ue* ton oil bien voie,
Du Bon*n*egarde le convoie,
Car l'oil de l'om*m*e est molt divers.
    Ce dist le p*r*ophete Ysaïe,
'La mort pa*r*my no fenestrie   16730
Entre et desrobbe no meso*un*' ;
C'est pa*r* les oils qui l'en mesguie.
Pour ce te dist le fils Marie,
Qe si ton oil te soit felo*un*,
Hostetz le sanz aresteiso*un* :
'Meulx valt,' ce dist a bon reso*un*,
'Avoec un oil entrer en vie
Q'ove tout deux oils estre en p*r*iso*un*
D'enfern, u flambent ly tiso*un*
Du fieu q'exteindre ne puet mie.' 16740
    Saint Job disoit q'il asseurance
Ot pris par ferme covenance
Avoec ses oils, q'il du virgine
Ou d'autre fem*m*e remembrance
Ne duist avoir pa*r* l'aqueintance
De leur regard en sa poitrine.
De son essample et sa doctrine
Savoir poons q*ue* la covine
Des oils enportont g*r*ant nuisance ;
Du cuer esmovent la racine,   16750
Dont vait la char a sa ruine,
Qant n'ad du vertu la substance.
    'Tourne ton oill,' David disoit,
'Siqu'il la vanité ne voit,'
La quelle tout le corps fait vain :
Car dieus le dist pa*r* tiel endroit,
Qe si l'oill vil et obscur soit,
Le corps ert obscur et vilain,
Et si l'oill soit tout clier et sain,
Le corps du clareté tout plain   16760
Sicom*m*e lanterne luire doit,
Pou*r* l'alme conduire au darrein
Vers ciel le halt chemin certain
En la p*r*esence dieu toutdroit.
    Encore falt a regarder,
Qui chasteté voldra garder,

De fuïr fole compaignie,
C'est soule ove sole acompaigner :
De ce nous faisoit essampler
Amon, qui par sa grant folie   16770
De sa sorour faisoit s'amie,
Et la pourgust du leccherie,
Soulaine qant la pot trover ;
Par ce q'ert sole fuist honie,
Si du soulein s'estoit fuïe,
Ja n'eust eeu tiel encombrer.

Ly bon Joseph bien s'en fuï,
Qant par son mantell le saisi
La dame qui rovoit s'amour :
La guerre en son fuiant venqui ;   16780
Pour ce meulx valt fuïr ensi,
Dont l'en poet estre venqueour,
Q'attendre et estre combatour,
Dont l'en soit vencu sanz retour
Par force du fol anemy.
Fuïr t'en puiss a ton honour,
Mais cil q'attent en cel estour,
Miracle s'il n'en soit hony.

Sicomme du paste ly levains
Attrait a son savour les pains,   16790
Et comme la poire q'est purrie
Corrompt les autres que sont sains,
Et comme l'ardant charbons soulains
Un moncell d'autres enflambie,
Tout ensi fole compaignie
Les autres tret a sa folie
Et des courtois les fait vilains ;
Pour ce je vous consaille et prie,
Vous qui voletz honneste vie,
Fuietz le sort des tieux compains.

Nous d'une estoille ensi lison,   16801
Q'est appellé cuer du lion,
La quelle est froide de nature,
Mais pour ce q'elle en le giroun
Du solaill vait tout environ,
S'eschalfe et art ; et par figure
Ensi fait l'omme de luxure
Par compaignie et envoisure.
David te dist en sa leçon,
Ove l'omme saint pren ta demure, 16810

Car cil q'ove l'omme mal demure
Estre ne poet si malvois noun.'
  Encontre tous autres pecchés
Resistetz fort et combatez
Pour veintre la temptacioun ;
Mais cy endroit ne resistez,
Ce dist l'apostre, ' En tous degrés
Fuietz la fornicacioun ' :
Ne te mette au probacioun,
Ainz sanz avoir dilacioun   16820
Du compaignie tost fuietz,
Qe t'alme en ait salvacioun :
Retien ceste enformacioun
Du Bonnegarde, et t'en gardetz.

  **Ore dirra de la seconde file de
Chasteté, quelle ad noun Virginité,
contre le vice de Stupre.**
  Encontre Stupre le pecché
Est la seconde file née
Du Chasteté par droit descente,
La quelle ad noun Virginité ;
Si est de pure netteté,
Sur toutes autres la plus gente   16830
De son fait et de son entente.
C'est celle qui de sa jovente
Toutdis ovesque Chasteté
Converse et toute se presente
A dieu, qui jammais ne s'assente
Au char du fait ne du pensée.

  Iceste file ensi confite
A la tresfine margarite
Est en trois choses resemblable :
La piere est blanche et bien petite,
Si ad vertu dont molt profite ;   16841
Au quoy la vierge est concordable,
Q'ad blanche vie et amiable,
Du cuer petit et resonnable
D'umilité, dont est parfite ;
De sa vertu molt est vaillable,   **f. 94**
Qant mesmes dieu est entendable
De l'onourer pour sa merite.

  Et d'autre part, ce m'est avis,
Virginité par droit devis   16850
L'en porra raisonnablement

16788 nensoit   16822 enait   16830 plusgente

Resembler a la flour de lys,
Quelle ad cink fuilles bien assis
Ove trois grains dorrez finement :
Le fuil primer au corps appent,
Dont n'est corrupt ascunement,
Ne donne au char ses foldelitz ;
Le fuil seconde au cuer s'extent,
Qe le penser tout purement
Sustient sanz foldesir toutdis.   16860
   Ly cuers q'a ceste vertu pense
Deinz soy jammais ne contrepense
Q'eschanger vuille son estage ;
Car saint Jerom ce nous ensense,
Si dist, ' Poy valt la conscience,
Qant vierge pense au mariage ' :
Par tiel penser, par tiel corage
Virginité se desparage ;   16868
Car bon overeigne qui commence,
S'il n'en parfait trestout l'overage,
N'est droitz q'il ait plain avantage,
Qant il n'en met la plaine expense.
   Le tierce fuil c'est humbleté,
Qui bien s'acorde a chasteté ;
Car saint Bernard ce vait disant,
Qe molt est belle l'unité
D'umblesce et de virginité ;
Car ne puet estre a dieu plesant
Virginité q'est orguillant,
Nient plus que s'om te meist de-
        vant   16880
Viande bonne et savourée
En un vessel ord et puiant :
Ja n'en fuissietz si fameillant,
Qe tout n'en serretz abhosmé.
   Mais nostre dame en sa manere
De l'un et l'autre fuist plenere,
Humblesce avoit et fuist virgine :
Pour ce fuist faite la dieu mere,
Et par vertu de dieu le pere
Virginité fuist enterine.   16890
C'estoit la flour de lis divine
De fuil, de fruit et de racine,
Dont dieux faisoit sa chamberere,
Et en la gloire celestine,

Pour faire y nostre medicine,
La fist planter et belle et chere.
   De les trois fuilles cy devant
Conté vous ai, mais ore avant
Au quarte fuil frai mon retour,
Q'est du vergoigne apparisant ;   16900
Et puis du quinte fuil suiant,
Q'ad la verdure de paour.
Vergoigne hiet tout fol amour,
Les ditz n'ascoulte du lechour,
Ainz tout foldit et folsemblant,
Ou soit secret ou soit clamour,
Sa face enrougist du colour,
Et s'en retrait de meintenant.
   Les vierges serront vergoignouses,
Auci serront et paourouses ;   16910
Car el vessel q'est frel et vein
Portont les fleurs tant preciouses,
Dont au fin serront gloriouses,
Si la fleur gardent saulf et sein ;
Mais si la fleur flestre au darrein,
Lors tout perdront et flour et grein,
Dont ont esté laboriouses :
Ly fiebles q'aler doit longtein,
S'il n'ait dont supponer ou mein,
Les voies sont plus perillouses.   16920
   Pour ce ly vierges q'est flori
Doit vergoigne et paour auci
En sa main destre toutdis prendre
Pour suppoer le corps de luy ;
Et s'il par cas soit assailly,
Du tiel bastoun se doit defendre.
Ce nous fait saint Ambroise entendre,
Qe vierges doit avoir cuer tendre,
Dont du legier soit esbahi :
Vierge en ses chambres doit attendre,
Q'aillours ne laist sa flour susprendre,
Dont son chapeal soit deflory.   16930
   Qui pert son virginal honour,
De son chapeal deschiet la flour,
Q'est sur trestoutes blanche et mole ;
Meulx valsist estre enclos de tour,
Q'es champs pour faire tiel atour
Du violette ou primerole,

ar quoy sa flour de lys viole.
iens valt dancer a la carole,   16940
ont puis covient ruer en plour :
ant piere hurte a la viole,
u l'ostour luite au russinole,
avoir poetz q'ad le peiour.
   La femme fieble a l'omme fort,
u soit a droit ou soit a tort,
a force ne puet resister,
inz son delit et son desport
ouffrir l'estuet sanz nul desport,
i soule la porra trover.   16950
our ce ne doit pas soule aler
a vierge, car ly proverber
ist, 'Way soulein q'est sanz resort
u compaignie, car aider
l'est autre, qant vient encombrer,
uy puet pour faire ascun confort.'
   Jacob de s'espouse Lya
t une file a noun Dyna,
a quelle pure vierge estoit :
vint que la pucelle ala   16960
our regarder les gens de la
n terre estrange, u demorroit ;
ais pour ce que souleine estoit,
ichen, qui sa beauté veoit,
e son amour enamoura,
ont la ravist et desflouroit :
ais si ses chambres bien gardoit,
a Sichen ne l'eust fait cela.
   Virginité n'est bien florie,
i ly deux fuil ne soient mie,   16970
ergoigne et paour ensement.
ergoigne et paour ot Marie,
ant l'angre de la dieu partie
a dist, 'Ave !' soulainement :
estoit la dame voirement
'ot les cink fuilles plainement
l fleur de virginale vie,
ve les trois grains certainement ;
ont vous dirray, oietz comment,
es ces trois grains quoi signefie. 16980
Trois fourmes sont de dieu amer,
: sont les grains dont vuil parler,
u fin que vierge soit parfit :

Car vierge doit tout au primer
D'entendement sanz folerrer
Amer son dieu, q'est son eslit,
Et si se dolt ou s'esjoÿt,
D'entier voloir sanz contredit
Tendra l'amour sanz retourner :
N'est pas amy qui tost oublit,   16990
Ainçois du tout son espirit
Luy doit cherir et mercier.
   Tieux sont les grains dont est parfait
La flour ; si vierge ensi les ait,
Lors rent a dieu son droit paiage ;
Et autrement, s'ensi ne vait,
Tout est en vein que vierge fait,
Car plus ne valt le pucellage
Qe lampe exteignte sanz oillage ;
Dont ly cink fole au mariage   17000
Au port entrer furont desfait,
Mais l'autre cink, qui furont sage,
Et d'oille avoiont l'avantage,
Entreront y sanz contreplait.
   Mais pour compter tout au final,
Trois causes sont en general
Pour exciter l'umanité
D'amer l'estat q'est virginal :
Primerement c'est un causal
Pour la tresfine bealté,   17010
La seconde est pour la bonté,
Et la tierce est pour digneté :
Ce sont ly cause principal
Q'om doit amer virginité ;
De chascun point en son degré
Vous dirray par especial.
   Ly sages dist en sa doctrine :
'O comme perest et belle et fine
La flour du virginal endroit !'
Auci Jerom de ce diffine,   17020
Si dist que belle est la virgine
Comme robe blanche, en quelle om voit
Legierement si tache y soit.
C'est la beauté que dieus amoit
Et la retint de sa covine,
Qant prendre nostre char venoit :
Dont m'est avis amer l'en doit
L'estat que si bell eslumine.

De la bonté ce nous devise
Jerom, qui dist en ceste guise,   17030
Q'estat du vierge est purement
Offrende a dieu et sacrefise,
Qant om le gart du bonne enprise ;
Dont grant loer au fin reprent.
De saint Jehan l'experiment
Avoir porrons que d'autre gent
Virgine est de plus halte assisse ;
Car il porta resemblement   f. 95
Al Aigle, qui plus haltement
Vola de la divine aprise.   17040
    De tous les saintz q'om doit nommer
Estoit Jehans plus familier
Et plus privé de son seignour :
Apocalips doit tesmoigner
Qe vierges doit plus halt monter
Et d'autres plus avoir l'onour ;
Q'en halt le ciel superiour
Devant le throne dieu maiour
Ly vierge devont assister,
Et pour la grant bonté de lour   17050
L'aignel de dieu par tout entour
S'en vont suiant pour luy loer.
    L'aignel de dieu sanz departie
En blanches stoles sanz partie
Ly vierge vont suiant toutdis,
Ly quel de sa bonté complie
A faire leur honeur se plie
Ove trois coronnes de grant pris,
Q'il portont sur le chief assis :
Virginité dont m'est avis   17060
Sur tous estatz se glorifie ;
De sa beauté dieus fuist suspris,
De sa bounté le paradis
Est nostre, quoy que nuls endie.
    Virginité, qui bien la meine,
Fait l'alme digne en son demeine ;
Car saint Gregoire vait disant,
Qe cil qui vit en char humeine
Et contre char sa char restreine,
Si q'a sa char n'est obeissant,   17070
Est as bons angres comparant :

Et plus le loe encore avant
Du digneté q'est plus halteine.
Le Genesis vait tesmoignant
Qe l'alme vierge est resemblant
Au magesté q'est sovereine.
    Ambroise ce vait demandant :
'Qui porroit estre meulx vaillant
De luy q'est de son Roy amé,
Et de son jugge ferm, constant,   17080
En juggement, le poeple oiant,
Sanz nul errour est apprové,
Et est sur ce saintefié
De dieu, q'en ad la poesté
Sur toute rien que soit vivant ?'
C'est plus ne meinz en verité
Qe l'ordre de virginité,
Qui toutz les autres vait passant.
    Un Emperour jadis estoit
Q'om Valentinian nomoit ;   17090
Cil avoit oitante auns compliz :
Sovent fortune luy donnoit
Victoire, et qant om en parloit
Pour luy loer, il n'en tint pris,
Ainz dist q'assetz plus ot enpris
De ce q'il un soul anemys
Vencu de sa bataille avoit,
Qe du tout autre a son avis ;
C'estoit sa char q'il ot soubmis,
Dont sa loenge demenoit.   17100
    Virginité molt valt en soy ;
Essample avons du viele loy :
Ce parust qant le poeple hebreu
Les Madians ove leur desroy
Trestout venquiront au tournoy ;
Car Moÿses, qui s'est pourveu,
Commanda lors que tost veeu
Soit toute femme qui parcru
Fuist de la Madiane foy,
Et les corruptes en tout lieu   17110
Fuissont occis en l'onour dieu,
Mais les virgines laissa coy.
    Ce dist Gilbert en son sermoun :
'Virginité sanz mal feloun

Est de sa char la pes entiere
Et des pecchés redempcioun,
Princesse et dame de resoun,
Sur toutes vertus la primere.'
Ce dist Jerom en la matiere :
Jadis ly Prince et l'Emperere 17120
Par les Cités tout environ
Donneront voie ove liée chiere
A la virgine belle et chere,
Pour l'onour de si noble noun.'

Seint Ciprian en son escript
Virginité ensi descrit,
Q'elle est la flour de sainte eglise
Et l'ornement bon et parfit
Del grace du saint espirit,
Overaigne bonne sanz reprise ; 17130
Si est en dieu l'ymage assisse,
Que n'est corrupte ne malmise,
Soverein amour, soverein delit,
Dont l'alme q'est de tiele aprise
Les angres passe en mainte guise,
Et a dieu mesmes s'associt.

**Ore dirra de la tierce file de
Chasteté, la quelle ad noun
Matrimoine, contre le vice de
Avolterie.**

Encontre Avolterie vile
Ad Chasteté sa tierce file,
Que Matrimoine est appellée :
La loy Canoun, la loy Civile 17140
Diont q'elle est bonne et gentile
En quatre pointz dont est doé,
D'auctorité, de digneté,
Du sainteté, d'onesteté,
Ces quatre pointz deinz soi compile ;
Dont sa vertu est honouré
Du bonne gent et molt amé
Solonc l'agard de l'evangile.

D'auctorité notablement
Dieus ordina primerement 17150
En paradis le mariage
D'Adam et d'Eeve no parent,
Qui lors estoiont innocent,
Tant comme furont en cel estage,
Mais puis, qant firont cel oltrage,

Dont nous avint mortiel damage,
Encore en terre nequedent
Du viele loy du viel usage
Les patriarcs, q'estoiont sage,
L'estat gardoiont voirement. 17160
Auctorité solempne avoit,
Qant mesmes dieu le confermoit ;
Grant digneté y ot auci,
Qant ly fils dieu nestre voloit
En mariage tant benoit :
Soubz cel habit trestout covery
Le rançoun et le bien, par qui
Nous rechata del anemy,
Qe ly malvois ne s'aparçoit.
Dont m'est avis pensant ensi 17170
Qe Matrimoine est establi
De molt treshonourable endroit.

Du sainteté sanz contredit
Le Matrimoine est auci dit
Un sacrement du grant vertu,
Par sainte eglise q'est confit ;
Dont signefie a son droit plit
Le marier q'est avenu
De sainte eglise et de Jhesu,
C'est entre la bonne alme et dieu, 17180
L'amour pourporte q'est parfit.
Si Matrimoine est bien tenu,
Saint est l'estat, car en tout lieu
Est sacré du saint espirit.

Qui Matrimoine voet cherir,
D'onesteté ne poet faillir,
Car mariage fin, loyal,
Nous enfranchist sanz nous blemir
Solonc nature a no plesir
De faire le fait natural, 17190
Q'est autrement pecché mortal ;
Et plus encore especial
Nous fait merite deservir,
L'estat qant matrimonial
Solonc la loy judicial
Volons par loyalté tenir.

Trois autrez pointz om poet noter,
Par quoy fait bon a marier.
Le primer est pour compaignie ;
En Genesi l'en puet trover, 17200

Qant dieus vist Adam soul estier,
Lors dist que bon ne serroit mie
L'omme estre soul en ceste vie,
Et pour ce dieus de faire aïe
Fist femme a l'omme associer.
Ce que dieus fist nous signefie,
Qui la puet avoir bien norrie
Bon est de femme acompaigner.
    La cause q'est seconde apres,
Dont l'en tient mariage pres,   17210
C'est pour estraire en no nature
Des fils et files tiel encress,
Dont dieus leur creatour ades
Soit loez de sa creature :
Ensi tesmoigne l'escripture,
Qant homme et femme en lour figure
De dieu primer estoiont fetz,
Dieus dist, ' Crescetz en vo mesure,
Empletz la terre d'engendrure,
Dont femme doit porter le fes.'   17220
    La tierce cause en son aprise
L'apostre dist, dont femme ert prise :
C'est q'om doit bien espouse prendre,
Qant il ne puet par autre guise
Garder son corps en sa franchise
Sanz leccherie de mesprendre.
Ce sont les pointz, tu dois entendre, f. 96
Qe Matrimoine font comprendre ;
Et qui le prent de tiele enprise,
Et multeplie de son gendre   17230
Des fils ou files q'il engendre,
Molt est l'estat de belle assise.
    Cil qui bien vit en la manere,
Il doit relinquir piere et mere,
Et adherder sanz variance
A sa muler, et tenir chiere ;
Ne la lerra de sa costiere,
Car dieus en fist celle ordinance.
Lors qant om soul du bienvuillance
Prent une espouse a sa plesance   17240
Et covoitise est a derere,
Dieu prent en gré la concordance ;
Mais qant argent fait l'alliance,
Ne sai quoy dire en la matiere.

Par Matrimoine, q'est divin,
De la voisine et le voisin
L'en solait prendre mariage
Par bon amour loyal et fin,
Sanz covoitise ou mal engin
Ou de richesce ou de brocage :   17250
Mais ore est tourné cel usage,
Car bon et bel et prous et sage,
S'il ait ne terre ne florin,
Combien q'il soit de halt parage,
Trop porra faire long estage,
Ainçois q'amour luy soit enclin.
    Om dist, ' Tant as tant vals, e'
tant
Vous aime ' ; et c'est du meintenant
Entre les gens coustume et us,
Si tu n'es riche et bien manant,   17260
Combien que soietz avenant
Du corps et riche des vertus,
Pour ce ne serras retenus ;
Ainz uns vilains q'est mal estrus,
Q'est des richesces habondant,
Qant tu as meinz et il ad plus,
Il ert amez et tu refuz ;
J'en trai le siecle en mon garant.
    Mais tiel contract q'est fait pour
gain
N'est mariage, ainz est bargain,   17270
Non pour le corps mais pour l'avoir :
Pres s'entrasseuront main au main,
Mais trop en est le cuer longtain
Pour bien amer du franc voloir ;
Ainz pour l'amour de beal Manoir,
Ou pour grant somme a rescevoir,
L'en prent plus tost pute ou vilain,
Qant om les voit richesce avoir,
Qe celly qui l'en sciet du voir
Estre des bonnes mours tout plain.
    Comme fol qui sa folie enprent 17281
Et fol l'achieve, ensi qui prent
Le mariage sanz amour :
Richesce om voit faillir sovent,
Mais bon amour certainement
De sa vertu ne falt nul jour ;

Om puet bien estre conquerrour
Par ses vertus de tout honour,
Mais tout l'avoir q'au siecle appent
Ne puet conquerre la menour   17290
Des vertus, mais de sa vigour
L'orr ad les cuers au temps present.
　　Q'ensi prent femme, plus que cire,
Qant est de la richesce sire,
L'amour se guaste en petite hure ;
Car qant il ad ce qu'il desire,
Et sanz vertu le corps remire,
De la personne ne tient cure :
Ensi toutdis apres endure
La paine et la desaise dure   17300
Du mal, dont il ne trove mire ;
Car vuille ou noun, la noet oscure
La femme claime sa droiture
De ce dont il ne puet souffire.
　　Meulx luy valdroit nul vou de faire
Qe de vouer et nient parfaire,
Ly sages ce nous vait disant :
Trop perest hardy de mesfaire,
Qant il sa foy en saintuaire
Donne a sa femme, et jure avant   17310
Pour bien amer tout son vivant ;
Mais certes c'est un fals amant
Du corps donner et cuer retraire.
Mais tiel y ad, qui nepourqant
Vait plus richesce covoitant
Qe la beauté de son viaire.
　　Droit Matrimoine ne s'asseine
Pour espouser le sac du leine,
Ne pour richesce plus ou meins :
Mais nepourqant, qui bien se meine,
Et est bien riche en son demeine, 17321
S'il soit auci des vertus pleins,
Tant valt il meulx, j'en suy certeins ;
Mais l'omme q'est du vice atteins,
Combien q'il ait sa coffre pleine
Et ses chastealx et ses gardeins,
Depuisq'il est en soy vileins,
Q'au tiel se donne est trop vileine.
　　Et nepourqant j'ay bien oï
Sovent les dames dire ensi,   17330

Q'avoir vuillont par lour haltesce
Un gentil homme a leur mari :
Mais certes endroit moy le di,
Ne say q'est celle gentilesce ;
Mais d'une rien je me confesse,
Qant Eve estoit la prioresse
Du no lignage en terre yci,
N'y fuist alors q'ot de noblesce
Un plus que l'autre ou de richesce ;
Ne sai comment gentil nasqui.   17340
　　Tous nous faisoit nature nestre,
Ensi le servant comme le mestre,
Dont par nature ce n'avient ;
Ne du parage ce puet estre,
Car tous avoions un ancestre,
Par celle voie pas ne vient ;
Et d'autre part bien me sovient
Qe par resoun ce n'appartient
A la richesce q'est terrestre,
Q'est une chose vile et nient :   17350
A sercher plus avant covient
La gentilesce q'est celestre.
　　Nature en soy n'ad quoy dont fere
Un gentil homme ne desfere,
Ainz dieus qui les vertus envoit
Cil puet bien de sa grace attrere
Un homme de si bon affere,
Si vertuous, tanq'il en soit
Verrai gentil et a bon droit :
Mais qant a ce, sovent l'en voit,   17360
Des bonnes mours qui voet enquere,
Q'un homme povre les reçoit
Plus largement en son endroit
Qe cil q'est seignour de la terre.
　　Mais sache dieus ja pour cela
Les dames ne se tienont la,
Le povre ont ainçois en desdeign :
Combien q'il vertuous esta,
Poverte le departira,
Q'il n'ose mettre avant la mein,   17370
Pour ce qu'il est du povre grein ;
Mais cil q'est riche capitein
Tant vicious ja ne serra,
Qu'il n'ert amez ainçois demein :

17323 iensuy   17351 plusauant   17358 ensoit   17363 Pluslargement

Mais certes trop perest vilein
L'amour q'ensi s'espousera.
 Nature, qui de sa mamelle
Paist toute chose laide et belle,
Nous donne essample bon et bell;
Car soulement deinz la praielle   17380
N'ad fait morell pour la morelle,
Ainz la griselle pour morell,
Et la morelle pour grisell,
Et la liarde pour favell,
Et le liard pour la favelle;
Ensi sanz vice et sanz repell
Voelt bien que quelque jovencell
S'espouse a quelque jovencelle.
 Puisque des membres resemblable
Et du corage resonnable   17390
Tous susmes fait, di lors pour quoy
Ne susmes de resoun menable,
Ainz nous.nous faisons dessemblable.
Car de nature et de sa loy
Chascune femme endroit de soy,
Q'est bonne, est able et digne au
  Roy;
Et chascun homme veritable,
Combien q'il ait ou nient ou poy,
Au quelque dame en droite foy
Par ses vertus est mariable.   17400
 Mais halt orguil, qui point ne cure
De la simplesce de nature,
Desdeigne a garder l'observance
De sa justice et sa mesure;
Ainz quiert avoir par demesure
Du vain honour ou la bobance,
Ou du richesce l'abondance,
Ou de son corps quiert la plesance
Par foldelit; mais la droiture
Du mariage est en balance,   17410
Car les vertus n'ont de vaillance
Plus que du ciffre la figure.
 Ne fait pas bien qui se marit
Pour beauté soule ou pour delit,
Car ce n'est pas la dieu plesance,
Ainz il en tient molt grant despit:
Car pour cela, je truis escrit,

Les sept barouns de sa vengance
Faisoit tuer, que par souffrance   f. 97
De luy le deable en sa distance   17420
L'un apres l'autre tous occit:
Chascun par fole delitance
Espousa Sarre en esperance
D'acoler.et baiser ou lit.
 Je truis escrit en le decré:
'Vil est a l'omme marié,
Et trop encontre loy divine,
Qu'il du sotie et nyceté
Soit de sa femme enamouré,
Ensi comme de sa concubine':   17430
Mais om doit bien par juste line,
Sicomme la lettre nous diffine,
Avoir sa femme abandonné
Pour faire toute sa covine
D'oneste voie et femeline,
Nounpas comme pute acoustummé.
 Om doit sa femme bien cherir
Pour leccheries eschuïr,
Nounpas pour leccherie faire:
Car qui la prent par fol desir,   17440
Grans mals en porront avenir,
Assetz avons de l'essamplaire.
Mais cil q'ad bonne et debonnaire,
Molt la doit bien cherir et plaire;
Car ce n'est pas le desplaisir
De dieu, ainz sur tout autre affaire
Molt est a l'omme necessaire
La bonne, qui la puet tenir.
 Diverse sort diverse gent,
Solonc q'ils bien ou mal regent   17450
Se sont envers leur creatour.
Il leur envoit diversement
Ou de bien estre ou malement;
La bonne femme au bienfesour
Donne en merit de son labour,
Du male femme et la dolour
Par sort verraie et jugement
Eschiet sur l'omme peccheour;
Dont est en peine nuyt et jour,
Mais l'autre vit joyeusement.   17460
 Grant bien du bonne femme vient;

17416 entient   17441 enporront

Essample avons, bien me sovient,
Dedeinz la bible des plusours :
Par bien que de Judith avient
Jerusalem au pees revient ;
Iester auci fist beals socours,
Qant Assuerus tint ses courtz,
A Mardochieu des grans dolours
Queux Naman l'ot basti pour nient ;   17470
Molt enporta Susanne honours,
Qant dieus de ses accusatours
Par son miracle la retient.

    Abigaïl la bonne auci,
Au quelle Nabal fuist mari,
Au Roy David appesa l'ire,
Q'estoit vers son baroun marri,
Et tiele grace deservi
Dont puis fuist dame de l'empire ;
Et qui du Jahel voldra lire,
La femme Abner, porra bien dire   17480
Q'il ot molt belle grace en luy,
Qant Cisaré faisoit occire,
Qui d'Israel par son martire
Les gentz volt avoir malbailly.

    Dedeinz la bible escript y a
Auci du bonne Delbora,
De sa bounté, de sa vertu ;
Qabins le Roy de Canana,
Cil q'Israel lors guerroia
Et la volt avoir confondu,   17490
Fuist mesmes en la fin vencu.
C'estoit la volenté de dieu,
Q'as femmes la vertu donna ;
Par tout le monde en chascun lieu,
U leur histoire serra lieu,
Des femmes om se loera.

    La bonne fait bien a loer,
Et bon est du bonne espouser
A l'omme qui voet femme avoir :
Ly sages t'en fait doctriner,   17500
Si bonne femme puiss trouver,
Ne la laissetz pour nul avoir ;
Ainçois la dois sanz decevoir
Amer, cherir sanz removoir,
Car tout le bien q'est seculier
Vers sa bonté ne puet valoir' :

Qui tiele laist a nounchaloir
Je ne l'en sai pas excuser.

    Molt doit joÿr en conscience
Qui par divine providence   17510
Au tiele espouse est destiné ;
Et molt la doit en reverence
Traiter, sanz point du violence,
D'orguil ou d'autre malvoisté :
Comme sa compaigne et bien amée
Cherir la doit en amisté ;
Car un corps sont, comme nous ensense
Du sainte eglise le decré,
Dont bien devont en unité
Avoir un cuer sanz difference.   17520
Sicomme le livre nous devise,
De la costée d'Adam fuist prise
La femme, qant dieus la fourmoit ;
Non de la teste en halt assisse,
Car dieus ne volt par tiele guise
Qe femme pardessus serroit ;
Auci du pié fourmé n'estoit,
Car dieus ne volt par tiel endroit
Qe l'en sa femme trop despise :
Mais la costée my lieu tenoit,   17530
En signe que dieus les voloit
Estre compains du sainte eglise.

    Et nepourqant l'origenal
Pecché dame Eve estoit causal,
Dont dieus voet femme estre soubgite
A l'omme en loy judicial,
Issint q'il serra principal
Et compaignoun ; dont grant merite,
Puisque la femme est meinz parfite,
Om puet avoir, s'il se delite   17540
En governance bien loyal :
Mais jammais celle loy fuist dite,
Qe l'omme ait femme trop despite
En l'ordre matrimonial.

    Qui sagement se voet tenir
Legierement ne doit haïr
Sa femme, car qui la guerroie
Ne s'esjoÿt au departir,
Car a soy mesmes sanz partir
Prent guerre sanz repos ne joye.   17550
Si m'est avis q'il trop foloie

Qant ce q'il par si bonne voie
Achata tant a son plesir,
Le quiert apres hoster envoie :
Qant homme ad paié sa monoie,
Quoy valt ce lors a repentir?
  Haïr ne doit om sa compaigne,
La quelle falt qu'il acompaine,
Ne trop amer la doit om mye ;
Car trop amer est chose vaine,   17560
Si fait venir la nyce paine,
Dont cuers deschiet en jalousie.
C'est une ardante maladie,
Tout plain du sote fantasie
Sur cause que n'est pas certaine :
Cil q'est espris de la folie
Resemble au fol q'en ceste vie
S'occit de son coutell demaine.

  Fols est qui jalousie pense,
Car ove son propre cuer se tence, 17570
Dont mesmes souffre le peiour ;
Et molt sovent par sa defense
Fait que sa femme contrepense
Ce que devant pensa nul jour,
Du rigolage et fol amour :
Ensi le fol de sa folour
Donne a sa femme l'evidence
Dont elle essaie cell errour,
Le quel apres pour nul clamour
Ne sciet laisser qant le commence. 17580
  Et nepourqant sanz jalouser
Om porra bien amonester
Sa femme en cause resonnable,
Siq'elle a son honour garder
Le siecle vuille regarder,
Et laisser que voit descordable
A son estat ; et lors si able
La trove, preste et entendable,
Charir la doit et molt amer ;
Et autrement s'elle est coupable, 17590
Comme cil q'est sire et connestable
La doit punir et chastier.

  Roy Salomon, q'estoit bien sage,
Dist que la femme en mariage
Ne doit avoir la seignourie

De son mari ne le menage ;
Car s'ensi soit, de son oultrage
Avient mainte malencolie.
Qui femme ad pour ce la chastie,
Tanq'en tous pointz la souple et plie,
Pour peas avoir en avantage ;   17601
Car dieus ne fist les femmes mie
Pour guier, ainz voet q'om les guie
Par sobre et juste governage.

  Femme a son mari doit honour,
Sicomme soubgite a son seignour,
Sanz luy despire ou laidenger :
Je trai la bible a mon auctour
Du Roy David, qui pour l'amour
De l'arche dieu se fist dauncer,   17610
Trecher, baler et caroler   f. 98
Entre les autres communer ;
Mais pour ce que de tiel atour
Michol sa femme reprover
L'en fist, dieus pour soy revenger
La fist baraigne puis tout jour.

  Mestre Aristotle et danz Catoun
Et ly Romeins, Senec par noun,
Chascuns endroit de sa clergie
Escript des femmes sa leçoun :   17620
Ne sai si le dirray ou noun ;
Et nepourqant l'umaine vie
Falt enfourmer d'essamplerie,
Et pour cela vuil en partie
Moustrer la declaracioun,
Sique la gent en soit guarnie,
Nonpas pour autre vilainie,
J'en fai ma protestacioun.

  Mestre Aristole dist primer,
Qe femme ou mal consail donner 17630
Veint homme : et au commence-
      ment
Dame Eve en donna l'essampler ;
Et puis apres, qui voet sercher
Trover porra comme faitement
Achab par le consaillement
Du femme tricherousement
Faisoit le bon Naboth tuer :
Pour ce le livre nous aprent

Qe l'en ne doit legierement
A leur consail trop encliner.   17640
   Catoun m'aprent par autre voie
Qe je ma femme auci ne croie
Des pleintes dont me fait eschis ;
Car si du legier la creroie,
Sovent pour nient me medleroie
Ove mes servantz et mes soubgitz.
L'en voit du femme plus haïz,
Qe son mary plus tient amis ;
Ne di pas q'ensi fait la moie,
Et nepourqant a mon avis,   17650
Si du Catoun ne soie apris
Qant a ce point, fol en serroie.
   Ce dist Senec, que sanz trespas
Tout ce que femme ne sciet pas,
Ce sciet celer.   Et par semblance
Di si tu balsme verseras
El cribre, o si tu quideras
Q'il doit tenir : noun, sanz doubtance.
Nient plus, je t'en fais asseurance,
Les femmes ont en retenance   17660
Le consail quel tu leur dirras :
Si voels sercher sanz variance
Le papir de leur remembrance,
Escript au vent le troveras.
   Par ce q'ai dit om puet aprendre
Et aviser et guarde prendre
De la doctrine au sage gent :
Car lors ne doit om pas mesprendre,
Dont par resoun soit a reprendre,
En reule et en governement   17670
Devers sa femme aucunement.
La femme auci qui tielement
Voet bonne aprise en soy comprendre
Pour vivre debonnairement,
Lors porra bien et seurement
L'estat du mariage enprendre.
   Si je les fols maritz desprise,
N'est pas pour ce que je ne prise
Les bouns, et si je blame auci
Des males femmes la mesprise,   17680
Ce n'est chalenge ne reprise
As bonnes, ainz chascuns par luy

Enporte ce q'ad deservy.
Mais tous savons q'il est ensy,
La femme q'est du bonne aprise
Est doun de dieu, dont son mary
Vit en quiete et joye yci
Selonc la loy du sainte eglise.
   L'omme ert loyal en governance,
Et femme auci de sa souffrance   17690
Ert vergoignouse et debonnaire
En fait, en dit, en contienance,
Sanz faire ascune displaisance
A son mary ; ainz pour luy plaire
Doit, qant voit temps, souffrir et taire,
Et qant voit temps, parler et faire,
Sicomme meulx sciet, a la plesance
De son mary sanz nul contraire :
Car femme q'est de tiel affaire
Tient d'espousailles l'observance. 17700
   Je truis dedeinz la bible ensi,
Que Raguel et Anne auci,
Leur file Sarre en mariage
Qant prist Thobie a son mary,
Des cynk pointz la firont garny,
Des queux elle devoit estre sage :
Primer q'elle a son voisinage
Soit amiable sanz oultrage,
Dont l'en parolle bien de luy,
Et d'autre part sanz cuer volage   17710
Doit son baron du bon corage
Avoir sur tous le plus cheri :
   Auci que femme n'ert oedive,
Ainz tout ensi comme l'omme estrive
Et quiert es champs sa garisoun,
Et labourt, siqu'il ait dont vive ;
Ensi la femme ert ententive
Pour saulf garder deinz sa mesoun
Sanz guast et sanz destruccioun ;
Car ja n'y puet avoir fuisoun   17720
Le bien, u femme ert excessive :
Parmy le cribre porroit on
Verser sanz nulle aresteisoun
Trestoute l'eaue de la rive.
   Soubz main du femme gasteresce
Ne puet durer, ainçois descresce

17652 enserroie   17712 pluscheri

Le bien que son baroun adquiert ;
Mais celle q'est la bonne hostesse
Molt bien fait guarder la richesse,
Et auci, qant le temps requiert,   17730
Despendre ensi comme meulx affiert :
En son hostel molt bien appiert
Et sa mesure et sa largesce ;
Ja soubz sa main nul bien depiert,
Car son grant sens si pres le quiert,
Qe riens ne laist par oedivesce.
  Au Sarre auci ly dui parent
Donneront pour enseinement,
Qe sa famile bien survoie,
Et les governe tielement,   17740
Qe chascuns bien et duement
Le fait de son mestier emploie :
Car femme qui par tiele voie
Guart son estat et ne desvoie
Envers son dieu n'envers la gent,
Et lors, si l'omme ne foloie,
Molt porront demener grant joye
Et l'un et l'autre ensemblement.
  **Ore dirra de la quarte file de
Chastité, quelle ad noun Conti-
nence, contre le vice de Incest.**
  Encontre Incest q'est plain d'offense
La belle file Continence,   17750
Naiscant du fine Chasteté,
Guerroie, et fait si bon defense,
Qe corps et cuer et conscience
Maintient en pure netteté,
Que ja ne serront avilé
Par les ordures du pecché,
Dont Leccherie nous ensense :
Seconde apres Virginité
C'est Continence en son degré,
Pour servir en la dieu presence.   17760
  Mais Continence nepourqant
En la virgine est plus vaillant ;
De ce ne dirray plus icy,
Car des virgines pardevant
J'ay dit : pour ce le remenant
Dirray de ceste cause ensi,
Qe chascun homme et femme auci

Combien q'ils soiont desflouri,
S'ils puis en soient repentant
Sanz estre jammais resorti,   17770
Dieus mesmes les tient a guari,
Car Continence est lour guarant.
  Quant pecché l'omme avra laissé,
Ainçois que l'omme laist pecché,
Cist homme n'est pas continent ;
Mais ja n'ait homme tant pecché,
S'il laist, tant comme ad poesté
De plus peccher, et se repent,
Et puis toutdis vit chastement,
Tous ses pecchés du precedent   17780
Luy sont devant dieu pardonné,
Et combien q'il vient tardement,
Du Continence nequedent
Apres sa mort serra loé.
  Le saint prophete Ezechiel,
Qui la doctrine avoit du ciel,
Dist, qant mal homme en bien s'es-
    table
Et se converte en droituriel,
Trestout le mal noundroituriel,
Dont ad esté devant coupable,   17790
Dieus, qui sur tous est merciable,
Pardonne, et le prent acceptable
A demorer en son hostiel :
Pour ce je sui tresbien creable
Qe continence est molt vaillable,
Qant om par temps voet estre tiel.
  Du Continence le bienfait
Ascuns sanz vou du gré le fait,
Ascuns par vou le fait ensi
D'ascun saint ordre q'il attrait.   **f. 99**
Cil ad del jeu le meillour trait   1780*
Et par resoun plus ert cheri ;
Droitz est q'il plus soit remeri
Qe l'arbre ove tout le fruit auci
Ensemble donne sanz retrait,
Qe cil qui donne soul par luy
Le fruit ; et nepourqant vous dy
Qe l'un et l'autre est molt bien fait.
  L'evesque vait amonestant
Au prestre en luy saintefiant,   17810

S'il chastes pardevant ce temps
N'avera esté, de lors avant
Soit continent, et l'autre atant
S'oblige et fait ses serementz.
Sollempnes sont les sacrementz
De tiel avou, dont continens
Serra depuis tout son vivant :
Ne sai s'il puis en ait dolens,
Mais tant sai bien, que je ne mens
De ce que vous ay dit devant.   17820
    Auci toute Religioun
Du frere, moigne, et de canoun,
Et du nonneine, a dieu servir
En faisant leur professioun,
De vou solempne et d'autre noun
Sont obligez a contenir :
La dame auci qui voet tenir
Sa chasteté, dont revestir
Se fait d'anel par beneiçoun
D'evesque, apres pour nul desir   17830
Se porra lors descontenir,
Si trop ne passe sa resoun.
    Des femmes tiele y ad esté,
Q'ad fait le vou du chasteté
Nounpas pour dieu, mais parensi
Q'elle ert du siecle plus loé,
Ou pour sotie et nyceté
D'amour q'elle ot a son amy :
Mais l'un ne l'autre, je vous dy,
Dieus endroit soy ne tient cheri,   17840
Et nientmeinz elle est obligé
Tenir le vou q'elle ad basti ;
Dont le guerdoun pent a celluy
Pour qui son fait ad plus voué.
    Mais tieles dames vait blamant
L'apostre, qant s'en vont vagant
Par les hosteals de la Cité ;
Car chambre au dame est avenant
En dieu priant ou en faisant
Labour qui soit d'onesteté :   17850
Au chapellain q'est consecré
Le moustier est approprié,
U q'il a dieu ert entendant :
A moigne et nonne en leur degré

Leur cloistre serra fermeté
En continence a leur vivant.
    Ascuns y sont qui d'autre enprise
Ont vou du continence prise
Secret parentre dieu et soy :
C'est une chose que dieus prise,   17860
Qant om le fait du tiele aprise
Sanz veine gloire et sanz buffoy ;
Essample avons du viele loy,
Le vou Marie fuist en coy,
U toute grace fuist comprise :
Mais quique donne a dieu sa foy,
Combien que ce soit en recoy,
Il est tenuz a la reprise.
    Mais quant du bonne cause avient
Et que la femme bien maintient   17870
Le vou du sainte Continence,
Lors en bon gré dieus le retient.
Ce dist David, bien me sovient,
' Vouetz et rendetz sanz offense
Le doun du vostre conscience ' :
Car poy decert la providence,
Qui molt promet et donne nient.
Chascuns endroit de soy le pense ;
Quoy valt a semer la semence
Du quelle ascun profit ne vient ?   17880
    Qe Continence est belle chose
La turtre sanz en faire glose
Nous monstre bien de sa nature ;
Car tantost que la mort depose
Son madle, soule se dispose,
Qe jammais jour apres celle hure
S'assiet sur flour ne sur verdure ;
Ne jammais puis par envoisure
Autre compain reprendre n'ose ;
Ainz puis tant comme sa vie dure,   17890
Sanz mariage et sanz luxure
En Continence se repose.
    Mais cestes vieves jolyettes,
Vestant le vert ove les flourettes
Des perles et d'enbreuderie,
Pour les novelles amourettes
Attraire vers leur camerettes,
A turtre ne resemblont mye :

17824 Enfaisant   17846 senvont   17882 enfaire

Mais sur trestoutes je desfie
La viele trote q'est jolie,   17900
Qant secches ad les mamellettes ;
Il m'est avis, quoy q'autre en die,
Q'ad tiele espouse en compaignie,
Fols est s'il paie a luy ses dettes.
     Mais quel valt plus, ou mariage
Ou continence en son estage,
Saint Augustin fait demander ;
Si dist que l'une le corsage
Engrosse et l'autre le corage :
Mais meulx, ce dist, valt engrosser
Le cuer de l'omme en dieu amer, 17911
Qe soul le ventre faire enfler ;
Car l'une enporte l'avantage
Que ja ne doit enbaraigner,
Mais l'autre n'en porra durer,
Qe tout ne soit baraigne en age.
     Tout pleine l'une du tristesce
Lez fils enporte en sa destresce,
Et sanz pecché ne les conçoit ;
Mais l'autre plaine de leesce,   17920
Sanz estre aucunement oppresse,
Les fils du joye porter doit :
L'une est par servage en destroit,
Et l'autre est franche en son endroit ;
Labour du siecle l'une blesce,
Et l'autre, quelle part que soit,
En grant quiete de son droit
Serra, que nul dolour l'adesce.
     L'une est la soule espouse humeine,
L'autre est l'amie dieu souleine ;   17930
L'une est en plour, l'autre est en ris ;
L'une est corrupte et l'autre seine ;
L'une est de l'omme grosse et pleine,
L'autre est de dieu enceinte au pitz ;
L'une fait empler de ses fitz
Parmy le monde les paiis
Du multitude q'est mondeine,
Et l'autre ovesque dieu toutdis
Fait empler le saint paradis
Des bonnes almes q'elle meine.   17940
     Sicomme la rose fresche et fine
Valt plus que la poignante espine

Dont elle naist, ensi serra
Qe continence la divine,
Selonc que Jerom le diffine,
Sur mariage plus valdra.
L'apostre as tous ce commanda,
' Qui contenir ne se pourra,
Lors preigne espouse a sa covine.'
Par celle aprise bien moustra   17950
Qu'il continence en soy prisa
De la plus halte discipline.
     Saint Jerom dist la difference
Du mariage et continence ;
Qe l'une valt de l'autre plus,
Sicomme plus valt qui sanz offense
En netteté du conscience
Parfait les oeveres des vertus,
De luy qui s'est soul abstenus
Du pecché sanz fait de surplus.   17960
Savoir poetz par l'evidence
Au quelle part il ad conclus ;
Fait ove vertu vait au dessus,
N'est resoun que le contretence.
     **Ore dirra de la quinte file de
Chasteté, quelle ad noun Aspre
vie, contre le vice de Foldelit.**
     La quinte file est Aspre vie,
Q'au fine force Leccherie
Abat, et Chasteté supporte :
La char si reddement chastie,
Qe ja nul jour de sa partie
Ne laist entrer dedeinz sa porte   17970
Le Foldelit q'au corps resorte ;
Ains, qanque Leccherie enhorte,
Par sa vertu trestout desfie :
Car du penance q'elle porte
Le fieu que Leccherie apporte
Extaignt, q'ardoir ne porra mie.
     C'est la vertu qui se decline
Loign du celer et du cuisine
U Gloutenie est vitailler,
Et si retient de sa covine   17980
Pour luy servir Soif et Famine.
Cil duy luy serront officer
Et au disner et au souper,

Par queux la char fait enmaigrer
Et les costés et la peitrine,
Sique Luxure en son mestier
N'y truist surfait pour alumer,
Dont chasteté soit en ruine.
   Qant Daniel enfant fuist pris   **f. 100**
Ove tout deux autrez ses amys   17990
En Babiloigne, nepourqant
De les delices du paiis
Ne volt gouster par nul devis,
Ne boire vin pour rien vivant :
Avint que puis le dit enfant
Ove ses compaigns trestout ardant
Furont en la fornaise mis,
Mais dieus lour fist si bell garant,
Q'en my la flamme vont chantant,
Q'ils ne sentoiont mal ne pis.   18000
   Qe chasteté n'est accordant
As grans delices, ainz par tant
S'en falt deinz brieve acustummance,
Saint Bernard le vait tesmoignant,
Qe ja ne serront accordant
L'une avec l'autre en observance :
Car l'une acroist la vile pance
Du Foldelit par l'abondance
De sa delice, et l'autre avant
Entolt du corps la sustenance   18010
Pour faire a l'alme pourvoiance ;
Poy cure tout le remenant.
   L'en dist ensi communement,
' Retrai le fieu bien sagement
Et la fumée exteinderas ' :
Ensi je di que tielement
Retrai ce dont la char esprent
De les delices, et chalt pas
Exteindre foldelit porras ;
Car courser megre ne salt pas,   18020
Ne si tost male tecche enprent
Comme fait cil q'est bien gross et
   crass :
Pour ce, si tu chastes serras,
Retien bien cest essamplement.
   Du saint Ambroise c'est le dit,
Qe d'omme jun l'escoupe occit

     18028 plusfort

*

Le vif serpent de sa nature :
A molt plus fort le jun parfit
Le viel serpent, cel espirit
Qui nous fist faire forsfaiture,   18030
Mettra tout a desconfiture
De sa vertu, q'est chaste et pure ;
Sique la char par foldelit
Corrupte n'ert de celle ardure
Que vient de gule et de luxure,
Ainz en serra du pecché quit.
   C'est la vertu qui petit prise
Suef oreiller, mole chemise,
Cote ou mantell du fine leine,
Ainz ad vestu la haire grise,   18040
Poignante et aspre, en tiele guise
Que son charnel delit restreigne,
Et de bien vivre se constreigne :
Mais si sa robe q'est foreine
Au corps soit belle et bien assisse,
Pour eschuïr la gloire veine
La haire que luy est procheine
Doit guarder l'alme en sa franchise.
   C'est la vertu qui n'ad plesir
Sur mole couche de gisir,   18050
Ne quiert avoir si tendre lit,
Dont porra longement dormir
Et sa tresfrele char norir,
Pour l'aqueinter du foldelit ;
Ainz se contient d'un autre plit,
Sur l'aire ou sur la paile gist,
Dont tout esquasse le desir
A penser contre l'espirit ;
Si tient le corps en grant despit,
Pour l'alme faire a dieu cherir.   18060
   Vigile, q'est la dieu treschiere,
Est d'Aspre vie chamberere,
Dont Sompnolence est forsbanie,
Q'au Foldelit est coustummere ;
Vigile la deboute arere,
Qant volt entrer de sa partie :
Vigile auci q'est d'aspre vie
Oedive ne doit estre mie,
Qe Foldelit ne la surquiere ;
Ainz Contemplacioun la guie,   18070

     18036 enserra

P

Qui la flaielle et la chastie
Ove triste lerme et ove priere.
  Les cink sens naturel humein
Sont resemblables au polein,
Q'en my le bois s'en court salvage
Tout au plesir sanz selle ou frein :
Mais s'Aspre vie en soit gardein,
Il les refreine a son menage,
Et jusq'a tant q'en son servage
Les puet danter du bon corage,   18080
Retrait leur la provende et fein ;
Siq'il leur hoste tout le rage,
Si sobrement, que sanz oultrage
Ils les puet mener de sa mein.
  Iceste file a sa mesure
Est bien armé, dont molt s'assure,
Des deux armures, salvement
Qui valont contre la pointure
Du Foldelit et de Luxure :
Dont le primer adoubbement   18090
C'est d'umble cuer oïr sovent
De dieu sermon le prechement,
Q'om dist de la seinte escripture ;
Et ce que par l'oreille entent
Parface bien et duement ;
Lors est armé de l'une armure.
  Dieus son sermon fist resembler
A l'omme qui voloit semer
Ses champs, dont part de la semence
Dessur la roche fist ruer,   18100
U q'il ne pot enraciner :
Et part auci par necligence
Chaoit enmy la voie extense ;
L'oisel del air sanz nul defense
Cela venoiont devorer :
Et part chaoit entre l'offense
Des ronces, dont la violence
Fist qu'il n'en pot fructefier.
  Del dieu sermon atant vous di,
Sicomme du grein qui s'espandi   18110
Sur roche ; car par tiel degré
Plusours le sermon ont oï
Et par l'oraille recuilli,
Mais deinz le cuer n'est pas entré ;

U tant en ad de dureté
Q'il ne poet estre enraciné,
Et sanz racine n'est flouri,
Et sanz flour n'est le fruit porté,
Ainz, comme sur perre estoit semé,
Sanz bon humour est ensecchi.   1812
  Mais l'autre grein, q'enmy la voie
De les oiseals, come vous contoie,
Fuist mis a dissipacioun,
C'est qant le deble agaite et proie
Un cristien qui se supploie
D'oïr la predicacioun ;
Car lors par sa temptacioun
L'en tolt la meditacioun
Q'ascun profit n'en porte envoie ;
Ainz tourne a sa dampnacioun   18130
Q'est dit pour sa salvacioun,
Q'il bien oït et mal l'emploie.
  Du tierce grain q'ert espandu
Et fuist des ronces confondu,
Le sermon dieu ce signefie :
Qant cristiens l'ad entendu,
Mais ainz q'en oevere soit parcru,
Les ronces, dont le siecle allie,
C'est Covoitise ovesque Envie
Ove Foldelit et Leccherie,   18140
Le cuer si fort ont detenu
Qu'il plus avant ne fructefie :
Ces trois semences dieus desfie,
Mais a la quarte il s'est tenu.
  Du quarte grain il avenoit
Q'en bonne terre le semoit :
Dont prist racine ove la crescance
Q'a cent foitz plus multiplioit.
Ce nous pourporte en son endroit
Del sermon dieu signefiance :   18150
C'est qant prodhomme en sa penance
Conçoit du sermon l'entendance
En cuer devolt, comme faire doit,
Et puis en fait la circumstance ;
Lors par droite fructefiance
Plus a cent foitz loer resçoit.
  Grant bien du bon sermon avient
A l'omme qui bien le retient ;

18077 ensoit   18115 enad   18154 enfait

La dieu parole ad grant vigour,
Et grant vertu deinz soy contient :
Car par parole soul du nient   18161
Dieus ciel et terre ove leur atour
Tout les crea comme creatour ;
Auci nous veons chascun jour
La dieu parole, q'en nous tient,
A no creance sanz errour
Le corps du nostre salveour
Fait que du pain en char devient.
    As ses disciples qant precha,
Dieus sa parole commenda   18170
De grant vertu, ce m'est avis ;
Car il leur dist que par cela
Q'ils son sermon oïront la,
Trestout les avoit esclarciz
Et nettoié leur espiritz.
Cil qui remembre de ces ditz,
Et bien les causes notera,
Molt doit avoir sermon en pris ;
Car tant comme l'omme est meulx apris,
De tant par resoun meulx valdra. 18180
    Sovent par bon consail d'amy f. 101
Homme ad vencu son anemy ;
Pour ce bon est consail avoir
Du saint sermon, comme je vous di ;
Car championn qui s'arme ensi
Meulx en doit faire son devoir.
Une autre armure y a du voir,
Du quoy l'en puet auci valoir
Qe Foldelit soit anienty ;
C'est par sovent en bon espoir   18190
La passion rementevoir
Que Jhesu Crist pour nous souffri.
    Qui porte tiele conuscance,
Le deble ove toute s'alliance
Legierement puet desconfire,
Et garder l'alme en esperance
Du joye avoir sanz fole errance,
Ou de mesfaire ou de mesdire :
Dont cil qui voet estre bon mire
Del alme, falt q'il se remire,   18200
Au fin q'il ait en remembrance
La passioun du nostre sire,

Sicomme l'en puet el bible lire
De la figure en resemblance.
    Qant Moïses mesna la gent
El grant desert del orient,
D'arrein fist un serpent forger
Et l'alleva bien haltement,
Si q'om le vist apertement,
Et devant tous le fist porter :   18210
Car soulement pour luy mirer
Fist les pointures resaner,
Qant du venym ly vif serpent
Firont les gentz mordre et plaier :
C'estoit figure et essampler
Portant grant signefiement.
    Comme Moÿses out eshaulcé
Le serpent q'estoit figuré
Devant le poeple qu'il menoit,
De qui regard furont sané,   18220
Tout autrecy fuist allevé
Jhesus, qant il en croix pendoit :
Dont cil qui point ou mors serroit
Du viel serpent, et penseroit
De luy q'estoit crucifié,
Sa guarison avoir porroit,
Et tous les mals assuageroit,
Des queux avoit le cuer enflé.
    Trestoute l'eaue fuist amere
D'estanc, de pus et de rivere   18230
Q'el grant desert d'Egipte estoit ;
Mais Moÿses par sa vergiere
Fist tant que l'eaue ert doulce et cliere,
Dont homme et beste assetz bevoit.
La verge en quelle ce faisoit
La croix verraie figuroit,
Qe l'amertume et la misere
Nous tolt, et venque de son droit
Le deble, et u que l'omme soit,
Saulf le maintient soubz sa banere.
    Qui ceste armure voet comprendre
Et d'Aspre vie bien aprendre   18242
De vivre solonc la vertu,
Du Foldelit se puet defendre ;
Car par resoun doit bien entendre,
Meulx valt penance aspre et agu,

Dont l'alme soit bien defendu,
Et estre en ease ovesque dieu,
Qe de son corps tiele ease prendre
Dont soit par Foldelit vencu,   18250
Et comme fals recreant rendu
Au deable, qui le quiert surprendre.
  Qui list les vies des saintz pieres,
Oïr y puet maintes manieres
De la nature d'Aspre vie :
Les uns souleins en les rocheres,
Les uns en cloistre ove lour confreres,
Chascun fist bien de sa partie ;
Cil plourt, cist preche, cil dieu prie,
Cist june et veille, et cil chastie   18260
Son corps du froid et des miseres,
Cist laist sa terre et manantie,
Cil laist sa femme et progenie,
Eiant sur tout leur almes cheres.
  Par Aspre vie tout ce firont,
Du Foldelit dont desconfiront
Les griefs assaltz et les pointures,
Q'au frele char ne consentiront :
Ainz qanq'al alme bon sentiront
Enpristront, et les aventures   18270
Qant la fortune envoia dures
Des corporieles impressures,
Sanz murmur du bon gré suffriront,
Pour plus avoir les almes pures :
Houstant trestoutes autres cures
En corps tant aspremeпt vesquiront.
  C'est la vertu q'est tout divine,
Et est semblable en sa covine
Au forte haie du gardin,
Q'om fait de la poignante espine,   18280
Par quoy n'y puet entrer vermine
Ou male beste en nul engin ;
Ainz est tout saulf et enterin,
Fuil, herbe, fruit, grein et pepin,
De la morsure serpentine ;
Sique ly sires, en la fin
Qant vient, y trove sain et fin
Le bien. dont ad sa joye fine.
  La sainte vertu d'Aspre vie
Est celle quelle en prophecie   18290
David en son psalter loa,

Disant, par sainte gaignerie
En doel et triste lermerie
C'est celle qui ses champs sema,
Dont qant August apres vendra,
En grant leesce siera
Les biens dont s'alme glorifie.
Si m'est avis sages serra
Q'ensi se cultefiera,
Dont si grant bien luy multeplie.   18300
  En les viels gestes de romeins
Valeire dist, des citezeins
Ot un jofne homme a noun Phirin,
Q'estoit de si grant bealté pleins
Q'en luy amer furont constreins
Pres toutes femmes du voisin :
Mais pour destruire leur engin,
Siq'au pecché ne soit enclin,
Coupa ses membres de ses meins,
Dont Foldelit mist en declin.   18310
Vei la le fait du Sarasin
Pour nostre essample plus ne meinz.
  Cil fuist paien q'ensi fesoit,
Qui Leccherie despisoit
Tout proprement de sa vertu
Pour les ordures qu'il veoit
El vil pecché, dont abhosmoit.
He, cristien, di, que fais tu ?
Qant sainte eglise t'ad estru,
Bien duissetz pour l'amour de dieu 18320
Ta vile char mettre en destroit,
Dont Foldelit soit abatu :
Car molt valt peine dont salu
Celle alme sanz fin prendre doit.
  Ore dirra la descripcioun et la
commendacion de la vertu de
Chasteté par especial.
  Des toutes vertus plus privé
Al alme est dame Chasteté,
Come celle q'est sa chambreleine ;
Q'ensi la tiffe et fait parée,
Dont plus mynote et ascemé
Appiert de fine bealté pleine,   18330
Sur toutes autres sovereine :
Par quoy, sicomme le livre enseine,
Dieus est de luy enamouré,

Si prist de luy sa char humeine,
La quelle au ciel comme son demeïne
A dieu le piere ad presenté.
  O Chasteté, si je bien voie,
Toutes vertus te donnent voie
Comme a leur dame, et plus avant
Trestous les vices loigns envoie 18340
Toy fuiont, car dieus te convoie
Et parderere et pardevant :
Plus que la pere daiamant
Attrait le ferr, es attraiant
La grace dont vient toute joye.
Toutes vertus par resemblant
Ne sont que lune, et tu luisant
Es comme solail, qant s'esbanoie.
  O Chasteté, ne m'en doi tere,
Compaigne as angres es sur terre, 18350
Mais en le ciel plus noble auci ;
Dont nulle part te falt a querre
Meilleur de toy, qui tu requerre
Averas mestier, si noun celly
Q'est sur tous autres ton amy ;
C'est dieus ly toutpuissant, par qui
Ta volenté par tout puiss faire :
Nous autres tous crions mercy,
Mais tu puiss dire grant mercy
A dieu, qui te ne laist mesfaire. 18360
  O Chasteté, par tiele assisse
Bonté verraie t'est assisse,
Qe creatour et creature
Chascuns endroit de soy te prise,
Fors soul le deable, a qui tu prise
As guerre, et par ta confiture
Tout l'as mis a desconfiture :
C'estoit qant dieus ove ta nature
Se volt meller, dont fuist comprise
La deité soubz ta porture. **f. 102**
Quoy dirray plus mais dieus t'onure ?
Car autre a ce n'est qui suffise. 18372

**Ore dirra compendiousement la
Recapitulacioun de toute la ma-
tiere precedent.**

Ore est a trere en remembrance

Comme je par ordre en la romance
Vous ai du point en point conté
Des vices toute la faisance ;
Primerement de la nescance
Du Pecché, dont en propreté
Mort vint, et puis par leur degré
Comment les sept sont engendré,
Les quelles par droite alliance 18381
Au Siecle furont marié,
Comme puis se sont multeplié,
Tout vous ai dit sanz variance.
  Et puis apres vous dis auci
De l'omme q'en fuist malbailli,
Dont l'Alme a dieu se compleigna
Et comme puis dieus de sa mercy
Pour la pité q'il ot de luy
Les sept vertus lors maria 18390
A Resoun, qui les espousa,
Et puis de ce qu'il engendra,
De l'un et l'autre avetz oÿ.
Mais ore apres me semblera
Bon est que l'en aguardera
L'estat de nous qui susmes cy.
  Ore au final sont engendrez
Les vices, qui sont malurez,
Trop se font fort de leur partie ;
Et d'autre part sont auci neez 18400
Les vertus, qui sont benurez,
A resister leur felonnie :
Sur quoy chascuns autre desfie,
L'un claime avoir la seignourie
De l'omme ove tous ses propretés,
Et l'autre dist qu'il n'avera mie ;
Ensi la guerre est arrainié,
U q'il y ad peril assetz.
  La Char se tret trestout as vices,
Et l'Alme voet que les services 18410
Soient au Resoun soulement ;
Mais ore agardons les offices
Des tous estatz, si les justices
Ou les malices au present
Sont plus fort en governement.
Je dis, ensi comme l'autre gent,
Qe plus sont fortes les malices,

Sique Pecché communement
Par tout governe a son talent
L'escoles et les artefices.   18420

Puisq'il ad dit les propretés des
vices et des vertus, sicome vous
avetz oï, ore dirra en partie
l'estat de ceux q'ont nostre siecle
en governance; et commencera
primerement a la Court de Rome.

Si nous parlons de ces prelatz
Qui sont sicomme de dieu legatz
Ove la clergie appartienant,
Ils sont devenuz advocatz
Du Pecché pour plaider le cas
Encontre l'Alme; et oultre tant,
Si nous des Rois soions parlant,
Ils vont le pueple ensi pilant,
Qe tous s'en pleignont halt et bas;
Et si nous parlons plus avant   18430
Du gent du loy et du marchant,
Je voi peril en'toutz estatz.

Je croy bien ferm que la franchise
De luy q'est chief du sainte eglise
Soubz dieu, s'il se governe a droit,
Sur tous les autres est assisse;
Mais ore est changé celle assisse,
Car ce q'umilités estoit
Ore est orguil, et puis l'en voit,
Ce que largesce estre souloit   18440
Ore est tourné du covoitise;
Si chasteté a ore y soit,
Ne say si l'en parler en doit,
Car je me tais de celle enprise.

Ce que je pense escrire yci
N'est pas par moy, ainz est ensi
Du toute cristiene gent
Murmur, compleinte, vois et cry;
Que tous diont je ne desdi,
Q'au court de Rome ore est regent
Simon del orr et de l'argent,   18451
Sique la cause al indigent
Serra pour nul clamour oÿ:

Qui d'orr n'y porte le present,
Justice ne luy ert present,
Du charité ne la mercy.
Le fils de dieu voloit venir
Pour eslargir et amollir
La loy; mais cils du maintenant
La me font plus estroit tenir: 18460
Dont vuil les causes enquerir,
Si leur vois deux pointz demandant;
Ou ce q'ils m'en vont defendant
Estoit en soi pecché devant,
Car lor le doi bien eschuïr;
Ou si ce noun, di lors avant
Pour quoy me vont establissant
Pecché de leur novel atir.

Ne puet descendre en ma resoun
Q'ils du propre imposicioun   18470
Font establir novel pecché;
Ce q'en nul livre nous lison,
Qe le fils dieu de sa leçoun
Par l'evangile en son decré
Fist establir: car charité
N'est que peril multeplié
Nous soit, par quelle addicioun
Soions plus serf; car rechaté
Nous ad dieus, dont en liberté
Voet bien que nous plus franc soion.

Du loy papal est estably   18481
Qe tu ne serras point mary
A ta cousine, et d'autres cas
Plusours que je ne dirrai cy;
Et diont que pour faire ensi
Mortielement tu peccheras:
Lors vuil que tu demanderas
Si tu pour l'orr que leur dorras
Au court porras trover mercy:
Certainement que si ferras,   18490
La bource que tu porteras
Ferra le pape ton amy.
Mais si ce soit ensi mortiel,
Comme ils le diont, lors au tiel
Pour quoy vuillont devant la mein
Dispenser? Car ly dieus du ciel,
Qui plus du pape est droituriel;

18430 plusauant   18439 lenvoit   18443 endoit   18480 plusfranc

Ne puet ce faire, ainz sui certein
Qe je congé priasse en vein
A dieu pour freindre l'endemein 18500
Sa loy et son precept, le quiel
Fist establir; mais ly romein,
Si j'eie d'orr ma bource plein,
M'ert plus curtois et naturiel.

'Comme l'oisellour plus tent ses reetz,
Plus tost en serront attrapez
Les oiseals, et par cas semblable
Comme plus eions par noz decretz
Diversez pecchés imposez,
Plus tost en serretz vous coupable,
Et nous d'assetz plus seignourable :
Car tieus pecchés sont rechatable 18512
En nostre Court, si vous paietz;
Dont nous volons que nostre table
Soit des mangiers, et nostre estable
Des grantz chivalx plus efforciez.

'Qant nostre sire estoit mené
Sus au montaigne et ly malfié
Du siecle luy moustra l'onour,
Je lis q'il l'ad tout refusé :   18520
Mais nous pour dire verité
L'avons resçu, sique seignour
Soions en terre le maiour;
Car n'est Roy, Prince ne contour
Qui nous ne baiseront le pié,
Et dorront largement de lour
Pour s'aqueinter de nostre amour,
Dont plus soient de nous privé.

'Q'il ne se duist soliciter
Pour sa vesture ou son manger 18530
Dieus a saint Piere commanda,
Ne qu'il deux cotes duist porter :
Mais nous ne volons pas garder
Le dieu precept solonc cela ;
Car pres ne loigns n'y avera
Delice que prest ne serra
Et en cuisine et en celer,
Et nostre corps se vestira
Des robes dont om perchera
Plus que ne portont deux somer. 18540

'Ensi tienons les cliefs es meins,

Dont nous serrons l'argent au meinz
Et les florins, mais rerement
Qant desserrons les coffres pleins
Pour la poverte a noz procheins
Aider ; ainçois tout proprement
Volons avoir du toute gent,
Mais de noz biens n'est qui reprent,
Car noz tresors serront si seintz,
Qe nul ert digne a nostre argent 18550
Toucher.   Vei la comme noblement
Nous susmes chief des tous humeins !

'Les cliefs saint Piere ot en baillie f.103
Du ciel, et nous la tresorie
Du siecle, qui nous est meynal :
El temps saint Piere, si voir die,
Cil usurer du Lumbardie
Ne fist eschange a court papal,
N'a lors Requeste emperial
Ne le brocage au Cardinal   18560
Donneront voix a la clergie;
N'a lors le pape en son hostal
Pour nul bargain espirital
Retint Simon en compaignie.

'Mais nous q'avons la guerre enpris,
Par quoy volons monter en pris,
Falt que nous eions retenu
Simon, sique par son avis
Soient noz tresors eslargiz ;
Et ce nous fait main estendu   18570
Dire a Simon le bienvenu,
Car il nous rent bien no salu
De ses florins, qant vient toutdis :
Droitz est, puisq'il ad despendu,
Qe l'eveschié luy soit rendu,
Car nous l'avons ensi promis.

'O sainte croix, comme celle porte
Grant vertu, dont d'enfern la porte
Fist nostre sire debriser !
Encore n'est la vertu morte   18580
En nostre Court, ainz est plus forte,
Les huiss des chambres fait percer :
Car qant la croix y vient hurter,
Tantost acurront cil huissier,
Et tout ensi comme celle enhorte

18506 enserront   18510 Plustost enserretz   18581 plusforte

La font jusques a nous mener,
Voir as curtines voet entrer,
Dont nostre cuer se reconforte.
  'Unques le corps du sainte Heleine
Serchant la croix tant ne se peine, 18590
Qe nous ovesque nostre Court
Assetz n'y mettons plus du peine
Chascune jour de la semeigne,
Voir la dymenche l'en labourt,
Del croix sercher : chascuns se tourt,
Et pour ce no message court
Par tout le siecle au tiel enseigne,
Et s'il la trove, l'en l'onourt ;
Mais cil q'ove vuide main retourt
N'ad pas de nous sa grace pleine. 18600
  'Rende a Cesar ce q'est a luy ;
Ce q'est a dieu, a dieu tout si :
Mais nous et l'un et l'autre avoir
Volons, car d'un et d'autre auci
Portons l'estat en terre yci.
De dieu avons le plain pooir,
Par quoy la part de son avoir
Volons nous mesmes recevoir
Tout proprement, sique nully
En partira, si ce n'est voir,   18610
Qe nous porrons aparcevoir
Q'au double nous ert remery.
  'Ensi faisons le dieu proufit,
Qe riens laissons grant ne petit
De l'orr que nous porrons attraire ;
Car ly prelat nous sont soubgit,
Si sont ly moigne ove lour habit,
Q'ils n'osent dire le contraire
Du chose que nous volons faire,
Neis ly curet et ly viscaire :   18620
Leur falt donner sanz contredit
Del orr, dont ils nous pourront plaire,
Ou autrement leur saintuaire
Du no sentence ert entredit.
  'Mais du Cesar presentement,
Portons le representement
Car nous du Rome la Cité
Ore avons l'enheritement ;
Pour ce volons de toute gent

Tribut avoir par dueté.   18630
Voir ly Judieu en son degré,
Neis la puteine acoustummée,
Ne serront quit du paiement :
Ce que Cesar ot oblié
En son temps, ore avons trové,
Les vices qui vont a l'argent.
  'Je truis primer qant Costentin
Donnoit du Rome au pape en fin
Possessioun de la terrestre,
Ly Rois du gloire celestin   18640
Amont en l'air de son divin
Par une voix q'estoit celestre
Faisoit crier, si dist que l'estre
Du sainte eglise ove tout le prestre
Ne serront mais si bon cristin,
Comme ainz estoiont leur ancestre,
Pour le venim qui devoit crestre
De ce q'ils ont le bien terrin.
  'Le fils de dieu, qant il fesoit
Son testament, sa peas lessoit   18650
Au bon saint Piere, qu'il ama,
Siqu'il ne se contourberoit
Du siecle ; et l'autre en tiel endroit
La resçut et molt bien garda,
Qe puis apres long temps dura :
Mais ore est changé tout cela ;
Le pape claime de son droit
L'onour du siecle, et pour cela
La dieu pes s'est alé pieça,
Q'au jour present nuls ne la voit. 18660
  'Saint Piere ne se volt movoir
Par guerre, ainz fist son estovoir
Des bonnes almes retenir ;
Mais nous ne volons peas avoir,
Ainz les richesces et l'avoir
Du siecle pensons acuillir.
Piere ot coronne du martir,
Et nous du rubie et saphir
En orr assiss. Lors di me voir,
La quelle part valt meulx tenir : 18670
N'est pas la mort bonne a souffrir,
Tant comme phisique puet valoir.
  'Saint Piere jammais a nul jour

18610 Enpartira

Retint devers luy soldeour
Ou d'armes ou du brigantaille ;
Car ne volt estre conquerrour
Pour resembler a l'Emperour
De ses conquestes en Ytaille.
Ainz en priere sa bataille
Faisoit, pour l'alme de l'ouaille   18680
Defendre, ensi comme bon pastour,
Contre malfé ; mais d'autre entaille
Ore est que nostre espeie taille,
Du siecle pour avoir l'onour.
  ' Ly fils de dieu, ce dist l'istoire,
Ne vint querir sa propre gloire,
Ainz queist la gloire de son piere
Pour mettre hors du purgatoire
Adam : mais nostre consistoire
Se change tout d'une autre chere ; 18690
La terre quiert, q'il tient plus chere
D'Adam, dont arme sa banere,
Et trait le siecle en s'adjutoire,
Lessant les almes a derere :
Qe chalt si l'en occie et fiere,
Mais que nous eions la victoire ?
  ' En nostre Court est bien parlé
Comment la cristieneté
Se trouble en guerre et en distance ;
Et nous avons sovent esté   18700
Requis que peas et unité
Feissemus d'Engleterre et France.
Mais que n'en donnons l'entendance
Trois causes en font destourbance :
L'une est petite charité ;
Car l'autri grief n'est pas grevance
A nous, ainz en toute habondance
Volons tenir le papal sée :
  ' Une autre cause est ensement,
Ne susmes pas indifferent,   18710
Ainz susmes part a la partie,
Par quoy que nostre arbitrement
Ne se puet faire ovelement :
La tierce cause est bien oïe,
Qe guerre avons en Romanie,
Dont falt que nostre seignourie
Du siecle soit primerement

Des propres guerres establie :
Ces causes ne nous suffront mie
De faire peas a l'autre gent.   18720
  ' Et d'autre part faisons que sage,
Q'a nous et puis a no message
La guerre asses plus que la pees
Ferra venir grant avantage
De l'orr ; car lor pernons brocage
De l'un Roy et de l'autre apres.
Chascuns nous quiert avoir plus pres,
Mais nous nous enclinons ades
Au Roy qui plus del orr engage,
Dont no tresor ait son encress :   18730
Par quoy l'acord volons jammes,
Tant come trovons si bon paiage.
  ' Dieus a saint Piere commandoit
Q'il noun du mestre ne querroit
Ne reverence entre la gent :
Je truis auci par tiel endroit,
Qant saint Jehan enclin estoit
L'angre adourer, cil le defent ;
Si dist qu'il son enclinement
A soul dieu q'est omnipotent,   18740
Et noun a autre le ferroit :
Mais nostre Court dist autrement,
Ne voet tenir l'essamplement
Dont l'angel dieus nous essamploit.
  ' De l'evangile a mon avis   **f. 104**
Ne faisons point le droit devis ;
Car nous ne gardons tant ne quant
L'umilité de dieu le filz ;
De dieu le piere ainçois le pris
Tollons, car soul au toutpuissant,   18750
" Sanctus," les angres vont chantant ;
Mais nous volons du maintenant
Avoir l'onour sur nous assis,
Et noun du saint par tout avant
Porter, mais tout le remenant
Du sainteté nous est faillis.
  ' Combien que Piere estoit grant sire,
Ja ne vist om du plom ne cire
Qu'il envoiast sa bulle close ;
Ne ja n'orretz chanter ne lire   18760
Q'il fist ses cardinals eslire

  18691 pluschere   18694 aderere   18704 enfont   18727 pluspres

Par ses chapeals, qui sont come rose
Vermaile au point quant se desclose.
Ainz tout orguil y fuist forclose,
Ne gule alors roster ne quire
De sa delice ascune chose
Savoit, mais ore l'en suppose
No court est autre, pour voir dire.
 'Voir est en terre a son decess
Qe nostre sire donna pes,   18770
Mais contre ce nous combatons;
Des pecchés faisoit il reless,
Mais nous, qui susmes d'ire engress,
Pour poy de cause escomengons;
Il souffrit mort et passions,
Et nous encontre ce tuons;
Il se tint de poverte pres,
Et nous la poverte esloignons;
Il gaigna poeple, et nous perdons,
Ensi n'acorderons jammes.   18780
 ' L'estat du pape en sa nature
Ne porra faire forsfaiture
En tant comme pape, ainz Innocent,
Qui tient l'estat papal en cure,
Cil puet mesfaire d'aventure.
Mais nous, qui susmes chief du gent,
Q'en terre avons nul pier regent,
Volons pour l'orr et pour l'argent
Piler trestoute creature;
Car n'est qui pour repaiement   18790
Nous poet mener en juggement,
Et c'est ce que nous plus assure.'
 Q'est ce que l'en dist Antecrist
Vendra?   Sainte escripture dist
Qe d'Antecrist le noun amonte,
Qui le contraire fait du Crist.
Quoy quidetz vous, si tiel venist
Encore?   Oÿl, par droite acompte
Orguil humilité surmonte,
Dont chascun autre vice monte   18800
Que nostre sire en terre haïst;
Siq'au present la foy desmonte
En nostre court, car nuls tient conte
Tenir la loy qu'il establist.
 Sicomme ly scribe et pharisée,

Qui jadis s'estoiont monté
Du Moÿsen sur la chaiere,
U la loy dieu ont sermoné
As autres, mais en leur degré
Lour faitz furont tout loign derere;
Ensi vait ore en no matiere   18811
Au jour present, car de saint Piere
Om monte et prent la digneté,
Le dyademe et la chymere,
Mais ja n'en font plus que chymere
Au remenant la dueté.
 Qant monstre naist du quelque gendre,
Des mals procheins du dois entendre,
C'est la prenosticacioun;
Mais ore qui voet garde prendre,   18820
Verra comment Orguil engendre
D'Envie en fornicacioun
Le monstre de dampnacioun;
Dont vient celle hesitacioun,
Q'en un soul corps om poet comprendre
Deux chiefs par demonstracioun,
Et par diverse nacioun
L'un chief sur l'autre volt ascendre.
 A Rome c'est ore avenu
Du monstre q'est trop mal venu   18830
Au bonne gent; car sainte eglise
N'ad q'un soul chief pardevant dieu,
Mais ore ad deux trestout parcru;
Dont la bealté de sa franchise
Se disfigure et est malmise.
Si dieus n'en face la juise,
Au fin que l'un chief soit tollu,
Le corps, q'en porte la reprise,
Ensi porra par nulle guise
Long temps estier en sa vertu.   18840
   Ore dirra de l'estat des Cardinals
   au Court de Rome solonc ce que
   l'en vait parlant au temps d'ore.
 Ce dist qui sapience enfile,
Du bonne mere bonne file,
Et par contraire il est auci:
Mais c'est tout voir, qant chief s'avile,
La part des membres serra vile.
Au Court de Rome il est ensi

Du chief, vous savetz bien le qui,
Maisque les membres dont vous di
Sont Cardinal de nostre vile,
Des queux le meindre est tant cheri,
Qu'il quide valoir soul par luy   18851
Le Roy du France et de Cezile.
  Mais pour ce q'ils ont entendu
Que povre orguil est defendu,
Ils se richont par toute voie;
Si ont en aide retenu
Simon, a qui sont molt tenu,
Car il leur donne et leur envoie,
Il leur consaille et lour convoie;
Tous autres passeront en voie,   18860
S'ils n'y soient par luy resçu;
Simon par tout ferra la voie,
Nuls y vendra s'il n'ad monoie,
Mais lors serra le bien venu.
  Le pape as Cardinals dorra
Certain par aun, mais ce serra
Sicomme d'enfant qant il ad pain
Sanz compernage; car cela
Que pape donne ne plerra,
S'ils n'eiont autre chose ou main: 18870
Et ce serra du privé gaign,
Que danz Simon de son bargain
En nostre Court leur portera;
Mais ce n'ert pas un quoy solain,
Car ja sanz selle le polain
Ne berbis sanz toison verra.
  Soit comme poet estre en dieu prier,
Maisque Simon poet espier
Les dignetés ove la vuidance,
Les quelles il falt applier   18880
As Cardinals, mais supplier
Estoet ainçois la bienvuillance
Du pape, et sur celle aquointance
Simon ferra la pourvoiance,
Sicomme partient a son mestier.
Vei cy comme nostre court s'avance;
Par tout quiert avoir la pitance,
Mais nulle part puet saouler.
  Par leur decretz ont establiz
Qe cil qui porte les proufitz,   18890
Auci les charges doit avoir:

A ce compellont leur soubgitz,
Mais ils sont mesmes enfranchiz
Nounpas du droit ainz du pooir;
Car ils sont prest a rescevoir
Les benefices et l'avoir
Du sainte eglise en tous paiis,
Mais ja ne vuillont removoir
Le pié de faire leur devoir
Pour nous garder les espiritz.   18900
  Qui savera juer d'ambes meins,
Si l'une falt, de l'autre au meinz
Porra juer; et tielement
Du gaign les Cardinals romeins
De l'une ou l'autre part certeins
Serront; car ou l'avancement
A soy quieront, ou autrement
Simon leur dorra largement
Pour ceaux qui sont venus loignteins:
Car l'aqueintance a temps present 18910
Se fait par doun et par present
En nostre Court de les foreins.
  Mais pour ce q'ils trovont escrit
Q'om ne doit curer du petit,
Petite chose n'appetice
La faim de leur grant appetit,
Ainz falt q'il soit du grant profit
Ce dont quieront le benefice:
Auci Simon n'est pas si nyce
Du poy donner en son office   18920
As tiels seignours qui l'espirit
Du Simonie et d'avarice
Portont enclos, par quoy justice
Se tient au peine en leur habit.
  Jadis Naman el terre hebreu
Grace et pardoun receust de dieu,
Dont fuist du lepre nettoiez;
Mais Gyesi trop fuist deçu,
Qant il del orr estoit vencu,
Dont les grantz douns ot acceptez,
Par quoy sur soy fuist retournez 18931
Ly mals dont l'autre fuist sanez,
Mais ore au paine en ascun lieu
Si la vengance ont remembrez   f. 105
De Gyesi, ainz des tous leez
Les douns sont donnez et resçu.

N'ont pas mys en oublivioun
En l'evangile la leçoun
De les disciples de Jhesu,
Qant ils firont contencioun   18940
Qui serroit mestres et qui noun ;
Ainz ont ce fait bien retenu,
Dont trop y ad debat commu.
Comme Lucifer semblable a dieu
Volt estre, ensi dissencioun
Est ore au court de Rome accru :
Ne falt forsque l'espeie agu
Et le consail de danz Simon.
    Du nostre sire truis lisant
Comment fist prendre un jofne enfant
Pour essampler les orguillous   18951
De ses disciples ; eaux voiant
Le fist venu, ensi disant :
'Quiconque soit parentre vous
Qui sanz orguil et sanz corous
Ne soit du cuer humble et pitous,
Comme est cist enfes maintenant,
En ciel ne serra glorious.'
Dont vuil demander entre nous
Si nostre fait soit acordant.   18960
    Om puet respondre et dire nay,
Quiconque voet prover l'essay,
Voiant les Cardinals au Court ;
De leur pompe et de leur array
Comme plus recorde plus m'esmay,
Chascuns y quiert que l'en l'onourt,
Et pour l'onour chascuns labourt,
Car s'il est riche, son pris sourt :
D'umilité parler n'y say,
Chascuns vers la richesce acourt   18970
Et du poverte l'en tient court :
Tous scievont bien que j'en dy vray.
    O comme bien fuist humilité
Parentre la fraternité
Qui sont du nostre foy regent !
Car leur estat et leur degré
De les disciples dameldée
Enporte representement.
Grant bien et grant mal ensement
Nous porront faire celle gent   18980

Qui sont si pres du papal sée ;
Car chascuns de leur reule prent
De bon ou mal governement
Par toute cristieneté.
    Dieus ses disciples au precher
Nounpas pour lucre seculer,
Ainz pour divine gaignerie,
Trestout au pié sanz chivacher
Par tout le monde fist aler :
Mais nous alons en legacie   18990
Ove grantz chivals et compaignie,
Et le subsidie du clergie
Pour nostre orguil plus demener
Volons avoir du no maistrie ;
La bulle q'est du Romanie
Leur fra somonce de paier.
    Simon Magus en halt vola,
Dont puis au fin il s'affola,
Qant sur la roche jus chaÿ.
Malvoisement il essampla   19000
Les cardinals, q'ore essample a
Chascuns en nostre court d'ensi
Voler en halt : si ont saisi
Deux eles, dont les pennes vi
Du veine gloire ; et sur cela
Le vent d'orguil fort y feri,
Qe jusq'as nues les ravi
Si halt que charité passa.
    Mais qant ils sont en halt alez,
Soudainement sont avalez   19010
Dessur la Roche au covoitise,
U le corage ont tout quassez
De l'orr, dont il y ad assetz ;
Par quoy perdont la dieu franchise,
Siq'ils n'ont membre que suffise
A labourer solonc l'assise
De l'evangile en les decretz :
Dont m'est avis trop est malmise,
Par ce que vole, sainte eglise,
Meulx valt estier dessur ses piés.   19020
    Sovent avient que fils du piere
La mort desire, au fin q'il piere
Plus pres d'avoir l'enheritance :
Au verité si m'en refiere,

Des Cardinals en la maniere
Plusours desiront la vuidance
Du sié papal, par esperance
Que Simon de sa pourvoiance
Leur fra monter en la chaiere,
Par quoy la vie est en balance   19030
Du pape, s'il sa garde pance
Laist du triacle estre au derere.

    Qant le frument pert sa racine
Es champs, lors falt que soit gastine
La terre, et si porte en avant
L'urtie et la poignante espine ;
Et ensi vait la discipline
En nostre court de maintenant ;
Car qant ly jugge sont truant,
Lors y vienont trestout suiant   19040
La court ove toute sa covine,
Et ly notaire et ly plaidant,
Et puis trestout le remenant,
Sicomme pulsin fait la geline.

    Trestous ceaux de la court au meinz,
Sur queux ly papes tient ses meins,
Quieront du siecle rescevoir
L'onour ; voir et les capelleins,
Ja soient ils des vices pleins,
Encore quieront ils avoir   19050
Le noun d'onour pour plus valoir
Au siecle ; dont en nounchaloir
Le ciel ove qanque y est dedeinz
Laissont, q'assetz ont bell manoir,
Qant presde luy porront manoir
Q'est pape et chief des tous humeins.

    Ore dirra de l'estat des Evesqes,
solonc ce que l'en vait parlant au
temps q'ore est.

    Sicomme l'en dist communement,
Ensi dis et noun autrement ;
Car ce n'est pas de mon savoir
D'escrire ou dire ascunement   19060
De les Evesques au present :
Mais ce q'om dist, ne say si voir,
Dirrai ; et ce me fait doloir
Qe l'en puet tant aparcevoir

De leur errour, que folement
Des almes font leur estovoir,
Des ceaux qui sont soubz lour pooir
Et des leur propres ensement.

    Evesque, par tes faitz primer
Ton poeple duissetz essampler   19070
Des tes bons oeveres pardevant ;
Et puis le duissetz enfourmer
De ta clergie et ton precher,
Pour exciter le bienfaisant ;
Car si tu soiez contemplant
Et laiss perir le poeple errant,
Tu fais defalte en ton mestier ;
Et si tu soiez bien prechant,
Qant tes bienfaitz ne sont parant,
Ja n'en porras fructefier.   19080

    Evesque, lise cest escrit :
Par son prophete dieus t'ad dit
Et commandé d'obedience,
Par halte vois que sanz respit
Tu dois crier a ton soubgit,
Qu'il se redresce au penitence ;
Car s'il piert par ta necligence,
Dieus chargera ta conscience,
Comme toy q'es son provost eslit
Pour acompter en sa presence :   19090
C'est grant vergoigne a ta science,
Si ton acompte est inparfit.

    Evesque, om dist, et je le croy,
Comment les poverez gens pour poy
De leur errour tu fais despire,
Et les grantz mals et le desroy
De ces seignours tu laisses coy,
Qe tu n'en oses faire ou dire :
Tu es paisible vers le sire,
Et vers le serf tu es plain d'ire,   19100
L'un est exempt de toute loy,
Et l'autre souffre le martire :
N'est pas en ce, qui bien remire,
Ovel le juggement de toy.

    Prelatz, tu as condicioun
Noun du pastour, ainz du multoun,
Qant vois les seignours du paiis
D'avoltre et fornicacioun

Peccher sanz ta correccioun.
Du philosophre enten les ditz :   19110
'Prelatz qui n'ad les mals repris
Tant valt comme si les ait cheris
Du fole persuacioun.'
Du loy civile truis escris,
'Cil fait les mals au droit devis
Qui des mals donne occasioun.'
    Les fils Hely, q'estoit provoire
El temple dieu, ce dist l'istoire,
L'offrende ove tout le sacrefise,
En vestir, en manger et boire   19120
Contre les loys de leur pretoire,
Guasteront sanz avoir reprise

. . . .

Et puis, qant a ce q'il desire,   f. 107
Lors pour l'onour dont il est sire
Tant est du veine gloire pleins,
Q'as ses delices tout s'atire :
C'est cil qui quiert ne le martire
Ne le disaise des corseintz.   19320
    Car qant il est en halt montez
Et est primat des dignités,
Lors ses soubgitz desrobbe et pile,
Si mette au vente les pecchés,
Sicomme l'en fait boef as marchées,
Ensi son lucre ades compile ;
Dont ses manteals furrez enpile,
Et paist et veste sa famile,
Et ses chivals tient sojournez :
Mais, comme l'en dist, aval la vile 19330
Il laist sa cure povre et vile
Des almes, dont il est chargez.
    Julius Cesar en bataille
Jammais as gens de son menaille
Ne dist 'Aletz !' ainz dist 'Suietz !'
Car au devant toutdiz sanz faille
Se tint et fist le commensaille,
Dont tous furont encoragez :
Mais no prelat nous dist 'Aletz !
Veilletz ! junetz ! prietz ! ploretz !' 19340
C'est la parole qu'il nous baille ;
Mais il arere s'est tournez :

Nuls est de son fait essamplez,
C'est un regent qui petit vaille.
    En dousze pointz je truis que l'ées
A fol prelat est resemblez :
L'ées est aviers de sa nature,
Brief est et plain d'escharcetés,
Vois ad maiour que corps d'assetz :
Ensi prelat de sa mesure   19350
Ad molt parole et poy fesure,
Poy donne a ceaux dont ad la cure,
Et voelt que molt ly soit donnez.
L'ées n'ad compaigne en sa demure,
Ne l'autre espouse par droiture,
S'il n'est contraire a ses decretz.
    L'ées est sanz piés ; l'evesque auci
En son degré n'ad pié, sur qui
Ose a son Prince resister
Pour son defense ne l'autri ;   19360
Ainz laist le poeple estre peri
Et sainte eglise defouler.
L'ées ensement pour son manger
Les doulces fleurs quiert engorger :
Le fol prelat fait tout ensi ;
Le douls et crass quiert amasser,
Dont fait le corps bien encrasser,
Si boit le tresbon vin flouri.
    Et d'autre part l'ées porte au point
Cell aguillon, dont qant il point,   19370
Son propre corps et l'autri blesce :
Cil fol prelat, q'a dieu se joynt,
Del aguillon trop se desjoynt,
Qant il l'autry du point adesce ;
C'est l'aguillon dont l'alme oppresse
Gist par la char q'est felonnesse,
Sicome l'apostre tout au point
En ses epistres le confesse :
Au prelacie la clergesce
Meulx serroit, s'ils n'en ussent point.
    D'autre aguillon cil fol prelat   19381
De sa vengance est trop elat,
Qant l'alme d'autri fiert pour poy
De son espiritiel estat :
Mais qui du fol fait potestat,
Les soubgitz serront en esfroy.

After 19122 one leaf, containing 192 lines, is lost.

He, fol prelat, avoy! avoy!
N'est pas la pacience en toy,
Qant ta vengance l'alme abat;
Mal fais l'essample de la foy,   19390
Qant l'aguillon de ton buffoy
Pour si petit point et debat.
    He, fol prelat, dy moy comment
Qe tu me fais ton prechement,
Q'un corps al altre par pité
Le mesfait sanz revengement
Doit pardonner tout plainement,
Et tu d'orguil et crualté
M'as corps et alme escumengé.
Ne say q'en parle ton decré,   19400
Mais au saint Piere tielement
Bien say dieus dist, que le pecché
Septante foitz soit pardonné,
Et ta mercy deux fois n'attent.
    Sanz juste cause nepourqant
Sovent nous vais escumengant;
Mais saint Gregoire la sentence
De ton orguil vait resemblant
A l'oisel de son ny volant:
Car ce sciet om d'experience,   19410
Du quelle part voler commence,
Au fin revole ove l'ele extense
Au propre ny dont fuist issant;
Et par si faite providence
Retourne deinz ta conscience
Le grief dont tu nous es grevant.
    Auci des angles et pertus
Sa belle maison ad construs
L'ées; et ce doit om resembler
Au fol prelat, de qui je truis   19420
Qu'il quiert les angles et les puis,
Et ne vait pas le droit sentier;
Car verité de son mestier
Ne quiert es angles tapiser,
Ainçois se moustre en ses vertus;
Mais chose q'om ne voet moustrer
L'en fait oscur et anguler,
Siq'en apert ne soit conuz.
    L'ées ad maisoun du cire frele,
Molt ad labour de faire celle,   19430

Ainçois q'il a son pourpos vient;
Prelat auci qui la turelle
Fait ainz que moustier ou chapelle,
Du vanité trop luy sovient,
Qant point ne sciet u ce devient;
Car toute chose est frele et nient
Du quoy le siecle se revelle:
Mais fol prelat qui dieu ne crient
Bien quide par l'onour qu'il tient
Toutditz sa joye avoir novelle.   19440
    Les biens que l'ées porra cuillir
Estroitement les fait tenir
Deinz sa maison en repostaille,
Mais au darrein l'en voit venir
Celuy qui tolt sanz revenir
Et la maison et la vitaille:
Du fol prelat ensi se taille,
Car il pour plegge ne pour taille
De son tresor ne voet souffrir
Qe l'en apreste ou donne ou baille: 19450
S'il perde au fin ce n'est mervaille,
Q'as autres voet nul bien partir.
    L'ées ensement hiet la fumée,
Au fin q'il n'en soit enfumée:
Prelat ensi sainte oreisoun,
Q'est a la fume comparé,
S'en fuit, q'il n'ad le cuer paré
Du sainte contemplacioun,
Ainz ad sa meditacioun
En seculiere elacioun   19460
D'orguil et de prosperité;
Car d'autre fumigacioun
Pour faire a dieu relacioun
Ne puet souffrir la dueté.
    L'ées ensement de tous puours
S'esloigne, ensi q'il les flaours
D'ascune part ne soit sentant:
L'evesque ensi de ces seignours
Les grans pecchés, les grans errours,
Qui sont as toutez gens puant,   19470
Ne voet sentir, ainz s'est fuiant.
O quel prelat, o quel truant,
Q'ensi laist festrer les folours
Sanz medicine tant ne qant!

19400 qenparle   19454 nensoit

N'est pas des cures bien sachant,
Combien q'il soit des curatours.
  De l'ées auci je truis escris
Q'il fuyt les noyses et les cris:
Le fol prelat tout ensement,
Qant voit noiser ses fols soubgitz, 19480
S'en part et les laist anemys,
Qant il les duist d'acordement
Repaiser amiablement.
Cil n'est ne Piere ne Clement,
Q'ensi laist errer ses berbis;
Le toison de l'ouaile prent,
Mais de la guarde nullement
Se voet meller, ainz s'est fuïz.
  L'en dist, et puet bien estre voir,
Qe cil q'ad molt, voet plus avoir; 19490
Et ce piert bien de la clergie:
Ils ont eglise, ils ont manoir,
Mais plainement a leur voloir
Trestout cela ne souffist mie,
S'ils n'eiont la chancellerie
Et la roiale tresorie
Deinz leur office et leur pooir.
Maisq' il en poet avoir baillie
Du siecle dont se glorifie,
De l'autre ne luy poet chaloir.   19500
  Pour le phesant et le bon vin
Le bien faisant et le divin
L'evesque laist a nounchalure,
Si quiert la coupe et crusequin,
Ainz que la culpe du cristin
Pour corriger et mettre en cure,

.   .   .   .

Qe mol serras en cause mole;   f. 110
Mais si le siecle en soy tribole
Et bruyt d'ascun persecutour,
En tiel chalour lors te rigole,
Et moustre en fait et en parole
Comme ton cuer vole el dieu amour.
  Ly serpens, ce nous dist Solyn,
Trestout le corps met en declin
Pour soulement le chief defendre:
Ensi prelat duist estre enclin   19900

Pour Crist, q'est chief de tout cristin,
Qant voit abeisser et descendre
Sa loy, par qui devons ascendre.
Car qui voet prelacie enprendre,
Non pour avoir l'onour terrin,
Mais pour proufit de l'alme aprendre,
L'apostre dist, bien le doit prendre,
Car ce luy vient du bon engin.
  De les natures dont je lis
Truis un ensample ensi compris, 19910
Q'un grant piscon y ad du mer,
Qui du pité tant est cheris,
Qe qant les autres voit petitz
De la tempeste periler,
Il laist sa bouche overte estier,
U q'ils porront tout saulf entrer;
Si les reçoit comme ses norris
Et salvement les fait garder,
Tanq'il les mals verra passer,
Et lors s'en vont saulfs et garis. 19920
  Prelat ensi les gentz menuz,
S'il voit leur Roy vers eaux commuz,
Parmy sa bouche il aidera
Come ses fils et ses retenuz;
Car en ce cas il est tenuz
Q'au parler s'abandonnera:
Et d'autre part qant il verra
Le poeple q'en pecché serra,
Pour ce ne serront destitutz;
De bouche overte il priera   19930
A dieu, tanqu'il les avera
En corps et alme restitutz.
  Ce veons bien que par nature
L'oill soul pour tous les membres plure,
Qant ascun d'eaux se hurte ou blesce:
Ensi l'evesque en sa droiture
Pour ses soubgitz q'il tient en cure,
Qui d'alme ou corps sont en destresce,
Sur tous plus doit avoir tendresce
Et plourer pour la gent oppresse, 19940
Q'est la divine creature:
Car qant prelatz vers dieu s'adresce
Et verse lermes en sa messe,
C'est une medicine pure.

De Samuel j'ay entendu,
Qant fuist requis del poeple hebreu
Qu'il dieu priast en leur aïe,
Du charité n'ert esperdu,
Ainz dist que 'Ja ne place a dieu
Qe je pour vous ades ne prie,   19950
Dont vostre estat dieus salve et guie.'
Benoite soit la prelacie
Qui tielement ad respondu;
Dont cil q'ore est de la clergie
Porra trover essamplerie,
Qant sa leçon avera parlieu.
    Saint Jeremie dist atant:
'O qui ert a mes oels donnant
Des lermes la fonteine amere,
Dont soie au plentée lermoiant   19960
Sur le dieu poeple en compleignant
Leur mort, leur mals et leur misere?'
He, quel pastour, he, quel bealpere,
Eiant compassion si fiere,
Dont pour le poeple fuist plourant!
U est qui plourt en la manere?
Ne say: pitiés s'en vait derere,
Les oils du prelatz sont secchant.
    Par son prophete nostre sire
Se pleignt, et dist q'a son martire 19970
Il ot souffert et attendu;
Si agardoit, mais nul remire
Des gentz, qui pour ses mals suspire,
Du sanc qu'il avoit espandu
Dessur la croix en halt pendu.
C'estoit la pleignte de Jhesu,
Et ensi croy q'om porra dire
Au temps present soit avenu;
Car n'est pour homme ne pour dieu
Qe nostre prelat se detire.   19980
    Valeire conte en son escrit
D'un Roy d'Athenes qui fuist dit
Chodrus, q'adonques guerroia
A ceaux d'Orense, car soubgit
Les volt avoir: et en tiel plit
Son dieu Appollo conseilla,
Devoutement et demanda
Qui la victoire enportera;

Et l'autre a ce luy repondit,
Son propre corps s'il ne lerra   19990
Occire en la bataille la,
Ses gentz serroiont desconfit.
    Et qant ly Roys oïst ce dire,
Qu'il l'un des deux estuet eslire,
Ou d'estre proprement occis,
Ou souffrir de sa gent occire,
Mieulx volt son propre corps despire,
Ainz que ly poeples fuist periz.
Dont changa ses roials habitz
Au jour q'il la bataille ot pris,   20000
Qe l'en ne le conoist pour sire,
Si fuist tué des anemys:
Pour la salut qe ses soubgitz
Il souffrist mesmes le martire.
    D'un tiel paien qant penseras,
Responde, Evesque, quoy dirras?
Voes tu soul pour ta gent morir?
Tu puiss respondre et dire, Helas!
Qe tu le cuer si couard as,
Dont tu te voes bien abstenir: 20010
Ainçois lerras trestous perir,
Q'un soul doy de ta main blemir.
Mais es tu donques bons prelatz?
Certes nenil, mais pour cherir
Le corps, qui puis te fra venir
A l'evesché qui tient Judas.
    Ne say a qui puiss resembler
Le fol prelat de son mestier,
Mais sicomme dieus le resembloit
Au prestre qui se fist passer,   20020
Et puis ly deacne, sanz aider
A l'omme qui naufré gisoit,
Et grant souffraite d'aide avoit:
Chascun des deux les mals veoit,
Mais nuls le voloit socourer,
Tanq'au darrein y survenoit
Uns paiens, qui le socourroit,
Evesque, pour toy vergonder.
    Mal fait le poeple q'est nounsage,
Pis font les clercs, qui sont plus sage,
Et meëment qant sont pastour   20031
Et laissont deinz leur pastourage

19961 encompleignant

20030 plussage

*   Q

L'ouaile de leur fol menage
Tourner en chievere de folour :
Pour ce dist dieu q'en sa furour
Il est irrez du grant irrour
Sur les pastours de tiel oultrage ;
Si dist qu'il serra visitour
Du chievere auci, dont fait clamour
Danz Zakarie en son language. 20040
   Saint Ysaïe auci nous dist :
' Way vous, prelatz, qui l'espirit
Du sapience en vous celetz,
Sique nul autre en ont proufit ! '
Ce n'est pas charité parfit,
Si vous soietz esluminez,
Et l'autre en tenebrour veietz
Errer et ne les socourretz :
Vo clareté dieus par despit
Esteignera, car c'est pecchés, 20050
Qant ordre s'est desordinez
Et clerc fait contre son escrit.
   Way vous, ce disoit Ysaïe,
Qui les cliefs avetz en baillie,
Les huiss du ciel tout avetz clos,
Vous n'y entretz de vo partie,
Et d'autre part ne souffretz mie
Entrer les autres a repos :
Enpris avetz malvois pourpos,
Qant meulx ne gardetz le depos 20060
Quel dieus en vostre prelacie
Vous ad baillé, q'arere dos
Voz almes mettetz et les noz :
Tous devons pleindre vo folie.
   Saint Piere au jour du jugement,
Qant il a dieu ferra present
De la Judeë qu'il guaigna,
N'apparra pas tout vuidement ;
Saint Paul, q'auci gaigna la gent,
Molt bell gaign y apportera, 20070
Et saint Andreu lors appara,
Achaie a dieu presentera,
U tous les saintz serront present :
Chascuns par ce qu'il conquesta
Lors sa coronne portera
En joye perdurablement.

   Mais las ! quoy dirrons nous presentz,
Qui suismes fols et necligentz
Et point ne pensons de demain ?
Helas ! comme suismes mal regentz,
Qant pour noz almes indigentz 20081
Nul bien apporterons du gaign !
L'acompte serra trop vilain   **f. III**
Qant nous vendrons ove vuide main,
U tout le mond serra presens ;
Par l'evangile il est certain,
Grant honte nous serra prochain
Devant trestous les bones gens.

   **Puisq'il ad dit de les Evesqes,
dirra ore de les Archedeacnes,
Officials et Deans.**

L'Evesque en ses espiritals
Ne poet soul porter les travals ; 20090
Ses Archedeacnes pour ce tient,
Ses deans et ses officials,
Qui plus luy sont especials,
As queux correccioun partient
De l'alme, ensi comme meulx covient.
Mais ils le font ou mal ou nient,
Car pour les lucres temporals
En tous paiis u l'en devient
Achater poet quiconque vient
Les vices qui sont corporals. 20100
   Le dean, qui son proufit avente,
Par tout met les pecchés au vente
A chascun homme quelqu'il soit,
Maisqu'il en poet paier le rente :
La femme, ensi comme la jumente,
Voir et le prestre en son endroit
La puet tenir du propre droit ;
Maisque la bource soit benoit,
Le corps ert quit de celle extente :
N'ad pas la conscience estroit, 20110
De l'argent perdre est en destroit,
Mais du pecché ne se repente.
   Si l'omme lais d'incontinence
Soit accusé, la violence
Du nostre dean tost y parra ;
Car devant tous en audience

Lors de somonce et de sentence,
S'il n'ait l'argent dont paiera,
Sicomme goupil le huera :
Mais la coronne, qui lirra   20120
De l'evangile la sequence,
Tu scies quel homme ce serra,
De son incest nuls parlera,
C'est un misterie de silence.

Au plus sovent ce veons nous,
Si huy a moy, demain a vous
Sont les offices fortunant :
Pour ce le dean q'est leccherous
Les prestres qui sont vicious
A corriger s'en vait doubtant ;   20130
Car cil par cas qui fuist devant
Accusé, puis ert accusant,
Et lors porra de son corous
A l'autre rendre tant pour tant :
Ensi s'en vont entrasseurant,
Ce que l'uns voet ce vuillont tous.

Ensi les prestres redoubtez
Ensemble se sont aroutez,
Qe l'un fait l'autre compaignie,
N'est par qui soiont affaitez :   20140
De tant sont ils le plus haitez,
Q'ils sont du soy jugge et partie,
Ensi vait quite la clergie.
Mais d'autre part deinz sa baillie
Les laies gens sont accusez
Par covoitise et par envye ;
Car plus d'assetz q'oneste vie
Le dean desire les pecchés.

Asses plus fait proufit puteine
A nostre dean que la nonneyne ;   20150
Car pour le lucre et l'avantage
Que le chapitre ades y meine,
De tieux y ad, sicomme demeine
Qe vient du terre et du gaignage,
Lessont au ferme le putage ;
Et qui le prent en governage
Meulx volt des putes la douszeine
Qe mil des chastes. O hontage
Des tieus pastours, qui lour tollage
Pilont par voie si vileine !   20160

Ensi le dean ove ses covines
Par conjectures et falsines
Ses berbis, come malvois pastour,
Par les destours, par les gastines,
Parmy les ronces et l'espines
Laist errer, sique chascun jour
Ils perdont laine, et cil pilour
Reçoit le gaign de leur errour,
Si monte en halt de leur ruines.
Vei la comme nostre correctour   20170
Est de maltolt le collectour,
Tout plain des fraudes et ravines.

Bien te souffist le confesser
Vers dieu, si tu voldras laisser
Tes mals par juste repentance ;
Mais ce ne te puet excuser
Au dean, qui te vient accuser,
Pour dire que tu ta finance
As fait a dieu, ainz ta penance
Serra del orr, car la quitance   20180
De dieu ne t'en porra quiter :
Trop sont les deans du grant puis-
          sance,
Qant il me font desallouance
De ce que dieus voet allouer.

Jammais la dieu justice en soy
Pour un tout soul mesfait, ce croi,
Deux fois ne pune ; et nequedent,
Combien q'au prestre tout en coy
M'ai confessé deinz mon recoy
Et pris ma peine duement,   20190
Le dean encore doublement
Voet oultre ce de mon argent
Avoir sa part, ne sai pour quoy :
Qant dieus m'ad fait pardonnement,
Ma bource estuet secondement
Faire acorder le dean et moy.

Ne sai ce que la loy requiert,
Mais merveille est de ce q'il quiert
Dedeinz ma bource m'alme avoir :
A celle eglise se refiert   20200
Qe d'autre vertu ne me fiert,
Maisque luy donne mon avoir.
Des tieus pastours quoy poet chaloir,

20125 plussouent   20135 senvont   20141 plushaitez

Q 2

Q'ensi laissont a nounchaloir
Ce q'au proufit de l'alme affiert,
Et pour le lucre rescevoir
De l'orr par tout le decevoir
De leur ypocrisie appiert?

Puisq'il ad dit de les Correc-
tours du sainte eglise, dirra ore
des persones Curetz de les
paroches.

Malvois essample nous apporte
De les paroches cil qui porte   20210
La cure, qant il sanz curer
Le laist, et des noz biens enporte
La disme, dont il se desporte;
Car ce ne voet il desporter,
Qe vainement soy desporter
Ne quiert, mais ce q'il supporter
Des almes doit, point ne supporte :
Dont l'en puet dire et reporter,
Qe cil n'est pas au droit portier
Pour garder la divine porte.   20220
Le temps present si vous curetz,
Veoir porras ces fols curetz
Diversement laissant leur cure,
Si vont errant par trois degrés :
Ly uns se feignt q'il les decretz
Selonc l'escole et l'escripture
Aprendre irra, mais la lettrure
Q'il pense illeoques a construire
Ainçois serra des vanités,
De covoitise et de luxure,   20230
Qe d'autre bien ; c'est ore al hure
L'escole de noz avancez.
Du bonne aprise se descole
Qui laist sa cure et quiert escole,
U qu'il au vice escoloiant
S'en vait, qant celle pute acole,
Dont toute sa science affole.
O dieus, comme cil vait foloiant,
Q'ensi le bien q'est appendant
Au sainte eglise est despendant,   20240
Pour entrer la chaiere fole,
U ja nuls clercs serra sachant,

Ainz tant comme plus y vait entrant,
Tant plus sa reson entribole.
Par autre cause auci l'en voit,
Des fols curetz ascuns forsvoit,
Qant laist sa cure a nonchaloir,
Et pour le siecle se pourvoit
Service au court par tiel endroit
Q'il puist au siecle plus valoir,   20250
Et ensi guaste son avoir.
Mais le dieu gré n'en puet avoir,
Car nuls as deux servir porroit
Sanz l'un ou l'autre decevoir ;
Car cil qui fra le dieu voloir,
Servir au siecle point ne doit.
Cil q'est servant de la dieu court
Et pour servir au siecle court,
Fait trop mal cours a mon avis ;
Car le fals siecle au fin tient court   20260
De tous les soens, mais dieus socourt
Du bien sanz fin a ses amys.
N'est pas de l'evangile apris
Cil q'ad de la paroche pris
La cure, s'il a dieu ne tourt
Pour faire ce qu'il ad enpris ;
Car clercs qui tient du siecle pris
De sa clergie se destourt.
Clercs avancié n'est pas sanz vice, f. 112
Qui laist sa cure et quiert service   20270
Du chose que soit temporal,
Dont pile et tolt en son office,
Tout plain d'errour et d'avarice,
Siqu'il offent de double mal :
Vers dieu primer et principal
Mesfait, qant il l'espirital
Ne cure de son benefice ;
Au monde auci n'est pas loial,
Qant il le bien q'est mondial
Mesprent par fraude et injustice.   20280
La loy ne voet que l'en compiere
Ou par brocage ou par priere
La cure q'est espiritals ;
Mais au jour d'uy voi la manere
De celle loy tourner arere.
Ce di pour ces clercs curials,

Qui *lettres* ont emperials
Pour prier a les cardinals,
Voir et au pape en sa chaiere;
Dont p*lus* p*ro*fite as tieus vassals   20290
La penne que les decretals,
Qant Simonie est messagere.

  Ensi je di des tieus y sont,
Qui de leur cure s'absentont
Pour servir a ces nobles courtz;
Par covoitise tout ce font
D'encress avoir, q'ils esp*er*ont
Pour estre encoste les seignours:
Mais ils ne pensont pas aillours
Q'il sont des almes curatours,   20300
Ainz q'ils le corps avanceront;
Dont ils laissont s'ouaile a l'ours:
Au fin ne sai de tiels pastours
Coment a dieu responderont.

  Des fols curetz auci y a,
Qui sur sa cure demourra
Non pour curer, mais q'il la vie
Endroit le corps plus easera;
Car lors ou il bargaignera
Du seculiere marchandie,   20310
Dont sa richesce multeplie,
Ou il se don*n*e a leccherie,
Du quoy son corps delitera,
Ou il se prent a venerie,
Qant duist chanter sa letanie,
Au bois le goupil huera.

  Ce puet savoir chascun vivant,
Plus q*ue* nul bien du siecle avant
La disme, q'est a dieu don*n*é,
P*er*est en soy noble et vaillant,   20320
Car de la bouche au toutpuissant
La disme estoit saintefié,
Si est le prestre auci sacré;
Dont sembleroit honesteté
Qe disme et p*re*stre droit curant
Ne duissont estre en leur degré
De la mondaine vanité
Ne marchandie ne marchant.

  Et d'autre p*ar*t qui residence
Fait en sa cure, et ove ce pense   20330

Corrumpre ce qu'il duist curer
D'incest et fole incontinence,
Trop fait horrible violence,
D'ensi ses berbis estrangler
Pour faire au deable son larder.
He, dieus, com*m*ent porra chanter
Sa messe cil qui tielle offense
Ferra? Car pis, au droit juger,
Est l'alme occire q'a tuer
Le corps, q'est plain du pestilence.

  Si les curetz maritz ne soiont,   20341
Des fem*m*es nepourqant s'esjoiont
Trestout en ease a leur voloir;
Dont tiele issue multeploiont,
Qe si leur fils enheritoiont
Et de l'eglise fuissont hoir,
En poy des lieus, sicom*m*e j'espoir,
D'escheate q'en duist escheoir
Au court de Rome gaigneroiont
Les p*ro*visours; pour ce du voir   20350
N'en say la cause ap*ar*cevoir,
Si l'autre gent ne me disoiont.

  He, dieus, come sont les charités
Au temps p*re*sent bien ordinez!
Car qant viels hom*m*e ad fem*m*e belle
Deinz la p*ar*oche et les nuytées
Ne puet paier ses duetés,
N*os*t*re* curiet, ainz q'om l'apelle,
Enprent sur soy l'autry querelle,
Si fait le paiement a celle,   20360
La quelle se tient bien paiez.
Véi la le haire et la cordelle,
Dont n*os*t*re* curiet se flaielle,
Au fin q'il soit de dieu loez.

  Les foles femmes mariez,
Qant n'ont du quoy estre acemez
Du queinterie et beal atir,
Lors s'aqueintont des fols curetz
Qui richement sont avancez,
Et par bargaign se font chevir,   20370
Dont l'un et l'autre ad son desir;
La dame av*er*a de quoy vestir,
Et l'autre av*er*a ses volentés.
Des tiels miracles avenir

Soventes fois om poet oïr,
Ne sai si fable ou verités.

Plus que corbins ou coufle ou pie
Ensur volant toutdis espie
Caroigne dont porra manger,
Le fol curet de sa partie   20380
Matin et soir sanz departie
Enquerre fait et espier,
U la plus belle puet trover :
Mais lors l'estuet enamourer
A tant de la phisonomie,
Q'il tout l'offrende del aultier
Ainçois dorra pour son louer,
Qu'il n'ait le cuill en sa baillie.

Om voit tout gaste et ruinouse
L'eglise q'est sa droite espouse,   20390
De celle ne luy puet chaloir,
Maisque s'amie l'amerouse
Soit bien vestue et gloriouse ;
A ce met trestout son pooir :
Du nostre disme ensi l'avoir
Degaste en belle femme avoir.
O quelle cure perillouse
Pour nous essampler et movoir,
Qant meine encontre son devoir
Si orde vie et viciouse !   20400

Dieus dist, et c'est tout verité,
Qe si l'un voegle soit mené
D'un autre voegle, tresbucher
Falt ambedeux en la fossée.
C'est un essample comparé
As fols curetz, qui sans curer
Ne voient pas le droit sentier,
Dont font les autres forsvoier,
Qui sont apres leur trace alé ;
Car fol errant ne puet guider,   20410
Ne cil comment nous puet saner,
Qui mesmes est au mort naufré ?

Comment respondra cil a dieu
Sur soy la cure q'ad receu
Del autry alme governer,
Qant il n'ad mesmes de vertu
Q'il de son corps s'est abstenu,
Dont s'alme propre puet garder ?

L'en soloit dire en reprover,
'Cil qui sanz draps se fait aler,   20420
Mal avera son garçon vestu' ;
Ainz qant l'ivern vient aprocher,
Ne s'en porra lors eschaper
Du froid, dont il serra perdu.

Et tout ensi perdu serroient
Cil qui l'essample suieroient
De la voeglesce au curatour :
Qant l'un ne l'autre bien ne voiont,
Falt q'ambedeux tresbucheroiont
Par necligence et fol errour.   20430
Tiel est le siecle au present jour,
Car d'orguil ou de fol amour
Les clercs qui nous conduieroiont
Sont plein : ce piert par leur atour,
Car qui q'ait paine ne dolour,
Ils se reposont et festoiont.

Les bons curetz du temps jadis,
Qui benefice avoient pris
Du sainte eglise, deviseront
En trois parties, come je lis,   20440
Leur biens, siq'au primer divis
A leur altier part en donneront,
Et de la part seconde aideront,
Vestiront et sauf herbergeront
De leur paroche les mendis ;
La tierce part pour soy garderont :
D'oneste vie ils essampleront
Et leur voisins et leur soubgitz.

Gregoire en sa morale aprise
Dist que les biens du sainte eglise 20450
Sont propre et due au povere gent ;
Mais no curiet d'une autre guise,
Qui du pellure blanche et grise
Et d'escarlate finement
Se fait vestir, dist autrement ;
Qe de les biens primerement
Son orguil clayme la reprise,
Mais qant il ad secondement
Vestu s'amye gaiement,
Au paine lors si tout souffise.   20460

O fols curetz, entendetz ça :   f. 113
Osee a vous prophetiza

20375 Souentesfois   20383 plusbelle   20442 endonneront

D'orguil et fornicacioun :
'Et l'un et l'autre regnera
En vous,' ce dist, 'et pour cela
De dieu n'avetz avisioun :
Mal faitez vo provisioun ;
Car qant de vo mesprisioun
Dieus a reson vous mettera,
Pour faire la conclusioun   20470
Du vostre fole abusioun,
Orguil pour vous respondera.'
    O fol curiet, di quoy quidetz,
Qui tantes pelliçouns avetz
Du vair, du gris, de blanche ermyne,
Dont portes tes manteals fourrez,
Serras tu d'orguil excusez,
Qant dois respondre au loy divine ?
Je croy que noun ; ainz en ruine
Irretz, car fole orguil decline   20480
Tous ceaux qui sont de luy privez :
Dont m'est avis par resoun fine,
Meulx valt ly sacs qui bien define,
Qe la pellure au fin dampnez.
    O fol curiet, tu puiss savoir,
D'orguil ne dois socour avoir ;
Mais de t'amye quoy dirras,
S'elle au busoigne puet valoir ?
Non voir : de luy ne poet chaloir,
Tant meinz valt comme plus l'ameras.
Quoy Salomon t'en dist orras,   20491
Qu'il dist q'amye entre tes bras
C'est un fieu pour ton grange ardoir,
Q'autre proufit n'en porteras :
Ton ris se passe et tu plouras,
Siq'en la fin t'estuet doloir.

Puisq'il ad dit des Curetz, dirra
ore des autres prestres Annuelers,
qui sont sans cure.

Ils sont auci pour noz deniers
Prestres qui servent volentiers,
Et si n'ont autre benefice,   20499
Chantont par auns et par quartiers
Pour la gent morte, et sont suitiers
Communement a chascun vice.

Molt valt du messe le service,
Mais qant les prestres sont si nice,
Ne say si ly droit Justiciers
Les voet oïr de sa justice ;
Car de luxure et d'avarice
Dieus ne voet estre parçoniers.
    Jadys le nombre estoit petit
Des prestres, mais molt fuist parfit,
Et plain d'oneste discipline   20511
Sanz orguil ne fol appetit ;
Mais ore ensi comme infinit
Om voit des prestres la cretine,
Mais poy sont de la viele line ;
Ainz, comme la vie q'est porcine,
Chascun se prent a son delit,
Barat, taverne et concubine :
Ce sont qui tournont la doctrine
Du sainte eglise a malvois plit.   20520
    Om dist q'un prestre antiquement
Valoit en soy tout soulement
Plus que ne font a ore trois ;
Et nepourqant au jour present
Un prestre soul demande et prent
De son stipende le surcrois
Plus que ne firont quatre ainçois.
Qe chalt mais ils eiont harnois
Sicomme seignour du fin argent ?
Si vont oiceus par tous les moys,   20530
Tout plain des ris et des gabbois,
Et si despendont largement.
    Qui prent louer d'autri vivant,
Par resoun doit servir atant,
Ou autrement souffrir destresce
Du loy, si l'en n'est pardonnant.
Quoy dirrons lors du prestre avant,
Qui pour chanter la sainte messe
Les biens du mort prent a largesce,
Mais pour luxure et yveresce   20540
Ne puet tenir le covenant
A l'alme ardante peccheresse ?
Je croy le fin de sa lachesce
Serra d'orrible paine ardant.
    Comment auci bien priera
Qui point n'entent ce qu'il dirra ?

Car ce nous dist saint Augustin,
Qe dieus un tiel n'escoultera.
O prestre lays, di quoy serra
De toy, q'ensi par mal engin   20550
As pris l'argent de ton voisin
Pour ton office q'est divin
Chanter, et tu n'as a cela
L'entendement de ton latin :
Trop en serras hontous au fin,
Qant dieus de ce t'accusera.
   Et d'autre part ce nous ensense
Uns clercs, que meulx valt innocence
Du prestre, combien q'il n'est sage,
Des lettres que celle eloquence   20560
Qui s'orguillist de sa science
Et fait des pecchés le folage.
O quel dolour, o quel dammage
De la science en presterage,
Qant ils de leur incontinence
Tienont l'escole de putage !
Ly fols berchiers q'est sanz langage
Mieulx fait des tieus sa providence.
   Ce dist Clement, q'om doit choisir
Tiels qui sont able a dieu servir   20570
En l'ordre qui tant est benoit :
'Meulx valt,' ce dist, 'un poy tenir
Des bons, que multitude unir
Des mals ' ; et saint Jerom disoit
Q'un prestre lay meulx ameroit
Par si q'il saint prodhomme soit,
Q'un clerc malvois, qui contenir
De les pecchés ne se voloit ;
Mais l'un ne l'autre souffisoit
A si saint ordre maintenir.   20580
   Ly prestres porra bien savoir,
Qe ja n'ait il si grant savoir,
En cas q'orguil de ce luy vient
Dieus ne luy voet en pris avoir,
Et s'orisoun pour nulle avoir
Ne voet oïr ; mais s'il avient
Qe prestre ensi comme ly covient
Son latin sache et se contient
Solonc son ordre et son devoir,
Lors, qant bien sciet et bien se tient,

Dieus sa priere en gré retient,   20591
Si nous en fait le meulx valoir.
   En s'evangile dieus du ciel
Dist, prestres sont du terre seel,
Si sont du monde auci lumere :
Ce fuist jadis, mais ore tiel
Ne sont ils point, car naturiel
Est que seel houste et mette arere
Corrupcioun, mais leur manere
Nous est corrupte et molt amere,
Et vers dieu prejudiciel ;   20601
Auci leur vie n'est pas cliere,
Ainz est oscure et angulere,
Tout plain du vice corporiel.
   Sicomme le livre nous aprent,
Seel ces deux pointz en soi comprent ;
L'un est qu'il guart en bon odour
Les chars, mais puis secondement
Toute la terre qu'il pourprent
Baraigne fait, siq'a nul jour   20610
Doit mais porter ne fruit ne flour :
Du seel jadys ly conquerrour
Firont semer le tenement
Dont ils estoiont venqueour,
Pour le destruire sanz retour
En signe de leur vengement.
   Au seel pour les gens savourer
Ne vuil les prestres comparer,
Combien q'ils soient seel nomé ;
Mais je les doy bien resembler   20620
Au seel q'ensi fait baraigner,
Dont bonnes mours sont exilé :
Car ils nous ont ensi salé
Des vices dont sont mesalé,
Qe nous ne poons droit aler ;
Car champs du neele q'est semé
Ne porra porter autre blée,
Mais tiel dont om l'ad fait semer.
   De mal essample qui survient
Du prestre grant mal nous avient, 20630
Qe ce nous met en fole errance
Dont nous doubtons ou poy ou nient
Les vices ; car qant nous sovient
Comment d'aperte demoustrance

Veons du prestre l'ignorance,
Comment il salt, comment il lance,
Comment au bordel se contient,
De son barat, de sa distance,
De corps de nous est en grevance
Et l'alme ascun proufit ne tient. 20640
 Jadis soloiont sanz offense
Ly prestre guarder pacience;
Car dieus leur dist en la manere,
Qe s'om les bat ou fiert ou tence,
En pees devont la violence
Souffrir sanz soy meller arere:
Mais au jour d'uy s'acuns les fiere,
Plus fiers en sont que nulle fiere,
Et molt sovent d'inpacience
Ly prestres, ainz q'il ait matiere, f. 114
Soudainement plus que fouldrere 20651
Du maltalent l'assalt commence.
 Responde, o prestre, je t'appelle,
Di q'est ce q'a ta ceinturelle
Tu as si long cutel pendu:
As tu vers dieu pris ta querelle
Ou vers le deable? Ne me cele.
Bien scies dieus maint en si halt lieu
Qe tu ne puiss mesfaire a dieu;
Ne tiel cutel unques ne fu 20660
Q'au deable espande la boelle;
Et qant au siecle, bien scies tu,
A toy la guerre ont defendu
La viele loy et la novelle.
 Mais de nature ensi je lis,
Qant s'abandonne as fols delitz
La beste au temps luxuriant,
Devient plus fiers et plus jolis;
Et si d'ascun lors soit repris,
Combat et fiert du meintenant: 20670
Ore ay la cause dit atant,
Dont vont les prestres combatant,
Au ruyteison qant se sont pris;
Si vont oiceus par tout errant,
Les femmes serchant et querant,
Dont font corrumpre les paiis.
 O prestre, q'est ce courte cote?

L'as tu vestu pour Katelote,
Pour estre le plus bien de luy?
Ta coronne autrement te note. 20680
Et d'autre part qant tu la note
Au lettron chanteras auci,
U est, en bonne foy me di,
Sur dieu ton penser, ou sur qui?
Dieus ad la vois, mais celle sote
Avera le cuer. He, dieus mercy,
Comme est l'eschange mal party
Du chapellain q'ensi s'assote!
 Mais sont ly prestre baratier?
Oÿl; et si sont taverner; 20690
C'est lour chapelle et lour eglise:
Du tonel faisont leur altier,
Dont leur chalice font empler,
Si font au Bachus sacrefise,
Et de Venus en mainte guise
Diont par ordre le servise,
Tanque yveresce y vient entrer
Et prent saisine en la pourprise,
Qe tout engage a la reprise
Et la legende et le psaltier. 20700
 Aäron dieus ce commandoit,
Au temps q'il entrer deveroit
Le tabernacle, lors qu'il vin
Ne autre liquour beveroit,
Dont il enyverer porroit,
Du viele loy c'estoit le fin:
Mais au temps d'ore ly cristin
Par resoun serroit plus divin;
Et nepourqant par tout l'en voit,
Si prestre au soir ou a matin 20710
Porra tenir le crusequin,
Ne laist pour dieu maisq'il en boit.
 Le prestre en s'escusacioun
Dist, simple fornicacioun
Est celle, qant fait sa luxure;
Si dist qu'il du creacioun
Pour faire generacioun
Le membre porte et la nature,
Comme font ly autre creature.
Ensi s'excuse et se perjure; 20720

Car combien q'inclinacioun
Le meyne a naturele ardure,
Il porte un ordre pardessure
Du chaste consecracioun.

Ne sont pas un, je sui certeins,
Ly berchiers et ly chapelleins,
Ne leur pecché n'est pas egal,
L'un poise plus et l'autre meinz :
Car l'un ad consecrez les meins
Et fait le vou d'especial   20730
A chasteté pour le messal,
Qu'il doit chanter plus secretal
A dieu, dont il est fait gardeins
De l'autre poeple en general ;
Par quoy les mals du principal
Del autry mals sont plus vileins.

O prestre, enten quoy Malachie
Te dist, qant tu du leccherie
Ensi te voldras excuser :
Il dist, qant tu de ta folie   20740
A l'autier en pollute vie
Viens envers dieu sacrefier,
Pour ton offrende ensi paier,
Tu fais despire et laidenger
Ton dieu. He, quelle ribaldie !
Tu qui nous duissetz essampler
Pour chaste vie demener,
Serras atteint de puterie.

Le prestre en halt ad le chief rées
Rotond sanz angle compassez,   20750
Car angle signefie ordure,
Mais il doit estre nettoiez,
Descouvert et desvolupez
De toute seculiere cure :
Coronne porte pardessure,
Dont il est Roys a sa mesure,
Depuisq'il est abandonnez
A dieu servir ; car l'escripture
Dist que cil regne a bon droiture
Qui s'est a dieu servir donnez.   20760

Ly prestre auci s'en vont tondant
Entour l'oraille et pardevant,
Sique leur veue et leur oïe
Soient tout clier aparceivant
Sanz destourbance tant ne qant

Le port du nostre frele vie,
Dont ils ont resçu la baillie :
Mais qant ils sont de leur partie
Contagious en lour vivant,
Ne sai quoy l'ordre signefie ;   20770
Mais nous suions leur compainie,
Et ils vont malement devant.

He, dieus, comme faisoit sagement
Cil qui par noun primerement
Les nomma prestres seculiers !
Car ils n'ont reule en vestement,
Ne reule en vivre honestement
Vers dieu, ainçois come soldoiers
Du siecle sont et baratiers,
A trestout vice communiers   20780
Plus que ne sont la laie gent :
Ensi sont prestre chandelliers
Du sainte eglise et les piliers
Sanz lumere et sanz fondement.

Ore dirra de l'estat des Clergons.

Des noz clergons atant vous di,
Primer pour parler de celly
Qui se pourpose plainement
As ordres prendre, cil parmy
Se doit du cuer et corps auci
En sa jovente estroitement   20790
Examiner primerement
S'il porra vivre chastement :
Car lors serra le meulx garni,
Qant il ad bon commencement ;
Et s'il commence malement,
Au fin serra le plus failly.

L'en dist, et resoun le consente,
Du bonne plante et de bonne ente
Naist puis bon arbre et fructuous :
Icest essample represente,   20800
Si clergons soit en sa jovente
De son corps chaste et vertuous,
A dieu servir et curious,
Et qu'il ne soit pas covoitous
A prendre l'ordre pour la rente
Dont voit les autres orguillous,
Lors serra vers dieu gracious,
Qui sciet et voit le bon entente.

Clercs qui sert deinz la dieu mesoun
Doit estre honneste par resoun ;   20810
Car l'escripture ensi devise,
Disant par droit comparisoun
En resemblance ly clergoun
Fenestre sont du sainte eglise.
Car la fenestre y est assisse
Pour esclarcir deinz la pourprise,
Dont tous voient cils enviroun ;
Et ly clergons en tiele guise
As autres doit donner aprise
D'oneste conversacioun.   20820
Mais pour descrire brief et court
Selonc le siecle q'ore court,
L'en voit que clergoun meintenant
Nounpas a la divine court
Pour la vertu del alme tourt,
Ainz pour le vice s'est tournant :
C'est doel, car du malvois enfant
Croist malvois homme, puis suiant
Du mal clergon mal prestre sourt ;
Car qant le mal primer s'espant,   20830
Au paine est un du remenant
Qui de sa voie ne destourt.

Ore dirra de l'estat des Religious, et commencera primerement a ceux qui sont possessioners.

Si nous regardons entre nous
L'estat de ces Religious,
Primer de les possessioniers,
Cils duissent estre curious
A prier dieu le glorious   f. 115
Dedeinz leur cloistres et moustiers
Pour nous qui susmes seculiers :
C'est de leur ordre ly mestiers,   20840
Car pour ce sont ils plentevous
Doez des tous les biens pleniers ;
Sique pour querre les deniers
Aillours ne soient covoitous.
Saint Augustin en sa leçoun
Dist, tout ensi comme le piscoun
En l'eaue vit tantsoulement,
Tout autrecy Religioun

Prendra sa conversacioun
Solonc la reule du covent   20850
El cloistre tout obedient :
Car s'il vit seculierement,
Lors change la condicioun
Del ordre qu'il primerement
Resceut, dont pert au finement
Loer de sa professioun.
Solonc la primere ordinance
Ly moigne contre la plesance
Du char s'estoiont professez,
Et d'aspre vie la penance   20860
Suffriront ; mais celle observance
Ore ont des toutez partz laissez :
Car gule gart tous les entrez,
Qe faim et soif n'y sont entrez
Pour amegrir la crasse pance ;
Si ont des pelliçouns changez
Les mals du froid et estrangez,
Qe point ne vuillont s'aqueintance.
La viele reule solt manger
Piscoun, mais cist le voet changer,   20870
Qant il les chars hakez menu
Ou bien braiez deinz le mortier
Luy fait confire et apporter,
Et dist que tieles chars molu
Ne sont pas chars, et ensi dieu
Volt decevoir et est deçu :
Car il ad tant le ventre chier,
Q'il laist de l'alme ainçois le pru,
Q'il ait un soul repast perdu,
Du quoy le corps poet enmegrer.   20880
Ne say qui dance ne qui jouste,
Mais bien say, qant sa large jouste
Ly moignes tient tout plein du vin,
Par grant revell vers soi l'adjouste
Et dist que c'est la reule jouste ;
Ne croi point de saint Augustin,
Ainz est la reule du Robyn,
Qui meyne vie de corbyn,
Qui quiert primer ce q'il engouste
Pour soi emplir, mais au voisin   20890
Ne donne part, ainz comme mastin
Trestout devore, et mye et crouste.
Tout scievont bien que gloutenie

Serra du nostre compaignie,
Car nous avons asses du quoy
Dont nous mangons en muscerie
Le perdis et la pulletrie,
Ne chalt qui paie le pour quoy;
Et puis bevons a grant desroy,
Et ensi prions pour le Roy,   20900
Q'est fondour du nostre Abbacie.
Si laissons dormir tout en coy
La charité que nous est poy,
Et faisons veiller danz Envye.

De saint Machaire truis lisant,
Q'il de ses cloistres vit venant
Le deable, q'ot dedeinz esté.
Machaire luy vait conjurant,
Et l'autre dist sa loy jurant,
Q'il ot un poudre compassé,   20910
Le quel au cloistre avoit porté
Et deinz le chaperon soufflé
De ses commoignes, que par tant
Ne serroit la fraternité
Jammais apres en charité
Ainz en Envye descordant.

Del chaperon aval ou pitz
S'est descendu de mal en pis
Le poudre dont ay dit dessure,
Et deinz le cuer racine ad pris;   20920
Dont moigne sont d'envye espris,
Qe l'un de l'autre ne s'assure:
Trop fuist du male confiture
Le poudre, q'a desconfiture
Par force ad charité soubmis;
Sique d'envie celle ardure
El cuer du moigne par nature
Demoert et demorra toutdis.

Qui bons est, s'il bien se contient,
Droitz est et au resoun partient   20930
Qu'il d'autres bons demeine joye,
Car autrement tout est pour nient.
Saint Jerom dist que ce n'avient
Qe de ma part je bien ferroie,
Si d'autry bien envieroie,
Car si bon suy, bons ameroie,
Semblable l'un ove l'autre tient;
Rose en l'urtie a quoy querroie,

Ou comment je bons estre doie,
Qant male envie au cuer me prient?
Ly moignes se solt professer,   2094[?]
Qant il le siecle volt lesser;
Ensi dions que nous lessons,
Mais c'est al oill, car du penser
L'onour et proufit seculier,
Ce q'ainz du siecle n'avoions,
Dessoubz cest habit le querrons;
Car nous qui fuismes ainz garçons
Pour sires nous faisons clamer,
La reverence et demandons: 2095[?]
Ensi fuiant nous atteignons
Ce que nous soloit esloigner.

Cil moigne n'est pas bon claustral
Q'est fait gardein ou seneschal
D'ascun office q'est forein;
Car lors luy falt selle et chival
Pour courre les paiis aval,
Si fait despense au large mein;
Il prent vers soy le meulx de grein,
Et laist as autres comme vilein   2096[?]
La paille, et ensi seignoral
Devient le moigne nyce et vein:
De vuide grange et ventre plein
N'ert pas l'acompte bien egal.

Du charité q'est inparfit,
'Tout est nostre,' ly moignes dist,
Qant il est gardein du manoir:
En part dist voir, mais c'est petit;
Car il de son fol appetit
Plus q'autres sept voet soul avoir: 2097[?]
A tiel gardein, pour dire voir,
Mieulx fuist le cloistre que l'avoir,
Dont tolt as autres le proufit.
Seint Bernards ce nous fait savoir,
Qe laide chose est a veoir
Baillif soubz monial habit.

Ly moignes qui se porte ensi,
Il est sicomme mondein demy,
Si vait bien pres d'apostazie,
Qant il le siecle ad resaisi   2098[?]
Et s'est du cloistre dissaisi.
Ne say du quoy se justefie,
Q'il n'ait sa reule en ce faillie:

Ne je croy point que sa baillie
Du terre ne de rente auci
Luy porra faire guarantie,
Vers dieu q'avoit sa foy plevie,
Primerement qant se rendi.

Jerom nous dist que celle ordure
Que moigne porte en sa vesture   20990
Est un signal exteriour
Qu'il sanz orguil et demesure,
Du netteté q'est blanche et pure,
Ad le corage interiour :
Mais nostre moigne au present jour
Quiert en sa guise bell atour
Au corps, et l'alme desfigure :
Combien q'il porte de dolour
La frocque, il ad du vein honour
La cote fourré de pellure.   21000
En un histoire escript y a
Q'un grant seignour qui dieus ama
S'estoit vestu du vile haire,
Qant Roy Manasses espousa
Sa file ; mais pour tout cela
Volt sa simplesce nient retraire,
Ainz s'obeït en son affaire
Plustost a dieu q'a l'omme plaire ;
Dont il tous autres essampla,
Qe l'en ne doit au corps tant faire 21010
Dont l'en porroit orguil attraire :
Ne say quoy moigne a ce dirra.

De cest essample, dont dit ay,
Cil moigne puet avoir esmay
Qui pour le mond se fait jolys,
Ne quiert la haire ainz quiert le say
Tout le plus fin a son essay,
Ove la fourrure vair et gris,
Car il desdeigne le berbis ;
L'aimal d'argent n'ert pas oubliz, 21020
Ainz fait le moustre et pent tout
    gay
Au chaperon devant le pis :
C'est la simplesce en noz paiis
Des moignes et de leur array.
Le moigne sa religioun
Doit garder par discrecioun

D'umilité et de simplesce ;
Mais ce ne voet il faire noun,
Ainçois il hiet oïr le noun   f. 116
Du moigne, au quel il se professe ;
Et nepourqant la bercheresse   21031
Estoit sa miere, et sanz noblesce
Par cas son piere estoit garçon :
Mais qant le bass monte en haltesce,
Et la poverte est en richesce,
N'est riens du monde si feloun.
Trop erre encontre le decré
Le moigne qui quiert propreté,
Mais il du propre ad nepourqant
Les grandes soummes amassé,   21040
Dont il son lucre ad pourchacié
Du siecle, ensi come fait marchant,
Et pour delit tient plus avant
A la rivere oiseals volant,
La faulcon et l'ostour mué,
Les leverers auci courant
Et les grantz chivals sojournant,
Ne falt que femme mariée.
Du femme ne say consailler,
Mais je me puiss esmervailler,   21050
Car j'ay de les enfantz oÿ
Dont nostre moigne pourchacier
Se fist, qant il aloit chacer
Un jour et autre la et cy ;
Mais ils ne poent apres luy
Enheriter ; pour ce vous dy,
Les grandes soummes falt donner
Dont ils serront puis enrichy :
Si charité le porte ensi,
A vostre esgard le vuil lesser.   21060
Mais moigne toutez les delices
Du siecle avoir ne les offices
Ne puet a nous semblablement ;
A luy sont maintes choses vices
Que nous poons a noz services
Avoir a tenir bonnement :
Siqu'il le siecle q'est present
N'ad point, et s'il au finement
Pert l'autre pour ses injustices,
L'en porra dire voirement   21070

Qe moigne sur toute autre gent
Ad deux fortunes infelices.
　　Ensi les moignes officers,
Les gardeins et les tresorers,
Erront du fole governance ;
Et si nous parlons des cloistrers,
Ils sont des vices parconiers
De murmur et de malvuillance,
D'envie et de desobeissance ;
Chascuns s'en fuyt de la penance　21080
Pour les delices seculiers
Sanz garder la viele observance :
Si je dehors voie ignorance,
Auci voi je deinz les moustiers.
　　Ly moigne, ensi comme truis escrit,
Ne sont pas fait de leur habit ;
Combien q'ils l'ordre eiont resçu,
Qant ils d'envie ont l'espirit,
Ne say quoy valdra leur merit.
Renars qui s'est d'aigneals vestu,　21090
Pour ce n'est autres q'ainz né fu,
Ne cil larons q'au benoit lieu
S'en fuyt, par ce n'est pas parfit ;
Ne moigne auci qui s'est rendu,
Combien q'il soit en halt tondu,
Par ce n'est pas prodons eslit.
　　Homme fait saint lieu, mais lieu par
　　　droit
Ne fait saint homme en nul endroit ;
Ce piert d'essamples, car je lis
Qe Lucifer du ciel chaoit　21100
En la presence u dieus estoit ;
Si fist Adans de paradis ;
Auci d'encoste dieu le fitz
Judas perist, q'estoit malditz :
Par quoy chascun bien savoir doit
Qe par l'abit que moigne ont pris,
Ne par le cloistre u sont assis,
Ne serront seint, si plus n'y soit.
　　En basses caves se loggieront
Jadis ly moigne et eshalcieront　21110
De Jhesu Crist la droite foy ;
Du sac et haire vestu eront ;
Del eaue beurent, et mangeront

Del herbe : mais helas ! avoy !
Ly moigne a ore ensi comme Roy
En grandes sales a desroy
Se loggont et delices quieront :
Grant nombre sont, mais petit voy
Qui gardont la primere loy　21119
De ceaux qui l'ordre commenceront.
　　Par ceaux fuist nulle femme enceinte,
De ceaux envie fuist exteinte,
En ceaux n'iert orguillouse offense,
Par ceaux silence n'ert enfreinte,
De ceaux n'ert faite ascune pleinte
Deinz leur chapitre en audience ;
Ainz sobreté et continence
En unité et pacience
Du charité ne mye feinte
Lors governoit leur conscience :　21130
Chascuns fist autre reverence
Et servoit dieu en vie seinte.
　　Mais ore est autre que ne fu ;
Danz Charité n'ad mais refu,
Car danz Envie l'ad tué,
Et danz Haÿne y est venu,
Q'a no covent ad defendu
Qe mais n'y soit danz Unité ;
Danz Pacience est esragé,
Danz Obeissance s'est alé,　21140
Qui danz Orguil nous ad tollu ;
Et danz Murmur ad en secré
Danz Malebouche professé,
Qui pres tout l'ordre a confondu.
　　Mais danz Incest, qant ly plerra,
Sur les Manoirs visitera,
Si meyne danz Incontinence
Ovesque luy, et puis vendra
Danz Delicat, qui se rendra
Pour les donner plaine evidence :　21150
Ces sont les trois par qui despense
Poverte vient et Indigence,
Puis vient Ruine apres cela,
Qui les maisons en sa presence
Degaste ensi comme pestilence
Par les Manoirs u qu'il irra.
　　Ensi comme Moigne, ensi Canoun

Ne tient la reule du canoun ;
Mais l'un et l'autre nepourqant
La fourme de Religioun 21160
Gardont, mais la matiere noun :
Car de la clocque vont gardant
Lour houre et lour chapitre avant,
Et quanq'al oill est apparant ;
Mais qant a leur condicioun,
Le poudre dont ay dit devant
Toutdis d'envie tapisant
Demoert dedeinz le chaperoun.

Mais pour final governement 21169
Danz Vice est Abbes au present,
Par quoy danz Gule et danz Peresce
Sont fait par le commun assent
Ses chapellains ; et ensement
Danz Veine gloire se professe,
A qui nostre Abbes se confesse ;
Danz Avarice ad la richesce,
Qui danz Almoisne ascunement
Ne laist a faire sa largesce ;
Ensi danz Conscience cesse,
Qui soloit garder le covent. 21180

**Puisq'il ad dit des Religious
possessioners, ore dirra del ordre
des freres mendiantz.**

Si nous agardons plus avant,
L'estat du frere mendiant,
N'ert pas de moy ce que je dis,
Mais a ce que l'en vait parlant
Ensur trestout le remenant,
Cist ordre vait du mal en pis :
Et nepourqant a leur avis
Ils diont q'ils a dieu le fils
Sont droit disciple en lour vivant ;
Mais j'ay del ordre tant enquis, 21190
Qe freres ont le siecle quis
Et sont a luy tout entendant.

Mais d'une chose nequedent
Les freres font semblablement
Comme les disciples lors fesoiont ;
De les disciples indigent
Un soul n'estoit, ainz tielement

Comme riens eiant trestout avoiont :
A cest essample tout se ploiont
Les freres et se multiploiont 21200
Des biens, mais c'est tout autrement ;
Car les disciples departoiont
As povres gentz ce q'ils tenoiont,
Mais cist le gardont proprement.

Ils diont, la felicité
Des freres c'est mendicité,
Dont vont en ease par la rue :
Car cil q'ad terre en propreté
Falt labourer en son degré,
Mais ils n'ont cure de charue, 21210
Ainçois ont plus que la value,
Car riche pecché les salue,
Qui de ses biens leur ad donné
Si largement en sa venue,
Qe plus ad celle gent menue
Qe l'autre q'ad ses champs semé.

Ils nous prechont de la poverte,
Et ont toutdis la main overte **f. 117**
Pour la richesce recevoir ;
La covoitise ils ont coverte 21220
Deinz soy, dont l'ordre se perverte
Pour enginer et decevoir ;
Les eases vuillont bien avoir,
Mais les labours pour nul avoir,
Ainz vont oiceus comme gent deserte ;
De nulle part font leur devoir :
Dont m'est avis pour dire voir
Q'ils quieront loer sanz decerte.

Ils ont maison celestial,
Ils ont vesture espirital, 21230
Ils ont la face simple et seinte,
Ils ont corage mondial ;
Ils ont la langue liberal,
Dont la mençonge serra peinte,
Ils ont parole belle et queinte
Dont font deceipte a lour aqueinte,
Ils sont ministre especial
Du vice et ont vertu restreinte,
Ils ont soubz lour simplesce feinte
Muscé du siecle tout le mal. 21240

Deux freres sont de la partie,

Qui vont ensemble sanz partie
Les paiis pour environner;
Et l'un et l'autre ades se plie
Au fin que bien leur multeplie
Du siecle; dont sont mençonger,
Pour blandir et pour losenger
Et pour les pecchés avancer:
L'un ad noun frere Ypocresie,
Qui doit ma dame confesser,   21250
Mais l'autre la doit relesser,
Si ad noun frere Flaterie.

Ipocresie vient au lit,
Et est pour confessour eslit
Pour ce q'il semble debonnaire;
Et qant ma dame ad trestout dit,
Lors Flaterie la blandist,
Qui point ne parle du contraire,
Car ce n'est pas de son affaire,
Q'il quiert contricioun attraire   21260
De nul ou nulle, ainz pour profit
Assolt sanz autre paine faire;
Et ensi gaigne le doaire
De sa viande et son habit.

Le frere qui son lucre avente
Dist a ma dame que jovente
Du femme doit molt excuser
La freleté de son entente;
Dont il sovent plus entalente
Le pecché faire que laisser,   21270
Qant pour si poy voet relaisser.
Mais s'om voldroit des mals cesser,
Lors sciet le frere et bien le sente
Qe de son ordre le mestier
Ne serroit plus a nous mestier,
Et pour ce met les mals au vente.

Ipocresie tielement
Du dame et seignour ensement
Quiert avoir la confessioun;
Mais Flaterie nequedent   21280

Par l'ordinance du covent
En dorra l'absolucioun,
Car il ad despensacioun
Solonc recompensacioun,
Que vient du bource au riche gent,
Qu'il puet donner remissioun
Sanz paine et sanz punicioun,
Pour plus gaigner de leur argent.

Ensi Flatour et Ipocrite
Les gentz de noz paiis visite,   21290
Et s'ils par cas vienont au lieu
U dame Chasteté habite,
Ipocrisie lors recite
Du continence la vertu;
Et s'ils par cas soient venu
U Leccherie ont aparçu,
Lors Flaterie au plus l'excite
Et est du consail retenu;
Car il s'acorde bien al jeu
Et prent sa part de la maldite.   21300

Qant Flaterie professé
Ad Leccherie confessé,
Sa penitence luy dorra
D'incestuose auctorité;
Car Incest est acompaigné
Au Flaterie, u qu'il irra:
Sovent avient il pour cela,
Qant dame soy confessé a
Au frere, de sa malvoisté
Peiour la laist q'il ne trova;   21310
Mais qant nuls s'en parceivera,
Tout quidont estre bien alé.

Frere Ipocrite, u qu'il vendra,
D'onesteté tout parlera
Pour soy coverir de sa parole,
Dont il les oills avoeglera
De ces maritz, qant tretera
Les femmes quelles il affole:
Car qant il truist la dame fole,

The following appears on the margin of the MS., opposite ll. 21266–78; the ends of the lines have been cut away by the binder:—

Nota quod super hii . . | que in ista pa . . | secundum commune dictum d . . | tribus scripta pa . . | transgressos simp (?) . . | et non alios mater . . | tangit: vnde h . . | qui in ordine . . | gressi sunt ad . . | reuertentes prius . . | in foueam cada . . | hac eminente . . | tura cercius pre . . | niantur.

21282 Endorra   21311 senparceiuera

Il fait sermon de tiele escole 21320
Qu'il de son ordre la fera
Sorour : voir dist ; mais c'est frivole,
Car par ce q'il la dame acole,
Leur alliance se prendra.

D'incest des freres mendiantz
Je loo as tous jalous amantz
Q'il vuillent bonne garde prendre ;
Car tant y ad des limitantz
Par les hostealx et visitantz, 21330
Q'au paine nuls s'en poet defendre.
Mais je vous fais tresbien entendre,
Q'ils nulle femme forsque tendre
Et belle et jofne vont querantz ;
Siq'en la femeline gendre
Sovent avient que frere engendre,
Dont autre est piere a les enfantz.

Qui bien regarde tout entour,
Ipocrisie, Incest, Flatour
Trois freres sont de grant puis-
sance ;
N'est tiele dame ne seignour 21340
Q'al un des trois ne porte amour.
D'especiale retenance
Des toutes courtz ont l'aqueintance
Et des cités la bienvuillance ;
Chascun les prent au confessour :
Si ont le siecle en governance,
Mais tant comme dure celle usance,
N'est qui nous poet mettre en honour.

Ipocrisie je vous dy,
Q'ad Flaterie presde luy, 21350
Vait les paiis environner
Pour sermoner et precher y ;
Et qant il est en halt sailly,
Lors voet les vices arguer,
Oiant le poeple en le moustier :
Mais en la chambre apres disner
La cause n'irra pas ensi ;
Car lors ne voet il accuser,
Ainz voet des vices excuser
Le seignour et la dame auci. 21360
Ipocresie no bealpiere
Ove Flaterie son confrere

Vont les cités environnant :
Ipocrisie en sa maniere,
Pour ce q'il est de simple chere
Et au saint homme resemblant,
Cil irra primer au devant,
Et l'autre vient apres suiant,
Qui portera le sac derere ;
Ensi les gens vont conjurant, 21370
Qe tout le plus dur et tenant
Font amollir de leur priere.

O comme le frere se contient,
Qant il au povre maison vient !
O comme le sciet bien sermonner !
Maisque la dame ait poy ou nient,
Ja meinz pour ce ne s'en abstient
Clamer, prier et conjurer ;
La maile prent s'il n'ait denier,
Voir un soul oef pour le soupier, 21380
Ascune chose avoir covient.
'Way,' ce dist dieus, 'au pautonier,'
'Qui vient ensi pour visiter
Maison que povre femme tient !'

Long temps y ad que j'entendy
Comment Brocage se rendy
En l'ordre u q'il se tient prochein :
Sovent descorde et fait amy,
Sovent devorce et fait mary,
Sovent du primer fait darrein, 21390
Ore est au pié, ore est au mein,
Ore est a certes, ore en vein,
Ore ad parfait, ore ad failly,
Il est trestout du gile plein,
Dont fait en l'an maint fals bargein,
Plus que ne vuil conter yci.

Danz Sephonie en son endroit
De ceste gent prophetisoit,
Q'ils de nous autres les pecchés 21399
Duissont manger : car bien l'en voit
Qe des pecchés, comment qu'il soit,
De ceux qui sont leur confessez
Ils ont leur moustiers eshalciez,
Et les beals cloistres envolsiez,
Ne leur falt chose q'estre y doit.
Trop leur sont pecchés beneurez ;

Car par ce sont il vitaillez
Du quanque l'en mangut ou boit.
　Incest, Flatour, Ipocrital,
Et cil Brocour d'especial,　　　　　f. 118
Sont cils qui font les edifices　　21411
De leur moustier conventual,
De leur clochier, de leur cloistral,
Les vestementz et les chalices,
Chascuns endroit de ses offices;
Mais ils ne serront point si nices
Q'ils d'orguil leur memorial
N'estruiont deinz les artefices:
Ensi tout serra fait des vices,
Que semble a nous celestial.　　21420
　Flatour, qui porte le message
Des freres, pour ce q'il est sage,
Mettra le primer fondement;
Ly confessour de son truage
Qu'il prent d'orguil et de putage,
A luy partient le murement;
La volsure et le pavement,
La verrure et le ferrement
Brocage fait; mais le paiage
Du carpenter Incest enprent;　　21430
Et l'Ipocrite au finement
La maison coevere a son coustage.
　Del ordre par tieux procurours
Sont fait chapitres et dortours,
Le freitour et la fermerie,
Les riches chambres as priours,
Les belles celles as menours,
Tout pleins du veine queinterie:
Tant paront large herbergerie
Q'ils tienont en hostellerie　　21440
Des vices toutes les scrours;
Si ont juré la foy plevie
Q'ils par commune compaignie
Ensemble demourront tous jours.
　A Rome il ad esté oïe
L'orguil et la fole heresie
Des freres, qui vuillont clamer
D'avoir l'estat du papacie:
Et d'autre part leur felonnie
L'Empire a cause a remembrer,　　21450

El sacrement qant del altier
Le venym firont entuschier,
Dont l'Emperour perdit la vie.
Cil frere qui volt abesser
Si haltz estatz, s'il volt lesser
Nous autres, ce ne croi je mye.
　Ensi les files du pecché,
Qui sont en l'ordre professé,
Leur ordre font desordiner,
Que soloit estre bien reulée;　　21460
Ore est la reule desreulé,
N'est qui les puet au droit reuler:
La loy commune n'ad poer,
Car ils ne sont pas seculier,
Ne sainte eglise en son degré
Leur privileges attempter
Ne voet; ensi sanz chastier
Trestous estatz ont surmonté.
　Ove les Curetz du sainte eglise
Le frere clayme en sa franchise　21470
Confession et sepulture
Des riches gentz; mais celle enprise
Deinz charité n'est pas comprise;
Car de les poverez il ne cure,
Soit vif ou mort, car celle cure
Dont gaign ne vient, jammes procure:
Ce piert, car n'est qui nous baptize
Des freres pour nulle aventure,
Ensi soubz la simplesce oscure
Veons l'aperte covoitise.　　21480
　A les disciples dit estoit,
Sollicitous que nuls serroit
Ou de manger ou de vestir,
Mais en quel lieu que frere soit,
Ou soit a tort ou soit a droit,
Son corps, son cuer et son desir,
Sa diligence et son conspir,
Pour ses delices acuillir
Mette et pourchace a grant esploit:
Quique son dieu voldra suïr,　　21490
Le frere en ce voet eschuïr
Sa loy garder en tiel endroit.
　En halt estat humilier
Se doit om, mais contrarier

21481 dist

Le frere voet, qant en escole
De sa logique puet monter
En halt divin et noun porter
Du mestre, dont sa fame vole:
Lors quiert honour et vie mole,
Son dortour hiet plus que gaiole,　21500
Et le freitour desdeigne entrer,
Si clayme avoir sa chambre sole,
U se desporte et se rigole,
Comme cil qui quide avoir nul pier.

Jadys les freres du viel temps
Molt plus ameront en tous sens
A estre bons q'a resembler :
Mais si cils q'ore sont presentz
Soient semblable as bonnez gentz,
Del estre soit comme puet aler.　21510
Poverte scievont bien precher
As autres et soy avancer:
Ce piert par tout en les coventz,
Car cil qui ne sciet profiter
Al ordre du bien seculier
Ne serra point de les regentz.

Mal fils ne tret son pris avant
Par ce qant il fait son avant
Q'il ad bon piere, ainz contre soy
Esclandre quiert plus apparant:　21520
Ensi qui fondont leur garant
Sur saint Franceis, pour ce ne croy
Q'ils pris averont, qant ils sa loy
Ne gardont, car la droite foy
Est a les oeveres regardant.
Franceis lessa le siecle coy,
Mais ses confreres q'ore voi
Des toutes partz le vont querant.

Om voit monter le nombre ades
Des freres, mais om voit apres　21530
Leur viele reule aler en bas
Et en ruine et en destress.
Si tu regardes bien du pres
La multitude et penseras,
Je say que tu merveilleras,
Et auci tu l'acomparas,
Qant cil qui duist porter le fess
De ta charue ensi verras

Aler oiceus le petit pass,
C'est contre la commune pes.　21540
Je lis que nostre sire en terre
Vint pour les peccheours requerre,
Et nonpas pour la jouste gent ;
Mais no bealpere en son affere
Voet a son ordre ainçois attrere
Tiels qui sont jofne et innocent ;
Ove ceaux tient il son parlement,
Qui n'ont resoun n'entendement
Comment lesser ne comment fere:
Pour ce qant jofne ensi se rent,　21550
Qant il est viels, puis se repent,
Et lors commence de mesfere.

De saint Franceis ne croy je mye,
Ne Dominic de sa partie,
De les enfantz prist aqeintance
Par doun ne par losengerie ;
Ainz prist tiels en sa compaignie
Qui par discrete governance
Se rendiront al observance
De sa poverte et sa penance,　21560
Et lors meneront sainte vie :
Mais ore ont perdu celle usance,
Ne chalt mais de la bienfaisance,
Maisque leur ordre multeplie.

Des freres lors je suy certeins
Les paiis ne furont si pleins,
Ne la cretine estoit si fiere,
Poy en estoit, mais furont seintz :
Ore y ad plus et valont meinz,
Car la vertu se tourne arere ;　21570
Maisque l'enfant ait riche piere,
Sique l'onour del ordre appiere,
Ja n'iert des vices tant vileins,
Q'il ne serra del ordre frere ;
Car povre fils de la berchere
Al ordre ne serra procheins.

Tout quanque nous trovons escrit
Fuist fait pour bien et pour profit
De nostre aprise et essamplaire ;
Pour ce l'apostre en son escrit　21580
Jadis la fourme nous descrit,
C'est d'une gent qui vienont plaire

Au ventre, et ont trop debonnaire
Parole, et main tout preste affaire
La beneiçon, mais noun parfit
Pour nostre bienvuillance attraire ;
Mais si voes estre sanz contraire,
Fuietz, ce dist, de leur habit.
   De ceste gent ensi diffine
L'apostre et dist que leur doctrine 21590
N'est mye bonne ; et nepourqant,
Qant la parole ont plus divine,
Lors ont coverte la falsine
De simplesce et de fals semblant,
Dont sont les mals ymaginant ;
Si vont au poeple sermonant
Pour lucre et noun pour discipline.
U tiele gent vont limitant,
Mainte maison sont pervertant,
Ainz que l'en sache leur covine.   21600
   Deux nouns je truis d'especial
Que sont al ordre fraternal   f. 119
Bien acordantz a mon avis,
C'est Agarreni et Gebal ;
Et l'un et l'autre estoiont mal,
Si sont deinz le psaltier escris,
Dont saint Jerom, sicome je lis,
L'exponement en fist jadys :
Le primer noun porta signal
Des ceux q'ont fals le cuer ou pitz, 21610
Qui sont profess pour faire pis
Soubz l'ombre de leur ordinal.
   Cils ne sont point droit citezein
Du sainte eglise, ainz sont vilein
Covert de fainte ypocrisie :
De ton manger se ferront plein,
Si penseront ainz que demein
Supplant et false tricherie ;
Et pour court dire ils sont espie,
Dont sainte eglise est trop blemie, 21620
Si sont auci comme gent en vein,
Q'au siecle portont nul aïe :
Qui plus attrait leur compaignie,
Se doit repentir au darrein.
   Il estoit dit grant temps y a
Q'un fals prophete a nous vendra,

Q'ad noun Pseudo le decevant ;
Sicomme aignel se vestira,
Et cuer du loup il portera.
O comme les freres maintenant   21630
A Pseudo sont bien resemblant !
Plus simple sont que nul enfant
Dehors, mais qui dedeinz serra
De leur quointise aparcevant,
Dont vont le poeple decevant,
En leur habit le loup verra.
   Cils Pseudo qui l'en nome frere
Ont la parole mençongere
Et se vendont communement,
Mais cil q'achat un tiel bealpere 21640
N'en puet faillir q'il n'en compere :
Et nepourqant au jour present
L'en voit plusours du fole gent
Q'achatont leur aquointement
Et s'essamplont de leur manere,
Dont suyt meint inconvenient :
Ce dist la lettre que ne ment
En une epistre de saint Piere.
   Ne say du quelle part eslire
Ceux qui de l'ordre le martire   21650
Et la poverte des fondours
Vuillont suffrir ; mais pour voir dire,
Si tieux soiont deinz cest empire,
Ce ne sont point les limitours,
Ainz sont les freres des freitours,
Qui de nuyt portont les labours
Au moustier pour chanter et lire,
Et ne sont point des confessours,
Ainz sont du cloistre professours
Pour ceste siecle plus despire.   21660
   Molt sont cil frere beneuré
Q'ensi gardont la dueté,
Mais qui font l'ordre malement
Sont sur tous autres maluré :
Primer perdont la liberté
Du siecle q'est yci present,
Car l'ordre ne voet autrement ;
Et l'autre siecle nullement
Porront avoir, car le pecché
De leur folie le defent :   21670

Et ensi sur toute autre gent
Du double peine sont pené.

Mais trop nous grieve, a dire voir,
Qe freres ne font leur devoir
Selonc que l'ordre leur devise ;
Car s'ensi fuist, n'en puet chaloir,
La bonne pees duist meulx valoir,
Quelle est par tout sicomme divise :
Mais ils lessont la bonne enprise
Que des fondours lour fuist aprise, 21680
Et se pernont a leur voloir ;
Dont trop enpire sainte eglise,
Et dont no siecle en mainte guise
Estuet languir matin et soir.

Pour soul les freres dy je mye
Qe fortune est ensi faillie,
Ainz di pour tout le remenant
Qui portont noun de la clergie,
Chascuns forsvoit en sa partie,
Sicomme je vous ay dit devant ; 21690
Dont laie gent, q'est nonsachant,
Leur mal essample vait suiant,
Qe toute loy s'est pervertie :
N'est clercs qui soit du meintenant,
Qui vait noz almes maintenant,
Dont la vertu nous justefie.

Je voi precher les potestatz
Du sainte eglise en tous estatz
Q'om doit les vices eschuïr :
Grant bien de leur parole orras, 21700
Mais a leur fait si tu verras,
C'est comme mirour dont je me mir ;
Qe si dedeinz me voes querir
N'y troveras ne char ne quir,
Ne pié ne main, ne coll ne bras ;
Tout ensi vein verras faillir
Sermon des clercs sanz parfournir,
Si tu leur vie sercheras.

Itiels prechours de leur semblant
Sont sicomme cierge clier ardant, 21710
Qui donne as autres sa lumere,
Ou sicomme clocque en halt sonnant ;
L'un vait soy mesmes desguastant,
Et l'autre hurte sa costiere :

Ensi prechour de sa manere,
Ou soit ce prestre ou moigne ou frere,
Grant bien apporte a l'escoultant
Et a soy mesmes grant misere,
Qant le contraire fait derere
De ce q'il nous preche au devant. 21720
Auci les uns pour lour repos
Ont mis leur langes en depos,
Qe point ne vuillont sermonner ;
N'ont pas la bouche a ce desclos,
Ainz, comme carbon qui gist enclos
Deinz cendre, font lour sens muscer,
Q'au dieu ne vuillont labourer :
Ainz pour les causes a pleder
Mettont peresce arere doss,
Dont il se porront proufiter, 21730
Mais pour les almes avancer
Ils ont ne talent ne pourpos.

Cil q'ad science et point ne cure
De nous precher, et en ordure
Sa vie meine nequedent,
Au fume que noz oils oscure
Resemble, qant nous fait lesure
De son malvois essamplement.
L'apocalips qui point ne ment
Dist que d'en halt le firmament 21740
L'estoille quelle en sa nature
Au dieu loenge ne resplent,
Cherra, et c'est de tiele gent
La resemblance et la figure.

Mais sur trestous mal sont eslit
Les fols curetz qui n'ont delit
Forsque du siecle a deliter :
De leur essample et leur excit
Sovent nous vient fol appetit,
Dont nous faisons dieu coroucer ; 21750
Et il pour nous en chastier
Le siecle nous fait adverser,
Si nous moleste en chascun plit :
Mais, ainçois qu'il du pis grever
Nous face, bon fuist d'amender
Et mal curet et mal soubgit.

Pour bien regarder tout entour
L'estat des clercs au present jour

Et des Religious auci,
Du Jacobin, Carme et Menour,   21760
N'est qui se gart a son honour,
Des toutez partz sont perverti :
Mais qant les clercs nous sont failly,
Ne say desore avant par qui
Porrons du nostre creatour
Avoir reless de sa mercy,
Ainz que nous soions malbailly ;
Et c'est le pis de ma dolour.
    Mais s'aucun m'en soit au travers,
Et la sentence de mes vers   21770
Voldra blamer de malvuillance,
Pour ce que je ne suy pas clers,
Vestu de sanguin ne de pers,
Ainz ai vestu la raye mance,
Poy sai latin, poy sai romance,
Mais la commune tesmoignance
Du poeple m'ad fait tout apers
A dire, que du fole errance
Les clercs dont vous ay fait parlance
Encore sont ils plus divers.   21780

Ore q'il ad dit l'estat de ceux qui
se nomont gens du sainte eglise,
il dirra en part l'estat de ceux
qui ont le siecle en governance, et
commencera primerement a parler
de l'estat des Emperours au temps
q'ore est.

Dieus doint que soions bonne gent,
Car qui regarde au jour present
Comment le siecle est tribolé,
Par resoun serra molt dolent ;
Car les mals vont communement,
Qe nul estat ont respité

   .   .   .   .   .

Mais ne puiss dire tout comment   **f. 121**
De les batailles proprement   21980
Que Nabugodonosor fist,
Tiel fuist son noun, et nequedent
Fortune estoit de son assent
Et sur sa roe en halt l'assist.

Sur tous Fortune l'alleva,
Dont son orguil crust et monta,
Mais qant meulx quide estre au dessus,
Pour son orguil qu'il demena
Sodeinement dieus le rua,
Si q'unqes Rois de sus en jus   21990
N'estoit si fierement confus.
Car sa figure, comme je truis,
En une beste se mua,
Dont de son regne estoit exclus
Et fuist au bois sept auns depuis,
U qu'il del herbe pastura.
    O tu, qui cest essample orras,
Deux choses noter en porras :
L'un est que tu ne dois despire
Les poveres, qant tu les verras,   22000
Car n'est si povere qui par cas
Porra tenir un grant empire,
Ne ja n'ert homme si grant sire
Q'ascune foitz ce qu'il desire
Luy doit faillir de halt en bass :
Mais si tu voes le mond descrire,
Ascoulte a ce que m'orras dire,
Et puis t'avise quoy ferras.
    Je truis escript du poeple hebru,
Disz tribes s'estoiont esmu   22010
Devers Damas pour guerroier ;
De leur force et de leur vertu
Quideront tout avoir venqu :
Mais tout changa lour fol quider,
L'orguill qui les faisoit aler,
Car prest lour sont a l'encontrer
Ly Sirien et ly Caldieu,
As queux Fortune volt aider ;
Si firont les Hebreus tuer,
Dont leur orguil ont abatu.   22020
    Puis sont en leur orguil levé
Ly Surien et ly Caldiée,
Mais deinz brief temps se passera ;
Fortune leur changa le dée
Et desmontoit ce q'ot monté :
Car l'un a l'autre puis mella,
Mais les Caldieus alors halça
Et la victoire leur donna,

After 21786 *one leaf, containing* 192 *lines, is lost.*   21998 enporras

Dont Surien sont avalé ;
Mais leur pris guaires ne dura,　22030
Car celle qui les fortuna
Deinz brief les ot desfortuné.
　Qant ly Caldieu furont amont
Et de Surrie mestres sont,
Lors moevont guerre contre Perse,
De leur orguill bataille y font ;
Mais Fortune ove sa double front,
Quelle est et ert toutdis diverse,
Lors fuist a les Caldieus adverse,
Contrariouse et tant perverse　22040
Q'a celle jour tout perdu ont ;
As Persiens s'estoit converse,
Mais tost apres sa roe verse
Par autre guise et les confont.
　Qant ly Caldieu sont ensi pris,
As Persiens lors fuist avis
Avoir le mond a leur menage ;
Mais celle qui les ot en pris
Monté, les ad bien tost repris,
C'estoit Fortune la salvage :　22050
Car Alisandre ove son barnage
Les venquist, et en son servage
Par guerre puis les ad conquis ;
Ore est cil Rois de tiel oultrage,
Qe tout le mond ly rent truage,
Mais ce ne dura pas toutdis.
　Qant Alisandre estoit dessure,
Et q'il le monde avoit en cure,
Quidetz pour ce q'il fuist certein
De la fortune en qui s'assure ?　22060
Non fuist pour voir ; ainz en poi d'ure
Fortune luy changa sa mein,
Huy luy fist Roys, et l'endemein
L'enpuisonna, siq'au darrein
Morust et ot sa sepulture :
Ore est tourné s'onour en vein,
Les Regnes sont sanz chevetein,
Et la conqueste en aventure.
　L'en voit sovent, qui bien s'avise,
Royalme q'est en soy divise　22070
Covient a estre desolat.
Lors il avient en tiele guise,

Les gentz du Roy par covoitise
Començont guerre et grant debat,
Chascuns volt estre potestat,
Ce que l'un halce l'autre abat,
Siq'au darrein par halte enprise
La grande Rome ove ceaux combat
Et les venquist, dont leur estat
Fortune hosta de sa reprise.　22080
　O tu Fortune l'inconstante,
Du double face es variante,
L'une est en plour, l'autre est en ris ;
Plus que solaill l'une est luisante,
Belle et pitouse et avenante
Et graciouse au droit devis,
Dont tu regardes tes amys ;
Mais l'autre plus q'enfern volcis
Perest oscure et malvuillante,
Dont tu reguardes les chaitis,　22090
Qant par ta sort les as soubmis
D'adversité contrariante.
　O tu Fortune la nounstable,
En tous tes faitz es deceivable,
Car quelle chose que tu fras
Plus que ly ventz perest changable ;
Qant tu te fras plus amiable,
Plustost les gentz deceiveras,
Car qui tu hier en halt montas
Demein les fais ruer en bass :　22100
Trop est ta roe ades muable,
Le dée du quell tu jueras
Ore est en sisz, ore est en as,
Fols est q'en toy se tient creable.
　O tu Fortune la marage,
Ore es tout coye au sigle et nage,
Menable et du paisible port ;
Ore es ventouse, plein du rage,
Des haltes ondes tant salvage,
Que l'en ne puet nager au port :　22110
Tu es d'estée le bell desport
Flairant, mais plus sodain que mort
Deviens lutouse et yvernage ;
Tu es le songe qant l'en dort,
Qe tous biens par semblante apport,
Mais riens y laist de l'avantage.

Fortune, endroit du courtoisie
Tu ne scies point, ainz malnorrie
Par droit l'en te porra prover :   22119
Car qui plus quiert ta compainie
Et plus te loe et magnifie,
Tu plus celluy fais laidenger,
Et qui fuïr et aviler
Te quiert, celluy fais honourer :
C'est une eschange mal partie,
Ne say reson dont excuser
T'en puiss, si noun q'au droit juger
Tu as la voegle maladie.

Fortune, tu as deux ancelles
Pour toy servir, si volent celles   '22130
Plus q'arondelle vole au vent,
Si portont de ta court novelles ;
Mais s'au jour d'uy nous portent belles,
Demein les changont laidement :
L'une est que vole au noble gent,
C'est Renomée que bell et gent
D'onour les conte les favelles,
Mais l'autre un poy plus asprement
Se vole, et ad noun proprement
Desfame, plaine de querelles.   22140

Cist duy par tout u sont volant
Chascune entour son coll pendant
Porte un grant corn, dont ton message
Par les paiis s'en vont cornant.
Mais entrechange nepourqant
Sovent faisont de leur cornage,
Car Renomé, q'ier vassellage
Cornoit, huy change son langage,
Et d'autre corn s'en vait sufflant,
Q'est de misere et de hontage :   22150
Sique de toy puet estre sage
Sur terre nul qui soit vivant.

He, comme Fortune par tout vole,
Ore est tressage, ore est tresfole,
Ore est doulcette, ore est amere,
Ore est commune et ore est sole.
Mais quiq'en voet savoir l'escole,
Regarde Rome, a qui fuist mere
Fortune et la droite emperere.
U est elle ore ? Elle est derere ;   22,60

De Rome nuls ne tient parole, ·
Plus que l'aignelle a sa berchiere
Rome est soubgite, et la banere
Jadis d'onour ore est frivole.

Molt fuist jadys la renomée
De Rome, qant elle ert nomé
Cité de la paiene gent :
Troian, q'en ot la digneté,
Lors moustra sa benigneté,
Qu'il fist et gardoit ensement   22170
La loy du bon governement ;   f. 122
Mais du prouesce et hardement
Fuist Rome auci la plus loé
Au temps Cesar le fort regent,
Du qui noblesce au jour present
L'en parle et ad toutdis parlée.

Mais ore, helas ! nous quoy dirrons,
Q'en dieu par droite foy creons ?
Si est la Cité malbaillie,
Dont nous la seignourie avons.   22180
Pour la creance que tenons
Bien say ce n'est avenu mye,
Ainz est pour nostre fole vie.
O chiefs du toute prelacie,
Part de la cause a vous donons,
Et l'Emperour avera partie ;
Ne sai de vous qui pis la guye,
La coulpe sur vous deux lessons.

O Rome, jadys chief du monde,
Mais tu n'es ore la seconde,   22190
Ove deux chiefs es sanz chevetein :
L'un est qui sainte eglise exponde ;
A son poair n'est qui responde,
Ce piert en toy chascun demein,
Car s'il avient qu'il t'est prochein,
Lors tolt de toy le flour et grein,
Et laist la paile deinz ta bonde,
Et puis se tient de toy forein :
C'est un des chiefs le primerein,
Par qui Fortune te confonde.   22200

Un autre chief duissetz avoir,
Mais voegles ad les oills pour voir,
Si ad tout sourdes les oreilles ;
Ne puet oïr, ne puet veoir,

Si mal te vient, q'en poet chaloir ?
Helas, Fortune, as tes merveilles ;
C'est l'aigle d'orr qui tu n'esveilles,
C'est cil qui tient les nefs sanz veilles
Et les chivalx sanz removoir.
He Rome, jadys sanz pareilles,   22210
N'est ore honour dont t'apareilles,
Tes chiefs te font le corps doloir.

    Helas ! qant cils qui duissont estre
Pour tout le mond en chascun estre
Du corps et alme noz gardeins,
L'un chivaler et l'autre prestre,
Laissont noblesce ensi descrestre,
Nonpas tout soul de les Romeins,
Ainz de tous autres plus et meinz,
Nuls est de son estat certeinz,   22220
Qant falt l'essample de son mestre :
Dont vont errant tous les humeinz
Par quoy prions as joyntez meins
Remede de la court celestre.

Ore qu'il ad dit de l'estat des Emperours, dirra de l'estat des Roys.

Apres l'Empire le seconde
Pour governer les gentz du monde
L'estat du Roy fuist ordiné :
Ly Rois, sicome le livre exponde,
S'il a sa Roialté responde,
Doit guarder toute honesteté :   22230
De sa primere dueté,
Doit sainte eglise en son degré
Defendre, que nuls la confonde,
Et puis doit de sa Roialté
Selonc justice et equité
Guarder la loy dedeinz sa bonde.

    Tiele est la dueté des Roys,
Amer et servir dieu ainçois,
Et sainte eglise maintenir,
Et garder salvement les loys :   22240
Mais ils font ore nul des trois ;
Car ils n'ont cure a dieu servir,
Et d'autre part vuillont tollir
Du sainte eglise, ainz q'eslargir

Ne les franchises ne les droitz ;
Et nulle loy vuillont tenir
Mais ce qui vient a leur plesir,
Sicomme dist la commune vois.

    Rois sainte eglise trop enpire,
Qant il nient joustement s'aïre   22250
Encontre ascun q'est son prelat,
Et sur cela luy fait occire :
Combien q'il soit son lige sire,
Il duist doubter si saint estat ;
Qui sainte eglise ensi rebat
Encontre mesmes dieu combat,
Mais il ne le puet desconfire ;
Ainz tant comme plus ove luy debat,
Tant plus serra du guerre mat,
Qant il son ease plus desire.   22260

    Et d'autre part trop desavance
La sainte eglise Rois q'avance
Clerc a la cure d'eveschée,
Qui sciet ne latin ne romance,
Du bible ne de Concordance,
Ne de Civile ne decré,
Pour governer sa digneté,
Mais soul pour ce q'il est privé
Du Roy, pour faire sa plesance
En la mondaine vanité.   22270
Rois qui tiel clerc ad avancé
Ne serra quit de la penance.

    O Rois, fai ce que tu porras,
Qe sages soient tes prelatz,
A ce qu'ils facent leur devoir ;
Et lors tu les desporteras,
Que malgré leur ne porteras
Du sainte eglise ascun avoir :
Et d'autre part t'estuet savoir,
Qant dois coronne rescevoir,   22280
D'evesque la resceiveras ;
Dont m'est avis, pour dire voir,
Celluy q'onour te fait avoir
Par reson tu n'avileras.

    O Roys, si je le serement
Q'au jour de ta coronnement
As fait a dieu et sainte eglise
Remembre, lors ne say comment
Le dois falser, car Rois qui ment

N'est digne a tenir sa franchise, 22290
Ainz dieus le hiet et le despise ;
Car verité par halte enprise
L'appelle et tient en jugement,
Et le met a recreandise :
Pour ce bon est que Roy s'avise
Pour la bataille qu'il attent.

O Roys, dieus ne s'agreë mye,
Qant tu franchise ou manantie
Que ton Ancestre a luy donna
Luy voes tollir de ta maistrie ; 22300
Car dont l'eglise est enpovrie,
Jammais ly Roys se richera :
Mais Rois doit bien savoir cela,
Quanque l'eglise tient et a
A dieu partient, dont courtoisie
Unques n'estoit ne ja serra,
Qant a celluy qui tout bailla
Ne laist avoir sa pourpartie.

O Roys, laissetz en pes la bonde ;
Combien que sainte eglise habonde,
Tu ne t'en dois entremeller : 22311
Du Salomon je truis q'il fonde
Le temple dieu, et a large onde
Des biens le fist superfluer ;
Mais je say nullè part trover
Qu'il en tollist un soul denier,
Car la science q'ot parfonde
Luy fist toutdis considerer,
Qe cil q'au dieu voet guerroier
Ne puet avoir sa pes au monde. 22320

Du Roy d'Egipte truis lisant,
Qu'il ses taillages demandant
Des prestres moeble ne florin
Pour l'amour son dieu Ternagant
Ne volt tollir ne tant ne quant :
C'estoit le fait du Sarazin ;
Avoy pour honte ! o Roy cristin,
N'iert dieus amé plus q'Appolin ?
Q'est ce que tu t'en vais pilant
Des prestres, qui sont tout divin ? 22330
Crois tu par ce mener au fin
Ta guerre ? Noun, jammais par tant.
Lysias, qui l'ost de Surrie

Menoit soubz sa connestablie,
As tous les auns avoir quida
El temple dieu de la clergie
Tribut : mais dieus ne le volt mie,
Ainçois son angel envoia,
Q'encontre luy le derresna,
Et de son host occis y a 22340
Bien dousze Mil. O la folie,
Si Rois ne s'en essamplera !
Car si dieus lors son temple ama,
S'eglise est ore plus cherie.

O Rois qui piles sainte eglise
Et tols a tort la dieu franchise,
Scies tu que dieus t'en ad promis ?
Par son prophete il te devise
La paine q'il t'en ad assisse,
Si dist qu'il tournera son vis 22350
Encontre toy par tiel divis,
Qe tu serras tant esbahis
Du paour et recreandise,
Qe si nes uns t'ait poursuïz
Tu fuieras. O dieu merciz,
Trop serra dure la reprise.

O Rois, je loo, si tu bien fes,
Laissetz la sainte eglise en pes,
Fai ce q'a ta coronne appent ;

.   .   .   .   .   .

Mais cil q'estoit du sage port, **f. 125**
C'est Daniel, au Roy report
L'exponement, disant ensi :
' Mane, ton pueple t'ad guerpi ;
Techel, tu n'as bonté par qui
Qe dieus t'en voet donner confort;
Phares, ton regne est departi, 22750
Car dieus voet q'autre en soit saisi,
Et tu serras du pecché mort.'

O Rois, pren guarde et te pourvoie,
Qe tiele lettre ne t'envoie
Dieus, qui les Rois tient en justice ;
En trop de vin ne te festoie,
Dont ta luxure multeploie,
Car c'est en Roy trop orde vice :
Et d'autre part pour l'avarice

Ne fai a l'orr ton sacrefice, 22760
Car Rois doit estre toute voie
Francs en toutz pointz, mais trop est
   nice
Cil Rois q'en servitute esclise,
Et de franchise se desvoie.

   Dedeinz la bible escript je lis
D'un Roy qui demandoit jadis
Des quatre de ses chambreleins,
Et grant loer leur ad promis,
Qui meulx dirroit au droit divis 22769
Q'est ce que plus du force est pleins :
Si lour donna trois jours au meinz
D'avisement, dont plus certeinz
Fuissent pour dire leur avis.
L'un dist que sur trestous humeinz
Du force Roy fuist souvereinz ;
Car Roy tous autrez ad soubgiz.
   Mais ly secondes respondy,
Qe femmes sont plus fort de luy ;
Car femmes scievont Roy danter :
L'essample veons chascun dy, 22780
Maint Roy en est trop malbailly,
Q'au peine nuls se sciet garder.
Ly tierce dist, q'au droit juger,
Le vin trestout puet surmonter,
Par force qant les ad saisy ;
Car Roy et femme en son danger
Retient, et tolt leur force et cuer,
Et tout le membre ovesque auci.
   Le quarte dist que verité
Toute autre chose ad surmonté ; 22790
Car verité de son droit fin,
Qant tous serront ovel jugé,
Tout veint la fole vanité
Du Roy, des femmes et du vin.
Cil qui ce dist ot le cuer fin
Du sapience et bon engin,
Dont sa response tint en gré
Ly Rois, ensi comme d'un divin.
Bien doit pour ce le Roy cristin
Amer justice et loyalté. 22800
   Rois doit la verité cherir
Sur toute chose et obeïr,

Ce dist Sidrac ; et nepourqant
Ore voit om Roy tous ceaux haïr
Qui voir diont, mais qui blandir
Luy vuillont, cils serront manant.
Voir dist qui dist femme est puissant,
Et ce voit om du meintenant :
Dieus pense de les mals guarir,
Q'as toutes loys est descordant, 22810
Qe femme en terre soit regnant
Et Rois soubgit pour luy servir.
   Rois est des femmes trop deçu,
Qant plus les ayme que son dieu,
Dont laist honour pour foldelit :
Cil Rois ne serra pas cremu,
Q'ensi voet laisser son escu
Et querre le bataille ou lit.
Du Roy David je truis escrit
Que pour son charnel appetit 22820
Du Bersabée, qu'il ot conu,
Vilainement fuist desconfit ;
Car Rois ne serra ja parfit
Q'est de sa frele char vencu.
   Dedeinz la bible qui lira
Des Rois, sovent y trovera
Qe pour les mals que Rois faisoit
Non soulement dieus se venga
Sur le Roy mesme, ainz pour cela
Trestout le pueple chastioit ; 22830
Mais par contraire en nul endroit
Ne lis qu'il sur le Roy vengoit
Les mals du pueple cy ne la :
Rois est le chief solonc son droit,
Dont si le chief malade soit,
N'est membre qui dolour n'ara.
   Ensi le mal du Roy ceux fiert
As queux le pecché point n'affiert ;
Car ce dont Rois son dieu offent
Sovent le pueple le compiert, 22840
Par quoy du Roy, comme bien apiert,
Les pecchés sont trop violent.
Dieu ne se venga proprement
De David q'ot fait folement,
Ainz pour le Roy le poeple quiert :
Bien doit ly Rois estre dolent

22778 plusfort

Qant il au pueple tielement
Pour ses pecchés vengance adquiert.
   Le lis, qant David s'ap*r*çoit
Qe sur son pueple tourneroit   22850
Ce q'il ot mesmes deservy,
Pour le dolour q'il lors avoit
Dieus la vengance repaisoit,
Qant vist coment se repenti ;
Car tost com*m*e il s'en conv*e*rti
Vers dieu, il en trova mercy,
Dont il son dieu remercioit,
Et puis se contienoit ensi,
Qu'il soy et tout le pueple auci
Al dieu plesance governoit.   22860
   O Rois, retien en remembrance
Du Roy David la repentance :
Hostetz de toy le fol desir,
Qui fait amerrir ta puissance,
Hostetz de toy fole ignorance,
Que ta justice fait blemir ;
Et si tu voes au bien venir,
D'orguil ne te dois sovenir :
Pren consail sage en t'alliance,
Et sur tout te dois abstenir   22870
Du covoitise, et lors tenir
Porras la bon*n*e governance.
   Ly Rois David, com*m*e dist l'auct*o*ur,
Estoit des six pointz essamplour,
Dont chascun Roy puet essampler :
Ly Rois David estoit pastour,
Ly Rois David estoit harpour,
Ly Rois David fuist chivaler,
Ly Rois David en son psalter
Estoit p*r*ophete a dieu loer,   22880
Ly Rois David en doel et plour
Estoit penant, et pour regner
David fuist Rois, si q'au parler
As autrez Rois il fuist mirour.
   Au pastour falt prim*e*rement
Q'il ses berbitz discretement
Les ruignous houste de les seins :
Bons Rois covient qu'il tielement
Deinz son hostell la bon*n*e gent
Retiene et hoste les vileins.   22890

Berbis q'est de la ruigne atteins
Les autres qui luy sont p*r*ocheins
En̄tusche : et l'om*m*e q'est present
Entour le Roy fait plus ne meinz ;
Des males mours dont il est pleins
Corrumpt les autres malement.
   Au bon harpour falt de nature
Mettre en accord et attemprure
Les cordes de sa harpe, ensi
Qe celle corde p*a*rdessure   22900
Ne se descorde a la tenure,
Et puis q'a l'un et l'autre auci
Face acorder la corde enmy ;
Mais au darrein covient a luy
Qu'il de Musique la droiture
Bien garde ; et lors ad tout compli,
Dont cils q'aront la note oẙ
S'esjoyeront de la mesure.
   Ensi falt q*ue* ly Rois en terre
Sache attemprer et l'acord fere   22910
Du pueple dont la gove*r*nance
Il ad resçu, siq'au bienfere
Chascuns endroit de son affere
Soit temprez en droite ordina*n*ce,
Le seigno*u*r soit en sa puissance
Et la com*m*une en obeissance,
L'un envers l'autre sanz mesfere :
Rois q'ensi fait la concordance
Bien porra du fine attempra*n*ce
La harpe au bon*n*e note trere.   22920
   David bon chivaler estoit
Du cuer et corps, dont surmontoit
La force de ses anemys ;
Qant po*u*r la foy se combatoit,
Dieus son miracle demoustroit,
Dont il avoit loenge et pris.
Car la fortune a les hardis
S'encline, mais Rois q'est eschis
A batailler qant il ad droit,
Il n'est pas de David apris ;   22930
Mais s'il defende son paiis,
Lors fait cela que faire doit.
   Prophete estoit le bon Davy,
Loyal, certain, car tant vous dy,

22856 entroua   22874 dix

Ce qu'il disoit ne fuist pas fable.
Rois qui s'essamplera de luy   f. 126
Covient tricher envers nully,
Car Roys doit estre veritable
De sa parole, et non changable;
Et autrement, s'il soit muable,   22940
Il ad sa Roialté failly :
Mais Rois q'en verité s'estable,
Par ce son regne fait estable,
Si ert a dieu prochein amy.
    David estoit auci penant,
Du cuer contrit et repentant,
De ce qu'il dieu ot offendu,
Dont fist penance sufficant
Par quoy soy mesmes tout avant
Et puis le pueple en sa vertu   22950
Guarist de la vengance dieu :
O Rois, ensi covient que tu
Par repentance eietz garant
De tes pecchés, dont absolu
Estre porretz, ainz que vencu
Soietz del ire au toutpuissant.
    Mais au final David fuist Rois,
Qui bien guardoit les bonnes lois.
Mais pour retourner a cela
Des pointz dont vous ay dit ainçois,
Le temps est ore plus malvois,   22961
N'est qui David essamplera :
Pres du pastour ore om verra
Berbis ruignous, dont trop y a ;
Et del harpour diont François,
La harpe est en discord pieça.
U est qui bien nous harpera ?
Je ne say dire a ceste fois.
    Pour parler de chivalerie
De David et sa prophecie,   22970
Du prouesce et du verité,
N'est pas a moy que je le die,
Mais om dist que l'essamplerie
Du nostre terre en est alé,
Et que David s'estoit pené
Pour ses pecchés, ore est tourné
Pour l'ease avoir de ceste vie,
Et la justice en Roialté

Que David tint, desloyalté
De mal consail l'ad forsbannie.   22980
    O Rois, enten, si fretz que sage,
Danz Tullius t'en fait message,
Disant que c'est au Roy grant honte,
Qui par bataille et fier corage
Tous veint, et soy laist en servage
Du covoitise, et tant amonte
Q'il n'est pas Rois a droit acompte :
Del une part car si l'en conte
Qu'il ad prouesce et vassallage,
Del autre part son pris ne monte ;   22990
Qant covoitise luy surmonte,
L'onour du Roy se desparage.
    O Rois, d'orguil ton cuer retien,
De l'escripture et te sovien.
Dieus dist, 'A la coronne way
Q'est orguillouse ! ' car n'est rien
Que dieus tant hiet, ce savons bien ;
Plusours en ont trové l'essay :
Mais d'autre part tresbien le say,
O Rois, si voes servir au pay   23000
Ton dieu, humblesce en toy maintien,
Comme fist David, ensi le fay :
L'essample vous en conteray,
Ascoulte, Rois, et le retien.
    Molt ot David humble espirit,
Ce parust bien qant il oït
Semeÿ, qui luy vint maldire
En son meschief par grant despit,
Et il le fist du mort respit,
D'umilité restreigna l'ire :   23010
Auci l'en puet de Saül lire
Qu'il querroit David pour l'occire,
Pour ce David point ne l'occit,
Qant ot poer, dont nostre sire
Puis saisist David de l'empire
Et Roy Saül fuist desconfit.
    Sicomme la force eschiet du Roy
Par son orguil et par desroy,
Ensi s'avance humilité.
Ce parust en la viele loy,   23020
Senacherib ove son buffoy
Qant Ezechie ot manacé

Et cil s'estoit humilié,
Dieus son miracle ad demoustré :
Oytante Mil et cynk, ce croy,
Del host paiene il ad tué,
Et puis luy mesme en sa contré
Ses fils tueront en recoy.
　　O Roys, tu es a dieu conjoynt,
Qant par les meins d'evesque enoint
Es du sainte oile, et pour cela　　23031
Remembre a ce que t'est enjoint,
De vertu ne soietz desjoynt,
Car Rois par droit le vice harra :
De sa nature l'oile esta
Mol et perçant, dont Rois serra
Pitous et joust, siq'en nul point
Al un n'al autre falsera ;
Pité joustice attemprera,
Qu'il crualté ne ferra point.　　23040
　　O Rois, si bien fais ton devoir,
Deux choses te covient avoir,
Ce sont pités et jugement,
Ne l'un sanz l'autre poet valoir :
Tu ne te dois tant esmovoir
Du pité, dont la male gent
Soit inpunie, et autrement
Tu dois sanz pité nullement
Juger de ton roial pooir
Pour nul corous que toi susprent,　23050
Ainz du pité benignement
Fai la malice removoir.
　　Senec le dist q'a Roialté
Plus q'a nul autre affiert pité,
Et le bon Emperour Constant
Nous dist que cil s'est bien prové
Seigneur en droite verité,
Qui du pité se fait servant :
Cassodre auci ce vait disant,
Qe tout le regne en ad garant,　　23060
U que pités s'est herbergé ;
Et qui la bible en vait lisant
Verra justice molt vaillant,
Qant du mercy serra mellée.
　　Ly Rois q'est joust et debonnere
N'estuet doubter le fait du guerre

Pour multitude de la gent
Q'au tort vienont pour luy surquere ;
Car mesmes dieu leur est contrere
Et les maldist molt fierement,　　23070
Comme Ysaïe nous aprent :
Ly Machabieus tout ensement,
Q'assetz savoit de tiel affere,
Dist que victoire ne se prent
En multitude, ainçois attent
En dieu, si Roys luy voet requere.
　　O Rois, si estre voes parfit,
Fai ce pour quoy tu es eslit,
Justice au pueple fai donner ;
Ly Rois qui par justice vit　　23080
Ja n'ert du guerre desconfit.
Ce dist David en son psalter,
' Justice et pes s'en vont aler
Comme mere et file entrebaiser ' :
Car de justice pes nasquist ;
Pour ce justice est a guarder
Au Roy qui voldra pes amer,
Car c'est le chief de son habit.
　　O Rois, si tu del un oil voies
Les grans honours, les grandes joyes
De ta coronne et ta noblesce,　　23091
De l'autre part repenseroies
Comme es chargez diversez voies
De ce dont dieus t'ad fait largesce.
Si tu bien gardes la promesse,
Comme ta coronne le professe,
Et ton devoir n'en passeroies,
Lors sanz faillir, je me confesse,
Les charges passont la richesce,
Si l'un ove l'autre compensoiez.　23100
　　L'estat du Roy est honourable,
Mais cel honour est descheable
Au siecle qui ne puet durer ;
Car mort que ja n'ert merciable
Ne truist le Roy plus defensable
Q'un povre vilein labourer,
Et tout ensi naist au primer
Le Roy comme fait le povre bier,
Nature leur fait resemblable,
Mais soul l'estatz font diverser ;　23110

Dont si ly Rois ad plus poer,
Tant plus vers dieu est acomptable.

  Qui plus en halte estage monte,
S'il en cherra, mal se desmonte,
Dont trop se blesce ; et tout ensi
Par cas semblable tant amonte
Ly Rois, qui tous estatz surmonte ;
S'il soit des vices assailly
Et soit vencu, tant plus failly
Serra coupable et malbailly,   23120
Qant a son dieu rendra l'acompte,
Qui la personne de nully
Respite. O Rois, pour ce te dy,
Pren garde a ce que je te conte.

  C'est bien resoun, si Rois mal fait,
Qe s'alme plus du paine en ait
Q'uns autres de menour degré :
Car si la povre gent mesfait,   **f. 127**
Sur eaux reverte le mesfait,
Dont sont du siecle chastiée ;   23130
Mais si ly Rois fait malvoisté,
N'est qui pourra sa Royalté
Punir, ainz quit de son forsfait
Irra tout a sa volenté,
Tanque la haulte deité
Luy fait ruer de son aguait.

  O Rois qui meines vie fole,
Ainçois que l'ire dieu t'affole,
Fai amender ta fole vie ;
Car qant tu vendras a l'escole   23140
U t'alme doit respondre sole,
Ne te valdra chivalerie,
Ne Roialté ne seigneurie,
Ainz la resoun q'as deservie
Du ciel ou d'infernal gaiole
L'un dois avoir sanz departie :
Ore elisetz a ta partie
Le quel te plaist, ou dure ou mole.

  Ainz q'autre chose a dieu prioit
Rois Salomon, q'il luy voldroit   23150
Donner ytielle sapience
Par quelle du justice et droit
Son pueple en sauf governeroit :
Dont sa priere en audience

Vint pardevant la dieu presence,
Et pour ce que sa conscience
Au proufit de son poeple estoit,
Dieus luy donna l'experience
Du bien, d'onour et de science,
Plus q'unques Rois devant n'avoit. 23160

  L'essample au Salomon le sage
Loign du memoire ad pris passage,
N'est Rois qui le voet repasser
Pour le tenir deinz son corage,
Ainz prent du poeple son pilage
Et laist justice oultrepasser.
Si dieus consail du losenger
D'entour le Roy ne voet hoster,
Trop avons perdu l'avantage ;
Car chascun jour renoveller   23170
Veons les mals et adverser,
Dont chascuns sente le dammage.

  Essample y ad du meinte guise,
Qe Rois consail du covoitise
Doit eschuïr, car ce defent
Ly philosophre en son aprise ;
Car tiel consail honour ne prise
Ne le commun profitement,
Ainz quiert son lucre proprement.
De fals Judas l'essamplement   23180
Bon est que chascun Roy s'avise ;
Car il pour lucre de l'argent
Son Roy trahist au male gent,
Qui puis en suffrit la juise.

  Mais cil qui mal consail dorra,
Ly mals sur soy revertira,
Qant il meinz quide que ce vient :
Ce dist Sidrac, et de cela
Achitofel nous essampla,
Qant Absolon ove soit retient   23190
Cusy, a qui consail se tient
Et le pourpos volt guarder nient
Q'Achitofel luy consailla ;
Dont il tant anguissous devient,
Q'as ses deux mains le hart enprient
Au propre coll et s'estrangla.

  O dieus, qant ly plus seigneural
Pier de la terre et principal

Apres le Roy n'osent restreindre
Les mals, ainz sustienont le mal, 23200
Comment dirront ly communal?
Ou a qui lors se porront pleindre,
Qant cils q'apres le Roy sont greindre
N'osent voirdire, ainz vuillont feindre,
Pour doubte ou pour l'amour roial?
N'est verité qui puet remeindre,
Dont ont oppress le pueple meindre
Du maint errour superflual.

**Ore qu'il ad dit l'estat des Roys,
dirra l'estat des autres seignours.**

Apres les Rois pour Regiment
Seignours om voit diversement   23210
Par les cités, par les paiis,
Qui sont ensi comme Roy regent,
Et si ne portont nequedent
Le noun du Roy, ainçois sont ditz
Ducs, Princes, Contes et Marchis.
Chascuns, solonc qu'il ad enpris
L'onour, doit porter ensement
Les charges, dont il m'est avis,
Seignour doit garder ses soubgitz
En loy du bon governement.   23220
　N'est pas pour ce que dieus n'avoit
Assetz du quoy dont il porroit
Avoir fait riche chascuny,
Q'il les gens povres ordinoit;
Ainz fuist pour ce que dieus voloit
Essaier les seignours ensi,
S'ils ussent leur corage en luy:
Car qui q'est riche et joust auci,
Laissant le tort pour faire droit,
Il ad grant grace deservi,   23230
Qant pour les biens q'il fait yci
Les biens sanz fin puis avoir doit.
　Ascuns diont q'en Lombardie
Sont les seignours de tirandie,
Qui vivont tout au volenté
Sanz loy tenir d'oneste vie,
Ainçois orguil et leccherie
Et covoitise ont plus loé.

D'orguil ont sainte eglise en hée,
Qu'ils la sentence et le decré   23240
Pour dieu n'en vuillont garder mie,
Et de luxure acoustumé
Commune font la mariée
Et la virgine desflourie.
　Et d'avarice, dont sont plein,
Ils font piler et mont et plein,
N'est uns qui leur puet eschaper
Qui soit a leur poer prochein:
Trestous les vices ont au mein,
Mais ore, helas! trop communer   23250
S'en vait par tout leur essampler;
Deça et pardela la mer
Chascuns s'en plaint, pres et longtein,
Qe la malice en seigneurer
Confont le povre labourer,
Et le burgois et le forein.
　De ces Lombardz om solait dire
Q'ils sont sur tous les autrez pire
En governant leur seignourage;
Mais certes ore, qui remire   23260
L'estat du siecle pour descrire,
Om voit plusours de tiel estage,
Seignours du jofne et du viel age;
Chascuns en sente le dammage,
Mais nuls en puet trover le mire:
Si dieus ne pense au tiel oultrage
Rescourre, endroit de mon corage
Ne sai ce que j'en doie escrire.
　Avoy, seigneur, q'es en bon plit
Sibien d'onour comme de proufit, 23270
Tu es du deble trop commuz,
Qant tout cela ne te souffit,
Ainçois de ton fol appetit
Pour covoitise d'avoir plus
Fais guerre, dont serront confus
Les povrez gens et abatus
Les droitz: mais seignour q'ensi vit
Du charité trop est exclus;
Meulx luy valdroit estre reclus,   23279
Qant pour son gaign le poeple occit.
　Des tieus seignours le mal avient

23241 nenvuillont　　　23251 Senvait
　　　　　　　　　23265 enpuet
23259 Engouernant　　　23264 ensente
23268 iendoie

Par quoy no siecle mal devient;
Car seignour ont le poesté
Du poeple, siq'au gent covient
La reule que du mestre vient
Suïr comme par necessité.
Dont semble que la malvoisté
Du quoy no siecle est tribolé
A leur partie plus se tient,
Des queux la gent est governé; 23290
Ce sont seignours par leur degré:
Ne sai si je le dirray nient.
    Sicomme les grans seignours amont
De leur errour malice font,
Autres y ad, ce semble a moy,
Ly quel ne Duc ne Prince sont
Ne Conte, et nepourqant il ont
Diversement poer en soy,
Chascuns en son paiis, du quoy,
Ou en apert ou en recoy, 23300
Le pueple de sa part confont:
Sique par tout, u que je voy,
Du justice et de bonne foy
Entorcioun ad freint le pont.
    Mais certes par le mien avis
De toy me pleigns q'es seignouris,
Quant oultre ce que dieus te donne
T'enforces nepourqant toutdiz
D'extorcioun en ton paiis
Piler du povre la personne: 23310
Qant tu as ce qui te fuisonne,
Du povere gent qui t'environne
Ne serroit ton pilage pris;
Combien que l'autre mot ne sonne,
Cil dieux vers qui le mal resonne
Ne lerra tiels mals inpunitz.
    Et d'autre part trop mal se guie
Seignour puissant du seignourie, **f. 128**
Qant il les communs baratours
Pour la petite gaignerie 23320
Supporte de sa tirannie;
Dont nous vienont les grans errours:
Car qant seignour sont maintenours,
La loy commune pert son cours,
Par quoy le tort se justefie,

Dont la justice est a rebours:
Tiel seignour et tiels soldeiours
Mettont en doubte nostre vie.
    O seigneur, qant orguil te prent,
Enten que Salomon t'aprent, 23330
Qui dist: 'Le jofne enfant q'est sage,
Discret, honneste et diligent,
Combien q'il soit du povre gent
Et n'ad de rente n'eritage,
Plus valt endroit de son corage
Qe ly vielardz q'ad seigneurage,
Qant il est fol et necligent.'
Poverte en soy n'est pas hontage,
Si des vertus ait l'avantage,
Mais la richesce est accident. 23340
    Sanz terre valt prodhomme asses,
Mais sanz prodhomme sont quassez
La terre et la richesce en vein.
Ja n'ait malvois tant amassez,
Qant les vertus luy sont passez,
De soy n'est autre que vilein;
Mais l'autre, si richesce au mein
Luy falt, il puet par cas demein
Avoir grans terres et cités
Par les vertus dont il est plein: 23350
Car les vertus sont plus certein
Qe les richesces maleurez.
    Par les vertus om puet acquerre
Toutes richesces de la terre,
Mais les richesces nepourqant
Ne sont en soy digne a conquerre
Le meindre que l'en porroit querre
De les vertus, ne tant ne qant.
O seigneur, qui fais ton avant,
Pour ce n'es pas a ton devant, 23360
Qe tu fais ta richesce attrere,
Si des vertus soies faillant;
Mais cil est riche et sufficant
Q'est vertuous en son affere.
    Achilles fuist le plus proisé
En l'ost des Grieus, qant la cité
De Troie furont assiegant;
Un autre y fuist q'estoit nomé
Tersites, le plus maluré;

23326 arebours

*
S

Dont dist Orace a son enfant,   23370
'Meulx vuil que toy soit engendrant
Tersites, maisque tu vaillant
Soies d'Achilles essamplé,
Qe si fuissetz filz Achillant
Et a Tersites resemblant
De la malvoise renomée.'
    O seignour, tu porras savoir
Par ce q'ai dit que c'est tout voir,
Quiq'a l'enfant soit piere ou mere
De ce ne puet au fin chaloir,   23380
Maisqu'il de soy porra valoir
Du sen, du port et de maniere;
Et ja n'ait om si noble piere,
Voir s'il fuist fils a l'Emperere,
S'il ne se sache au droit avoir,
Meulx valt le fils de la berchere:
Car solonc que l'en voit matiere,
Chascuns son pris doit rescevoir.
    Tous suismes d'un Adam issuz,
Combien que l'un soit au dessus   23390
En halt estat, et l'autre en bass;
Et tous au mond nasquismes nudz,
Car ja nasquist si riches nuls
Qui de nature ot un pigas.
O tu q'en servitute m'as,
Si je meinz ay et tu plus as
Richesce, et soietz sanz vertus,
Si tu malfais et je bien fas,
Dieus changera tes sis en as,
Tu meinz aras et j'aray plus.   23400
    Seigneur de halt parage plain,
Ne t'en dois faire plus haltain,
Ne l'autre gent tenir au vil;
Tous suismes fils de dame Evain.
Seigneur, tu qui me dis vilain,
Comment voes dire q'es gentil?
Si tu le dis, je dy nenil:
Car certes tout le flom de Nil
Ne puet hoster le sanc prochain
De toy, qui te fais tant nobil,   23410
Et du vilein q'en son cortil
Labourt pour sa vesture et pain.
    Trop est l'oisel de mesprisure

Q'au son ny propre fait lesure,
Qu'il duist honestement garder.
Seigneur auci se desnature,
Les povres gens de sa nature
Qu'il fait despire et laidenger;
Car tous tieux membres pier au pier
En l'omme povre puet mirer   23420
Comme mesmes ad ove l'estature
Tout auci beal, auci plener
Du sen, du resoun, de parler,
Et de semblant et de figure.
    He, quel orguil te monteroit,
Seigneur, si dieus fourmé t'avoit
D'argent ou d'orr ou de perrie,
Sique ton corps ne purriroit:
Mais certes n'est de tiel endroit,
Ainz est du vile tay purrie,   23430
Sicome la gent q'est enpovrie,
Si viens tu povre en ceste vie,
Et ton lass fin povre estre doit:
Si ta richesce n'as partie
As povres, t'alme au departie
Poverte as tous les jours resçoit.
    Seignour, ton orguil dieus reprent
En s'evangile, et si t'aprent
Qe tant comme tu soies maiour,
Te dois tenir plus humblement   23440
Envers dieu et envers la gent;
Car ensi fesoit le seignour
Q'estoit fils au superiour,
Il laissa part de son honour
Pour toy remonter haltement:
Fai donque ensi pour son amour,
Laissetz l'orguil, laissetz l'errour,
Dont es coupable tant sovent.
    Oultre mesure il s'est penez
D'orguil qant se voit enpennez   23450
Paons, et quide en sa noblesce
Qu'il est si beals esluminez
Qe nul oisel de ses bealtés
Soit semblable a sa gentilesce;
Et lors d'orguil sa coue dresce
Du penne en penne et la redresce,
Et se remire des tous lées,

Trop ad orguil, trop ad leesce ;
Mais au darrein sa joye cesse,
Qant voit l'ordure de ses piés.　23460
　Al oill primer orguil luy monte
Molt plus que sa noblesce amonte,
Qant voit sa penne ensi luisant ;
Mais ainçois q'orguil luy surmonte,
De sa nature la desmonte ;
Qant vers la terre s'est gardant
Et voit ses piés laid et pesant,
Ses joyes pert de meintenant ;
Car lors luy semble au droit acompte
Qu'il est plus vil de son semblant 23470
Qe nul oisel qui soit vivant,
Dont son orguil rebat de honte.
　O la nature bestial,
Q'ad ensi le judicial
De soy pour orguil desconfire,
En ce qu'il voit d'especial
L'ordure de ses piés aval,
Qant vers la terre se remire !
C'est un essample pour descrire,
Qui par resoun doit bien suffire　23480
A tenir en memorial,
Par quoy que l'omme doit despire
Orguil, q'or' est en tout empire
Ove les seignours trop communal.
　O seignour, d'orguil je t'appell,
Qui d'ermyne as furré le pell
Ove les manteals d'orr et de soie :
Qant plus te quides riche et bell,
Remembre toy de cest oisell ;
Envers tes piés reguarde et voie　23490
La terre en quelle tu ta voie
Par mort irras, si te pourvoie :
Car la furrure ne drapell
Ne porteras, ainz tout envoie
S'en passera ta veine joye ;
Chascuns falt trere a ce merell.
　Q'est ce que tu le povre piles,
Qui tantes robes soul enpiles ?
De ce ne te fais regarder,
Que dieus te dist en s'esvangiles,　23500
'A qui est ce que tu compiles

Ce que ne puiss au fin guarder ? '
Si tu t'en voes au droit penser,
Qant nud verras le povere aler
Par les cités et par les villes,
Tu luy dois vestement donner ;
Car ce partient a ton mestier
De les vertus que sont gentiles.
　Seignour, tu n'es au droit garni
Qui tant es richement garni　**f. 129**
De bell hostel, de beal manoir,　23511
Et veis la povre gent banny,
Qui sont sanz hostel et sanz ny,
Desherbergez contre le soir,
Ne tu leur fais socour avoir
De ton hostell ne ton avoir :
Reguarde aval si verretz y
L'ostell d'enfern puant et noir,
U qu'il te covient remanoir,
Qe l'osteller est sanz mercy.　23520
　O seigneur glous, q'au ventre sers
Des bons mangiers des vins divers,
Dont fais emplir ta vile paunce,
Et si n'avetz les oils overtz
Pour regarder le povre envers,
Qui quiert de toy sa sustienance,
Pren du paoun la sovenance,
Regarde aval la pourvoiance
Qe tu serras viande as vers :
Car s'ensi fais ta remembrance,　23530
Je croy q'as povrez la pitance
Dorras, si tu n'es trop advers.
　O seigneur, te sovien et pense
Q'ovesques toy la loy despense
Sanz chastier ton grant mesfait,
Et tu verras pour poy d'offense
Les povrez gens sanz nul defense
En la prisonne estre desfait ;
Mais ja pour ce ton pié n'y vait
Pour visiter, ainz s'en retrait,　23540
Sique tes biens ne ta presence
N'y voes donner d'ascun bienfait :
Ly deables, cil qui nul bien fait,
Chastiera ta necligence.
　O seignour, q'as l'onour terrin,

Voiant la vieve et l'orphanin
Qui sont par fraude et par destour
Du malice et de mal engin
Oppress, et tu q'es leur voisin
Ne fais rescousse a tiel errour,   23550
Fai du paoun ton mireour,
Regarde aval le darrein jour,
U serront juggé tout cristin;
N'est qui te ferra lors socour,
Solonc l'effect de ton labour
T'estuet aler le halt chemin.

   Seigneur, si ta puissance voies,
Fols es si tu ne t'en pourvoies,
Dont tu le ciel puiss conquester;
Car trop irras par males voies,   23560
Si tout au siecle te convoies,
Et n'as vertu dont resister:
Pour ce tu dois considerer
Que tu le ciel puiss achater
Du bien present, si bien l'emploies;
Mais certes trop es a blamer,
Qant voes le siecle a toy gaigner
Et perdre si halteines joyes.

   Mais preche qui precher voldra,
De ces seignours ore ensi va   23570
Sicome l'en vait par tout disant;
Aviene ce q'apres vendra,
Le seigneur se delitera
De ceste siecle tout avant.
Seigneur resemble au fol enfant,
Qui les folies vait querant,
Qant n'est qui l'en chastiera;
Mais cil q'ensi vait seigneurant,
S'il ainçois ne s'est amendant,
Dieus en la fin se vengera.   23580

   Mais courtement si j'en termine
Mon conte, a ce q'en ce termine
La chose appiert, ce poise my,
Qe les seignours ove leur covine
Par leur maltolt, par leur ravine,
Et d'autres mals q'ils font parmy,
Le mond sempres ont malbailly,
Dont se compleignont chascun dy
Et l'orphanin et l'orphanine:

Je loo que cil qui fait ensi   23590
Repente soy et serve a luy
Qui les seignours monte et decline.

   **Ore q'il ad dit de les grans
seignours, dirra l'estat des autres,
c'est assavoir des chivalers et des
gens d'armes.**

   Si vous vuilletz que je vous die
L'estat de la chivalerie,
Ce n'est pas un estat de nient,
Ainz cil q'en tient la droite vie
Selonc que l'ordre est establie
Molt grant honour a luy partient:
Car chivaler, u qu'il devient,
De son devoir le droit sustient   23600
Dont sainte eglise est enfranchie;
Ou si tirant le droit detient
Du vierge ou vieve, lors covient
Que chivaler leur face aïe.

   Tout ainsi comme la sainte eglise
Vers dieu doit faire sacrefise
Qe nous ne devons dieu offendre
En l'alme, ensi de tiele aprise
Les chivalers de leur enprise
Le commun droit devont defendre,
Et pour le droit bataille prendre,   23611
Mais ne devont la main extendre
Par orguil ne par covoitise;
Car q'ensi fait est a reprendre,
Dont il n'est dignes a comprendre
Ne son honour ne sa franchise.

   Chascun estat, le quel qu'il soit,
Est ordiné par son endroit
De faire au siecle ascun labour;
Dont pour garder le commun droit
Ly chivalers combatre doit,   23621
Car ce partient a son honour:
Et de ce furont ordinour
Remus de Rome Empereour
Et Romulus, qui frere estoit,
Au Rome la cité maiour;
Des chivalers Mil combatour
Chascun la cité defendoit.

Apres la mort de Romulus
Chivalerie ert meintenuz, 23630
Dont l'ordre estoit multepliant ;
Et lors qui plus ot des vertus
Du greindre honour estoit tenuz,
Mais a celle houre nepourqant
Sollempneté ne tant ne qant
Estoit en l'ordre resceivant.
Mais ore est autrement en us
Au novell chivaler faisant,
Car om luy vait sollempnizant,
Pour ce q'il doit valoir le plus. 23640
  Comment q'il fuist antiquement,
Ore est ensi, q'au jour present
Pour faire un novel chivaler
Sollempneté diverse appent
Solonc ce que le temps comprent
Du guerre ou peas ; mais diviser
Comment l'en doit sollempnizer
Ne vuil je point tout au plener,
Q'a ma matiere ce ne pent ;
Mais soul d'un mot je vuil parler, 23650
Du quel il covient adouber
Tout chivaler qui l'ordre prent.
  Ou soit du peas, ou soit du guerre,
Cil qui le chivaler doit fere
Au fin luy donne la colée,
Et si luy dist, ' Sanz toy retrere
Soietz prodhomme en ton affere.'
Par ce mot il est adoubé,
Siq'au prodhomme est obligé,
Dont puis apres en nul degré, 23660
S'au son estat ne voet forsfere,
Se mellera du malvoisté ;
Ainçois par fine honesteté
Doit la prouesce d'armes quere.
  Mais solonc ce q'om vait parlant,
Des tieux y ad qui meintenant
Malvoisement font l'observance
De ce qu'ils ont en covenant :
Q'au prodhomme est appartienant
Sovent mettont en oubliance, 23670
Ne quieront point l'onour de France,
Ainz font a l'ostell demourance
Et leur voisins vont guerroiant ;

Ne leur amonte escu ne lance,
Maisq'ils eiont la maintenance
De leur paiis par tout avant.
  Tiels est qui se fait adouber
Nonpas pour prouesce avancer,
Ainçois le fait q'en son paiis
Les gens luy duissont honourer, 23680
Siqu'il les porra rançoner,
Qant il vers soy les ad soubmis :
Mais qant les jours d'amour sont pris
De la querelle, et il compris
N'y soit, dont porra terminer
La cause tout a son divis,
Lors quide avoir perdu son pris.
Vei cy, comme vaillant bacheler !
  Apres nul autre guerre ascoute,
Mais qant cils de la povre route, 23690
Q'en son paiis luy sont voisin,
Et l'un fiert l'autre ou le deboute,
De sa prouesce lors se boute
Et la querelle enprent au fin ;
Dont il voet gaigner le florin
Et les presentz du pain et vin,
Q'il leur lerra ne grein ne goute,
Il vit du proie come corbin :
Tiel soldeour n'est pas divin, **f. 130**
Q'ensi la povre gent degloute. 23700
  Armure ascune ne querra,
Maisqu'il du langue conquerra,
Car d'autre espeie ja ne fiert.
Quiconques bien luy soldera,
Comme vaillant s'aperticera
As les assisses u qu'il ert ;
De sa prouesce lors appiert,
Et tant fait que le droit y piert
Par tort, le quell avancera,
Dont il les larges douns conquiert : 23710
Mais si povre homme le requiert,
Il se desdeigne de cela.
  De la la mer quiconque gaigne
En Lombardie ou en Espaigne
L'onour, que chalt ? Il se tient coy,
Ne quiert sercher terre foraine ;
Ainz a l'ostell son prou bargaigne,
Si s'entremet de tiel armoy

U point n'y ad du bonne foy,
Dont met les povres en effroy 23720
Qu'il tolt le berbis et la laine :
Si les heraldz luy criont poy
'Largesce,' il fait nient meinz pour quoy
Dont poverez gens chascun se plaigne.

Tiel chivaler q'ensi s'essaie
L'en nomme un chivaler de haie,
Car chastell ja n'assiegera :
En lieu q'il son penon desplaie
Sauf est, n'y falt a doubter plaie
Ne peril dont le corps morra, 23730
Mais l'alme en grant peril serra.
Qant il l'assisse ordinera
Et qu'il l'enqueste desarraie,
Du maintenue qu'il ferra
Les poveres gens manacera,
Qe de sa part chascuns s'esmaie.

Tiel chivaler mal s'esvertue
Q'ensi par torte maintenue
Fait rançonner les povres gens ;
Dont il pourchace champ et rue 23740
Et largement boit et mangue,
Mais autre en paie le despens :
Des marches dont il est regentz
Cils qui sont povres indigentz
Ne sont pas de sa retenue ;
Ainçois les riches innocentz,
Qui font a luy les paiementz,
Itieux pour son proufit salue.

Du loy civile il est escrit,
Nul chivaler, s'il est parfit, 23750
Serra marchant ne pourchaçour :
Car chivaler q'ad son delit
En lucre, pert son appetit
A souffrir d'armes le labour.
Pour ce du loy empereour
Ly chivalers q'est sanz valour,
Qui laist les armes pour proufit,
Perdra, puisq'il est au sojour,
Son privilege et son honour,
Qant point comme chivaler ne vit. 23760

Mais l'autre, qui fait son devoir,
Grant privilege doit avoir,

Qu'il ert exempt de l'autre gent,
Sique la loy n'ara pooir
De son corps ne de son avoir ;
Dont il doit venir duement
A nul commun enquerrement,
N'en autre office ascunement
Lors serra mis, c'est assavoir
Maisqu'il poursuie franchement 23770
Les armes bien et noblement,
Dont il porra le meulx valoir.

Du loy Civile est establis,
Qe qant ly commun serra mis
Au Gabelle ou posicioun,
Les biens au chivaler de pris
Des tieux taillages sont horspris
Et sont du franc condicioun,
Qu'il doit avoir remissioun
Sanz paine ne punicioun, 23780
Ensi qu'il serra franc toutdis
As armes pour tuicioun,
De garder sanz perdicioun
Le commun droit de son paiis.

Mais d'autre part c'est un decré,
Le chivaler serra juré,
Qant l'ordre prent au primerein,
Q'en champ ne doit fuïr un pié
Pour mort ne pour adverseté,
Ainz doit defendre de sa mein 23790
Et son paiis et son prochein,
Car son devoir et son certein
A soul ce point est ordiné ;
Dont s'il son ordre tient au plein,
Ja d'autre charge n'ert gardein,
Ainz ert exempt et honouré.

Mais cil truant qui point ne vont
As armes ne s'esjoyeront
Du privilege au chivaler,
Qant a l'ostell sojourneront : 23800
Pour ce de commun loy serront
Et assissour et officer,
Ne l'en leur doit pas respiter
De leur catell ne leur denier,
Qu'ils pour Gabelle paieront ;
Car qui les armes voet lesser,

23727 nassiegiera   23742 enpaie   23769 cestassauoir

Par droit ne serra parçonier
Al honour que les armes font.
  Ce sciet chascuns en son endroit
Par tout le monde, quelq'il soit, 23810
Qui tient estat en ceste vie,
S'il a son point ne se pourvoit,
Ainçois s'esloigne et se forsvoit,
Qant il ad fait l'apostazie,
Ja puis n'ad guarde de folie :
Ce dis pour la chivalerie,
Que chivaler guarder se doit
De pourchas et de marchandie,
Car ces deux pointz n'acordont mie,
Qui l'ordre en voet garder au droit. 23820
  Mais nepourqant au jour present,
Sicomme l'en dist communement,
Des chivalers q'ont perdu honte
Om voit plusours, dont sui dolent,
Qui tant devienont violent
Du covoitise que leur monte,
Que leur prouesce riens amonte.
Mais qant le lucre honour surmonte,
Ne say quoy dire a tiele gent :
Si je par resoun le vous conte, 23830
Plus valt berchier au droit acompte
Qe cil q'en l'ordre ensi mesprent.
  Tiel chivaler bien se remire
Qu'il n'ara ja mestier du mire,
Ainçois a l'ostel se repose,
U qu'il son lucre ades conspire
Et fait les povres gens despire,
Q'encontre luy nuls parler ose.
Mais certes c'est vilaine chose,
Qant vice ad la vertu forsclose 23840
En chivaler, siqu'il desire
Le lucre, dont il se repose :
Des tiels y ad comme je suppose
Plus de quatorsze en cest empire.
  Ne say quoy valt cil chivaler
Qui point ne se voet essampler
Des armes, dont il soit vaillant,
Si comme fuist Gorge, et resembler
Ne voet au bon hospiteller
Saint Julian ne tant ne qant, 23850

Dont soit les povres herbergant :
Car chivaler q'est sufficant
De corps et biens et travailler
Ne voet, et est sur ce tenant
D'escharceté, meinz est vaillant
Que n'est le ciphre a comparer.
  Mais si le chivaler couchour
Ne guart la reule ne l'onour
De ce que son estat destine,
Ore aguardons de l'autre tour 23860
Si cil q'as armes son retour
Fait, soit honeste en sa covine.
Il est tout voir q'en ce termine
Dessur la terre et dessoubz myne
Om voit que chivaler plusour
Quieront prouesce oultremarine,
Mais si leur cause fuist divine,
Bien fuissent digne de valour.
  Sisz chivalers sont dit des prus,
Roys Charles, Godefrois, Arthus, 23870
Dans Josué, Judas, Davy :
En tous leur faitz prouesce truis
Plain des loenges et vertus
Vers dieu et vers le siecle auci :
Par ceaux n'estoit orguil cheri
Ne covoitise, et tant vous dy,
C'estoit la cause dont vencuz
N'estoient de leur anemy ;
Et pour ce qu'ils firont ensi
Leur noun encore est retenuz. 23880
  C'estoiont chivaler au droit
Et de prouesce en son endroit,
Et de simplesce en sa mesure ;
Dont au present molt bon serroit
Qe par ceaux l'en essampleroit
A querre honour sanz mesprisure.
Des chivalers ore a ceste hure
Hom voit hardis a demesure,
Si travaillont a grant esploit
Et vont querant leur aventure ; 23890
Dont resoun est q'om les honure, f. 131
Si ce par bonne cause soit.
  O chivaler, je t'en dirray,
Tu qui travailles a l'essay

23820 envoet

Devers Espruce et Tartarie.
La cause dont tu vas ne say,
Trois causes t'en diviseray,
Les deux ne valont une alie :
La primere est, si j'ensi die
De ma prouesce enorguillie,　　23900
' Pour loos avoir je passeray ';
Ou autrement, ' C'est pour m'amye,
Dont puiss avoir sa druerie,
Et pour ce je travailleray.'
　O chivaler, savoir porras,
Si tu pour tiele cause irras,
Que je t'en vois cy divisant,
L'essample point ne suieras,
Ne d'armes ceaux resembleras,
Des queux tu m'as oÿ contant :　　23910
Car nul puet estre bien vaillant,
S'il dieu ne mette a son devant ;
Mais tu, qui pour le siecle vas,
Si ton pourpos n'es achievant
Solonc ce que tu vais querant,
Lors je ne say quoy tu ferras.
　Si tu d'orguil voes travailler
Pour vaine gloire seculer,
Dont soietz le superiour
Des autres, lors t'estuet donner　　23920
Ton garnement et ton denier
As les heraldz, qu'il ta valuor
Et ta largesce a grant clamour
Facent crier ; car si l'onour
Ne te voet celle part aider,
Lors je ne say quoy ton labuor
Te puet valoir, ainz a sojour
Assetz te valt meulx reposer.
　Et d'autre part si ta covine
Soit pour la cause femeline,　　23930
Dont as le cuer enamouré,
Et sur ce passes la marine,
A revenir si la meschine
Ou dame solonc son degré,
Pour quelle tu t'es travaillé,
Ne deigne avoir de toy pité,
Tout as failly du medicine :
Car ce sachetz du verité,

Qe tu n'en aras le bon gré
De la prouesce q'est divine.　　23940
　Et nepourqant a mon avis,
Si plainement a ton divis
De l'un et l'autre q'ai nomé
Ussetz le point en toy compris,
Primer que du loenge et pris
Sur tous les autrez renomé
Fuissetz et le plus honouré,
Et q'ussetz a ta volenté
Le cuer de tes amours conquis,
Trestout ce n'est que vanité ;　　23950
Car huy es en prosperité
Et l'endemain tout est failliz.
　Mais d'autre part a tant vous di,
La tierce cause n'est ensi,
Pour quelle ly prodhons travaille ;
Ainz est par cause de celluy
Par qui tous bons sont remery
Solonc l'estat que chascun vaille.
Ton dieu, q'a toy prouesce baille,
Drois est qu'au primer commençaille
Devant tous autres soit servi ;　　23960
Car chivaler q'ensi se taille
Pour son loer dieus apparaille
L'onour terrin, le ciel auci.
　O chivaler, bien te pourpense,
Avise toy de l'evidence,
Le quel valt meulx, ou dieu servir,
En qui tout bien fine et commence,
Ou pour la veine reverence
L'onour du siecle poursuïr.　　23970
Pour fol l'en puet celluy tenir
Qui laist le bon et prent le pir,
Qant il en voit la difference :
Al un des deux te falt tenir,
Mais quel te vient plus au plesir
Je laiss dessur ta conscience.
　Mais dont la chose est avenue
Ne say, ne dont le mal se mue ;
Car ce voit bien cil q'ore vit,
Chivalerie est trop perdue,　　23980
Verrai prouesce est abatue,
Pour dieu servir trop sont petit :

Mais d'autre part sanz contredit
Pour luy servir en chascun plit
Le siecle ad large retenue ;
Car d'orguil ou du foldelit
Au jour present, sicomme l'en dist,
Chivalerie est maintenue.
  Les chivalers et l'escuiers,
Qui sont as armes costummers,   23990
S'ils bien facent leur dueté,
Sur tous les autres seculers
Sont a louer, car leur mestiers
Du siecle est le plus honouré
De prouesce et de renomée :
Mais autrement en leur degré,
En cas q'ils soient baratiers,
Lors serront ils ly plus blamé
Par tout le siecle et diffamé
Et des privés et d'estrangiers.   24000
  Les armes sont commun as tous,
Mais tous ne sont chivalerous
Queux nous voions les armes prendre ;
Car cil q'est vein et orguillous
Et du pilage covoitous
N'est digne a tiel honour comprendre.
Mais ore, helas ! qui voet attendre
Et le commun clamour entendre
Orra merveilles entre nous ;
L'onour dont l'en souloit ascendre
En cest estat veons descendre,   24011
Q'est a tous autres perillous.
  Mais cil q'au droit se voet armer
Et sur les guerres travailler,
Estuet a guarder tout avant
Pour la querelle examiner,
Q'il ne se face a tort lever,
Dont ert la cause defendant :
Et puis falt q'il se soit armant
Non pour le lucre tant ne qant,   24020
Mais pour droiture supporter ;
Car qui les paiis exilant
Fait et la povre gent pilant,
Sur tous se doit bien aviser.
  Combien que la querelle soit
Bien juste, encore il se deçoit
Qui pour le vein honour avoir,

Ainz que pour sustenir le droit,
Se fait armer ; ou d'autre endroit,
S'il arme et tue pour l'avoir   24030
De les richesces resceivoir,
De son estat ne son devoir
Ne fait ensi comme faire doit.
Pour ce chascuns se doit veoir
Qu'il sache d'armes tout le voir,
Car sages est qui se pourvoit.
  Selonc l'entente que tu as,
Du bien et mal resceiveras,
Car dieus reguarde ton corage :
En juste cause tu porras   24040
Tort faire, car si tu t'en vas
Plus pour le gaign de ton pilage
Qe pour le droit, lors vassellage
Par ton maltolt se desparage,
Qe nul honour desarviras :
Mais si pour droit fais ton voiage,
Lors pris, honour et avantage
Trestout ensemble avoir porras.
  Mais certes ore je ne say
De ces gens d'armes quoy dirray,
Q'ensi disant les ay oïz :   24051
' Es guerres je travailleray,
Je serray riche ou je morray,
Ainz que revoie mon paiis
Ne mes parens ne mes amys.'
Mais riens parlont, ce m'est avis,
' Je pour le droit combateray,'
Ainz sont du covoitise espris ;
Mais cil n'est digne d'avoir pris
Qui d'armes fait ensi l'essay.   24060
  O chivaler qui vas longtein
En terre estrange et quiers soulein
Loenge d'armes, ce sachietz,
Si ton paiis et ton prochein
Ait guerre en soy, tout est en vein
L'onour, qant tu t'es eslongez
De ton paiis et estrangez :
Car cil qui laist ses duetés,
Et ne voet faire son certein,
Ainz fait ses propres volentés,   24070
N'est resoun qu'il soit honourés,
Combien qu'il soit du forte mein.

Mais qui la guerre au tort conspire,
Om doit celluy sur tout despire ;
Et nepourqant au present jour
Veoir porra, qui bien remire,
Pour le proufit que l'en desire
Ou pour l'orguil du vein honour
Chascuns voet estre guerreiour,
Ou a ce faire consaillour ;   24080
Dont la justice trop enpire
En noz paiis par tout entour,
Trestous en faisons no clamour,   f. 132
Mais n'est qui puet trover le mire.
    Qant cils en qui toute prouesce,
Honour, valour, bonté, largesce
Et loyalté duissent remeindre,
Se pervertont de leur noblesce
Par covoitise ou par haltesce,
De l'onour seculer atteindre,   24090
Ne say a qui me doy compleindre ;
Car cils qui sont du poeple meindre
Tous jours en sentent la destresce :
Si dieus les mals ne vuille exteindre,
N'est qui de soy les puet enpeindre
Au fin que la malice cesse.
    Ce veons bien, q'au temps present
La guerre si commune esprent,
Q'au paine y ad nul labourer
Ly quel a son mestier se prent :   24100
Le prestre laist le sacrement
Et ly vilains le charner,
Tous vont as armes travailler.
Si dieus ne pense a l'amender,
L'en puet doubter procheinement
Qe tout le mond doit reverser ;
Car qant commun se font lever,
Lors suit maint inconvenient.
    Par orguil et par covoitise
L'en voit par tout la guerre esprise.
Helas ! mais c'est des cristiens   24111
Dont est destruite sainte eglise,
Et la justice en sa franchise
Ne prent mais garde de les gens.
Ore est le jour, ore est le temps
Qe nous faillont les bons regens,

Et si nous falt la bone aprise,
Sique sanz bouns governemens
Nous vienont les molestemens,
Dont chascuns sente la reprise.   24121
    Mais certes ne puet durer guere
Cil qui sustient la false guerre
Et fait la bonne pees perir,
Ou soit seignour qui ce fait fere,
Ou consaillour de tiel affere,
De malvois fin devont finir ;
Car ils tollont le sustenir
Des povres et les font morir,
Qui voldroiont lour peas requere :
Ne say q'apres doit avenir,   24131
Mais qui tieux mals nous fait venir
Est trop maldit en nostre terre.
    O cristiene crualté,
Q'es pleine de desloyalté,
Qe si commune occisioun
Sicomme des bestes au marché
Fais de les hommes sanz pité !
O cuer plein de confusioun !
O infernale illusioun,
Qui tiele horrible abusioun,   2414.
Q'est auci comme desnaturé,
Fais de ton sanc l'effusioun !
Ne say a quell conclusioun
Voes dire que tu crois en dée.
    O Covoitise ove ton pilage,
Di dont te vient ce vassellage
Du pueple occire : car droiture
Nulle as, ainz vient de ton oultrage
Qe tu demeines tiele rage.
Car dieus q'est sire de nature   241
La terre ove tout le bien dessure
Fist a l'umeine creature
Commun ; mais tu comme loup salvag
Pour propre avoir plus que mesure,
Occire fais a demesure
Ce que fist dieus a son ymage.
    Sovent je muse et museray
Comment a dieu m'excuseray
Qu'il de sa loy m'ad defendu,
Disant que l'omme n'occiray ;   241

Ainçois me dist que j'ameray
Ceaux qui se sont a luy rendu,
Et ont baptesme et foy resçu :
Ainsi pensant je suy vencu
Que l'excusacioun ne say.
Mais ce que dieus de sa vertu
Crea, je fils de Belzabu
De mon orguil destruieray ?
  Sur tout se pleignt la gent menour
En disant que du jour en jour   24170
Le siecle s'en vait enpirant ;
Mais qui voet dire la verrour,
Ly chivaler de son errour
Et l'escuier de meintenant,
Ascuns qui s'en vont guerroiant,
Ascuns a l'ostell sojournant,
Le covoitous et l'orguillour,
Sont en partie malfesant,
Par quoy trestout le remenant
Du siecle est mellé de folour.   24180

**Ore q'il ad dit l'estat des chiva-
lers et des gens d'armes, dirra de
ceaux qui se nomont gens du loy.**

Une autre gent y ad, du quoy
L'en poet oïr murmur en coy,
Par les paiis communement
Chascuns se plaint endroit de soi ;
C'est une gent nomé du loy,
Mais le noun portont vuidement ;
Par loy justice en soy comprent,
Mais n'est celly qui garde en prent,
Ainz ont colour sanz bonne foy :
Je prens tesmoign a celle gent,   24190
Ki tort puet donner largement,
Le droit ne gaignera que poy.
  Iceste gent, ce m'est avis,
Pour ce qu'ils ont la loy apris,
Par resoun duissont loy tenir
Et sustenir en leur paiis
Les drois ; mais tant sont esbauldiz
Au lucre, comme l'en puet oïr,
L'ainçois la loy font pervertir,

Dont font le povre droit perir :   24200
Car du poverte sont eschis,
Mais ove le riche ont leur conspir,
Et pour sa cause maintenir
Justice et loy mettont au pris.
  Si la querelle false soit,
Et ly plaidour ce sciet et voit,
Qant doit pleder pour son client,
Lors met engin comment porroit
Son tort aider et l'autry droit
Abatre, dont soubtilement   24210
Procure le deslayement ;
Et entre ce, ne say comment,
De la cautele se pourvoit
Q'il ad au fin le juggement
Pour soy. O dieus omnipotent,
Vei la pledour de male endroit !
  Qant la gent povere au pledour vient
Pour avoir ce q'au loy partient,
Et priont plaider en leur cas,
Du charité ne luy sovient ;   24220
Car povere droit, qui donne nient,
Pour null clamour escoulte pas,
Mais riche tort, qui parle bass,
Vers luy se tret isnele pass,
Escoulte, et de sa part devient :
Car jammais pour tes ambesaas
La juste cause que tu as
Encontre sisnes ne maintient.
  L'en dist en ces proverbials,
'L'un covoitous et l'autre fals   24230
Ils s'entracordont de leger.'
Maldit soient tieux parigals,
Car ja nuls ert si desloyals,
S'il porra largement donner,
Q'il meintenant pour son denier
Ne truist celluy qui voet pleder
A sustenir trestous ses mals,
Dont font les povres exiler :
Loy q'ensi se fait desloyer
Esclandre donne as courtz roials. 24240
  En leur pledant, ce m'est avis,
Ils ont au point deux motz assis
Q'a leur estat sont acordant ;

C'est 'tort' et 'fort,' dont sont malmis
Les povres gens de leur paiis
Du tort et fort qu'ils sont faisant :
Car au tort faire ils sont sachant,
Et au fort faire ils sont puissant,
Et si le font par tiel divis
Qe ja n'ert droit si apparant   24250
Qui contre tort ara guarant,
Qant ils ont la querelle pris.
    Ore aguardetz la charité
Dont ils se sont confederé ;
Car s'acun d'eaux soit en debat
Envers autry de la contrée,
Qui n'est pas de leur faculté,
Cil ara d'eux null advocat,
Qui voet pleder pour son estat,
Car ne pledont, ce diont plat,   24260
L'un contre l'autre en leur degré,
Ensi se sont confederat :
Maldit soient tiel potestat,
Vers queux la loy n'ad poesté.
    'Nul trop nous valt,' sicomme l'en
        dist ;
Mais certes trop y sont maldit
Des tieux, qui scievont loy offendre,
Et nepourqant ils ont l'abit
Du loy : mais c'est un grant despit
Qant sabatiers envoit aprendre   24270
Son fils ce q'il ne puet comprendre ; f. 133
Car sa nature ne son gendre
De la justice n'est confit,
Vilain le droit ne voet entendre :
Maisq'il son lucre porra prendre,
De la justice tient petit.
    Auci l'en puet trop mervailler,
Car qui se puet ensi tailler
Qu'il le mantell tantsoulement
D'ascun pledour porra porter   24280
Tanq'a la Court de Westmoustier,
Il ert certain d'avancement :
Car ja puis n'ert debatement
En son paiis du povre gent,
Dont il ne serra parçonier
Et d'une part la cause prent,

Si gaigne pain et vestement :
Maldit soient tiel soldoier.
    Phisicien d'enfermeté,
Ly mires de la gent blescé,   24290
Sont leez, q'ensi gaigner porront :
La gent du loy est auci lée,
Qant voit les autres descordé,
Car quique se descorderont,
Les gens du loy en gaigneront,
Et pour cela la joye font.
O la senestre charité !
Qui la justice guarderont,
Et d'autry mal s'esjoyeront,
N'ont pas la loy bien ordiné.   24300
    Et molt sovent, sicomme le mire
La santé que l'enferm desire
Met en soubtil deslayement,
Dont il avient q'ainçois enpire
La maladie et la fait pire
Q'il n'estoit au commencement,
Pour plus gaigner du pacient,
Ensi font leur pourloignement
Les gens du loy, qui bien remire ;
Mettont en doubte leur client   24310
Pour plus gaigner de son argent :
Si ce soit loy je ne say dire.
    Quique du perte se complaigne,
Trestous les jours de la semaigne
Ces gens du loy ont lour encress,
Car qui pres d'eaux vent ou bargaine,
Maisque l'un perde et l'autre gaigne,
De l'un et l'autre encore ades
Ils gaigneront, sique jammes
N'est uns qui verra leur descress. 24320
Des toutes partz yient leur estraine,
Quiconque ait guerre, ils en ont pes
En ceste siecle, mais apres
Ne say quel proufit leur remaine.
    Qui pour gabelle ou pour taillage
Estuet appaier le tollage,
Ces gens du loy exempcioun
Quieront avoir, si q'avantage
Nuls puet avoir de leur gaignage ;
Ainz sont du franc condicioun   2433

24295 engaigneront   24322 enont

Plus que n'est Conte ne Baroun.
Car tous a la posicioun
Paions, mais cils du loy sont sage
Et ont si faite la resoun,
Ne say ce q'est leur enchesoun,
La loy ne gardont ne l'usage.

Ma reson le me fait sentir,
Maisque ly Rois volt assentir,
Puisque plaidours et advocatz
Par leur maltolt se font richir   24340
Del bien commun, q'ensi tollir
Ly Rois doit par semblable cas
Et leur maltolt et leur pourchas :
Ce q'ont gaigné de leur fallas
Au bien commun doit revertir.
O Rois, tu qui les guerres as,
En tiels le tresor sercheras,
Si sagement te voels tenir.

C'est la coustumme a Westmoustier,
Qui voet aprendre le mestier   24350
Du loy, lors falt en un estage
De les peccunes halt monter,
C'est un estage pour conter :
Bien acordant a celle usage
Sur les peccunes devient sage,
Qu'il du peccune l'avantage
En temps suiant sache amasser
Pour son prou et l'autry damage :
Sur les peccunes son corage
Attorne a la peccune amer.   24360

Les apprentis en leur degré
Au commencer sont encharné
A les assises pour pleder ;
Et lors y pernont la quirée
De l'argent que leur est donné,
Q'ils tous jours puis pour le denier
Scievont bien courre sanz changer ;
Mais ne dy point sanz foloier,
Car tort qui donne riche fée
Leur tolt l'odour du droit sentier, 24370
Dont sovent les fait forsvoier
Et courre loigns du charité.

Et puis apres qant l'apprentis
Un certain temps ara complis,
Dont au pleder soit sufficant,

Lors quiert q'il ait la coife assis
Dessur le chief, et pour son pris
Le noun voet porter de sergant.
Mais s'il ad esté pardevant
En une chose covoitant,   24380
Des Mill lors serra plus espris ;
Car lors devient si fameillant,
Ne luy souffist un remenant,
Ainz tout devoure le paiis.

Mais ils ont une acoustummance,
Qant l'aprentis ensi s'avance
A cell estat du sergantie,
Luy falt donner une pitance
Del orr, q'ad grant signefiance :
Car l'orr qu'il donne signefie   24390
Q'il doit apres toute sa vie
Reprendre l'orr a sa partie ;
Mais ce serra grande habondance,
Qant pour donner la soule mie
Prent tout le pain, dont ne tient mie
Le pois ovel en la balance.

Mais qant a ce je truis escrit,
En l'evangile dieus nous dist,
Qe cil qui donne pour l'amour
De luy, ja ne soit si petit,   24400
Plus a centfois bien infinit
Reprendre doit ; mais ly pledour,
Ce m'est avis, au present jour,
Qui pour le seculier honour
Donnent, ne serront a ce plit :
Mais ils nientmeinz ont le colour,
Car plus q'ils n'ont donné de lour,
Centfois resceivont de proufit.

Mais le proufit dont sont empli,
Ne vuil je dire ne ne dy   24410
Qe depar dieu ce leur avient,
Ainz c'est depar le siecle, a qui
Se professont qant l'orr ensi
Luy donnent, dont lour coife vient :
Qui sert au siecle, avoir covient
Loer du siecle, u qu'il devient,
Mais qant il ert au plus saisy
De son proufit, lors est tout nient ;
Car a sa part riens luy partient
Que dieus promette a son amy.   24420

Sergantz du loy sont sourd et mu
Avant q*ue* l'orr eiont resçu,
Que l'en léur baille p*r*est au main :
C'est un metall de g*r*ant vertu,
Q'ensi les sens q'ils ont p*er*du
Guarist et les fait estre sain
Au plée, ne chalt du quel bargain,
Soit du gentil ou du vilain.
La main ont toutdis estendu,
Maisq'ils del orr soient certain,   24430
Ou soit de pres ou de longtain,
Chascun serra le bienvenu.

O com*m*e le siecle ad poesté,
Qant tiel miracle ad demoustré
Sur son sergant q'ensi l'orr don*n*e :
Car meintenant q'il l'ad don*n*ée,
Sa langue en ce devient dorré,
Qe jam*m*ais puis sanz orr ne son*n*e.
La langue q'ensi s'abandon*n*e
Bien porra porter la coron*n*e,   24440
Car un soul mot au bon marchée
Valt d'un escut q*ue* l'en guerdon*n*e.
Ensi ly sergant nous rançon*n*e :
Vei la du loy la charité !

Sergant, mal tiens en ton pou*r*pens
Qe dieus t'ad don*n*é tes cink sens,
Et langue et reson de parler,
Qant tes paroles si chier vens,
Dont se compleignont toutez gens.
Tu es plus vil q*ue* l'usurer,   24450
Car si tu vailles au pleder
A la montance d'un denier,
Molt largement del orr en p*r*ens :
Si l'autre p*er*de et tu gaigner
Porras, bien te scies excuser,
Qant tu en as les paiementz.

Rois Salomon ce tesmoigna,
Qe cil qui peccune amera
N'est riens plus vil des t*ou*s mestiers :
Car com*m*e ly boefs q'om vendera 24460
Cil est a vendre, et pour cela
Savoir voldroie volentiers
P*ar*entre vous, o peccuniers,   **f. 134**
Qant vous vous estes p*our* deniers

Venduz, qui vous rechatera.
Cil q'une fois vous ot si chiers,
Qu'il p*ar* sa mort fuist rechatiers,
N'est loy q'il autrefois morra.

En une histoire des Romeins
Senec reconte et fuist certeins   24470
D'une aventure q'avint la :
Un pledo*ur*, qant fuist tout souleins,
Enfern veoit p*ar* tout dedeins,
U vist Nero, qui se baigna ;
Si dist au pledour, ' Venetz ça,
Car gent vendable yci serra ;
Vous v*ou*s vendetz a voz p*r*ocheins
Oultre mesure, et pour cela
Chascun de vous se baignera
En cest estang ne plus ne meinz.' 24480
' Way vous,' ce dist saint Ysaïe,
' Q'ensi science avetz cuillie !
En v*os*t*r*e Court le riche tort
Chascun de vous le justefie
Pour l'orr avoir ; mais la p*ar*tie
Q'est pov*er*e, la justice dort.'
He, com*m*e les do*un*s q'om v*ou*s apport
Voz corps t*r*availlont sanz desport !
Dont peine avetz en ceste vie
Sanz joye avoir ap*r*es la mort.   24490
Quoi valt l'avoir, qant a sauf port
Ne puet venir ove la navie ?

Ne puet savoir qui n'ad apris
Du loy les termes ne les ditz,
Tout porrons n*ou*s le droit savoir ;
P*our* ce sont ils plus esbauldiz
Pour remonter le tort en pris,
Ainz q'om les puet ap*ar*cevoir.
Tiels quide au point sa cause avoir,
Mais qant le meulx de son avoir   24500
Ad despendu sur tieux amys,
Lors sentira le decevoir :
Ensi le droit pert son devoir,
Dont ils confondont les paiis.

Sicom*m*e les reetz et les engins
Soubz les buissons en ces gardins
Hom tent as petitz oisealx p*r*endre,
Ensi fait il de ses voisins

24453 enp*r*ens   24456 enas   24459 plusvil

Qui sciet pleder ; car ly mastins
Soubtilement ses reetz fait tendre 24510
Pour attrapper et pour surprendre,
Mandant ses briefs pour faire entendre
Qe s'il n'ait part de leur florins,
Il les ferra destruire ou pendre ;
Ensi se pourchace a despendre
Des larges mess et des bons vins.
   O come saint Job de ceste gent
Jadis parla notablement,
Disant que leur possessioun
Tienont en peas quietement,   24520
Des tous pernont, mais nuls reprent
De leur avoir, q'ont au fuisoun ;
N'est chose que les grieve noun,
Ainz ont le siecle a lour bandoun,
Ne dieus leur met chastiement.
Dont en la fin, sicome lisoun,
Lors irront au perdicioun,
Q'ils ont lour ciel ore au present.
   L'en porra dire as gens du loy,
Comme dist Jacob, ce semble a moy,
Q'en son baston Jordan passoit, 24531
Mais deinz brief temps a grant desroy,
Tout plein des biens ove beau conroy,
Riche et manant y revenoit :
Ensi ly pledour orendroit
Combien q'il povre au primer soit,
Bien tost apres avera du quoy
Si largement, que tout q'il voit
Luy semble a estre trop estroit
De pourchacer soulein a soy.   24540
   O vous q'ensi tout devouretz,
Ce que dist Isaïe orretz :
'Way vous,' ce dist, 'o fole gent,
Mesoun as mesouns adjoustetz,
Et champ as champs y assembletz ;
Vo covoitise au tout s'extent,
Comme cil qui volt souleinement
Avoir la terre proprement :
Mais je vous dy que noun aretz ;
Car dieus de son droit jugement 24550
Vous en promet le vengement,
Et ce q'il dist ore ascoultetz.

'O vous, dist dieus, je vous di way,
Les terres vous deserteray,
Que vous tenetz du fals pourchas ;
Et les maisouns q'avetz si gay,
Neis un des vous dedeins lerray
Pour habiter, ainçois chalt pas
Trestous les fray ruer en bass.'
O tu pledour, qant a ce cas   24560
Scies tu le plee ? Je croy que nay.
A celle assisse tout perdras,
Et les damages restorras,
Dont t'alme estuet paier le pay.
   Cil q'ad grant faim et soif auci,
Et en ce point s'est endormy,
Et songe qu'il mangut et boit,
Dont se quide estre repleny,
Trop est desceu ; et tout ensi
Soy mesmes ly pledour deçoit, 24570
Car qant plus quide en son endroit
Avoir tout fait, plus ert destroit
Du covoitise q'est en luy,
Et en la fin, comment qu'il soit,
Les biens q'au tort et fort resçoit
Serront comme songes esvany.
   Qant a ce point nous dist ly prestre
Qe du malgaign ne poet encrestre
Le fils apres le pourchaçour :
De ces pledours ce puet bien estre, 24580
Qu'ils font pourchas a la senestre
Le fin demoustre la verrour ;
Om voit le fils a ce pledour,
Ce q'en trente auns par grant labour
Jadis pourchaça son ancestre,
Il vent en un moment du jour,
Q'il n'en retient a son sojour
Ne la Cité ne le champestre.
   Cils qui duissont la loy garder
Et gens du loy se font nomer, 24590
Ces sont qui plus font a contrere.
Cassodre le fait tesmoigner,
Qe cil q'au loy voet contraler
Entent tous regnes a desfere.
Mais un petit m'en covient tere,
Qe d'autres regnes ne sai guere,

De ceaux qui sont dela la mer,
Mais je say bien q'en ceste terre,
Si dieus n'amende leur affere,
Le regne en porront tost quasser. 24600
  La loy de soy est juste et pure
Et liberal de sa nature,
Mais cils qui sont la loy gardant
La pervertont et font obscure,
Si la vendont a demesure,
Q'a lour marché n'est un marchant
Des povres gens q'est sufficant :
Ce fait les riches malfaisant ;
Car bien scievont au present hure
Qe povre gent est sanz garant ;   24610
Sique la loy du meintenant
Ne sciet justice ne droiture.
  Mais nepourqant je ne dy mye
Q'en ces pledours de leur partie
Tantsoulement demoert le vice,
Dont bonne loy s'est pervertie ;
Ainz est en la justicerie,
Qui devont garder la justice :
Car pour l'amour dame Avarice,
Qant elle vient en lour office   24620
Et ad la main del orr saisie,
Tant les assote et les entice
Qe ly plus sage en est tout nyce,
Par quoy le tort se justefie.
  Ore dirra un poy de l'estat des
Jugges solonc le temps d'ore.
  Doun, priere, amour, doubtance,
Ce sont qui font la variance
Des Jugges, dont sont corrumpu :
Om dist, et j'en croy la parlance,
Q'ore est justice en la balance
Del orr, qui tant ad de vertu ;   24630
Car si je donne plus que tu,
Le droit ne te valt un festu ;
Car droit sanz doun n'est de vaillance
As Jugges, ainz serras deçu ;
Qant il mes douns aront reçu,
Ton droit n'ara vers moy puissance.
  Auci si j'eie cause torte,
Maisque des grans seignours apporte

Leur lettres a prier pour moy,
Ly Jugges qui le cuer vain porte, 24640
Au fin que je de luy reporte
Loenge, qant au Court de Roy
Serrai venuz, enprent sur soy
Ma cause, et fait tourner la loy,
Siq'au droiture ne desporte,
Mon tort ainz contre bonne foy
Avance ; et ensi je le voy,
Priere est de la loy plus forte.
  Amour les Jugges flecche auci,
Car si je soie au Jugge amy   24650
Ou d'alliance ou de lignage,
La loy se tourne ovesque my,
Sique je n'ay voisin le qui   f. 135
M'ose enpleder de mon oultrage,
Combien que je l'ay fait damage ;
Et s'il le fait, nul avantage
En poet avoir ; car j'ay celluy
De qui je clayme cousinage,
Q'est Jugge, dont en mon corage
A faire tort sui plus hardy.   24660
  Le Jugge auci sovent pour doubte
Justice a faire trop redoubte
Contre seignour qui se mesprent ;
Car qant uns de la povere route
Se pleignt q'il ad sa teste route,
Ou q'om ses biens luy tolt et prent,
Et quiert son droit en juggement
Vers le seignour, lors nullement
Au povre cry le Jugge escoulte :
Et c'est la cause au temps present 24670
Qe mal seignour la povere gent
En tous paiis flaielle et boute.
  Ly Jugges qui par covoitise
Des douns avoir pert sa franchise
Au droit jugger, offent son dieu ;
Car mesmes dieu, ly halt Justise,
As Jugges toute tiele prise
Par Moÿsen ad defendu :
Si dist que doun ensi resçu
Le cuer du Jugge ad corrumpu,   24680
Q'il point n'en voit la droite assise,
Et de sa langue en ad tollu

24600 enporront   24623 plussage enest   24631 plusque   24648 plusforte
                   24657 Enpoet   24682 enad

Le voirdisant, dont est perdu
Le droit du povre en mainte guise.
  Ly Jugges qui laist equité
Pour priere ou pour amisté,
Pour parent ou pour seigneurage,
Trop erre encontre le decré ;
Car mesmes dieu l'ad commandé
Qe Jugge doit en son corage   24690
La poverte ove le halt parage,
La gentilesce ove le servage,
Qant a justice en loyalté
Trestous juger d'ovel estage :
Tous les fist dieus a son ymage,
Et tous serront ovel jugé.
  Saint Jaques dist que vistement
L'en doit oïr, mais tardement
Parler : pour ce Senec auci
Nous dist, q'il a son escient   24700
Le Jugge tient pour sapient
Qui tost ara la cause oï,
Mais ainz q'il juge ou toy ou luy,
De bon loisir s'avise ensi
Qu'il tort ne face en jugement.
Enten pour ce le povre cry,
O Jugges, car cil est failly
Qui la justice au poeple vent.
  Ly Juge auci qui pour paour
Laist au feloun et malfesour   24710
Vengance faire en jugement,
Il est de soy cause et motour
Qe ly malvois devient peiour ;
Meistre Aristole ensi m'aprent.
L'apostre dist tout ensement
Qe pour trangressioun du gent
La loy fuist faite, et lors au jour
Ly Jugges ot toutdis present
S'espeie au coste prestement,
Comme du justice executour.   24720
  Dieus qui voit toute chose aperte
Dist : 'Way au Juge qui perverte
Justice et porte les falsines,
U la malice gist coverte.'
Du quoy vient la commune perte,
Si fait soudaines les ruines

De les voisins et les voisines ;
Il prent les owes et gelines
Et les capons de la poverte,
Mais a luy q'ad mains argentines   24730
Plus q'as vertus qui sont divines
Ly Jugges ad l'oraille overte.
  O Jugges, qui des tiels soldées
Les beals manoirs edifietz,
Qui sont semblable au Paradis,
Di lors si vous par ce quidetz
Q'as tous jours y habiteretz :
Fols es si tiel soit ton avis.
Enten ce que je truis escris,
Dieus mesmes t'ad pour ce maldis,
Car tu le deable as herbergez   24741
En tes maisouns comme tes amys
Par covenant q'apres toutdis
En son enfern herbergeretz.
  O Jugges, qui tant nettement
Ton corps, ta maison et ta gent
Des toutes partz fais conroier,
O comme tant bell vessellement
Et tant honeste garnement,
Q'au plus sovent te fais monder,   24750
Qe tache n'y doit apparer
Dehors, mais pardedeins le cuer
Ordure y est toutdis present,
Du covoiter et fals juger
Scies tu quoy serra ton loer ?
Dieus t'en dist, Way ! sanz finement.
  Cil Jugges folement s'ensense
Qui se fait tendre en conscience
Des choses qui ne valont nient,
Dont quiert a porter l'apparence   24760
Du vray justice en la presence
De la commune u qu'il devient,
Mais qant le grant busoign avient,
Et fals brocage a luy survient,
Lors de justice l'evidence
Oublist, que point ne luy sovient ;
Et c'est la cause dont tort vient,
Et fait mainte inconvenience.
  Ce q'Ysaïe depar dieu
Jadis disoit ore est venu,   24770

Des Jugges qu'il prophetizoit
Q'as dons se sont trestout tenu,
N'est qui de ce s'est abstenu ;
Par quoy ly povres orendroit
Ne puet justice avoir ne droit.
Helas, q'est ce q'om dire doit ?
Car qant nous avons loy perdu,
Tout est failly, si q'om ne voit
Queu part aler, ainz l'en forsvoit,
Dont grant peril est avenu.   24780
  Par tout aillours, ce truis escrit,
Ad viele usage ou loy escrit,
Du quoy le poeple est governé ;
Mais mon paiis est trop maldit,
Ly quel ne d'un ne d'autre vit,
Ainz y governe volenté :
Ce q'au jour d'uy est adjugé
Pour loy, demain ert forsjugé,
Ore est tout bien, ore est desdit ;
Qant l'en meulx quide en verité   24790
Avoir sa cause terminé,
Trestout le fait est inparfit.
  Ensi pour dire courtement
Le pledour ove le president
Et l'apprentis et l'attourné
Le noun portont inproprement
Du loy ; car loy deins soy comprent
Verray justice et equité,
Mais ils la loy ont destourné
En cautele et soubtilité,   24800
Dont ils pilont trestoute gent ;
Si q'om puet dire en verité,
Ore ad perdu sa charité
La loy par force de l'argent.
  Om dist que tout estat enpire,
Mais certes nuls est ore pire
Des tous les seculers estatz
Qe n'est la loy, dont fais escrire ;
Car qui voldroit au droit descrire
Les pledours et les advocatz   24810
Dirroit mervailles en ce cas ;
Car quique vent, ils font pourchas,
Del autry mal leur bien respire ;
Si dieus socour n'y mette pas,

Om puet doubter que leur compas
Destruiera tout cest enpire.
  **Ore q'il ad dit de ceaux qui se
nomont gens de la loy, dirra des
Viscontes, Baillifs et Questours.**
D'une autre gent, sicome l'en voit,
La loy commune se pourvoit,
Qui sont viscontes appellé.
Visconte jure en son endroit   24820
La loy solonc justice et droit
Guarder sanz faire falseté,
Au proufit de communalté :
Mais om dist q'il s'est perjuré,
Et qu'il le pueple plus deçoit ;
Car de nul droit s'est appaié,
Ainçois q'il soit del orr paié,
Ne chalt comment il le reçoit.
  Ce sciet om q'au commencement
Visconte fait son serement   24830
Et jure q'il primer au Roy,
Au pueple et puis secondement,
Doit servir bien et loyalment,
Sicome ministre de la loy :
Mais ore om dist, et je le croy,
Q'il tout en pieces ad la foy
Si route, qu'il ascunement
Retient de ce ne grant ne poy ;
Car il ne moet, s'il n'ait pour quoy,
Le pié pour aider a la gent.   24840
  De ces viscontes u serra,   **f.136**
Qui dire salvement porra
Q'il son acompte ad bien fourni,
A l'eschequer qant il vendra,
Et q'il lors ne deceivera
Le Roy, ou q'il le pueple auci
Ne pile au tort ? Pour moy le dy,
Ne say un soul visconte, qui
Qant a ce point s'escusera :
Le perjurer met en oubli,   24850
Maisqu'il de lucre n'ait failly,
Sa conscience ne faldra.
  Et nepourqant om puet oïr
Visconte dire q'eschuïr
Ne puet la perte en son office,

Ou autrement l'estuet blemir
Sa conscience ; et sanz faillir
Voir dist, mais il n'est pas si nice,
Comment que l'alme se chevice,
Q'il laist pour ce tort ou malice,   24860
Dont quiert sa perte ades fuïr :
Car conscience ne justice
Ne cure, maisq'il l'avarice
De son office puet tenir.

Le brief que le povre homme
    porte,
Qant il l'argent ove ce n'apporte
Pour le visconte desporter,
Trop longuement puet a la porte
Hucher, avant ce qu'il reporte
Le droit qu'il en duist reporter :   24870
Mais qui les douns voet apporter,
Pour ce redoit ove soi porter
L'exploit, voir de sa cause torte :
Mais qui visconte conforter
Ne voet del orr, desconforter
Verra sa cause ensi comme morte.

N'as pas en vein ton argent mis,
Dont le visconte as fait amys,
Car lors aras tu la douszeine   24879
Des fals questours du deable apris,
Ly quel, qant scievont bien le pris,
Qe tu leur dorras large estreine,
Ja n'aras cause si vileine,
Qe perjurer du bouche pleine
N'en vuillent les ewangelis
Qe ta querelle soit certeine ;
Sique tu dois avoir la leine,
Dont autre est sire des berbis.

O le conspir, o le brocage,
Dont l'en requiert, prie et brocage,
Qe le visconte aider voldra   24891
A luy qui d'autri l'eritage
Demande avoir de son oultrage !
Car il les larges douns dorra,
Dont le visconte avoeglera,
Qui le panell ordeinera
Des fals jurours a l'avantage
De luy q'ad tort. O quoy serra,

Qant homme ensi pourchacera ?
Dont n'est celly qui n'ad dammage.

Primerement est dammagée   24901
Cil q'est au tort desherité,
Mais c'est en corps tantsoulement ;
Et l'autre encore est pis grevé,
Q'ensi la terre ad pourchacé
De son malvois compassement ;
Et le visconte nequedent
N'est pas sanz culpe, ainçois offent,
Ensi font l'autre perjuré,
Dont l'alme le repaiement   24910
Ferra sanz null deslayement,
Qant l'alme leur serra passé.

Mais le visconte en son bargain,
Au fin q'il puet avoir le gaign,
De l'une et l'autre part voet prendre,
Car lors sciet bien q'il est certain,
Mais l'une part enmy la main
Deçoit, ainz q'om le puet aprendre
Mais il se sciet si bien defendre
Et par cauteles faire entendre,   24920
Qe nuls n'en puet savoir au plain.
Ensi se pourchace a despendre,
Dont il serroit bien digne a pendre,
Si resoun nous serroit prochain.

O comme visconte ad grant vertu !
S'il voet, l'enqueste ert tost venu,
Et s'il ne voet, ne vendra mye,
Dont meint homme ad esté deçu :
Car qant visconte ad l'orr resçu
Pour tort aider de sa partie,   24930
Lors jeuera la jeupartie
De fraude, siq'au departie
Le droit, ainz q'om l'ait aparçu,
Met en deslay par tricherie
De son office, ou il le plie,
Au fin q'il serra tout perdu.

Ensi pour affermer mon conte
Sicome la vois commune conte,
Lors porray dire et bien conter
Que trop nous grieve le visconte :   24940
Dont luy falt rendre dur acompte
Apres la mort a l'eschequer

24870 enduist

T 2

U pour plegger ne pour guager
Justice ne puet eschaper ;
Ainz ce que sa decerte amonte
Son auditour doit allouer,
C'est qu'il prendra pour son louer
Honour ou perdurable honte.
   Des soubz baillifs y ad tout plein
Dont om se pleignt et je m'en pleign,
Car si visconte soit malvois,   24951
Encore sont ils plus vilein ;
Car ils pilont et paile et grein,
Si l'argent ne leur vient ainçois.
Vei la ministre de noz loys,
Qui ja nul jour serront courtois
Envers dieu n'envers leur prochein !
En ce paiis sont plus que trois
Q'ont deservi par juste pois
L'onour des fourches plus haltein.
   L'en puet bien dire a cel office, 24961
Sicome Crepaldz dist al herice,
' Maldit soient tant seigneurant,'
Qui duissont servir de justice
Et sont ministre d'avarice,
Dont vont la povre gent pilant.
Cuer ont des mals ymaginant,
Mains ont plus que le glu tenant,
Piés ont pour courre a toute vice,
Et par desdeign vont regardant : 24970
Qui duissent estre loy gardant,
Cils sont qui plus font de malice.
   Semblables sont as enfernals,
U sont les peines eternals,
Car ils font toutdis la tempeste
D'extorcions, des tortz, des mals ;
Les hommes et les animals
Chascuns en sente la moleste :
Ne valt priere ne requeste
Au fin que l'en l'amour adqueste 24980
De ces baillifs, tant sont ribalds,
Ainz falt que l'en lour donne et preste,
Q'ils ont toutdis malice preste :
Vei la du deable les vassals !
   Ce sont cils qui vivont du proie,
Sicome l'ostour qui tolt et proie,

Ce sciet et l'abbes et l'abesse,
Par qui sovent faisont leur voie :
Mais si la feste est sanz monoie,
Ne dirront point que c'est largesse ;
Ils n'ont ja cure de la messe   24991
Que moigne chante, ainz la promesse
Des douns avoir, ce leur fait joye.
Ensi pilont de la simplesce,
Et escorchont par leur destresce
De l'autry quir large courroie.
   Trop est de luy q'ensi visite
La visitacioun maldite :
Car qant baillif visitera,   24999
N'est maison q'il pour dieu respite ;
Comme plus la voit povere et despite,
Tant plus d'assetz l'oppressera,
Q'ascune chose enportera ;
La qu'il l'esterling ne porra
Avoir, il prent la soule myte :
Sicome goupil q'aguaitera
Sa proie, quelle estranglera,
Si fait baillif u qu'il habite.
   L'en dist, et ce n'est fable mye,
Q'om doit seignour par la maisnie
Conoistre, et par semblable tour 25011
Je croy que si de sa partie
Visconte fuist d'oneste vie,
Ly soubz baillif fuissent meillour.
Mais tiel corsaint, tiel offrendour,
Si l'un soit mal, l'autre est peiour,
Et sur toute la compaignie
Pis font encore ly questour ;
Car leur falsine et leur destour
Fait que le tort se magnifie.   25020
   Sur ce que tu es despendant
Au perjurer ils vont pendant
Le charge de leur conscience,
Par ce q'ils l'orr vont resceivant
Pour estre fals et desceivant :
Le doun souffist a l'evidence,
Car covoitise ove leur dispense
Pour ton argent, pour ta despense,
Q'ils point ne mettont au devant
De dieu ne l'amour ne l'offense : 25030

Mal font de soy la providence
Contre la mort que vient suiant.
   De ces jurours fals et atteintz   **f. 137**
Encore y ad des capiteins,
Traiciers ont noun, c'est assavoir
Q'ils treront, mais nounpas des meins,
Ainz du malice dont sont pleins,
'Le remenant a leur voloir ;
Car s'ils diont le blanc est noir,
Les autres dirront, ' C'est tout voir,'
Et ce vuillont jurer sur seintz :   25041
Ou soit ce fals, ou soit ce voir,
Sicomme Traicier vuillont avoir,
Ensi serra, ne plus ne meinz.
   A les assisses et jurées
Qui voet avoir les perjurez
Parler covient a ces Traiciers ;
Car a lour part ont aroutez
Tous les fals jurours redoubtez,
Qui se vendont pour les deniers   25050
Et se perjuront volentiers :
Ce sont du deable soldoiers,
Par queux le tort ad eshalcez
Sur tous les autres seculiers,
Qui sont du fraude coustummers
Pour faire abatre loyaltés.
   Tout ensi comme ly chiens currour
Est affaité du veneour
De courre au serf ou a goupil,
Tout autrecy ly fals traiçour   25060
Les jofnes gens qui sont questour
Affaite et entre a son peril :
Qant nay dirra, dirront nenil,
Qant dist oïl, si dirront il,
Du voir font fals, du fals verrour,
Loyalté mettont en exil
Et felonnie au reconcil :
Maldit soient tiel assissour !
   Ly fals questour dont vous endite
Les innocentz au mort endite,   25070
Qui sont sanz culpe d'enditer,
Et les felouns mortieux acquite :
Quiconque son travail aquite
Trop sciet le tort bien aquiter ;

Ou si le dette est un denier,
Jura que c'est un marc entier,
Et si marc soit, dist une myte :
Dire et desdire est son mestier,
Deux langes porte en un testier,
La qui falsine soit maldite.   25080
   Loyalté serra desconfit,
Si tu les douns aras confit
A ces jurours, car leur corage
Ad a l'argent tiel appetit,
Q'ils se perjuront pour petit,
Ainçois q'ils lerront ton brocage.
Om voit de nostre voisinage
Tiel qui se prent a cest usage,
Dont il et tout son hostell vit ;
Qe pour compter du clier gaignage
Sa lange valt plus d'avantage   25091
Qe sa charue du proufit.
   Ly povres qui n'ad pas d'argent
Se puet doubter de tiele gent
Au fin q'il n'ara pas son droit ;
Si puet ly riches ensement,
S'il ne leur donne largement,
Car l'un et l'autre en lour endroit
Se passeront sanz nul exploit :
Pour ce cil qui le siecle voit   25100
Et ad ou terre ou tenement
Des tieux jurours doubter se doit ;
Car qui s'en garde il est benoit
En ce mal temps q'ore est present.
   Mais d'autre part il me sovient,
Ascuns y ad qui point ne vient
A les assisses, et fait mal
De ce q'au voir jurer s'abstient ;
Car par ce l'autry droit detient,
Dont il duist estre tesmoignal,   25110
Qui sciet le droit original
Et pour le proufit voisinal
Jurer ne voet ce q'appartient :
Il est en part sicome causal
De l'autry perte especial,
Dont il respondre a dieu covient.
   Mais eeste noble gent vaillant
Quident q'ils serront trop faillant

Par ce q'ensi duissent jurer ;
Mais je luy fais bien entendant,   25120
Cil q'au jurer n'est obeissant
Pour la justice supporter,
Ainz souffre l'autre fals questier
Le droit abatre et perjurer,
Du quoy son proesme est enpirant,
Il est ensi come parçonier
Du mal, puisq'il le pot hoster
Et souffre q'il procede avant.

    Prodhomme ne doit eschuïr
De voir jurer pour sustenir   25130
Le droit, dont il est mesmes sage ;
Ainçois se doit plustost offrir,
Q'en son defalte laist perir
Le meindre de son voisinage ;
Combien qu'il soit de halt parage,
Son parenté ne desparage
Du voir jurer a l'enquerir,
Ainz fait tresnoble vassellage,
Qant droit remonte en son estage,
Qe tort solait en bass tenir.   25140

    Ces clercs diont que le pecché
Du tort dont homme ad enpesché
Son proesme, ja n'ert absolu
Pardevant dieu ne pardonné,
Ainçois q'arere soit donné
Tout quanque en ad esté tollu.
O fals questour, di que fras tu,
Qui tant droit avetz abatu
Du false langue perjurée,
Que ja puis n'ert par toy rendu :   25150
Je croy ce te serra vendu,
Que tu quidas avoir gaigné.

    En voir disant nully desfame,
Pour ce vous dy tiele est la fame
Des pledours, dont ainçois vous dis ;
Jugge et visconte auci l'en blame,
Et d'autre part ne sont sanz blame
Ne les questours ne les baillis ;
Ce duissent estre les amys
Du droit et sont les anemys,   25160
Car covoitise les entame ;
Dont font lour plaintes et lour cris

La gent commune du paiis,
Si font le seignour et la dame..

    O quel dolour la loy nous meine !
Car gens du loy primer la leine
Pilont, comme vous ay dit devant,
Mais l'autre gent est plus vileine,
Car le visconte ove la douszeine
·Et les baillifs vont escorchant   25170
Le peal, sique du meintenant
Nuls est ses propres biens tenant :
Et nepourqant, si je me pleigne,
Ne truis socour ne tant ne qant ;
La loy, que nous serroit garant,
Nous est sur tout la plus greveine.

    Ore q'il ad dit l'estat de ceaux
qui sont plaidours et Jugges de
la loy, dirra l'estat des Marchans
solonc le temps q'ore est.

    Dieus solonc la diverseté
Des terres ad ses biens donné,
A l'une leine, a l'autre soie,
A l'une vin, a l'autre blée,   25180
Et ensi la commodité
Divide, mais u que je soie,
Si je du resoun ne forsvoie,
N'est une terre que je voie
La quelle de sa propreté
Des tous ensemble se rejoye ;
Et c'est pour resonnable voie
Qe dieus ensi l'ad ordiné.

    Si une terre avoir porroit
Tous biens ensemble, lors serroit   25190
Trop orguillouse, et pour cela
Dieus establist, et au bon droit,
Qe l'une terre en son endroit
Del autry bien busoignera :
Sur quoy marchant dieus ordina,
Qui ce q'en l'une ne serra
En l'autre terre querre doit ;
Pour ce qui bien se gardera,
Et loyalment marchandera,
De dieu et homme il est benoit.   25200

La loy le voet et c'est droiture,
Qe qui se met en aventure
De perdre doit auci gaigner,
Qant sa fortune le procure :
Pour ce vous dy, cil qui sa cure
Mettre voldra pour marchander,
Et son argent aventurer,
S'il gaigne, en ce n'est a blamer,
Maisq'il le face par mesure
Sanz fraude ; car pour le denier 25210
Qui son voisin quiert enginer
N'ad pas sa conscience pure.

Tous scievont bien q'om doit precher
As vices pour les amender,
Non pour gloser du flaterie
Les vertuous, car le blamer
Des mals as bons est le priser ;
Et pour cela, si je voir die
As fols ce q'est de leur folie,
Ly sages oms ne se doit mye 25220
Par celle cause coroucer ; f. 138
Car foy d'encoste tricherie
Du plus notable apparantie
Par son contraire est a louer.

Les bons sont bons, les mals sont
mals ;
Dont si l'en preche as desloials,
Pour ce ne doit il pas chaloir
As ceaux qui sont en soi loials ;
Car chascuns solonc ses travals
Doit son pris ou son blame avoir : 25230
Ne sont pas un, pour dire voir,
Marchant qui pense a decevoir
Et l'autre qui par ses journals
En loialté se fait movoir ;
Tout deux travaillont pour l'avoir,
Mais ils ne sont pas parigals.

Del un Marchant au jour present
L'en parle molt communement,
Il ad noun Triche plein de guile,
Qe pour sercher del orient 25240
Jusques au fin del occident,
N'y ad cité ne bonne vile
U Triche son avoir ne pile.

Triche en Bourdeaux, Triche en Civile,
Triche en Paris achat et vent ;
Triche ad ses niefs et sa famile,
Et du richesce plus nobile
Triche ad disz foitz plus q'autre gent.

Triche a Florence et a Venise
Ad son recet et sa franchise, 25250
Si ad a Brugges et a Gant ;
A son agard auci s'est mise
La noble Cité sur Tamise,
La quelle Brutus fuist fondant ;
Mais Triche la vait confondant,
Les biens de ses voisins tondant,
Car il ne chalt par quelle guise,
Ou soit derere ou soit devant,
Son propre lucre vait querant
Et le commun proufit despise. 25260

Ascune fois Triche est grossour,
Mais il ad trop la foy menour
Endroit de cell avoir du pois
Quel il engrosse, et au retour
Le vent par pois du meindre tour
Q'il n'achata l'avoir ainçois,
Dont par deceipte le surcrois
Retient, et l'autre en ad descrois :
Mais ce que chalt, car son amour
Triche ad tourné tant sur la crois 25270
De l'esterling, q'as toutes fois
Il quiert du bargaign le meillour.

Triche auci de sa tricherie
Soventesfois en mercerie
Deceipte fait diversement,
Q'il ad toutplein du queinterie,
Des buffles et de musardie,
Pour assoter la vaine gent,
Dont porra gaigner lour argent :
Et si parole bell et gent, 25280
Et fait leur bonne compaignie
Du bouche, mais du pensement
Son lucre quiert soubtilement
Soubz l'ombre de sa courtoisie.

Cil q'est estrait de ceste mue
N'ad mye la parole mue,
Ainz est crieys plus q'esperver :

25223 plusnotable   25224 alouer   25268 enad

Qant voit la gent q'est desconue,
Lors trait et tire, huche et hue,
Si dist : 'Venetz avant entrer !   25290
Des litz, courchiefs, penne ostricer,
Cendals, satins, draps d'outre mer :
Venetz, je vous dourray la vieue,
Car si vous vuilletz achater,
Ne vous estuet plus loigns aler ;
Vecy le meilleur de la rue ! '
    Mais bien t'avise d'une chose,
Si voels entrer deinz la parclose,
Qe d'achater soietz bien sage ;
Car Triche au point ne se desclose,
Ainçois par sa coverte glose   25301
Te dourra craie pour fourmage.
Tu quideretz par son language
Qe celle urtie q'est salvage
Soit une preciouse rose,
Tant te ferra courtois visage ;
Mais si voels estre sanz damage,
En son papir ne te repose.
    Ascune fois Triche est draper,
Mais lors sciet il bien attrapper   25310
Les gens qui quieront la vesture.
Le noun de dieu te voet jurer,
Si tu le drap voes achater,
La marché bonne et la mesure
Te fra donner ; mais je t'assure,
Ce serra tout en aventure,
S'il porra ton argent happer :
Car combien q'il te dist et jure,
Ja son mestier solonc droiture
A toy n'a autre voet garder.   25320
    Ce nous dist dieus, et je le croy,
Qe cil q'est tenebrous en soy
Hiet et eschive la lumere :
Pour ce qant je le draper voy
Deinz sa maison, lors semble a moi
Q'il n'ad pas conscience cliere :
Car oscure ad la fenestrere
La q'il doit faire sa marchiere,
Q'au paine om voit le vert du
    bloy :
Il est auci de sa maniere   25330

Oscur, car nuls de la primere
Parole sciet du pris la foy.
    Au double pris par serement
Le drap te met oscurement,
Dont il par tiele oseureté
T'engine plus soubtilement,
Et fait a croire voirement
Qu'il t'ad en ce fait ameisté,
Qant il t'ara plus enginé :
Car il dirra q'il t'ad donné   25340
Pour avoir ton aquointement,
Siqu'il de toy n'ad riens gaigné ;
Mais la mesure et la marchée
Dirront q'il est tout autrement.
    Si Triche est en son drap vendant
As deux deceiptes entendant,
Il est enquore au double plus
En son office deceivant,
Qant il des leines est marchant :
Car lors est Triche a son dessus, 25350
Par les Cités il est resçus,
Par les paiis il est conuz,
Il vait les bargaigns pourpernant,
Il ad ses brocours retenuz,
Il fait tourner le sus en jus
Et le derere il met devant.
    Triche ad sa cause trop mondeine,
Car l'autry prou toutdis desdeigne
Et quiert son propre lucre ades :
Mais il ad trop soubtile aleine   25360
Qant il l'estaple de la leine
Governe, car de son encress
Lors trete et parle asses du pres ;
Quoique luy doit venir apres,
Il prent yci tant large estreine
Du malvois gaign, dont il james,
Si dieus n'en face a luy reless,
N'avra sa conscience seine.
    O leine, dame de noblesce,
Tu es des marchantz la duesse,   25370
Pour toy servir tout sont enclin ;
De ta fortune et ta richesce
Les uns fais monter en haltesce,
Les uns fais ruer en declin ;

25295 plusloigns

l'estaple, u que tu es voisin,
N'est pas sanz fraude et mal engin,
Dont om sa conscience blesce.
O leine, ensi comme le cristin,
Ainsi paien et Sarazin
Te quiert avoir et te confesse.   25380
    O leine, l'en ne doit pas tere
Que tu fais en estrange terre ;
Car les marchantz des tous paiis
En temps du peas, en temps du guerre,
Par grant amour te vienont querre ;
Car qui q'al autre est anemys,
Tu n'es jammes sanz bons amys,
Q'en ton service se sont mys
Pour le proufit de ton affere :
Tu es par tout le mond cheris,   25390
La terre dont tu es norris
Par toy puet grande chose fere.
    En tout le mond tu es mené
Par terre et mer, mais assené
Tu es a la plus riche gent :
En Engleterre tu es née,
Mais que tu es mal governé
L'en parle molt diversement ;
Car Triche, q'ad toutplein d'argent,
De ton estaple est fait regent,   25400
Et le meine a sa volenté
En terre estrange, u proprement
Son gaign pourchace, et tielement
Nous autres sumes damagé.
    O belle, o blanche, o bien delie,
L'amour de toy tant point et lie,
Que ne se porront deslier
Les cuers qui font la marchandie
De toy ; ainz mainte tricherie
Et maint engin font compasser   25410
Comment te porront amasser :
Et puis te font la mer passer,
Comme celle q'es de leur navie   f. 139
La droite dame, et pour gaigner
Les gens te vienont bargainer
Par covoitise et par envie.
    Eschange, usure et chevisance,
O laine, soubz ta governance

Vont en ta noble Court servir ;
Et Triche y fait lour pourvoiance, 25420
Qui d'Avarice l'aquointance
Attrait, et pour le gaign tenir
Il fait les brocours retenir.
Mais quique s'en voet abstenir
Du fraude, Triche ades l'avance,
Siq'en les laines maintenir
Je voi plousours descontenir
Du loyalté la viele usance.
    Mais gaigne qui voldra gaigner,
L'en porra trop esmerveiller   25430
En nostre terre a mon avis
Des Lumbardz, qui sont estranger,
Q'est ce q'ils vuillont chalanger
A demourer en noz paiis
Tout auci francs, auci cheris,
Comme s'ils fuissent neez et norriz
Ovesque nous ; mais pour guiler
Moustront semblant come noz amis,
Et soubz cela lour cuer ont mys
De nostre argent et orr piler.   25440
    Ces Lombars nous font mal bargain,
Lour paile eschangont pour no grain,
Pour deux biens nous font quatre mals,
Ils nous apportont leur fustain,
Si nous vuidont du false main
Nos riches nobles d'orr roials
Et l'esterlings des fins metals ;
C'est un des causes principals
Dont nostre terre est trop baraign ;
Mais si l'en creroit mes consals,   25450
Ja dieus ne m'aid, si tiels vassals
Nous serroient ensi prochain.
    Mais ils scievont de leur partie
Si bien juer la jeupartie
Du brocage et procurement,
Q'ils par deceipte et flaterie
Font enginer la seignourie
De nostre terre a leur talent,
Dont sont privez plus q'autre gent :
Sique l'en dist communement   25460
Q'ils sont de no consail l'espie,
Dont maint peril nous vient sovent,

25395 plusriche   25397 Maisque   25454 Sibien

Et qui regarde au jour present
Overte en verra la folie.

　Huy voy des tiels Lombars venir
Sicome garçon du povre atir,
Qui ainz que soit un an passé
Par leur deceipte et leur conspir
Plus noblement se font vestir
Qe les burgois de no Cité ;　　　25470
Et s'ils eiont necessité
Du seigneurie ou d'ameisté,
Ils se scievont ensi chevir
Du fraude et de soubtilité,
Qe leur querelle est avancé
Malgré le nostre a leur plaisir.

　N'est pas resoun ce que je voi,
Ainçois l'en doit bien dire avoi
As tiels seignours qui par brocage
Des douns avoir, ou grant ou poy, 25480
Vuillont donner credence ou foy
As tieles gens, qui no damage
Aguaitont pour lour avantage :
Mais c'est grant honte au seignourage,
Qui nous duissont garder la loy,
De noz marchantz mettre en servage,
Et enfranchir pour le pilage
Les gens estranges trestout coy.

　Mais covoitise ad tout soubmis,
Car cil qui donne avra d'amys　　25490
Et puet son fait au fin mener,
C'est la coustumme en mon paiis :
Mais qui prent garde a mon avis
Des toutes partz porra mirer
Et du voisin et d'estranger
Qe tricherie en marchander
Toutdis nous vient devant le vis ;
Et d'autre part pour reguarder
Les gens qui vivont de mestier,
Trestout sont d'une escole apris. 25500

　**Ore dirra un petit comment
Triche est associé et demoert
entre ceaux qui vivont du mestier
et d'artifice.**

　Les gens qui vivont d'artefice,

Si bien le font solonc justice,
Au bien commun sont necessaire,
Et mesmes dieu lour encherice,
Mais s'ils trichent, c'est une vice
Q'au bien commun est trop con-
　traire :
Et nepourqant plus que notaire
L'en dist que Triche en secretaire
Entre les autres tient office,
Et par tout guide, u q'il repaire, 25510
Des compaignons plus que vingt paire,
Qui tous servont dame Avarice.

　Triche est Orfevere au plus sovent,
Mais lors ne tient il pas covent,
Qant il d'alconomie allie
Le fin orr et le fin argent ;
Si fait quider a l'autre gent
Qe sa falsine soit verraie ;
Dont le vessell, ainz q'om l'essaie,
Vent et reçoit la bonne paie　　25520
De l'esterling, et tielement
Del argent q'il corrompt et plaie
Sa pompe et son orguil desplaie,
Et se contient trop richement.

　Je ne say point d'especial
Tout dire et nomer le metall
Que Triche ove l'argent fait meller ;
Mais bien sai q'il fait trop de mal,
Q'ensi l'argent fin et loyal
De sa mixture fait falser.　　　25530
Cil q'au buillon voldra bailler
Vessell d'argent pour monoier,
Lors puet il savoir au final
Qe triche ad esté vesseller ;
Car son vessell et le denier
Ne sont pas d'une touche egal.

　Si Triche t'ait coupe ou ceinture
De ton argent parfait, al hure
Je loo que prest soies a prendre ;
Car d'une chose je t'assure,　　25540
S'un autre vient en ta demure
Et Triche en poet son gaign com-
　prendre,

Il le fait comme son propre vendre ;
Mais il t'en fra depuis entendre
Q'il l'ot bien fait, mais aventure
Le fist quasser, dont falt attendre :
Ensi te dist parole tendre,
Et t'en deçoit par coverture.
    Si Triche t'ait de son ovreigne
Mis certain jour, molt ert grant peine
Si deinz le mois avoir porras   25551
Q'il t'ad promis deinz la semeine :
Ainz mainte guile et mainte treine
T'en fra, et molt sovent par cas
Au fin del tout tu failleras,
Ou autrement tu plederas,
Car si la loy ne luy constreigne,
Du loyalté ne tient il pas.
Ensi fait Triche son pourchas
Du mestier qui l'orfevere meine.   25560
    Et des jeualx avient auci
Q'ascune fois Triche est saisi ;
Mais lors a les seignours s'en vait,
Et fait le moustre et jure ensi,
Q'ainçois q'il d'eaux serra parti,
Les grandes sommes il en trait
De leur argent.   Mais lors malfait,
Qant il la piere ad contrefait,
Que ne valt point un parasi,
Et par deceipte et par aguait   25570
Le vent ; car qui q'en soit desfait
Ne chalt, maisq'il soit enrichi.
    Je ne say dire tout pour quoy,
Que j'ay oÿ sovent en coy
Les gens compleindre et murmurer,
N'en say la cause ne ne voi,
Mais que l'en dist avoy, avoi !
Qe sur tous autres le mestier
Des perriers est a blamer.
N'est Duc ne Conte ne Princer,   25580
Voir ne le propre corps du Roy,
Qui s'en porront bien excuser ;
Trestous les ad fait enginer
Ly perriers ove son desroy.
    Om dist que dieus en trois parties
Ad grandes vertus departies ;

Ce sont, sicomme l'en vait disant,
Paroles, herbes et perries ;
Par ceaux fait homme les mestries
Et les mervailles tout avant,   25590
Mais ore est autre que devant,
Les perriers sont plus plesant
Qe les saphirs ne les rubies ;
Mais je ne say pas nepourqant
Si celle grace soit sourdant
Ou des vertus ou des soties.
    Triche est auci de nostre ville
Riche Espicier ; mais il avile
Au plus sovent sa conscience,
Q'il sa balance ad trop soubtile   25600
Du double pois, dont se soubtile f. 140
A faire l'inconvenience
De fraude, dont son fait commence ;
Car n'est espiece ne semence
Dont il son malvois gain ne pile :
De la balance point ne pense
Dont Micheux en la dieu presence
Luy poisera les faitz du guile.
    Triche Espiecer du pecché gaigne,
Qant les colours vent et bargaigne 25610
Dont se blanchont les femelines,
Et la bealté, q'estoit foraine,
Du viele face q'est baraigne
Fait revenir des medicines,
Siq'elles pieront angelines :
Et d'autre part de ses falsines
Il fait que lecchour et putaine
A leur pecché sont plus enclinez,
Q'il lour fait boire les racines
Que plus excitent cel ovraigne.   25620
    Plus que ne vient a ma resoun
Triche Espiecer deinz sa maisoun
Les gens deçoit ; mais qant avera
Phisicien au compaignoun,
De tant sanz nul comparisoun
Plus a centfoitz deceivera :
L'un la receipte ordeinera
Et l'autre la componera,
Mais la value d'un botoun
Pour un florin vendu serra :   25630

Einsi l'espiecer soufflera
Sa guile en nostre chaperoun.
　　Phisicien de son affaire
En les Cités u q'il repaire
Toutdis se trait a l'aquointance
De l'espiecer ipotecaire ;
Et lors font tiele chose faire
Dont mainte vie ert en balance :
Car cil qui de leur ordinance
User voldra d'acoustummance　　25640
Le cirimp et le lettuaire,
Trop puet languir en esperance
D'amendement, car tiele usance
Est a nature trop contraire.
　　Phisique et Triche l'Espiecer
Bien se scievont entracorder ;
Car l'un ton ventre vuidera
Asses plus que ne fuist mestier,
Et l'autre savra bien vuider
Ta bource, qu'il dissolvera :　　25650
Si l'estomac te poisera,
L'un dist qu'il t'en alleggera
Et toldra le superfluer,
Et si te superfluera
La bource, bien l'espourgera
L'ipotecaire en son mestier.
　　Meillour estomac ne querroie,
Si je phisique suieroie,
Que je n'en scieusse bien honir,
Ne jammais jour souhaideroie　　25660
Plus riche bource que fuist moie,
Q'ipotecaire enpoverir
Ne scieust ; car quique doit languir,
Voir ou tout perdre ou tout morir,
Triche Espiecer ascune voie
N'en chalt, maisq'il puet avenir
Au fraude, que luy fait venir
A la richesce de monoie.
　　O qui savroit au point descrire
Phisicien qant il escrire　　25670
Fait la cedule au medicine,
Comment ove l'espicier conspire,
Il duist bien par resoun despire
De l'un et l'autre la covine :

Car maintefois de leur falsine
Cil q'est malade a la poitrine
Un tiel cirimp luy font confire
Q'auci luy fait doloir l'eschine,
Pour plus gaigner en long termine
De luy qui sa santé desire.　　25680
　　Pour plus parler du tricherie,
En le mestier du pelterie
Triche est auci trop bien apris :
Le vein orguil de ceste vie
Que gist en la burgoiserie
Des femmes que trop sont cheris,
Et de les autres du paiis,
De leur Ermyne et de leur gris,
Dont la fourrure ont acuillie,
Fait ce que Triche est enrichiz ;　　25690
Mais s'ils portassent le berbis,
Triche eust sa proie trop faillie.
　　Sicomme ma dame la Contesse,
Solonc q'affiert a sa noblesse,
Se fait furrer de la pellure,
Ensi la vaine Escuieresse,
Voir et la sote presteresse,
Portont d'ermine la furrure :
C'est une cause au present hure
Que de l'argent poi nous demure,　25700
Dont soloions avoir largesse ;
Si l'en n'en preigne bonne cure,
Puet avenir par aventure,
Ainz q'om le sache, grant destresse.
　　Triche est de son mal gain trop lée,
Qant il la pane en long et lée
De la furrure fait tirer ;
Dont qant le mantell ad furrée,
Et soit des quatre jours usée,
Lors voit om bien que le furrer　25710
Est plus eschar que le draper ;
Mais ce que chalt, quant le denier
Au Triche serra bien paié :
Et molt sovent de son mestier
Viel pour novel nous fait bailler ;
Ce n'est pas droit ne loyauté.
　　Si plus de Triche oïr voldras,
Triche en tailler auci des draps

Est trop soubtil et trop sachant ;
Pour conscience ne laist pas   25720
Q'il ou par reule ou par compas
Du drap q'il te serra taillant
Ne prent le toll, et si faillant
Soit de son taille et nonvaillant
Soit le façoun, tu paieras
Molt plus que resoun nepourqant :
Car Triche, quiq'en soit perdant,
Du malvois gain fait son pourchas.
    Ascune fois Triche est Seller,
De ce se plaignt qui chivalcher   25730
D'acoustumance doit sovent ;
Ascune fois est Sabbatier,
De ce luy povre labourer
Se plaignt par tout communement :
Des tous mestiers que l'en aprent
Triche est apris et son gain prent,
Et d'autre part en marchander
Il sciet le droit experiment,
Du quoy, a qui, qant et comment
Il doit son fait faire et lesser.   25740
    Sicome la viele q'est puteine
Ses jofnes files entre et meine
Au fait, je voi que Triche ensi
Ses apprentis primer enseigne
L'engin, les fraudes et la treine
De marchander et vendre auci.
Mais de la vente dont vous dy
Au double ou treble ert encheri
Plus que ne valt ; pour ce se peine
Son dieu et tous les nouns de luy   25750
Jurer, tanq'il porra l'autry
Guiler de sa parole veine.
    Ensi ly jofnes apprentis,
Q'est de son mestre Triche apris,
Les autres triche en son vendant :
Ce que luy couste ou cink ou sis
Il te mettra a dousze ou dis,
Si jure et dist q'il meinz de tant
N'el puet donner, s'il trop perdant
N'en soit ; ensi te meine avant,   25760
Tanq'il t'avera tant abaubis
Qe tu luy soies bien creant :

Ensi deçoit cil jofne enfant
Tout les plus viels de les paiis.
    Mais combien que l'apprentis jure,
Ly mestres qui le mal conjure
Ove l'apprentis primerement
Avra le peché par droiture ;
Car son estat est au dessure,
Et il auci le gaign en prent,   25770
Dont c'est au droit convenient
Q'il ait les charges ensement
De ce dont il les faitz procure :
Car l'autre est son obedient,
Son apprentis et son client,
Soubz sa doctrine et soubz sa cure.
    Mais nepourqant l'en puet entendre,
Si soul ly mestre volroit vendre
Et mesmes tricher son voisin,
Meinz mal serroit, car lors extendre
Tantsoulement duist et descendre 25781
Sur soy le mal de son engin :
Mais qant le jofne marchandin
Falt estre a sa malice enclin,
Du guile et sa manere aprendre,
Pis est ; car ambedeux au fin
Pecchent, mais solonc le divin
L'un plus que l'autre est a reprendre.
    Q'est ce que je vous dirray plus,
Mais que le siecle est trop confus 25790
Des tieus marchantz especial ?
Q'entr'eulx ont loyalté refus,
Si ont le triche retenuz :   **f. 141**
De luy ont fait lour governal,
Et de Soubtil le desloial
Ont fait lour sergant communal,
Qui vent les choses a lour us :
Ja Bonne foy deinz leur hostall
Ne puet entrer apprentisal,
Car Guile le reboute al huiss.   25800
    Mais sanz deceipte et sanz envie
El temps du viele ancesserie
Lors il fesoient bonnement,
Chascuns endroit de sa partie ;
Loyal furont sanz tricherie
Leur vente et leur acatement.

Mais ore il est tout autrement,
Si cist dist voir, cil autre ment,
Poy sont du bonne compaignie :
Pour ce l'en voit q'au jour present 25810
Trestout vait au declinement,
Le mestier et la marchandie.
    Jadis qant les marchantz parloiont
De vingt et Cent, lors habondoiont
De richesce et de soufficance,
Lors de lour propres biens vivoiont,
Et loyalment se contenoiont
Sanz faire a nully decevance :
Mais ils font ore lour parlance
De mainte Mill ; et sanz doubtance 25820
Des tieus y ad que s'il paioiont
Leur debtes, lors sanz chevisance
Ils n'ont quoy propre a la montance
D'un florin, dont paier porroiont.
    En leur hostealx qui vient entrer
Leur sales verra tapicer   ₋
Et pour l'ivern et pour l'estée,
Et leur chambres encourtiner,
Et sur leur tables veseller,
Comme fuissent Duc de la Cité.   25830
Mais en la fin qant sont alé
De ceste vie et avalé
Bass en la terre, lors crier
Om puet oïr la niceté
De leur orguil, que povreté
Leur debtes covient excuser.
    Si tu soies du Triche aqueinte,
Il te dirra parole queinte,
C'est que ton orr luy baillerez ;
Il te ferra la forte enpeinte   25840
Du covoitise qu'il ad peinte,
Et dirra que tu gaignerez.
Mais je t'en loo par ameistez,
Q'ensi par consail t'avisez
Dont n'eietz cause de compleignte ;
Car Cent au tiel bailler porretz,
Qe trente jammais reverretz
Ne par amour ne par constreinte.
    L'en voit ascuns de tiele enprise
Qui par deceipte et par queintise 25850

Al oill passont tout lour voisin ;
Mais ce n'est pas honeste guise,
Qant puis s'en fuiont au franchise
De saint Piere ou de saint Martin,
Q'attendre n'osent en la fin
Deinz la Cité, mais au chemin
Se mettont vers la sainte eglise.
Maldit soient tiel pelerin,
Q'ensi vienont au lieu divin
Pour faire au deable sacrefise.   25860
    Car tiel y ad qui tout du gré
Aprompte sanz necessité,
Et puis s'en vait ove tout fuïr
Au sainte eglise en salveté.
Mais ore oietz la falseté,
Q'il ne se voet de la partir,
Ainz quiert de l'autry bien partir,
Tanq'il pardoun porra tenir
Du tierce part ou la moytée ;
Et lors se ferra revertir   25870
A son hostell tout par loisir,
Et dist que tout est bien alé.
    L'en dist poverte est chose dure,
Ce sciet qui la poverte endure,
En part poverte excuse errour ;
Mais cil q'est riche a demesure
Et fait enqore mesprisure
Ne puet excuser sa folour.
Mais comme l'en dist au present
    jour,
Le riche est ore tricheour,   25880
Plus que le povere en sa mesure ;
Car Triche n'ad de dieu paour,
Et d'autre part ne porte amour
Envers nulle autre creature.
    Roy Salomon ce nous ensense,
Qui molt fuist plain de sapience,
Et dist, 'Qui sa richesce adquiert
Sanz soy blemir en conscience
Molt fait honeste providence' :
Mais d'autre voie qui la quiert,   25890
En ceste vie luy surquiert
Vengance, s'au dieu ne requiert
Pardoun et face penitence,

Ou autrement sa paine affiert
Apres la mort, qant dieus le fiert,
Et l'alme en paie la despense.
  En l'evangile truis escrit,
Dieus nous demande quel profit
Homme ad pour tout le mond gainer,
Qant il en pert son espirit :   25900
C'est un eschange mal confit
Pour chose que ne puet durer.
Mais Triche ainçois en marchander
Quiert le proufit de son denier,
Qe tout le bien q'est infinit ;
Quique luy doit desallouer,
Il prent du siecle son louer,
Mais au final ne s'esjoÿt.
  Ne sai pour quoy je precheroie
As tieux marchans del autre joye 25910
Ou autrement de la dolour ;
Car bien scievont, qui multiploie
En ceste vie de monoie
Il ad au meinz du corps l'onour :
Dont un me disoit l'autre jour,
Cil qui puet tenir la doulçour
De ceste vie et la desvoie,
A son avis ferroit folour,
Q'apres ce nuls sciet la verrour,
Queu part aler ne quelle voie.   25920
  Ensi desputont, ensi diont,
Ensi communement reppliont
Ly marchant q'ore sont present ;
Pour bien du siecle, a quel se pliont,
Le bien del alme tout oubliont,
Du quel ils sont trop indigent :
Et nepourqant qui les reprent,
Tout lour estat par argument
Du marchandie justefiont ;
Al oill respondent sagement,   25930
Mais de si faint excusement
Lour almes point ne glorifiont.
  Soubtilement sciet Triche usure
Covrir et faire la vesture,
Siq'en apert ne soit conue ;
Mais s'il sa conscience assure,
Fols est, car dieus la voit dessure

Trestoute overte et toute nue ;
Par quoy si Triche ne se mue
De sa falsine et s'esvertue   25940
De loyauté, verra celle hure,
Qant dieus les faitz de tous argue,
Sa fraude serra desvestue,
Dont deble avra la forsfaiture.
  Des marchans ore luy alqant
Le siecle blament nepourqant,
Et l'un et l'autre en sa partie
Vait mainte cause enchesonant :
L'un dist arere et l'autre avant,
Mais riens parlont du tricherie   25950
Q'ils mesmes font en marchandie ;
Ainz chascun d'eulx se justefie
Et blamont tout le remenant :
Dont m'est avis que la folie
De jour en jour se multeplie
Sanz amender ne tant ne qant.
  Ils sont marchans, ils sont mestiers,
Des queux nous avons grans mes-
      tiers,
S'ils bien gardassent loyalté ;
Mais Triche est un des parçoniers 25960
Qui tant covoite les deniers
Qu'il point n'ad garde d'equité.
N'est un mestier d'ascun degré
Dont Triche, si luy vient a gré,
N'ait vingt et quatre soldoiers,
Qui le bienfaire ont refusé,
Et ce nous trouble en la Cité
Les burgois et les officiers.
  Meistre Aristole ce nous dist,
Qe les mestiers sont infinit,   25970
Nuls puet nombrer la variance :
Pour ce ne suy je pas parfit
Qe tous les mette en mon escrit
D'especiale remembrance.
Mais chascune art en sa substance,
De ce que donne sustienance
A luy qui de son mestier vit,
Est bonne en bonne governance :
Si nuls la mette en male usance,
Pour ce n'est pas l'art inparfit.   25980

Puisq'il ad dit del errour de
ceaux qui trichent en marchandie
et en l'estat des Artifices, dirra
ore del errour des Vitaillers.
L'estat del homme ensi se taille, f. 142
Qe sur tout falt avoir vitaille,
Dont l'en porra boire et manger :
Pour ce n'est mie de mervaille,
Si je n'oublie ne tressaille
A parler et a reconter
De ceaux qui sont dit vitailler ;
Car Triche y est pour consailler,
Q'au fraude chascuns s'apparaille :
Je prens tesmoign du Taverner,   25990
N'est pas sanz guile le celier
Q'il tient dessoubz sa governaille.

Du Taverner fai mon appell,
Qant il le vin del an novell
Ove l'autre viel del an devant,
Qui gist corrupt deinz son tonell
Et n'est ne sein ne bon ne bell,
De sa falsine vait mellant,
Et ensi le vait tavernant :
Mais qui luy fuist au droit rendant,
La goule par le haterell   26001
As fourches ly se rroit pendant,
Car il occit maint entendant
Au boire de si fals revell.

Trop est malvoise la mellée,
Qant le vin est ensi mellé,
Dont cil qui boit ne puet faillir
De deux mals dont serra grevé :
L'un est qant il avra paié
Ce dont nul bien luy puet venir,   26010
Et l'autre que luy fra languir
Et grande enfermeté souffrir,
Et molt sovent l'enfermeté
Le meine jusques a morir.
Qui voet taverne ensi tenir
N'est pas exempt du falseté.

Qant Must vendra primerement,
Molt le vent Triche chierement,
Mais lors sa fraude renovelle :
Comme cil qui fait trop queintement,

Tout en secré l'aqueintement   26021
Ferra du viele et de novelle
Et l'un ove l'autre Must appelle ;
Sovent entrouble sa tonelle,
Si fait crier Must a la gent,
N'en chalt a qui dolt la cervelle,
Maisqu'il sa falseté concelle,
Dont porra gaigner de l'argent.

Dieus voit bien la falsine atteinte,
Qant taverner la rouge teinte   26030
Met au vin blanc pour tavernage ;
Mais Triche est tant soubtil et queinte
Q'ensi les deux colours aqueinte
Deinz un vaissell par mariage,
Qe qant du blanc voit le visage
Devenir jaune, Triche est sage,
Et du vermail tantost le peinte,
Sicomme l'en fait la viele ymage :
Ensi deçoit son voisinage
Et donne cause de compleignte.   26040

Et si le vin trop rouge soit,
Encore Triche nous deçoit,
Qant le vin blanc fait adjouster,
Et puis le nomme a luy q'en boit
Colour de paile, dont l'en doit
Du colour plus enamourer :
Et pour le terrage attemprer
Fait del Oseye entremeller,
Dont porra faire son exploit :
Comme Mareschals qui doit curer
Les maladies du courser,   26051
Ensi fait il de son endroit.

Triche est tout plein de decevance,
Qant il par si fait alliance
Tantz vins divers fait faire unir
D'Espaigne, Guyene et de France,
Voir et du Ryn fait la muance,
Du quoy le gaign puet avenir :
Mais s'il porra fort vin tenir,   26059
Bien sciet del eaue fresche emplir
Sa pynte, et fait tiele attemprance
Dont cil q'au boire en voet venir
Boit l'un ove l'autre, et au partir
Paier luy falt sanz aquitance.

   25982 auor   26044 qenboit   26062 envoet

A la taverne qant irray,
Si tast du vin demanderay,
Ly taverner au primerein
De son bon vin me donne essay;
Mais si mes flaketz empliray,
Qant du bon vin me tiens certein, 26070
Tantost me changera la mein;
Car tout serra d'un autre grein
Le mal vin que j'enporteray.
Qui plus se fie en tiel prochein
Il doit bien savoir au darrein
Qe s'ameisté n'est pas verray.

Si unqes Triche au point voldras
Conoistre, tu le conoistras
De son pyment, de sa clarrée,
Et de son novell ypocras; 26080
Dont il ferra sa bource crass,
Qant les dames de la Cité,
Ainz q'au moustier ou au marchée
Vers la taverne au matinée
Vienont trotant le petit pass:
Mais lors est Triche bien paié,
Car chascun vin ert essaié,
Maisqu'il vinegre ne soit pas.

Et lors les ferra Triche entendre
Q'ils averont, s'ils vuillont attendre,
Garnache, grec et malvoisie; 26091
Pour faire les le plus despendre
Des vins lour nomme mainte gendre,
Candy, Ribole et Romanie,
Provence et le Montross escrie,
Si dist q'il ad en sa baillie
Rivere et Muscadelle a vendre;
Mais il la tierce part n'ad mie,
Ainz dist ce pour novellerie,
Au boire dont les puet susprendre. 26100

D'un soul tonell voir dix maneres
Des vins lour trait, en les chaieres
Qant enseant les puet tenir;
Et si leur dist, 'O mes treschieres,
Mes dames, faitez bonnes cheres,
Bevetz trestout a vo plaisir,
Car nous avons asses laisir.'
Mais lors ad Triche son desir,

Qant il ad tieles chambereres,
Qui leur maritz scievont trichir; 26110
Car riens luy chalt, qant enrichir
S'en puet, maisq'elles soient lieres.

Plus que nul mestre de divin
Sciet Triche toute l'art du vin
Et la deceipte et la quointise;
Il contrefait de son engin
Du vin françois le vin du Rin,
Voir ce que crust en tiele guise
Pres de la Rive de Tamise
Il le fait brusch et le desguise 26120
Et dist Reneys au crusekin:
Si quointement son fait devise,
N'est homme qui tant bien s'avise
Qe Triche ne le triche au fin.

Si Triche soit el vin malvois,
Enquore a la commune vois
En la cervoise il est peiour:
Ce di je point pour les François,
Ainçois je di pour les Englois,
De ceaux qui boyvent au sojour 26130
De la cervoise chascun jour:
Mais de la povre gent menour,
Qui propre n'ont ne pil ne crois,
Si ce ne soit de leur labour,
Tout cil diont a grant clamour
Le Cervoiser n'est pas curtois.

Ly Cervoiser nous ad emblé
L'argent, qant il du malvois blé
Fait la cervoise malement;
Qant il le fait en tiel degré, 26140
N'est homme qui luy sache gré,
Et dieus le hiet tout proprement:
Car auci chierement le vent
Comme s'il l'eust fait tout bonnement,
Car bien sciet q'au necessité
Le boire covient a la gent.
Ensi desrobe nostre argent
Et fait de nous sa volenté.

Et s'il avient par aventure
Qe la cervoise est bonne et pure, 26150
Le pris en ert si halt assis
Et tant escharce ert la mesure,

Qe pour compter tout au droiture
La false mesure et le pris,
La cervoise ert pres tant cheris
Sicomme le vin : mais tant vous dis,
C'est a grant tort et demesure,
Car la buillie a mon avis
Ne puet valoir en nul devis
Au vin, s'il trop ne desnature.   26160
   Voir est, qant Triche Cervoiser
Pour ton hostel te doit trover
Cervoise, lors au commençaille
Bonne la fra pour acrocher
Qe tu luy soies coustummer,
Mais puis, qant il en ad la taille,
Lors as deux fois s'il t'apparaille
Cervoise bonne, au tierce il faille :
Mais ja pour tant amenuser
Ne voet sa paie d'une maille,   26170
Tout soit ce q'il sovent te baille
Pres tant du lie comme du clier.
   Ensi comme boire nous covient, f. 143
Tout ensi de nature avient
Q'il nous estuet manger auci ;
Et comme la fraude nous survient
Du Cervoiser, ensi nous vient
De le fournier tout autrecy :
En les Cités je voy tout sy
La gent commune dire ensy,   26180
Qe loyauté ne voit om nient
En ces fourniers, ainz est failly ;
Le pois tesmoigne asses de luy,
Qe son errour trop pres nous tient.
   Jammes fournier garder droit pois
Verras, si ce n'est sur son pois,
Dont om luy treine vilement
Aval la rue ascune fois :
Mais om ly duist bien pendre ainçois,
S'il eust droiture en juggement,   26190
Car pain est le sustienement
Del homme, et qui le pain offent
Encontre les communes loys,
Il tolt les vies de la gent ;
Dont fuist ce bien convenient
A pendre un tiel feloun malvois.

   Les pains om voit du maint degré,
Dont solonc la diverseté
Triche ad diverse tricherie ;
Mais je n'en say la propreté,   26200
Forsque de tant que la Cité
Communement s'en plaignt et crie :
Mais sa falsine je desfie,
Qui le frument soubz sa baillie
Tient en muscet, et la marchée
Procure a faire plus cherie,
Siqu'il porra de sa boisdie
Du pain monter la chiereté.
   Dieus ordina de son divin
Le pain, la cervoise et le vin   26210
Pour l'omme, et puis au compernage
Les grosses chars, dont no voisin
Qui sont bouchier tout sont enclin
A tuer ce qui n'est salvage
Des bestes, siq'en leur estage
Les chars vendont au voisinage.
Mais ils ont Triche a lour cousin,
Qui toutdis quiert a l'avantage
Son prou et le commun dammage,
Tant comme porra du mal engin. 26220
   Quiconque vendont du vitaille,
Ou soit en gross ou par retaille,
Om dist que Triche ly bochiers
De son boef et de son ouaille
Au double plus que ce ne vaille
Demande, tant est oultragiers ;
Par quoy les povres communiers
Maldiont, que tieux vitailliers
Ne scievont ce q'est une maille,
Ainz falt q'om porte les deniers,   26230
Car autrement les chars mangiers
Ne serront pas a la pedaille.
   Si l'un soit maigre et l'autre crass
Des boefs, bien sciet Triche en ce cas
Du crass les maigres encrasser,
Et si les vent par fals compas :
Car son engin ne lerra pas
Des festus qu'il y fait ficher
Pour le suët bien attacher ;
Dont tu qui le dois achater,   26240

Qant a manger servi serras,
Si n'es plus sages au tailler,
Tieu fusterie y dois trouver
Dont ton coutell honir porras.
  Du covoitise que luy tient
Triche au sovent ses chars detient,
Qant ne les puet a son voloir
Tout vendre, dont falsine avient;
Car tout cela corrupt devient,
Dont puis s'afforce a decevoir,   26250
Ainz q'om s'en puet aparcevoir:
Mais mainte fois de son espoir
Faldra, tanque le chien survient;
Meilleur marchant n'en puet avoir
A devourer tiel estovoir,
Car la caroigne a luy partient.
  Ensi comme dieus nous ad donné
Dessur les bestes poesté,
Sique pour nostre sustienance
Nous les porrons manger en gré, 26260
Sur les oiseals par tiel degré
Nous ad granté sa bienvuillance;
Par quoy de commune ordinance
Pour faire ent nostre pourvoiance
Les pulletiers sont ordiné:
Mais Triche plain de decevance
Les ad trestous en governance,
N'est uns qui gart sa loyalté.
  Triche ad en son governement
Les pulletiers qui falsement   26270
De leur phesant et leur perdis,
Q'en leur hostell trois jours attent,
Ne say par quell amendement,
Les font monter au treble pris:
Et d'autre part quique s'est mis
Q'il son pullail des tieux amys
Achat ou a creance prent,
S'il n'est plus sage en son avis,
Del pris serra trop entrepris,
Quant doit venir au paiement.   26280
  Tout fresch et novel ert clamez
Le volatill deinz les Cités,
Que Triche ad en sa garde a vendre:
Ce que devant dix jours passez

Estoit del oisellour tuez,
Il dist q'ier soir le fesoit prendre,
Ensi te jure et fait entendre;
Mais ainçois q'il te poet susprendre,
Dont il del argent soit paiez,
N'en sciet sa conscience aprendre. 26290
Si tiel vilain soit a reprendre,
Entre vous autres agardez.
  Mais de si riches oisellines,
Perdis, phesans, ploviers et cines,
Dont Triche ad son mal gain cuilli,
Ne me chalt gaire en mes quisines;
Car sanz delices salvagines
Je me tendray a bien servi:
Mais autrement ils m'ont hony,
Q'ils le chapoun et l'oue auci   26300
M'ont tant cheri de lour falsines,
Qe maintenant il est ensi,
Les oes sont pres tant escheri
Comme jadis furent les gelines.
  D'une autre gent om fait parler,
Qui sont auci comme vitailler,
Car ils vendont communement
Tout quanque l'en porra trover
Du boire ensi comme du manger,
Mesure et pois ont nequedent;   26310
Ce sont qui du vitaillement
Plus servont a la povre gent
Et portont noun du regratier:
Mais Triche est chief de lour covent,
Ce voit om bien au plus sovent
Qant du ferlyn font le denier.
  Trop est le regratour vilein,
Qant achatant en son bargein
Demande large sa mesure,
Mais qant le vent a son prochein, 26320
La tierce en falt de son certein,
Tant falsement le remesure;
Ja par balance de droiture
Ne poise, ne jammais nulle hure
Te fra mesure a juste mein:
Poy valt la chose en sa nature,
Si regratier la tient en cure,
Dont ne voet gaigner au darrein.

Mais pour voirdire en cest endroit
As femmes plus partient du droit 26330
Le mestier de Regraterie :
Mais si la femme au faire soit,
Molt plus engine et plus deçoit
Qe l'omme de sa chincherie ;
Car endroit soy ne lerra mie
Le proufit d'une soule mie,
Q'a son voisin ne tient estroit :
Tout perd son temps cil qui la prie,
Car riens ne fait par courtoisie,
Ce sciet qui deinz sa meson boit. 26340
Ore au final pour brief parler,
Tout cil qui vivont de denier
En achatant et en vendant,
Nes un des tous vuill excepter,
Ne gent marchant ne vitailler
Ne regratier, qui tout avant
Au Triche ne soit entendant ;
Qui sciet guiler s'en vait guilant
Chascun vers autre en son mestier,
Dont qui le temps de meintenant 26350
Voit au droit oill considerant,
Il se porra trop mervailler.
Triche est commun en nostre ville,
Qui les burgois pres tous avile
Et fait errer les potestatz
Encontre toute loy civile ;
Dont la fortune nous revile
Et tolt l'onour des tous estatz,
Les haltz ensi comme tu verras
Sont en descord avoec les bass, 26360
Chascun sustient sa propre guile :
Dont je me doubte au tiel compas,
Si dieus ne le redresce pas,
N'est autre qui le reconcile.
De Lucifer l'oppinioun   f. 144
Qu'il tint mist a perdicioun
Maintz autrez, qui de son errour
Tenoiont la conclusioun ;
Ensi c'est une abusioun,
Qant un soul homme en sa folour, 26370
De ce qu'il est superiour
Des autres, quiert solein honour,

Dont il fait la divisioun
De la Cité : car la destour
Fist Rome, qant elle ert maiour,
Venir a sa confusioun.
En la Cité, u les foreins
Serront plus franc que cils dedeins,
C'est as tous prejudicial ;
Mais quiq'il soit des citezeins   26380
Qui quiert ce mal a ses procheins.
Il erre en son judicial :
Mais qant vient que le governal
Est capitous et desloial
Et se delite es faitz vileins,
Il porra faire trop de mal ;
Mais tout le pis doit au final
Sur soy revertir plus ne meinz.
Le corps ove l'autre membre auci
Ce font un homme, et tout ensi   26390
Le provost ove celle autre gent
Font la Cité ; pour ce vous dy,
Que sicomme l'omme endroit de luy
Sa main, que maladie prent,
Dont tout le corps soudeinement
Porroit morir, molt asprement
Detrenche, ainz q'il en soit peri,
L'en duist trencher tout ensement
Le mal burgois molt fierement,
Ainz q'il la ville ait malbailly.   26400
Dieus dist : 'Si l'omme ait main ou pié
Ou oill dont il soit esclandré,
Tantost le doit hoster en voie,
Ainz q'il soit pris en son pecché ;
Car qui du vice est enpesché
Ne puet du ciel entrer la joye.'
Ensi vous di par tiele voie,
Qant Citezein le droit desvoie
Et s'est au tort confederé,
Mieulx valt que l'en le pende ou noie,
Ainz que par luy la gent forsvoie, 26411
Dont soit divise la Cité.
Mais c'est le peiour que je voi,
Poy sont prodhomme endroit de soi,
Ainçois malice et guilerie
Vont surmontant la bonne foy,

26378 plusfranc   26397 ensoit

Et le prodhomme se tient coy ;
Sique n'est uns de sa partie
Qui nostre Cité justefie,
Et ensi vait la tricherie 26420
Parmy la ville a grant desroy :
Si la fortune nous desfie,
C'est a bon droit, car par envie
Nous avons perdu toute loy.
    Mais si tout cils dont vous ai dit
Cy pardevant fuissent au plit
Q'ils tout gardessent loyalté,
La tricherie enquore vit ;
Car le commun du gent petit,
Qui labourier sont appellé, 26430
La sustienont en leur degré,
Qe ja nul jour de leur bon gré
Au resoun ne serront soubgit :
Poy font labour, mais grant soldée,
Trois tant plus q'ils n'ont labouré,
Vuillont avoir sanz leur merit.
    Trop vait le mond du mal en pis,
Qant cil qui garde les berbis
Ou ly boviers en son endroit
Demande a estre remeriz 26440
Pour son labour plus que jadys
Le mestre baillif ne soloit :
Et d'autre part par tout l'en voit,
Quiconque labour que ce soit,
Ly labourier sont de tieu pris,
Qe qui sa chose faire en doit,
La q'om jadys deux souldz mettoit,
Ore il falt mettre cink ou sis.
    Les labourers d'antiquité
Ne furont pas acoustummé 26450
A manger le pain du frument,
Ainçois du feve et d'autre blé
Leur pain estoit, et abevré
De l'eaue furont ensement,
Et lors fuist leur festoiement
Formage et lait, mais rerement
Si d'autre furent festoié ;
Du gris furont lour vestement :
Lors fuist le monde au tiele gent
En son estat bien ordiné. 26460

Mais la coustumme et le viel us
Ore est tourné de sus en jus,
Ce sciet il bien q'en ad affaire,
Et c'est la riens que grieve plus.
Car labourer nes un je truis
Es marchés u que je repaire,
Que tous ne soient au contraire,
Dont meulx valsist deux seignours plaire
Q'un soul vilain q'est mal estruis,
Car ce sont cils qui ne sont gaire 26470
Loyal, curtois ne debonnaire,
Si force ne les ait vencuz.
    Ly labourer qui sont truant
Voiont le siecle busoignant
De leur service et leur labour,
Et que poy sont le remenant,
Pour ce s'en vont en orguillant ;
Ne font sicome leur ancessour,
Car j'ay bien mesmes veu le jour,
Q'au servir souffrirent plusour 26480
Qui font danger du meintenant.
Mais certes c'est un grant errour
Veoir l'estat superiour
El danger d'un vilein estant.
    Me semble que la litargie
Ad endormi la seignourie,
Si qu'ils de la commune gent
Ne pernont garde a la folie,
Ainz souffront croistre celle urtie
Quelle est du soy trop violent. 26490
Cil qui pourvoit le temps present
Se puet doubter procheinement,
Si dieus n'en face son aïe,
Qe celle urtie inpacient
Nous poindra trop soudainement,
Avant ce q'om la justefie.
    Trois choses sont d'une covyne,
Qui sanz mercy font la ravine
En cas q'ils soient au dessus :
L'un est de l'eaue la cretine, 26500
L'autre est du flamme la ravine,
Et la tierce est des gens menuz
La multitude q'est commuz :
Car ja ne serront arrestuz

26446 endoit

Par resoun ne par discipline ;
Et pour cela sanz dire plus,
Ainz que le siecle en soit confus,
Bon est a mettre medicine.
 He, Siecle, au quoy destournes tu ?
Par quoy la povre gent menu, 26510
Q'au labour se deussent tenir,
Demandont estre meulx repeu
Qe cil qui les ad retenu ;
Et d'autre part se font vestir
Du fin colour et bell atir,
Qui sanz orguil et sanz conspir
Jadis furont du sac vestu.
He, Siecle, ne t'en quier mentir,
Si tu ces mals fais avenir,
Je me compleigns de ta vertu. 26520
 He, Siecle, je ne say quoy dire,
Mais tous l'estatz que je remire
Du primer jusqes au darrein
En son degré chascuns enpire,
Ensi le povre come le sire,
Trestous du vanité sont plein ;
La povre gent voi plus haltein
Qe celly q'est leur soverein,
Chascuns a son travers se tire ;
Car ly seignour sont plus vilein 26530
Et plus ribald que n'est vilein,
Et pour mal faire et pour mal dire.
 Ce que jadis fuist courtoisie
Ore est tenu pour vilainie,
Et ce q'om loyalté tenoit
Om le dist ore tricherie ;
Du Charité l'en fait Envie,
Honte est perdu que nuls la voit,
Le tort ad surmonté le droit,
Largesce est tourné en destroit, 26540
Et bon amour en leccherie,
Qe nul prodhomme en son endroit
Ne sciet par quelle voie il doit
Aler pour mener bonne vie.
 Trop est le siecle destourné,
Que flaterie est allevé,
Et le voirdire est abatu ;
Et d'autre part bonne ameisté

Loign du paiis s'en est alé,
Et pour demourer en son lieu 26550
Un feint amy voi retenu,
Qui quiert toutdis son propre preu
Et fait a la necessité :
Par tout le siecle j'ay coru,
Mais mon chemyn ay tout perdu,
Pour sercher apres loyalté.
 Mais plus enqore se debat f. 145
Le siecle qui tous biens rebat :
Sicome l'en dist au present jour,
Nuls est content de son estat, 26560
Ne le seigneur ne le prelat,
Ne la commune, ainz del errour
Chascun sur autre fait clamour :
Le commun blame le seignour,
Et le burgois son potestat,
Et cils qui sont superiour
Le mettont sur la gent menour,
Et ensi tout le mond combat.
 Helas, q'om voit au jour present
Venir le prophetizement 26570
D'Oseë, qui prophetiza
Qe sur la terre entre la gent
N'ert sapience aucunement
Que plest a dieu ; et pour cela
Dieus dist q'il se coroucera,
Dont sur les gens se vengera
Et sur les bestes ensement,
Voir et l'oisel le compara
Ove tout que deinz la mer serra,
Ensi prendra le vengement. 26580
 Par tout la terre est ore oppresse,
Et en poverte et en destresse,
Ce di pour le memorial
De mon paiis, u la noblesse
Jadis estoit et la richesse,
Q'alors avoit nul parigal :
Ne say si par especial
Les laies gens en sont causal,
Ou cils qui chantont nostre messe,
Mais tous diont en communal, 26590
' Le siecle est mal, le siecle est mal ! '
N'est qui son propre errour confesse.

Les uns diont, ' Le siecle enpire,'
Les uns, ' Le siecle est a despire.'
Chascuns le blame en son endroit,
Chascuns le siecle vient maldire,
Mais je ne sai ce q'est a dire,
Qe l'en le siecle blamer doit;
Et pour cela, si bon vous soit,
Je pense a demander le droit   26600
Pour quoy le siecle est ore pire
Qe jadis estre ne soloit:
Car chascun de sa part le voit,
N'est qui les mals poet desconfire.

Puisq'il ad dit del errour de tous
les estatz et comment chascuns
blame le siecle et excuse soy
mesmes, il demandera ore le
siecle de quelle partie est ce dont
le mal nous vient.

He, Siecle, responetz a moy,
De ce que je demander doy
La verité tout plain me dy:
Quelle est la cause et le pour qoy
Dont l'en parolt si mal de toy?
Chascuns le dist tu es failly,   26610
Chascuns s'en pleignt endroit de ly:
Bien sai que dieus t'ad estably
Des maintez partz, mais je ne voy
La cause dont l'en dist ensi,
Et pour cela, je t'en suppli,
Respoune, et si m'apren un poy.

Voirs est q'au ton commencement
Te fist dieus bien et noblement,
Des quatre choses t'ordina
Par son tressaint commandement: 26620
Du terre y mist ton fondement,
Et d'eaue puis t'environna,
Del air auci t'abandonna,
Et pour toy faire il adjousta
Le feu, q'est le quart element,
Et puis lumere a toy donna,
Et au darrein sur tout cela
Il t'ad covert du firmament.

He, Siecle, ditez m'en le voir,
Des tous ceaux je le vuil savoir   26630
Dont est ce que le mal nous vient.
Mais certes a le mien espoir
Pour rien q'en puiss aparcevoir
Blamer la terre ne covient;
Ainz grant proufit nous en avient,
Car des grans biens q'en soi contient
Nous veste et paist matin et soir;
Le fruit et flour a luy partient,
Oisel et beste en soy maintient
Ove l'erbe qu'il nous fait avoir.   26640
Mais puis de l'eaue quoy dirray?
L'excuserai ou blameray
Des mals qui nous avons resçuz?
Par resoun je l'excuseray;
Car parmy l'eaue piscon ay,
Et parmy l'eaue le surplus
Du marchandie est avenuz,
Et parmy l'eaue de dessus
Nous croist la flour et l'erbe en Maii;
Issint q'en l'eaue je ne truis   26650
Du blame, ainçois des grans vertus,
Dont au bon droit la priseray.
Et pour plus dire a la matiere
De la fontaine et la rivere,
Dont nous ensemble ove l'autre beste
Bevons, lavons ove lée chere,
Comme celle q'est a nous treschere,
N'est Rois qui porra faire feste,
Si dieus celle eaue ne luy preste;
L'eaue est de nostre foy la creste, 26660
En ce q'elle est no baptizere:
Dont m'est avis que la moleste
Ne vient de l'eaue, ainz elle est ceste
Q'a nous est la seconde mere.
Mais quoy del air, est ce causal,
Par qui nous vient atant de mal?
Certainement je dy nenil.
L'air est de soy si natural,
Qe toute vie en general
Sanz l'air du mort est en peril;   2670
Et d'autre part l'air est soubtil,
Ce scievont tout le volatil,

Volant amont et puis aval ;
L'air est as tous bon et gentil,
Dont nuls puet dire que c'est il
Q'au siecle est prejudicial.
　Et plus avant si je vous die
Del fieu, quel est de sa partie
Du siecle le quart element,
Endroit de luy ne croy je mie　26680
Q'il est coupable du folie ;
Ainz grant confort nous fait sovent,
Car fieu de sa nature esprent,
Si nous allume clierement,
Et d'autre part nous fait aïe,
Noz corps eschalfe bonnement,
Si quist et roste no pulment,
Dont sustienons la nostre vie.
　Bon est le fieu de sa nature,
Qui nous mollist la chose dure,　26690
Dont nous la porrons attemprer,
Et puis forger a no mesure,
Sique pour conter la droiture
Le fieu devons par droit loer :
Et ensi pour determiner,
Le siecle je ne say blamer
Es choses que j'ay dit dessure ;
Mais plus avant m'estuet sercher,
Pour la malice seculier
Sercher en autre creature.　26700
　He, Siecle, enquore te demande,
Si me respoun a mon demande,
Dont vient le mal que tant t'enpire ?
Le solaill qui par tout s'espande
Ne croy je point que dieus commande
Q'il face mal deinz ton empire ;
Ainz fait grant bien, qui bien remire,
Car chascun bien de luy respire,
Le pré, le champ, le bois, la lande,
Encontre froid nous est le mire ;　26710
Chascuns vers le solaill se tire
Pour le confort quel il nous mande.
　Mais quoy, la lune est ce grevable ?
Certes nenil, ainz proufitable,
Q'elle est la mere de moisture,
Si fait la pluvie saisonnable,

Dont arbre et herbe et terre arrable
Pernont racine et puis verdure :
La lune auci de sa nature
Nous esclaircist la nuyt oscure　26720
Pour faire ce q'est busoignable.
Comment q'il soit de mesprisure,
La lune endroit de sa mesure
A mon avis est excusable.
　Q'est ce que plus demanderoie ?
Sont ce l'estoilles que je voie,
Dont nostre siecle se destourne ?
Nay certes, je responderoie.
Dieus, qui l'estoilles multiploie,
Des grandes vertus les adourne ;　26730
La nief de nuyt q'est triste et morne,
De ce que la tempeste tourne
Par halte mer et la desvoie,
Par les estoilles s'en rettourne
Et au sauf port son cours attourne,
Tanq'il ad pris la droite voie.
　Quoy de Saturne et de Commete ?
Sont il qui font nostre inquiete,
Sicomme les clercs vont disputant,
Et diont deinz lour cercle et mete　26740
Qe l'un et l'autre est trop replete
De la malice ?　Et nepourqant
Un soul prodhomme a dieu priant f.146
Porra quasser du meintenant
Trestout le pis de leur diete :
Dont m'est avis a mon semblant,
Depuisque l'omme est si puissant,
Nous n'avons garde du planete.
　Albumazar dist tielement,
Qant il descrit le firmament,　26750
Qe si ne fuist la clareté
De les estoilles proprement,
L'air pardessoubz entre la gent
S'espesseroit par tiel degré,
Qe toute creature née
En duist morir d'enfermeté :
Siq'il appiert tout clierement,
De dieu, q'ad tous les biens creé,
Sont les estoilles ordiné
Pour nostre bien communement.　26760

Les arbres qui sont halt ramu
Et semblont d'avoir grant vertu,
Font ils le mal dont l'en se pleigne ?
Certes nenil, bien le scies tu ;
Ainçois les uns valont au fu,
Les autres valont a l'ovreigne,
Si portont fruit de lour demeine,
Dont nous mangons par la semeine,
Leur umbre auci nous fait refu   26769
Pour la chalour que nous constreigne ;
Dont semble a moy par reson pleine
De ceaux nul mal nous est venu.
    He, quelle part sercher porray,
U la malice trouveray
Par quoy le siecle blamé ont ?
Entre les bestes sercheray,
Les queux nounresonables say,
Mais beste et oisel mal ne font,
Ainz comme nature leur somont,
Les lions es montaignes sont,   26780
Es arbres sont ly papegay,
Del malvoisté s'excuseront
Du siecle ; qui les blameront,
Par resoun porront dire nay.
    Mal Siecle, enqore je t'oppose,
Si plus y soit ascune chose
Par quoy te vient la malvoisté.
Certes oïl, si dire l'ose :
Beste une y ad, comme je suppose,
A qui dieus ad resoun donné,   26790
C'est cil qui tient en son degré
Les bestes soubz sa poesté,
Des tous sa volenté dispose,
Et pour luy soul ad dieus creé
Les elementz q'ay susnomé
Ove tout ce que le siecle enclose.
    He, certes par le mien avis
Molt est la beste du grant pris,
Qui dieus ad fait si belle grace,
Primer du resoun q'il ad mis,   26800
Et puis q'il ad a luy soubmis
Trestout ce que le siecle enbrace ;
Dont drois est q'il son dieu regrace,
Et son voloir toutdis parface

De la resoun qu'il ad apris :
Mais autrement je demandasse,
Quoy si ce beste a dieu forsface,
Comment serront ses mals puniz ?
    A ton demande je responde
Solonc que l'escripture exponde : 26810
Qant il son dieu fait coroucer,
Par son pecché devient inmonde
La proprete du tout le monde,
C'est fieu et air et terre et mer,
Trestous le devont comparer ;
Siqu'ils commencent adverser
Au beste q'ensi les confonde ;
Dont m'est avis sanz plus parler
Q'a soul ce beste puiss noter
Les mals dont nostre siecle habonde.
    Ore falt savoir le noun du beste 26821
Par qui le siecle ensi tempeste :
Si vous dirray que truis escrit,
C'est cil q'en paradis terreste
De dieu le pere Roy celeste
Estoit fourmez a grant delit,
Et puis de son saint espirit
A sa semblance l'alme y mist,
Si l'appella comme son domeste
Homme ; et puis de l'omme prist 26830
Un de ses costes, dont il fist
Femme a l'encress de celle geste.
    He, dieus, ore voi je clierement
Qe c'est de l'omme soulement,
Et nounpas d'autre creature,
Par quoy le siecle au jour present
Se contient si malvoisement :
Mais certes c'est au bon droiture,
Depuisque dieus cel homme honure
Sur toute beste en sa nature   26840
Du sen, viande et vestement,
Et l'omme n'en voet avoir cure,
Si dieus sa peine luy procure,
N'est pas malvois le jugement.
    N'est pas ensi comme nous qui-
        dasmes,
Ainçois a molt grant tort errasmes
Pour nostre siecle desfamer,

Mais cil q'en porte les desfames
Il tolt de soi les bonnes fames,
Qant l'autri noun quiert entamer, 26850
Dont q'il est mesmes a blamer :
Mais cils qui soy voldront amer
Au proufit de leur corps et almes,
Amendent soy pour l'amender
Du siecle, qui fait engendrer
L'errour des seignours et des dames.
    Seint Job nous dist expressement
Qe riens sur terre est accident
Sanz cause ; et d'autre part je lis
Escript en prophetizement,   26860
Qe pour le pecché de la gent,
Qui n'ont la dieu science adquis,
Serra le siecle en plours et cris
Ove tout ce q'est dedeinz compris ;
La beste et l'oisell ensement
Et le piscon en valdra pis,
Trestous en serront malbaillis
Pour le mal homme soulement.
    Gregoire en sa sainte Omelie,
De tant q'om ad resoun garnie,   26870
L'omme a les angles resembla ;
Car qui bien vit en ceste vie
Apres la mort, qant il desvie,
Ove les bons angles vivera,
Et d'autre part s'il pecchera
Ove Lucifer tresbuchera,
U l'angre sont du felonnie :
Selonc l'effect que l'omme fra,
Eslire franchement porra
Ou l'une ou l'autre compaignie.   26880
    Gregoire, qui ne volt mentir,
Dist que l'omme est en son sentir
Semblable as autres animals,
En goust et tast, veue et oïr,
Et en aler, car sanz faillir
Ce sont les cink sens principals,
Qui sont as bestes communals :
Mais ne porront les bestials
Leur sens en mal us convertir,
Puisque nature est doctrinals,   26890

Mais l'omme, qui sciet biens et mals,
Leur bon us porra pervertir.
    Gregoire auci par resemblance
Nous dist que l'omme en sa crescance
Est a les arbres resemblable :
Du verge croist halte soubstance,
Et auci du petite enfance
Croist l'omme ; mais alors sanz fable,
S'il n'est ensi fructefiable
En sa nature ou plus vaillable,   26900
Comme l'arbre en sa fructefiance
Portant bon fruit et covenable,
Pour ce que l'omme est resonnable,
N'en puet avoir nulle excusance.
    Gregoire, q'en savoit tout l'estre,
Dist que les hommes en leur estre
Sont a les pieres comparé :
Car l'un et l'autre dieus ly mestre
Tout d'une essance les fist nestre,
Mais nounpas d'une equalité ;   26910
Car pieres n'ont du propreté
Fors soul leur estre en nul degré,
Ne poont pas sentir ne crestre,
Mais l'omme est autrement doé,
Dont il par droite dueté
Doit autre honour au Roy celestre.
    Tout sicomme vous avetz oÿ,
L'omme ove les angles ad en luy
Entendement du resoun cliere,
L'omme ove la beste ad autrecy   26920
Le sentement, et puis auci
Il ad crescance en sa maniere
Ove l'arbre, et l'estre avec la piere ;
Et puisq'il est ove dieu le piere
Sur tous les autrez plus cheri,
S'il lors plus vertuous n'appiere
Des autres, maisq'il le compiere
Drois est, qant il l'ad deservi.
    Mestre Aristotle ly bons clercs,
Qui des sciences fuist expers,   26930
En un des livres qu'il faisoit,
Dont molt notable sont les vers,
L'omme ensi q'est en soy divers

26848 qenporte   26866 envaldra   26867 enserront   26900 plusvaillable
26905 qensauoit

Le meindre monde il appelloit;
Car tout le monde en son endroit f. 147
L'omme en nature de son droit
Contient; de ce nous sumes certz,
Qant dieus l'umaine char creoit,
Des elementz part y mettoit,
N'est qui puet dire le revers. 26940
    Des noz parens, Adam, Evein,
Dieus fist la char nonpas en vein
Du terre, q'est en soy pesant,
Et d'eaue, q'est a ce prochein;
Apres faisoit le sanc humein,
Quel par les veines vait corant;
Et pour ce q'il serroit vivant,
Del air fuist fait son aspirant;
Et puis du fieu, q'est le darrein,
L'omme ad chalour reconfortant: 26950
Molt estoit dieus no bienvuillant,
Q'ensi nous fourma de sa mein.
    Pour ce si l'omme a dieu forsfait,
Par son pecché trestout desfait
Et terre et eaue et mer et fieu;
Car dieus se venge du mesfait,
Et leur nature ensi retrait
Q'ils pour le temps sont comme perdu:
Dont par resoun bien le vois tu,
Le siecle endroit de sa vertu 26960
Du plus et meinz par l'omme vait,
Et si nul mal soit avenu,
Ja d'autre chose n'est venu
Fors soul du mal que l'omme fait.
    Mais ore au point voldrai savoir,
Si l'omme fait bien son devoir
En gardant le precept divin,
Lors quel guerdoun doit il avoir
Plus q'autre beste: di m'en voir.
Il avra guerdoun si tresfin 26970
Dont nuls porroit conter le fin;
Car toutes bestes d'autre lyn
En leur nature remanoir
Estuet sanz passer le chemin,
Mais l'omme, q'ad sen et engin,
Fait bien ou mal a son voloir.
    L'omme ad sa franche volenté,

Solonc que dieus l'ad ordiné,
Dont puet le bien et mal eslire;
Car l'un et l'autre abandonné 26980
Luy est, par quoy s'il malvoisté
De sa resoun voldra despire,
Et l'alme q'est deinz son empire
Guarder, siq'il son droit n'enpire,
Certein puet estre en son degré
Q'il avra tout ce q'il desire:
C'est la promesse nostre sire
Par son prophete en verité.
    Dieus de sa noble curtoisie
Cela nous dist en prophecie, 26990
Si l'omme a luy soit obeissant,
Tout que le siecle ad en baillie
A grant proufit luy multeplie
Sanz nul damage survenant:
Car de l'espeie le trenchant,
Ne pestilence en occiant
Lors n'entrera deinz sa partie,
Ainz tant comme soit a dieu plesant,
En peas des tous biens habondant
Doit maintenir joyeuse vie. 27000
    Je lis que toute creature
Chascune endroit de sa nature
Est au prodhomme obedient;
Car le bon angel pardessure
Du compaignie l'omme assure
Sicomme son frere proprement,
Et le mal angel ensement
Sicomme soubgit et pacient,
Malgré q'il doit a sa mesure,
Falt faire le commandement 27010
Del homme, et ce poons sovent
Trouver d'essample en l'escripture.
    Des elementz auci je lis
Q'al homme se sont obeïz:
Car le solail par son degré
En Gabaon, ce m'est avis,
Sanz soy movoir estoit soubgis
A la requeste Josué;
L'estoille auci s'estoit moustré
Et as trois Rois abandonné, 27020
Pour ce q'au dieu furont amys,

26955 fieu et mer

Et l'air plain de mortalité
Fuist par Gregoire resané
En Rome la Cité jadis.
    Cel element auci de fieu
Fist son service au poeple dieu
Par nuyt oscure en la semblance
D'un halt piler, dont ont tenu
Al grant desert, q'estoit boscu,
Leur droit chemin sanz variance : 27030
La terre auci de sa soubstance
A saint Hillaire, qui du France
Devant le pape estoit venu,
Portoit honour et entendance,
Q'encontre luy par obeissance
Se lieve et l'ad en halt resçu.
    La mer auci ventouse et fiere
Devint paisible as piés saint Piere,
Q'il sur les undes sauf aloit ;
Je lis auci q'en la rivere   27040
Saint Heliseu par sa priere
Fist que le ferr amont flotoit.
Siqu'il apiert en tout endroit
Qe saint prodhomme ad de son droit
Les èlementz a sa banere ;
Et d'autre part, u que ce soit,
Beste et piscon auci l'en voit
Soubgit en mesme la maniere.
    Qant Daniel el lac aval   27049
Fuist mis, pour ce n'ot point du mal
Des fiers liouns, ainz fuist tout seins :
Silvestre auci, q'estoit papal,
La bouche du dragoun mortal
Au Rome lia de ses meins :
La Cete auci fuist fait gardeins
Trois jours son ventre pardedeins
Du saint Jonas le dieu vassal,
Sanz mal avoir ou plus ou meinz ;
Du Ninivé les Citezeins
Qant a ce fait sont tesmoignal.   27060
    Au bon Paul l'eremite auci
L'oisell y vint et le servi
Du pain, sicome le dieu message,
Chascune jour q'il n'en failly.
Des toutez partz pour ce vous dy,

27093 plussufficant

Les creatures font servage
A l'omme saint et avantage,
Mais s'il remue son corage
Et s'est des pecchés endormi,
L'onour luy tourne a son hontage 27070
Et au peril et au damage,
Sicomme d'essample avons oÿ.
    Le bon saint angel debouta
Du paradis, qant il peccha,
Adam, et puisq'il fuist ruez,
Cil malvois angel le pena ;
Dathan auci qui murmura
Fuist de la terre transgloutez ;
La mer ot auci devourez
Roy Pharao ove ses armez ;   27080
Le fieu Sodome devoura ;
Auci David par ses pecchés
L'air fist corrumpre : ensi voietz
Q'au malvois homme mal esta.
    Molt est prodhomme en soi puissant
Car tout est mis a son devant,
Dont puet le bien et mal eslire
En ceste siecle soy vivant :
Maisq'il soit sage governant,
Les choses que fist nostre sire   27090
Soubz le povoir de son Empire
Luy sont soubgit ; siq'au voir dire,
L'omme est tout le plus sufficant
Apres dieu, et s'il voet despire
Pecché, tous mals puet desconfire
En ceste vie et plus avant.
    Encore a demander je pense,
S'apres la mort ait difference
Parentre l'omme et son lignage
Et l'autre beste ove leur semence, 27100
Qui n'ont ne resoun ne science
De juggement ne de language.
He, autrement serroit hontage,
Si ce q'est fait al dieu ymage
Et est doé du sapience,
Ne deust avoir plus d'avantage
Qe l'autre beste a son passage ;
Trop fuist celle inconvenience.
    Dieus, qui sur tous est governals,

27096 plusauant

Voet que le corps des animals   27110
Ove l'alme moerge ensemblement;
Mais l'omme a ceux n'est parigals,
Si noun q'il est auci mortals,
Mais c'est en corps tantsoulement;
Car l'alme vit et puis reprent
Son corps au jour de juggement,
Et s'il avra laissé les mals,
Lors l'un et l'autre joyntement
En joye sanz nul finement
Vivront en les celestials.   27120
   He, homme, molt es benuré,
Sur toutes bestes honeuré,
Qe dieus t'ad fait lour capitain,
Et si bien fais ta dueté,
Apres la mort t'ad ottrié
Du ciel la joye plus haltain:
Du double bien tu es certain,   f. 148
Si bien governes le mondain,
Le ciel avras enherité;
Tu scies mal faire ton bargain,   27130
Si tu n'en prens a toi le gain,
Trop as resoun desfiguré.
Mais oultre ce di quoy serra,
Si l'omme ne se guardera
Pour faire a dieu droite obeissance.
Je dis que malement l'esta,
Car sicomme vous ay dit pieça,
Le siecle ove toute s'alliance
Luy serront en desobeissance,
La terre ert sanz fructefiance,   27140
Et l'air de soy corrumpera,
Et l'eaue en tolt sa sustienance:
Molt serra plain de mescheance
Qui contre luy tout ce verra.
   Mais tout cela n'acompteroie,
Qe je pour ce pecché lerroie,
Si l'en porroit apres monter
De ceste siecle en l'autre joye:
Mais c'est pour nient, car qui forsvoie,
La terre ove tout le ciel plener   27150
Ses pecchés devont accuser;
La terre q'il fist mesuser

Luy jettera du siecle envoie,
Et dieus son ciel ne voet donner
Au tiel malvois; dont falt aler
Jusq'en enfern la halte voie.
   He, beste q'es nounresonnable,
Comme ta nature est delitable
Au regard du fol peccheour!
Tu n'es apres la mort coupable,   27160
Mais l'autre en peine perdurable
En corps et alme sanz retour
Estuet languir pour sa folour;
Il vit du mort en tenebrour,
Et moert du vie q'est dampnable,
Sa vie et mort sont d'un colour:
Qe plain morir ne puet nul jour,
C'est une paine descordable.
   He, homme q'au pecché te donnes,
A ta resoun trop desresonnes,   27170
Qant lais le bien et prens le mal;
Si voes, tu puiss avoir coronnes,
Et si tu voes, tu t'engarçonnes,
Car pour eslire es liberal:
Mais certes trop es desloyal
Et envers dieu desnatural,
Qant ta reson si mal componnes,
Dont pers la vie espirital,
Et en ta vie temporal
Trestout le siecle dessaisonnes.   27180
   He, homme, en soul ton corps en-
        closes
Part des natures que sont closes
En toute l'autre creature;
Et si ta resoun bien disposes,
Tu as en toy plus noblez choses,
Q'as angles de science pure
Resembles. He, comme dieus t'onure,
Qant il ensi t'ad mys dessure,
Plus que ne sont les rouges roses
Sur les cardouns en leur nature!   27190
Car l'alme as a la dieu figure
Solonc les tistres et les gloses.
   He, homme, beste de peresce,
Reson de toy n'est pas mestresse,

27126 plushaltain   27129 en herite   27142 entolt   27147 lenporroit
                  27185 plusnoblez

Qant soubz ta franche poesté
Tu as du siecle la noblesce,
Et souffres que le mond te blesce,
Et voes enquore tout du gré
Blamer le siecle en son degré.
Tout ce te vient du nyceté,   27200
Du couardie et de fieblesce :
Mais si tu fuisses redrescé
De ta malice et ton pecché,
Tantost le siecle se redresce.
   Pour ce chascuns qui le mal fait
S'amende, et ce serra bien fait,
Car deux biens en puet rescevoir :
L'un est q'il puet de son bienfait
Le siecle, q'est sicomme desfait,
Refourmer tout a son voloir ;   27210
L'autre est que nous savons du voir,
Cil qui bien fait du ciel est hoir :
Dont m'est avis, puisq'ensi vait,
Qe l'omme ad propre le povoir
De l'un et l'autre siecle avoir ;
Fols est s'il l'un ne l'autre en ait.
   Ore est q'om de commun usage
Despute, argue et se fait sage,
Chascuns son argument sustient ;
Tu dis que c'est le seignourage,   27220
Je di que c'est le presterage,
Du qui no siecle mal devient ;
Et l'autre dist, mal se contient
La gent commune et point ne tient
La dueté de son estage :
Mais qui du reson soy sovient
Puet bien savoir que c'est tout nient
D'ensi jangler sanz avantage.
   Qant pié se lieve contre teste,
Trop est la guise deshonneste ;   27230
Et ensi qant contre seignour
Les gens sicomme salvage beste
En multitude et en tempeste
Se lievent, c'est un grant errour ;
Et nepourqant la gent menour
Diont que leur superiour
Donnent la cause du moleste,
C'est de commune le clamour :

Mais tout cela n'est que folour,
Q'au siecle nul remede preste.   27240
   Et pour parler des sovereins,
Qui sont des mals les primereins
De leur tresfole governance,
Ils nous prechont ove vuidez meins ;
Car s'ils nous ont d'un point atteintz,
De cink ou six leur variance
Voions, sique leur ignorance
Nous met le plus en fole errance :
Par quoy le siecle plus ne meinz   27249
N'amendont, ainz croist la distance ;
Chascuns blame autre en sa faisance,
Et chascuns est du blame pleinz.
   N'est pas honneste, ainçois est vile
Maniere, qant prechour revile
Ce dont est mesmes a viler ;
Car dieus nous dist en l'evangile,
' O ypocrite plain du guile,
Le festu scies considerer
En l'oill ton frere pour blamer,
Mais tu ne vois le grant plancher   27260
Qe toy deinz ton oill propre avile.'
Pour ce tu qui nous viens precher
Pour noz defaltes aculper,
Primer toy mesmes reconcile.
   Trestous savons du verité,
Quiconque sur l'autri degré
Met blame par accusement,
Ce n'est trestout que vanité
Qant le blamant ne le blamé
N'en ont ascun amendement :   27270
Mais plus serroit convenient
Qe l'en amendast duement
Chascuns sa propre malvoisté ;
Car qui ne se puet proprement
Amender, je ne say coment
Q'il ait les autres amendé.
   Chascuns souhaide en son endroit
Que nous eussons le siecle au droit,
Car tous desirons l'amender ;
Mais je di que tout bien serroit,   27280
Si chascun de sa part voldroit
Mais q'un soul homme corriger :

Car ja n'estuet plus loins aler
Forsq'a soy mesmes commencer ;
Et si chascuns ensi ferroit,
Je suy certains sanz nul doubter,
Plus q'om ne sache diviser,
Le siecle amender l'en verroit.

Chascuns porra penser de soy
Comment le siecle est en effroy   27290
Du pecché q'avons maintenu ;
Mais des tous autres que je voi
Je suy certain que plus que moy
Nuls ad mesfait envers son dieu :
Mais esperance est mon escu
Par l'aide et mercy de Jhesu,
Qui je supplie en mon recoy
Qu'il m'en avra bien absolu,
Combien que soie tard venu
Au repentir comme faire doy.   27300

Car combien que je riens ne vaille,
Dieus ad tout prestement s'oraille
Pour ascoulter le peccheour ;
Et autrement ne fuist mervaille,
Si tout en vein je m'en travaille
Pour grace quere ne socour :
Car pour recorder tout entour
Le grant pecché, le grant errour,
Dont j'ay mesfait du commençaille,
Si la mercy ne soit maiour,   27310
Bien say q'au paine sanz retour
Ay deservi que je m'en aille.

Car deinz mon cuer tresbien je sens
Qe ma resoun et mes cink sens
Ay despendu si folement,
Q'encontre dieu et son defens
Le siecle ove tous les elemens
Ay corrumpu vileinement :
Mais dieus dist, cil qui se repent   f.149
Ne puet faillir d'acordement ;   27320
Et pour cela je me repens
Par volenté d'amendement,
Et me confesse plainement
Qe j'ay esté trop necligens.

Et quoique soit du remenant,
Mon poair fray desore avant

Un soul chaitif pour amender,
Par quoy le siecle en son estant
Porra le meulx valoir de tant,
De ce que l'ay fait enpirer.   27330
Mais sur tout je doy consirer,
Et mettre y tout mon desirer
A servir dieu q'est toutpuissant ;
Car si j'ensi puiss exploiter,
Le siecle me doit prosperer,
Et puis serray sanz fin joyant.

Jadis trestout m'abandonoie
Au foldelit et veine joye,
Dont ma vesture desguisay
Et les fols ditz d'amours fesoie,   27340
Dont en chantant je carolloie :
Mais ore je m'aviseray
Et tout cela je changeray,
Envers dieu je supplieray
Q'il de sa grace me convoie ;
Ma conscience accuseray,
Un autre chançon chanteray,
Que jadys chanter ne soloie.

Mais tu q'escoulter me voldras,
Escoulte que je chante bass,   27350
Car c'est un chançon cordial ;
Si tu la note bien orras,
Au commencer dolour avras
Et au fin joye espirital :
Car Conscience especial,
Qui porte le judicial,
Est de mon consail en ce cas,
Dont si tu voes en communal
Chanter ove moy ce chançonal,
Ensi chantant dirrez, Helas !   27360

Puisq'il ad dit comment tout le
mal dont l'en blame commune-
ment le siecle vient soulement de
l'omme peccheour, dirra ore com-
ment l'omme se refourmera et
priera a dieu.

Helas, chaitif qoy penserai,
Qant ove moi mesmes tencerai

27283 plusloins   27341 enchantant

De ma chaitive fole vie ?
Comme plus en pense, plus m'esmai,
Car bien recordé que je m'ai
Corrupt d'Orguil et false Envie,
De Ire, Accidie et Gloutenie,
De Covoitise et Leccherie ;
Ce sont les sept, tresbien le sai,
Qui sont les chiefs de ma folie,   27370
Sique pecché par tout me lie
Sanz nul bonté que je refai.

Deinz mon penser si je me voie,
Vei la qui vienont en ma voie
Tous les sept vices capiteines !
Chascune clayme que je soie
Le soen, pour ce que je laissoie
Les loys de dieu pour les mondeines.
Maldit soient tieles gardeines,
Q'au fin desaises tant soudeines   27380
Rendont pour les terrienes joyes,
Que perillouses sont et veines ;
Dont ay remors toutes les veines
Parmy ma conscience coye.

Je voi mes mals en tant diffus,
Siq'en pensant je su confus
Par griefté de ma conscience ;
Dont je serroie au fin destruis,
Mais repentance, que je truis
Deinz ma resoun et ma science,   27390
M'ad donné meillour evidence :
C'est que par juste providence
Je prieray celluy la sus
Qu'il me pardonne toute offense
Q'ai fait encontre sa defense,
Dont soie a sa mercy resçuz.

Enqore helas ! que le pecché
M'ad deinz le cuer tant enpesché,
Dont se moustront toutdis avant
Honte et paour en ma pensé,   27400
Qe tant comme plus m'ai purpensé,
Tant meinz sai faire mon avant.
Comment vendray mon dieu devant ?
Car tant ay esté decevant,
Qe, s'il ne m'avra respité,
Je n'ose prier tant ne qant ;

Mais je supplie nepourqant
Ma dame plaine du pité.
Je mesme, helas ! ne puiss souffire
De bien penser ne de bien dire   27410
Pour honte que me renovelle.
Helas ! come je me doi despire,
Qui suy des tous chaitifs le pire,
Plus ord, plus vil, plus fals, plus
   frele ;
Mais esperance me repelle
A toy, ma dame, q'es pucelle
Et mere auci du nostre sire,
Tu le leitas de ta mamelle,
Enpernetz, dame, ma querelle
Pour la mercy que je desire.   27420

O mire des tous mals, Marie,
A m'alme q'est ensi marrie
Donnetz, ma dame, medicine
Pour la santé que je supplie ;
Car mon pecché si fort me plie
Qe j'en suy tout a la ruine,
Si tu, ma dame, ove ta covine
De la vertu quelle as divine
Ne guarissetz la maladie,
Dont je languis a la poitrine,   27430
Q'est assetz pis que la farcine,
La quelle fait la char purrie.

Car c'est de l'alme entierement,
Dont suy naufré si fierement,
Que si je n'eie bonne cure
De vous, ma dame, brievement,
Ne say dont mon relievement
M'en puet venir par creature :
Mais tu, ma dame, q'es dessure,
Si tu me guardes, je m'assure   27440
Des plaies que me font dolent
Je guariray sanz aventure ;
Dont m'alme serra blanche et pure,
Q'ore est oscure vilement.

Ma dame, j'ay sovent oÿ
De toy ce qui m'ad rejoÿ ;
Et c'est, cil qui te voet sanz vice
Servir, de toy serra cheri,
Voir et mill fois plus remeri

Que n'est le port de son service : 27450
Pour ce comment que me chevice,
Je ne vuill estre mais si nice,
Que je ne viene ove plour et cry
Pour toy servir d'ascun office,
Dont je porray le benefice,
Ma dame, avoir de ta mercy.

Bien faire ou dire est a louer,
Dont l'en desert grace et loer,
Mais au bienfaire endroit de moy
Je suy forein et estrangier, 27460
Qe je n'en ose chalenger
Ascun merit ou grant ou poy :
Mais, dame, pour parler de toy
Et dire j'ay asses du quoy ;
Car tu, ma dame, au comencer
Es de la cristiene loy
La mere, dont no droite foy
Remaint, que nous devons guarder.

Pour ce, ma dame, a ta plesance
Solonc ma povre sufficance 27470
Vuill conter ta concepcioun,
Et puis, ma dame, ta naiscance ;
Sique l'en sache ta puissance,
Qui sont du nostre nacioun :
Les clercs en scievont la leçoun
De leur latin, mais autres noun,
Par quoy en langue de romance
J'en fray la declaracioun,
As lays pour enformacioun,
Et a les clercs pour remembrance. 27480

**Ore dirra de la Concepcioun et
de la Nativité de nostre Dame.**

Un noble bier estoit jadis,
Riche et puissant en son paiis,
Et Joachim a noun avoit,
Qui une dame de grant pris,
Ensi comme dieus luy ot apris,
A femme prist et l'espousoit,
La quelle espouse homme appelloit
Dame Anne, q'ert en son endroit
Et belle et bonne au tout devis,
Q'ascune part om ne savoit 27490

Qui envers dieu meulx se gardoit
Selonc la loy des Circumcis.

Molt fuist honeste assemblement
De l'un et l'autre ensemblement,
Car chascun d'eaux en sa mesure
Gardoit sa loy noun feintement,
Ainz envers dieu molt seintement
Se contienoit sanz mesprisure :
Et chascun aun d'almoisne pure
Trestout le gaign de leur tenure 27500
En trois partz charitousement
Firont partir, dont la figure [hure
Nous donne essample au present f. 150
D'almoisne faire, oietz comment.

La part primere ils departoient
Au temple et a les clercs q'estoint
Dedeinz le temple a dieu servir ;
La part seconde, u mestier voiont,
Al oeps des povrez gens donoiont
Pour la viande et le vestir ; 27510
Et pour lour mesmes maintenir
Et leur famile sustenir,
La tierce part vers soy gardoiont :
Sanz covoitise et fol desir,
Tansoulement au dieu plesir,
Lour corps et biens abandonnoiont.

Vingt auns ensemble nepourqant
Estoiont sanz avoir enfant,
Et Joachim pour ce voua
Qe chascun an son dieu devant 27520
Loigns en Jerusalem avant
Au temple irroit pour offrir la,
Au fin que si dieus luy dorra
Ou file ou fils, quelque serra,
Pour dieu servir vait promettant
Q'il deinz le temple l'offrera :
Dame Anne auci le conferma
Et de sa part promette atant.

Danz Joachim par cel endroit
Trois fois en l'aun au temple aloit, 27530
Dont il avint un aun ensi :
L'evesque, qui la loy gardoit,
Qant vint offrir, le refusoit
Et oultre ce luy dist auci :

27475 enscieuont

x

'Avant, beal sire, aletz de cy,
Q'es loign du grace et du mercy:
Femme as, mais c'est encontre droit,
Qe nul encress as fait en luy
Du pueple dieu; pour ce te dy,
Ton offre n'est a dieu benoit.'   27540
Ensi l'evesque sa sentence
Dist devant tous en audience,
Dont l'autre estoit trop esbahiz;
Car lors furont en la presence
Des ses voisins, dont il commence
Penser q'arere en son paiis
Ne volt aler par nul devis;
Ainz en secret s'est departiz
Loigns en desert, u q'il s'apense
Ove les pastours de ses berbis   27550
Mener sa vie comme chaitis
Pour la vergoigne que luy tence.
Cil q'ot esté de grant honour
Pour honte ensi devint pastour;
Mais dieus, q'au fin luy volt aider,
Enprist pité de sa dolour,
Et de son ciel superiour
Par l'angle qui fuist messagier
Luy mande, q'il duist retourner
A son hostell et sa mulier,   27560
Et si luy dist: 'N'eietz paour,
Je viens novelles apporter,
Et pour ton cuer reconforter
Enten que dist le creatour.
'Dieus dist q'il voit bien la matiere
Et le clamour de ta priere
Ove les almoisnes q'as donné;
Si voet que tu t'en vais arere
Envers ta femme, et la tien chere;
Car la divine magesté   27570
T'ad tiele grace destiné,
Que de ton corps ert engendré
La file q'ert de sa maniere
Sur toutes la plus beneuré,
Dont tout le siecle serra lée;
Et pour ce faitez bonne chere.
'Dame Anne en soi concevera
Et une file enfantera,

Le noun de luy serra Marie,
La quelle offrir te coviendra   27580
Au temple, u q'elle habitera,
Comme celle q'est la dieu amie;
Car vierge pure nient blemie
Dieu servira toute sa vie,
Siq'en son corps compli serra
Toute la viele prophecie;
Le fils de dieu, q'om dist Messie,
Parmy sa char s'encharnera.
'Que ceste chose serra voir
Par signe tu le dois savoir: 27590
En la Cité matin irrez,
Au porte d'orr te fai movoir,
Et la dois tu ta femme avoir,
Dont plus segur estre porrez
Par ce q'illeoques la verrez:
Elle ad esté dolente assetz,
Mais lors doit joye rescevoir.'
Qant l'angel ot ses ditz contez,
Au ciel dont vint s'est remontez
Et l'autre maint en bon espoir.   27600
Ore a dame Anne vuil tourner:
Qant son mary vist destourner,
Siq'a sa maison ne revint,
Tiel doel commence a demener
Qe nuls au joye remener
La pot; mais celle nuyt avint
Que l'angle pour conter luy vint,
Dont elle a tout son cuer devint
Joyeuse, et prist a mercier
Son dieu, et lors en peas se tint   27610
Et la matiere bien retint
De ce q'elle ad oÿ conter.
Ensi dieus de sa providence
Du confort donna l'evidence
As ceaux qui ont esté dolent:
Mais lors leur joye recommence,
Par quoy chascun l'autri presence
Covoite asses devoutement,
Et trop leur semble longement
Ainz q'il vienont ensemblement,   27620
Dont l'un desire et l'autre pense;
Siq'au matin, qant l'aube esprent,

27574 plusbeneure   27598 angle

La voie au porte chascun prent
Sanz faire ascune resistence.
    Et l'un et l'autre a cuer reporte
Les ditz que l'angle lour apporte,
Par quoy se lievont au matin
Et s'entrecontront a la porte.
Si l'un ove l'autre se desporte,
Drois est, mais puis font lour chemin
Vers lour hostel, u leur voisin   27631
Grant joye font au pelerin,
Q'au sa maison en sauf resorte :
Ensi menont le jour au fin,
Mais le secret q'estoit divin
Ensur trestout les reconforte.
    Qant leur voisin s'en vont partir,
Lors croist l'amour sanz departir
De la divine pourvoiance ;
Qant ils en ont asses leisir,   27640
Chascun dist autre son pleisir
Et font sovent la remembrance
De l'angel dieu et sa parlance,
Dont ils ont fermé la creance
Qe tout cela doit avenir.
Dieus de nature en sa puissance
Leur moustra tant de bienvuillance
Qe l'un et l'autre ot son desir.
    Dame Anne, ensi comme dieus voloit,
De son mary lors concevoit,   27650
Et puis a terme de nature
Au dieu plesance elle enfantoit
Sa belle file, et la nomoit
Marie, q'est du grace pure
Sur toute humeine creature :
Savoir poetz tiele engendrure
As les parens joyeuse estoit.
Trois auns la tint a norreture
Dame Anne, et puis de sa droiture
L'offri, comme elle ainçois vouoit.   27660
    Au temple dieu s'en vont avant
Le piere et miere ove tout l'enfant
Pour faire a dieu le sacrefise,
Sicomme promis estoit devant.
L'evesque en fuist asses joyant,
Qant tiele offrende y estoit mise ;

Il la receust deinz sa pourprise,
Et par doulçour et bonne aprise
Au dieu plaisir la vait gardant :
Mais ore oietz la halte enprise   27670
Que la virgine avoit enprise,
Q'estoit miracle apparisant.
    Quinsze degrés y ot du piere
Devant le temple en la manere
Q'om pot par les degrés monter ;
Dont il avint sique la mere
Sa file a la degré primere
Laissa trestoute soule estier :
Mais dieus, qui la voloit amer,
Ce que l'enfant n'ot du poer   27680
Donna de grace la matiere,
Siqu'il la fist la sus aler
Jusques au temple et aourer :
Savoir poetz que dieus l'ot chere.
    Qant les parens tout fait avoiont
Qe faire en celle part devoiont,
A leur hostell sont retourné :
El temple dieu l'enfant lessoiont
Entre les autres qui servoiont
A dieu par droite honesteté ;   27690
Mais celle estoit la plus amé
De dieu, et tout la plus loé
Du pueple, car trestous l'amoiont ;
Mais qant elle ot sept auns passé,
Tant plains estoit d'umilité   f. 151
Qe toutez gens bien en parloiont.
    Solonc que l'auctour me descrit,
D'une coustume truis escrit
Que la virgine acustuma,
Q'au point du jour laissa son lit   27700
Et lors tantost par grant delit
Au dieu prier s'abandonna ;
Et en priant continua
Jusques au tierce, et lors cessa
Et d'autre labour s'entremist,
Les vestementz lors enfila,
Le temple dieu dont aourna,
Et jusq'au au Nonne ensi le fist.
    Apres la Nonne chascun jour
Au temple u q'elle ert au sojour   27710

27640 enont   27665 enfuist   27696 enparloiont

X 2

Se mist en contemplacioun :
Au dieu, vers qui tout son amour
Ot attourné, fist sa clamour
Par droite humiliacioun,
Ore ert en meditacioun,
Et ore en supplicacioun
Requist la grace au creatour ;
C'estoit sa conversacioun,
C'estoit sa recreacioun,
C'estoit sa joye et sa doulçour.   27720
    Viande nulle volt gouster
Tiels jours y ot, pour plus penser
En dieu, u tout le cuer ot mys :
Dont par decerte et par loer
La volt dieus amer et louer,
Si luy envoit assetz toutdis
Les signes de son paradis,
Des roses et des fleurs de lys,
Dont ses chapeals puet atiffer ;
Comme cil q'est ses loyalx amys,   27730
Sovent son angel ad tramys
Pour sa virgine visiter.
    Plain quatorsze auns se tint ensi,
Mais qant cel age ot acompli,
Secretement sa chasteté
Vouoit, et promist q'a nully
Son corps dourroit fors q'a celly
Par qui son corps luy fuist donné :
Ensi par droite humilité
Affermoit sa virginité,   27740
Dont l'amour dieu ot establi
Dedeinz le cuer et affermé,
Et dieus l'amour tient confermé
Et de sa part le grante auci.
    Mais ore oietz le grant confort,
Que dieus voloit refaire fort
Adam, qui chaoit par fieblesse,
Dont ils estoiont en descort ;
Mais il volt faire bonne acort
Parmy la vierge et sa noblesse,   27750
Et sicome d'Eve peccheresse,
Q'ert du pecché la fonderesse,
Nasquist Orguil, dont vint la mort,
Ensi volt dieus que par l'umblesse

De la virgine se redresse
La vie q'est tout no desport.
    Dieus, de sa halte providence
Qui voit le fin ainz q'il commence,
Pensa de sa virgine prendre
La nostre char ; mais ce q'il pense   27760
Volt celer de sa sapience,
Qe deable ne le pot entendre :
Et pour cela la vierge tendre
Volt dieus au mariage rendre,
Et d'autre part pour l'evidence,
Q'il volt en soy la loy comprendre ;
Car sanz la loy qant homme engendre,
N'est pas honneste la semence.

    Ore dirra la maniere comment
nostre Dame fuist espousée a
Joseph.

    Du viele loy c'estoit usage
Q'a quatorsze auns le mariage   27770
L'en pot de les pucelles fere :
Pour ce l'evesque en son estage,
Q'ot la pucelle en governage,
Pourpensa soy de cest affere,
Et l'aide dieu prist a requere,
Siq'il ne puisse en ce mesfere,
Ainz q'il porra sanz nul dammage
Son dieu et sa virgine plere ;
Et lors le pueple fist attrere
Pour mieulx en faire l'avantage.   27780
    Et qant le temps ert avenu
Qe tout le pueple estoit venu
Au temple, u que l'evesque estoit,
La cause dont les ad esmu
Leur dist, et charga depar dieu
Qe chascun solonc son endroit
Devoutement dieu prieroit,
Q'il demoustrance leur ferroit
De sa grace et de sa vertu,
Qui la virgine espouseroit :   27790
Ensi le pueple tout prioit,
Envers le ciel coll estendu.
    Chascuns requiert, chascuns supplie,
Chascuns devoutement se plie

A faire le commandement
Qe leur Evesque preche et crie :
Vei la tantost, que leur escrie
La vois d'en halt le firmament,
Et si leur dist : 'O bonne gent,
Vous q'estes ore yci present   27800
Estraitz du sainte progenie
Le Roy David, certainement
A l'un de vous l'affaire appent
D'estre maritz de la Marie.
    'Mais ore plus vous conteray,
Et la maniere enseigneray
Par quoy conoistre le devetz :
Chascuns, sicomme ainçois dit ay,
Prende une verge, et puis dirray
Comment la verge porteretz,   27810
Et vers le ciel l'adresceretz :
Mais celle verge que verretz
Flourie ensi comme l'erbe en Maii,
C'est cil qui vous espouseretz
A la virgine. Ore tost aletz ;
La chose est venue a l'essay.'
    Lors celle vois q'ils ont oÿ
N'en parla plus, ainz s'esvani,
Sur quoy l'evesque meintenant
Bailla sa verge a chascuny :   27820
Chascuns la porte endroit de ly
De ceaux dont vous ai dit devant,
Entre les queux trestout avant
Joseph sa verge fuist portant,
Que s'en flourist, et lors le cry
Se lieve, et tous vont escriant,
'Le viel Joseph au jofne enfant
Serra mari, serra mary.'
    Joseph de l'onour fuist hontous
Et d'espouser molt paourous,   27830
La vierge auci hontouse estoit ;
Mais dieus, qui leur fuist gracious,
Par son saint angel glorious
De sa mercy leur confortoit,
Disant que chastes viveroit
Et l'un et l'autre en son endroit,
Et lors n'estoient pas doubtous
Par ce que dieus leur promettoit ;

Au mariage s'assentoit
La vierge ovesque son espous.   27840
    Du viele loy a coustummance
L'evesque de sa bienvuillance,
Q'estoit prodhomme en son corage,
Enprist sur soy la pourvoiance
De la virgine et l'ordinance
Des noeces et du mariage.
Pareill furont de leur parage,
Mais desparaill estoient d'age,
L'un ot vielesce et l'autre enfance ;
Nientmeinz solonc le viel usage   27850
Fuist fait par juste governage
Le matrimoine au dieu plesance.
    Qant tout fuist fait de l'espousaille,
Joseph, q'avoit la vierge en baille,
Auci sa chasteté voua,
Et tost apres il s'apparaille
Vers son paiis, dont se consaille
Ove la virgine et puis s'en va ;
Dont elle plus n'y sojourna,
En Nazareth ainz retourna,   27860
U q'elle a demourer se taille
Ove ses parens ; mais pour cela
Sa viele usance ne laissa,
Car dieus la tint en governaille.
    Bon amour deinz bon cuer reclus
Du jour en jour croist plus et plus,
Car qui bien ayme point n'oublie ;
Par ceste reson suy conclus
Qe bon amour ja n'ert exclus
Par nulle chose en ceste vie,   27870
Ainz croist toutdis et multeplie :
Ce vuill je dire de Marie,
Q'ot son cuer mys a dieu la sus,
Et dieus auci de sa partie
De plus en plus la tint cherie ;
Ne l'un ne l'autre estoit deçuz.
    O comme l'amour fuist covenable
De la virgine et honurable,
Que soulement son dieu desire ;
Et d'autre part fuist delitable   27880
Au tout le mond et proufitable,
Qui la matiere bien consire,

Car dieus, sicome nous poons lire,
El corps du vierge volt eslire
Son temple, u qu'il enhabitable   f. 152
Volt estre, et de son halt empire
Vint naistre pour la mort despire
Et donner vie perdurable.

  O la mercy du creatour,
Qu'il de son ciel superiour   27890
Voloit descendre au basse terre
Pour faire a sa virgine honour,
Et pour moustrer le grant amour
Q'a les vertus nous volt refere,
Et les pecchés mortieux desfere
Qe deble ainçois nous fesoit fere!
Dilors, q'est cil qui par doulçour
Ne duist a celle vierge plere,
En qui dieus mist tout son affere
Dont il devint no salveour?   27900
  O dame, sanz ta soule grace,
Au fin que je cest ovre enbrace,
Je n'ay savoir pour acompter;
Mais, doulce dame, s'il te place,
Bien sai dieus voet q'en toute place
L'en doit tes oevres reconter,
Pour ta loenge et pris monter
Et pour le deable desmonter,
Q'est desconfit de ta manace:
Pour ce, ma dame, je t'en quier,   27910
Mettetz le sens dedeinz mon cuer,
Dont ta loenge conter sace.

    **Ore dirra de la Concepcioun et
de la Nativité nostre seignour, et
en partie de les joyes nostre dame.**

  Avint un jour de la semeine,
Qant ses pensers la vierge meine
A la divine druerie,
Et deinz sa chambre fuist soleine
Sanz chambrellain ou chambreleine,
Survint un angel de Messie
Et la salue come s'amie,
Et si luy dist, 'Ave, Marie,   27920
Del grace dieu trestoute pleine!'
La vierge en fuist molt esbahie,

     27922 enfuist

Q'elle ert tout soule et desgarnie,
Et la novelle estoit soudeine.
  Mais l'angel par confortement
Luy dist molt debonnairement,
'Ma dame, ne vous doubtez pas,
Car dieu le piere omnipotent
Voet pour sauver l'umaine gent
Que tu son fils conciveras   27930
Et de ton corps l'enfanteras,
Virgine nepourqant serras.'
Et lors tu dis, 'He, dieus, comment
Puet ce venir?' puisque tu n'as,
Ne jammais eustes n'en avras
D'ascun charnel assemblement.
  Ma dame, a ce te respondoit
Saint Gabriel, et te disoit
Qe l'espirit de dieu tout coy
Ove la vertu de ciel vendroit,   27940
Qui tout cell oevere parferroit,
Comme cil q'est toutpuissant en soy:
'Et ce qui naistera de toy
Serra nommé le fils du Roy,
C'est Jhesu Crist, a qui l'en doit
Trestout honour et bonne foy.'
Et puis t'en donna signe au quoy
Lors ta credence ferme soit.
  'Qe dieus sur tout est soverein
Et ad tout ce q'il voet au mein,   27950
Il te moustra verray signal
De ta cousine et ton prochein
Elizabeth, q'estoit barein,
Six moys devant d'especial;
Mais dieus, q'est sire et governal
Sur tout le siecle en general,
Luy ad donné son ventre plein
D'un fils qui molt serra loyal:
Ensi deinz ton memorial
Retien que tout serra certein.'   27960
  Qant tu, ma dame, as tout oÿ
Qe l'angel dist, la dieu mercy
Lors en louas, dont simple et coie
Tu luy donnas response ensi:
'La dieu ancelle vei me cy,
Soit ta parole toute moye.'

     27963 enlouas

Qant as ce dit, vers toy se ploie
Saint Gabriel et se desploie
Volant a ciel, si q'apres luy
De nulle part ton cuer s'effroie ; 27970
Et c'estoit la primere Joye,
Dont tu, ma dame, es rejoÿ.
  Solonc la parole angeline
Jhesum conceustez, et virgine
Apres mansistez nette et pure.
Mais qant avint que ta cousine,
Qui d'un enfant ot pris saisine,
Dont elle ert grosse a mesme l'ure,
Vous encontra par aventure,
Dedeinz le ventre a sa mesure 27980
L'enfant de luy vers toy s'acline
Pour faire honour a ta porture
Comme sa demeine creature :
C'estoit miracle assetz divine.
  Elizabeth fuist celle mere,
Que le baptistre a sa costere
Dedeinz son ventre lors porta,
Qui reconoist la dieu matiere,
Et fist l'onour a sa maniere,
Ainz que sa miere l'enfanta. 27990
  La miere qant sentist cela,
A toy, ma dame, s'escria
Par halte vois et lée chiere,
Si t'ad benoit, que tu pieça
Par l'angel qui toy noncia
Donnas credence a dieu le piere.
  Elizabeth qant s'aparçoit,
Par grant devocioun disoit :
Benoite, dame, soies tu
Depar dieus, en bonne houre soit, 28000
Car tout que l'angel noncioit
Est en ton corps ore avenu :
L'enfant deinz moy l'ad bien sentu,
Et par ce je l'ay bien conu.'
C'est un miracle asses benoit
Pour demoustrer la dieu vertu,
Sique, ma dame, en chascun lieu
Tes Joyes vienont par esploit.
  O quelle aperte demoustrance !
Jehans, ainz q'il avoit naiscance, 28010
Son dieu, auci qui n'estoit né,

Honourt et fait reconoiscance,
Ainz que sa langue de parlance
Ascunement estoit doé,
Ainçois qu'il pot aler au pée,
Il s'est el ventre travaillé
Pour faire a dieu sa pourvoiance ;
Ainçois q'il vist la clareté,
Il perceust la divinité,
Qe la virgine ot en balance. 28020
  Itiele chose q'ert novelle
Tes Joyes, dame, renovelle ;
Mais puis apres grant Joye avetz,
Qant tu sentis soubz ta cotelle
Le vif enfant en ta boëlle,
Qui s'esbanoie a tes costées :
Mais qant ce vient en tes pensées,
Qe c'est il par qui commencez
Tous sont, le madle et la femelle,
Lors si tu, dame, soies leez 28030
Nuls se doit estre esmerveillez,
Q'es mere dieu et sa pucelle.
  Mais a grant peine om conteroit
Coment Joseph s'esmerveilloit,
Qant vist sa femme grosse et pleine,
Q'il de ce fait privé n'estoit ;
Dont par dolour il s'aprestoit
Fuïr, mais l'angel luy restreigne,
Si luy conta trestout l'overeigne.
Mais lors Joseph ses joyes meine 28040
Plus que l'en dire ne porroit,
Et toy servir ades se peyne,
Ma dame, en esperance seine
Q'il le fils dieu nestre verroit.
  Ne puet faillir que dieus destine,
Dont il avint q'a ce termine
Joseph de Nazareth passa
Jusq'au Bethlem, u q'il chemine,
Et ad Marie en sa covine,
Q'ensemble ovesque luy ala. 28050
C'estoit au temps q'elle aprocha
Son terme, issint q'elle enfanta
L'umaine essance ove la divine :
Entre les bestes le posa
En une crecche u reposa,
N'ert pas sa chambre lors marbrine.

O cil q'ert Rois sur tout Empire,
Comme il voloit orguil despire,
Qant il si povrement nasqui !
N'est pas orguil ce q'il desire,   28060
Vers l'asne d'une part se vire
Et vers le boef de l'autre auci,
N'estoit courtine presde luy.
O Rois du gloire, ta mercy,
Qui viens poverte tiele eslire !
La miere que te porte ensi
Scieust nepourqant tresbien de fy
Qe tu sur toute chose es sire.
  Cil q'estoit de nature mestre
Solonc nature voloit nestre   28070
Au due temps ; mais autrement,
Contre l'usance q'est terrestre,
Le grief dolour q'ont nostre ancestre
Al houre de l'enfantement,   f. 153
Ma doulce dame, ne te prent,
Ainz comme solaill son ray estent
Parmy la verre en la fenestre
Sanz fendure ou molestement,
Ensi, ma dame, salvement
Nasquist de toy le Roy celestre.   28080
  Mais certes, dame, de ta Joye
Que lors avetz, je ne porroie
La disme part conter al hure ;
Car doublement ce te rejoye,
Qant vif en char pres toy costoie
Qui ciel et terre est au dessure,
Et d'aultre part q'il sanz lesure
Nasquit de toy a sa mesure,
Comme dieu puissant par toute voie,
Dont ta virginité fuist pure :   28090
Lors fuist complie l'escripture,
Que Rois David de toi psalmoie.
  O dame, bien dois estre lée,
Qant dieus t'estoit abandonné ;
Qui fuist ton piere ore est ton fils,
Qui toy fourma tu as fourmé,
Qui t'engendra as engendré,
Il toy crea, tu luy norris,
Qui tout comprent tu as compris,
Qui tout governe est ton soubgis,   28100

De qui l'ancelle avetz esté,
Ore es la dame : a mon avis
Nuls puet conter le droit devis,
Dont tu, ma dame, es honouré.
  O dieus, ta file te conçoit,
Et puis t'espouse t'enfantoit,
Et ta norrice estoit t'amie,
Ta soer en berces te gardoit,
Et une vierge t'allaitoit,
Maisque ta miere estoit Marie,   28110
La tue ancelle ot en baillie
Ton corps, qui molt sovent te lie,
Ta creature te portoit :
Ja puis n'ert tiele chose oïe,
Car en toute la compaignie
Forsq'une soule femme estoit.
  O dieus, qui feis trestoute beste,
Et la salvage et la domeste,
Et fourmas l'omme a ta semblance,
Et d'autre part a toy s'apreste   28120
Trestoute chose q'est celeste,
Drois est pour ce q'a ta naiscance
Soit fait ascune demoustrance,
Dont soit oïe la parlance
En tous paiis de la terreste,
Pour meulx avoir la conoiscance :
Mais tout cela de ta puissance
Fuist fait, sicomme nous dist la geste.

Ore dirra de les mervailles qui aviendront, qant nostreseignour fuist née.

As pastours qui la nuyt veilloiont
Et leur berbis en sauf gardoiont   28130
Un angel dieu vint noncier,
Et si leur dist q'ils lées en soiont,
Car en Bethlem née troveroiont
Jhesum, qui doit le mond salver ;
Et puis oïront un Miller
Des angles doulcement chanter,
'Soit gloire a dieu en halt,' disoiont,
'Et peas en terre soit plener
As gens qui vuillont peas amer.'
C'estoit le chançon q'ils chantoiont.

28132 ensoiont

Au matin l'endemain suiant 28141
Tout d'un acord passont avant
Jusq'en Bethlem, u qu'ils troveront
Marie, Joseph et l'enfant,
Q'estoit en ses drapeals gisant
En un rastell, u bestes eront ;
Dont ils grant joye desmeneront
Et leur avision conteront
As tous qui leur furont devant,
Et puis a l'ostell retourneront. 28150
Les ascoultantz s'esmerveilleront,
Et tu, ma dame, as Joye grant.

Enqore dieus d'autre manere
La nuyt qant il nasquit primere
Sa deité nous demoustroit ;
Car d'une estoille belle et clere
Au tout le mond donna lumere,
Et fermement l'establissoit
Sur la maisoun u q'il estoit.
De l'orient lors y venoit 28160
Trois Rois, q'estoiont divinere,
Chascuns offrende ove soi portoit,
Q'il a ton fils sacrifioit
Pardevant toy, sa doulce mere.
En genullant luy font offrens,
C'est orr et mirre et franc encens,
En demoustrance par figure
Qu'il estoit Rois sur toutes gens,
Et verray dieus omnipotens,
Et mortiel homme en sa nature : 28170
L'estoille q'apparust dessure
Nous signefie en sa droiture
Q'il sire estoit des elementz.
O tu sa mere et vierge pure,
Molt t'esjoïstes a celle hure
Des tiels honours, des tieus presentz.

**Ore dirra de la Circumcisioun
nostre seignour et la Purificacioun
de nostre dame.**

O tu virgine enfanteresse,
Par autre voie avetz leesce,
Qant ton enfant fuist circumcis ;
Par ce nous moustra grande humblesce,

Qu'il volt bien que la loy expresse 28181
Fuist en son corps tout acomplis ;
Mais a ce point estoit finis
La Circumcision jadis,
Et par toy q'es no salveresse
Solonc la loy de ton chier fils
Ly cristiens baptesme ad pris,
Au quoy se clayme et se professe.
Au jour quarante de s'enfance
Du viele loy a coustumance 28190
Au temple dieu fuist presenté
Ton fils, pour garder l'observance
D'umilité et d'obeissance ;
Pour ce s'estoit humilié :
Dont Simeon en son degré
Le receust a grant chiereté,
Q'il estoit prestre, et la faisance
Du temple estoit a luy donné ;
Mais unqes jour ne fuist si lée,
Qant om luy dist la circumstance. 28200
De ses deux mains l'enfant manoie
Dessur l'autier et le conjoye,
Et puis l'enbrace par loisir
Et fait honour par toute voie,
Disant : 'O dieus, puisque je voie
Ton corps, ore ay tout mon desir ;
Dont s'il te vendroit au plesir,
Laissetz moy ore en pes morir,
Qe je n'ay plus que faire doie,
Car tu es cil qui doit venir.' 28210
Ma dame, en tiele chose oïr
Te croist toutdis novelle Joye.
Cil Simeon maint aun devant
Ot bien oÿ q'un tiel enfant,
Q'ert fils au Roy superiour,
Serroit par grace survenant
En une vierge, u q'il naiscant
Sa char prendroit pour nostre amour ;
Dont lors pria son creatour
Q'il porroit vivre a celle jour, 28220
Pour vir le fils au toutpuissant :
Mais lors, qant il en ot l'onour
Et tint en bras son salveour,
Tout le souffist le remenant.

Ton fils, ma dame, soulement
Ne volt pas estre obedient
Au loy tenir endroit de soy,
Ainçois voloit, ensemblement
Qe tu, ma dame, tielement
Dois loy tenir endroit de toy : 28230
Pour ce solonc la viele loy,
Ma dame, au temple trestout coy
Te viens purer, et nequedent
Qant a nature il n'ert du quoy ;
Car sanz corrupcioun, je croy,
Ton fils portas tout puremènt.

Qant dieus nasquist, a celle fois
Roy fuist Herode, a qui les trois,
Des queux vous ay le conte fait,
En leur venir furont ainçois, 28240
La qu'il estoit en son palois ;
Et luy conteront tout le fait,
Come par l'estoille chascun vait
Sercher l'enfant qui fuist estrait
De dieu le piere et serroit Rois
Sur tout le mond : mais par agait
Herodes qu'il serroit desfait
Pensa, comme cil q'estoit malvois.

Herodes, qui fuist plein d'envie,
A tous les trois requiert et prie 28250
Q'ils voisent cell enfant sercher,
Et que chascun reviene et die
Ce q'il ad fait de sa partie ;
Car il avoit deinz son penser
Q'il le ferroit tantost tuer.
Mais dieus, a qui riens puet grever,
Qant ils leur cause ont acomplie,
Par songe les fist rettourner
Une autre voie sanz parler
Au fel tirant, qui dieus maldie. 28260

**Ore dirra comment Rois [f. 154
Herodes fist occire les enfantz
en Bethlem, et comment nostre
dame et Joseph s'en fuirent
ovesques l'enfant en Egipte.**

Herodes, qant s'est aparçuz
Comment il ad esté deçuz,

Q'a luy des trois nul retourna,
Fist a ses privez et ses drus
Leur lances prendre et leur escutz,
Et si leur dist et commanda,
Tous les enfantz q'om tuera
En Bethlem et environ la :
Q'il par ce quide estre au dessus
De luy q'au fin luy venquera ; 28270
Car celluy qui dieus aidera
Des tous perils ert defenduz.

Car dieus, qui tint son fils chery,
Par songe en ot Joseph garny,
Et si luy dist, ' Pernetz l'enfant,
Maisque sa mere voise ove luy :
Aletz vous ent, fuietz de cy
Jusq'en Egipte tout avant,
U vuill que soies demourant.'
Et ils s'en vont du meintenant 28280
Vers la, ou q'ils se sont guari ;
Mais fals Herode le tirant
Tua d'enfantz le remenant
Sanz avoir pité ne mercy.

Drois est que l'en doit acompter
Pour les miracles reconter
Qe lors en Egipte aveneront,
Qant tu ma dame y vins primer
Ove ton enfant pour habiter :
Car les ydoles tresbucheront 28290
En tous les temples u q'ils eront,
Et lieu a ton chier fils doneront,
Q'a sa puissance resister
Ne poent, ainz par tout trembleront :
Les mescreantz s'esmerveilleront,
Dont tu, ma dame, as Joye au cuer.

Une arbre halte, belle et pleine
Auci, ma dame, en une pleine
En celle Egipte lors estoit,
Dont fuist la fame molt longteine, 28300
Q'au toute gent malade et seine,
Qui les racines enbevoit
Ou autrement le fruit mangoit,
Santé du corps asses donnoit :
Dont il avint une semeine
Qe ton chier fils par la passoit,

Et l'arbre au terre s'obeissoit
Pour l'onourer en son demeine.
  O tu virgine et la dieu miere,
Qe ce t'estoit mervaille fiere,   28310
Qant si foreine creature
Conoist son dieu en la maniere;
Dont ta loenge plus appiere
Par ton chier fils, q'est dieu dessure:
Car lors scies tu, de sa droiture
Q'il estoit sire de nature
Et puet tourner l'avant derere,
C'est une chose que t'assure;
Sique, ma dame, en chascune hure
Te vient du Joye la matiere.   28320
  Dieus au sovent la malfaisance
Du male gent par sa souffrance
Laist pour un temps, mais au darrein
De sa justice il prent vengance:
Pour ce vous di que celle enfance,
Qe cil tirant moertrer vilein
Faisoit tuer, vient ore au mein:
Cil q'ad pover du tout humein
Le fist morir sanz pourvoiance
Par dolour qui luy fuist soudein,   28330
Dont cil te manda le certein
Qui t'ad, ma dame, en remembrance.
  Des toutes partz te vient confort,
Car qui sur tous est le plus fort,
C'est ton chier fils, t'ad envoiez
Ses angles, qui te font desport,
Disantz que tu du lée port
En Israel retourneretz.
Je ne say dire les journés,
Mais qant tu viens a tes privez,   28340
Qui sont ove toy du bon acort,
Molt estoit dieus regraciez,
Qui toy, ma dame, ad remenez,
Et ton fils ad guari du mort.
  Ensi, ma dame, d'umble atour
En Nazareth fais ton retour,
Ove tes parens pour sojourner;
Et puis avint que par un jour
Parentre toy, ma dame, et lour
Au temple dieu t'en vas orer,   28350

Si fais ton fils ove toy mener;
Mais qant ce vint au retourner,
Tes joyes changont en dolour,
Car tu ne puiss ton fils trover,
Combien que tu luy fais sercher
En la Cité partout entour.
  O dame, je ne doubte pas
Que tu fecis maint petit pass,
Ainz que poes ton fils avoir,
Dont tu Joseph auci prias,   28360
Combien q'il fuist et viels et lass,
Q'il duist auci son pée movoir,
S'il te porroit aparcevoir:
Deux jours serchastes en espoir,
Qe tu, ma dame, riens trovas,
Mais l'endemain tu puiss veoir
Q'il ad conclus de son savoir
Les phariseus et les prelatz.
  Au tierce jour luy vas trovant
Dedeinz le temple desputant   28370
As mestres de la viele loy,
Qui prou ne scievont a l'enfant
Respondre, ainz ont mervaille grant
De sa doctrine et de sa foy.
Tu luy crias: 'Beal fils, pour quoy
Ne scies tu que ton piere et moy
T'aloms en grant dolour querant?'
Il lieve et puis excuse soy,
Si vait tout simplement ove toy,
Du quoy ton cuer fuist molt joyant.   28380
  Ton fils te suyt molt humblement
Et tu t'en tournes bellement
A Nazareth ton parenté,
Q'ainçois estoiont molt dolent,
Mais ore ont joye a leur talent,
Qe tu ton fils as retrové.
Bien tost apres en Galilée
Ot une feste celebré
Des noeces, u courtoisement,
Ma dame, l'en t'avoit prié   28390
Que ton chier fils y soit mené
Ove toy, ma dame, ensemblement.
  Le feste ert riche et bien servi,
Maisque bon vin leur est failly

En la maison Archideclin ;
Dont ton chier fils, qant il l'oï,
Les potz q'estoiont d'eaue empli
Fist changer leur nature en vin
Molt bell et bon et fresch et fin,
Dont tous bevoiont en la fin   28400
Et le rendiront grant mercy :
La moustra Jhesus son divin,
Dont le forein et le voisin
De l'escoulter sont esbahi.
    O dame, qui scieust bien conter
Tous les miracles au plener
De ton fils en s'enfantel age,
Sanz nombre en porroit om trover,
Qe molt fesoiont a loer :
Des tous ne suy je mye sage,   28410
Mais q'il ert humble de corage,
Des tous paiis savoit langage
Pour bonnes gens acompaigner ;
Mais sur trestous a vo lignage
Chascun endroit de son estage
Faisoit grant joye demener.

    **Ore dirra comment nostre sire
fuist baptizé.**

    Dieus, qui volt changer en sa guise
La Sinagoge pour l'Eglise,
Faisoit la transmutacioun
Q'estoit du viele loy assisse,   28420
Sique baptesme serroit prise
En lieu de Circumcisioun ;
Par quoy de sa provisioun
Ot un servant, Jehans par noun,
Qui molt estoit de sainte aprise,
Faisant sa predicacioun
Au pueple pour salvacioun
Du loy novelle et les baptize.
    Oültre le flom Jordan estoit
Jehan baptist, qui baptisoit   28430
Prechant au pueple la salu
Du loy novelle, et leur disoit
Qe cil qui noz pecchés toldroit
Du ciel en terre ert descendu
Et s'est de nostre char vestu ;

Et qu'il au pueple soit conu,
Jehans du doy le demoustroit
Disant, ' Vey cy l'aignel de dieu !
Vei cy qui tout le mond perdu
De sa mercy refourmer doit !'   28440
    Jehan en le desert se tint
Par grant penance, u q'il s'abstint,
Q'il pain ne vin ne char gousta ;
Delice nulle a soy retint,
Du mell salvage ainz se sustint,
De l'eaue but, que plus n'y a,   f. 15ᵃ
Toute vesture refusa
Forsque des peals q'om escorcha
De ces Chameals, car bien sovint
Q'orguil du ciel l'angel rua,   28450
Et gule en paradis tua
Adam, dont nous morir covint.
    De son precher, de sa penance
Toutplein des gens a repentance
Solonc la loy novelle attrait,
Q'a luy vindrent par obeissance,
Et du baptesme l'observance
Resçoivent, sique son bienfait
Au loy novelle grant bien fait.
Par tous paiis la fame en vait,   28460
Dont Crist, q'en fist la pourvoiance,
Qui volt refaire no forsfait,
Vint a Jehan et quiert q'il ait
Baptesme, dont sa loy avance.
    Jehans respont : ' Laissetz estier ;
Baptesme tu me dois donner,
Qui viens de moy baptesme quere.'
' Souffretz,' fait Crist, ' de ton parler,
Car ce partient a mon mestier :
Solonc la loy par tout bien fere   28470
Je viens pour estre debonnere,
Et pour cela t'estuet parfere
La chose dont je te requier.'
Ensi disant se fait attrere
En l'eaue, u que de son affere
Jehans le faisoit baptiser.
    La vois de ciel lors descendist,
Et comme tonaire il parle et dist :
' Vei cy mon tresdouls amé fils,

U toute ma plaisance gist.' 28480
Ove ce le ciel d'amont ovrist,
Et vint y ly saintz esperitz,
Qui la semblance au droit devis
D'un blanc collomb lors avoit pris,
Et pardessus sa teste assist.
De celle veue estoit suspris
Jehans, qui puis apres toutdis
Du grant miracle s'esjoÿt.
     Jehan, q'estoit le dieu amy,
Long temps devant en fuist garni 28490
Par l'angel, qui luy fist savoir
Disant, 'Qant tu verras celluy
Venir, dessur la teste a qui
Le blanc colomb vendra seoir,
C'est le fils dieu, sachez pour voir.'
De tant fuist il en bon espoir;
Mais puis quant dieus le fist ensi
Siq'il le puet des oills veoir,
De lors fist il tout son devoir,
Du quoy la foy soit plus cheri. 28500
     Qui toute chose sciet et voit
Du providence se pourvoit,
Q'il par ses oeveres volt moustrer
Q'il fils de dieu le piere estoit;
Dont deux miracles il faisoit,
Qui molt firont a mervailler,
Les queux bon est a reciter
Pour sa puissance remembrer
Et pour despire en leur endroit
Les mescreantz, qui baptizer 28510
Ne se voldront, dont excuser
Ne se porront par ascun droit.

**Ore dirra en partie des miracles
que nostreseignour faisoit avant
sa mort.**

     Un temps avint q'en Bethanie
Lazar, de Marthe et de Marie
Qui frere estoit solonc nature,
S'estoit passé de ceste vie;
Dont il avoit la char purrie,
Car quatre jours en sepulture
Avoit esté devant celle hure

Que nostre sire en aventure 28520
Y vint; sique de nulle aÿe
L'en esperoit : mais qui sa cure
Puet faire en toute creature
De son poair la mort desfie.
     Qant nostre sire y doit venir
Au monument, gette un suspir,
Et de ses oils il lermoia
Et de son corps se laist fremir,
Si dist, 'Lazar, vien toy issir.'
Dont l'espirit se retourna 28530
En luy, qui mort estoit pieça,
Ses mains et pées om deslia,
Et il sanz plus du detenir
Se lieve et son dieu mercia.
Le pueple trop s'esmerveilla
Par tout u l'en le puet oïr.
     Une autre fois bien apparust
Qe son chier fils dieus reconust,
Qant cink mill hommes il ameine
Tanq'en desert, u point n'y ust 28540
Ascune riens que l'en mangust,
Et la famine leur constreine;
Mais un y ot q'a molt grant peine
Avoit cink pains en son demeine
Et deux piscons, sicomme dieu
      plust.
La gent s'assist en une pleine,
Et dieus les faisoit toute pleine
Par son douls fils, qui lors y fust.
     Cil q'est du fuisoun capitein
Les cink pains de sa sainte mein 28550
Et les piscouns tant fuisonoit
Que du relef ot au darrein
Des cophins dousze trestout plein,
Et chascun homme asses mangoit :
Par quoy l'en sciet tresbien et voit,
N'est uns qui faire ce porroit
D'ascun poair qui soit humein;
Siqu'ils diont et au bon droit,
Que Jhesu Crist en son endroit
Estoit le fils du soverein. 28560
     Et d'autre part communement
Par tout u q'il estoit present

Il guarist toutes maladies,
C'estoit de la leprouse gent,
C'estoit des voegles ensement,
C'estoit de les forseneries,
Les gouttes, les ydropesies,
Les fievres et les parlesies,
De sa parole soulement
Faisoit que tout furont garies :   28570
Nuls en pot faire les maistries,
S'il ne fuist dieus omnipotent.

O tu virgine, la dieu mere,
Tu es des autres la primere,
Qui du verraie experience
De dieu sentistes la matiere ;
Quant il entra deinz ta costiere,
Et puis nasquit sanz violence,
Et molt sovent en ta presence
Puis te moustra bonne evidence   28580
Q'il estoit fils de dieu le piere,
Et molt sovent par audience,
Dont chascun jour te recommence
La joye dont tu es pleniere.

O dame, pour tes grandes Joyes,
Que lors des tantes partz avoies
Molt plus que je conter ne say,
Je te pry, dame, toutes voies
Par ta pité que tu me voies ;
Car s'ensi fais, je guariray   28590
Des griefs pecchés dont langui ay,
Et vers ton fils m'acorderay,
O dame, a qui si tu m'envoies
A sa mercy resceu serray,
Du quelle faillir ne porray,
Si tu sa mere me convoies.

De la proverbe me sovient,
Q'om dist que molt sovent avient
Apres grant joye grant dolour,
Ainz que l'en sache ou quide nient :
Pour ce le di q'a toy survient   28601
Devant le Pasques par un jour
Soudainement le grant dolour
De ton fils, dame, et ton seignour,
Dont pour conter ce que te vient
Trestout mon cuer deschiet en plour :

Et nepourqant le creatour
Scieust q'ensi faire le covient.

**Ore dirra de la passioun de
nostre seignour Jhesu Crist.**

O Jhesu, je te cry mercy,
Si te rens grace et grant mercy,   28610
Qe tu deignas pour nous souffrir ;
Dont s'il te plaist, beal sire, ensi,
En ton honour je pense yci
Conter, que l'en le doit oïr,
La passioun dont vols morir
Pour nous du male mort guarir :
Sur quoy, Jhesu, je t'en suppli
Sique j'en puisse ove toy partir,
Dont m'alme soit au departir
Sanz paine et sanz dolour auci.   28620

Les mestres de la viele loy,
Qui ne scievont respondre a toy,
Conceivont de leur propre envie
Sanz cause la malice en soy,
Au fin q'ils ta novelle foy
Puissont quasser en ceste vie,
Mais ils en ont leur art faillie :
Et nepourqant que l'en t'occie
Font compasser qant et pour quoy ;
Si font de Judas leur espie,   28630
Qui leur promet tout son aïe,
Maisq'ils gardent consail en coy.

Trente deniers il prent de lour,
Dont il son mestre et creatour   f. 156
Vendist comme traitre desloyal :
Tout s'acordont du lieu et jour,
Sur quoy Judas pour son seignour
Conoistre leur donna signal,
Si dist q' ' Ove vous a ce journal
Irray, et qui d'especial   28640
Lors baiseray comme paramour,
Celluy tenetz pour principal ;
C'est cil qui vous en communal
Querretz pour faire le dolour.'

Jhesus, qui tout savoit devant,
De ses disciples au devant
Mande au Cité pour ordiner

L'ostell u qu'il serroit mangant
Sa cene, et puis lour vait suiant :
Et qant y vient, lors au primer   28650
Il mesmes volt lour piés laver
Humilité pour essampler,
Et puis ove tout le remenant
S'assist au Cene pour manger.
Qant ce fuist fait, apres souper
Il s'en vait oultre meintenant.

Lors prist Jhesus ovesque luy
Piere et Jehan et Jaque auci
Et laist les autres a derere
Au ville de Gethsemany ;   28660
Et si leur dist, ' Attendetz y,
Qe je vois faire ma priere.'
Et lors passe oultre ove mourne
    chere
Si loigns comme l'en gette une pere,
Et as genoils s'est obeÿ,
Ses mains levez vers dieu son piere ;
Si luy prioit en la maniere
Comme vous m'orretz conter yci.

Par ce q'il ot le corps humein
Et vist sa mort devant la mein,   28670
Tant durement il s'effroia,
Du quoy parmy le tendre grein
Du char les gouttes trestout plein
Du sanc et eaue alors sua ;
Si dist : ' O piere, entendes ça,
Fai que la mort me passera,
Car tu sur tout es soverein ;
Et nepourqant je vuil cela
Que vous vuilletz que fait serra,
Car je me tiens a toy certein.'   28680
Qant ot ce dit, il retournoit
A ses disciples et trovoit
Q'ils s'estoiont tous endormis,
Et par deux fois les esveilloit,
Et vait arere et dieu prioit
Semblablement comme je vous dis.
Au tierce fois leur dist : ' Amys,
Dormetz, car je me voi soubmis.
Vei la qui vient a grant esploit,
Cil fals Judas, qui m'ad trahis :   28690

Dormetz en peas, car je suy pris,
N'est qui rescousse faire en doit.'
Au paine ot il son dit conté,
Qe cil Judas le maluré
En route de la male gent
Y vint trestout devant au pié,
Si ad son mestre salué,
Et ove ce tricherousement
Luy baise ; et lors communement
Sur luy chascuns la main y tent,   28700
De toutes partz estoit hué,
Si l'un luy boute, l'autre prent ;
Ensi fuist pris soudainement
Au venderdy la matinée.

Au prime tost apres suiant
Devant Pilat le mescreant
Ils ont Jhesum ove soy menez,
Des fals tesmoignes accusant :
Le corps tout nu luy vont liant
A un piler, ses oels bendez,   28710
Et lors luy donnent les collées
Disant, ' O Crist, prophetisés
Qui t'ad feru,' et plus avant
Luy ont d'escourges flaiellez,
Siq'en son corps n'y ot laissez
Un point que tout ne fuist sanglant.

Al houre tierce en juggement
S'assist Pilat, et falsement
Au mort dampna le corps Jhesu
Par clamour de la male gent,   28720
Qui lors pristront un vestement
Du pourpre et si l'ont revestu,
Et de l'espine trop agu
Luy font coronne, et le pié nu
Sa croix luy baillont proprement
A porter, et ensi vencu
La croix portant s'en vait au lieu
U qu'il morra vilainement.

Al houre siste sur le mont
De Calvarie tout amont   28730
Firont Jhesum crucifier ;
Des grosses cloues trois y sont,
Des deux les mains trespercé ont,
Du tierce font les piés ficher ;

28659 aderere   28692 endoit   28727 senvait

Si font la croix ensus lever,
Et deux larouns en reprover
D'encoste luy pendant y vont ;
Eysil et fiel puis font meller,
La soif Jhesu pour estancher ;
Des toutes partz dolour luy font. 28740
Et puis, qant nonne vint a point,
Jhesus, q'estoit en fieble point
Selonc le corps, a dieu pria,
Au fin q'il ne se venge point
De ceaux qui l'ont batu et point ;
Et lors a halte voix cria,
' Hely !' et soy recommanda
Au dieu son piere, et en cela
De ceste vie il se desjoynt :
Mais lors tieus signes desmoustra, 28750
Qe nuls par droit se doubtera
Q'il n'est ove dieu le piere joynt.
L'eclips encontre sa nature
La cliere jour faisoit oscure ;
La terre de sa part trembloit,
Les grosses pierres par fendure
Sont routes, et la sepulture
De la gent morte overte estoit,
Dont il plusours resuscitoit ;
Le voill du temple, u q'il pendoit, 28760
Se fent en deux a mesme l'ure :
Centurio, qui tout ce voit,
Dist q'il le fils de dieu estoit,
Seignour du toute creature.
Un chivaler y ot Longis,
Qui du voeglesce estoit soubgis,
A luy bailleront une lance,
Qui de Jhesu le cuer au pitz
Tresperce, et lors fuist tout complis
Du passioun la circumstance : 28770
Dont bon Joseph par la suffrance
Du Pilat en droite ordinance
Le corps d'en halt la croix ad pris,
Si l'ad enoignt du viele usance,
Et puis luy ad de pourvoiance
En un sepulcre ensevelis.
Mais lors se lieve par envie
Des males gens la compaignie,

Et au Pilat s'en vont pour dire
Comment Jhesus s'avanterie 28780
Faisoit, qant il estoit en vie,
Q'il ot poair a desconfire
La mort, et c'estoit a despire :
' Pour ce nous te prions, beal sire,
Nous vuilletz donner la baillie
Du corps garder ' : et sanz desdire
Trestout ce que la gent desire
Leur grante, que dieus le maldie.
Et lors qant ils en ont pooir
Del corps guarder, pour estovoir 28790
Des chivalers quatre y mettoiont,
Qui par trois jours sanz soy movoir
Le garderont matin et soir,
Qe ses disciples, s'ils vendroiont,
Par nuyt embler ne luy porroiont.
As chivalers grant sold donoiont,
Siqu'ils bien facent leur devoir,
Et cils tresbien le promettoiont ;
Mais contre dieu qant ils guerroiont,
En vein ont mis leur fol espoir. 28800

Ore dirra de la Resureccioun nostreseignour, et la cause pour quoy il voloit mesmes devenir homme et souffrir la mort pour le pecché de Adam.

Ore ay du passioun escrit,
Come l'evangile nous descrit ;
Mais de sa Resurreccioun
Savoir porretz. Cil qui nasquit
Par grace du saint espirit
Sanz paine et sanz corrupcioun
De la virgine, et Lazaroun
Resuscita, n'ert pas resoun
Q'il ait son corps du mort soubgit :
Pour ce celle Incarnacioun 28810
Mist a Resuscitacioun
La tierce jour, dont il revit.
Mais cil, qui ne se volt celer,
Qant il s'ad fait resusciter,
Apparust a la Magdaleine,
Puis a Simon volt apparer,

A Cleophas auci moustrer
Se fist, comme l'escripture enseigne ;
Et que la foy nous soit certeine,
Puis apparust a la douszeine,   28820
Et a Thomas faisoit taster   f. 157
Le corps q'il ot du char humeine :
Cil qui ne croit a tiele enseigne
Ne say dont se puet excuser.

O Jhesu Crist, endroit de moy
Qe tu es le fils dieu je croy,
Qui de la vierge as pris naiscance,
Et du baptesme auci la foy
Confesse en ta novelle loy ;
Et oultre ce j'ay ma creance   28830
Que tu ta mort et ta penance
Souffris pour no deliverance
Du deable, qui nous eust a soy
Soubgit ; et puis je n'ay doubtance
Q'au tierce jour de ta puissance
Resuscitas le corps de toy.

Mais tu, q'es Rois du tout celestre
Et d'infernal et du terrestre,
A grant mervaille je me pense
Coment, beal sire, se puet estre   28840
Que tu deignas en terre nestre
Et donner mesmes ta presence,
Q'es plain du toute sapience,
Par qui tout bien fine et commence ;
Et puisque tu es si grant mestre,
Q'est ce que de ta providence
N'eussetz destourné la sentence
Du lance que te fiert au destre ?

Deux causes, sire, en ce je voi,
Q'a mon avis sont plain du foi,   28850
L'un est justice et l'autre amour.
Justice voelt que chascun Roy
Droiture face et tiene loy ;
Pour ce covint que cell errour
Qui vint d'Adam nostre ancessour
Soit redrescé d'ascun bon tour :
Mais qant a ce Adam de soy
N'ot le poair, q'ainçois maint jour
Le deable come son peccheour
Le prist et tint a son desroy.   28860
Pris fuist Adam ove sa covine

Par juggement du loy divine,
Dont faire estuet redempcioun ;
Car dieus ne volt pas par ravine
Tollir du deable la saisine,
Ainçois fist paier la rançon.
Par qui fuist ce ? Par l'angel noun ;
Car ce n'eust pas esté resoun,
Depuisq'Adam fist la ruine :
Dont dieus de sa provisioun   28870
Fist faire sans corrupcioun
Un autre Adam de la virgine.

Icest Adam en s'engendrure
Sanz culpe estoit du forsfaiture
Que le primer Adam faisoit ;
Pour ce pot il de sa droiture
La rançon faire a sa mesure,
Ou autrement de son endroit
Combatre au deable pour son droit :
Mais l'un et l'autre il enpernoit,   28880
Le corps qu'il ot de no nature
Au croix pour no rançoun paioit,
Comme cil qui nostre frere estoit
Et née de la virgine pure ;

Et pour parler de sa bataille,
Son espirit faisoit mervaille,
Car il enfern ot assiegez,
Dont par vertu les murs assaille,
Sa croix ou main, dont fiert et maille,
Tanqu'il les portes ad brisez,   28890
Et s'est dedeinz au force entrez ;
Dont il Adam ad aquitez,
Si tient le mestre deable en baille
Des ferrs estroitement liez ;
Et puis au corps s'est retournez
Malgré le deble et sa merdaille.

Qant dieus q'estoit victorials
Ot despuillé les enfernals,
Jusq'au sepulcre retournoit,
Comme cil q'estoit celestials ;   28900
Le corps q'ainçois estoit mortals
Au tierce jour resuscitoit.
Miracle de si halt endroit
Unques nul homme ne faisoit,
Car c'estoit tout luy principals
Qui nostre foy plus affermoit :

Dont soit le noun de luy benoit,
Q'ensi rechata ses vassals.

Puisqu'il ad dit de la Passioun nostreseignour Jhesu Crist, dirra ore de la Compassioun nostre dame.

O vierge et mere dieu Marie,
Bien sai que tu n'es departie,   28910
Qant ton chier fils sa passioun
Souffrist, ainçois en compaignie
Y es ; sique de ta partie
T'estuet avoir compassioun :
Dont en ma contemplacioun,
Ma dame, sanz elacioun,
Que ta loenge en soit oïe,
J'en frai la declaracioun,
Sique ta meditacioun
Me puist aider en ceste vie.   28920
Mais certes je ne puiss suffire
De cuer penser, de bouche dire :
Le cuer me falt tout en pensant,
Pour reconter ne pour descrire
La grant dolour, le grant martire
Qe lors avetz pour ton enfant ;
Car unques femme n'ama tant,
Ne unques femme un autre amant
Avoit de si treshalt empire ;
Plus ert pour ce le doel pesant   28930
De toi, ma dame, al houre qant
Om luy voloit a tort occire.

Matin qant ton enfant fuist pris
Et ses desciples sont fuïz,
Tu, dame, lors y aprochas ;
En suspirant ove plours et cris
Tu viens devant tes enemys
En la presence de Pilas :
Mais lors y ot nuls advocatz,
Ma dame, pour pleder ton cas   28940
A l'avantage de ton fils,
Dont par dolour sovent palmas ;
Mais autre mercy n'y trovas
Forsq'ils vous ont, dame, escharniz.

O dame, ce n'estoit mervaille,
Qant tu ne troves que te vaille
Pour ton fils aider en destresce,
Si lors ta paine s'apparaille ;
Car la puante gent merdaille
Pour reviler ta gentillesce   28950
Mainte parole felonnesse
Plain de dolour et de tristesce
Te distront en leur ribaldaille ;
Des males gens auci la presse
Tant fuist, que tu en es oppresse :
Vei la dolente commençaille !

He, dame, enquore autre dolour
Te croist, que ly fals tourmentour
Ton fils escourgent au piler,
Siq'il en pert sanc et suour,   28960
Dont fuist sanglant par tout entour, `
Et tu, ma dame, n'as poer
Ascunement de luy aider :
Nuls ne s'en doit esmervailler
Si lors te change la colour,
Car chascun cop de l'escourger
Te fiert, ma dame, en ton penser
Solonc l'estat du fin amour.

Tristesce enqore et marrement
Te vienont trop espessement,   28970
Ma dame, qant tu poes oïr
Pilat donner le juggement,
Et puis, ma dame, toy present
Laissa le pueple covenir ;
Lors vient en toy le sovenir,
Q'asses de doel te fait venir,
Pensant de son avienement,
Et q'il nasquit sanz fol desir ;
Pour ce ne duist il pas souffrir
A ton avis si grant tourment.   28980

He, dame, enqore croist ta peine,
Qant vois venir en la champeine
Des gens sanz nombre et estraier
Des citezeins et gent foreine :
Chascuns endroit de soy se peine
Comme puet venir et aprocher,
Ton fils et toy pour esguarder,

La qu'il venoit sa croix porter
Jusqes au mont par tiele enseigne
Qe l'en luy deust crucifier :   28990
En tiele chose consirer,
Ma dame, lors te falt aleine.
  Bien tost apres lors voies tu
Les tourmentours, q'ont estendu
Ton fils pour attacher au crois :
Lors escrias, 'O fils Jhesu,
Je te suppli de ta vertu,
Laissetz morir ta mere ainçois.'
Ensi disant deux fois ou trois
Palmas, et a chascune fois,   29000
Qant le poair t'ert revenu,
Tu dis, 'Helas!' a basse vois,
'Helas, Pilat! helas, malvois!
Helas! mon joye ay tout perdu.'
  He, dame, pour mirer au droit
La fourme comme l'en estendoit,
Ton fils qant fuist crucifié,
Dont veine et nerf, u que ce soit,
Trestout au force debrisoit,
Tant sont tirez en long et lée,   **f. 158**
Et tous les joyntz par leur degré 29011
Alors s'estoiont desjoigné,
O qui ta paine conteroit
Que lors te vient en la pensée?
Le corps q'il ot ensi pené
Ton cuer pena de tiel endroit.
  Mais sur trestout te multeplie
Le doel, qant ton chier fils se plie
Dessur la croix et haltement
Cria et laissa ceste vie.   29020
La vois que tu, ma dame, oïe
Avetz t'estonne fierement,
Dont tu pasmas asses sovent :
Son cuer fendu ton cuer pourfent,
La mort de luy toy mortefie ;
Son corps morust, ton corps s'extent
Comme mort gisant piteusement,
Car toute joye t'est faillie.
  Du mort qui t'ad fait departir
De ton amy tu voes partir,   29030
Q'a vivre plus tu n'as plesance ;
Par quoy la Mort te vient saisir,

Mais Vie ne le voet souffrir,
Ensi commence la destance ;
Mort vient et claime l'aqueintance,
Et Vie a soy trait la balance,
Que l'un prent l'autre va tollir :
Ensi toy falt la sufficance,
Qe pour le temps tu n'as puissance
De vivre tout ne tout morir.   29040
  He, dame, bien prophetiza
Saint Simeon, qui toy conta
Comment l'espeie a sa mesure
Ta dolente alme passera.
O dame, ce signefia
Compassioun de ta nature,
Que lors t'avient a mesme l'ure
Qant ton enfant la mort endure :
L'espeie lors te tresperça,
Par quoy la mort te corust sure, 29050
Mais dieus, q'avoit ta vie en cure,
De sa puissance l'aresta.
  He, qui dirroit ta paine fiere,
Qant il tourna vers toy sa chiere,
Et a Jehan tout ensement,
Et si vous dist en la maniere,
'Vei ci ton fils, vei ci ta mere!'
O comme l'eschange fuist dolent,
Qant pour ton fils omnipotent
Il te fait prendre ton client !   29060
Si prens en lieu de ta lumere
La lanterne en eschangement ;
Du quoy je n'ay mervaillement
Si celle espeie lors te fiere.
  Si toute paine et le martire
Que le martir et la martire
Souffriront unqes a nul jour
Fuissont en un, ne puet souffire
Pour comparer ne pour descrire,
Dame, au reguard te ta dolour. 29070
Car celle paine q'ert de lour
C'estoit la paine exteriour,
Que soulement le corps enpire,
Mais ta paine ert interiour,
Dont t'alme sente la tristour
Plus que nul homme porroit dire.
  Ce partient, dame, a ton devoir

Pour dolour et tristesce avoir
Plus que nulle autre en terre née ;
Car tu scies, dame, bien du voir   29080
Ce que nul autre puet savoir,
Endroit de sa divinité
Q'il est fils de la trinité,
Et qu'il de toy s'est encharné.
Pour ce, qant tu luy poes veoir
Morir solonc l'umanité,
Le doel que lors tu as mené
N'est cuer qui le puet concevoir.
    Quique remaint, quique s'en vait,
Presde la croix sanz nul retrait,   29090
Ma dame, tu te tiens ensi
En compleignant le grant mesfait
Des males gens, qui tout sustrait
Le fils dieu, qui de toy nasqui :
Mais cil qui lors eust tout oï
Le dolour et la pleignte auci,
Que lors par toy sont dit et fait,
Il porroit dire bien de fy
Que ja de nulle ou de nully
Ne receust cuer si grant deshait.   29100
    Un temps gisoies en pasmant,
Un autre temps en lermoiant,
Ore en suspir, ore en compleignte ;
Et molt sovent vas enbraçant
La croix, u tu ton fils pendant
Reguars, du sanc dont goutte meinte
T'ad du vermail, ma dame, teinte
Des plaies que par grief destreinte
Vienont d'en halt la croix corant :
O tu virgine et mere seinte,   29110
Le dolour de la femme enceinte
A ta dolour n'est resemblant.
    Mais puis, qant Joseph dependoit
Ton fils de la u qu'il pendoit,
Pitousement tes oels levoies ;
Et qant son corps au terre estoit,
Ton corps d'amour s'esvertuoit
Pour l'enbracer, u tu le voies,
Et enbraçant tu luy baisoies,
Et en baisant sur luy pasmoies,   29120
Sovent as chald, sovent as froit ;

Sovent ton douls fils reclamoies,
Des lermes tu son corps muilloies,
Et il ton corps du sanc muilloit.
    Tant come tu as son corps present,
Enqore ascun confortement
En as ; mais deinz brieve houre apres,
Qant Joseph en son monument
Le mist, lors desconfortement
Te vient, ma dame, asses de pres :   29130
Dont tu Joseph prias ades
Q'il pour ton cuer remettre en pes
Toi ove ton fils ensemblement
Volt sevelir, sique jammes
En ceste vie u que tu es
Ne soietz mais entre la gent.
    Mais ce, nientmeinz que tu prias,
Joseph dedist, dont qant veias
Sanz toy ton fils enseveli,
Novel dolour recommenças,   29140
Dont tu crias, ploras, pasmas,
Et regretas la mort de luy
Q'ert ton enfant et ton amy,
Sovent disant, ' Helas, aymy !
O si je ne reverray pas
Mon fils ! Helas, o dieu mercy !
Fai, sire, que je moerge yci
Pour la pité que tu en as.'
    La mort, ma dame, pour certein
A toy lors eust esté prochein,   29150
Si ton chier fils par sa tendresce
N'eust envoié tout prest au mein
De dieu son piere soverein
Ses angles, qui par grant humblesce
Te font confort a la destresce,
Si te diont joye et leesce,
Q'au tierce jour tout vif et sein
Verras ton fils ; et ensi cesse
Par leur novelle la tristesce
En bon espoir de l'endemein.   29160

    Puisq'il ad dit de la Compassioun de nostre dame, dirra ore

29079 Plusque   29092 Encompleignant   29109 denhalt   29127 Enas   29148 enas

de les joyes quelles elle avoit
apres la Resurreccio*u*n de so*u*n
chier fils.

He, dame, com*m*ent conteroie
Deinz brief de la soudeine Joie
Que lors te vient au tierce jo*u*r?
Qant l'espirit revient sa voie
D'enfern, u q'il ad pris sa proie
Et aquité no*s*tre ancessour,
Et sur tout ce com*m*e droit seigno*u*r
Du mort au corps fait son reto*u*r,
Et puis le lieve et le convoie
A ses amys p*ar* tout entour,   29170
Et ceaux qui furont en erro*u*r
En droite foy les supple et ploie.

O dame, si ton fils appiere
A toy pour moustrer la maniere
Q'il s'est levez du mort en vie,
Drois est q*ue* soietz la primere
Ainçois q*ue* Jaque, Andreu ne Piere,
Et ensi fuist, n'en doubte mie,
Dont tu, ma dame, es rejoÿe.
Pour celle Joye je te prie   29180
Houstetz, ma dame, la misere
De moy, et p*ar* ta courtoisie
En alme et corps sanz dep*ar*tie
Me fai joyous, tresdoulce mere.

Apres sa Resurreccio*u*n
Mort fuist mis en soubjeccio*u*n,
Q'aincois avoit de no*us* poer;
Dont qant tu as inspeccio*u*n,
Ma dame, ta refeccio*u*n
De molt g*r*ant joye estoit plener; 29190
Siq'en avant n'estuet parler
De pleindre ne de suspirer
Ne d'autre tiele objeccio*u*n:
P*ar* quoy desore vuil conter
Tes joyes, dont porray monter,
Ma dame, en ta p*r*oteccio*u*n.

He, dame, molt te confortas   **f. 159**
Qant ton fils mort vif revoias,
Qui puis ap*r*es au Magdaleine,
Puis a Simon et Cleophas   29200

Se moustra, dont chascuns son cas
Te vient conter a tiele enseigne;
Puis apparust il al unszeine
De sa doctrine et leur enseine,
Et sur ce dist a saint Thomas
Qu'il tasteroit sa char humeine
Pour luy remettre en foy certeine,
Qui p*ar*devant ne creoit pas.

He, dame, ce n'estoit petit,
Qant tiele chose te fuist dit,   29210
Grant Joye en as et g*r*ant ple-
sance;
Car lors scies tu sanz contredit
Que les apostres sont parfit
Du droite foy sanz mescreance;
Chascuns en porte tesmoignance,
Et si diont par grande instance,
' No seignour q'estoit mort revit,
Mort est vencu de sa puissance.'
Les mescreantz en ont grevance,
Et tu, ma dame, en as delit.   29220

**Puisq'il ad dit de la Resurec-
cio*u*n, dirra ore de l'Ascencio*u*n
nostre Seigneur.**

Jh*es*us, qui tout volt conferm*er*,
Qe no*us* devons jam*m*es dout*er*
Q'il estoit fils au toutpuissa*n*t,
Ainçois q'om doit p*ar* tout cont*er*,
Sa char humeine fist monter
Au ciel, dont il venoit devant:
L'apostre tous et toy voiant,
Vint une nue en avalant,
Dont il se clost, si q'esgarder
Ne luy poetz de lors avant: 29230
Chascuns s'en vait esm*er*veillant,
Et tu, ma dame, a leescer.

Qant il montoit, en mesme l'ure
Dieus envoia par aventure
Deux hom*m*es, dame, toy p*r*esent,
Qui portont blanche la vesture
Et furont du belle estature,

Et si diont curtoisement :
'O vous du Galileë gent,
A quoy gardetz le firmament ?   29240
Cil Jhesus qui s'en vait dessure,
A son grant Jour de Juggement
Lors revendra semblablement
Pour juger toute creature.'
　Cil qui t'ad guari des tous mals,
C'est ton chier fils, les deux vassals
A ton honour, ma dame, envoit,
Pour toy conter comme tes foials,
Que cil q'ainçois estoit mortals
Sa char humeine lors montoit   29250
A dieu son piere, u qu'il estoit
Et a sa destre s'asseoit.
O dame, q'es de tiels consals
Privé, bien dois en ton endroit
Grant Joye avoir, qant de son droit
Ton fils estoit de ciel Royals.
　O dame, je n'en sui doubtans,
De ciel furont les deux sergantz,
Qui vienont de la court divine
Pour ceaux qui la furont estantz   29260
Faire en la foy le meulx creantz,
Et pour toy conter la covine,
Comment ton fils ot pris saisine
De ciel : et lors chascuns t'encline,
Et puis s'en vont en halt volantz
Vers celle court q'est angeline.
Ton fils, q'ensi la mort termine,
Nous moustra bien q'il est puis-
　santz.
　En ceste siecle se rejoye
Chascune mere, s'elle voie   29270
Son fils monter en grant honour ;
Mais tu, ma dame, d'autre voie
Bien dois avoir parfaite Joye,
Voiant ton fils superiour,
De ciel et terre Empereour ;
Des tous seignours il est seignour,
Des Rois chascuns vers luy se ploie :
Et ce te fait de jour en jour
Tenir les Joyes au sojour
Et hoster toute anguisse envoie.   29280

　Puisqu'il ad dit de l'Ascensioun
nostreseignour, dirra ore de l'avene-
ment du saint espirit.

　L'en doit bien trere en remembrance
De nostre foy la pourtenance
Comme il avint : pour ce vous dis,
Cil qui nous tient en governance,
Ainz q'il morust, de sa plesance
A ses apostres ot promis
Que depar dieu leur ert tramis
De ciel ly tressaintz esperitz,
Par qui serront en la creance
De toute chose bien apris :   29290
Sur quoy le temps q'il ot assis
Attendont en bonne esperance.
　O dame, q'en scies tout le fait,
Tu n'as pas joye contrefait,
Ainz fuist certain et beneuré ;
Dont par consail chascuns s'en vait
De les apostres en aguait
Ove toy, ma dame, en la Cité,
Et la se sont ils demouré,
Sicomme ton fils l'ot assigné,   29300
En esperance et en souhait
Du temps qant serront inspiré
De l'espirit leur avoué,
Par qui bonté serront parfait.
　Ensi comme ton fils leur promist,
Bien tost apres il avenist ;
Dieus ses apostres visita,
L'espirit saint il leur tramist,
Qui de sa grace replenist
Leur cuers et tout eslumina ;   29310
Diverses langues leur moustra
Semblable au flamme que s'en va
Ardant, dont chascun s'esbahist
Primerement, mais puis cela
La mercy dieu chascuns loa,
Car toute langue il leur aprist.
　Qant tieles langues ont resçuz,
De meintenant leur est infuz
La grace, dont chascuns parloit
En langue des Latins et Greus,   29320
De Mede et Perce et des Caldeus,

D'Egipte et d'Ynde en leur endroit;
Car terre soubz le ciel n'avoit,
Dont le language ne parloit
L'apostre, qui fuist droit Hebreus :
Du quoy grantment s'esmerveilloit
La multitude quelle estoit
Des autres, q'en sont trop confuz.
    Ensi de grace repleniz
Cils qui de dieu furont apris   29330
S'acordont par commun assent,
Qe l'un de l'autre soit partis
La foy precher en tous paiis
Pour convertir la male gent :
Sur quoy chascuns sa voie prent
Par tout le mond communement ;
Neis un des tous y est remis,
Ma dame, ove toy que soulement
Jehans, qui debonnairement
Pour toy servir t'estoit soubgis.   29340

    **Ore dirra comment nostre dame
se contint en la compaignie de
Jehan Evangelist apres l'Ascen-
cioun.**

Apres l'assumpcioun complie
Jehan, ma dame, ades se plie
Pour toy servir et honourer :
Honeste en fuist la compaignie,
L'un vierge a l'autre s'associe
Ensemblement a demourer.
Lors, dame, tu te fais aler
En la Cité pour sojourner
La que tu pues a guarantie
Pres du sepulcre hostell trouver, 29350
Pour y aler et contempler
A ta divine druerie.
    Car ja n'estoit ne ja serra
Cuer qui si fort enamoura
Du fin amour en esperance,
Comme tu, ma dame ; et pour cela
Unques celle houre ne passa,
Qe tu ton fils en remembrance
N'eussetz par droite sovenance,
Comme fuist conceu, comme ot naiscance,

Comme Gabriel te salua,   29361
Comme se contint puis en s'enfance,
Comme d'eaue en vin fist la muance,
Comme Lazaroun resuscita.
    De tieles choses tu te penses,
Et puis apres tu contrepenses
De sa penance et dure mort ;
Mais d'autre part qant tu repenses
Son relever, lors tu compenses
Ta peine ovesque ton desport,   29370
Mais au darrein te vient plus fort
La Joye q'en ton cuer resort,
Qant tu l'Ascencioun pourpenses ;
Car lors te vient si grant confort,
Que par tresamourous enhort
Te semble a estre en ses presences.
    Sovent tu vais pour remirer
Le lieu u qu'il se fist monter,
Guardant aval et puis dessure   **f. 160**
Par amourouse suspirer ;   29380
Ma dame, et lors t'en fais aler
Par fin amour qui te court sure
Pour sercher deinz sa sepulture,
Si tu luy poes par aventure
En l'un ou l'autre lieu trover.
Tu es sa mere de nature,
Et d'autre part sa creature,
Si q'il te falt a force amer.
    Combien que t'alme fuist divine
Et ta pensée celestine,   29390
Ma dame, enqore a mon avis
De tiel amour que je destine
Pour la tendresce femeline
Ton tendre cuer estoit suspris :
Car j'en suy tout certains et fis,
L'amour que portas a ton fils
Estoit de tiele discipline,
Qe tout le monde au droit devis
Ne tous les seintz de paradis
N'en porront conter la covine.   29400
    Mais si d'amour soietz vencu,
Enqore il t'est bien avenu
Qe n'es amie sanz amant ;
Car ly trespuissant fils de dieu

29328 qensont   29344 enfuist   29371 plusfort   29395 iensuy

Q'en toy, ma dame, estoit conceu,
C'est ton amy et ton enfant,
Qui vait de toy enamourant
Sur toute rien que soit vivant :
Loial est il, loiale es tu,
Ce que tu voes il voet atant ;   29410
Bien fuist l'amour de vous seant,
Par qui tout bien nous est venu.
　Ma dame, tu as avantage,
Qe sanz ta lettre et ton message,
Ainz soulement de ta pensée,
Ton amy savoit le corage
De toy et tout le governage
Et en apert et en celée :
Dont il te savoit molt bon gré,
Par quoy sovent en son degré   29420
T'envoia de son halt estage
Son angel, qui t'ad conforté :
Si tu soies enamourée
D'un tiel amy, tu fais que sage.
　La dame que voet estre amye
A tiel amy ne se doit mye
Desesperer ascunement ;
Car quoy q'om pense ou face ou die,
Sa sapience est tant guarnie
Q'il le sciet tout apertement ;   29430
Le ciel ove tout le firmament,
La terre ove tout le fondement,
Tout fist au primere establie.
He, dame, tu fais sagement
D'amer celluy qui tielement
De son sens nous governe et guie.
　Ton amy, dame, est auci fort,
Q'au force il ad vencu la mort,
Et tous les portes enfernals
Malgré le deble et son acort   29440
Rompu, pour faire le confort
A ceaux q'ainçois furont mortals :
Unques Charles Emperials
N'estoit ensi victorials,
Ne si forcibles de son port.
Dont m'est avis q'uns tiels vassals,
Ma dame, parmy ses travals
Digne est d'amour et de desport.

　Enquore pour parler ensi
De la bealté de ton amy,   29450
Lors m'est avis par droit amer
Que tu, ma dame, as bien choisy ;
Car il sur tout est enbelly
Plus que l'en porroit deviser :
Trestous les angles au primer,
Et cils qui dieus glorifier
Voldra, par te sont esjoÿ ;
Car ils n'ont autre desirer,
Fors soul sa face remirer
Pour la bealté q'ils trovent y.   29460
　Et si nous parlons de richesse,
Ma dame, unqes nulle Emperesse
Un autre amy si riche avoit ;
Car ciel et terre ove leur grandesse,
La mer ove tout sa parfondesse,
Le firmament q'ensus l'en voit,
Trestout ce partient a son droit ;
N'y ad richesse en nulle endroit
Dont ne puet faire sa largesce.
He dame, quoy q'avenir doit,   29470
D'un tiel amy qui se pourvoit
Par povreté n'avra destresce.
　De gentillesce pour voir dire,
Ma dame, tu scies bien eslire
Un amy gentil voirement
Plus que nul homme puet souffire
Pour reconter ne pour descrire :
Car dieu le piere est son parent,
Q'avant trestout commencement
L'engendra mesmes proprement   29480
Egal a luy deinz son empire,
Et puis la char q'il de toy prent
Estoit née du royale gent :
Vei la comme il est gentil sire !
　Et pour parler de curtoisie,
Lors est asses que je vous die
Que ton amy soit plus curtois
Que nuls qui maint en ceste vie ;
Car il est de la court norrie
U jammais vilains ne malvois   29490
Entrer porra nul jour du moys,
S'il par la grace dieu ainçois

Ne laissé toute vilainie.
He, dame, tu as bien ton chois,
Si bien norry qant tu luy vois,
A qui tu mesmes es amye.
  Mais ton amy et ton vassal
Est il, ma dame, liberal?
Certainement je dy que voir
De sa franchise natural   29500
A nous trestous en general
Donna le meulx de son avoir,
C'estoit son corps, dont vie avoir
Nous fist, et puis de son pooir
Le mondein ove l'espirital
Nous ad donné pour meulx valoir.
He, dame, ne te puet doloir
D'avoir si bon especial.
  De treble joye a mon avis
Ton cuer, ma dame, est rejoïz,   29510
En ciel, en terre, en creature ;
En ciel pour ce que tes amys
Y est du pres son piere mys,
Comme cil q'est toutpuissant dessure :
C'est une chose que t'assure
Qu'il est auci de ta nature,
Par ce q'en toy sa char ad pris
Et toy laissa virgine pure ;
Dont resoun est que l'en t'onure
Pour l'onour de ton noble fils.   29520
  A plus sovent de jour en jour
D'en halt le ciel superiour
Ses angles t'ad fait envoier,
Pour reporter la grant doulçour
De vo tresfin loyal amour,
Q'est entre vous sanz deviser.
He, dame, de tiel messager,
Par qui te voloit visiter,
Q'ert de sa maison angelour,
Grant joye porretz demener,   29530
Q'ensi te fesoit honurer
De son celestial honour.
  En terre auci te fais joÿr,
Car des apostres pues oïr
Chascune jour de la semeigne,
Comme ils les gens font convertir,

Pour queux ton fils voloit morir :
Dont tu, ma dame, as Joye pleine,
Car par cela tu es certeine
La mort ton fils ne fuist pas veine, 29540
Qant tiel effect vois avenir ;
Du quoy ton cuer grant Joie meine
Pour la salut du vie humeine,
Quelle autrement devoit perir.
  La nuyt que ton chier fils nasquit
Molt fuist certain que l'angel dist,
Qe peas a l'omme soit en terre ;
Car ainz q'il mort pour nous souffrit,
La terre en soy lors fuist maldit,
Mais ton chier fils q'est debonnere 29550
La faisoit de sa mort refere,
Et l'omme, ainçois qui par mesfere
Au deable avoit esté soubgit,
Remist en grace de bienfere.
He, dame, de si bon affere
Ton cuer en terre s'esjoÿt.
  Depuisque l'omme ot offendu
Son dieu, de lors fuist defendu
Qu'il eust pover sur creature,
Sicomme devant avoit eeu ;   29560
Car par pecché luy fuist tollu
Ce qu'il ainçois ot de nature :
Mais qant ton fils morust, al hure
Lors fuist redempt la forsfaiture,
Dont la franchise estoit rendu
A l'omme, siq'en sa mesure
De toutes bestes a dessure
Il fuist le seconde apres dieu.
  Et ensi fuist reconcilé
Le forsfait et l'iniquité   29570
Entre autre creature et nous ;   f. 161
Dont m'est avis en verité
Qe ton cuer, dame, en son degré
Du creature estoit joyous :
Car ton chier fils, q'est gracious,
Le ciel, la terre et nous trestous,
Et chascun creature née,
Ma dame, pour l'amour de vous
Ad du novell fait glorious,
Dont son noun soit glorifié.   29580

29493 No   29521 plussouent   29522 Denhalt

Ore dirra de la mort et de la Assumpcioun de nostre Dame.

He, dame, comment conteroie
Ce que je penser ne pourroie?
Car certes je ne puiss suffire,
Si toute langue serroit moie,
Pour reconter la disme joye,
De jour en jour q'en toy respire,
Depuis ce que ton fils et sire
A dieu le piere en son empire
S'estoit monté la halte voie:
Mais sur tout, dame, pour voir dire,
Q'ove luy fuissetz ton cuer desire 29591
Par fin amour qui te convoie.

Et pour ce, dame, ton amy,
Ton chier fils et ton chier norri,
Qui ton desir trestout savoit,
Au temps qu'il avoit establi
Volt bien que tout soit acompli
Ce que ton cuer plus desiroit:
Par quoy, ma dame, en son endroit
Comme ton loyal amy faisoit,   29600
Ne t'avoit pas mys en oubli,
Ainz son saint angel t'envoioit,
Par qui le temps te devisoit
Q'il voet que tu vendretz a luy.

Sicomme l'escript nous fait conter,
Ma dame, pour droit acompter,
Depuis le temps que ton chier fils
Fuist mort et q'il te volt laisser
Derere luy pour demourer,
Dousze auns sur terre tu vesquis; 29610
Mais lors de ciel il t'ad tramis
Son angel, q'ad le terme mis,
Quant tu du siecle dois passer
Pour venir a son paradis,
U tu, ma dame, apres toutdis
Dois ton chier fils acompaigner.

Cell angel, dame, te desporte
Par une palme q'il t'apporte,
Q'en paradis avoit crescance,
Au fin que qant tu serres morte, 29620
De les apostres un la porte
Devant ton fertre en obeissance;
Car au jour tierce sanz penance

Morras, ce dist, par l'ordinance
De dieu, q'ot fait ovrir sa porte,
U dois entrer en sa puissance.
Ensi te mist en esperance
Cel angel, qui te reconforte.

Qant as entendu le message,
Dieu en loas du bon corage,   29630
Et oultre ce tu luy prioies
Q'ascun de l'enfernal hostage,
Qant tu serres sur ton passage
Des oels mortielx jammes ne voies;
Et puis prias par toutes voies
Disant: 'O dieus, qui tu m'envoies
Tes saintz apostres au terrage
Du corps dont nestre tu deignoies.'
Tout fuist granté ce que voloies,
Et l'angel monte en son estage.   29640

O dame, cil qui toy fist nestre
D'un ventre viel, baraigne et flestre,
Volt ore auci contre nature
Miracle faire ensi comme mestre,
Par quoy ton fin de la terrestre
Volt guarder comme sa propre cure;
Si fist venir par aventure
Tous ses apostres en une hure,
Q'ainçois en mainte diverse estre
Furont dispers, et il dessure   29650
Te vint garder en sa mesure
Ove grant part de sa court celestre.

Ton fils te dist en confortant,
'O mere, vei cy ton enfant!'
Et tu, ma dame, d'umble atour
Luy ditz, 'Beal fils, je me commant
A toy,' ensi sovent disant,
'Mon fils, mon dieu, mon crea-
tour!'
Ton corps morust sanz nul dolour,
Et maintenant si bon odour   29660
Par toute la maisoun s'espant,
Qe cils qui furont la entour
Sont repleniz du grant doulçour,
Loenge et grace a dieu rendant.

Qui toute chose en soi comprent,
Il mesmes t'alme enporte et prent
Des angles tout environné,

Et a son piere en fait present,
U toutes joyes du present
Sont a ton oeps apparaillé ;   29670
Et puis par grant solempneté
Les saintz apostres ont porté
Ton corps jusq'a l'enterrement :
Mais ainz que fuissetz enterré,
Maint grant miracle y ot moustré
Pour convertir la male gent.

  Ensi come ils ton corps portoiont,
Les males gens q'envie avoiont
Le pensont a deshonourer ;
Dont a ton fiertre s'aroutoiont,   29680
Ruer au terre le voloiont,
Du quoy lour vint grant encombrer ;
Les uns commençont avoegler,
Les autres ne poont houster
Leur mains du fertre u s'aherdoiont,
Si leur covint mercy crier
Et les apostres de prier,
Ainz q'ils de riens gariz en soiont.

  Ton corps des cendals bel attournent,
En terre mettont et adournent   29690
Du Josaphat en la valée ;
Puis lour dist dieus q'ils n'en retour-
  nent,
Mais q'en la place ades sojournent
Trois jours ; car lors en verité
Prendroit le corps resuscité
Pour mener en sa deité.
Ensi l'apostre ne s'en tournent,
Ainz a grant joye ont demouré
Pour estre a la sollempneté ;
Le dieu precept en ce parfournent.

  Ma dame, au jour q'il ot promis 29701
Vint ove ses angles infinitz
Pour ton saint corps resusciter ;
Dont en ton corps l'alme ad remis,
Et si te dist comme bons amys,
O mere, molt de toy louer :
' Virgine sanz nul mal penser,
Ore est le temps du guerdonner,
Qe tu m'as de ton lait nourris :
Venetz la sus enhabiter,   29710

Q'en joye sanz determiner
Serras tu, mere, et je ton fils.
  ' Du vie mere es appellée,
La mort en toy n'ad poesté,
Tenebres ne te pourront prendre,
Q'en toy fuist la lumere née ;
Je mys en toy ma deité,
Pour ce ton corps ne serras cendre.
O belle vierge, fresche et tendre,
Qui ciel ne terre pot comprendre 29720
Tu portas clos en ta costée :
Ore est que je le te vuil rendre,
Venetz ove moy la sus ascendre,
U que tu serras coronnée.
  ' Sicome du joye as repleny
Le mond, q'ainçois estoit peri,
Et celle gent q'estoit perdue,
Ma belle mere, tout ensi
Le ciel amont, qant vendretz y,
S'esjoyera de ta venue.   29730
O tu m'espouse, o tu ma drue,
Tu es la moye et je suy tue,
Ore serra ton desir compli.'
Ensi parlant le corps remue,
Montantz en halt dessur la nue,
L'espouse ovesque son mary.

  De molt grant joye et melodie
La court de ciel fuist replenie,
Qant voient venir la virgine :
De ce ne me mervaille mye,   29740
Car mesmes dieu la meine et guie
Et de son ciel l'ad fait saisine,
Et la coronne riche et fine
De la richesce que ne fine
Assist dessur le chief Marie ;
Sique sanz fin de sa covine
Ert dame de la court divine,
U tout honour luy multeplie.

  Les saintz apostres qui ce viront
Pour tesmoigner le fait escriront, 29750
Rendant loenge a leur seignour :
Mais au mervaille ils s'en partiront,
Car l'un de l'autre s'esvaniront
Trestout en un moment du jour ;

29668 enfait   29688 ensoiont   29693 Maisqen

Chascuns reguarde soy entour,
Et se trovent sanz nul destour
En les paiis dont ils veniront ;
U qu'il prechont leur salveour,
Et par miracles de l'errour
Au droite foy les convertiront.   29760

Ore dirra les causes par [f. 162
quoy nostre dame demoura si
longement en ceste vie apres le
decess de son treschier fils.

O bon Jhesu, ne te desplace,
D'un riens si je toi demandasse,
Q'ascuns s'esmerveillont pour quoy,
Qant tu montas ta halte place,
Qe lors, monseignour, de ta grace
N'eussetz mené ta mere ove toy
Sanz plus attendre ; car je croy
Sanz resonnable cause en soy
Le terme ne s'en pourloignasse :
Dont certes, sire, en bonne foy   29770
Trois causes pense en mon recoy,
Les queux dirray, maisq'il te place.

Qant tu ascendis a ton piere,
Si lors eussetz mené primere
Ta mere ove toy conjointement,
Les angles de ta Court plenere,
Qui n'en savoient la manere,
Ussont eeu mervaillement,
Voiant si fait avienement
D'un homme et femme ensemblement,   29781
De toy et de ta doulce mere ;
Dont n'eussont sceu certainement
A qui de vous primerement
Ussont moustré plus bonne chere.

Une autre cause a mon avis,
Depuisque tu, sire, es son fils,
Qui scies trestoute chose avant,
Par bonne resoun ascendis
Primerement en ton paiis
Comme son amy et son enfant,   29790
Ensi que fuissetz au devant
Apparaillant et ordinant
Son lieu par si tresbon devis,

Siq'a ta mere en son venant
Trestous luy fuissont entendant,
Sibien les grans comme les petis.
   O Jhesu, mesmes tu le dis,
Tesmoign de tes evangelis,
En terre pour leur conforter
A tes apostres as promis,   29800
Q'apres que d'eaux fuissetz partiz,
Voldretz en ciel apparailler
Lour lieus. O, qui lors puet doubter,
Qant tu l'ostell vols arraier
Pour ceaux qui furont tes soubgis,
Qe tu tout autrement amer
Ne voes ta mere, et ordiner
Pour celle qui t'avoit norriz ?
   La tierce cause est molt notable
As toutes gens et proufitable,   29810
Q'elle ert derere toy laissé,
Car elle estoit si bien creable,
Par quoy no foy la plus estable
De sa presence ert confermé.
Car combien que par leur degré
Les autres furont doctriné,
Dont ils toy furont entendable,
Nientmeinz en ta divinité
Ne poont estre si privé
Comme celle en qui tu es portable.
   Sicomme le livre nous devise,   29821
La droite foy de sainte eglise
Fuist en ta mere soulement
Apres ta mort reposte et mise,
Jusques atant que la franchise
De l'espirit omnipotent
Par son tressaint avienement
Donnoit le clier entendement
As autres par sa bonne aprise :
Pour ce molt fuist expedient   29830
Qe tu ta mere, toy absent,
Laissas derere en tiele guise.
   O Jhesu, qui tout es parfit,
Par ces trois causes que j'ay dit
Certainement, sicome je pense,
Tu le mettoies en respit,
Q'ainçois ta mere n'ascendist :

Mais tu, q'es toute sapience,
Qant temps venoit de ta science,
Lors de ta sainte providence 29840
Le corps ovesque l'espirit
De la virgine en ta presence
Montas ove toute reverence
Pour ton honour et son proufit.
  O dame, q'es par tiele assisse
En halte gloire et joye assisse,
Tu fais par tout les joyes crestre :
Les angles en ont joye prise,
Qant leur cité, q'estoit divise,
Que Lucifer ot fait descrestre, 29850
Voiont si noblement recrestre
Par toy, ma dame, et par ton estre ;
Et d'autre part en leur franchise
Par luy qui deigna de toi nestre
As restitut la gent terrestre,
Qui sont redempt de la juyse.
  O vous, douls fils et doulce mere,
Q'ensemble tante paine amere
Souffristes en la terre yci,
Drois est q'en mesme la manere 29860
Apres vo paine et vo misere
Soietz ensemble rejoÿ.
O fils et mere, ensi vous pry,
Par la dolour dont je vous dy
Mettetz ma dolour loign derere,
Et pour voz joyes vous suppli,
Me donnetz celle joye auci,
Que vous avetz toutdis plenere.
  O dame, tout le cuer me donne,
Pour le grant bien q'en toi fuisonne
Qe nullement me duisse taire 29871
Pour toi louer, de qui l'en sonne
Loenge ; dont je m'abandonne,
Ma dame, a ta loenge faire,
Q'es belle et bonne et debonnaire.
Ton fils t'ad donné le doaire
De ciel ovesque la coronne ;
Maisqu'il te porroit, dame, plaire,
Trestout le plus de mon affaire
Mette a l'onour de ta personne. 29880
  Grant bien nous est, dame, avenu,

29848 enont

Ton fils t'ad mis en si halt lieu,
U tu le mond poes survoier ;
Et es auci si pres de dieu,
Qe qant peril nous est esmeu,
Tantost y viens pour socourer
A nous, qu'il deigna rechater :
Car tout ensi comme tu primer
Portas au monde no salu,
Ensi t'en fais continuer. 29890
C'est ce qui me fait esperer
Que je ne serray pas perdu.
  O dame des honours celestes,
Pour celle joye u vous y estes
Remembre de nous exulés
En ceste vall plain de tempestes,
Plain du misere et des molestes,
Dont suismes tous jours travaillez,
Gardetz nous, dame, et defendetz,
Et qant nous prions tes pités, 29900
Entendetz, dame, a noz requestes ;
Car en ce suismes asseurez
Qe tous les nouns dont es clamez
Sont merciables et honnestes.

**Puisqu'il ad dit des joyes et
dolours nostre dame, dirra ore les
propretés de ses nouns.**

  O dame, pour la remembrance
De ton honour et ta plesance
Tes nouns escrivre je voldrai ;
Car j'ay en toy tiele esperance,
Que tu m'en fretz bonne alleggance,
Si humblement te nomerai. 29910
Pour ce ma langue enfilerai,
Et tout mon cuer obeierai,
Solonc ma povre sufficance
Tes nouns benoitz j'escriveray,
Au fin que je par ce porray,
Ma dame, avoir ta bienvuillance.
  O mere et vierge sanz lesure,
O la treshumble creature,
Joye des angles gloriouse,
O merciable par droiture, 29920
Restor de nostre forsfaiture,

29886 yviens

Fontaine en grace plentevouse,
O belle Olive fructuouse,
Palme et Cipresse preciouse,
O de la mer estoille pure,
O cliere lune esluminouse,
O amiable, o amourouse
Du bon amour qui toutdis dure.
 O rose sanz espine dite,
Odour de balsme, o mirre eslite,   29930
O fleur du lys, o turturelle,
O vierge de Jesse confite,
Commencement de no merite,
O dieu espouse, amye, ancelle,

            29936 plusbelle

O debonaire columbelle,
Sur toutes belles la plus belle,
O gemme, o fine Margarite,
Mere de mercy l'en t'appelle,
Tu es de ciel la fenestrelle
Et porte a paradis parfite.   29940
 O gloriouse mere dée,
Vierge des vierges renommée,
De toy le fils dieu deigna nestre;
O temple de la deité,
Essample auci de chastité,

            .   .   .   .

A few leaves are lost at the end of the MS.

BALADES

⟨DEDICATION TO KING HENRY THE FOURTH.⟩

⟨I⟩ 1. Pité, prouesse, humblesse, honour roial
  Se sont en vous, mon liege seignour, mis
  Du providence q'est celestial.
  Noz coers dolentz par vous sont rejoïs;
  Par vous, bons Roys, nous susmes enfranchis,
  Q'ainçois sanz cause fuismes en servage :
  Q'en dieu se fie, il ad bel avantage.

  2. Qui tient du ciel le regne emperial
  Et ad des Rois l'estat en terre assis,
  Ceo q'il ad fait de vostre original   10
  Sustiene ades contre vos anemis;
  Dont vostre honour soit sauf guardé toutdis
  De tiel conseil que soit et bon et sage :
  Q'en dieu se fie, il ad bel avantage.

  3. Vostre oratour et vostre humble vassal,
  Vostre Gower, q'est trestout vos soubgitz,
  Puisq'ore avetz receu le coronal,
  Vous frai service autre que je ne fis,
  Ore en balade, u sont les ditz floriz,
  Ore en vertu, u l'alme ad son corage :   20
  Q'en dieu se fie, il ad bel avantage.

The authority for the Balades is the MS. at Trentham Hall.

4. O gentils Rois, ce que je vous escris
   Ci ensuant ert de perfit langage,
   Dont en latin ma sentence ai compris:
   Q'en dieu se fie, il ad bel avantage.

O recolende, bone, pie Rex Henrice, patrone,
Ad bona dispone quos eripis a Pharaone;
Noxia depone, quibus est humus hec in agone,
Regni persone quo viuant sub racione;
Pacem compone, vires moderare corone,
Legibus impone frenum sine condicione,
   Firmaque sermone iura tenere mone.
Rex confirmatus licet vndique magnificatus,
H. aquile pullus, quo nunquam gracior vllus,
Hostes confregit que tirannica colla subegit: 10
H. aquile cepit oleum, quo regna recepit,
Sic veteri iuncta stipiti noua stirps redit vncta[1].
Nichil proficiet inimicus in eo, et filius iniquitatis non apponet
nocere ei.

Dominus conservet eum, et viuificet eum, et beatum faciat[2] eum
in terra, et non tradat eum in animam inimicorum eius.

⟨II⟩ 1. A vous, mon liege Seignour natural,
      Henri le quarte, l'oure soit benoit
      Qe dieu par vous de grace especial
      Nous ad re .   .   .   .   .   .

[1] *Owing to the loss of a part of the leaf (f. 12) on which the Latin occurs, the text of ll. 9-12 and of the first prose quotation which follows is imperfect. It runs thus:*

.   .   .   .   . pullus quo nunquam gracior vllus
.   .   .   . regit que tirannica colla subegit
.   .   . ile cepit oleum quo regna recepit
.   .   . ri iuncta stipiti noua stirps redit vncta.
.   . il proficiet inimicus in eo et filius iniqui
.   .   . non apponet nocere ei.

The missing words are supplied from other copies of the same lines, which are found in a somewhat different arrangement in the All Souls' and Glasgow MSS. of the 'Vox Clamantis' (the prose quotations in the latter only).
[2] faciat *Glasg.* faciet *Trent.*

II *The damage to f. 12 of the MS. has caused the loss of a part of this Balade and of the next.*

Ore est be   .   .   .   .   .   .
Ore est   .   .   .   .
Par d   .   .   .   .
    .   .   .   .

2. C   .   .   .   .
   D   10
   O   .   .   .   .
   O   .   .   .   .
   P   .   .   .   .
   V   .   .   .   .
   A   .   .   .   .
   Ca   .   .   .   .

3. Du   .   .   .   .
   Ainz graunt   .   .   .   .   .   .
   Car tiel amour q'est   .   .   .   .
   Quant temps vendra joious louer reçoit :   20
   Ensi le bon amour q'estre soloit
   El temps jadis de nostre ancesserie,
   Ore entre nous recomencer om doit
   Sanz mal pensier d'ascune vileinie.

4. O noble Henri, puissant et seignural,
   Si nous de vous joioms, c'est a b⟨on droit⟩ :
   Por desporter vo noble Court roia⟨l⟩
   Jeo frai balade, et s'il a vous plerro⟨it⟩,
   Entre toutz autres joie m'en serroit :
   Car en vous soul apres le dieu aïe   30
   Gist moun confort, s'ascun me grieveroit.
   Li Rois du ciel, monseignour, vous mercie.

5. Honour, valour, victoire et bon esploit,
   Joie et saunté, puissance et seignurie,
   Cil qui toutz biens as bones gentz envoit
   Doignt de sa grace a vostre regalie.

26-28 *The ends of these lines are somewhat damaged and have been con-
jecturally restored.*   27 Courte

*   z

⟨CINKANTE BALADES.⟩

Si apres sont escrites en françois **Cinkante bal-**
ades, quelles ↑   .   .   .   **d fait, dont les**
.   .   .   .   **ment desporter.**

⟨I⟩ 1. .   .   .   .   esperance
.   .   .   .   attens
.   .   .   .   .   .   ance
.   .   .   .
.   .   .   .
.   .   .   .
.   .   .   .

⟨Mon coer remaint toutditz en vostre grace.⟩

2.   .   .   .   .
.   .   .   .   10
.   .   .   .   .   .
.   .   .   .   gementz
.   .   .   ssetz mon purpens :
Car qoi qu'om dist d'amer en autre place,
Sanz un soul point muer de toutz mes sens
Moun coer remaint toutditz en vostre grace.

3. Si dieus voldroit fin mettre a ma plesance,
Et terminer mes acomplissementz,
Solonc la foi et la continuance
Que j'ai gardé sanz faire eschangementz,   20
Lors en averai toutz mez esbatementz :
Mais por le temps, quoique fortune enbrace,
Entre lez biens du siecle et les tormentz
Mon coer remaint toutdits en vostre grace.

4. Par cest escrit, ma dame, a vous me rens :
Si remirer ne puiss vo bele face,
Tenetz ma foi, tenetz mes serementz ;
Mon coer remaint toutditz en vostre grace.

21 enauerai

II. 1. L'ivern s'en vait et l'estée vient flori,
De froid en chald le temps se muera,
L'oisel, qu'ainçois avoit perdu soun ny,
Le renovelle, u q'il s'esjoiera:
De mes amours ensi le monde va,
Par tiel espoir je me conforte ades;
Et vous, ma dame, croietz bien cela,
Quant dolour vait, les joies vienont pres.

2. Ma doulce dame, ensi come jeo vous di,
Saver poetz coment moun coer esta,   10
Le quel vous serve et long temps ad servi,
Tant com jeo vive et toutditz servira:
Remembretz vous, ma dame, pour cela
Q'a moun voloir ne vous lerrai jammes;
Ensi com dieus le voet, ensi serra,
Quant dolour vait, les joies vienont pres.

3. Le jour qe j'ai de vous novelle oï,
Il m'est avis qe rien me grievera:
Porceo, ma chiere dame, jeo vous pri,
Par vo message, quant il vous plerra,   20
Mandetz a moi que bon vous semblera,
Du quoi moun coer se poet tenir en pes:
Et pensetz, dame, de ceo q'ai dit pieça,
Quant dolour vait, les joies vienont pres.

4. O noble dame, a vous ce lettre irra,
Et quant dieu plest, jeo vous verrai apres:
Par cest escrit il vous remembrera,
Quant dolour vait, les joies vienont pres.

III. 1. D'ardant desir celle amorouse peigne
Mellé d'espoir me fait languir en joie;
Dont par dolçour sovent jeo me compleigne
Pour vous, ma dame, ensi com jeo soloie.
Mais quant jeo pense que vous serretz moie,

De sa justice amour moun coer enhorte,
En attendant que jeo me reconforte.

2. La renomée, dont j'ai l'oreile pleine,
De vo valour moun coer pensant envoie
Milfoitz le jour, u tielement me meine,   10
Q'il m'est avis que jeo vous sente et voie,
Plesante, sage, belle, simple et coie :
Si en devient ma joie ades plus forte,
En attendant que jeo me reconforte.

3. Por faire honour a dame si halteigne
A toutz les jours sanz departir me ploie ;
Et si dieus voet que jeo le point atteigne
De mes amours, que jeo desire et proie,
Lors ai d'amour tout ceo q'avoir voldroie :
Mais pour le temps espoir moun coer supporte,   20
En attendant que jeo me reconforte.

4. A vous, ma dame, ensi come faire doie,
En lieu de moi ceo lettre vous apporte ;
Q'en vous amer moun coer dist toute voie,
En attendant que jeo me reconforte.

IIII. 1. D'entier voloir sanz jammes departir,
Ma belle, a vous, en qui j'ai m'esperance,
En droit amour moun coer s'ad fait unir
As toutz jours mais, pour faire vo plesance :
Jeo vous asseur par fine covenance,
Sur toutes autres neez en ceste vie
Vostre amant sui et vous serrez m'amie.

2. Jeo me doi bien a vous soul consentir
Et doner qanque j'ai de bienvuillance ;
Car pleinement en vous l'en poet sentir   10
Bealté, bounté, valour et sufficaunce :
Croietz moi, dame, et tenetz ma fiaunce,
Qe par doulçour et bone compaignie
Vostre amant sui et vous serretz m'amie.

III 10 tielment   13 plusforte   14, 21, 25 Enattendant

3. De pluis en pluis pour le tresgrant desir
   Qe j'ai de vous me vient la remembrance
   Q'en mon pensant me fait tant rejoïr,
   Qe si le mond fuist tout en ma puissance,
   Jeo ne querroie avoir autre alliance :
   Tenetz certain qe ceo ne faldra mie,   20
   Vostre amant sui et vous serretz m'amie.

4. Au flour des flours, u toute ma creance
   D'amour remaint sanz nulle departie,
   Ceo lettre envoie, et croi me sanz doubtance,
   Vostre amant sui et vous serretz m'amie.

IIII* 1. Sanz departir j'ai tout mon coer assis
   U j'aim toutditz et toutdis amerai ;
   Sanz departir j'ai loialment promis
   Por toi cherir tancome jeo viverai ;
   Sanz departir ceo qe jeo promis ai
   Jeo vuill tenir a toi, ma debonaire ;
   Sanz departir tu es ma joie maire.

2. Sanz departir jeo t'ai, m'amie, pris,
   Q'en tout le mond si bone jeo ne sai ;
   Sanz departir tu m'as auci compris   10
   En tes liens, dont ton ami serrai ;
   Sanz departir tu m'as tout et jeo t'ai
   En droit amour por ta plesance faire ;
   Sanz departir tu es ma joie maire.

3. Sanz departir l'amour qe j'ai empris
   Jeo vuill garder, qe point ne mesprendray ;
   Sanz departir, come tes loials amis,
   Mon tresdouls coer, ton honour guarderai ;
   Sanz departir a mon poair jeo frai
   Des toutes partz ceo qe toi porra plaire ;   20
   Sanz departir tu es ma joie maire.

IIII* *In the MS. this and the preceding Balade are both numbered* IIII.

4. De coer parfit, certain, loial et vrai
Sanz departir en trestout mon affaire
Te vuil amer, car ore est a l'essai ;
Sanz departir tu es ma joie maire.

V. 1. Pour une soule avoir et rejoïr
Toutes les autres laisse a noun chaloir :
Jeo me doi bien a tiele consentir,
Et faire honour a trestout moun pooir,
Q'elle est tout humble a faire mon voloir :
Jeo sui tout soen et elle est toute moie,
Jeo l'ai et elle auci me voet avoir ;
Pour tout le mond jeo ne la changeroie.

2. Qui si bone ad bien la devera cherir,
Q'a sa valour n'est riens qe poet valoir :   10
Jeo di pour moi, quant jeo la puiss sentir,
Il m'est avis qe jeo ne puiss doloir.
Elle est ma vie, elle est tout mon avoir,
Elle est m'amie, elle est toute ma joie,
Elle est tout mon confort matin et soir ;
Pour tout le mond jeo ne la changeroie.

3. La destinée qe nous ad fait unir
Benoite soit ; car sanz null decevoir
Je l'aime a tant com coer porra tenir,
Ceo prens tesmoign de dieu qui sciet le voir :   20
Si fuisse en paradis ceo beal manoir,
Autre desport de lui ja ne querroie ;
C'est celle ove qui jeo pense a remanoir,
Pour tout le mond jeo ne la changeroie.

4. Ceste balade en gré pour recevoir,
Ove coer et corps par tout u qe jeo soie,
Envoie a celle u gist tout mon espoir :
Pour tout le mond jeo ne la changeroie.

Les balades d'amont
jesqes enci sont fait espe-
cialement pour ceaux
q'attendont lours amours
par droite mariage.

VI. 1. La fame et la treshalte renomée
      Du sens, beauté, manere et gentilesce,
      Qe l'en m'ad dit sovent et recontée
      De vous, ma noble dame, a grant leesce
      M'ad trespercié l'oreille et est impresse
      Dedeinz le coer, par quoi mon oill desire,
      Vostre presence au fin qe jeo remire.

2. Si fortune ait ensi determinée,
   Qe jeo porrai veoir vo grant noblesce,
   Vo grant valour, dont tant bien sont parlée,
   Lors en serra ma joie plus expresse :
   Car pour service faire a vostre haltesse
   J'ai grant voloir, par quoi mon oill desire,
   Vostre presence au fin qe jeo remire.

10

3. Mais le penser plesant ymaginée,
   Jesqes a tant qe jeo le lieu adesce,
   U vous serretz, m'ad ensi adrescée,
   Qe par souhaid Milfoitz le jour jeo lesse
   Mon coer aler, q'a vous conter ne cesse
   Le bon amour, par quoi moun oill desire,
   Vostre presence au fin que jeo remire.

20

4. Sur toutes flours la flour, et la Princesse
   De tout honour, et des toutz mals le Mire,
   Pour vo bealté jeo languis en destresce,
   Vostre presence au fin qe jeo remire.

VII. 1. De fin amour c'est le droit et nature,
        Qe tant come pluis le corps soit eslongée,
        Tant plus remaint le coer pres a toute hure,
        Tanqu'il verra ceo qu'il ad desirée.
        Pourceo sachetz, ma tresbelle honourée,
        De vo paiis qe jeo desire l'estre,
        Come cil qui tout vo chivaler voet estre.

VII 5 Pouceo

2. De la fonteine ensi come l'eaue pure
   Tressalt et buile et court aval le prée,
   Ensi le coer de moi, jeo vous assure,   10
   Pour vostre amour demeine sa pensée;
   Et c'est toutdits sanz repos travailée,
   De vo paiis que jeo desire l'estre,
   Come cil qui tout vo chivaler voet estre.

3. Sicome l'ivern despuile la verdure
   Du beal Jardin, tanque autresfoitz Estée
   L'ait revestu, ensi de sa mesure
   Moun coer languist, mais il s'est esperée
   Q'encore a vous vendrai joious et lée;
   De vo paiis qe jeo desire l'estre,   20
   Come cil qui tout vo chivaler voet estre.

4. Sur toutes belles la plus belle née,
   Plus ne voldrai le Paradis terrestre,
   Que jeo n'ai plus vostre presence amée,
   Come cil qui tout vo chivaler voet estre.

VIII. 1. D'estable coer, qui nullement se mue,
   S'en ist ades et vole le penser
   Assetz plus tost qe falcon de sa Mue;
   Ses Eles sont souhaid et desirer,
   En un moment il passera la mer
   A vous, ma dame, u tient la droite voie,
   En lieu de moi, tanque jeo vous revoie.

2. Si mon penser saveroit a sa venue
   A vous, ma doulce dame, reconter
   Ma volenté, et a sa revenue   10
   Vostre plaisir a moi auci conter,
   En tout le mond n'eust si bon Messager;
   Car Centmillfoitz le jour jeo luy envoie
   A vostre court, tanque jeo vous revoie.

3. Mais combien qu'il ne parle, il vous salue
   Depar celui q'est tout le vostre entier,
   Q'a vous servir j'ai fait ma retenue,
   Come vostre amant et vostre Chivaler:

Le pensement qe j'ai de vous plener,
C'est soulement qe mon las coer convoie   20
En bon espoir, tanque jeo vous revoie.

4. Ceste balade a vous fait envoier
   Mon coer, mon corps, ma sovereine joie :
   Tenetz certein qe jeo vous vuill amer
   En bon espoir, tanque jeo vous revoie.

IX. 1. Trop tart a ceo qe jeo desire et proie
       Vient ma fortune au point, il m'est avis ;
       Mais nepourquant mon coer toutdis se ploie,
       Parfit, verai, loial, entalentis
       De vous veoir, qui sui tout vos amis
       Si tresentier qe dire ne porroie :
       Q'apres dieu et les saintz de Paradis
       En vous remaint ma sovereine joie.

2. De mes deux oels ainçois qe jeo vous voie,
   Millfoitz le jour mon coer y est tramis   10
   En lieu de moi d'aler la droite voie
   Pour visiter et vous et vo paiis :
   Et tanqu'il s'est en vo presence mis,
   Desir ades l'encoste et le convoie,
   Com cil q'est tant de vostre amour suspris,
   Qe nullement se poet partir en voie.

3. Descoverir a vous si jeo me doie,
   En vous amer sui tielement ravys,
   Q'au plus sovent mon sentement forsvoie,
   Ne sai si chald ou froid, ou mors ou vifs,   20
   Ou halt ou bass, ou certains ou faillis,
   Ou tempre ou tard, ou pres ou loings jeo soie :
   Mais en pensant je sui tant esbaubis,
   Q'il m'est avis sicom jeo songeroie.

4. Pour vous, ma dame, en peine m'esbanoie,
   Jeo ris en plour et en santé languis,
   Jeue en tristour et en seurté m'esfroie,
   Ars en gelée et en chalour fremis,

IX 7 Qa pres   19 plussouent

D'amer puissant, d'amour povere et mendis,
Jeo sui tout vostre, et si vous fuissetz moie,   30
En tout le mond n'eust uns si rejoïs
De ses amours, sicom jeo lors serroie.

5. O tresgentile dame, simple et coie,
   Des graces et des vertus replenis,
   Lessetz venir merci, jeo vous supploie,
   Et demorir, tanqu'il m'avera guaris ;
   Car sanz vous vivre ne suis poestis.
   Tout sont en vous li bien qe ·jeo voldroie,
   En vostre aguard ma fortune est assis,
   Ceo qe vous plest de bon grée jeo l'otroie.   40

6. La flour des flours plus belle au droit devis,
   Ceste compleignte a vous directe envoie :
   Croietz moi, dame, ensi com jeo vous dis,
   En vous remaint ma sovereine joie.

X. 1. Mon tresdouls coer, mon coer avetz souleine,
      Jeo n'en puiss autre, si jeo voir dirrai ;
      Q'en vous, ma dame, est toute grace pleine.
      A bone houre est qe jeo vous aqueintai,
      Maisqu'il vous pleust qe jeo vous amerai,
      Au fin qe vo pité vers moi se plie,
      Q'avoir porrai vostre ameisté complie.

   2. Mais la fortune qui les amantz meine
      Au plus sovent me met en grant esmai,
      En si halt lieu qe jeo moun coer asseine,   10
      Qe passe toutz les autres a l'essai :
      Q'a mon avis n'est une qe jeo sai
      Pareil a vous, par quoi moun coer s'allie,
      Q'avoir porrai vostre ameisté complie.

   3. S'amour me volt hoster de toute peine,
      Et faire tant qe jeo m'esjoierai,
      Vous estes mesmes celle sovereine,
      Sanz qui jammais en ese viverai :
      Et puis q'ensi moun coer doné vous ai,

IX 37 poestes   41 plusbelle   X 9 plussouent

Ne lerrai, dame, qe ne vous supplie,   20
Q'avoir porrai vostre ameisté complie.

4. A vo bealté semblable au Mois de Maii,
   Qant le solail s'espant sur la florie,
   Ceste balade escrite envoierai,
   Q'avoir porrai vostre ameisté complie.

XI. 1. Mes sens foreins se pourront bien movoir,
     Mais li coers maint en un soul point toutdis,
     Et c'est, ma dame, en vous, pour dire voir,
     A qui jeo vuill servir en faitz et ditz :
     Car pour sercher le monde, a moun avis
     Vous estes la plus belle et graciouse,
     Si vous fuissetz un poi plus amerouse.

2. Soubtz ciel n'est uns, maisqu'il vous poet veoir,
   Qu'il ne serroit tantost d'amer suspris ;
   Q'en la bealté qe dieus t'ad fait avoir   10
   Sont les vertus si pleinement compris,
   Qe riens y falt ; dont l'en doit doner pris
   A vous, ma doulce dame gloriouse,
   Si vous fuissetz un poi plus amerouse.

3. Jeo sui del tout, ma dame, en vo pooir,
   Come cil qui sui par droit amour soubgis
   De noet et jour pour faire vo voloir,
   Et dieus le sciet qe ceo n'est pas envis :
   Par quoi jeo quiers vos graces et mercis ;
   Car par reson vous me serretz pitouse,   20
   Si vous fuissetz un poi plus amerouse.

4. A vous, ma dame, envoie cest escris,
   Qe trop perestes belle et dangerouse :
   Meilour de vous om sciet en null paiis,
   Si vous fuissetz un poi plus amerouse.

XI 6 plusbelle   7, 14, 21, 25 plusamerouse   15 lieo

XII. 1. La dame a la Chalandre comparer
Porrai, la quelle en droit de sa nature
Desdeigne l'omme a tiel point reguarder,
Quant il serra de mort en aventure.
Et c'est le pis des griefs mals qe j'endure,
Vo tresgent corps, ma dame, quant jeo voie
Et le favour de vo reguard procure,
Danger ses oels destorne en autre voie.

2. Helas, quant pour le coer trestout entier,
Qe j'ai doné sanz point de forsfaiture,   10
Ne me deignetz en tant reguerdoner,
Q'avoir porrai la soule reguardure
De vous, q'avetz et l'oill et la feture
Dont jeo languis; car ce jeo me convoie,
Par devant vous quant jeo me plus assure,
Danger ses oels destorne en autre voie.

3. Si tresbeals oels sanz merci pour mirer
N'acorde pas, ma dame, a vo mesure:
De vo reguard hostetz pourceo danger,
Prenetz pité de vostre creature,   20
Monstrez moi l'oill de grace en sa figure,
Douls, vair, riant et plein de toute joie;
Car jesq'en cy, ou si jeo chante ou plure,
Danger ses oels destorne en autre voie.

4. En toute humilité sanz mesprisure
Jeo me compleigns, ensi come faire doie,
Q'a moi, qui sui del tout soubtz vostre cure,
Danger ses oels destorne en autre voie.

XIII. 1. Au mois de Marsz, u tant y ad muance,
Puiss resembler les douls mals que j'endure:
Ore ai trové, ore ai perdu fiance,
Siq'en amer truis ma .fortune dure;
Qu'elle est sanz point, sanz reule et sanz mesure,
N'ad pas egual le pois en sa balance,
Ore ai le coer en ease, ore en destance.

2. Qant jeo remire al oill sanz variance
   La gentilesce et la doulce figure,
   Le sens, l'onour, le port, la contenance   10
   De ma tresnoble dame, en qui nature
   Ad toutz biens mis, lors est ma joie pure,
   Q'amour par sa tresdigne pourveance
   M'ad fait amer u tant y ad plesance.

3. Mais quant me vient la droite sovenance,
   Coment ma doulce dame est a dessure
   En halt estat, et ma nounsuffisance
   Compense a si tresnoble creature,
   Lors en devient ma joie plus obscure
   Par droit paour et par desesperance,   20
   Qe lune quant eglips la desavance.

4. Pour vous, q'avetz ma vie en aventure,
   Ceste balade ai fait en remembrance :
   Si porte ades le jolif mal sanz cure,
   Tanq'il vous plest de m'en faire allegance.

XIIII. 1. Pour penser de ma dame sovereine,
   En qui tout bien sont plainement assis,
   Qe riens y falt de ce dont corps humeine
   Doit par reson avoir loenge et pris,
   Lors sui d'amour si finement espris,
   Dont maintenant m'estoet soeffrir la peine
   Plus qe Paris ne soeffrist pour Heleine.

2. Tant plus de moi ma dame se desdeigne,
   Come plus la prie; et si jeo mot ne dis,
   Qe valt ce, lors qe jeo ma dolour meine   10
   De ceo dont jeo ma dame n'ai requis ?
   Ensi de deux jeo sui tant entrepris,
   Qe parler n'ose a dame si halteine,
   Et si m'en tais, jeo voi la mort procheine.

XIII 8 al loill   17 noun suffisance   19 endevient
                     XIIII 2 Een

3. Mais si pités, qui les douls coers enseine,
Pour moi ne parle et die son avis,
Et la fierté de son corage asseine,
Et plie au fin q'elle ait de moi mercis,
Jeo serrai mortz ou tant enmaladis,
Ne puiss faillir del un avoir estreine ;   20
Ensi, ma doulce dame, a vous me pleigne.

4. Ceste balade a vous, ma dame, escris,
Q'a vous parler me falt du bouche aleine ;
Par quoi soubtz vostre grace jeo languis,
Sanz vous avoir ne puiss ma joie pleine.

XV. 1. Com l'esperver qe vole par creance
Et de son las ne poet partir envoie,
De mes amours ensi par resemblance
Jeo sui liez, sique par nulle voie
Ne puiss aler, s'amour ne me convoie :
Vous m'avetz, dame, estrait de tiele Mue,
Combien qe vo presence ades ne voie,
Mon coer remaint, que point ne se remue.

2. Soubtz vo constreignte et soubtz vo governance
Amour m'ad dit qe jeo me supple et ploie,   10
Sicome foial doit faire a sa liegance,
Et plus d'assetz, si faire le porroie :
Pour ce, ma doulce dame, a vous m'otroie,
Car a ce point j'ai fait ma retenue,
Qe si le corps de moi fuist ore a Troie,
Mon coer remaint, qe point ne se remue.

3. Sicome le Mois de Maii les prées avance,
Q'est tout flori quant l'erbe se verdoie,
Ensi par vous revient ma contienance,
De vo bealté si penser jeo le doie :   20
Et si merci me volt vestir de joie
Pour la bounté qe vous avetz vestue,
En tiel espoir, ma dame, uque jeo soie,
Mon coer remaint, qe point ne se remue.

XIIII 15 doules   XV 17 lesprees

4. A vostre ymage est tout ceo qe jeo proie,
   Quant ceste lettre a vous serra venue;
   Q'a vous servir, come cil q'est vostre proie,
   Mon coer remaint, qe point ne se remue.

XVI. 1. Camelion est une beste fiere,
   Qui vit tansoulement de l'air sanz plus;
   Ensi pour dire en mesme la maniere,
   De soul espoir qe j'ai d'amour conçuz
   Sont mes pensers en vie sustenuz:
   Mais par gouster de chose qe jeo sente,
   Combien qe jeo le serche sus et jus,
   Ne puiss de grace trover celle sente.

2. N'est pas ma sustenance assetz pleniere
   De vein espoir qe m'ad ensi repuz;   10
   Ainz en devient ma faim tant plus amiere
   D'ardant desir qe m'est d'amour accruz:
   De mon repast jeo sui ensi deçuz,
   Q'ove voide main espoir ses douns presente,
   Qe quant jeo quide meux estre au dessus
   En halt estat, jeo fais plus grief descente

3. Quiqu'est devant, souhaid n'est pas derere
   Au feste quelle espoir avera tenuz;
   A volenté sanz fait est chamberere:
   Tiels officers sont ainçois retenuz,   20
   Par ceux jeo vive et vuill ceo qe ne puiss,
   Ma fortune est contraire a mon entente;
   Ensi morrai, si jeo merci ne truis,
   Q'en vein espoir ascun profit n'avente.

4. A vous, en qui sont toutz bien contenuz,
   Q'es flour des autres la plus excellente,
   Ceste balade avoec centmil salutz
   Envoie, dame, maisq'il vous talente.

XVI 7 Com bien   11 endeuient   16 plusgrief
             26 plusexcellente

XVII. 1. Ne sai si de ma dame la durtée
Salvant l'estat d'amour jeo blamerai;
Bien sai qe par tresfine loialté
De tout mon coer la serve et serviray,
Mais le guardon, s'ascun deservi ai,
Ne sai coment, m'est toutdis eslongé:
Dont jeo ma dame point n'escuseray;
Tant meinz reprens, com plus l'averay doné.

2. A moun avis ceo n'est pas egalté,
Solonc reson si jeo le voir dirrai,
A doner tout, coer, corps et volenté,
Quant pour tout ceo reprendre ne porray
D'amour la meindre chose qe jeo sai.
Om dist, poi valt service q'est sanz fée;
Mais ja pour tant ma dame ne lerray,
Q'a lui servir m'ai tout abandoné.

3. Ma dame, qui sciet langage a plentée,
Rien me respont quant jeo la prierai;
Et s'ensi soit q'elle ait a moi parlée,
D'un mot soulein lors sa response orrai,
A basse vois tantost me dirra, 'nay.'
C'est sur toutz autres ditz qe jeo plus hee;
Le mot est brief, mais qant vient a l'essay,
La sentence est de grant dolour parée.

4. Ceste balade a celle envoieray,
En qui riens falt fors soulement pitée:
Ne puis lesser, maisque jeo l'ameray,
Q'a sa merci jeo m'ai recomandé.

XVIII. 1. Les goutes d'eaue qe cheont menu
L'en voit sovent percer la dure piere;
Mais cest essample n'est pas avenu,
Semblablement qe jeo de ma priere
La tendre oraille de ma dame chiere
Percer porrai, ainz il m'est defendu:
Com plus la prie, et meinz m'ad entendu.

2. Tiel esperver crieis unqes ne fu,
   Qe jeo ne crie plus en ma maniere
   As toutz les foitz qe jeo voi temps et lu;   10
   Et toutdis maint ma dame d'une chiere,
   Assetz plus dure qe n'est la rochiere.
   Ne sai dont jeo ma dame ai offendu;
   Com plus la prie, et meinz m'ad entendu.

3. Le ciel amont de la justice dieu
   Trespercerai, si jeo les seintz requiere;
   Mais a ce point c'est ma dame abstenu,
   Qe toutdis clot s'oraille a ma matiere.
   Om perce ainçois du marbre la quarere,
   Q'elle ait a ma requeste un mot rendu;   20
   Com plus la prie, et meinz m'ad entendu.

4. La dieurté de ma dame est ensi fiere
   Com Diamant, qe n'est de riens fendu:
   Ceo lettre en ceo me serra messagiere;
   Com plus la prie, et meinz m'ad entendu.

XIX. 1. Om solt danter la beste plus salvage
   Par les paroles dire soulement,
   Et par parole changer le visage,
   Et les semblances muer de la gent:
   Mais jeo ne voie ascun experiment,
   Qe de ma dame torne le corage;
   Celle art n'est pas dessoubtz le firmament
   Por atrapper un tiel oisel en cage.

2. Jeo parle et prie et serve et faitz hommage
   De tout mon coer entier, mais nequedent   10
   Ne puis troever d'amour celle avantage,
   Dont ma tresdoulce dame ascunement
   Me deigne un soul regard pitousement
   Doner; mais plus qe Sibille le sage
   S'estrange, ensi qe jeo ne sai coment
   Pour atrapper un tiel oisel en cage.

XVIII 12 plusdure   20 Qell   XIX 1 plussalvage

A a

3. Loigns de mon proeu et pres de mon damage,
Jeo trieus toutdis le fin du parlement;
Ne sai parler un mot de tiel estage,
Par quoi ma dame ne change son talent: 20
Sique jeo puiss veoir tout clierement
Qe ma parole est sanz vertu volage,
Et sanz exploit, sicom frivole au vent,
Pour atrapper un tiel oisel en cage.

4. Ma dame, en qui toute ma grace attent,
Vous m'avetz tant soubgit en vo servage,
Qe jeo n'ai sens, reson n'entendement,
Pour atrapper un tiel oisel en cage.

XX. 1. Fortune, om dist, de sa Roe vire ades;
A mon avis mais il n'est pas ensi,
Car as toutz jours la troeve d'un reles,
Qe jeo sai nulle variance en li,
Ainz est en mes deseases establi,
En bass me tient, q'a lever ne me lesse:
De mes amours est tout ceo qe jeo di,
Ma dolour monte et ma joie descresce.

2. Apres la guerre om voit venir la pes,
Apres l'ivern est l'estée beal flori,   10
Mais mon estat ne voi changer jammes,
Qe jeo d'amour porrai troever merci.
He, noble dame, pour quoi est il ensi?
Soubtz vostre main gist ma fortune oppresse,
Tanq'il vous plest qe jeo serrai guari,
Ma dolour monte et ma joie descresce.

3. Celle infortune dont Palamedes
Chaoit, fist tant q'Agamenon chosi
Fuist a l'empire: auci Diomedes,
Par ceo qe Troilus estoit guerpi,   20
De ses amours la fortune ad saisi,
Du fille au Calcas mesna sa leesce:
Mais endroit moi la fortune est faili,
Ma dolour monte et ma joie descresce.

4. Le coer entier avoec ceo lettre ci
   Envoie a vous, ma dame et ma dieuesce :
   Prenetz pité de mon trespovere cri,
   Ma dolour monte et ma joie descresce.

XXI. 1. Au solail, qe les herbes eslumine
   Et fait florir, jeo fai comparisoun
   De celle q'ad dessoubtz sa discipline
   Mon coer, mon corps, mes sens et ma resoun
   Par fin amour trestout a sa bandoun :
   Si menerai par tant joiouse vie,
   Et servirai de bon entencioun,
   Sanz mal penser d'ascune vilenie.

2. Si femme porroit estre celestine
   De char humeine a la creacion,   10
   Jeo croi bien qe ma dame soit devine ;
   Q'elle ad le port et la condicion
   De si tressainte conversacioun,
   Si plein d'onour, si plein de courtoisie,
   Q'a lui servir j'ai fait ma veneisoun,
   Sanz mal penser d'ascune vilenie.

3. Une autre tiele belle et femeline,
   Trestout le mond pour sercher enviroun,
   Ne truist om, car elle ad de sa covine
   Honte et paour pour guarder sa mesoun,   20
   N'i laist entrer ascun amant feloun :
   Dont sui joious, car jeo de ma partie
   La vuill amer d'oneste affeccioun,
   Sanz mal penser d'ascune vilenie.

4. Mirour d'onour, essample de bon noun,
   En bealté chaste et as vertus amie,
   Ma dame, jeo vous aime et autre noun,
   Sanz mal penser d'ascune vilenie.

XXI 18 Terstout

A a 2

XXII. 1. J'ai bien sovent oï parler d'amour,
Mais ja devant n'esprovai la nature
De son estat, mais ore au present jour
Jeo sui cheeuz de soudeine aventure
En la sotie, u jeo languis sanz cure,
Ne sai coment j'en puiss avoir socour :
Car ma fortune est en ce cas si dure,
Q'ore est ma vie en ris, ore est en plour.

2. Pour bien penser jeo truiss assetz vigour,
Mais quant jeo doi parler en ascune hure,   10
Le coer me falt de si tresgrant paour,
Q'il hoste et tolt la vois et la parlure ;
Q'au peine lors si jeo ma regardure
Porrai tenir a veoir la doulçour
De celle en qui j'ai mis toute ma cure,
Q'ore est ma vie en ris, ore est en plour.

3. Quant puiss mirer la face et la colour
De ma tresdoulce dame et sa feture,
Pour regarder en si tresbeal mirour
Jeo sui ravi de joie oultre mesure :   20
Mais tost apres, quant sui soulein, jeo plure,
Ma joie ensi se melle de dolour,
Ne sai quant sui dessoubtz ne quant dessure,
Q'ore est ma vie en ris, ore est en plour.

4. A vous, tresbelle et bone creature,
Salvant toutdis l'estat de vostre honour,
Ceo lettre envoie : agardetz l'escripture,
Q'ore est ma vie en ris, ore est en plour.

XXIII. 1. Pour un regard au primere acqueintance,
Quant jeo la bealté de ma dame vi,
Du coer, du corps trestoute m'obeissance
Lui ai doné, tant sui d'amour ravi :
Du destre main jeo l'ai ma foi plevi,
Sur quoi ma dame ad resceu moun hommage,
Com son servant et son loial ami ;
A bon houre est qe jeo vi celle ymage.

2. Par lui veoir sanz autre sustenance,
   Mais qe danger ne me soit anemi,   10
   Il m'est avis de toute ma creance
   Q'as toutz les jours jeo viveroie ensi :
   Et c'est tout voir qe jeo lui aime si,
   Qe mieulx voldroie morir en son servage,
   Qe vivere ailours mill auns loigntain de li :
   A bone houre est qe jeo vi celle ymage.

3. De son consail ceo me dist esperance,
   Qe quant ma dame averai long temps servi
   Et fait son gré d'onour et de plesance,
   Lors solonc ceo qe j'averai deservi   20
   Le reguerdoun me serra de merci ;
   Q'elle est plus noble et franche de corage
   Qe Maii, quant ad la terre tout flori :
   A bon houre est qe jeo vi celle ymage.

4. Ceo dit envoie a vous, ma dame, en qui
   La gentilesce et le treshalt parage
   Se monstront, dont espoir m'ad rejoï :
   A bon houre est qe jeo vi celle ymage.

XXIIII. 1. Jeo quide qe ma dame de sa mein
         M'ad deinz le coer escript son propre noun ;
         Car quant jeo puiss oïr le chapellein
         Sa letanie dire et sa leçoun,
         Jeo ne sai nomer autre, si le noun ;
         Car j'ai le coer de fin amour si plein,
         Q'en lui gist toute ma devocioun :
         Dieus doignt qe jeo ne prie pas en vein !

2. Pour penser les amours de temps longtein,
   Com la priere de Pigmalion   10
   Faisoit miracle, et l'image au darrein
   De piere en char mua de s'oreisoun,
   J'ai graunt espoir de la comparisoun
   Qe par sovent prier serrai certein
   De grace ; et pour si noble reguerdoun
   Dieus doignt qe jeo ne prie pas en vein !

XXIII 22 plusnoble

3. Com cil qui songe et est en nouncertein,
   Ainz semble a lui qu'il vait tout environ
   Et fait et dit, ensi quant sui soulein,
   A moi parlant jeo fais maint question,   20
   Despute et puis responde a ma resoun,
   Ne sai si jeo sui faie ou chose humein :
   Tiel est d'amour ma contemplacion ;
   Dieus doignt qe jeo ne prie pas en vein !

4. A vous, qe m'avetz en subjeccion,
   Soul apres dieu si m'estes soverein,
   Envoie cette supplicacion :
   Dieus doignt qe jeo ne prie pas en vein !

XXV. 1. Ma dame, si ceo fuist a vo plesir,
   Au plus sovent jeo vous visiteroie ;
   Mais le fals jangle et le tresfals conspir
   De mesdisantz m'ont destorbé la voie,
   Et vostre honour sur toute riens voldroie :
   Par quoi, ma dame, en droit de ma partie
   En lieu de moi mon coer a vous envoie ;
   Car qui bien aime ses amours tard oblie.

2. Ils sont assetz des tiels qui de mentir
   Portont le clief pendant a lour curroie ;   10
   Du quoi, ma dame, jeo ne puiss sentir
   Coment aler, ainçois me torne envoie :
   Mais sache dieus, par tout uque jeo soie,
   D'entier voloir sanz nulle departie
   A vous me tiens, a vous mon coer se ploie ;
   Car qui bien aime ses amours tard oblie.

3. De vo presence a long temps abstenir
   Grief m'est, en cas q'a force ensi feroie ;
   Et d'autrepart, si jeo voldrai venir,
   Sanz vostre esgard ceo faire ne porroie :   20
   Comandetz moi ceo qe jeo faire en doie,
   Car vous avetz de moi la seignorie,
   Tout est en vous, ma dolour et ma joie ;
   Car qui bien aime ses amours tard oblie.

XXV 2 plussovent   4 mout (?)   21 endoie

4. As mesdisantz, dont bon amour s'esfroie,
De male langue dieus les motz maldie ;
Q'en lour despit a vostre amour m'otroie ;
Car qui bien aime ses amours tard oblie.

XXVI. 1. Salutz honour et toute reverence,
Com cil d'amour q'est tout vostre soubgit,
Ma dame, a vous et a vostre excellence
Envoie, s'il vous plest, d'umble espirit,
Pour fare a vous plesance, honour, profit :
De tout mon coer entier jeo le desire,
Selonc le corps combien qe j'ai petit,
Sanz autre doun le coer doit bien suffire.

2. Qui donne soi, c'est une experience
Qe l'autre bien ne serront escondit :   10
Si plein com dieus m'ad de sa providence
Fait et formé, si plein sanz contredit
Soul apres lui, ma dame, en fait et dit
Vous donne ; et si Rois fuisse d'un Empire,
Tout est a vous : mais en amour perfit
Sanz autre doun le coer doit bien suffire.

3. Primer quant vi l'estat de vo presence,
En vous mirer me vint si grant delit,
Q'unqes depuiss d'ascune negligence
Mon coer pensant vostre bealté n'oublit :   20
Par quoi toutdis me croist celle appetit
De vous amer, plus qe ne porrai dire ;
Et pour descrire amour en son droit plit,
Sanz autre doun le coer doit bien suffire.

4. A vous, ma dame, envoie ceste escript,
Ne sai si vo danger le voet despire ;
Mais si reson soit en ce cas eslit,
Sanz autre doun le coer doit bien suffire.

XXVI 22 plusqe

XXVII. 1. Ma dame, quant jeo vi vostre oill [vair et] riant,
Cupide m'ad ferru de tiele plaie
Parmi le coer d'un dart d'amour ardant,
Qe nulle medicine m'est verraie,
Si vous n'aidetz; mais certes jeo me paie,
Car soubtz la cure de si bone mein
Meulx vuil languir qe sanz vous estre sein.

2. Amour de sa constreignte est un tirant,
Mais sa banere quant merci desplaie,
Lors est il suef, courtois et confortant :   10
Ceo poet savoir qui la fortune essaie;
Mais combien qu'il sa grace me deslaie,
Ma dame, jeo me tiens a vous certein;
Mieulx vuill languir qe sanz vous estre sein.

3. Ensi ne tout guari ne languisant,
Ma dame, soubtz l'espoir de vo manaie
Je vive, et sui vos graces attendant,
Tanque merci ses oignementz attraie,
Et le destroit de ma dolour allaie :
Mais si guaris ne soie enquore au plein,   20
Mieulx vuill languir qe sanz vous estre sein.

4. Pour vous, q'avetz la bealté plus qe faie,
Ceo lettre ai fait sanz null penser vilein :
Parentre deus combien qe jeo m'esmaie,
Mieulx vuill languir qe sanz vous estre sein.

XXVIII. 1. Dame, u est ore celle naturesce,
Qe soloit estre en vous tiel temps jeo vi,
Q'il ne vous plest de vostre gentilesce
Un soul salutz mander a vostre ami ?
Ne quier de vous forsque le coer demi,
Et vous avetz le mien trestout entier :
Om voit sovent de petit poi doner.

2. Les vertus de franchise et de largesce
Jeo sai, ma dame, en vous sont establi;
Et vous savetz ma peine et ma destresce,   10

Dont par dolour jeo sui sempres faili
En le defalte soul de ϙo merci,
Q'il ne vous plest un mot a moi mander :
Om voit sovent de petit poi doner.

3. Tout qanque j'ai, ma dame, a vo noblesce
   De coer et corps jeo l'ai doné parmi ;
   Par quoi ne vous desplese, en ma simplesce
   De vostre amour si jeo demande ensi ;
   Car cil qui done il ad doun deservi,
   Loial servant doit avoir son loer :   20
   Om voit sovent de petit poi doner.

4. Ma doulce dame, qui m'avetz oubli,
   Prenetz ceo dit de moi pour remembrer,
   Et mandetz moi de vos beals ditz auci ;
   Q'om voit sovent de petit poi doner.

XXIX. 1. Par droite cause et par necessité,
   Q'est sanz feintise honeste et resonable,
   M'ai par un temps de vous, dame, eslongé,
   Dont par reson jeo serroie excusable :
   Mais fame, q'est par les paiis volable,
   De vo corous me dist novelle ades ;
   Si m'ad apris, et jeo le croi sanz fable,
   Q'est d'amour loigns est de desease pres.

2. Si vous, ma dame, scieussetz ma pensé,
   Q'a vous servir remaint toutditz estable,   10
   Ne serrai point sanz cause refusé :
   Car jeo vous tiens si bone et merciable,
   Qe jeo, q'a vous sui toutditz serviçable,
   Et de mon grée ne vuill partir jammes,
   Vo grace averai ; et c'est tout veritable,
   Q'est d'amour loigns est de desease pres.

3. Le fait de l'omme est en la volenté,
   Car qui bien voet par droit est commendable ;
   Et pourcella, ma tresbelle honourée,
   Hostetz corous et soietz amiable :   20

Si riens ai fait q'a vous n'est pas greable,
De vo merci m'en donètz un reles;
Q'ore a l'essai la chose est bien provable,
Q'est d'amour loigns est de desease pres.

4. Ma graciouse dame et honourable,
Ceste balade a vous pour sercher pes
Envoie; car jeo sui assetz creable,
Q'est d'amour loigns est de desease pres.

XXX. 1. Si com la Nief, quant le fort vent tempeste,
Par halte mier se torne ci et la,
Ma dame, ensi moun coer maint en tempeste,
Quant le danger de vo parole orra;
Le Nief qe vostre bouche soufflera
Me fait sigler sur le peril de vie:
Q'est en danger, falt qu'il merci supplie.

2. Rois Uluxes, sicom nous dist la geste,
Vers son paiis de Troie qui sigla,
N'ot tiel paour du peril et moleste,   10
Quant les Sereines en la Mier passa,
Et le danger de Circes eschapa,
Qe le paour n'est plus de ma partie:
Q'est en danger, falt qu'il merci supplie.

3. Danger, qui tolt d'amour toute la feste,
Unqes un mot de confort ne sona;
Ainz plus cruel qe n'est la fiere beste,
Au point quant danger me respondera,
La chiere porte, et quant le nai dirra,
Plus que la mort m'estone celle oïe: 20
Q'est en danger, falt qu'il merci supplie.

4. Vers vous, ma bone dame, horspris cella
Qe danger maint en vostre compainie,
Ceste balade en mon message irra:
Q'est en danger, falt qu'il merci supplie.

XXX 5 Le Nief] *Perhaps rather* Le vent   12 circes   20 Plusq*ue*

XXXI. 1. Ma belle dame, bone et graciouse,
Si pour bealté l'en doit amour doner,
La bealté, dame, avetz si plentevouse,
Qe vo bealté porra nulls coers passer,
Qe ne l'estoet par fine force amer,
Et obeïr d'amour la discipline
Par soulement vo bealté regarder:
Car bon amour a les vertus encline.

2. Et si bounté, q'est assetz vertuouse
De sa nature, amour porra causer,   10
Vous estes, dame, assetz plus bountevouse
Q'ascun amant le purra deviser:
Et ceo me fait vostre amour desirer
Secondement apres l'amour divine,
Pour chier tenir, servir et honourer;
Car bon amour a les vertus encline.

3. Et si la sort de grace est amourouse,
Lors porrai bien, ma dame, tesmoigner,
Vo grace entre la gent est si famouse,
Q'a quelle part qe jeo me vuil torner,   20
Jeo puiss oïr vo grace proclamer:
Toutz en parlont et diont lour covine,
L'om est benoit qui vous purroit happer;
Car bon amour a les vertus encline.

4. Ma dame, en qui sont trestout bien plener,
Tresfressche flour, honeste et femeline,
Ceste balade a vous fais envoier;
Car bon amour a les vertus encline.

XXXII. 1. Cest aun novell Janus, q'ad double face,
L'yvern passer et l'estée voit venant:
Comparison de moi si j'ensi face,
Contraire a luy mes oills sont regardant,
Je voi l'ivern venir froid et nuisant,
Et l'estée vait, ne sai sa revenue;
Q'amour me poignt et point ne me salue.

XXXI 16 ales   22 enparlont   XXXII 5 nuisand

2. La cliere Estée, qui le solail embrace,
Devient obscure a moi, siq' au devant
L'yvern me tolt d'amour toute la grace :   10
Dont par dolour jeo sui mat et pesant,
Ne sai jeuer, ne sai chanter par tant,
Ainz sui covert dessoubtz la triste Nue ;
Q'amour me poignt et point ne me salue.

3. Vo bealté croist, q'a null temps se desface ;
Pourceo, ma dame, a vous est acordant
Qe vo bounté se monstre en toute place :
Mais jeo, pour quoi qe sui tout vo servant,
Ne puis veoir de grace ascun semblant,
C'est une dure et forte retenue ;   20
Q'amour me poignt et point ne me salue.

XXXIII. 1. Au comencer del aun present novell
Mon corps ove tout le coer a bone estreine
Jeo done a vous, ma dame, sanz repell,
Pour le tenir sicom vostre demeine :
Ne sai conter les joies que jeo meine
De vous servir, et pour moi guardoner,
Si plus n'y soit, donetz le regarder.

2. Ne quier de vous avoir autre Juel
Fors soulement vostre ameisté certeine ;
Guardetz vo Nouche, guardetz le vostre anel,   10
Vo beal semblant m'est joie sovereine,
Q'a mon avis toute autre chose est veine :
Et s'il vous plest, ma dame, sanz danger,
Si plus n'y soit, donetz le regarder.

3. L'en solt toutditz au feste de Noël
Reprendre joie et hoster toute peine,
Et doner douns ; mais jeo ne demande el,
De vo noblesce si noun q'il vous deigne
Doner a moi d'amour ascune enseigne,
Dont jeo porrai ma fortune esperer :   20
Si plus n'y soit, donetz le regarder.

XXXII 9 si siqau devant

4. A vous, ma doulce dame treshalteine,
Ceste balade vait pour desporter ;
Et pour le bounté dont vous estes pleine,
Si plus n'y soit, donetz le règarder.

XXXIIII. 1. Saint Valentin l'amour et la nature
De toutz oiseals ad en governement ;
Dont chascun d'eaux semblable a sa mesure
Une compaigne honeste a son talent
Eslist tout d'un acord et d'un assent :
Pour celle soule laist a covenir
Toutes les autres, car nature aprent,
U li coers est, le corps falt obeïr.

2. Ma doulce dame, ensi jeo vous assure
Qe jeo vous ai eslieu semblablement ;   10
Sur toutes autres estes a dessure
De mon amour si tresentierement,
Qe riens y falt par quoi joiousement
De coer et corps jeo vous voldrai servir :
Car de reson c'est une experiment,
U li coers est, le corps falt obeïr.

3. Pour remembrer jadis celle aventure
De Alceone et Ceïx ensement,
Com dieus muoit en oisel lour figure,
Ma volenté serroit tout tielment,   20
Qe sanz envie et danger de la gent
Nous porroions ensemble par loisir
Voler tout francs en nostre esbatement :
U li coers est, le corps falt obeïr.

4. Ma belle oisel, vers qui mon pensement
S'en vole ades sanz null contretenir,
Pren cest escript, car jeo sai voirement,
U li coers est, le corps falt obeïr.

XXXV. 1. Saint Valentin plus qe null Emperour
Ad parlement et convocacion
Des toutz oiseals, qui vienont a son jour,

U la compaigne prent son compaignon
En droit amour; mais par comparison
D'ascune part ne puiss avoir la moie:
Qui soul remaint ne poet avoir grant joie.

2. Com la fenix souleine est au sojour
En Arabie celle regioun,
Ensi ma dame en droit de son amour   10
Souleine maint, ou si jeo vuill ou noun,
N'ad cure de ma supplicacion,
Sique d'amour ne sai troever la voie:
Qui soul remaint ne poet avoir grant joie.

3. O com nature est pleine de favour
A ceos oiseals q'ont lour eleccion!
O si jeo fuisse en droit de mon atour
En ceo soul cas de lour condicioun!
Plus poet nature qe ne poet resoun,
En mon estat tresbien le sente et voie: 20
Qui soul remaint ne poet avoir grant joie.

4. Chascun Tarcel gentil ad sa falcoun,
Mais j'ai faili de ceo q'avoir voldroie:
Ma dame, c'est le fin de mon chançoun,
Qui soul remaint ne poet avoir grant joie.

XXXVI. 1. Pour comparer ce jolif temps de Maii,
Jeo le dirrai semblable a Paradis;
Car lors chantont et Merle et Papegai,
Les champs sont vert, les herbes sont floris,
Lors est nature dame du paiis;
Dont Venus poignt l'amant au tiel assai,
Q'encontre amour n'est qui poet dire Nai.

2. Qant tout ceo voi et qe jeo penserai
Coment nature ad tout le mond suspris,
Dont pour le temps se fait minote et gai,   10
Et jeo des autres sui soulein horpris,
Com cil qui sanz amie est vrais amis,
N'est pas mervaile lors si jeo m'esmai,
Q'encontre amour n'est qui poet dire Nai.

XXXV 10 deson   XXXVI 14 nai

3. En lieu de Rose urtie cuillerai,
Dont mes chapeals ferrai par tiel devis,
Qe toute joie et confort jeo lerrai,
Si celle soule, en qui j'ai mon coer mis,
Selonc le point qe j'ai sovent requis,
Ne deigne alegger les griefs mals qe j'ai ;   20
Q'encontre amour n'est qui poet dire Nai.

4. Pour pité querre et pourchacer mercis,
Va t'en, balade, u jeo t'envoierai ;
Q'ore en certein jeo l'ai tresbien apris,
Q'encontre amour n'est qui poet dire Nai.

XXXVII. 1. El Mois de Maii la plus joiouse chose
C'est fin amour, mais vous, ma dame chiere,
Prenetz a vous plustost la ruge Rose
Pour vo desport, et plus la faites chiere
Qe mon amour ove toute la priere
Qe vous ai fait maint jour y ad passé :
Vous estes franche et jeo sui fort lié.

2. Jeo voi toutplein des flours deinz vo parclose,
Privé de vous mais jeo sui mis derere,
N'y puiss entrer, qe l'entrée m'est forclose.   10
Jeo prens tesmoign de vostre chamberere,
Qe sciet et voit trestoute la matiere,
De si long temps qe jeo vous ai amé :
Vous estes franche et jeo sui fort lié.

3. Qant l'erbe croist et la flour se desclose,
Maii m'ad hosté de sa blanche banere,
Dont pense assetz plus qe jeo dire n'ose
De vous, ma dame, qui m'estes si fiere ;
A vo merci car si jeo me refiere,
Vostre danger tantost m'ad deslaié :   20
Vous estes franche et jeo sui fort lié.

4. En le douls temps ma fortune est amiere,
Le Mois de Maii s'est en yvern mué,
L'urtie truis, si jeo la Rose quiere :
Vous estes franche et jeo sui fort lié.

XXXVI 25 nai   XXXVII 1 plusioiouse   3 Ruge   19 refiers

XXXVIII 1. Sicom la fine piere Daiamand
De sa nature attrait le ferr au soi,
Ma dame, ensi vo douls regard plesant
Par fine force attrait le coer de moi :
N'est pas en mon poair, qant jeo vous voi,
Qe ne vous aime oultre mesure ensi,
Qe j'ai pour vous toute autre chose oubli.

2. Soubtz ciel n'est oill, maisq'il vous soit voiant,
Qu'il n'ait le coer tantost deinz son recoi
Suspris de vostre amour et suspirant :   10
De tout le monde si jeo fuisse Roi,
Trop fuist petit, me semble en bone foi,
Pour vous amer, car jeo sui tant ravi,
Qe j'ai pour vous toute autre chose oubli.

3. Toutes vertus en vous sont apparant,
Qe nature poet doner de sa loi,
Et dieus vous ad doné le remenant
Des bones mours ; par quoi tresbien le croi
Qe jeo ne puiss amer meilour de toi :
Vostre bealté m'ad tielement saisi,   20
Qe j'ai pour vous toute autre chose oubli.

4. D'omble esperit, sicom jeo faire doi,
U toute grace son hostell ad basti
Ceo lettre envoie ove si tresfin otroi,
Qe j'ai pour vous toute autre chose oubli.

XXXIX 1. En vous, ma doulce dame sovereine,
Pour remembrer et sercher les vertus,
Si bounté quier, et vous en estes pleine,
Si bealté quier, vous estes au dessus,
Si grace quier, vous avetz le surplus ;
Qe riens y falt de ceo dont char humeine
Doit avoir pris, car c'est tresbien conuz,
Molt est benoit q'ove vous sa vie meine.

2. Qui vo persone en son corage asseine,
Trop ad dur coer s'il ne soit retenuz   10

XXXVIII 9 Quilnait   23 hostell   XXXIX 3 enestes

Pour vous servir come a sa capiteine :
Pour moi le di, q'a ceo me sui renduz,
Et si vous ai de rien, dame, offenduz,
Vous me poetz sicom vostre demeine
Bien chastier; q'en vostre amour jeo trieus,
Molt est benoit q'ove vous sa vie meine.

3. N'est un soul jour de toute la semeine,
El quell deinz soi mon coer milfoitz et pluis
De vous ne pense : ascune foitz me pleigne,
Et c'est quant jeo sui loign ; mais quant venuz
Sui en presence, uque vous ai veeuz,   21
Lors est sur tout ma joie plus certeine :
Ensi de vous ma reson ai concluz,
Molt est benoit q'ove vous sa vie meine.

4. Ma dame, en qui tout bien sont contenuz,
Ceo lettre envoie a vo noblesce halteine
Ove Mil et Mil et Mil et Mil salutz :
Molt est benoit q'ove vous sa vie meine.

XL. 1. Om dist, promesses ne sont pas estables ;
Ceo piert en vous, ma dame, au tiele enseigne,
Qe les paroles avetz amiables,
Mais en vos faitz vous n'estes pas certeine.
Vous m'avetz fait com jadis fist Heleine,
Quant prist Paris et laissa Menelai ;
Ne puiss hoster, maisque de vous me pleigne :
Loials amours se provont a l'essai.

2. Si vos promesses fuissent veritables,
Sur vo parole q'estoit primereine   10
Vous ne serretz, ma dame, si changables,
Pour lesser qe vous avetz en demeine
Et prendre ailours la chose q'est foreine.
Vous savetz bien, ma dame, et jeo le sai,
Selonc qe le proverbe nous enseine,
Loials amours se provont a l'essai.

3. Qant verité d'amour se torne en fables,
Et qe vergoigne pas ne le restreigne
Parmi les voies qe sont honourables,
N'est un vertu qe la fortune meine.   10

Vostre ameisté vers un n'est pas souleine,
Ainz est a deux: c'est un chaunçon verrai,
Dont chanterai sovent a basse aleine,
Loials amours se provont a l'essai.

4. A dieu, ma joie, a dieu, ma triste peine,
Ore est yvern, qe soloit estre Maii;
Ne sai pour quoi Cupide me desdeigne:
Loials amours se provont a l'essai.

XLI. 1. Des fals amantz tantz sont au jour present,
Dont les amies porront bien doloir:
Cil qui plus jure et fait son serement
De bien amer, plus pense a decevoir.
Jeo sui de celles une, a dire voir,
Qui me compleigns d'amour et sa feintise;
Par quoi, de fals amantz pour peas avoir,
Bon est qe bone dame bien s'avise.

2. Ascuns y ad qui voet bien amer sent,
Et a chascune il fait bien assavoir   10
Qu'il l'aime sanz nulle autre soulement:
Par tiel engin destorne le savoir
De l'innocent, qe quide recevoir
De ses amours la loialté promise:
Mais pour guarder s'onour et son devoir,
Bon est qe bone dame bien s'avise.

3. Les lievres de la bouche q'ensi ment
Cil tricheour tant beal les sciet movoir,
Q'a peine est nulle qe parfitement
Sache en ceo point le mal aparcevoir: 20
Mais cil q'ensi d'amour son estovoir
Pourchace, ad bien deservi la Juise;
Si dis pource q'a tiel mal removoir
Bon est qe bone dame bien s'avise.

4. Tu q'es au matin un et autre au soir,
Ceste balade envoie a ta reprise,
Pour toi guerpir et mettre a nonchaloir:
Bon est qe bone dame bien s'avise.

XLI 18 le sciet

XLII. 1. Semblables sont la fortune et les dées
    Au fals amant, quant il d'amour s'aqueinte ;
    Sa loialté pleine est des falsetés,
    Plustost deçoit, quant il se fait plus queinte :
    A toi le di, q'as trahi femme meinte,
    Ceo q'as mespris restorer ne poetz,
    Et pourcella, de ta falsine atteinte
    Si tu voldras briser l'estrein, brisetz.

2. Trop tard conu m'est ceo qe fait avetz,
    Qe m'as hosté de toi par tiele empeinte,   10
    Qe jammais jour ne serrai retournetz
    Pour obeïr n'a toi n'a ta constreignte.
    He, fals amis, com ta parole est feinte !
    Les viels promesses toutes sont quassetz,
    Trop as en toi la gentilesce exteinte :
    Si tu voldras briser l'estrein, brisetz.

3. O tu, mirour des mutabilitées,
    Des fals amantz en toi l'image est peinte,
    Tes sens se muent en subtilitées,
    Sil q'ensi fait n'ad pas la vie seinte.   20
    Tu as derrour la conscience enceinte,
    Dont fraude et malengin sont engendrez ;
    Tu as vers moi ta loialté si freinte,
    Si tu voldras briser l'estrein, brisetz.

4. En les malvois malice n'est restreignte,
    Tu n'en serras de ta part escusez ;
    As toutz amantz jeo fais ceste compleignte :
    Si tu voldras briser l'estrein, brisetz.

XLIII. 1. Plus tricherous qe Jason a Medée,
    A Deianire ou q'Ercules estoit,
    Plus q'Eneas, q'avoit Dido lessée,
    Plus qe Theseüs, q'Adriagne amoit,
    Ou Demephon, quant Phillis oublioit,
    Je trieus, helas, q'amer jadis soloie :
    Dont chanterai desore en mon endroit,
    C'est ma dolour, qe fuist ainçois ma joie.

XLII 4 plusqueinte   12 constregnte   XLIII 1 Plustricherous
    2 qercules   3 qeneas

2. Unqes Ector, q'ama Pantasilée,
En tiele haste a Troie ne s'armoit,　　　　　10
Qe tu tout nud n'es deinz le lit couché,
Amis as toutes, quelqe venir doit,
Ne poet chaloir, mais q'une femne y soit ;
Si es comun plus qe la halte voie.
Helas, qe la fortune me deçoit,
C'est ma dolour, qe fuist ainçois ma joie.

3. De Lancelot si fuissetz remembré,
Et de Tristrans, com il se contenoit,
Generides, Florent, Partonopé,
Chascun de ceaux sa loialté guardoit.　　　　20
Mais tu, helas, q'est ceo qe te forsvoit
De moi, q'a toi jammais null jour falsoie ?
Tu es a large et jeo sui en destroit,
C'est ma dolour, qe fuist ainçois ma joie.

4. Des toutz les mals tu q'es le plus maloit,
Ceste compleignte a ton oraille envoie ;
Santé me laist et langour me reçoit,
C'est ma dolour, qe fuist ainçois ma joie.

XLIIII. 1. Vailant, courtois, gentil et renomée,
Loial, verrai, certain de vo promesse,
Vous m'avetz vostre corps et coer donné,
Qe jeo resçoive et prens a grant leesce.
Si jeo de Rome fuisse l'emperesse,
Vostre ameisté refuserai jeo mie,
Q'au tiel ami jeo vuill bien estre amie.

2. La halte fame qe l'en m'ad recontée
De vo valour et de vo grant prouesse
De joie m'ad l'oreille trespercée,　　　　　10
Et conforté le coer, siq'en destresce
Ne puiss languir, ainz de vo gentilesce
Pour remembrer sui des toutz mals guarie ;
Q'au tiel ami jeo vuil bien estre amie.

3. Et puisq'il est ensi de verité,
Qe l'ameisté de vous vers moi se dresce,

Le coer de moi vers vous s'est adrescée
De bien amer par droite naturesce.
Tresdouls amis, tenetz ma foi expresse,
Ceo point d'acord tendrai toute ma vie,   20
Q'au tiel ami jeo vuill bien estre amie.

4. Par loialté, confort, chierté, tendresce,
Ceste ma lettre, quoique nulls en die,
Ove tout le coer envoie a vo noblesce ;
Q'au tiel ami jeo vuill bien estre amie.

XLV. 1. Ma dame, jeo vous doi bien comparer
Au cristall, qe les autres eslumine ;
Car celle piere qui la poet toucher
De sa vertu reçoit sa medicine,
Si en devient plus preciouse et fine :
Ensi pour vo bounté considerer
Toutz les amantz se porront amender.

2. Vostre figure auci pour deviser,
La chiere avetz et belle et femeline,
Du quelle, qant jeo me puiss aviser,   10
Jeo sui constreint, ensi com de famine,
Pour vous amer de tiele discipline,
Dont m'est avis qe pour vous essampler
Toutz les amantz se porront amender.

3. El Cristall dame om porra bien noter
Deux propretés semblable a vo covine :
Le Cristall est de soi et blanc et clier ;
Dieus et nature ensi par double line
Vous ont de l'un et l'autre fait saisine :
Par quoi des biens qe vous avetz pleiner   20
Toutz les amantz se porront amender.

4. Ceste balade, dame, a vous encline
Envoie pour vos graces commender :
De vostre essample et de vostre doctrine
Toutz les amantz se porront amender.

XLIIII 23 endie   XLV 5 endevient pluspreciouse

XLVI. 1. En resemblance d'aigle, qui surmonte
Toute autre oisel pour voler au dessure,
Tresdouls amis, vostre amour tant amonte
Sur toutz amantz, par quoi jeo vous assure
De bien amer, sauf toutdis la mesure
De mon honour, le quell jeo guarderai:
Si parler n'ose, ades jeo penserai.

2. Par les paiis la fame vole et conte
Coment prouesce est toute en vostre cure,
Et quant jeo puiss oïr si noble conte   10
De vo valour, jeo met toute ma cure,
A mon poair dont vostre honour procure:
Mais pour les gentz tresbien m'aviserai;
Si parler n'ose, ades jeo penserai.

3. Entre nous dames, quant mettons a la compte
Vo noble port et vo fiere estature,
Lors en deviens un poi rugge pour honte,
Mais jeo le torne ensi par envoisure,
Q'aparcevoir null poet la coverture:
Par tiel colour en joie jeo m'esmai;   20
Si parler n'ose, ades jeo penserai.

4. A vous, q'avetz d'onour celle aventure,
Qe vos valours toutz passont a l'essai,
Droitz est q'amour vous rende sa droiture:
Si parler n'ose, ades jeo penserai.

XLVII. 1. Li corps se tient par manger et par boire,
Et fin amour le coer fait sustenir,
Mais plus d'assetz est digne la memoire
De vrai amour, qui le sciet maintenir:
Pourceo, ma dame, a vous me vuill tenir,
De tiel amour qe ja ne falsera:
N'est pas oiceus sil qui bien amera.

2. Des tiels y ad qui sont d'amour en gloire,
Par quoi li coers se poet bien rejoïr;
Des tiels y ad qui sont en purgatoire,   10

Qe mieulx lour fuist assetz de mort morir ;
Ascuns d'espoir ont pris le vein desir,
Dont sanz esploit l'amant souhaidera :
N'est pas oiceus sil qui bien amera.

3. De fin amour qui voet savoir l'istoire,
   Il falt q'il sache et bien et mal suffrir ;
   Plus est divers qe l'en ne porra croire :
   Et nepourquant ne m'en puiss abstenir,
   Ainz me covient amer, servir, cherir
   La belle en qui moun coer sojournera :   20
   N'est pas oiceus sil qui bien amera.

4. Demi parti de joie et de suspir
   Ceste balade a vous, ma dame, irra ;
   Q'en la santé d'amour m'estoet languir :
   N'est pas oiceus sil qui bien amera.

XLVIII. 1. Amour est une chose merveilouse,
   Dont nulls porra savoir le droit certein ;
   Amour de soi est la foi tricherouse,
   Qe plus promette et meinz apporte au mein ;
   Le riche est povere et le courtois vilein,
   L'espine est molle et la rose est urtie :
   En toutz errours amour se justefie.

2. L'amier est douls et la doulçour merdouse,
   Labour est ease et le repos grievein,
   Le doel plesant, la seurté perilouse,   10
   Le halt est bass, si est le bass haltein,
   Qant l'en mieulx quide avoir, tout est en vein,
   Le ris en plour, le sens torne en folie
   En toutz errours amour se justefie.

3. Amour est une voie dangerouse,
   Le pres est loign, et loign remaint proschein ;
   Amour est chose odible et graciouse,
   Orguil est humble et service est desdeign,
   L'aignelle est fiere et le leon humein,
   L'oue est en cage, la merle est forsbanie :   20
   En toutz errours amour se justifie.

XLVIII 4 e (for et)   8 La mier   11 La halt   20 fors banie

4. Ore est amour salvage, ore est soulein,
N'est qui d'amour poet dire la sotie;
Amour est serf, amour est soverein;
En toutz errours amour se justifie.

XLIX. 1. As bons est bon et a les mals malvois
Amour, qui des natures est regent;
Mais l'omme qui de reson ad le pois,
Cil par reson doit amer bonement:
Car qui deinz soi sanz mal penser comprent
De bon amour la verité pleinere,
Lors est amour d'onour la droite miere.

2. Bon amour doit son dieu amer ainçois,
Qui son dieu aime il aime verraiment,
Si ad de trois amours le primer chois;   10
Et apres dieu il doit secondement
Amer son proesme a soi semblablement;
Car cil q'ensi voet guarder la maniere,
Lors est amour d'onour la droite miere.

3. Le tierce point dont amour ad la vois,
Amour en son endroit ceo nous aprent
Soubtz matrimoine de les seintes lois,
Par vie honeste et nonpas autrement.
En ces trois pointz gist tout l'experiment
De boun amour, et si j'ensi le quiere,   20
Lors est amour d'onour la droite miere.

4. De bon amour, pour prendre avisement,
Jeo vous ai dit la forme et la matiere;
Car quique voet amer honestement,
Lors est amour d'onour la droite miere.

L. 1. De vrai honour est amour tout le chief,
Qui le corage et le memorial
Des bones mours fait guarder sanz meschief:
De l'averous il fait franc et loial,

Et de vilein courtois et liberal,
Et de couard plus fiers qe n'est leoun ;
De l'envious il hoste tout le mal :
Amour s'acorde a nature et resoun.

2. Ceo q'ainz fuist aspre, amour le tempre suef,
Si fait du guerre pes, et est causal
Dont toute vie honeste ad soun relief.
Sibien les choses qe sont natural,
Com celles qe sont d'omme resonal,
Amour par tout sa jurediccioun
Claime a tenir, et par especial
Amour s'acorde a nature et resoun.

3. Au droit amant riens est pesant ne grief,
Dont conscience en soun judicial
Forsvoit, mais li malvois plus qe la Nief
Est en tempeste, et ad son governal
D'onour perdu ; sique du pois egual
La fortune est et la condicioun
De l'omme, et sur tout le plus cordial
Amour s'acorde a nature et resoun.

4. N'est qui d'amour poet dire le final ;
Mais en droit moi c'est la conclusioun,
Qui voet d'onour sercher l'original,
Amour s'acorde a nature et reson.

⟨LI.⟩ 1. Amour de soi est bon en toute guise,
Si resoun le governe et justifie ;
Mais autrement, s'il naist de fole emprise,
N'est pas amour, ainz serra dit sotie.
Avise soi chascuns de sa partie,
Car ma resoun de novell acqueintance
M'ad fait amer d'amour la plus cherie
Virgine et miere, en qui gist ma creance.

2. As toutes dames jeo doi moun servise
Abandoner par droite courtasie,
Mais a ma dame pleine de franchise
Pour comparer n'est une en ceste vie.

L 6 plusfiers LI 7 pluscherie

Qui voet amer ne poet faillir d'amie,
Car perdurable amour sanz variance
Remaint en luy, com celle q'est florie
De bien, d'onour, de joie et de plesance.

3. De tout mon coer jeo l'aime et serve et prise,
Et amerai sanz nulle departie ;
Par quoi j'espoir d'avoir ma rewardise,
Pour quelle jeo ma dame ades supplie :   20
C'est, qant mon corps lerra la compaignie
De m'alme, lors lui deigne en remembrance
D'amour doner a moi le pourpartie,
Dont puiss avoir le ciel en heritance.

O gentile Engleterre, a toi j'escrits,
Pour remembrer ta joie q'est novelle,
Qe te survient du noble Roi Henris,
Par qui dieus ad redrescé ta querele :
A dieu purceo prient et cil et celle,
Q'il de sa grace au fort Roi coroné
Doignt peas, honour, joie et prosperité.

**Expliciunt carmina Iohannis Gower, que Gallice composita
Balades dicuntur.**

15 celt

TRAITIÉ

—————

Puisqu'il ad dit ci devant en Englois par voie d'essample
la sotie de cellui qui par amours aime par especial,
dirra ore apres en François a tout le monde en general
un traitié selonc les auctours pour essampler les amantz
marietz, au fin q'ils la foi de lour seintes espousailes
pourront par fine loialté guarder, et al honour de dieu salve-
ment tenir.

.I. 1. Le creatour de toute creature,
    Qui l'alme d'omme ad fait a son ymage,
    Par quoi le corps de reson et nature
    Soit attempré per jouste governage,
    Il done al alme assetz plus d'avantage ;
    Car il l'ad fait discrete et resonable,
    Dont sur le corps raison ert conestable.

2. En dieu amer celle alme ad sa droiture,
    Tant soulement pour fermer le corage
    En tiel amour u nulle mesprisure   10
    De foldelit la poet mettre en servage

Qualiter creator omnium rerum deus hominem duplicis nature, ex anima racionali et humana carne, in principio nobilem creauit ; et qualiter anima ex sue crearcionis priuilegio supecorpus dominium possidebit.

De frele char, q'est toutdis en passage :
Mais la bone alme est seinte et permanable ;
Dont sur le corps raison ert conestable.

3. En l'alme gist et raison et mesure,
   Dont elle avera le ciel en heritage ;
   Li corps selonc la char pour engendrure
   Avera la bone espouse en mariage ;
   Qui sont tout une chose et un estage,
   Qe l'un a l'autre soient entendable :   20
   Dont sur le corps raison ert conestable.

Qualiter spiritus, vt II. 1. De l'espirit l'amour quiert continence,
celum impleatur, cas-
titatem affectat, et cor-
pus, vt genus huma-
num in terra multipli-
cetur, coniugii copu-
lam carnaliter concu-
piscit.

      Et vivre chaste en soul dieu contemplant ;
      Li corps par naturele experience
      Quiert femme avoir, dont soit multipliant ;
      Des bones almes l'un fait le ciel preignant,
      Et l'autre emplist la terre de labour :
      Si l'un est bon, l'autre est assetz meilour.

2. A l'espirit qui fait la providence
   Ne poet failir de reguerdon suiant.
   Plus est en l'alme celle intelligence,   10
   Dont sanz null fin l'omme en serra vivant,
   Qe n'est le corps en ses fils engendrant ;
   Et nepourqant tout fist le creatour :
   Si l'un est bon, l'autre est assetz meilour.

3. A l'espirit dieus dona conscience,
   Par quelle om ert du bien et mal sachant.
   Le corps doit pas avoir la reverence,
   Ainz ert a l'alme et humble et obeissant ;
   Mais dieus, qui les natures vait creant,
   Et l'un et l'autre ad mis en son atour :   20
   Si l'un est bon, l'autre est assetz meilour.

I 12 Du G   14, 21 Raison ert Conestable G   15 reson G
II 9 *The text of* T *begins here*   11 enserra T   13 toute T

III. 1. Au plus parfit dieus ne nous obligea,
Mais il voet bien qe nous soions parfitz.
Cist homme a dieu sa chasteté dona,
Et cist en dieu voet estre bons maritz :
S'il quiert avoir espouse a son avis,
Il plest a dieu de faire honeste issue
Selonc la loi de seinte eglise due.

2. Primerement qant mesmes dieus crea
Adam et Eve en son saint paradis,
L'omme ove la femme ensemble maria,   10
Dont ait la terre en lour semense emplis :
Lors fuist au point celle espousaile empris
Du viele loi, et puis, qant fuist venue,
Selonc la loi de seinte eglise due.

3. Et puisque dieus qui la loi ordina
En une char ad deux persones mis,
Droitz est qe l'omme et femme pourcela
Tout un soul coer eiont par tiel devis,
Loiale amie avoec loials amis :
C'est en amour trop belle retenue   20
Selonc la loi de seinte eglise due.

IV. 1. Ovesque amour qant loialté s'aqueinte,
Lors sont les noeces bones et joiouses ;
Mais li guilers, qant il se fait plus queinte,
Par falssemblant les fait sovent doubtouses,
A l'oill qant plus resemblont amorouses :
C'est ensi come de stouppes une corde,
Qant le penser a son semblant descorde.

2. Celle espousaile est assetz forte et seinte,
D'amour u sont les causes vertuouses :
Si l'espousaile est d'avarice enceinte,   10

Qualiter virginalis castitas in gradu suo matrimonio prefertur : ambo tamen sub sacre conversacionis disciplina deo creatori placabilia consistunt.

Qualiter honestas coniugii non ex libidinis aut auaricie causa, set tantummodo quod sub lege generacio ad cultum dei fiat, primordia sua suscepit.

III 1 plusparfit MSS.   4 *The text of* S *begins here*   5 quiert
S T G   quier F   7 seint S T   8 quant T   14 seint S
esglise F G   21 esglise F
IV *Margin* libidine S   1 sa queinte G   3 lui G B   guiliers
S T G   plusqueinte T   6 com S T

Et qe les causes soient tricherouses,
Ja ne serront les noeces graciouses;
Car conscience toutdis se remorde,
Qant le penser a son semblant descorde.

3. Honest amour, q'ove loialté s'aqueinte,
Fait qe les noeces serront gloriouses;
Et qui son coer ad mis par tiele empeinte,
N'estoet doubter les changes perilouses.
Om dist qe noeces sont aventurouses;
Car la fortune en tiel lieu ne s'accorde,   20
Qant le penser a son semblant descorde.

Qualiter matrimonii
sacramentum, quod ex
duorum mutuo con-
sensu sub fidei iura-
mento firmius astrin-
gitur, propter diuine
vindicte offensam eui-
tandam nullatenus dis-
solui debet.

V. 1. Grant mervaile est et trop contre reson,
Q'om doit du propre chois sa femme eslire,
Et puis confermer celle eleccion
Par espousaile, et puis apres desdire
Sa foi, qant il de jour en jour desire
Novell amour assetz plus qe la beste:
Sa foi mentir n'est pas a l'omme honeste.

2. De l'espousailes la profession
Valt plus d'assetz qe jeo ne puiss descrire:
Soubtz cell habit prist incarnacion   10
De la virgine cil q'est nostre Sire:
Par quoi, des toutes' partz qui bien remire,
En l'ordre de si tresseintisme geste
Sa foi mentir n'est pas a l'omme honeste.

3. De l'espousailes celle beneiçoun
Le sacrement de seinte eglise enspire:
C'est un liens, sanz dissolucioun
Q'om doit guarder; car quique voldra lisre
Le temps passé, il avera cause a dire,
Pour doubte de vengeance et de moleste,   20
Sa foi mentir n'est pas a l'omme honeste.

IV 15 sa queinte T   20 sacorde S T
V 1 merveile S   resoun T   3 puiss T   eleccioun T
13 tressentisme T   15 lespousails T   beneicoun F T
beneiceon S   beneicon G   16 esglise S   17 dissolucion S
20 vengance T

VI. 1. Nectanabus, qui vint en Macedoine
D'Egipte, u qu'il devant ot rois esté,
Olimpeas encontre matrimoine,
L'espouse au roi Philipp, ad violé,
Dont Alisandre estoit lors engendré :
Mais quoique soit du primere envoisure,
Le fin demoustre toute l'aventure.

2. Cil q'est de pecché pres sa grace esloigne :
Ceo parust bien, car tiele destinée
Avint depuis, qe sanz nulle autre essoine   10
Le fils occist le pere tout de grée.
Ore esgardetz coment fuist revengé
D'avolterie celle forsfaiture :
Le fin demoustre toute l'aventure.

3. Rois Uluxes pour plaire a sa caroigne
Falsoit sa foi devers Penolopé ;
Avoec Circes fist mesme la busoigne,
Du quoi son fils Thelogonus fuist née,
Q'ad puis son propre piere auci tué.
Q'il n'est plesant a dieu tiele engendrure,   20
Le fin demoustre toute l'aventure.

VII. 1. El grant desert d'Ynde superiour
Cil qui d'arein les deux pilers fichoit,
Danz Hercules, prist femme a son honour
Qe file au roi de Calidoine estoit ;
Contre Achelons en armes conquestoit
La belle Deianire par bataille.
C'est grant peril de freindre l'espousaile.

2. Bien tost apres tout changea cell amour
Pour Eolen, dont il s'espouse haoit :
Celle Eolen fuist file a l'emperour   10
D'Eurice, et Herculem tant assotoit,
Q'elle ot de lui tout ceo q'avoir voloit.

Nota hic contra illos qui nuper sponsalia sua violantes in penam grauis vindicte dilapsi sunt. Et primo narrat qualiter Nectanabus rex Egipti ex Olimpiade vxore Philippi regis Macedonie magnum Alexandrum in adulterio genuit, qui postea patrem suum fortuito casu interfecit.

Qualiter Vluxes Penolope sponsus in insula Cilli Circen ibidem reginam adulterando Thelogonum genuit, qui postea propriis manibus patrem suum mortaliter iaculo transfodit.

Qualiter Hercules, qui Deianiram regis Calidonie filiam desponsauit, ipsam postea propter amorem Eolen Euricie Imperatoris filiam a se penitus amouit. Vnde ipse cautelis Achelontis ex incendio postea periit.

VI 7, 14, 21 demonstre T   8 eloigne S G   9 destine S   10 sanz
om. S   11 piere S G T   18 De S   sont S
VII *Margin* am*m*ouit T   2 darrein T   4 de *om.* S   6 bataile T
8 celle T   10 fille T

N'ert pas le fin semblable au comensaile ;
C'est grant peril de freindre l'espousaile.

3. Unqes ne fuist ne ja serra null jour,
   Qe tiel pecché de dieu vengé ne soit :
   Car Hercules, ensi com dist l'auctour,
   D'une chemise, dont il se vestoit,
   Fuist tant deceu, qu'il soi mesmes ardoit.
   De son mesfait porta le contretaille ;   20
   C'est grant peril de freindre l'espousaile.

VIII. 1. Li prus Jason, q'en l'isle de Colchos
         Le toison d'or par l'aide de Medée
         Conquist, dont il d'onour portoit grant los,
         Par tout le monde en court la renomée,
         La joefne dame ove soi ad amenée
         De son paiis en Grece, et l'espousa.
         Freinte espousaile dieus le vengera.

2. Qant Medea meulx quide estre en repos
   Ove son mari, et q'elle avoit porté
   Deux fils de lui, lors changea le purpos,   10
   El quel Jason primer fuist obligé :
   Il ad del tout Medeam refusé,
   Si prist la file au roi Creon Creusa.
   Freinte espousaile dieux le vengera.

3. Medea, q'ot le coer de dolour clos,
   En son corous, et ceo fuist grant pité,
   Ses joefnes fils, quex ot jadis enclos
   Deinz ses costées, ensi come forsenée
   Devant les oels Jason ele ad tué.
   Ceo q'en fuist fait pecché le fortuna ;   20
   Freinte espousaile dieus le vengera.

VII 16 vengee S G   19 tant *om.* S   qil S G   20 contre-
taile S G T
VIII 3 loos T   4 encourt S T   10 luy T   11 quell S G
quelle T   15 cloos T   17 queux T   en clos MSS.   18 com S T

IX. 1. Cil avoltiers qui fait continuance
       En ses pecchés et toutdis se delite,
       Poi crient de dieu et l'ire et la vengeance :
       Du quoi jeo trieus une Cronique escrite
       Pour essampler ; et si jeo le recite,
       L'en poet noter par ceo qu'il signifie,
       Horribles sont les mals d'avolterie.

Qualiter Egistus,
Climestram regis
Agamenontis vxorem
adulterando, ipsum
regem in lecto noc-
tanter dormientem
proditorie interfecit,
cuius mortem Orestes
filius eius crudelis-
sime vindicauit.

   2 Agamenon, q'ot soubtz sa governance
     De les Gregois toute la flour eslite,
     A Troie qant plus fuist en sa puissance,   10
     S'espouse, quelle estoit Climestre dite,
     Egistus l'ot de fol amour soubgite,
     Dont puis avint meinte grant felonie :
     Horribles sont les mals d'avolterie.

   3. Agamenon de mort suffrist penance
      Par treson qe sa femme avoit confite ;
      Dont elle apres morust sanz repentance :
      Son propre fils Horestes l'ad despite,
      Dont de sa main receust la mort subite ;
      Egiste as fourches puis rendist sa vie :   20
      Horribles sont les mals d'avolterie.

X. 1. La tresplus belle q'unqes fuist humeine,
      L'espouse a roi de Grece Menelai,
      C'estoit la fole peccheresse Heleine,
      Pour qui Paris primer se faisoit gai ;
      Mais puis tornoit toute sa joie en wai,
      Qant Troie fuist destruite et mis en cendre :
      Si haut pecché covient en bass descendre.

Qualiter ex adul-
terio Helene vxoris
Menelai regis Troia
magna in cineres
conuersa pro perpe-
tuo desolata perman-
sit.

   2. Tarquins auci, q'ot la pensé vileine,
      Q'avoit pourgeu Lucrece a son essai,
      Sanz null retour d'exil receust la peine ;

Qualiter ob hoc
quod Lucrecia Rome
Collatini sponsa vi
10 oppressa pre dolore
interiit, Tarquinus

IX *Margin*   Clemestram S T G   4 croniqe S   6 ceo] se F
qil S T G   17 repentace S   18 Orestes T
  X 3 Estoit S   4 quoi T   se *om.* S   5 way T   6 Q*u*ant T
7 halt T   8 Tarquinus T   pensee S T G   10 nul T

      *   C C

ibidem rex vna cum
Arronte filio suo, qui
sceleris auctores ex-
titerant, pro perpe tuo
exheredati　ex ilium
subierunt.

Et la dolente estoit en tiel esmai,
Qe d'un cotell s'occist sanz null deslai :
· Ceo fuist pité, mais l'en doit bien entendre,
Si haut pecché covient en bass descendre.

Qualiter　Mundus
Romane milicie prin-
ceps nobilem Paul-
inam　in　templo
Ysis decepit ; vnde
ipse　cum　duobus
presbiteris sibi confe-
deratis　iudicialiter
perierunt.

3. Mundus fuist prince de la Court Romeine,
　　Qui deinz le temple Ysis el mois de Maii
　　Pourgeust Pauline, espouse et citezeine :
　　Deux prestres enbastiront tout le plai.
　　Bani fuist Munde en jugement verai,
　　Ysis destruit, li prestres vont au pendre :　　20
　　Si haut pecché covient en bass descendre.

Qualiter Helmeges
miles　Rosemundam
regis Gurmondi filiam
Albinique primi regis
Longobardorum vxo-
rem adulterauit : vnde
ipso rege mortaliter
intoxicato dictam vxo-
rem cum suo adultero
dux Rauenne conuic-
tos pene mortis adiu-
dicauit.

XI. 1. Albins, q'estoit un prince bataillous,
　　　　Et fuist le primer roi de Lombardie,
　　　　Occist, com cil qui fuist victorious,
　　　　Le roi Gurmond par sa chivalerie ;
　　　　Si espousa sa file et tint cherie,
　　　　La quelle ot noun la belle Rosemonde.
　　　　Cil qui mal fait, falt qu'il au mal responde.

2. Tiel espousaile ja n'ert gracious,
　　U dieus les noeces point ne seintifie :
　　La dame, q'estoit pleine de corous　　　10
　　A cause de son piere, n'ama mie
　　Son droit mari, ainz est ailours amie ;
　　Elmeges la pourgeust et fist inmonde.
　　Cil qui mal fait, falt qu'il au mal responde.

3. Du pecché naist le fin malicious,
　　Par grief poison Albins perdist la vie :
　　Elmeges ove sa dame lecherous
　　Estoient arsz pour lour grant felonie ;
　　Le duc q'ot lors Ravenne en sa baillie
　　En son paleis lour jugement exponde :　　　20
　　Cil qui mal fait, falt qu'il au mal responde.

X *Margin* vnam S　　12 cotell F T G　　　coutell S　　　14 halt T
Margin Paulinam T (*by correction*) G　　Paulinum F S　　18 embas-
tiront T　　19 iuggement S T G　　　20 prestre S T G　　21 halt T
　　XI *Margin* Elmeges S　　Gurmundi S G　　Abbinique F　　5 fille T
8 Ciel T　　9 seintefie T　　12 aillours S　　18 estoient S T G　　ars S
19 quot T　　20 iuggement S T G

XII. 1. Le noble roi d'Athenes Pandeon
Deux files ot de son corps engendré,
Qe Progne et Philomene avoient noun :
A Tereüs fuist Progne mariée,
Cil fuist de Trace roi ; mais la bealté
De l'autre soer lui fist sa foi falser.
Malvois amant reprent malvois loer.

2. De foldelit contraire a sa reson
Cil Tereüs par treson pourpensée
De Philomene en sa proteccion
Ravist la flour de sa virginité,
Contre sa foi, qu'il avoit espousée
Progne sa soer, qui puis se fist venger :
Malvois amant reprent malvois loer.

3. Trop fuist cruele. celle vengeisoun :
Un joefne fils qu'il ot de Progne né
La miere occist, et en decoccion
Tant fist qe Tereüs l'ad devorée ;
Dont dieus lui ad en hupe transformée,
En signe qu'il fuist fals et avoltier :
Malvois amant reprent malvois loer.

XIII. 1. Seint Abraham, chief de la viele loi,
De Chanaan pour fuïr la famine
Mena Sarrai sa femme ovesque soi
Tanq'en Egipte, u doubta la covine
De Pharao, qui prist a concubine
Sarrai s'espouse, et en fist son voloir.
En halt estat falt temprer le pooir.

2. Cist Abraham, qui molt doubta le roi,
N'osa desdire, ainz suffrist la ravine,
Pour pes avoir et se tenoit tout coi :

10

20

10

Qualiter Tereus rex Tracie Prognem filiam Pandeon regis Athenarum in vxorem duxit, et postea Philomenam dicte vxoris sue sororem virginem vi oppressit. Vnde dicte sorores in peccati vindictam filium suum infantem ex Progne genitum variis decoccionibus in cibos transformatum comedere fecerunt.

Qualiter pro eo quod Pharao rex Egipti Sarrai vxorem Abrahe ob carnis concupiscenciam impudice tractauit, pestilencia per vniuersum Egiptum peccatum vindicauit.

XII *Margin* transmutatum S T B   3 auoient T   6 li T   8 resoun T G
10 proteccioun G   16 nee T   17 decoccioun T G   18 deuouree T
19 transforme T   20 qui fuist T
   XIII 6 enfist T   7 haut F   8 moult....Roy T   10 coy T
C C 2

Dont il fuist bien ; du roi mais la falsine
De son pecché par tiele discipline
Dieus chastioit, dont il poait veoir,
En halt estat falt temprer le pooir.

3. Soubdeinement, ainz qe l'en scieust pour quoi,
Par toute Egipte espandist la morine ;
Dont Pharao, q'estoit en grant effroi,
Rendist l'espouse, et ceo fuist medicine.
A tiel pecché celle alme q'est encline,
Pour son delit covient au fin doloir :   20
En halt estat falt temprer le pooir.

Qualiter ob pecca- **XIV.** 1. Trop est humaine char frele et vileine ;
tum regis Dauid, de
eo quod ipse Bersabee
sponsam Vrie ex
adulterio impregnauit,
summus Iudex infan-
tem natum patre peni-
tente sepulcro defunc-
tum tradidit.

Sanz grace nulls se poet contretenir :
Ceo parust bien, sicom le bible enseine,
Qant roi David Urie fist moertrir
Pour Bersabée, dont il ot son plesir :
Espouse estoit, mais il n'en avoit guarde ;
N'ert pas segeur de soi qui dieus ne guarde.

2. La bealté q'il veoit ensi lui meine,
Qu'il n'ot poair de son corps abstenir,
Maisqu'il chaoit d'amour en celle peine,   10
Dont chastes ne se poait contenir :
L'un mal causoit un autre mal venir,
L'avolterie a l'omicide esguarde :
N'ert pas segeur de soi qui dieus ne guarde.

3. Mais cil, qui dieus de sa pité remeine,
David, se prist si fort a repentir,
Q'unqes null homme en ceste vie humeine
Ne receust tant de pleindre et de ghemir :
Merci prioit, merci fuist son desir,
Merci troevoit, merci son point ne tarde.   20
N'ert pas segeur de soi qui dieus ne guarde.

XIII 11 falsisine F   17 esfroi T   19 cel T
XIV *Margin* Bersabe S   sepulcro F B   sepulture S T G
1 lumaine T   3 la Bible S   la bible T G   enseigne S
8 quil S G   9 Qil S   10 Mais quil S   12 un autre] lautre F

XV. 1. Comunes sont la cronique et l'istoire
De Lancelot et Tristrans ensement ;
Enqore maint lour sotie en memoire,
Pour essampler les autres du present :
Cil q'est guarni et nulle garde prent,
Droitz est qu'il porte mesmes sa folie ;
Car beal oisel par autre se chastie.

2. Tout temps del an om truist d'amour la foire,
U que les coers Cupide done et vent :
Deux tonealx ad, dont il les gentz fait boire, 10
L'un est assetz plus douls qe n'est pyment,
L'autre est amier plus que null arrement :
Parentre deux falt q'om se modefie,
Car beal oisel par autre se chastie.

3. As uns est blanche, as uns fortune est noire ;
Amour se torne trop diversement,
Ore est en joie, ore est en purgatoire,
Sanz point, sanz reule et sanz governement :
Mais sur toutz autres il fait sagement,
Q'en fol amour ne se delite mie ; 20
Car beal oisel par autre se chastie.

XVI. 1. Om truist plousours es vieles escriptures
Prus et vailantz, q'ont d'armes le renoun,
Mais poi furont q'entre les envoisures
Guarderont chaste lour condicion.
Cil rois qui Valentinians ot noun
As les Romeins ceo dist en son avis,
Qui sa char veint, sur toutz doit porter pris.

2. Qui d'armes veint les fieres aventures,
Du siecle en doit avoir le reguerdoun ;
Mais qui du char poet veintre les pointures, 10

Qualiter ob hoc quod Lanceolotus Miles probatissimus Gunnoram regis Arthuri vxorem fatue peramauit, eciam et quia Tristram simili modo Isoldam regis Marci auunculi sui vxorem violare non timuit, Amantes ambo predicti magno infortunii dolore dies suos extremos clauserunt.

Qualiter Princeps qui sue carnis concupiscenciam exuperat pre ceteris laudabilior existit. Narrat enim quod cum probus Valentinianus Imperator octogenarius in armis floruit, et suorum preliorum gesta coram eo publice decantabantur, asseruit se de victoria sue carnis, cuius ipse motus illecebros extinxerat, magis letari, quam si ipse vniuersas mundi partes in gladio belliger subiugasset.

XV *Owing to a slight damage to the leaf the beginnings of the first ten lines and a few syllables of the marginal summary are wanting in* F.
Margin ex*rem*os S G   1 lestoire S G   4 de S G   6 la T
8 trust . . . ffoire T   11 plusdouls F T G   12 plusqu*e* F G
14 oiseal T
XVI 1 es S G B   et T   de F   4 condicio*u*n T   6 Romeines T
9 endoit F T   10 poeit S

Le ciel avera trestout a sa bandoun.
Agardetz ore la comparisoun,
Le quell valt plus, le monde ou Paradis :
Qui sa char veint, sur toutz doit porter pris.

3. Amour les armes tient en ses droitures,
Et est plus fort, car la profession
De vrai amour surmonte les natures
Et fait om vivre au loi de sa reson :
En mariage est la perfeccioun ;
Guardent lour foi cils q'ont celle ordre pris : 20
Qui sa char veint, sur toutz doit porter pris.

Nota   hic   quod
secundum iura eccle-
sie, vt sint duo in
carne vna tantum ad
sacri coniugii perfec-
cionem et non aliter
expediens est.
XVII. 1. Amour est dit sanz partir d'un et une ;
Ceo voet la foi plevie au destre main :
Mais qant li tierce d'amour se comune,
Non est amour, ainz serra dit barguain.
Trop se descroist q'ensi quiert avoir guain,
Qui sa foi pert poi troeve d'avantage,
A un est une assetz en mariage.

2. N'est pas compaigns q'est comun a chascune ;
Au soule amie ert un ami soulain :
Mais cil qui toutdis change sa fortune,   10
Et ne voet estre en un soul lieu certain,
Om le ꝑoet bien resembler a Gawain,
Courtois d'amour, mais il fuist trop volage :
A un est une assetz en mariage.

3. Semblables est au descroisçante lune
Cil q'au primer se moustre entier et plain,
Qant prent espouse, ou soit ceo blanche ou brune,
Et quiert eschange avoir a l'endemain :
Mais qui q'ensi son temps deguaste en vain
Doit bien sentir au fin de son passage,   20
A un est une assetz en mariage.

XVI 11 baundoun S G   12 Agardes G   comparison S G
16 plusfort MSS.   professioun S   18 resoun S T   19 perfeccion
S G   20 cell S
     XVII *Margin* due F   3 quant T   6 troue T   16 primere F
monstre (?) T   17 Quant T

XVIII. 1. En propreté cil qui del or habonde
    Molt fait grant tort s'il emble autri monoie :
    Cil q'ad s'espouse propre deinz sa bonde
    Grant pecché fait s'il quiert ailours sa proie.
    Tiels chante, 'c'est ma sovereine joie,'
    Qui puis en ad dolour sanz departie :
    N'est pas amant qui son amour mesguie.

   2. Des trois estatz benoitz c'est le seconde,
    Q'au mariage en droit amour se ploie ;
    Et qui cell ordre en foldelit confonde   10
    Trop poet doubter, s'il ne se reconvoie.
    Pource bon est qe chascun se pourvoie
    D'amer ensi, q'il n'ait sa foi blemie :
    N'est pas amant qui soun amour mesguie.

   3. Deinz son recoi la conscience exponde
    A fol amant l'amour dont il foloie ;
    Si lui covient au fin qu'il en responde
    Devant celui qui les consals desploie.
    O come li bons maritz son bien emploie,
    Qant l'autre fol lerra sa fole amie !   20
    N'est pas amant qui son amour mesguie.

   4. Al université de tout le monde
    Johan Gower ceste Balade envoie ;
    Et si jeo n'ai de François la faconde,
    Pardonetz moi qe jeo de ceo forsvoie :
    Jeo sui Englois, si quier par tiele voie
    Estre excusé ; mais quoique nulls en die,
    L'amour parfit en dieu se justifie.

    Quis sit vel qualis sacer ordo connubialis
    Scripsi, mentalis sit amor quod in ordine talis.
    Exemplo veteri poterunt ventura timeri ;
    Cras caro sicut heri leuiter valet illa moueri.
    Non ita gaudebit sibi qui de carne placebit,
    Quin corpus flebit aut spiritus inde dolebit :

Side note (right margin, stanza 1):
Nota hic secundum auctores quod sponsi fideles ex sui regiminis discreta bonitate vxores sibi fidissimas conseruant. Vnde ipsi ad inuicem congaudentes felicius in domino conualescunt.

Side note (right margin, stanza 4):
Hic in fine Gower, qui Anglicus est, sua verba Gallica, si que incongrua fuerint, excusat.

XVIII *Margin* adinvicem T   2 cil S   4 aillours T   6 enad T
9 endroit T   12 Pourceo S T G   purvoie S G   13 quil S G
naid G   14 soun F   son S T G   19 com T   23 Iehan S G
25 foruoie G   27 en die S   endie F T G

Carne refrenatus qui se regit inmaculatus,
Omnes quosque status precellit in orbe beatus,
Ille deo gratus splendet ad omne latus.

Carmen de variis in amore passionibus breuiter com pilatum.

Est amor in glosa pax bellica, lis pietosa,
Accio famosa, vaga sors, vis imperiosa,
Pugna quietosa, victoria perniciosa,
Regula viscosa, scola deuia, lex capitosa,
Cura molestosa, grauis ars, virtus viciosa,
Gloria dampnosa, flens risus et ira iocosa,
Musa dolorosa, mors leta, febris preciosa,
Esca venenosa, fel dulce, fames animosa,
Vitis acetosa, sitis ebria, mens furiosa,
Flamma pruinosa, nox clara, dies tenebrosa,   10
Res dedignosa, socialis et ambiciosa,
Garrula, verbosa, secreta, silens, studiosa,
Fabula formosa, sapiencia prestigiosa,
Causa ruinosa, rota versa, quies operosa,
Vrticata rosa, spes stulta fidesque dolosa.

Magnus in exiguis, variatus vt est tibi clamor,
  Fixus in ambiguis motibus errat amor :
Instruat audita tibi leccio sic repetita ;
  Mors, amor et vita participantur ita.

Lex docet auctorum quod iter carnale bonorum
Tucius est, quorum sunt federa coniugiorum :
Fragrat vt ortorum rosa plus quam germen agrorum,
Ordo maritorum caput est et finis amorum :
Hec est nuptorum carnis quasi regula morum,   5
Que saluandorum sacratur in orbe virorum.
Hinc vetus annorum Gower sub spe meritorum
Ordine sponsorum tutus adhibo thorum.

T *omits the* ' Carmen de variis ' etc., ' Est amor . . . participantur ita,' *and combines the eight lines,* ' Lex docet auctorum,' *with the first piece* ' Quis sit vel qualis '. S *has the title thus:* Carmen quod Iohannes Gower sup*er* amoris multiplici varietate sub compendio metrice composuit. 10 tenobrosa S *The last two lines are omitted in* B

NOTES

MIROUR DE L'OMME

Table of Contents.—This table is written in a hand which differs somewhat from that of the text, and it has some peculiar forms of spelling, as 'diable,' 'eyde,' 'por,' 'noet,' 'fraunchement,' 'fraunchise,' 'governaunce,' 'sount,' 'lesserount': some of these forms are also found in the rubrics.

After the Table four leaves have been cut out, and the first leaf that we have of the text is signed *a* iiii. It is probable that the first of the lost leaves was something like f. 6 in the Glasgow MS. of the *Vox Clamantis*, which is blank on one side and has a picture and some verses on the other (being, as this is, a half-sheet left over after the Table of Contents), and that the text of the *Mirour* began with the first quire of eight (*a* i). If this is so, three leaves of the text are missing, probably containing forty-seven stanzas, i.e. 564 lines, an allowance of twelve lines of space being made for title and rubrics. The real subject of the book begins at l. 37 of the existing text, as will be seen by the rubric there, and what preceded was probably a prologue dealing with the vanity of worldly and sinful pleasures: see ll. 25-30.

1. *Escoulte cea* &c. This is addressed to lovers of sin and of the world, not to lovers in the ordinary sense, as we shall see if we read the first stanzas carefully.

2. *perestes*: see 'perestre' in Glossary. The 3rd pers. sing. 'perest' is fully written out in the MS. several times, e. g. 1760, 2546.

4. *ove tout s'enfant*, 'together with her children,' 's'enfant' (for 'si enfant') being plural. For 'ove tout' cp. 27662,

'Le piere et miere ove tout l'enfant,'

where 'l'enfant' is singular. This shows that 'ove tout' should be combined, and not 'tout s'enfant.' For other adverbial uses of 'tout' see Glossary. 'Ove' counts always as a monosyllable in the verse, and so also 'come': see l. 28.

6. *chapeal de sauls*, the wreath of willow being a sign of mourning.

23. *Changeast* : pret. subjunctive for conditional, a very common use with our author.

25. *porroit* : conditional used for pret. subjunctive, cp. 170, 322, *Bal.* i. 3, &c.

28. *come*, also written 'comme' and 'com,' has always, like 'ove,' the value of a monosyllable in the metre.

31. *l'amour seculer*, 'the love of the world.'

37. *ore*, counting as a monosyllable here, cp. 1775, &c., but as a dissyllable 4737, 11377, *Bal.* xxviii. I.

39. *fait anientir*, 'annihilates' : see note on 1135.

46. *Que*, 'For.'

51. The reference is to John i. 3 f., 'Omnia per ipsum facta sunt : et sine ipso factum est nihil, quod factum est. In ipso vita erat,' &c. This was usually taken with a full stop after 'nihil,' and then 'Quod factum est in ipso, vita erat.' It was read so by Augustine, who seems to suggest the idea which is attributed below to Gregory, viz. that the 'nothing' which was made without God was *sin*. 'Peccatum quidem non per ipsum factum est ; et manifestum est quia peccatum nihil est,' &c., *Joann. Evang.* i. 13. Gregory also held that sin was nothing : 'Res quidem aliquid habet esse, peccatum vero esse nullum habet,' i. *Reg. Exp.* v. 14, but I do not know whether he founded his opinion specially on this text. Pierre de Peccham expresses the same idea :

'Pecché n'est chose ne nature
Ne si n'est la deu creature,
Einz est de nature corrupciun
Et defaute et destructiun,' &c.

M.S. Bodl. 399, f. 21 v°.

65. *de les celestieux*, 'from heaven,' cp. 27120, and such expressions as 'les infernalx' just below.

74. *tout plein*, 'a great number' : often written as one word 'toutplein,' so, for example, *Bal.* xxxvii. 2, *Mir.* 25276 &c. ; divided as here l. 11021.

83. *au droit divis*, 'rightly,' an adverbial expression which is often used by our author to fill up a line : cp. 872 and Glossary under 'devis.'

84. *du dame Evein*, 'in the person of Eve' : 'du' for 'de,' see Glossary.

85. For this kind of repetition cp. 473 and *Conf. Am. Prol.* 60, 'So as I can, so as I mai.'

89. The sentence is broken off and resumed under another form : cp. 997 ff., 17743, &c., and *Conf. Am.* vi. 1796 ff.

94. *q'estoit perdue*, 'that which was lost.' The form *perdue* is not influenced by gender but by rhyme.

100. For the position of 'et' see note on 415.

115. *avoit*, 'there was,' for 'y avoit' : so used frequently.

116. *luy*, a form of *ly*, *le*, see Glossary.

118. *n'en fuist mangant*, 'should not eat of them.' This use of pres. participle with auxiliary instead of the simple tense is frequent not

only with our author but in old French generally : see Burguy, *Grammaire* ii. 258.

131. *a qui constance* &c., because of her nature as a woman.

135. *u que*, 'where': sometimes combined into 'uque,' 'uqe,' e.g. *Bal.* xv. 3, but usually separate.

136. *deable*, also written 'deble,' and never more than a dissyllable in the metre.

139. *en ton endroit*, 'for your part.' Phrases composed with 'endroit' or 'en droit' are among the commonest forms of 'fill up' employed by our author: cp. note on l. 83, and see Glossary under 'endroit.'

163. Cp. *Conf. Am.* i. 1610, 'For what womman is *so above.*'

168. *le fist . . forsjuger*, 'condemned him,' see note on 1135.

170. *serroit*: conditional for subjunctive, cp. l. 25.

190. *Ce dont*, 'the cause whereby.'

194. Note that the capital letters of 'Pecché,' 'Mort,' 'Char,' 'Alme,' 'Siecle,' indicating that they are spoken of as persons, are due to the editor.

217 ff. *Tant perservoit . . . dont il fuist* &c. This use of 'dont' (instead of 'que'), after such words as 'tant,' 'si,' &c., to introduce the consequence, is very common with our author, see 544, 657, &c., cp. 682. Compare the similar use of the relative in English, e.g. *Conf. Am.* i. 498. Here there is a second consecutive clause following, which is introduced by 'Que': 'His daughter so kept him in pleasant mood and made him such entertainment that he was enamoured of her so much that,' &c.

218. *en son degré*, 'for her part': cp. note on 139.

230. *vont . . . engendrant*, equivalent to 'engendrent,' another instance of the use of pres. partic. with auxiliary verbs for the simple tense, which is common in old French: cp. 118, 440, 500, and the conclusion of this stanza, where we have 'serray devisant' and 'est nomant' for 'deviserai' and 'nomme.'

238 ff. 'As I will describe to you, (telling) by what names people call them and of the office in which they are instructed.'

253. *celle d'Avarice*, 'that which is called Avarice.' For this apposition with 'de' cp. 84, 14197.

276. *grantment*: corrected here and in 397 from 'grantement,' which would be three syllables. We have 'grantment' 8931.

296. *Accidie.* This counts as three syllables only in the metre, and it is in fact written 'Accide' in l. 255. A similar thing is to be observed in several other words with this ending, as 'Vituperie' 2967, 'familie' 3916, 'contumelie' 4067, 'perjurie' 6409, 'encordie' 6958, 'remedie' 10912, 'pluvie' 26716; and in general, when the accent fell on the antepenultimate, there was a tendency to run the -*ie* into one syllable. The accent, however, was variable (at least in Anglo-Norman) according to the exigences of metre, and in some cases where we should expect the above rule to apply we find the accent thrown on the penultimate and all the syllables fully sounded, as 2362,

'Contumacie l'oi nommer.'

301. *ceos mals* : equivalent to ' les mals,' so ' cel homme ' 305, ' celle Alme ' 667, ' celle amorouse peigne ' *Bal.* iii. 1.   This use of demonstrative for definite article is quite common.

305. *pot*, perhaps meant for subjunctive.

307. Cp. *Bal.* v. 3 : ' Si fuisse en paradis ceo beal Manoir.'

322. *serroit*, ' he might be,' conditional for subj. ; cp. l. 25.

330. ' And swore it mutually ': see note on 1135.

355. *a son derere*, ' to his harm.'

364. *porray*, fut. for subj.

373. *de sa partie*, ' for his part ': like ' en son endroit,' ' en son degre,' &c., ll. 139, 218, &c.

397. *grantment* : cp. l. 276.

407. *Q'un messager* &c.   ' So that he sent a messenger at once after him in great haste.'   This is better than taking ' tramist ' as subjunctive (' that he should send ' &c.), because of ' Cil messager ' in the next stanza.   For ' que ' meaning ' so that ' cp. 431, 485.

415. *Depar le deable et*.   This position of the conjunction is characteristic of Gower's English writing, e. g. *Conf. Am. Prol.* 155, 521, 756, &c., and it often occurs also in the present work: cp. 100, 1008, 2955, &c. ' Depar le deable ' evidently is better taken here with ' pria ' than with the preceding line.   The words thus treated are ' et,' ' mais,' ' car,' ' ainz ' (24646).

416. *hastera* : see note on 1184.

438. *soiez*, for ' soies,' 2 pers. singular ; so 645.

440. *Je t'en vois loer promettant*, ' I promise you payment for it ': ' vois ' is for ' vais,' and this is a case of the construction noticed at l. 230, &c.

442. *ne t'en soietz* : the singular and plural of the second person are often interchanged by our author: cp. 25839 ff., 27935, 29604, &c.

454. *Et si*, ' and also ' ; so 471.

488. *se fist muscer*, ' hid himself ' ; see note on 1135.

492. *Du*, as usual for ' de.'

500. *vas tariant* : cp. 230, 440, &c.

541. The rhyme of ' scies ' with ' malvoistés ' should be noted.

575. *te lerra q'une haire*, ' will leave thee (nothing) but sackcloth.' The negative is omitted as with ' but ' in English.

581. Either ' Makes vain encouragement,' or ' Encourages the foolish person.'

626. *s'estuit* : see note on 997.

637. *si fuissetz avisée*, ' if you only knew ! '

654. *Fuissent . . . reconfortant*, ' should encourage ': cp. 118.

658. *en*, ' with regard to this.'

667. *celle Alme*, ' the Soul ': cp. 301.

682. *Par quoy*, used like ' dont ' to introduce the consequence : cp. 696, 743, and see note on 217, where the consecutive clauses are piled up much as they are here.

688. *lessera*, future used as in 416.

740. *Du Char folie,* 'by reason of the wantonness of the Flesh':
'du' belongs to 'folie.'

761. *de ton honour,* 'by means of the honour which you have to bestow.'

780. 'So that you may have Man back again': for this use of 'dois'
see note on 1193.

799. *c'il,* for 's'il': so 'ce' for 'se' 1147, 'Ciriens' for 'Siriens' 10314.

815. *qui,* 'whom': this form is quite freely used as an object of the
verb ; see Glossary.

865. *en son degré:* cp. l. 139, &c.

912. *le:* this is used (side by side with 'luy,' e.g. 921) as indirect
object masculine or feminine, though 'la' is also found.

940. We must take 'deesce' as a dissyllable. The usual form is
'duesse' ('dieuesce' *Bal.* xx. 4).

943. *ce buisson,* i.e. 'le buisson.'

948. This line occurs again 9453, and is practically reproduced *Bal.*
xiii. 1 :

'Quelle est sanz point, sanz reule et sanz mesure.'

It means here that the feasting was without limit. For the form
of expression cp. 984.

987. *As grans hanaps* &c., i.e. 'a emplir les grans hanaps.' This
kind of combination is not uncommon, e.g. 5492, 'des perils ymaginer.'

988. *par envoisure,* 'in gaiety': 'envoisure' means properly 'trick,'
'device,' connected with such words as 'voisdie,' hence 'pleasantry,'
'gaiety.'

992. *les firont rejoïr,* 'delighted them': see note on 1135.

997. *s'estuit.* In 613 and 15144 this means 'was silent,' from
's'esteire,' and that sense will perhaps do for it here. However, the
form 'restuit' below suggests 'esteir,' which presumably might be
used reflexively, and 's'estuit' would then mean 'stood.' This may be
the sense also in 626.

1008. Cp. 415.

1015. *luy,* used for 'ly,' the def. article : see Glossary under 'ly.'

1016. 'Much resembled one another': cp. such compounds as
's'entrecontrer,' 's'entrasseurer,' &c.

1027. *le livre.* What 'book' is our author following in his statement
that the Deadly Sins are 'hermafodrite,' as he calls it ? Or does this
reference only apply to what follows about the meaning of the word ?

1030. 'If I lay upon them female names,' but 'enditer' is employed
in an unusual sense.

1061. *au seinte . . . quideroit,* 'should believe her to be a saint.'

1066. *Tant plus come,* 'The more that,' answered by 'Tant plus'
in the next line.

1069. Apparently the meaning is that Hypocrisy in public separates
herself from others and stands apart : for 'singulere' cp. 1513.

1081. 2 Kings xx. 12 ff.

1085. 'According to the divination of the prophet,' taking 'devinant'
as a substantive, like 'vivant,' 'pensant,' &c.

1094. For this use of the verb cp. *Trait.* iv. 1, 'qant plus resemblont amorouses.'

1100 ff. Cp. *Conf. Am.* i. 604 f.,

> 'And he that was a lomb beforn
> Is thanne a wolf.'

1117. Matt. xxiii. 27.

1127. Probably Is. ix. 17.

1135. *q'om fait despire*, 'which one abhors,' the auxiliary use of 'faire,' which is very common in our author, like 'do,' 'doth,' in English: cp. 39, 168, 368, 488, 992, 1320, *Bal.* iv. 1, &c. In some places this auxiliary (again like the English 'do') takes the place of the principal verb, which is understood from a preceding clause, e.g. 3180, 10649. These uses are common in Old French generally, but perhaps more so in Anglo-Norman than in the Continental dialects.

1146. Bern. *Serm. in Cant.* xvi. 10.

1147. *ce* for 'se': see note on 799.

1180. *boit*: indicative for subjunctive to suit the rhyme; so 'voit' 1185, 'fait' 1401.

1184. *qu'il serra poy mangant*, 'that he shall eat little,' the future being used in command as in 416, 688. For the participle with auxiliary see note on l. 118.

1193. *l'en doit loer*: 'should praise him': an auxiliary use of 'doit,' which stands for 'may' in all senses: cp. 780, 3294, 6672, 17041, &c.

1194. Similar sayings of Augustine are quoted elsewhere by our author, e.g. 10411, 20547.

1244. *qui lors prise*, &c., 'when one praises her, she thinks not that God can undo her by any means.' This is probably the meaning: cp. such expressions as 'qui bien guarde en son purpens' 9055, 'qui bien se cure' 16541, &c. Compare the use of 'who that' in Gower's English, e. g. *Conf. Am. Prol.* 460.

1261. *laisse nient que*, &c., 'fails not to keep with him,' &c.

1273. Job xxi. 12, 13: 'Tenent tympanum et citharam, et gaudent ad sonitum organi. Ducunt in bonis dies suos, et in puncto ad inferna descendunt.'

1280. Perhaps Is. v. 14.

1285. The passage is Jeremiah xlv. 5. 'Ysaïe' is a mistake for 'Jeremie,' which would suit the metre equally well and perhaps was intended by the author.

1291. There is nothing exactly corresponding to this in the book of Joel, but perhaps it is a general reference to the first chapter.

1317. Ecclus. xxv. 3. This book is sometimes referred to as 'Salomon,' and sometimes more properly as 'Sidrac': cp. 2509.

1326. Ps. li. 3, 'Quid gloriaris in malitia, qui potens es in iniquitate?'

1335. Job xx. 6, 7.

1365. *frise*: a puzzling word. It ought to mean here 'blows,' or 'blows cold,' of the wind.

1375. 'It is she who causes a man to be raised from a foot-page to great lordship.'

1389. 'He plays them so false a turn': 'tresgeter' came to be used especially of cheating or juggling, hence 'tregetour.'

1400. Cp. 14473.

1401. *fait*: indic. for subj. in rhyme.

1416. Cp. 12780, 'N'ad pas la langue au fil pendant.'

1446. Perhaps 'pareill' is here a substantive and means 'equality.'

1447. *qui*, 'whom.'

1460. *est plus amant*, i.e. 'aime.'

1495 ff. Cp. *Conf. Am.* i. 2409–2415, where the same idea of a wind of pride blowing away a man's virtue is suggested under the head of 'Avantance.'

1518. 'Noli me tangere' is perhaps originally from John xx. 17, but it has received a very different application.

1563. The story was that the hunter, having carried off the tiger's cubs and being pursued, would throw behind him in the path of the animal a sphere of glass, the reflection in which was supposed by the tiger to be one of her lost cubs. This would delay her for a time, and by repeating the process the man would be able to ride away in safety with his booty: see Ambrose, *Hex.* vi. 4. The story is founded on that told by Pliny, *Nat. Hist.* viii. 25.

1575. Perhaps an inaccurate reminiscence of John viii. 49.

1585. The reference is to Job xi. 12, 'Vir vanus in superbiam erigitur, et tanquam pullum onagri se liberum natum putat.' The rest is due to our author.

1597. Ecclus. xxxvii. 3. 'O praesumptio nequissima, unde creata es . . . ?' The rest is added by our author.

1618. Perhaps Bern. *de Hum. Cond.* 5, 'Stude cognoscere te: quam multo melior et laudabilior es, si te cognoscis, quam si te neglecto cognosceres cursum siderum,' &c.

1624. Matt. vii. 1, 2.

1627. Probably Is. xxix. 14, but it is not an exact quotation.

1645. Job xxx. 1, 'Nunc autem derident me iuniores tempore.'

1648. Job xii. 4, 'deridetur enim iusti simplicitas.'

1653. The reference is no doubt intended for the Elegies of Maximianus, but I think no such passage occurs in them. Perhaps our author was thinking of Cato, *Distich.* iii. 7,

> Alterius dictum aut factum nec carpseris unquam,
> Exemplo simili ne te derideat alter.

1662. *faisoit*, singular for the rhyme, with the excuse of 'chascun' to follow.

1669. Perhaps Prov. xxiv. 9, 'abominatio hominum detractor,' or xvi. 5, 'Abominatio Domini est omnis arrogans.'

1678. Ps. lix. (*Vulg.* lviii.) 8 (9), 'Et tu, Domine, deridebis eos.'

1684 ff. It is suggested here that Malapert gets his name from

discovering things which should be concealed, saying them 'en apert';
but the word is rather from 'apert' in the sense of 'bold' 'impudent,'
whence the modern English 'pert.'

1688. *serroit*, 'ought to be,' a common use of the conditional: cp.
6915, 8941, &c., and *Vox Clam*. iii. 1052 and elsewhere, where the Latin
imp. subj. is used in the same way.

1709 f. 'All set themselves to listen what he will say.'

1711. *si nuls soit*, 'if there be any.'

1717. Prov. ix. 7, 'Qui erudit derisorem, ipse iniuriam sibi facit.'

1740. *n'en dirroit plus avant*, 'would not go further in speaking of
it,' 'avant' being probably an adverb: cp. 1762.

1758. Boeth. *de Cons*. iii. Pr. 8. 'Igitur te pulcrum videri non tua
natura sed oculorum spectantium reddit infirmitas.'

1762 f. *si par tout avant*, &c., 'if he could go on further and see
the rest.'

1776. *volt*, used apparently for pret. subj., as 327; here in conditional
sense.

1784. Aug. *in Joann. Ev*. i. 15, 'Quid est quod te inflas, humana
superbia?... Pulicibus resiste, ut dormias: cognosce qui sis.'

1790. Boeth. *de Cons*. iii. Pr. 3 ff.

1795. *de nounstable*, 'instead of transient.'

1824. 'Often you see evil come (upon him).' The reference may be
to Prov. xvi. 18, or to some similar saying.

1825. Zephaniah iii. 11.

1828. Perhaps Jer. xlviii. 29 ff.

1837. Luke xviii. 9 ff.

1848. *par soy despisant*: a characteristic use of the gerund for
infinitive: cp. 6093.

1849. The references to Solinus in this book are mostly false. Many
of the anecdotes may be found in Pliny, but not this. Isidore gives the
etymology, but the original of the story here is perhaps Albertus Mag-
nus *de Animalibus* (quoted by the Delphin editor on Plin. *N. H.* x. 3).

1868. Perhaps Ps. ci. 5. In any case the last lines of the stanza are
an addition by our author to the quotation.

1883. *fait a reprendre*, 'deserves to be blamed': cp. 5055, 9687,
12238, &c., and see the examples quoted by Burguy, *Grammaire*, ii. 167 f.

1887. The story is told at length in *Conf. Am*. i. 2785 ff.

1912 ff. Cp. *Conf. Am*. i. 2416 ff., but the parallel is not very close.

1942. *parferroit*. The contraction is thus written out in all parts
of this verb, because 'parfaire,' 'parfait,' occur in full, e. g. 4413.
Probably, however, there was fluctuation between 'par' and 'per,' as
in 'parfit,' 'parigal.'

1944. It would perhaps be difficult to say why Montpelliers should be
a proverbially rich place, but Mr. Archer points out to me that such
expressions as this are common in the *chansons de geste*, e. g. *Chanson
d'Antioche* ii. 628, 'Il n'y vousist mie estre pour l'or de Montpellier.'
Pavia is referred to in *Mir*. 7319 in the same way.

2022. *frocke et haire,* i.e. the outer and the inner garment of a monk or friar.

2037. Perhaps rather 'Tout mal dirra¹'; but the text may be translated 'he will curse continually.'

2067. *l'en chastie,* 'may correct him for it': but perhaps we should read 'l'enchastie' without separation ; cp. 7917.

2090. Rom. v. 19.

2095. *Moises*: a dissyllable here, but elsewhere 'Moïses,' &c.

2101. Sol. *Collect.* 52, '[Monoceros] vivus non venit in hominum potestatem, et interimi quidem potest, capi non potest.'

2135 f. Cp. *Conf. Am.* i. 1240 ff.

2142. France is looked upon simply as a land which has revolted from its lawful sovereign, Edward III, who has the right 'from his mother,' 2148. This passage was apparently written before the death of Edward III.

2169. 'Is delivered up in slavery to him.'

2184. *Du permanable vilenie,* to be taken with 'mort,' 'death comes suddenly upon him bringing him to everlasting shame.'

2185. Is. xxxiii. 1. ' Vae qui praedaris, nonne et ipse praedaberis ? et qui spernis, nonne et ipse sperneris ?' &c.

2197. Deut. xxviii. 38 ff.

2209. Ezek. xvii. 19 ff.

2221. Prov. xvii. 5.

2224. Mal. ii. 10, 'Numquid non pater unus omnium nostrum ? numquid non Deus unus creavit nos ? Quare ergo despicit unusquisque nostrum fratrem suum ?'

2242. Greg. *Moral.* xxiii. 31, ' Obstaculum namque veritatis est tumor mentis.'

2275. Luke xiii. 14. The person who protested was the 'ruler of the synagogue,' whom our author calls 'un archeprestre,' and the miracle was done upon a woman.

2281. Prov. xxix. 22, ' qui ad indignandum facilis est, erit ad peccandum proclivior.'

2293. Prov. xxx. 13.

2301. Is. ii. 11, or v. 15.

2305. *Danger*: see note on *Bal.* xii. l. 8. Here Danger represents the spirit which rejects advances of friendship from motives of pride.

2323. *fait . . . appeller*: see note on 1135.

2326. Cp. 2362, where we have 'oi' (monosyllable), as also 410.

2330. Numbers xiv. 30.

2341 ff. Numbers xvi.

2348. *Que,* ' For.'

2351 f. *que plus avant,* &c., ' so that by this he gave warning to the rest for the future' ('plus avant').

2353 ff. Acts ix. 5. In this stanza the word 'point' occurs no less than six times in the rhyme. This is an extreme instance of a common case, any difference in the meaning or manner of employment being held both in French and English verse to justify the repetition of the same word as a rhyme. Here 'point' is the past participle of a verb in 2357 and is used as an adverb in 2356: in the other four cases it is simply the same substantive with differences of meaning.

2377. 1 Macc. iii. 13–24.

2384. 1 Macc. vi. 1–16.

2389. Deut. xxi. 18–21.

2405. Exod. xvii. 1–7.

2413. Deut. xxxii.

2425. 1 Macc. vii. 26–47.

2441. Perhaps Is. v. 20.

2443. 2 Kings xix (Is. xxxvii).

2449. Levit. xxiv. 16.

2452. Luke xxiii. 39 ff., but our author has characteristically reversed the story, giving us the supposed punishment of the blasphemer instead of the mercy shown to the penitent.

2462. *C'est un des tous*, &c. Cp. the expression in fourteenth-century English, 'oon the beste' &c.

2463. Rev. xiii. 1, 6 f.

2509. Ecclus. x. 12 (14). The references of our author to 'Sidrac' are to this book, 'The wisdom of Jesus the son of Sirach,' but he also quotes from it under the name of Solomon, cp. 1317, and curiously enough the very next quotation, taken from the same chapter, is a case of this kind.

2513. Ecclus. x. 7, 'Odibilis coram Deo est et hominibus superbia.'

2534. *fait plus a redoubter*: see note on l. 1883.

2538. *a son passage*, 'at his death.'

2548. Ecclus. x. 17, 'Sedes ducum superborum destruxit Deus, et sedere fecit mites pro eis.'

2587. Mal. i. 6.

2629. *Haymo*: Bishop of Halberstadt, ninth century. The reference is to his Commentary on the Epistle to the Romans, i. 10, 'Detractio est aliorum bene gesta opera vel in malum malitiose mutare, vel invidendo fallaci fraude diminuere,' &c. (Migne. *Patrol.* cxvii. 377).

2653. Numbers xii. 1.

2665. Probably the reference is to Is. xiv. 13–15, but the beginning is loosely quoted: the latter part is closer, see verse 15, 'ad infernum detraheris in profundum laci.'

2677 ff. Cp. *Conf. Am.* ii. 388 ff., where 'Malebouche' comes in as the attendant of ' Detraccioun.'

2700. *le meinz*, 'the less,' cp. 'ly pire' 2760, 'le plus' 12347, 'le meulx' 14396.

2715. I do not understand this. By comparison with *Conf. Am.* ii. 394 ff. the passage should mean that he praises first, and then ends up with blame, which overcasts all the praise: cp. Chaucer, *Persones Tale,* 494 (Skeat). Perhaps we ought to read 'primerement' for 'darreinement.'

2742. For the metre cp. 24625 and see Introduction, p. xlv.

2749. See du Cange under 'fagolidori' (Gr. φαγολοίδοροι), where the passage of Jerome is quoted, but the word is set down as probably a corruption of φιλολοίδοροι.

2761. Ps. x. 7 (*Vulg.* ix. 28).

2779. Ps. cxl. 3 (*Vulg.* cxxxix. 4).

2790. Ps. xxxviii. 20 (*Vulg.* xxxvii. 21), 'Qui retribuunt mala pro bonis, detrahebant mihi, quoniam sequebar bonitatem.'

2799. Jer. xviii. 21 f.

2809. Ps. xxxi. 18 (*Vulg.* xxx. 19), cp. cxix. (*Vulg.* lxviii), 23.

2861. Jer. li. 1, but the passage is misunderstood.

2865. Rom. i. 30, 'Detractores, Deo odibiles.'

2874. Bern. *Int. Dom.* xxiii. 49, 'Detrahentes et audientes pari reatu detinentur.'

2893. The disgusting habits of the hoopoe in nesting are often referred to.

2894 ff. There is a close parallel to this in *Conf. Am.* ii. 413 ff.,

> 'Lich to the Scharnebudes kinde,
> Of whos nature this I finde,' &c.

2908. Perhaps Prov. xxii. 1.

2917 ff. Luke xvii. 1, 2.

2923. Matt. xviii. 8, 9.

2931. Ps. l. (*Vulg.* xlix.) 20, but it is a very much expanded quotation.

2941. Deut. xxii. 13–19.

2955. See note on 415.

2959. Perhaps a general reference to Ezek. xviii.

2961. *ne tient plait de*, &c., 'does not hold discourse of example of holy scripture.'

3109. Acts iv. 1.

3116. This line is too long, no doubt by inadvertence, having five measures instead of four. So in *Bal.* xxvii. the first line is of six measures instead of five. Both might easily be amended, if it were thought desirable : for example, here we might read

> 'Q'avoit leur prechement oïe.'

The word 'prechement' occurs 18092, and very probably this is what the author meant to write.

3133. Ps. vii. 16 (17).

3137. The reference is perhaps to Ecclus. xxvii. 25–29.

3145. The reference is Jeremiah xlv. 3.

3158. Cp. *Conf. Am.* ii. 222, 'A vice revers unto this,' where the author is speaking of the same thing as here.

3160. The MS. has 'male,' but perhaps the author meant to write 'mal,' for disregard of gender is common with him, while formal irregularity of metre is exceedingly rare. Compare, however, 10623. 10628. For the form of expression cp. 3467.

3180. *fait*, used here to supply the place of 'escoulte.' 'As the fox listens for the hounds, so doth he for other men's loss.' See note on 1135.

3233. *Par si q'*, 'provided that,' cp. 20576.

3234 ff. This is the tale told in illustration of the vice of 'Gaudium alterius doloris,' in *Conf. Am.* ii. 291–364.

3240. 'When the game was thus set between them.' From this kind of expression comes 'jeu parti,' 'jeupartie,' meaning a set game or match between two parties, hence a risk or hazardous alternative : Engl. 'jeopardy.'

3248. Ps. xxxviii. 16 (or xiii. 4).

3253. Ezek. xxv. 3 ff.

3265 ff. John xvi. 20.

3271 ff. This is an addition by our author, who is always unwilling to overlook the punishment of the wicked.

3277. Ecclus. xix. 5, ' Qui gaudet iniquitate, denotabitur.'

3285. Matt. viii. 12, &c.

3294. *doit supplanter*, ' may supplant ' : see note on 1193.

3361. Cic. *de Off.* iii. 21.

3365. *Conjecture*, ' trickery ' : cp. 6389.

3367. *ce que chalt* : cp. 8905, 25269, 25712. Here and at 8905 it stands by itself, but in the other cases it is followed by ' car,' or ' quant.' It is apparently equivalent to ' it matters not,' or some such phrase.

3388. Ps. xli. 9 (*Vulg.* xl. 10) : 'magnificavit super me supplantationem' is the Latin version.

3398. *Ambicioun* : evidently not ' ambition ' in the ordinary sense, but the vice of those who go about prying into other people's affairs, and playing the spy upon them with a view to some advantage for themselves.

3415. Perhaps Habakkuk ii. 8, 9 : cp. 3601, where Habakkuk is certainly quoted as ' Baruch.'

3445. Jer. iii. 24.

3453. *cele*, used for definite article, see note on 301.

3457. Prov. xi. 3 ff.

3467. A favourite form of expression with our author, cp. 3160, and *Trait.* ii. 1 ff.,

> ' Si l'un est bon, l'autre est assetz meilour.'

3487. *Qui*, ' He whom.'

3531. Prov. xxvi. 22.

3533. *affole*, 'wounds ' (Low Latin ' fullare '), to be distinguished from 'affoler' meaning ' to make foolish.'

3541. Ps. lv. 21 (*Vulg.* liv. 22), ' Molliti sunt sermones eius super oleum, et ipsi sunt iacula.'

3553. Ecclus. xl. 21, ' Tibiae et psalterium suavem faciunt melodiam, et super utraque lingua suavis.'

3559. Prov. xxix. 5.

3575. 'His deeds change into sorrow that by which before he made them laugh': *luy* for *ly* = *les*.

3584 ff. Cp. the Latin lines (beginning 'Nil bilinguis aget') which introduce the description of 'Fals semblant' in *Conf. Am.* ii. 1879, 'Vultus habet lucem, tenebras mens' &c.

3589. Ecclus. xxxvii. 20 (23) f., 'Qui sophistice loquitur odibilis est: in omni re defraudabitur. Non est illi data a Domino gratia,' &c.

3601. The quotation is from Habakkuk ii. 15 f.

3612 ff. Ps. cxx. 3, 4, of which these two stanzas are a much expanded version.

3637. Ecclus. xxviii. 15 ff.

3667. Perhaps Job v. 12.

3679. Micah ii. 1, 'Vae, qui cogitatis inutile.'

3685. Jer. iv. 4, 'ne forte egrediatur ut ignis indignatio mea, et succendatur, et non sit, qui extinguat, propter malitiam cogitationum vestrarum.'

3721. Cp. *Conf. Am.* ii. 401,

'For as the Netle which up renneth
The freisshe rede Roses brenneth,
And makth hem fade and pale of hewe,
Riht so this fals Envious hewe' &c.

The opposition of rose and nettle is common in our author, e.g. *Bal.* xxxvi. 3, xlviii. 1, *Vox Clam.* vii. 181.

3725. *Pille Colcos*: cp. *Trait.* viii. 1, and *Conf. Am.* v. 3265: so also in Chaucer. Guido delle Colonne is the person mainly responsible for the idea.

3727. *Medea la meschine*, 'Medea the maid.' The word 'meschine' means 'maidservant' just above and in 5163, but it was also used generally for 'girl,' 'young woman,' as 'meschin' for 'young man.' The origin is said to be an Arabic word meaning 'poor' (cp. the meaning of 'mesquin,' 'meschino,' in modern French and Italian), hence 'feeble,' 'delicate.'

3735. Rev. xii. 7, 10: 'en oel' stands apparently for 'ante conspectum Dei.'

3747. The description of the basilisk is perhaps from Solinus, *Collect.* 27. He had it from Plin. *Nat. Hist.* viii. 121.

3773. Prov. xiv. 30, 'putredo ossium invidia.'

3781. Levit. xiii. 46.

3801. Hor. *Epist.* i. 2. 58, 'Invidia Siculi non invenere tyranni Maius tormentum.' Our author did not understand it quite rightly.

3805. Cp. *Conf. Am.* ii. 20, and *Prol.* 329. In all these passages the reference is to the fire of Envy as a heat that consumes itself, rather than anything outside itself.

3823. Cp. *Conf. Am.* ii. 3122 ff.

3831. *Conf. Am.* ii. 3095 ff., where the saying is attributed to Seneca: cp. Dante, *Inf.* xiii. 64.

3841. Perhaps Jerome, who says something of the kind: cp. *Wisd.* ii. 24.

3864. *les faisont a despire*, 'hate them': but the preposition with the infinitive in this kind of expression is unusual. As a rule 'faisont a despire' would mean 'ought to be hated': cp. 1883.

3882. *pour poy du riens*, ' for a trifling matter,' lit. 'for little of matter': cp. 4826.

3898. *Ore voet, noun voet*, i. e. 'Ore voet, ore noun voet,' but cp. 5470.

3913. The text is Ecclus. iv. 30 (35) : see note on 1317.

3925. Prov. xxv. 28.

3958. Perhaps we ought rather to read ' pour ton salu.'

3977. Exod. xxxii. 21, and other passages.

3997. Baruch iv. 6.

4021. Perhaps suggested by Ps. lxxviii. (*Vulg.* lxxvii.) 58 ff.

4067. *Par contumelie* : for the metre see note on 296, and cp. 4312, 4317.

4077. Cp. 4704.

4112. 'Which flies free without caging.'

4117. Referred to also by Chaucer, *Wyf of Bath, Prol.* 278 ff., and *Tale of Melibeus*, 2276. It is a common enough saying, but not to be found in the Bible in this form : cp. Prov. xxvii. 15.

4129. Jer. viii. 17.

4141. Ecclus. xxv. 15 (22), ' Non est caput nequius super caput colubri, et non est ira super iram mulieris.'

4147. Perhaps Prov. xv. 2, ' os fatuorum ebullit stultitiam.'

4155. Ecclus. xxi. 29, ' In ore fatuorum cor illorum.'

4168. This is related also *Conf. Am.* iii. 639 ff., and there too a doubt is expressed as to whether so much patience was altogether wise.

4189 ff. Ecclus. xxviii. 18 (22) ff.

4203. Ecclus. xxviii. 24 (28), ' Sepi aures tuas spinis, linguam nequam noli audire.'

4213. James iii. 7, 8.

4219. Apparently a vague reference to Amos iv. 6, 9, ' dedi vobis stuporem dentium. . . . Percussi vos in vento urente.'

4237. Zech. v. 5 ff.

4273. *Rampone*, ' raillery,' ' mockery,' cp. Ital. ' rampognare.'

4285 ff. The idea seems to be this : ' Contention wounded by wrath encamps in the heart in a tent of mockery, whence it issues forth through the mouth, and assisted by Slander and Defamation enlarges other men's vices to their greatest extent, until its own wound becomes so foul that he dies who inhales its corruption.'

4369. Prov. xxvii. 6.

4381. Ecclus. xii. 16.

4387. Prov. vi. 16, 18.

4393. Cic. *de Amic.* 89, ' odium, quod est venenum amicitiae.'

4453. Beemoth is here perhaps confused with Leviathan, which was regarded by some as a kind of serpent : see Isidore, *Etym.* viii. 27.

4462. *le al*: there is of course an elision, though not indicated in the text.

4477. 2 Macc. v. 17, &c.

4494. Note that in the forms 'refusablez,' 'abhominablez,' 'delitablez,' &c., the *z* is equivalent to *s*, and does not imply any accenting of the final syllable.

4542. *ou*, for 'au,' see Glossary.

4558. *devant lez meins*, 'beforehand': cp. 5436.

4561. *survient*. This and the other verbs rhyming with it in the stanza seem to be in the past tense, for 'survint,' 'vint,' 'tint,' &c. Other examples of this will be found elsewhere, e. g. 8585, 9816. The passage means : 'When the fire from heaven fell on the sacrifice, it was Malignity that inspired the hatred of Abel in the heart of Cain, for which he was accursed.' 'Dont' answers regularly to such expressions as 'par tiele guise': see note on 217.

4570. Ps. x. 15, 'Contere brachium peccatoris et maligni.'

4605. Ps. xxii. 16 (*Vulg.* xxi. 17), 'concilium malignantium obsedit me,' &c.

4704. *mestre Catoun*: the author of the well-known *Disticha*, many of whose maxims tend to teach patience.

4717. Exod. xxi. 24 f.

4729. Exod. xxi. 26 f.

4741. Cp. *Conf. Am.* iii. 1095,

> 'Contek, so as the bokes sein,
> Folhast hath to his Chamberlein,' &c.

4750. *le court sure*, 'runs upon him'; so 10763 and elsewhere.

4752. *l'un ne lesse*, 'he fails not to attain one or the other,' i.e. either the object of his violence, or his own destruction.

4753. Is. ii. 22, 'Quiescite ergo ab homine, cuius spiritus in naribus eius est.' This illustrates the meaning, otherwise rather obscure, of the Latin line after *Conf. Am.* iii. 1088 (introducing the subject of 'Contek'), which is seen by this to be a reference to the above passage of Isaiah.

4769. *come fist a Asahel*, 'as it did to Asahel': see note on 1135. The reference is to 2 Sam. ii. 18 ff.

4826. Cp. 3882.

4837. Ecclus. xxii. 30, 'Ante ignem camini vapor et fumus ignis inaltatur : sic et ante sanguinem maledicta et contumeliae et minae.'

4850. Cp. *Conf. Am.* iii. 453 ff.

4858. *voit*, used for *vait*, as 3 sing. pres. ind.

4864 ff. This kind of repetition is often used by our author, cp. 8294 ff., *Vox Clam.* iii. 11 ff., and *Conf. Am.* v. 2469 ff.

4870. *ou giroun*, 'in the bosom': 'giro(u)n' is pioperly the bend or fold of a cloak (sinus).

4897. 2 Sam. iv.

4906. Matt. xxvi. 52, Rev. xiii. 10.

4945. Ex. xxi. 14.

4962. 2 Sam. vii. 4 ff., but it is not quite accurately cited.

4973. Gen. ix. 6.

5005. Ezek. xxv. 12 f.

5018. Is. xiv. 12, 'Corruisti in terram, qui vulnerabas gentes.' The rest is hardly a quotation, though it may give the general sense.

5029 ff. The same thing is related with the same application in *Conf. Am.* iii. 2599-2616. There, as here, it is referred to Solinus, but this seems to be a mistaken reference.

5031. *a diviser*, 'to describe' (or 'compare'), i. e. 'to describe it, we may say that it has' &c. : so, 'pour deviser' 11245, 'au droit deviser' 13204.

5055. *faisont a redoubter* : see note on 1883.

5059. *fait periler*, 'imperils' : *ainçois . . . Que*, 'before that.'

5114 ff. Matt. v. 3, 5.

5126. *D'Accidie* : see note on 296.

5179. For the use of 'lée' in this phrase as a dissyllable cp. 15518, 'ove lée chiere,' 17122, 28337. When occurring in other connexions it seems to follow the usual rule, as in 28132, 28199, &c.

5190 f. Cp. *Conf. Am.* iv. 2739 f.,

> 'And makth his exposicion
> After the disposicion
> Of that he wolde.'

The connexion is the same as here.

5205. On the subject of 'Tirelincel' cp. Waddington, *Man. des Pech.* 4078 ff.

5216. 'Hold thy nurture so dear' (as to think of it in this matter) : 'norreture' is that which has to do with physical development, and 'preu' I take to represent the Latin 'prope,' which appears in this form among others : see Godefroy.

5252. Cp. 8130. To judge by Littré's examples for the fourteenth-century usage of 'bout,' it would seem to be specially used of the top or bottom of a cask.

5257. Prov. xxvi. 14.

5266. Cato, *Distich.* i. 2 :

> 'Plus vigila semper, neu somno deditus esto,
> Nam diuturna quies vitiis alimenta ministrat.'

5269. I do not know what passage is referred to.

5283. Jer. li. 39, 'inebriabo eos, ut sopiantur et dormiant somnum sempiternum et non consurgant.'

5329. Ecclus. xli. 1, 'O mors, quam amara est memoria tua homini pacem habenti in substantiis suis.' The rest is our author's addition.

5344. Deut. xxviii. 56 f.

5349. *Cil homme tendre*, equivalent to 'l'omme tendre,' so 5553, 'celle alme peccheresse' : see note on 301.

5376. *Luy dorra*: usually in this form of expression (which is common alike in the French, Latin, and English of our author) a negative is used with the verb of the second clause, e. g. *Bal.* xviii. 2.

5377. 'Peresce' answers to 'Ydelnesse' in the *Confessio Amantis*.

5389 ff. Cp. *Conf. Am.* iv. 1090 f.,

> 'In Wynter doth he noght for cold,
> In Somer mai he noght for hete.'

5395 ff. Cp. *Conf. Am.* iv. 1108 ff.,

> 'And as a cat wolde ete fisshes
> Withoute wetinge of his cles,
> So wolde he do.'

5436. *apres la mein*: cp. 4558 and *Conf. Am.* iv. 893 : 'Thanne is he wys after the hond,' an exact translation of this line.

5437 ff. Cp. *Vox Clam.* iv. 877 ff.

5449. Prov. xx. 4.

5452. *beguinage*, equivalent to 'beggerie' (5800), as 'beguyne' (6898) is used for 'beggar.' The Beguins were mendicants.

5455. 2 Thess. iii. 10.

5458. *le decré*: the reference is probably to the Canon law ; cp. 7480.

5492. *des perils ymaginer.* This form of expression, in which the preposition belonging to the infinitive is combined with the article of the object, occurs also 9339, 16303, and elsewhere. So also in other authors, as *Rom. de la Rose* 2875, 'Or sunt as roses garder troi.'

5499. Prov. vii. 10–22.

5500. *Qui*, 'whom.'

5572 f. 'He who has growth in common with the trees' ; an allusion to the text of Gregory quoted so often by our author : see 26869.

5580. *apparant*: I take this to mean 'heir apparent,' as in *Conf. Am.* ii. 1711.

5606. Cp. *Conf. Am.* iv. 9,

> 'And everemore he seith, " Tomorwe."'

5622. The kissing of the 'pax' came after the prayer of consecration.

5645 ff. Matt. x. 22, and Luke ix. 62.

5659. Deut. xxv. 18.

5701 ff. Cp. *Conf. Am.* iv. 3389 ff., where, however, 'Tristesce' is described as developed from 'Slowthe' generally, not (as here) from 'Lachesce' in particular. 'Tristesce' is there synonymous with 'Desesperance.'

5714. Prov. xxv. 20, 'Sicut tinea vestimento et vermis ligno, ita tristitia viri nocet cordi.' The English version is quite different.

5729 ff. Cp. *Conf. Am.* iv. 3432 ff.,

> 'For Tristesce is of such a kinde,
> That forto meintiene his folie

He hath with him Obstinacie,
Which is withinne of such a slouthe
That he forsaketh alle trouthe,
And wole unto no reson bowe.'

5758. Job vii. 16, 'Desperavi: nequaquam ultra iam vivam.'

5762. Jer. xviii. 12 ff., 'Qui dixerunt: Desperavimus: post cogitationes enim nostras ibimus . . . Ideo haec dicit Dominus : Interrogate gentes : quis audivit talia horribilia ? . . . Quia oblitus est mei populus meus, . . . ut fieret terra eorum in desolationem et in sibilum sempiternum : omnis qui praeterierit per eam obstupescet et movebit caput suum.' This is a good example of our author's method of dealing with a text.

5792. Cp. 8492.

5794. *jure vent et voie* : cp. 8685, 'jure tout le monde.'

5822. Cp. *Bal.* vii. 2,

' Tressalt et buile et court aval le prée '

(speaking of a spring).

5839. Eccles. ii. 21, 'Nam cum alius laboret in sapientia et doctrina et sollicitudine, homini otioso quaesita dimittit : et hoc ergo vanitas et magnum malum.' I suspect we should read here

' que c'est errour
Et vanité,' &c.

5845. Perhaps Ecclus. xxxiii. 29, 'Multam enim malitiam docuit otiositas,' the rest being added by our author.

5854. The reference is perhaps really to Ezek. xvi. 49.

5868. Matt. xii. 44 f.

5879. After this, one leaf has been cut out, which contained 190 lines and one rubric, 'La quinte file de Accidie, q'est appellée Necgligence,' or something to that effect.

6070. The author seems here to be speaking of the negligence shown by overseers of some kind, who do not efficiently superintend those under their authority.

6082. 2 Tim. ii. 12.

6102. *ou pis*, for 'au pis,' ' in his heart': cp. 7100.

6103. James i. 23 f.

6109. Prov. xxxi. 4, 5.

6115. Hos. iv. 6.

6226. *ne serroit partie*, 'should not be a party interested in the suit.' The conditional is used for subjunctive, as often.

6253 ff. Cp. *Conf. Am.* v. 2015 ff.,

' Bote as the Luce in his degre
Of tho that lasse ben than he
The fisshes griedili devoureth,' &c.,

where the author is speaking, as here, of ' Covoitise.'

6303. The 'lot,' as a measure of wine, is about half a gallon.

6313 ff. Cp. *Conf. Am.* v. 2859 ff., where Coveitise has two especial counsellors, Falswitness and Perjurie.

6315. 'Chalenge' (Lat. calumnia) is a claim or accusation against a person in a court of law, usually in a bad sense.

6328. *falt . . . pour retenir*, 'it is necessary to retain': 'pour' is often used by our author instead of 'de' or 'a,' representing perhaps the English 'forto': cp. ll. 7650, 10639, 29078, *Bal.* iv*. 1, xlv. 1, 2, &c.

6345. Mal. iii. 5, 'et ero testis velox maleficis et adulteris et periuris et qui calumniantur mercedem mercenarii,' &c.

6363. Jer. l. 33 ff. 'Haec dicit Dominus exercituum: Calumniam sustinent filii Israel . . . Gladius ad Chaldaeos, ait Dominus, et ad habitatores Babylonis,' &c.

6386. Can this be Is. xix. 9, 'Confundentur qui operabantur linum . . . texentes subtilia'?

6389. *Conjecture*, cp. 3365.

6391. Luke xvi. 8.

6397. Ambrose tells the story, *Hex.* v. 8, of the *crab* and the oyster, 'tunc clanculo calculum immittens, impedit conclusionem ostrei.' I do not know the word 'areine.'

6409. *Perjurie*: see note on l. 296.

6434. This was a charge commonly brought against swearers by the preachers of the day: cp. Chaucer, *Pardoneres Tale*, l. 12, &c., *Persones Tale*, 591 (Skeat).

6445. Cp. Matt. xxiii. 21 f.

6451. Probably Is. xlviii. 1.

6482. Zech. v. 1–4.

6496. *si tresfalse noun*, 'except (what was) utterly false': cp. 8853, *Bal.* xxiv. 1.

6498. Ps. lxiii. 11.

6499. Mal. iii. 5: cp. 6345.

6528. Perhaps Prov. i. 18, 'moliuntur fraudes contra animas suas.'

6529. Levit. vi. 2–7.

6539. 'Fails to do right at the risk of his soul,' and not merely of his worldly goods, as by the old law.

6544. Cp. *Bal.* xlii. 3, where 'fraude et malengin' go together, as here.

6545 f. 'It were well if they were caught in the snare, to be thrown far into the deep sea.'

6553 ff. Cp. *Conf. Am.* v. 4396 ff., where the practice here mentioned is ascribed to 'Usure.'

6556. *au creance*, 'on credit,' meaning apparently that they charge exorbitant prices when credit is given, cp. 7246, 7273 ff.

6561. Deut. xxv. 14.

6640. *tout son propre adune*, 'gathers together everything for himself,' i.e. appropriates everything.

6672. *qu'il doit vivre*, 'that he should live': for this use of 'doit,' cp. 1193.

6685 ff. Cp. *Conf. Am.* v. 4917–4922.

6733. For this treatment of *dame* as a monosyllable in the metre, cp. 13514, 16579, and *Bal.* xix. 3, xx. 2, &c.

6745. Cp. *Conf. Am.* v. 1971 (for the form of expression).

6750. Matt. xix. 24.

6758. 1 Tim. vi. 10.

6760. Senec. *Dial.* xii. 13, ' si avaritia dimisit, vehementissima generis humani pestis.'

6769. Prov. xxvii. 20.

6781. *Conf. Am.* vii. 2551.

6783 ff. 2 Chron. xxi. Our author is evidently familiar with every part of the Old Testament history.

6798. Ambros. *Hex.* vi. 24.

6841. Probably Ezek. xxii. 25.

6855. Job iv. 11, ' Tigris periit, eo quod non haberet praedam.' The English version is different.

6859. Prov. xi. 24.

6865. Is. xxxiii. 1.

6869. Jer. xxx. 16.

6877. This time ' Baruch' stands for Nahum, ii. 8 ff.

6886. Nahum ii. 10, ' et facies omnium eorum sicut nigredo ollae.'

6925 ff. The same three that are mentioned here, Robbery, Stealth, and Sacrilege, are dealt with in the same order in the *Confessio Amantis* immediately after ' Ravine' (v. 6075 ff.), though not as dependent upon it.

6940 ff. Cp. *Conf. Am.* v. 6089 ff.,

> ' Forthi to maken his pourchas
> He lith awaitende on the pas,' &c.

6958. *m'encordie* : see note on l. 296 ; but perhaps we should read ' m'encorde,' cp. l. 7574.

6967. *ne fait pas a demander*, 'there is no need to ask': an impersonal form of the construction noticed on l. 1883.

6987. Ps. lxii. 10.

6991. Prov. xxi. 7.

6999. Joshua vii.

7015. Ambros. *Hex.* v. 18, 'Accipitres feruntur in eo duram adversum proprios fetus habere inclementiam, quod ubi eos adverterint tentare volatus primordia, nidis eiciunt suis,' &c.

7025 f. Cp. *Conf. Am.* v. 6501-6516, a close parallel. ' Stelthe' (in the Latin margin ' secretum latrocinium ') corresponds to ' Larcine' here.

7033 ff. Cp. *Conf. Am.* v. 6517-6521.

7081. Gen. xxxi. 19 ff.

7093. This story is told *Conf. Am.* v. 7105*–7207* under the head of Sacrilege, with no essential difference except in the greater detail and in the name of the person involved. Here it is ' Dyonis,' apparently for convenience of rhyming, there Lucius.

d'Appollinis: the genitive form is also used in *Conf. Am.* v. 7109*,

'Unto the temple Appollinis.'

7109. *Conf. Am.* v. 7186* ff.,

'Gold in his kinde, as seith the bok,
Is hevy bothe and cold also,' &c.

7153 ff. The distinctions of various kinds of Sacrilege, indicated in this stanza, are more fully developed *Conf. Am.* v. 7015* ff.: cp. Chaucer, *Persones Tale*, 801 ff. (Skeat).

7177 ff. The same examples occur in *Conf. Am.* v. 7007 ff., with the addition of Antiochus.

7181. 2 Kings xxv. 8 ff.

7193. Jer. l., li.

7209. Cp. Neh. x. 31, &c.

7215. Cp. *Conf. Am.* v. 4395, ' Usure with the riche duelleth.'

7227 ff. Cp. *Conf. Am.* v. 4387.

7249. Lev. xxv. 37, &c., Luke xi. 35.

7270. *Qe*, repeated from the line above.

7282. *ou mein*, apparently for 'au meinz,' 'at least.'

7315. The reference seems to be a mistaken one.

7319. *le tresor de Pavie*, cp. l. 1944. Pavia no doubt has its reputation of wealth from having been the capital of the Lombard kingdom.

7379. *Les lettres*: cp. *Conf. Am. Prol.* 209.

7393 ff. Cp. *Vox Clam.* iii. 1233 ff.

7416. *Poverte avoir*, 'that Poverty has.'

7429. Matt. xxi. 12.

7441. Rev. xi. 1.

7453. Ezek. vii. 12.

7454. Is. xxiv. 2.

7459. 2 Kings v. 20 ff.

7475. *concordance*: that is, what we should call a 'harmony' of the Gospels or other parts of the Bible.

7499. Cp. *Conf. Am.* v. 4678, and the marginal Latin.

7507. Probably we should read 'tenont,' or 'tienont,' for 'tenoit': cp. 8459.

7511. *privé de son secroy*, 'privy to his secret counsels.'

7549. The reference is not really to the Psalter, but to the song of Moses, Deut. xxxii. 13.

7562. Ecclus. xxxi. 29, 'Nequissimo in pane murmurabit civitas.'

7569. 2 Cor. ix. 6.

7587. 'the right pit of helle,' as they said in English. The same comparison is made *Conf. Am.* v. 29 ff. With these cp. Chaucer, *Tale of Melibeus*: ' And therefore seith seint Austyn that the averous man is likned unto helle' &c.

7597. I fear that this is a rendering of 'Avaro autem nihil est scelestius,' with additions by our author: Ecclus. x. 9.

7603 ff. Cp. *Conf. Am.* v. 249 ff.

7609. Col. iii. 5, 'avaritiam, quae est simulacrorum servitus.'

7611. 2 Kings xxi. 21 ff.

7621 ff. Cp. *Conf. Am.* v. 363 ff., where the same comparison is made in fuller detail.

7640. The author referred to as 'Marcial' here and in ll. 15505, 15949, is in fact Godfrey of Winchester, popularly called by the name of the epigrammatist whom he not unhappily imitated. He was a native of Cambrai, and prior of St. Swithin's in the twelfth century. His epigrams are repeatedly quoted under the name of Martial by Albertano of Brescia in the *Liber Consolationis*. They will be found in Wright's *Satirical Poets of the Twelfth Century* (Rolls series). The reference here is to *Ep.* cxxxvi,

> 'Non sibi, non aliis prodest, dum vivit, avarus :
> Et prodest aliis et sibi, dum moritur.'

7645 ff. Cp. *Conf. Am.* v. 49 ff., a very close parallel,

> 'To seie hou such a man hath good,
> Who so that reson understod,
> It is impropreliche seid,
> For good hath him and halt him teid,' &c.

7650. *Pour . . . faire* : cp. 6328.

7678. Perhaps Jer. xv. 13.

7694. Bern. *Serm. Resurr.* iii. 1, 'Et vero magna abusio et magna nimis, ut dives esse velit vermiculus vilis, propter quem Deus maiestatis et Dominus sabaoth voluit pauper fieri.'

7728. *farin* : a form of 'frarin' ('frerin'), 'beggarly,' hence 'wretched.'

7731. For this use of 'tire' cp. *Conf. Am.* vi. 817.

7739. See note on 415.

7777. Job xv. 27, 'Operuit faciem eius crassitudo, et de lateribus eius arvina dependet.' Perhaps our author read 'anima' for 'arvina,' unless he was also thinking of xl. 15 (11).

7791. *ces*, for 'les,' see note on 301.

7825 ff. Cp. Chaucer, *Pardoneres Tale*, 76 ff.

7827. Cp. *Conf. Am.* v. 870 (margin), 'Iupiter deus deliciarum.'

7883. *allaita*, apparently here 'sucked (milk)' : 'he thinks not of the former time when he sucked the simple milk and longed for it.'

7896. 'Nor will they hunt in that wood,' that is, they will not share in the sport : 'brosser,' 'bruisser,' a term of the chase, meaning to ride or run through thick underwood, see Littré under 'brosser,' and *New Eng. Dict.* 'brush.'

7940. 'Martinmas beef' was the meat salted in the autumn for the supply of the household during the winter, in times when keep for cattle in winter was hard to get.

7969. Cp. *Trait.* xv. 1 ff., 'Car beal oisel par autre se chastie,' a proverbial expression meaning that one should take example by others.

7972. The story is told in the same connexion *Conf. Am.* vi. 986 ff.

7993. 2 Pet. ii. 12 ff.

8049. Deut. xxxii. 15 ff.

8053. Is. xlvii. 8, 9.

8072. For the position of 'et' see note on 415.

8077. Job xx. 15 f. The preceding stanza is mostly the invention of our author.

8089. Job xx. 19 ff.

8103. Lam. iv. 5, 'qui nutriebantur in croceis, amplexati sunt stercora.' Our author misunderstood ' in croceis.'

8138 f. Cp. *Conf. Am.* vi. 19–23.

8191. *serroit governé*, ' should be ruled.'

8236. Gen. xix. 30 ff.

8246 ff. Cp. *Conf. Am.* vi. 71 f.,

> ' He drinkth the wyn, bot ate laste
> The wyn drynkth him and bint him faste.'

8266. *puis la mort*, ' after death,' ' puis ' used as a preposition.

8269. Is. v. 11.

8278. Prov. xxiii. 31 f., or Ecclus. xxxi. 32 ff.

8289. Jer. xxv. 15.

8294 ff. See note on 4864.

8376. *ou* = ' ove.'

8403. The ' sestier' would be about a gallon and a half.

8459. I substitute *devont* for *devoit*: cp. 7507.

8482. *superflual*: the adjective form is used instead of the name ' Superfluité ' for the sake of the rhyme.

8495. Some correction seems to be required. Perhaps read ' Siqe ' for ' Siq'il.'

8501. Cp. *Conf. Am.* v. 7755 f.,

> ' For thanne is ther non other lawe,
> Bot " Jacke was a good felawe." '

8533. Senec. *Ep.* lx. 2, ' Una silva elephantis pluribus sufficit: homo et terra et mari pascitur '

8553. Cp. *Conf. Am.* vi. 60, ' And seith, " Nou baillez ça the cuppe." '

8559. 1 Cor. vi. 13.

8581 ff. This stanza is a repetition, with slight variations, of 8041–8052.

8815. *conivreisoun.* The dictionaries quote no examples of 'conniver' or ' connivence' earlier than the sixteenth century.

8853. *si de vo teste noun*, cp. 6496.

8869. The bird meant is no doubt the lapwing: see note on *Trait.* xii. l. 19.

8905. *ce que chalt*: cp. 3367.

8911. A reference to Wisd. iv. 3, ' spuria vitulamina non dabunt radices altas,' a text not unknown in English history.

8916. Matt. vii. 26.

8924. ' Whereby she will deliver up her body free,' i.e. since she gives presents as well as receiving them, she must be held not to sell herself, but to give herself away to her lover; and this, observes the author, is the worse alternative, because it impoverishes her husband.

8941. *creroie*, ' ought to trust,' see note on 1688.

8942. *verroie*, conditional for pret. subj.: see note on l. 25.

8952. Cp. *Bal.* xliii. 2, 'Si es comun plus qe la halte voie' : also 9231 ff.

8984. *soubgite et abandonnée*, ' as his subject and servant.'

9055. ' If we consider well, we shall see that' &c. : see note on 1244.

9068. The reference is to Job xxxi. 9–12. The verse quoted is 'Ignis est usque ad perditionem devorans, et omnia eradicans genimina.'

9085. ' Incest ' is here used in a much wider sense than belongs to the word in English. It includes the impure intercourse of those who are near of kin, as we see in ll. 9181 ff.; but the cases of it which are chiefly insisted on have to do with breach of the ecclesiastical vow of purity, and this not only where the confessor corrupts his penitent (who is his daughter in a spiritual sense), but also in general where monk, nun, or priest commits fornication.

9130 ff. ' so that at last by reason of his inconstancy and habitual sin we see Incest throw off his vows and leave the order.'

9132. The ' possessioners ' are the members of those religious orders which held property, as distinguished from the mendicant orders mentioned next.

9138. *ses Abbes*. If this is singular, the use of the subject form after a preposition is very harsh : it is ' son Abbes ' (though subject) in l. 12115. Perhaps the monastic rent-collector is spoken of here generally, and as coming from a variety of monasteries.

9139. *vois*, the usual form for ' vais,' as 440, &c.

9143. *irroit*, see 1688.

9148. *ly limitantz*, ' the limitour ' : cp. Chaucer's ironical reference to him at the beginning of the *Wyf of Bath's Tale.*

9156. The woman's husband passes for the father of the children.

9158. *au dieu demeine*, ' in the possession of God.'

9168. ' Than he who does (the same) as regards his neighbour ' (who is not under a religious vow).

9171. This is the case of the widow's marriage to the Church, the vow of not marrying again, see 17827 ff. This was taken, for example, by Eleanor, sister of Henry III, who afterwards married Simon de Montfort. The vow of course would be dispensed with, and the relations here contemplated are probably those of marriage, notwithstanding the severity with which they are spoken of in ll. 9172–74 : therefore the author is doubtful about the punishment of this offence in a future state, and suggests that the arrangements of human law, by which the wife would often suffer in property by such a marriage, may be a sufficient punishment. On this subject see Furnivall's *Fifty Earliest English Wills*, E. E. T. S.

9229. *en cest escrit*, 'in the scripture,' cp. 9277 : so 'celle' is used for the definite article, 9786 and elsewhere ; see note on 301.

9230. The reference seems to be a general one to such passages as Jer. iii. 1 ff.

9240. *en ton despit*, 'in hatred of thee.'

9265. *El viele loy*, e.g. Deut. xxiii. 17.

9281. Perhaps 'burette' is here the same as 'birette,' used for a lady's head-covering, see Littré : usually it means a small phial, and 'burettes' might stand here for scent-bottles.

9292. For 'mie' without negative particle cp. 2589, and *Bal.* xliv. 1.

9311. *au petit loisir* seems to mean 'in a small space of time,' 'loisir' ('leisour') being ordinarily used in its modern sense, referring to restrictions of time : so in the phrase 'par loisir' 5693, and 'a bon leisour' 9222. In the next stanza, however, it has a somewhat different sense, 'femme a son loisir faldra,' 9315, meaning apparently 'the woman shall not be at his (*or* her) own disposal'; and later (9322) 'au bon loisir' means 'with ease.'

9314. *sur luy*, that is 'on her' : cp. 2151, 9351.

9320. *luy*, here equivalent to 'la' : cp. *Bal.* xxiii. 2.

9359. The reference probably is to Matt. v. 28, 'Whosoever looketh on a woman to lust after her hath committed adultery with her already in his heart.'

9410. *s'ordinaire* : cp. 1477.

9496. 'Compels hearts to love' : so 'par destresce' 5549, 'by force.'

9553. 1 Cor. ii. 14, 'Animalis autem homo non percipit ea quae sunt Spiritus Dei.' Our author not unnaturally fails to understand 'animalis.'

9557. Wisd. 1. 4, 'in malevolam animam non introibit sapientia.'

tal : used here for the rhyme, but it is in fact the older Norman form, as in *Rom. de Rou*, 2270, quoted by Burguy, *Gramm.* i. 193.

9565. Nihil est enim tam mortiferum ingenio quam luxuria est : quoted as 'Socrates' by Caec. Balbus, p. 43 (ed. Woelfflin).

9579. Amos i. 5, 'disperdam habitatorem de campo idoli et tenentem sceptrum de domo voluptatis.' The English version is different.

9588. *Que*, 'that which' : cp. 9646.

9591. *climant.* This is the reading of the MS., but possibly the author wrote 'cliniant' (for 'cligniant').

9601. I do not know the reference.

9611. 'unto the enemy's throat.'

9613. The sense of this line is repeated by the word 'Luxure,' 9616.

9616. Cic. *de Off.* i. 123, 'luxuria . . . cum omni aetati turpis, tum senectuti foedissima.'

9620. 'Others will excuse themselves ill, but the old worse than the rest,—or rather, none will be able to excuse themselves at all' : this seems to be the meaning.

9656. *serroit* : note on 1688.

9671. *la halte voie*, &c., the high-way to hell : 'remeine' instead of 'remeint' for the rhyme.

* E e

9678. *feis*, 2 sing. pret.

9687. *fait a loer*, 'she ought to be praised,' see note on 1883.

9720. *Qui corps*, 'whose body,' cp. 3491.

9782. *mes amis*: the subject form of the possessive pronoun is used here, as 'tes' in *Bal.* iv*. 3.

9786. The slight alteration of 'mettroit' to 'metteroit' is required by the metre.

9816. *tient* may be preterite, though 'tint' occurs 3322 : cp. 4561 ff.

9820. *dont fuist a baniere*, 'whose leader she was.'

9889. Rev. xiii.

9907. 'Seven heads, because he devotes himself to the seven sins.'

9956. 'When she plays with the mouse': 'se fait juer' is simply equivalent to 'se jue,' cp. 39, 1135, 1320, &c.

10071. *De resoun*, &c., explaining ' le faisoit.'

10117. I take 'pareies' to be for 'parées' (past part.), as 'journeies' for 'journées,' see Introduction, p. xx.

10121. *preies*, i.e. 'proies,' the older form used for sake of the rhyme. For the meaning cp. *Bal.* xv. 4.

10125. *les cornont*, 'play music to them': for 'les' cp. 2416, &c. ; 'par leur journeies' seems to mean 'on their way.'

10140. That is, the meeting will not be one of like with like.

10176. *oietz chançon flourie*: cp. *Bal. Ded.* i. 3, 'Ore en balade, u sont les ditz floriz.'

10176(R). *Puisq 'il ad dit*, &c. We have the same form of expression in the heading of the *Traitié*.

10215. 2 Kings iv. 33.

10221. Luke vi. 12.

10233. Ps. cxlv. (*Vulg.* cxliv.) 18.

10239. Ps. xxxvii.(*Vulg.* xxxvi.) 7,'Subditus esto Domino,et ora eum,' but there is nothing to explain ' delacioun.'

10243. Dan. vi. 10.

10249. 1 Macc. iii. 44 ff., 2 Macc. viii. 1, and x. 25.

10262. Tobit iii. 7 ff.

10267. Tobit iii. 1 ff.

10273. 1 Sam. i.

10279. Luke vii. 38.

10286. Luke xxi. 36.

10297. James v. 16, 'multum enim valet deprecatio iusti assidua.'

10301. Ex. xvii. 8 ff.

10306. 'When he was a lowerer of his hands,' the pres. part. being used as an adjective or substantive.

10311. 2 Chron. xx.

10324. There is nothing, so far as I know, corresponding with this reference. It is possible that the author may have mistaken the application of Jer. xxix. 7, where the Jews who are in captivity are bidden to pray for the peace of the city where they now dwell, namely

Babylon. This occurs in close proximity with anticipations of an eventual return.

10335. Baruch i. 11.

10341. *Puisqu'il.* As 'il' for 'ils' is found in rhyme l. 25064, I have not altered it here : cp. 23922, 24635.

10347. The reference is not quite correct, for the decree of Cyrus was before the time of Ezra, though it did not take full effect until that time.

10358. 2 Macc. xii. 41-45.

10371. Ezra ix. f.

10374. *del oïr,* 'in order to hear.'

10405. Isid. *Sent.* iii. 7. 8, 'Pura est oratio quam in suo tempore saeculi non interveniunt curae; longe autem a Deo animus qui in oratione cogitationibus saeculi fuerit occupatus.'

10411. Aug. *in Ps.* cxviii., *Serm.* xxix. 1, 'Clamor ad Dominum qui fit ab orantibus, si sonitu corporalis vocis fiat, non intento in Deum corde, quis dubitet inaniter fieri?' Or *Serm.* lxxxviii. 12, 'ne forte simus strepentes vocibus et muti moribus.' Cp. 1194, 20547.

10441. Exod. xxiii. 15.

10450. 'But he who bears himself humbly,' &c. For this use of 'qe' cp. *Bal. Ded.* i. 1 ff.,

'Q'en dieu se fie, il ad bel avantage.'

10453. 2 Chron. xxx f.

10467. Exod. xxxv.

10479. Num. xvi.

10498. I do not think that what follows will be found in Jerome. The classification of the seven deadly sins is of later date.

10505. 'Lest Sloth should seize him': the subjunctive was to be expected, but syntax gives way to rhyme.

10526 ff. Cp. Chaucer, *Pers. Tale* 133 ff. (Skeat), where there are six causes which ought to move a man to contrition; but they are not quite the same as those which we have here.

10553. *Q'il n'en deschiece,* 'lest he should fall by reason of it.'

10554. 1 Cor. x. 12.

10574. Luke vi. 21, much expanded.

10605. *solait,* for 'soloit,' which is used as a present in several passages, 15405, 20419.

10612. 2 Cor. xii. 2.

10623. Here and in 10628 we have a pause after the first half of the verse, with a superfluous syllable: see Introduction, p. xlv.

10637. *par semblance,* 'as it were,' implying that 'morir' is metaphorical.

10639. *pour despire* : I take 'pour' to be dependent on 'commence,' and to be used as a variation of 'de': cp. 6328, 10664, 11520, &c.

10642. *tant luy tarde,* as in Mod. French, 'so eager is he.'

10643. *fait sentir,* 'feels' : see note on 1135.

E e 2

10649. *fait* here, and in l. 10653, supplies the place of the verb 'desire,' like 'doth' or 'does' in English: see note on 1135.

10651. Cp. *Conf. Am.* v. 2238 ff., where, however, the connexion is different.

10669. *ot*, 'there were': so 'ad' is not uncommonly thus used for 'il y a,' e.g. 2174.

10707 ff. *la chalandre*. This bird, which seems to be a kind of lark, is mentioned also in *Bal.* xii. 1. Bozon, *Contes Moralizés*, p. 63, calls it 'calabre,' and says that if a man is ill, and they wish to know whether he will live or die, they may bring in this bird, and if it turns away from him, he will die. See M. Paul Meyer's note on the passage.

10717. The story is probably taken from Solinus, who combines the story of the Arimaspians, as told by Herodotus and Pliny, with the account of the emeralds produced in the country: *Collect.* 15.

10718. 'the land which is called Scythia.'

10747. *Pour nostre essample*. The idea that these things were *done*, not only related, for our example is merely an extension of the usual medieval view of Natural History.

10748. *nous attrait*, 'teaches us,' ('brings before us'). For the various meanings of 'attraire' compare the following passages, 567, 1550, 14480, 16637, 17800, 21623, 23361.

St. Remigius does not, so far as I know, mention the story of the griffons and Arimaspians, but probably the following passage, where the truth is compared to a treasure, may be the one referred to: 'Habemus namque magnum depositum fidei et doctrinae veritatis ... velut pretiosum multiplicem thesaurum divinitus nobis ad custodiendum commendatum: quem sine intermissione domino auxiliante delemus inspicere, extergere, polire atque excutere ac diligentissime servare, ne per incuriam et ignaviam nostram aut pulvere sordescat aut ... malignorum spirituum insidiis vel a nocturnis et occultis furibus effodiatur et deripiatur.' (*De tenenda Script. Verit.* i. 1.)

10800. 'And in it he rejoices': 'fait demener' is equivalent to 'demeine,' and 'demener ses joyes' means 'to rejoice,' cp. 444, 5038, &c.

10801. Probably referring to Albertus Magnus *de Animalibus*, but I do not know the passage.

10813. This comparison does not appear to be in Isidore, though he gives much the same account as we have here of the origin of pearls. (Isid. *Etym.* xii. 6. 49). Isidore no doubt borrowed the story from Solinus (ch. 53), who had it indirectly from Pliny, *N. H.* ix. 54. In Bozon, *Contes Moralizés*, p. 41, we have the story with nearly the same application as here.

10882. 'He who considers this' &c.

10903. 'That which pleases the one' &c., the verb being used here with a direct object.

10909. Cp. *Bal.* xxx. 2, and *Conf. Am.* i. 515 ff.

10912. *remedie*: see note on 296.

10934. Prov. xxviii. 14.

10942. Cp. *Bal.* xx. 1.

10948. Ovid, *Pont.* iv. 3. 35. Cp. *Conf. Am.* vi. 1513, where the original Latin is quoted in the margin and attributed (as here) to 'Oracius.'

10959. Perhaps a reminiscence of the line in *Pamphilus*, 'Ex minima magnus scintilla nascitur ignis.'

10962. The quotation is really from Ovid, *Rem. Am.* 421, 'Parva necat morsu spatiosum vipera taurum.' It has perhaps been confused with Sen. *Dial.* i. 6. 8, 'corpora opima taurorum exiguo concidunt volnere.'

10965. Ecclus. xix. 1, 'qui spernit modica, paulatim decidet.'

10969. Ecclus. v. 4–9, 'Ne dixeris: Peccavi, et quid mihi accidit triste?' &c.

11004. 'And it awaits them after their death.'

11018. 2 Kings xvii.

11020. *Evëhi* stands for the Avites, who are 'Hevaei' in the Latin version.

11044. August. *Ep.* cxl. (*De Grat. Nov. Test.*) 21, and many other places.

11056. Probably Rom. viii. 15, with amplifications.

11065. *Quiconque ait*: there is an elision, though it is not indicated in the text.

11069. Esther iii ff.

11102. Matt. x. 28.

11114. Judith xi. 8, 9.

11126. Ps. xxv. (*Vulg.* xxiv.) 14, 'Firmamentum est Dominus timentibus eum.'

11128. Ps. cxi. (*Vulg.* cx.) 5.

11137. Lev. xxvi. 2 ff.

11149. Lev. xxvi. 5.

11160. *arestu*, a past participle from the form 'arestier, used here for the rhyme.

11177. Neh. i. 11.

11185. Tobit i. 10.

11191. Judith xvi. 19.

11197. Is. xix.

11203. *ly futur*, 'they that should come after.'

11209. Deut. xxviii.

11221. Deut. xxviii. 58 ff.

11243. 'There shall be no bodily fear by which' &c.

11245. *pour deviser*, cp. 12852, so 'a diviser' 5031.

11305. Prov. xxiii. 34, amplified: 'Et eris sicut dormiens in medio mari, et quasi sopitus gubernator, amisso clavo.'

11309. *prist*: this tense is for the sake of the rhyme instead of 'prent.'

11332. Job iv. 13.

11343. Luke xv. 11.

11354. *Tout quatre*: for this use of 'tout' with numerals cp. 11570, 'Ad tout quatre oils.' It seems to be an adverb, as in the expression 'ove tout' ll. 4, 12240, &c., and has no particular meaning apparently.

11396. *au fin que*, 'until.'

11404. This 'Mestre Helemauns' is Hélinand, the monk of Froidmont, whose *Vers de la Mort* were so popular in the thirteenth and fourteenth centuries. The lines which are quoted here are quoted also in the *Somme des Vices et des Vertus*, with a slight difference of text. See M. Paul Meyer in *Romania* i. 365, where a preliminary list of the MSS. is given. Death is supposed to be the speaker here, 'Do away your mockery and your boasting, for many a man who thinketh himself sound and strong hath me already hatching within him.' The usual reading is 'Laissiez vos chiffles' (or 'chifflois'), but 'Ostez' and 'trufes' are also found in the MSS.

11410. 'Death has warned thee of his tricks,' because in the preceding lines Death is supposed to be the speaker.

11412. *atteins*, 'caught unawares.'

11434. *a luy*, 'to her,' so 626, 2151, &c.

11466. *Dont* here seems to stand for 'que,' as it does so commonly in a consecutive sense after 'tant,' 'si,' &c.

11504. *Mais d'une chose*, 'except for one thing.'

11510. *sentence*, perhaps here 'feeling of pain,' 'suffering.'

11520. *Pour venir*, after 'assure,' equivalent to 'de venir': see 6328.

11521. Ecclus. i. 22, 25, 'Corona sapientiae, timor Domini ... Radix sapientiae est timere dominum.'

11535. Is. xxxiii. 6, 'divitiae salutis sapientia et scientia : timor Domini ipse est thesaurus eius.'

11536. Ps. xiv. 4, 'timentes autem Dominum glorificat.'

11540. Luke i. 50.

11548. Jer. x. 7, 'Quis non timebit te, O Rex gentium? tuum est enim decus.'

11570. See note on 11354.

11572. Rev. iv. 6.

11600. That is, 'everything depends, as it were, on the cast of the dice.'

11611. Ps. ci. (*Vulg.* c.) 7, 'Non habitabit in medio domus meae qui facit superbiam.'

11616. 'Which is a true child of Arrogance.'

11647. Rom. vi. 23.

11653. *ly discret*, i.e. Discretion.

11668. Eccles. iii. 19, 'cuncta subiacent vanitati, et omnia pergunt ad unum locum.'

11671. Matt. xxiv. 35, &c.

11676. i.e, 'His word of everlasting doctrine.'

11680. 'Three things make me sure that the state of man' &c., referring to what follows.

11685. Job xiv. 2.

11694. Cp. *Conf. Am.* iv. 1632 f.,

> 'So that these heraldz on him crie,
> "Vailant, vailant, lo, wher he goth!"'

11721 ff. 'But as for man, ... by reason of sin which holds possession of his body, hell retains the soul for ever.' For 'celle' see note on 301.

11724. *fait a despire*, 'it is right to loathe': see note on 1883.

11728. *pour sa maisoun*, like 'de sa maisoun,' 'as regards his house.' See 2 Kings xx.

11770. It is likely enough that Cassiodorus says something of this kind in his official letters, but it is hardly worth while to search for it. Expressions such as, 'Multo melius proficitur, si bonis moribus serviatur,' are common enough.

11822. Cp. *Conf. Am.* i. 299.

11846. John iv. 14: but it was said actually to the woman of Samaria, not to the disciples.

11848. *au tiel exploit*, 'in such a manner': properly 'with such success (*or* result).'

11865. *desjoint*: so in Chaucer, *Troilus* iii. 496, 'Or of what wight that stant in swich disjoynte.'

11866. *je quidoie*: cp. *Conf. Am.* v. 7666, 'Til ate laste he seith, "I wende."'

11898. Ps. cxli. (*Vulg.* cxl.) 3, 'Pone, Domine, custodiam ori meo, et ostium circumstantiae labiis meis.'

11939. Perhaps the word is 'enguarise.'

11978. Ecclus. xxxii. 14, 'Ante grandinem praeibit coruscatio: et ante verecundiam praeibit gratia, et pro reverentia accedet tibi bona gratia.'

11989. 1 Tim. ii. 9.

11995. Ecclus. vii. 21, 'gratia enim verecundiae illius super aurum.'

12003. Job iii. 25, 'quod verebar accidit.'

12006. Ps. xliv. 15 (*Vulg.* xliii. 16), 'Tota die verecundia mea contra me est.'

12025. Gen. ix. 22.

12038. *doit*: cp. 12669, and see note on 1193.

12044. Judith xii. 12 ff.

12056. Luke xii. 3.

12140. *ne fais souffrir*, 'you do not endure.'

12161. Deut. xvii. 12.

12169. Eph. vi. 2 ff.

12180. *demeine*, an adjective, 'thine *own* profit.'

12188. Ecclus. iv. 7, 'presbytero humilia animam tuam, et magnato humilia caput tuum.'

12200. Perhaps Rom. x. 9 f.

12202. Heb. xi. 6.

12206. Heb. x. 38.

12209. Mark xvi. 16, 18.

12217 ff. Cp. Heb. xi.

12228. *De Abraham*: for the hiatus cp. 12241, 'De Isaak,' 27367, 'De Ire,' and *Bal.* xxxiv. 3, 'De Alceone.'

12238. Eccles. iv. 17.

fait a loer: see note on 1883.

12240. *ove tout*, 'together with,' cp. l. 4.

12241. *De Isaak*: there is no elision, and 'Isaak' is a trisyllable. For the hiatus cp. 27367 'De Ire, Accidie et Gloutenie.'

12254. *pour foy*, equivalent apparently to 'par foy' 12293 ff., see Heb. xi. 23.

12289. Heb. xi. 33 ff.

12296. *des ces lyons*, i. e. de les lyons : see note on 301.

12303. 1 John v. 4 f.

12326. Eccles. iv. 12.

12331. *du grein ou goute*, 'in any way whatsoever.'

12347. *le plus*, 'the more,' see note on 2700.

12350. The reference belongs apparently to the next line, 'Him whom wind and sea obey,' and presumably it is to Mark iv. 41 ; but, if so, there seems no reason for referring to St. Mark rather than to the Gospels generally.

12356. Ps. cxviii. 9.

12361. Seneca, *Ep.* lxxxviii. 29, ' Fides sanctissimum humani pectoris bonum est, nulla necessitate ad fallendum cogitur, nullo corrumpitur praemio.'

12373. James ii. 14–20.

12406. Supply 'porte' from the next line : 'he carries equally corn or beans.'

12409. Seneca, *Ep.* xxxvii. 4, 'Si vis omnia tibi subicere, te subice rationi.'

12440. *appara* is future, cp. 1140 ; used here in the sense of command, 'it shall not appear,' 'obeie' above, and 'requiere' below, being subjunctive in imperative sense, 'let a man obey,' &c.

12448. Bed. *in Luc.* xi., ' Clavis scientiae humilitas Christi est.'

12452. This is a reference to the series of maxims attributed to Ptolemy and prefixed in many MSS. and early printed editions to the Almagest. See the paper in *Anglia* xviii. pp. 133–140, by E. Flügel, who prints the whole set of sayings and shews that the Almagest references in the *Roman de la Rose* and in Chaucer are to these. We have here a reference to the ninth in order, ' Qui inter sapientes humilior est, sapientior existit, sicut locus profundior magis abundat aquis aliis lacunis.'

12464 ff. Cp. *Bal.* xxxviii. 1.

12505. The adjective ' vrais' seems here to fill the place of an adverb.

12518. Ecclus. iii. 20.

12520. Prov. xvi. 19.

12528. *compleindre le contraire*, 'bewail thy disobedience to it.'

12529. Luke xiv. 11.

12565 ff. The story may be found in the *Legenda Aurea*. St. Macarius was a recluse of Upper Egypt, who is described as 'ingeniosus contra daemonis fallaciam.' Several of his personal encounters with the devil are recorded in legend: cp. l. 20905.

12577. *je te vois passant*, 'I surpass you': 'vois' for 'vais,' as often.

12601. Cp. *Conf. Am.* i. 3103 ff.

12624. *privé*, substantive, 'intimate friend.'

12628. The reference is to the 'Benedicite,' Dan. (*Vulg.*) iii. 58 ff.

12664. Perhaps 1 Pet. iii. 12.

12668. Ecclus. xv. 9, 'Non est speciosa laus in ore peccatoris.'

12669. *Q'om doit*, 'that one should,' &c., see note on 1193.

12674. Ps. li. 15, (*Vulg.* l. 17).

12681. Ps. lvi. 10, 11, (*Vulg.* lv. 11).

12685. The reference to Judith is wrong: it should be to Esther (*Vulg.*) xiii. 17, 'ut viventes laudemus nomen tuum, Domine.'

12689. Ps. cxv. 17.

12696. *plier*, 'turn away (from us).'

12697. The form 'fas' is presumably for the rhyme.

12709. Probably Ecclus. xliv. 1.

12725. 'Vox populi, vox Dei.'

12727. See below on 12733. The *Disticha* of Dionysius Cato are supposed to be addressed to the author's son.

12732. *le puet celer avant*, 'can continue to conceal it,' i.e. 'can conceal it for ever.'

12733. Cato, *Distich.* ii. 16,

'Nec te conlaudes, nec te culpaveris ipse;
Hoc faciunt stulti, quos gloria vexat inanis.'

12754. 1 Cor. xi. 2, 17.

12775. *Ainz que voir sciet*, &c., 'But what she truly knows in the matter,' &c.

12780. Cp. 1416.

12835. Zephaniah iii. 19.

12850 f. *en son affaire*, 'for his part': 'secretaire' means 'private adviser,' 'privy-councillor.'

12852. *pour deviser*, 'to describe him,' i.e. 'if one would describe him rightly': cp. 11245.

12855. *cuillante*: the participles are here inflected as adjectives; so 'flairante,' 'fuiante,' 'considerante.' Perhaps 'bien parlante' and 'volante' may be regarded as really adjectives; but, even so, the author would have had no scruple in saying 'parlant,' 'volant,' if it had been more convenient.

12856. *de nature*, 'by nature.'

12865. 'Solyns' seems to be a false reference: the statement may be found in Pliny, *Nat. Hist.* viii. 23.

12877. Ps. lxxiv. (*Vulg.* lxxiii.) 21, 'Ne avertatur humilis factus confusus: pauper et inops laudabunt nomen tuum.'

12885 f. 'And (whereby) in this life neighbours are honourable each to other.'

12925. Luke xv. 8, 'si perdiderit drachmam unam,' &c.

12926. *ert conjoÿs,* 'was rejoiced with,' a transitive use which we find also in l. 12934, where 'luy' stands for direct object, as often. The form '*conjoÿs*' here is an example of that sacrifice of grammar to rhyme which is so frequent.

13005. *Du tiele enprise,* &c., 'for having accomplished such an enterprise.'

13008. *ses amys*: the old subject-form of the possessive, cp. 'mes,' 'tes,' 9782, *Bal.* iv*. 3.

13021. Cp. *Conf. Am.* ii. 1772 ff.

13026. 'So that defeated and taken he led him away.'

13037. *Tout fuist que,* 'albeit that': apparently an imitation of the English expression.

13040. Rom. xii. 15.

13056. 'Whom this example does not bring back to the path.'

13064. 'Makes endeavour to supplant them,' i.e. 'la bonne gent.'

13122. *Redrescer,* 'correct' by punishment, as we see by the last lines of the stanza.

13129. Sen. *de Benef.* vii. 25.

13173. *je m'en vois dessassentant,* 'I disagree.'

13178. Prov. xxvii. 6.

13204. *au droit deviser,* 'to speak aright': cp. 5031.

13264 ff. 'For, simply because she loves God, no adversity of present pain can harm her.'

13301. *ou balance,* i.e. 'au balance.'

13302. Cp. 25607.

13309. This is Fulgentius, Bishop of Ruspa in the sixth century. The passage quoted is from *Serm.* iii. 6, 'Caritas igitur est omnium fons et origo bonorum, munimen egregium, via quae ducit ad caelum,' &c. He is cited also in l. 13861, but there I cannot give the reference.

13333. Greg. *Hom. in Ezech.* vii. It is a commentary on Ezek. xl.

13361. Cp. Isid. *Etym.* xvii. 7. 33, 'Lignum vero iucundi odoris est, nec a tinea unquam exterminatur.'

13435. The philosopher here may be supposed to be Socrates, of whom the Middle Ages knew next to nothing except as a patient husband: cp. 4168.

13441. Phil. iv. 5, 'Modestia vestra nota sit omnibus hominibus.'

13475 f. 'And yet she does not omit to punish according to right.'

13485. Cato, *Distich.* i. 3,

'Virtutem primam esse puta compescere linguam:
Proximus ille deo est, qui scit ratione tacere.'

13498 ff. 'If anyone should take note of good and ill, he would often see experience of both': that is, of endurance leading to honour, and of failure to endure leading to loss of honour. Perhaps we should read ' en prenderoit,' ' take note of it, of the good and the evil,' &c.

13503. *en la fin*: the MS. has ' en fin,' but a correction is required for the metre and ' en la fin ' is used elsewhere, e.g. 15299.

13528. ' who being spiritual renders good for evil,' &c.

13537. Aug. *Epist.* clv. 15, and other places.

13514. *Dame Pacience*: see note on 6733.

13550. *a soy mesmes*, ' for his own part,' i. e. speaking of himself.

13554. *a ce que soie*, ' in order that I might be.'

13578. Eph. iv. 15 f.

13586. *dont sont tenant*, ' from whom they hold,' in the feudal sense.

13606. Matt. v. 46.

13669. Sen. *de Mor.* 16, ' Quod tacitum esse velis, nemini dixeris. Si tibi ipsi non imperasti, quomodo ab aliis silentium speras ? '

13675. Petr. Alph. *Disc. Cler.* ii., ' Consilium absconditum quasi in carcere tuo est retrusum; revelatum vero te in carcere suo tenet ligatum.'

13686. Ecclus. xiii. 1.

13695. ' Pro amico occidi melius quam cum inimico vivere ' : quoted as ' Socrates ' in Caec. Balbus, *Nug. Phil.* p. 25 (ed. Woelfflin).

13713. *Conf. Am. Prol.* 109.

13717. Ecclus. vi. 15, ' Amico fideli nulla est comparatio, et non est digna ponderatio auri et argenti contra bonitatem fidei illius.'

13732. Ambr. *de Spir. Sanct.* ii. 154, ' Unde quidam interrogatus quid amicus esset, Alter, inquit, ego.'

13741. The reference no doubt is to 2 Tim. iii. 2, ' Erunt homines seipsos amantes,' &c. The explanation suggested by our author of the double word ' se-ipsos ' is that these men would love themselves with a double love, that due to God and that due to their neighbour.

13779. ' But it is a covetous bargain.'

13798. *Conf. Am. Prol.* 120 ff.

13805. 1 John iii. 14.

13853. Ps. cxxxiii. 1.

13893. *qui descorde*, ' whosoever may be at variance.'

13897. *paciente*, ' of Patience.'

13918. Cassiod. *Var.* xii. 13, ' Pietas siquidem principum totum custodit imperium ' : cp. l. 23059, and *Conf. Am.* vii. 3161*.

13921. The saying is thus quoted in the *Liber Consolationis* of Albertano : ' Omnium etenim se esse verum dominum comprobat, qui verum se servum pietatis demonstrat.' Cp. l. 23055, and *Conf. Am.* vii. 3137. The story connected with it is told in the *Legenda Aurea*, ' De sancto Silvestro.'

13929. James ii. 13 : cp. *Conf. Am.* vii. 3149 *.

13947. ' But it is never less worthy in consequence of this.' The alteration to ' n'est meinz vailable ' is not necessary, for ' ja ' is sometimes used for ' never ' without the negative particle, e. g. 10856.

13953. 1 Tim. iv. 8, ' Pietas autem ad omnia utilis est.' The original of ' pietas ' is εὐσέβεια.

13964. *dont elle est pure*, ' of which she is wholly composed.'

14014. ' That I may not be bent by adversity,' the reflexive verb in a passive sense.

14017. Ps. xxxvi. 39, &c.

14026. For 'deinzeine' see Skeat's *Etymol. Dict.* under ' denizen,' where it is pointed out that 'deinzein' was a term legally used 'to denote the trader within the privileges of the city franchise as opposed to "forein."' Here 'la deinzeine' is the inner part of man's nature, the soul, as opposed to that which is without ('forein').

14042. Perhaps I Pet. i. 6, 7 : cp. Ecclus. ii. 5.

14105. The adjective 'regente' seems to be used as a participle with ' et corps et alme' as object, 'ruling both body and soul.'

14126. *souleine.* Genders of course are of no consequence in comparison with rhymes.

14134. *ly autre seculer*, 'the secular priests also,' those mentioned above being regular.

14143. See note on 5266.

14155. Matt. xxiv. 46.

14163. Matt. xxvi. 41. The interpretation here put upon the latter part of the verse is curious, and not authorised by the Latin : ' Spiritus quidem promptus est, caro autem infirma.'

14172. *ce que faire doit*, ' that which he ought to guard,' 'faire' being used to supply the place of the verb, as so often : cp. 14133 f.

14197. *celle de Peresce*, i. e. the vice of indolence, cp. 253.

14209. Sen. *Ep.* lxxiv. 13, 'magnanimitas, quae non potest eminere, nisi omnia velut minuta contempsit.'

14255. Apparently 'honnesteté' means here 'honourable deed.'

14262. *par chivallerie*, 'in warfare': cp. 15111.

14296. Sen. *Ep.* lix. 18, ' Quod non dedit fortuna, non eripit.'

14307. *quelle part soit*, for ' quelle part que soit,' 'wherever,' or ' on whichever side'; so 'combien' in l. 14310 for 'combien que,' 'however much.'

14343. Perhaps Sen. *Ep.* lxvii. 10, ' constantia, quae deici loco non potest et propositum nulla vi extorquente dimittit.'

14365. I Cor. ix. 24, ' omnes quidem currunt, sed unus accipit bravium.'

14392. Matt. x. 22.

14413. Cp. Prov. xxx. 8. There is nothing exactly like it in the book of Tobit.

14425. 2 Thess. iii. 10.

14434 f. *cil qui serra*, &c., ' if a man be industrious, it will avail him much.'

14437. Ps. cxxviii. 2.

14440. A proverb, meaning that God helps those who help themselves.

14443. I Kings xix.

14449. The reference is to a dramatic love-poem in Latin elegiac verse with the title *Pamphilus*, or *Pamphilus de Amore*, which was very popular in the thirteenth and fourteenth centuries. Pamphilus (or Panphylus) is the name of the lover who sustains the chief part, but others besides Gower have supposed it to be also the name of the author. The line referred to here is,

'Prouidet et tribuit deus et labor omnia nobis,' (f. 6 v⁰).

I quote from a copy of a rare fifteenth-century edition (without date or place, but supposed to have been printed about 1490 at Rome), in the Douce collection, Bodleian Library. It has the title 'Panphylus de amore,' and ends, 'Explicit amorem per tractus (i. e. pertractans) Panphyli codex.' The book is not without some merit of its own, though to a great extent it is an imitation of Ovid. It is quoted several times by Albertano of Brescia in his *Liber Consolationis*, and was evidently regarded as a serious authority: see Chaucer's *Tale of Melibee*, which is ultimately derived from the *Liber Consolationis*. It is referred to also in the *Frankeleins Tale*, 381 f.,

'Under his brest he bar it more secree
Than ever did Pamphilus for Galathee.'

14462. *au labourer covient*, 'it is necessary to labour.'

14466. 'Whoso wishes,' &c., i. e. 'if a man wishes': see note on 1244.

14473. *dispense*, 'deals favourably': cp. l. 1400.

14496. *le meulx*: see note on 2700.

14551. Matt. vi. 33.

14568. The alteration of 'contemplacioun' to 'contempler,' used as a substantive as in l. 10699, is the simplest way of restoring the metre : but cp. 3116, and *Bal.* xxvii. 1.

14581. Isid. *Diff.* ii. 153.

14619. Rom. xii. 3, 'Non plus sapere quam oportet sapere, sed sapere ad sobrietatem.'

14623. Bern. *Serm. in Cant.* xxxvi. 4, 'Cibus siquidem indigestus . . . et corrumpit corpus et non nutrit. Ita et multa scientia ingesta stomacho animae,' &c.

14653. Bern. *Serm. in Cant.* xxxvi. 3, 'Sunt namque qui scire volunt eo fine tantum ut sciant, et turpis curiositas est. Et sunt qui scire volunt ut sciantur ipsi, et turpis vanitas est.'

14670. A reference to the story of St. Jerome being chastised in a dream by an angel because he studied the style of his writing over-much, and was becoming 'Ciceronianus' rather than 'Christianus.'

14701. For the four bodily temperaments, cp. *Conf. Am.* vii. 393 ff.

14707. 'If I be tempered so as to be phlegmatic': cp. *Bal.* l. 2, 'Ceo q'ainz fuist aspre, amour le tempre suef.'

14725. This refers to the so-called 'Salvatio Romae,' the story of which is told (for example) in the *Seven Sages*.

14730. *fesoit avant*, 'he proceeded to make': cp. 17310, 18466, 20537.

14757. An absolute construction, 'with the sword of penitence in his hand.'

14769. *en tiel devis*, answered by 'Dont,' 'in the manner by which,' &c.

14776. I do not understand this. 'Malgré le soen' might perhaps mean 'in spite of itself,' as 'malgré soen' is sometimes used, but how about 'de sa casselle'?

14797. 1 John iv. 1.

14812. Ecclus. xxxii. 24.

14833. It is needless to say that Boethius gives no such directions. They are the usual questions of the priest in enjoining penance, 'Quis, quid, ubi, per quos, quotiens, quomodo, quando': cp. Myrc's *Instructions for Parish Priests* (E. E. T. S. 1868). The name of 'Boece' perhaps crept in by accident in the place of some other, because the writer had in his mind the quotation given at 14899.

14854. *qu'il est atteins*, 'to which he has reached,' i.e. 'in which he is.'

14862. *forain*, here used in opposition to 'benoit,' 'sacred,' meaning that which is outside the consecrated limits.

14899. This is from Boethius, *Cons. Phil.* i. Pr. 4, 'Si operam medicantis expectas, oportet ut vulnus detegas tuum.'

14901. *Sicomme la plaie*, &c. This seems to depend on 'descoverir,' 'how large and grievous the wound is.'

14932. *Y falt*, 'there is needed.'

14945 f. 'According to the exact measure of the delight taken in the sin.' I do not know the passage referred to.

14947. 'But as to the meditation which intercession for sin makes,' &c.

14951. Bern. *Serm. de Div.* xl. 5, 'Tertius gradus est dolor, sed et ipse trina legatione connexus,' &c.

14961. *om doubteroit*, 'one ought to fear': see note on 1688.

14973. 'and has reflected with a tender heart.' This position of 'et' is quite usual; see note on 415.

15088. *qant ot fait le tour*, &c., 'when he had done the deed of denying his creator.'

15090. Matt. xxvi. 75.

15110. Job vii. 1, 'Militia est vita hominis super terram.' Not the same in A. V.

15194. These are the opening words of the Institutions of Justinian: 'Iustitia est constans et perpetua voluntas ius suum cuique tribuens.'

15205. The sense of this might easily be got from Plato, but of course the citation is not at first hand.

15217. *Civile* is no doubt 'la loy civile,' referred to in 14138, 15194, &c. We find 'Civile' as here in l. 16092 in a connexion which leaves no doubt of its meaning, and again 22266. Civile, it will be remembered, is a personage in *Piers Plowman*.

15227. Cp. *Trait.* xviii. 3, 'Deinz son recoi la conscience exponde.'

15241. Aug. *de Mus.* vi. 37, 'Haec igitur affectio animae vel motus, quo intelligit aeterna, et his inferiora esse temporalia, . . . et haec appetenda potius quae superiora sunt, quam illa quae inferiora esse nouit, nonne tibi prudentia videtur?'

15253. Cp. *Conf. Am.* i. 463 ff.

15260. Matt. x. 16.

15266 ff. The use of the future in these lines is analogous to that noticed in the note on 1184, 'We must extend,' &c.

15326. *cil Justice*, 'those judges.'

15336. *en Galice*: a reference to the shrine of St. James at Compostella and the rich offerings made there.

15337. This might be a reference to Aristotle, *Eth. Nic.* v. 3, but of course it is not taken at first hand.

15371. 'Even though he should have to pay double the (usual) price,' i. e. for the food that he gave to the poor in time of dearth.

15383 f. 'He will not neglect by such payment to keep his neighbour from ruin.'

15396. *tant du bienfait*, 'so many benefits,' 'du' as usual for 'de.'

15445. Tobit iv. 7.

15448. Prov. iii. 9.

15459. 1 Kings xvii.

15463. 'As Elisha prophesied': but it is in fact Elijah, not Elisha, of whom the story is told.

15470. Tobit xii. 12 ff.

15475. Acts x.

15486. Luke xxi. 2.

15500. *du quoy doner.* Here 'du quoy' is used like the modern 'de quoi,' and so elsewhere, e. g. 15819, and 'quoy' 15940; but sometimes we have 'du quoy dont,' e. g. 3339, where it seems to pass from an interrog. pron. into a substantive, and 'quoy' is used simply as a substantive in some passages, e. g. 1781, 12204, meaning 'thing': cp. the use of 'what' in English, *Conf. Am.* i. 1676.

15505. See note on l. 7640. The reference here is to Godfrey of Winchester, *Ep.* clxiv, 'Si donas tristis, et dona et praemia perdis.'

15522. Prov. xxi. 13, 'Qui obturat aurem suam ad clamorem pauperis, et ipse clamabit et non exaudietur.'

15529. 2 Cor. ix. 7.

15533. Sen. *de Ben.* ii. 1, 'nulla res carius constat, quam quae precibus empta est.'

15538 f. The logical sequence is somewhat inverted: it means, 'Hence a reluctant giver gets no reward, for his gift is bought at so high a price.'

15563. *par sa ruine S'en vole* means perhaps, 'he precipitated himself from his place and flew away.'

15566. Is. lxvi. 1, 2 : but the quotation is not exact.

15578. Job xxvii. 8; but, as in the quotation above from Isaiah, something is added to make a special application. The original is only, 'Quae est enim spes hypocritae, si avare rapiat?' with no mention of almsgiving.

15593. Jer. xii. 13, but again the quotation has its special application given by our author. The original is 'Seminaverunt triticum et spinas messuerunt : . . . confundemini a fructibus vestris propter iram furoris Domini.'

15613. Ecclus. iii. 33.

15627. Matt. xxv. 14 ff.   For the word 'besant' in this connexion cp. *Conf. Am.* v. 1930.

15650. Ecclus. xiv. 13 ff.

15662. Prov. xix. 17.

15665. Matt. xxv. 40, compared with x. 42.

15674. Tobit xii. 8.

15680. Ps. xli. 1.

15691. Is. lviii. 7 ff.

15711. Dan. iv. 24, 'peccata tua eleemosynis redime, et iniquitates tuas misericordiis pauperum.'

15756. 'is for a rich man to turn to poverty.'

15757. This story will be found in any Life of St. Nicholas.

15776. Prov. xxi. 14.

15788. Ecclus. xx. 32 f.

15793 ff. ' This, in short, is a great charity,—he who has more know-ledge or power, when he sees his neighbour in distress from a burden too heavy for him, ought to give him aid, and speedily,' &c.

15801. Galat. vi. 2.

15808. Acts iii. 6.

15817. *du petit poy* : cp. *Bal.* xxviii, ' Om voit sovent de petit poi doner.'

15821. *lée* : a form (properly fem.) of ' let,' from Lat. ' latus,' equi-valent to 'large,' 15824, to be distinguished from 'liet,' 'lée,' from 'laetus.'

15822. *allegger*, ' allege as an excuse ' (allegare) ; to be distinguished from ' allegger,' ' alleviate.'

15867. Matt. xix. 29.

15941. *sur tiele gent et toy* : apparently for ' sur toy et tiele gent,' ' on thyself and on such people as thou shalt see most worthy of thy liberality.'

15949. See note on 7640.   The reference here is to Godfrey of Winchester, *Ep.* cx.,

'Ne noceas tibi, sic aliis prodesse memento.'

15954. Cic. *de Off.* i. 43, 'Videndum est igitur ut ea liberalitate utamur, quae prosit amicis, nemini noceat,' &c.

15963. ' Attemprance' however is already in the retinue of Justice, see 15232, and ' Discrecioun,' who is the third daughter of Humility, 11562, and therefore herself the mistress of a household, is also in the employ of Abstinence, 16323.

15985. Ps. xx. 4 (*Vulg.* xix. 5), 'Tribuat tibi secundum cor tuum,' the meaning of which is not what our author supposes.

15997. Cic. *de Off.* i. 21, 'Sunt autem privata nulla natura . . . naturam debemus ducem sequi, communes utilitates in medium afferre,' &c.

16011. Matt. xiv. 15 ff.

16022. Matt. xxii. 21.

16025. Gen. xxviii. 22.

16026. *ainçois*, often used, as here, for ' but.'

16045. Ecclus. xli. 15, but the special application is by our author.

16060. Prov. xxii. 1.

16073. The cry of heralds was ' Largesce!' addressed to the knights whose prowess they recorded. Here the poor with their cry of ' Largesce!' are the heralds by whom the praise of the liberal man is brought before the throne of God.

16092. ' By breach of Canon law or Civil.'

16100. Cp. *Conf. Am. Prol.* 207 ff., where the 'letters' are also mentioned.

16138. The MS. has ' Sa viele loy,' which can hardly stand.

16181. *de celles s'esvertue*, 'strives after these,' that is the offspring of ' Franchise' : cp. 16237.

16192. *comblera*: fut. for subj. in dependent command, as 416, 1184, &c.

16203 ff. This passage seems to need some emendation. Perhaps we might read ' est ' for ' a ' in l. 16203, and ' Les' for ' Des ' in 16206, setting a colon after ' trahi.' But I have no confidence that this is what the author intended.

16231. *pour temptacioun*, perhaps 'because of temptation,' i. e. to avoid it.

16285. *Quiconque*, ' He whom.'

16288. *asseine*, 'approaches,' i. e. drinks.

16303. *des tieus delices savourer*, 'from tasting such delicacies': cp. 5492, ' des perils ymaginer' and often elsewhere.

16327. *toute voie*, nevertheless, like the modern ' toutefois.'

16338. *parentre deux*, 'between two things': cp. 1178, *Bal.* xxvii. 4, &c. In the Table of Contents 'parentre deux' seems to be for ' parentre d'eux,' and so it might be in some other places, e. g. *Trait.* xv. 2, as 'entre d'eux' in *Mir.* 874; but this is not the case in 1178, nor probably in the other passages where it occurs.

16347. Greg. *Reg. Past.* iii. 19, ' Non enim Deo sed sibi quisque ieiunat, si ea quae ventri ad tempus subtrahit non egenis tribuit, sed ventri postmodum offerenda custodit.'

16360. Isid. *Sent.* ii. 44. 8, ' Qui autem a cibis abstinent et prave agunt, daemones imitantur, quibus esca non est et nequitia semper est.'

16381. *son pour quoy*, 'his purpose,' that is, the object of his life.

16425. Ecclus. xxxi. 35 ff.

16506. That is, he will not exceed his income.

16513. Luke xiv. 28.

16524. *oultrage*, 'extravagance,' of boasting or expense.

16532. Cp. 15499.

16535. *au commun*, 'for the common good': cp. 14574.

16539. *orine*: properly ' origin,' hence 'stock,' 'race,' (' de franche

*

F f

orine,' 'ceux de ourine ou ancieneté,' Godefr.). Here it is almost equivalent to 'offspring.'

16541. *Qui bien se cure*, 'if a man takes good heed': note on 1244. 16597 ff. Cp. *Conf. Am.* i. 299 ff.,

> 'For tho be proprely the gates,
> Thurgh whiche as to the herte algates
> Comth alle thing unto the feire,
> Which may the mannes Soule empeire.'

The substance of the stanza is taken from Jerome *adv. Jov.* ii. 8, 'Per quinque sensus, quasi per quasdam fenestras, vitiorum ad animam introitus est. Non potest ante metropolis et arx mentis capi, nisi per portas eius irruerit hostilis exercitus.'

16600. *par si fort estal*, i.e. coming into so strong a position for fighting.

16605. 'The fortress of judgment in the heart.'

16633. 'Quae facere turpe est, haec ne dicere honestum puta:' quoted as 'Socrates' by Caec. Balbus, p. 18: cp. 13695.

16646. *s'en remort*, 'feels sorrow for its offences.'

16670. Perhaps Ecclus. xx. 7.

16673. A similarly severe moral judgment is pronounced upon Ulysses in *Trait.* vi. 3; the story of the Sirens referred to below is repeatedly mentioned, e. g. ll. 9949, 10911, *Bal.* xxx. 2, *Conf. Am.* i. 481 ff. In all these places the spelling 'Uluxes' is the same.

16700. *ne fist que sage*: an elliptical form of expression common in old French, 'ne fist ce que sage feroit,' 'did not act as a wise man': see Burguy *Gramm.* ii. 168.

16701. For this cp. *Conf. Am.* v. 7468 ff.

16710. 'Tanque' here answers to 'tiele' in the same manner as 'dont' so often does.

16717. I do not know the passage.

16721. *ruer luy font*, 'cast it down,' the auxiliary use of 'faire': 'envers' is an adjective, 'inversus.'

16725. *pervers*, used as a substantive, 'a pervert.'

16729. Not Isaiah, but Jer. ix. 21.

16740. 'which cannot be extinguished.'

16741. Job xxxi. 1, 'Pepigi foedus cum oculis meis ut ne cogitarem quidem de virgine.'

16753. Ps. cxix. 37.

16756. Matt. vi. 22.

16768. Perhaps we should read 'soul ove sole.'

16769. 2 Sam. xiii. This example is quoted also in *Conf. Am.* viii. 213 ff.

16797. For the opposite effect produced by love of a higher kind see *Bal.* l. 1,

> 'De l'averous il fait franc et loial,
> Et de vilein courtois et liberal.'

16817. i Cor. vi. 18.

16875. Bern. *Super 'Missus est'* *Hom.* i. 5, 'Pulchra permistio virginitatis et humilitatis.'

16880. *meist*: this must be pret. subj. used for conditional, as in 16883.

16890. *enterine*, 'perfect,' notwithstanding her motherhood.

16906. *clamour*, standing for an adjective, 'loudly expressed.'

16909. *serront*, 'should be,' i. e. ought to be, see note on 1184.

16919. 'If he have nothing wherewith to give support to his hand ' : cp. 13102, where the verb is transitive.

16924. *suppoer.* This need not be altered to 'supponer,' but may be the same as the French 'soupoier' 'to support,' cp. Lydgate's 'sopou-aille' or 'sowpowaylle,' in the *Tale of Troy*: see MS. Digby 232, f. 29, l. 79. (The printed editions do not give it.)

16931. 'So that she allows not her flower to be found elsewhere and seized.'

16952. Eccles. iv. 10.

16955. *N'est autre . . . luy puet*: relative omitted, 'there is no other can help him.' This use of 'pour' is rather remarkable.

16957. Gen. xxxiv. 1, 2.

16974. *La dist*: cp. 13268. Sometimes 'le' is used as indirect object fem. as well as masc. ; see Glossary.

16980. *quoi signefie*, ' what the meaning is,' that is, what the discourse means.

16987. ' whether in grief or in joy.'

16990. Cp. *Bal.* xxv. ' Car qui bien aime ses amours tard oblie.'

17000. Matt. xxv. 1 ff.

17010. *bealté* seems here to be counted as three syllables. Regularly it is a dissyllable, as 18330, *Bal.* iv. 2.

17019. *virginal endroit*, ' condition of virginity.'

17020. ' Candor vestium sempiternus virginitatis est puritas.'

17030. Jerome, *Comm. Ezech.* xiv. 46, ' Unde et virginitas maior est nuptiis, quia non exigitur . . . sed offertur.'

17041. *q'om doit nommer*, ' whom one may mention ' : for the use of ' devoir ' see note on 1193. Just below we have ' doit tesmoigner,' which seems to mean ' may be a witness.'

17044. Rev. xiv. 1–4. Cp. *Conf. Am.* v. 6389.

17064. *endie* : perhaps this should be separated, 'en die,' but 'endire' seems to be used in several passages ; see Glossary.

17067. Cp. *Conf. Am.* v. 6395* ff. Gregory says (i. *Reg. Expos.* v. 3) ' incomparabili gratia Spiritus sancti efficitur, ut a manentibus in carne carnis corruptio nesciatur.' But the quotation here and in the *Conf. Am.* seems to be not really from Gregory, but from Guibert or Gilbert (Migne *Patrol.* vol. clvi.), who says of virginity ' adeo excellit ut in carne praeter carnem vivere ut vere angelica dicta sit,' *Mor. in Gen.* v. 17 ; unless indeed he is quoting from Gregory. For Gilbert see 17113.

17074. Gen. i. 27.

17089. Cp. *Trait.* xvi. and *Conf. Am.* v. 6395 ff. The text of the *Confessio Amantis* makes Valentinian's age 'an hundred wynter,' but the Latin margin both there and in the *Traitié* calls him 'octogenarius.'

17103. Num. xxxi. 17 f.

17113. This is the Gilbert mentioned in the note on l. 17067. He was abbot of S. Marie de Nogent in the early part of the twelfth century. His 'sermoun' is the *Opusculum de Virginitate*, to which this is a rather general reference.

17119. Jerome *adv. Jovin.* i. 41.

17122. See note on 5179.

17125. Cyprian, *Tract.* ii. 'Flos est ille ecclesiastici germinis, decus atque ornamentum gratiae spiritualis.'

17149 ff. Cp. *Trait.* iii. 2.

17166. *Soubz cel habit,* &c., cp. *Trait.* v. 2.

17200. Gen. ii. 18.

17208. *acompaigner,* 'take as a companion.'

17223. 1 Cor. vii. 9.

17228. 'which cause us to take matrimony upon us.'

17238 ff. Cp. *Trait.* iv.

17268. 'I call in the world as my witness to this.'

17293. 'If a man thus takes a wife': cp. 1244, &c.

17308. Cp. *Trait.* v.

17310. *jure avant,* 'proceeds to swear': cp. 14730.

17336. Compare the popular lines,

'When Adam dalf and Eve span,
Who was then the gentleman?'

Much the same argument as we have here is to be found in *Conf. Am.* iv. 2204 ff.

17366. 'the ladies are not of that mind.'

17374. *ainçois demein,* 'before the morrow'; 'ançois' as a preposition.

17417. Tobit iii. 8, and vi. 13, 14, but nothing is said distinctly of the reason here assigned. It may be thought that it is implied in Tobit viii. 9. The idea is fully developed in the *Confessio Amantis,* where the whole story is told with this motive and in connexion with the same argument about chastity in the state of marriage. See *Conf. Am.* vii. 5307-5381.

17450. *regent,* used here as a present participle.

17469. *Naman*: more correctly 'Aman' in 11075.

17472. *retient,* 'saved': it seems to be a preterite, cp. 8585, 9816, &c.

17484. *volt avoir malbailly*: so 'volt avoir confondu' below; perhaps a translation of the English 'would have illtreated' &c.

17497. *fait bien a loer*: see note on 1883.

17498. 'it is good to marry the good': 'du' for 'de.'

17500. Ecclus. vii. 21.

17532. 'to be companions by Holy Church,' that is by ordinance of Holy Church.

17593. Ecclus. ix. 2, xxv. 30.

17608. 2 Sam. vi.

17616. *puis tout jour,* ' ever after.'

17630. *ou,* for ' au,' see Glossary.

17641. Cat. *Distich.* i. 8,

> ' Nil temere uxori de seruis crede querenti,
> Semper enim mulier quem coniux diligit odit.'

17689. *ert*: future in imperative sense, ' shall be ' ; so in the lines that follow.

17702. *Anne,* called ' Edna ' in the A. V.

17705. Tobit x. 12. The Authorised English version has but one of the five points, and that in a somewhat different form from our author's : ' Honour thy father and thy mother in law, which are now thy parents, that I may hear good report of thee.' The Vulgate reading is, ' Monentes eam honorare soceros, diligere maritum, regere familiam, gubernare domum, et seipsam irreprehensibilem exhibere.'

17714 ff. *estrive ... quiert ... labourt*: apparently present indicative, stating what the good wife does.

17743. ' For if a woman ' &c. The construction is confused, cp. 89.

17776. *n'ait homme tant pecché,* ' however much a man may have sinned.'

17785. Ez. xxxiii. 14 ff.

17801. *Cil,* i.e. ' the latter,' as the following lines show.

17827. The widow's marriage : cp. 9170 and note.

17845. 1 Tim. v. 3–6.

17864. *le vou Marie* : see 27734 ff.

17874. Ps. lxxvi. 11 (*Vulg.* lxxv. 12), ' Vovete et reddite Domino Deo vestro.'

17876. ' that purpose has little merit, which ' &c.: ' decert ' for ' desert,' from ' deservir,' so also the substantive ' decerte ' for ' deserte.'

17882. *sanz en faire glose,* ' without need of comment.'

17904. Nevertheless according to 17302 ff. he is bound to do so.

17935 ff. Cp. *Trait.* ii. 1,

> ' Des bones almes l'un fait le ciel preignant,
> Et l'autre emplist la terre de labour.'

The original of it is perhaps Jerome *adv. Jovin.* i. 16, ' Nuptiae terram replent, virginitas paradisum.' Much the same thing is said by Augustine and by others.

17945. Jerome, *Ep.* xxii. 20, ' Laudo nuptias, laudo coniugium, sed quia mihi virgines generant: lego de spinis rosam.'

17948. 1 Cor. vii. 9.

17952. ' as the highest teaching.'

17996. *trestout ardant* belongs of course to ' fornaise ' in the next line. These inversions are characteristic of the author's style : cp. 15941.

18004. Bern. *de Ord. Vit.* ii. 4, ' Et ne incentivis naturalibus superentur, necesse est ut lasciviens caro eorum crebris frangatur ieiuniis.' *De Convers.* 21, ' Quidni periclitetur castitas in deliciis.'

18018: *chalt pas*, 'at once.'

18025. Ambr. *Hex.* vi. 4. 28, 'Ieiuni hominis sputum si serpens gustaverit, moritur. Vides quanta vis ieiunii sit, ut et sputo suo homo terrenum serpentem interficiat, et merito spiritalem.'

18067. *q'est d'aspre vie*, 'which belongs to hard life.'

18097. Matt. xiii.

18154. 'And then performs the circumstance of it,' that is the deeds suggested by it.

18159 ff. With this passage on the power of the divine word compare that on the power of the human word in *Conf. Am.* vii. 1545 ff.

18172. John xv. 3.

18292. Ps. cxxvi. (*Vulg.* cxxv.) 6, 'Euntes ibant et flebant, mittentes semina sua. Venientes autem venient cum exsultatione, portantes manipulos suos.'

18301. Val. Max. iv. 5. The story is also given in the *Confessio Amantis* v. 6372 ff. with a slight variation in the details, and it is alluded to in *Vox Clam.* vi. 1323. It is to be noted that the same corruption of the original name Spurina, into 'Phirinus,' is found in all three.

The lines corresponding to 18301 f. are *Conf. Am.* v. 6359 f.,

'Of Rome among the gestes olde
I finde hou that Valerie tolde' &c.

18303. *Ot*, 'there was,' for 'y ot.'

18317. *dont*, 'because of which.'

18324. *Celle alme*, 'the soul' : see note on 301.

18329. *Dont* answering to 'ensi,' in consecutive sense, as often.

18348. *qant s'esbanoie*, 'in his glory'; lit. 'when he diverts himself.'

18371. 'What can I say more except that God honours thee?'

18420. *L'escoles*, for 'les escoles,' 'li' (or 'le') being used for 'les' : see Glossary 'ly,' 'le.'

18421. The part of the work which begins here runs parallel with a large portion of the *Vox Clamantis*, viz. Books iii.–vi. inclusive.

18445. The assertion that he is merely giving voice to public opinion is more than once repeated by our author in his several works, e.g. *Conf. Am. Prol.* 122 ff.

18451. Simon Magus is the representative of spiritual corruption, called 'simony.' His name is similarly used in our author's other works, e.g. *Conf. Am. Prol.* 204, 439, and often in the *Vox Clamantis*. With the argument here compare *Vox Clam.* iii. ch. 4, where nearly the same line is followed.

18462. *deux pointz*, 'two points,' instead of one : 'ou . . . ou,' 'whether . . . or.'

18466. 'Or if not so, then proceed to tell me' &c. For 'avant' cp. 14730.

18469. 'I cannot believe.'

18505. Cp. *Vox Clam.* iii. 265 ff.,

> 'In quanto volucres petit auceps carpere plures,
> Vult tanto laqueos amplificare suos': &c.

Here the speech is put into the mouth of a member of the Roman court, for which cp. *Vox Clam.* iii. 817 ff., where a similarly cynical avowal is put into the mouth of the Pope.

18539. *perchera.* I am disposed to take this as a future of 'percevoir,' in the sense 'receive,' 'collect,' ('parcevoir rentes' Godefr.). Roquefort (Suppl.) gives 'perchoir' as a possible form of the word.

18542. *serrons*, from 'serrer.'

18553. Cp. *Vox Clam.* iii. 141,

> 'Clauiger ethereus Petrus extitit, isteque poscit
> Claues thesauri regis habere sibi.'

18556. Cp. *Conf. Am. Prol.* 206 ff., where the parallel is very close.

18580. The allusion is to the cross upon the reverse of the English gold coinage of Edward III's time, as also on that of some other countries and perhaps on the pound sterling, see 25270.

18584. *cil huissier*, 'the doorkeepers.'

18589. This form of sentence is characteristic of our author : cp. *Bal.* xviii. 2,

> 'Tiel esperver crieis unqes ne fu,
> Qe jeo ne crie plus en ma maniere.'

Also *Bal.* vii. 4, xxx. 2, *Conf. Am.* i. 718 and frequently in the *Vox Clamantis*, e.g. i. 499 ff.

18631. Referring to the payments made by Jews and prostitutes at Rome for liberty to live and exercise their professions.

18637. Cp. *Vox Clam.* iii. 283 ff. and *Conf. Am.* ii. 3486 ff.

18649. John xiv. 27. The discourse however is not to St. Peter alone, cp. 18733.

18663. *des bonnes almes retenir*, for 'de retenir les bonnes almes,' 'in keeping guard over souls': cp. 5492, &c. For the substance of the passage cp. *Vox Clam.* iii. 344,

> 'Hic animas, alius querit auarus opes,'

where 'Hic' is St. Peter and 'alius' the modern Pope.

18672. 'As long as physic may avail' to save us from it.

18673. Cp. *Vox Clam.* iii. 343 ff. and *Conf. Am. Prol.* 212 ff. In the latter we have a pretty literal translation of l. 18675,

> 'Of armes and of brigantaille,'

which seems to mean 'of regular or irregular troops.'

18721. *faisons que sage* : cp. 16700.

18733. Matt. xxiii. 8–10.

18737. Rev. xix. 10. Precisely the same application of this passage is made in *Vox Clam.* iii. 957 ff.

18761 f. 'that he distinguished his cardinals by their red hats.'

18779. With this stanza cp. *Vox Clam.* iii. 11 ff.

18783. *Innocent.* This must be taken to be a reference to the Pope generally and not pressed as an evidence of date. Innocent VI, the only pope of this name in the fourteenth century, died in 1362, whereas we see from 18829 ff. that this work was not completed until after the schism of the year 1378.

18793 ff. Cp. *Vox Clam.* iii. 1247 ff.,

> 'Antecristus aget que sunt contraria Cristo,
> Mores subuertens et viciosa fouens:
> Nescio si forte mundo iam venerat iste,
> Eius enim video plurima signa modo.'

18797. 'What think you of whether such an one has yet come? Yes, for truly pride now rises above humility' &c. That this is the meaning is clear from the above-quoted passage of the *Vox Clamantis.* I assume that the author is now speaking in his own person again, notwithstanding 'nostre court' below, which occurs also in other places, e. g. 18873.

18805. *Vox Clam.* iii. 1271,

> 'In cathedram Moysi nunc ascendunt Pharisei,
> Et scribe scribunt dogma, nec illud agunt'

and *Conf. Am. Prol.* 304 ff.,

> 'And thus for pompe and for beyete
> The Scribe and ek the Pharisee
> Of Moïses upon the See
> In the chaiere on hyh ben set.'

18829 ff. A reference to the schism of the papacy, which must have taken place during the composition of this work: see Introduction p. xlii.

18840 (R). *solonc ce que l'en vait parlant*: cp. 19057 ff. and such expressions as 'secundum commune dictum' in the headings of the chapters of the *Vox Clamantis*, e. g. iii. ch. 15.

18848. *Maisque,* apparently here the same as 'mais.'

18876. *verra*: fut. of 'venir' instead of the usual 'vendra.' Burguy (i. 397) does not admit the form for the Norman dialect, but it was used in Picardy. Usually 'verrai' is the future of 'veoir,' e.g. 19919, as in modern French.

18889 ff. Cp. *Vox Clam.* iii. 1341 ff.,

> 'Cuius honor, sit onus; qui lucris participare
> Vult, sic de dampnis participaret eis:
> Sic iubet equa fides, sic lex decreuit ad omnes,
> Set modo qui curant ipsa statuta negant.'

18925. 2 Kings v.

18997. The story is alluded to in much the same connexion *Vox Clam.* iii. 249,

> 'Alcius ecce Simon temptat renouare volatum.'

19031. *s'il sa garde pance*, &c., 'if he neglects his belly-armour of antidote': 'garde pance' is to be taken as practically one word, though not written so in the MS. The idea is that the Pope has to take the precaution of an antidote against poison with all his meals.

19044. 'as a chicken does the hen,' i.e. 'follows the hen'; a good instance of the use of 'faire' often noted before.

19057 ff. Cp. *Vox Clam*. iii. *Prol*. 11 ff.,

> 'A me non ipso loquor hec, set que michi plebis
> Vox dedit, et sortem plangit vbique malam;
> Vt loquitur vulgus loquor,' &c.

There, as here, the excuse is prefatory to an attack on Church dignitaries.

19113. *persuacioun*: five syllables in the metre.

19117. The application of this reference, which is here lost, may be supplied from *Vox Clam*. iii. 1145 ff., where the instance is quoted, as here, in condemnation of the laxity of bishops.

19315. The leaf which is here lost contained the full number of 192 lines without any rubric, as we may see by the point at which the present stanza begins. The author is still on the subject of bishops.

19333 ff. With the substance of this and the following stanza cp. *Conf. Am. Prol.* 449 ff.

19345. An unfavourable view of the bee is generally taken by our author: cp. 5437 ff.

19372 f. 'The wanton prelate, who is bound to God, separates himself grievously from him by reason of the sting': 'q'a dieu se joynt' seems only meant to express the fact that by his office he is near to God.

19377. Referring to some such passage as Gal. v. 16 f.

19380. 'would be in better case if they had no sting.'

19407. Cp. Chaucer, *Persones Tale*, 618 (Skeat): 'And ofte tyme swich cursinge wrongfully retorneth agayn to him that curseth, as a brid that retorneth agayn to his owene nest.'

19411. *Du quelle part*, 'in whatever direction.'

19457. *S'en fuit*: apparently used in the same sense as 'fuit,' with 'sainte oreisoun' as direct object.

19501 f. Evidently a play upon the words 'phesant,' 'faisant,' and 'vin,' 'divin,' as afterwards 'coupe,' 'culpe.'

19505 f. 'Rather than to correct and attend to the fault of the Christian man.' This use of 'pour' has been noticed before, 6328, &c.

19891. The two leaves which are lost contained the full number of 384 lines, and we are still on the subject of bishops.

19897. Not Solinus, so far as I know.

19907. 1 Tim. iii. 1.

19941. *la divine creature*, 'God's creature.'

19945. 1 Sam. xii. 19 ff.

19948. 'was not disturbed in his charity.'

19949. *ne place a dieu*, &c., 'God forbid that I should not pray for you.'

19957. Jer. ix. 1, ' Quis dabit capiti meo aquam, et oculis meis fontem lacrymarum?' &c.

19968. Presumably we should read either 'du prelat' or 'des prelatz.'

19971. Possibly Is. lxiii. 3, 5, but it is not an exact quotation.

19972 f. ' He looked, but there was none of the people who regarded, or who sighed for his sufferings.'

19981. Val. Max. v. 6, but he does not give the name of the enemy against whom the war was made, therefore the story is perhaps not taken directly from him. The story is in *Conf. Am.* vii. 3181 ff., beginning,

> ' for this Valeire tolde,
> And seide hou that be daies olde
> Codrus,' &c.

19984. *ceaux d'Orense*: in the *Conf. Am.* 'ayein Dorrence.' The war is said by some authorities to have been 'in Dorienses,' and this is no doubt what is meant, but there is evidently a discrepancy here between the *Mirour* and the *Confessio Amantis* with regard to the name. The MS. reading here is of course 'dorense.'

19995. *proprement*, ' for his own part,' i. e. ' himself.'

19996. ' or suffer his people to be killed.'

20014. *mais pour cherir*, ' except for taking care of.'

20016. Judas is the type of those who fall by transgression from their bishoprics.

20019. Luke x. 30 ff. The ' deacon' here stands for the Levite of the parable.

20035. Zech. x. 3, ' Super pastores iratus est furor meus, et super hircos visitabo.'

20042. Perhaps Is. xxix. 15.

20053. This must be a reference to Matt. xxiii. 13, attributed by mistake to Isaiah.

20065 ff. This is also in *Conf. Am.* v. 1900 ff. with a reference to Gregory's Homilies, and referred to more shortly in *Vox Clam.* iii. 903 ff.

20109. *de celle extente*, ' to that extent.' This seems practically to be the meaning ; that is, so far forth as the purse extends.

20120. *la coronne* : evidently this indicates the tonsured priest, whose circle of unshorn hair was supposed to represent the crown of thorns. As to the following lines, we must take them to mean ' if you read the sequence of the Gospel you will know who is meant,' the relative being used in the same way as in 1244, &c.

20123. *son incest*: see note on 9085.

20126 f. ' offices fall to the lot of different persons at different times.'

20140. ' There is no one by whom they may be corrected.'

20153 ff. ' There are those who farm out prostitution as if it were property of land and tillage.'

20161. This stanza is very closely parallel with *Conf. Am. Prol.*
407–413,

'And upon this also men sein,
That fro the leese which is plein
Into the breres thei forcacche
Here Orf, for that thei wolden lacche,
With such duresce and so bereve
That schal upon the thornes leve
Of wulle, which the brere hath tore.'

Cp. also *Vox Clam.* iii. 195 f.

20178. *Pour dire* &c., to be connected with 'ce ne te puet excuser':
'it cannot excuse you to say' &c., 'pour' standing for 'de,' as often.

20195. *ma bource estuet* : this looks like a personal use of 'estovoir,'
but presumably 'ma bource' is a kind of object, 'it is necessary for
my purse,' as in phrases like 'm'estuet.'

20197 ff. Cp. Chaucer, *C. T. Prol.* 658,

'Purs is the erchedeknes helle.'

20200. 'It is of a piece with this, that he uses no other virtue to
correct me, provided that I give him my substance.'

20225 ff. The substance of this is repeated in *Vox Clam.* iii. 1403 ff.

20244. *entribole* : we might equally well read 'en tribole,' 'disturbs
by it.'

20247 ff. To this corresponds *Vox Clam.* iii. 1351 ff.

20250. *puist*, properly pret. subjunctive.

20287 ff. Cp. *Vox Clamantis*, iii. 1375 ff.,

'Littera dum Regis papales supplicat aures,
Simon et est medius, vngat vt ipse manus,' &c.

20294. *s'absentont.* Note the rhyme on the weak final syllable, so
below 'esperont': the irregularity is perhaps due to the similarity in
appearance of the future form, e. g. 'avanceront,' 'responderont.'

20305 ff. With this compare *Vox Clam.* iii. 1487 ff.

20308. *easera* : fut. for pres. subj. expressing purpose : cp. 364.

20313. Cp. *Vox Clam.* iii. 1509 ff.,

'Stat sibi missa breuis, devocio longaque campis,
Quo sibi cantores deputat esse canes :
Sic lepus et vulpes sunt quos magis ipse requirit ;
Dum sonat ore deum stat sibi mente lepus.'

20318. *avant*, to be taken here perhaps as strengthening 'Plus':
but see note on 20537.

20344 ff. Cp. *Vox Clam.* iii. 1549–1552.

20355. Cp. *Vox Clam.* iii. 1519 ff.,

'Dum videt ipse senem sponsum sponsam iuuenemque,
Tales sub cura visitat ipse sua ;
Suplet ibi rector regimen sponsi, que decore
Persoluit sponse debita iura sue.'

20401. Matt. xv. 14.

20425 ff. Note the loose usage of the conditional in this stanza for future, pres. subj., and in the sense noticed on l. 1688.

20441. *au primer divis*, 'firstly' ; so 'au droit devis,' 'rightly.'

20449. Cp. Greg. *Ep.* vi. 57 (end).

20462. Probably Hos. v. 4–7.

20488. *s'elle*, &c., 'as to whether she,' &c.

20492. Perhaps Prov. vi. 27 ff.

20497 ff. The meaning of the word 'annueler' which occurs in the heading of the section is sufficiently explained in these lines. The corresponding passage in the *Vox Clamantis* is iii. 1555 ff.

20527. *Vox Clam.* iii. 1559, ' Plus quam tres dudum nunc exigit unus habendum.'

20528. *mais*, for 'maisque,' 'provided that.'

20537. *avant* : used often with no particular meaning, cp. 20318. Here we may take it with 'dirrons,' 'what shall we go on to say then,' &c. It might, however, go with what follows, 'takes beforehand.'

20539. *a largesce*, 'freely bestowed' : it would be of course a provision in the will of the dead person.

20542. *ardante*, i. e. in purgatory.

20547. Cp. 1194, 10411.

20574. 'Si diaconus sanctior episcopo suo fuerit, non ex eo quod inferior gradu est apud Christum deterior erit.'

20576. *Par si q'* : cp. 3233.

20582. ' that however great his learning may be.'

20594. Matt. v. 13, 14.

20621. *fait baraigner* : I take *fait* as auxiliary and *baraigner* to mean 'make barren.'

20700. *legende.* This probably means the passages of the Gospel appointed to be read in the service of the Mass.

20713. The argument used by the priest is that his sin is no worse than the same act in a layman. Cp. *Vox Clam.* iii. 1727 ff.,

' Dicunt presbiteri, non te peccant magis ipsi,
    Dum carnis vicio fit sua victa caro :
Sicut sunt alii fragili de carne creati,
    Dicit quod membra sic habet ipse sua.' &c.

20725 f. *Vox Clam.* iii. 1761,

Presbiter et laicus non sunt bercarius vnum,
    Nec scelus in simili condicione grauat.

20740. Mal. i. 6, 7.

20785 ff. *Vox Clam.* iii. 2049 ff. The author is here dealing with young students, 'scolares.'

20793. *le meulx* : see note on 2700, so 'le plus' below.

20798. Cp. *Vox Clam.* iii. 2071 ff.

20827. *Vox Clam.* iii. 2074, 'Si malus est iuvenis, vix bonus ipse vetus.'

20832. *Qui*, 'whom.'

20833 ff. Cp. *Vox Clam*. iv. 1–676.

20845. This is a very hackneyed quotation, but the origin of it does not seem quite clear; see note on Chaucer, *C. T. Prol*. 179 in Skeat's edition : cp. *Vox Clam*. iv. 277.

20866. Cp. *Vox Clam*. iv. 26 f., 'Pellicibus calidis frigus et omne fugant.'

20892. *mye et crouste*, 'crumb and crust' in the modern sense of the expression.

20905. See note on 12565. I do not know where this story comes from, but somewhat similar tales of the devil visiting Macarius and his monastery are to be found in the *Legenda Aurea* and elsewhere.

20952. *esloigner*, used with a personal object, 'flee from.'

20989. Jerome, *Ep*. cxxv. 7, 'Sordidae vestes candidae mentis indicia sunt.'

20999. Cp. Chaucer, *C. T. Prol*. 193 f.

21001. I do not know anything about this story.

21061 ff. Cp. *Vox Clam*. iv. 371–388.

21076. *cloistrers* : i. e. those who remain within the monastery walls.

21094. *qui s'est rendu*, 'who has delivered himself to God,' by his profession : cp. 20988.

21118. *mais petit voy*, &c., 'but I see small number of them who,' &c.

21133 ff. This passage, in which monastic virtues and vices are personified with the title 'danz' (Lat. 'dompnus') which was given to monks, has a parallel in *Vox Clam*. iv. 327 ff.

21134. *n'ad mais refu* : apparently 'refu' is here a past participle ; 'has been again no more,' i. e. has not survived.

21157. The criticism of the life of Canons follows here in the *Vox Clamantis* also, iv. 347 ff.,

'Ut monachos, sic Canonicos quos deuiat error,' &c.

The 'Canons regular' differed but little in their discipline from monks.

21166. *devant* : see 20909 ff.

21181. On the Mendicant orders see *Vox Clamantis* iv. 677 ff.

21190 f. 'I have found out this about the order, that friars seek after the world,' &c.: the perfect is used loosely for present. For 'querre' in this sense cp. 21528.

21197. 2 Cor. vi. 10.

21241. 'The friars go together in pairs': so in Chaucer, *Sompnours Tale*, whence we learn that after having been fifty years in the order they were relieved from this rule. In the next line 'sanz partie' means 'without separating.' The same word used in a different sense is admissible as a rhyme : so 'mestier,' 21275, and cp. note on 2353.

21250. Here, as elsewhere, it is implied that the friars made themselves by preference the confessors of women, cp. 9148, Chaucer, *C. T. Prol*. 215 ff.

21266. The marginal note opposite this stanza has lost the ends of its lines by the cutting of the leaves of the MS. Its purport however is clear enough, and it is certainly from the author. In *Vox Clam.* iv. 689, we have the substance of it,

'Non volo pro paucis diffundere crimen in omnes,
    Spectetur meritis quilibet immo suis;
Quos tamen error agit, veniens ego nuncius illis,
    Que michi vox tribuit verba loquenda fero.' &c.

The note perhaps may be read thus :
'Nota quod super hii⟨s⟩ que in ista pa⟨gina⟩ secundum commune dictum d⟨e fra⟩tribus scripta pa⟨tent⟩, transgressos simp-⟨liciter⟩ et non alios mater⟨ia⟩ tangit: vnde h⟨ii⟩ qui in ordine transgressi sunt ad ⟨viam⟩ reuertentes prius⟨quam⟩ in foueam cada⟨nt⟩ hac eminente ⟨scrip⟩tura cercius pre⟨mu⟩niantur.'

21301. *Flaterie professé*, i.e. Flattery the friar.

21325 ff. This stanza is nearly a repetition of ll. 9145–9156.

21369. In Chaucer, *Sompnours Tale*, the sack is carried by a 'sturdy harlot,' who accompanied the two friars. At the present day the Capuchin in his begging expeditions often goes alone and carries his own sack.

21373 ff. Observe how clearly this agrees in substance with Chaucer's humorous description in the *Sompnours Tale*.

21376. 'If the woman has little or nothing to give,' like the widow in Chaucer's *Prologue*,

'Yet wolde he have a ferthing or he wente.'

21377. *meinz* is rather confusedly put in with 'ne s'en abstient.' The writer meant to say 'none the less does he demand,' &c.

21382. Matt. xxiii. 14.

21399. The quotation is actually from Hos. iv. 8. In *Vox Clam.* iv. 767, the same quotation is given in the same connexion and attributed rightly to Hosea.

21403. Cp. *Vox Clam.* iv. 1141 ff. The passage of the *Plowmans Crede* relating to this subject is well known.

21449. An allusion to the story current about the death of the Emperor Henry VII in the year 1313.

21455. *s'il volt lesser*, &c., 'if you ask whether he will spare us,' &c.

21469 ff. Chaucer, *C. T. Prol.* 218 ff.,

'For he hadde power of confessioun,
    As seyde himself, more than a curat.'

The confessor would claim the right of burial, if it were worth having : cp. *Vox Clam.* iv. 735 ff.,

'Mortua namque sibi, quibus hic confessor adhesit,
    Corpora, si fuerint digna, sepulta petit ;
Sed si corpus inops fuerit, nil vendicat ipse,' &c.

21477. For baptism there would be no fee: so *Vox Clam.* iv. 739 f.,

'Baptizare fidem nolunt, quia res sine lucro
Non erit in manibus culta vel acta suis.'

21481. Matt. vi. 25.
21499 ff. Cp. *Vox Clam.* iv. 815,

'Appetit ipse scolis nomen sibi ferre magistri,
Quem post exemptum regula nulla ligat:
Solus habet cameram, propriat commune, que nullum
Tunc sibi claustralem computat esse parem.'

21517. Cp. *Vox Clam.* iv. 971 ff.
21536. *acomparas*: for this form of future cp. 'compara' 26578,
'dura' 3909, &c.
21544. Cp. *Vox Clam.* iv. 981 ff.
21562. *Vox Clam.* iv. 991 f.,

'Set vetus vsus abest, nam circumvencio facta
Nunc trahit infantes, qui nichil inde sciunt.'

21580. Rom. xvi. 17, 18.
21604. Ps. lxxxiii. (*Vulg.* lxxxii.) 6, 7.
21607. *Brev. in Psalm.* lxxxii. 6; but our author has not quite
understood the explanation.
21610. *ou pitz*, i.e. 'au pitz,' 'in the breast.'
21625 ff. Cp. *Vox Clam.* iv. 787 f.,

'Nomine sunt plures, pauci tamen ordine fratres;
Vt dicunt aliqui, Pseudo prophetat ibi.'

It seems that the word 'pseudopropheta' used Rev. xix. 20 and else-
where was read 'pseudo propheta,' and 'pseudo' taken as a proper
name. At the same time this was combined with the idea of the
wolf in sheep's clothing suggested by Matt. vii. 15, 'Attendite a falsis
prophetis,' &c.
21637. 'The Pseudos whom men call friars.'
21641. 'Cannot fail to suffer for it': 'compere' for 'compiere' from
'comparer,' which is usually transitive, like 'acomparer' 21536, mean-
ing 'to pay for.'
21647. The reference is to 2 Pet. ii. 1–3, where 'pseudoprophetae'
is the word used in the Vulgate.
21663 ff. The same argument as was before applied to the monks,
21061 ff.
21676. *n'en puet chaloir*: the meaning apparently is 'it cannot be
doubted,' but I cannot clearly explain the phrase.
21739. The Apocalypse does not exactly say this, but it is apparently
our author's interpretation of ch. viii. 10, 12, or some such passage.
21754. 'But, before it do trouble us worse, it were well,' &c., 'face'
being used as auxiliary with 'grever.'

21769. *m'en soit au travers,* 'should be of the opposite opinion to me on the subject.'

21776. *Mais* &c.: answering apparently to the conditional clause, 's'aucun,' &c.

21780. *Encore . . . plus,* 'even more (than I have said).'

21979. One leaf with its full number of 192 lines has here been cut out. We find ourselves in the favourite story of Nebuchadnezzar's pride and punishment : cp. *Conf. Am.* i. 2785 ff., where it is told in full detail. Here it is one of a series of examples to illustrate the inconstancy of Fortune to those at the head of empires.

22002. The sense seems to require a negative here and in 22004.

22004. *de halt en bass,* '(bringing him) down from his height.'

22009. It is difficult to say what occasion precisely is referred to here.

22026. *mella* : 'Fortune' is the subject of the verb.

22033. With this review of the succession of empires compare *Conf. Am. Prol.* 670 ff.

22081 ff. Cp. *Vox Clam.* ii. 93 ff.

22101. *Vox Clam.* ii. 61, 'Mobilis est tua rota nimis,' a nearly exact translation.

22125. *mal partie,* 'badly ordered.'

22158 ff. With these references to the former greatness and present decay of Rome cp. *Conf. Am. Prol.* 834–848.

22159. *emperere*: apparently used here as a feminine form, but not so in 17120.

22168. *Troian*: this form of the name is used also in *Conf. Am.* vii. 3144, and 'Troianus' in *Vox Clam.* vi. 1273. The justice and humanity of Trajan were proverbial in the Middle Ages, owing chiefly to the legend about him connected with Gregory the Great.

22182. 'Well know I that this has not happened (for nought), but it is because of our wanton life.'

22191. *deux chiefs*, i.e. the Pope and the Emperor.

22192. 'The one is he who sets forth the will of holy Church,' i.e. the Pope.

22201. This stanza seems to be a reference to the helplessness of the Empire.

22273 ff. With these stanzas compare *Vox Clam.* vi. 589 ff., where there is the same reiterated personal address, 'O rex,' 'O bone rex,' &c., but the substance of the advice is there specially adapted to the age and circumstances of Richard II, whereas here it is general.

22292. *par halte enprise,* 'loftily': cp. l. 22077, and elsewhere.

22294. 'and forces him to confess his error': 'recreandise' is properly the admission that one is vanquished, or the faintheartedness which might lead to such an admission.

22333. 2 Maccabees xi. 1–12.

22341. The number given is 11,000 footmen and 1600 horsemen.

22350. Lev. xxvi. 17.

22744. After the omission of 384 lines (two leaves cut out), we find ourselves again in the story of Nebuchadnezzar: cp. *Conf. Am.* v. 7017 ff. Here it seems to be used as a warning against excess of drinking and other such vices, whereas there it is an example of sacrilege. For the form of sentence here, 'Mais cil q'estoit,' &c., cp. *Conf. Am.* v. 6925, vi. 2250, &c.

22765. 3 Esdras iii. f. The story is told at length in *Conf. Am.* vii. 1783 ff., where the number of persons who give answers is three, the third giving two opinions, as in the original. Here no doubt the author is trusting to his memory.

22804. *Ore*, see note on 37.

22819. Cp. *Vox Clam.* vi. 861 f.

22827 ff. Cp. *Vox Clam.* vi. 501 f.,

> 'Propter peccatum regis populi perierunt,
> Quicquid et econtra litera raro docet.'

See also *Conf. Am.* vii. 3925 ff.

22835. *Vox Clam.* vi. 498, 'Nam caput infirmum membra dolere facit.'

22843. 2 Sam. xxiv.

22866. *fait blemir*, 'injures.'

22874. The MS. has 'dix,' but the author evidently meant 'six.'

22883. *au parler*, 'so to say.'

22894. *fait plus ne meinz*, 'does just the same thing.'

22962. 'There is no one whom David will teach by his example,' i.e. who will follow David's example.

22965. That is, for the French the harping is out of tune, because they do not accept their rightful ruler.

22967. With this question cp. *Conf. Am. Prol.* 1053 ff.,

> 'Bot wolde god that now were on
> An other such as Arion,' &c.

22975 f. Apparently the meaning is 'And the sorrow that David felt for his sins is now changed.'

22981. *si fretz que sage*, see note on 16700.

22982. Perhaps *Cic. de Off.* i. 68, 'Non est autem consentaneum, qui metu non frangatur, eum frangi cupiditate.'

22984 ff. Cp. *Vox Clam.* vi. 807–810.

22995. Is. xxviii. 1.

23006. 2 Sam. xvi. 5 ff.

23011. 1 Sam. xxiv.

23021. 2 Kings xix. The number of the slain is given in the Bible as 185,000.

23041 ff. For Justice and Mercy as royal virtues cp. *Conf. Am.* vii. 2695 ff., where they are the third and fourth points of policy, the first and fifth being Truth and Chastity, which have been dealt with in 22753 ff., and the second Liberality, which may have been spoken of in the lines which are lost.

23053. Sen. *Clem.* iii. 2 ff.

*

23055. Cp. 13921 and *Conf. Am.* vii. 3137.

23059. Cp. 13918 and *Conf. Am.* vii. 3161.*

23072. 1 Macc. iii. 18, 19.

23082. Ps. lxxxv. 10: cp. *Conf. Am. Prol.* 109.

23089. Observe the mixture of tenses, present ind., conditional, and imperfect ind., in the conditional clauses.

23116. *tant amonte*, 'is in the same position.'

23136. *de son aguait*, 'by the snare which he sets for him.'

23149. Cp. *Conf. Am.* vii. 3891 ff.

23191. *Cusy*: in the Vulgate 'Chusai,' A. V. Hushai.

23216. Cp. 5459.

23370. The quotation is actually from Juvenal, but it is attributed to Horace both here and in *Conf. Am.* vii. 3581. The lines are *Sat.* viii. 269 ff.,

> 'Malo pater tibi sit Thersites, dummodo tu sis
> Aeacidae similis Vulcaniaque arma capessas,
> Quam te Thersitae similem producat Achilles.'

Our author no doubt picked up the quotation in a common-place book. He refers to 'Orace' also in ll. 3804 and 10948, the true reference in the latter case being to Ovid, while the former quotation is really from Horace.

23393. The 'pigas' is the long-pointed shoe worn by fashionable people at the time. 'Not one of these rich men is born with his pointed shoe,' says the author.

23413. ' Much is that bird to be blamed,' &c. Cp. *Vox Clam.* v. 835 f.,

> 'Turpiter errat auis, proprium que stercore nidum,
> Cuius erit custos, contaminare studet.'

23492. *si te pourvoie*, 'and provide thyself (accordingly).'

23500. Probably Matt. vi. 19.

23534. 'That the law excuses you': 'despenser avec' is used similarly in l. 1400.

23573 f. *se delitera . . . tout avant*, 'will go on taking pleasure.'

23582. *a ce q'en ce termine*, &c., 'according as the matter appears in regard to this order,' i.e. what lies within the limits of this class: cp. 16151.

23607. *Qe nous ne devons*, 'so that we may not,' so also in 23640; see note on 1193.

23638. 'At the making of the new knight': a curious use of the gerund.

23659. *au prodhomme*, 'to be valiant.'

23671. *l'onour de France*: the particular name of the country is of no consequence and is determined probably by the rhyme. That the general point of view is not a continental one is shown by 23713.

23683. *jours d'amour*, 'love-days,' for reconciliation of those who had differences.

23701 ff. Cp. *Vox Clam.* v. 519 f.

23704 ff. ' If anyone pays him well, he will show himself valiant at the sessions.'

23722 ff. ' Though the heralds cry little to him for largess, yet he gives the poor reason to complain ': he robs the poor without the excuse of being generous to others out of the proceeds.

23726. *un chivaler de haie*, ' a hedgerow knight.'

23732 ff. Terms of war are ironically used: he draws up his court in order of battle and throws into confusion the jury-panell, to support his friends and dismay their poorer opponents.

23755. *du loy empereour*, ' by the law of the emperor.'

23815. *n'ad garde de*, ' does not keep himself from.'

23844. *quatorsze*. The precise number is of no importance, cp. 24958. In *Conf. Am.* ii. 97, the author says ' mo than twelve ' in a similar manner.

23869. *Sisz chivalers*. The author apparently will not admit the three pagan worthies, Hector, Alexander, and Julius Cæsar.

23895. Cp. *Conf. Am.* iv. 1630 f.,

> ' Somtime in Prus, somtime in Rodes,
> And somtime into Tartarie.'

23907. *vois*, for ' vais.'

23920 ff. Cp. *Conf. Am.* iv. 1634 ff.,

> ' And thanne he yifth hem gold and cloth,
> So that his fame mihte springe,' &c.

also *Vox Clam.* v. 257 ff.

23922. See note on 10341.

23933 ff. Cp. *Conf. Am.* iv. 1664 f., and *Vox Clam.* v. 267 ff.

23982. *trop sont petit*: probably, ' there are too few.'

24097. This denunciation of war is quite characteristic of the author : cp. *Conf. Am. Prol.* 122–192.

24129. *voldroiont*, ' ought to desire ': see note on 1688.

24170 f. Cp. *Conf. Am. Prol.* 833,

> ' The world empeireth every day.'

24216. *Vei la*: so ' vei cy,' 23688.

24226 ff. i.e. he will not undertake the cause which is not favoured by fortune. The ' double ace ' would of course be the lowest throw with two dice, and ' sixes ' the highest.

24255 ff. Cp. *Vox Clam.* vi. 241–244.

24265. ' Ne quid nimis.'

24267. *Des tieux*, ' such persons,' subject of the verb.

24272 f. ' Neither his nature nor his strain is seasoned with justice.'

24290. The word ' mire ' seems here to be used for a surgeon as distinguished from a physician : that, however, is not its ordinary use.

24325. *Qui*, like ' Quique ' in 24313, ' Whosoever may have to pay, these will get exemption, if they can.'

24326. *appaier*. I take this to be for ' a paier,' like ' affaire ' for ' a faire ': ' estovoir ' is used with or without ' a,' cp. l. 42.

24338. *volt*, imperf. subj., cp. 327.

24362. *encharné.* The metaphor is from hounds being trained for hunting, as we see from 'quirée,' 'courre,' 'odour,' &c., in the succeeding lines.

24379. Cp. *Vox Clam.* vi. 251,

'Si cupit in primo, multo magis ipse secundo,'

i.e. 'in primo gradu,' which is that of 'Apprentis,' the second being that of 'Sergant:'

24398. Matt. xix. 29, but the quotation is not quite accurate.

24435. *Sur son sergant*: the double meaning of 'sergant' is played upon, as in 'Qui sert au siecle,' 24415.

24440. *coronne*: alluding to the French coin so called from the crown upon it.

24469 ff. I do not know the origin of this curious statement.

24481. Probably Is. v. 21 ff.

24485 f. *mais la partie*, &c., 'but as for the side that is poor, justice sleeps.'

24519. Job xxi. 7–13.

24530. Gen. xxxii. 10.

24543. Is. v.·8, 9, 'Vae, qui coniungitis domum ad domum, et agrum agro copulatis usque ad terminum loci': &c.

24544. Cp. *Vox Clam.* vi. 141.

24582. *la verrour*, i.e. the truth expressed in the preceding line, that they make their gains by wrongful means. Cp. *Vox Clam.* vi. 144,

'Set de fine patet quid sibi iuris habet.'

24583. Cp. *Vox Clam.* vi. 145 ff.

24605. *a demesure*, i.e. at an extravagant price, so that, as the author goes on to say, poor people cannot afford to buy in their market.

24625. For the metre cp. 2742, 26830: see Introd. p. xlv.

24646. 'But advanced my unjust cause,' &c. This position of 'ainz' is quite characteristic of the author: see note on 415.

24678. Ex. xxiii. 8.

24697. James i. 19.

24715. Gal. iii. 19, and Rom. xiii. 4.

24722. Deut. xxvii. 19.

24733 ff. Cp. *Vox Clam.* vi. 387 ff.

24748. *comme tant*, 'how much.'

24769. Is. i. 23.

24782. *Ad*, 'there is.'

24817 ff. The *Vox Clamantis* as usual runs parallel to this, with the heading, 'Hic loquitur de errore Vicecomitum, Balliuorum necnon et in assisis Iuratorum,' &c., vi. 419 ff.

24832. For the order of words cp. 24646.

24852. 'His conscience will not fail him,' that is, will not be an obstacle.

24858. *il n'est pas si nice*, 'he is not so nice,' i.e. not so careful about it. The word 'nice,' meaning originally 'ignorant,' 'foolish,' passes naturally to the meaning of 'foolishly scrupulous' in a half ironical sense, as here.

24917. *enmy la main*. As 'devant la main,' 'apres la main,' mean 'beforehand' and 'afterwards,' this apparently is 'meanwhile.'

24949. *Des soubz baillifs*, &c. Cp. 25014. 'Des' depends on 'tout plein' (toutplein), 'a quantity'; as 'toutplein des flours,' Bal. xxxvii. 2, 'tout plein des autres,' *Mir.* 74. Join 'soubz' with 'baillifs,' 'under-reeves,' the 'visconte' being regarded as a superior 'baillif or reeve,' which of course in a certain sense he was, witness the name 'sheriff.'

24955. *Vei la*, cp. 24216 : 'ministre' is of course plural.

24958. Cp. 23844.

24962. Cp. *Vox Clam.* vi. 467 f.,

> 'Ut crati bufo maledixit, sic maledico
> Tot legum dominis et sine lege magis.'

24973. *Vox Clam.* 463 f.,

> 'Quid seu Balliuis dicam, qui sunt Acherontis
> Vt rapide furie?'

24981. *ribalds* : observe the rhyme, showing that the 'd' is not sounded.

24996. A proverbial expression, which occurs also in 15405 f.

25021 ff. I do not clearly understand the first lines of the stanza. Perhaps it means, 'For the expense to which you go in buying their perjury they pay (or suffer) the burdening of their conscience.' Then afterwards, 'The bribe is enough for them by way of evidence, for covetousness dispenses them from anything more': 'ove leur dispense,' 'arranges with them' that this shall be enough.

25064. *il*, for 'ils,' cp. 10341.

25071. *sanz culpe d'enditer*, 'free from indictable fault.'

25110. *tesmoignal* : the original idea of a jury, as a body of persons living in the locality and able to bear witness to the facts of the case, had not disappeared in the fourteenth century.

25127. *le pot hoster*, 'might have stopped it.'

25151. *serra vendu*, 'will prove to have been bought by you' (at a high price).

25153. 'Truth is no libel,' the author's justification for speaking freely.

25166. Cp. *Vox Clam.* vi. 439,

> 'Causidici lanam rapiunt, isti quoque pellem
> Tollunt, sic inopi nil remanebit oui.'

25177 ff. With this compare the heading of Bk. v. ch. ii. in the *Vox Clamantis* : 'Quia varias rerum proprietates vsui humano necessarias nulla de se prouincia sola parturit vniuersas,' &c.

25216 ff. Cp. *Conf. Am. Prol.* 489 ff.

25239. In the *Vox Clamantis* also we have cheating personified (under the name of Fràus), and its operations classified as affecting (1) Usurers, (2) Merchants and shopkeepers, (3) Artificers, (4) Victuallers. See *Vox Clam.* v. 703–834.

25240. *pour sercher*, &c.   For the form of expression cp. *Bal.* xi. l. 5, *Conf. Am.* i. 2278,

'To sechen al the worldes riche,'

and other similar passages.

25254. *Brutus*, i. e. Brut of Troy : so London is referred to in the *Confessio Amantis*, Prol. 37*,

'Under the toun of newe Troie,
Which tok of Brut his ferste joie.'

25261 ff. 'Fraud may have large dealings, but he has small honesty when he buys and sells by different standards of weight.' The idea is apparently that the buyer is deceived as to the true market price when wholesale dealings are carried on with weights nominally the same but really different, as when the merchant buys coal by the ton of 21 cwt.

25269. See note on 3367.

25270. *la crois*, &c. : cp. 18580.

25287. Cp. *Bal.* xviii. l. 8.

25289. Cp. *Vox Clam.* v. 749 ff.

25302. 'Chalk for cheese,' a proverbial expression used also in *Conf. Am. Prol.* 415 : still current in some parts of England.

25321. John iii. 20.

25327. Cp. *Vox Clam.* v. 779 f.,

'Fraus eciam pannos vendit, quos lumine fusco
Cernere te faciet, tu magis inde caue.'

25332. *du pris la foy*, 'the true price.'

25333. Cp. *Vox Clam.* v. 757 ff.,

'Ad precium duplum Fraus ponit singula, dicens
Sic, "Ita Parisius Flandria siue dedit."
Quod minus est in re suplent iurancia verba,' &c.

25350. *a son dessus*, so 'at myn above' in *Conf. Am.* vi. 221.

25556. *tu plederas*, 'you will have to sue him.'

25558. 'He pays no regard to honesty.'

25569. *parasi*, equivalent to 'parisi,' properly an adjective used with names of various coins, as 'livre parisie,' but often also by itself to denote some coin of small value, in phrases such as we have here.

25607. For this function of St. Michael cp. 13302. Here the point suggested is that the seller ought to be reminded by his balance of that in which his merits must eventually be weighed.

25618. *enclinez* : this is simply a graphical variation of *enclines*, rhyming with 'falsines,' &c.

25631. Cp. 20912.

25657 ff. ' I would not desire a better stomach than could be ruined by medicines, or a longer purse than could be drained by an apothecary,' i. e. the best of stomachs and the longest of purses may be thus ruined.

25691. ' But if they had worn wool,' &c.

25717 ff. Cp. *Vox Clam.* v. 793 ff.,

> ' Si quid habes panni, de quo tibi vis fore vestem,
>   Fraus tibi scindit eam, pars manet vna sibi ;
> Quamuis nil sit opus vestis mensuraque fallit,
>   Plus capit ex opere quam valet omne tibi.'

25729 ff. *Vox Clam.* v. 805.

25753 ff. Cp. *Vox Clam.* v. 745 ff.

25801 ff. Cp. *Conf. Am. Prol.* 111 ff.

25826. 'Will see their halls carpeted' (or 'covered with tapestry'), so 'encourtiner' below ; a loose employment of the infinitive.

25839 ff. Observe the confusion of 2nd pers. sing. and 2nd pers. plur. in this stanza, especially ' tu gaignerez' in 25842. Even if we take 'baillerez,' 'gaignerez,' &c., as rhyme-modifications of 'gaigneras,' &c., this will not go for ' avisez,' which must be meant for 2nd pers. plur. pres. subj.: cp. 442, &c.

25853. This would be to avoid arrest. The liberty of St. Peter would perhaps be the precincts of Westminster Abbey, that of St. Martin might be the Church of St. Martin in the Fields : but perhaps no definite reference is intended. He takes advantage of the sanctuary to make terms with his creditors.

25887. Ecclus. xiii. 24 (30), 'Bona eşt substantia cui non est peccatum in conscientia.'

25898. Matt. xvi. 26.

25975 f. The author returns to the observation made at the beginning of his remarks on the estate of Merchants, that the calling is honourable, though some may pursue it in a dishonest manner.

26019. Cp. *Vox Clam.* v. 777 f.,

> ' Fraus manet in doleo, trahit et vult vendere vinum,
>   Sepeque de veteri conficit ipsa novum.'

26112. *maisq'elles soient lieres,* 'even though they should be robbers' (of their husbands): *maisque* can hardly have here its usual meaning 'provided that'; cp. 26927.

26120. *brusch.* The occurrence of this word here in a connexion which leaves no doubt of its identity is worth remark : see *New Engl. Dict.* under ' brusque,' 'brisk,' ' brussly.'

26130. *au sojour,* 'at their ease' in their tavern : ' sojour' means properly 'stay' in a place, hence 'rest' or 'refreshment' : cp. the uses of the verb ' sojourner.'

26133. *ne pil ne crois,* 'neither head nor tail' of a coin, i. e. no money : ' cross and pile' was once a familiar English phrase.

456 MIROUR DE L'OMME

26185 ff. Cp. *Vox Clam.* v. 809 f.,

'Fraus facit.ob panes pistores scandere clatas,
Furca tamen furis iustior esset eis.'

26231. *les chars mangiers*, &c., 'flesh will not be food for the common people.'

26288 ff. 'His conscience does not remind him of the truth until after he has been paid.'

26342 ff. 'Of all those who live by buying and selling I will not except a single one as not submissive to Fraud.'

26365. This complaint, directed against some particular Mayor of London, whose proceedings were disapproved of by the author, is repeated in the *Vox Clamantis*, v. 835 ff.

26374. Cp. *Vox Clam.* v. 1005 ff.

26391. *celle autre gent*, 'the other people.'

26401. Matt. v. 29 f.

26427. *guardessent*, for 'guardassent,' or rather 'guardeissent.'

26477. *en orguillant*: perhaps rather 'enorguillant.'

26480. *au servir souffrirent*, 'submitted to service.'

26497 ff. Cp. *Conf. Am. Prol.* after l. 498,

'Ignis, aqua dominans duo sunt pietate carentes,
Ira tamen plebis est violenta magis.'

26571. Hos. iv. 1–3, 'non est enim veritas, et non est misericordia, et non est scientia Dei in terra . . . Propter hoc lugebit terra et infirmabitur omnis qui habitat in ea,' &c.

26581 ff. With this discussion cp. *Conf. Am. Prol.* 520 ff.

26590 ff. Cp. *Vox Clam.* vii. 361,

'O mundus, mundus, dicunt, O ve tibi mundus!'

26699. *la malice seculier*, 'the evil of the world.'

26716. *pluvie*. For the suppression of the 'i' see note on 296.

26737. *Commete*: the reference is probably to that of the year 1368.

26745. *diete*, 'influence,' from the idea of regularity in the physical effect which the heavenly bodies are supposed to produce, like that of food or medicine: cp. *Conf. Am.* vii. 633 ff.

26748. *Nous n'avons garde de*, apparently for 'que nous n'avions garde,' 'that we should not pay regard to.'

26749. Albumasar's books on astrology, especially the *Introductorium in Astronomiam* and the *Liber Florum*, were very well known in Latin translations, apparently abridged from the originals. This reference is to *Introduct.* iii. 3: 'Ut vero sol aerem calefacit, purgat, attenuat, sic pro modo suo luna et stellae. Unde Ypocras in libro climatum, Nisi luna et stellae, inquit, nocturnam densitatem attenuarent, elementa impenetrabilis aeris pinguetudine corporum omnium vitam corrumperent.' (Quoted from the Bodleian copy of the edition printed at Venice, 1506.)

26799. *Qui*, 'for whom.'

26810. Referring perhaps to Hos. iv. 3, quoted above.

26830. For the metre, cp. 2742.

26851. 'For that in which he is alone to blame': 'dont que' used for 'dont,' cp. 1779.

26857. Job v. 6, 'Nihil in terra sine causa fit': it is different in A. V.

26869. This is a citation which occurs in all the three books of our author: cp. *Conf. Am. Prol.* 945 ff. and *Vox Clam.* vii. 639 ff. In both places the argument is the same as here. The quotation is from Greg. *Hom. in Evang.* ii. 39, 'Omnis autem creaturae aliquid habet homo. Habet namque commune esse cum lapidibus, vivere cum arboribus, sentire cum animalibus, intelligere cum angelis.' Cp. *Moral.* vi. 16.

26885. *Et en aler.* Similarly in the *Vox Clam.* vii. 641 motion is made one of the five senses to the exclusion of smelling,

'Sentit et audit homo, gustat, videt, ambulat.'

26927. *maisq'il le compiere*, 'that he should abye it': for this use of 'maisqe' instead of 'que' cp. 26112.

26931. Aristotle speaks of animals as microcosms (e. g. *Phys.* viii. 2) and argues from them to the μέγας κόσμος, but of course the quotation here is at second hand.

26934. Cp. *Vox Clam.* vii. 645 ff., 'Sic minor est mundus homo, qui fert singula solus,' &c.

26955. The rhyme requires 'mer et fieu' for 'fieu et mer.'

26989. Lev. xxvi. 3 ff.

27001 f. With what follows compare *Vox Clam.* ii. 217–348, where the whole subject is worked out at length with many examples, including nearly all those which occur in this passage.

27015. *Vox Clam.* ii. 243, 'Sol stetit in Gabaon iusto Iosue rogitante,' &c.

27019. *Vox Clam.* ii. 247 f.

27022. *Vox Clam.* ii. 249 f.

27031. *Vox Clam.* ii. 259 f. The story is in the *Legenda Aurea*: it is to the effect that in an assembly of prelates Hilarius found himself elbowed out of all the honourable seats and compelled to sit on the ground. Upon this the floor rose under him and brought him up to a level with the rest.

27037. *Vox Clam.* ii. 253 f.

27040. *Vox Clam.* ii. 255 f.

27046 ff. *Vox Clam.* ii. 265–274.

27061. Paul, the first eremite, is said to have been fed daily by a raven for over sixty years.

27065 ff. *Vox Clam.* ii. 277–280.

27077. *Vox Clam.* ii. 287 f.

27079. *Vox Clam.* ii. 315 f.

27081 ff. *Vox Clam.* ii. 281–284.

27088. *soy vivant*, 'while he is living.'

27165. That is, 'he passes by his death into a life of damnation' : the antithesis 'vit du mort' and 'moert du vie' is a very strained one.

27367. *De Ire* : cp. 12241.

27372. 'With no compensating goodness': 'refaire' must mean here 'to do in return' (or in compensation).

27411. *que me renovelle,* 'which is ever renewed in me' : for 'renoveller' in this sense cp. 11364.

27568 f. *vais* . . . *tien* : indicative for subjunctive, 'tien' for 'tiens,' unless it is meant for imperative.

27662. *ove tout l'enfant,* 'together with the child' : cp. ll. 4, 12240, &c.

27722. *Tiels jours y ot,* 'on some days.'

27814 f. 'He it is whom you will espouse to the virgin,' i.e. the bearer of that rod.

27841. *a coustummance,* 'after the custom': the MS. has 'acoustummance,' but this can hardly stand. The same in 28190.

27867. Cp. *Bal.* xxv., 'Car qui bien aime ses amours tard oblie.'

27935. *eustes* : apparently 2nd pers. pl. preterite. If so, it is combined rather boldly with the 2nd pers. sing. in ' as ' and ' avras ' : cp. 442.

27942. *Comme cil q'est toutpuissant* : a very common form of expression in the *Confessio Amantis,* e.g. i. 925, 1640, &c. See also *Bal.* vii. l. 7, xi. l. 16. It occurs more than once in this narrative portion of the *Mirour,* e.g. 28248, 28883, 28900.

27949. There may be some doubt here as to the arrangement of the inverted commas ; but it seems best to take the whole of this stanza as direct report, in which case 'Il' in 27950 refers to 'God.' The sentence below is a little disordered, as is often the case with our author : ' He showed thee a special sign six months since in thy cousin Elizabeth, who was barren, but God,' &c. Cp. 17996, *Conf. Am.* vi. 1603 ff., and many other passages.

28091. Probably Ps. cxxxviii. 6.

28110. *Maisque,* here apparently ' moreover ': cp. 28276.

28112. *te lie,* 'binds thee (in swaddling bands).'

28115 f. That is, all these characters, daughter, wife, nurse, mother, sister, &c., were summed up in one woman : 'forsqe' here means 'only,' the negative being omitted, much as we say 'but' in English.

28139. Luke ii. 14, from the text 'et in terra pax hominibus bonae voluntatis.'

28160. *y venoit,* 'there came,' a kind of impersonal expression.

28183. *estoit finis,* 'was brought to an end.'

28190. *a coustumance* : cp. 27841.

28205. Luke ii. 29 ff.

28247. *qu'il serroit desfait,* &c., 'planned that he might be destroyed.'

28310. *fiere,* ' strange.'

28349. ' By agreement between thee and them.'

28358. *fecis,* for 'fesis,' 2nd sing. pret.

28383. That is 'A Nazareth a ton parenté.'

28394. *Maisque,* 'except that,' cp. 1920.

28395. *Archideclin*: a corruption from 'architriclinus,' used in the Latin version of John ii. to represent the Greek ἀρχιτρίκλινος, 'master of the feast,' and commonly supposed to be the name of the entertainer: cp. 28762.

28409. *fesoiont a loer*, 'were fit to be praised': cp. 28506, and see note on 1883.

28414 ff. 'But above all he showed great joy in your lineage, each in his degree,' that is in keeping company with those of the Virgin's family: but it might mean 'he caused great joy to be felt by those of your lineage.'

28475. *de son affere*, 'for his part,' one of those rather meaningless phrases, such as 'endroit de soy,' 'en son degré,' 'au droit devis,' with which our author fills up lines on occasion.

28502. *se pourvoit*, 'considers with himself': cp. 14973.

28547. *toute pleine*: rather a more unscrupulous disregard than usual of gender and number for the sake of metre and rhyme.

28762. *Centurio*, taken as a proper name: cp. 28395.

28790. *pour estovoir*, 'for their need,' i.e. to accomplish that which had to be done.

28813. For the form of expression cp. 22744 and *Trait*. xiv. l. 15: it is common also in the *Confessio Amantis*.

28847. *la sentence*, 'the sentence' in a judicial sense, i.e. the judgment executed by the spear.

28914. *compassioun*, used especially of the sufferings of the Virgin during the passion of Christ.

28919. *ta meditacioun*, 'meditation upon thee,' if the text is right, but I am disposed to suggest 'ta mediacioun.'

28941 f. These two lines are written over an erasure and perhaps in a different hand: cp. 4109, 4116.

29078. *Pour . . . avoir*, see note on 6328.

29178. *n'en doubte mie*. The author shows here an unexpectedly clear perception of the difference between Gospel history and unauthorized legend.

29222. *Qe nous devons*, 'in order that we may,' so below, 'Ainçois q'om doit par tout conter,' 'but that we may tell it everywhere.' For this use of 'devoir' see note on 1193.

29264. *t'encline*, 'bows to thee': the verb is intransitive and the pronoun dative.

29390. The word 'pensée' counts as three syllables in this line, whereas usually the termination '-ée' in Anglo-Norman verse of this period is equivalent to '-é'; cp. 29415. Perhaps we should read 'penseie;' see Introduction p. xx.

29411 f. 'Well fitting was the love which he had for thee, through whom,' &c.

29421. *de son halt estage*: cp. *Conf. Am.* iv. 2977,

> 'This Yris, fro the hihe stage
> Which undertake hath the message,' &c.

29585. *la disme joye,* 'the tenth part of the joy.'

29604. *tu vendretz* : see note on 442.

29636. Probably we should read *que* for *qui* : '(I pray) that thou wouldest send.'

29746. *de sa covine,* ' by his purpose.'

29769. *pourloignasse* : pret. subj. for past conditional, cp. 29778.

29784. *Ussont moustré,* 'they ought to show,' used for conditional in the sense referred to in the note on l. 1688.

29798. 'Witness thy Gospels,' i.e. 'the witness is that of thy Gospels.'

29821. *le livre* : cp. 27475 ff., where it is implied that the author follows a Latin book.

29869. *me donne,* 'tells me.'

29878 ff. 'But in order that it may perchance please thee, I set all my business, as best I may, to do honour to thy person.' I have separated 'Maisque,' because that seems necessary for the sense. The author hopes that, though his Lady has the crown of heaven, yet she may be pleased by his humble endeavours to do her honour on earth.

29890. *t'en fais continuer,* 'thou dost continue in the work,' a reflexive use of ' continuer' with 'faire' as auxiliary.

DEDICATION OF BALADES

I. 7. 'He who trusts in God,' &c. ' Qe' is used for ' Qui.'

15. *Vostre oratour.* The poet means no doubt to speak of himself as one who is bound to pray for the king. At the same time it is to be noticed that 'Orator regius' was at the beginning of the sixteenth century an official title, borne by Skelton in the reign of Henry VIII, and perhaps nearly equivalent to the later ' Poet-laureate.' Skelton was 'laureatus' of the Universities, that is he had taken a degree in rhetoric and poetry at Oxford, and apparently something equivalent at Cambridge.

16. The pronunciation of the name 'Gower' as a dissyllable with the accent on the termination, which is required here and in the Envoy to the *Traitié,* is the same as that which we have in the *Confessio Amantis* viii. 2908, where it rhymes with '-er.'

23. *perfit* : so written in full in the MS. and correctly given by the Roxburghe editor. Dr. Stengel gives ' parfit' on the assumption that there is a contraction. That is not so here, but in many cases of this kind he is right.

24. *sentence* : so in MS. (not with a capital as in the Roxb. ed.). The same remark applies to 'valour' in ii. l. 33, 's'est' in *Bal.* vii l. 18, 'lettre' xviii. l. 24, xx. l. 25, xxii. l. 27, ' lors' xxxvi. l. 3, ' se,' xxxvi. l. 10, ' helas' xliii. l. 6, 'vous' xlix. l. 23.

O RECOLENDE, &C.

8. After this line probably one has dropped out, for when this piece appears (in a somewhat different form) among the Latin poems of the All Souls' and Glasgow MSS. we have

'Rex confirmatus, licet vndique magnificatus,
Sub Cristo gratus viuas tamen immaculatus,'

and 'licet' seems to require some such addition.

The quotation 'Nichil proficiet' is from Ps. lxxxix. (*Vulg.* lxxxviii.) 23, and the other from Ps. xli. (*Vulg.* xl.) 2.

II. This balade has been printed hitherto as if it consisted of four stanzas only, but in the MS., which is here damaged, there is not only space for another, but the initials of its lines still remain.

20. *vendra* : the reading 'voudra' is a mistake due to the Roxb. edition.

26. For the conjectural ending of the line cp. *Mirour* 26423.

BALADES

TITLE.—This is partly lost by the damage to the leaf of the MS., which has been mentioned above. The fragments of the latter part seem to indicate that the whole series of balades was expressly written by the author for the entertainment of the court of Henry IV : cp. D. ii. l. 27 f. The end of it perhaps ran thus, 'ad fait, dont les nobles de la Court se puissent duement desporter,' or something to that effect.

I. All that remains of the first stanza is the endings of the first three lines, and more than half of the second stanza is also lost.

16. *Moun.* Forms such as this, e. g. 'soun,' 'doun,' 'noun,' 'bounté,' and the '-oun' terminations in xxi. and elsewhere, usually appear with 'o͞n' in the MS. Note however that 'noun' is written fully in xxi. ll. 25, 27.

17. *voldroit* : a common use of the conditional in our author, cp. *Mir.* l. 25. Here it is answered by the future 'averai.' The meaning seems to be 'If God should put an end to my happiness and to my life at once, my faith being unbroken, I should be content ; but meanwhile I remain true to thee always, whatever may befall.'

II. 4. *q'il s'esjoiera.* The Roxb. editor gave by mistake 'qils' for 'qil,' out of which Dr. Stengel produces 'qil ssesjoiera,' with the remark 'Verdoppelung anlautender Consonanten nach vocalischem Auslaut auch sonst häufig.' The passages to which he refers in support of this curious statement are ix. l. 13, where the Roxb. edition has 'tanquil lest' by pure mistake for 'tanquil sest,' and ix. l. 31, where he has chosen to make 'un ssi' out of 'uns si.' This shows the danger of constructing a theory without ascertaining the facts.

9. *come.* Dr. Stengel is not right in proposing to read 'com' for

'come' and 'ou for 'ove,' wherever the words occur. These words regularly count as monosyllables for the metre, but the author much more commonly wrote them with the final '-e.' Occasionally we have 'com' in the *Balades* (twice for instance in this stanza), and once in the *Mirour* we have 'ou' for 'ove' (l. 8376). Similarly 'povere,' 'yvere,' are regularly dissyllables by slurring of the medial 'e,' and are occasionally written 'povre,' 'yvre.' On the other hand 'ore' is sometimes a dissyllable, as *Bal.* xxviii. 1, and sometimes a monosyllable, as *Mir.* 37, 1775, &c., and some words such as 'averai,' 'overaigne,' 'yveresce,' vary between the longer and the shorter form.

12. *com*: so in MS., wrongly 'come' in Roxb. edition, which also has 'viveet' wrongly for 'vive et' of the MS.

23. *Et pensetz, dame.* An additional weak syllable is occasionally found at the caesura in this metre: cp. xix. l. 20, xxiii. l. 14, xxv. l. 8, &c., xxxiii. l. 10, xxxviii. l. 23, xliv. l. 8, xlvi. l. 15, *Trait.* ii. l. 5, &c. In every case the additional syllable is at a break after the second foot (epic caesura). It may be a question, however, whether 'dame' should not be taken as a monosyllable in some cases: see Introd. p. xxx.

III. 1. *celle*, used for the definite article: see note on *Mir.* 301.

peigne: this form of spelling does not indicate any difference in pronunciation, for the rhymes 'pleine,' 'meine,' are used to correspond with it in the next stanza. It is intended to produce visible conformity with the verb 'compleigne,' to which it rhymes, and so in l. 15 we have 'halteigne' pairing with 'atteigne.' The verbal ending 'eigne' rhymes regularly with 'eine' both in the French and English of our author, and the 'g' often falls out of the spelling.

10. *Milfoitz*: one word in the MS.; so 'millfoitz' ix. l. 10.

IIII. 3. *s'ad fait unir*, 'has united itself': see note on *Mir.* 1135.

4. *As toutz jours mais*: cp. *Mir.* 2856.

11. *sufficaunce*: endings of this kind represent the MS. '-ānce,' cp. note on i. l. 16.

16. *la*: so in the MS. The Roxb. ed. gives 'sa' by mistake.

IIII*. The number is repeated by inadvertence, so that the whole series consists really of fifty-one balades, apart from the religious dedication at the end and the Envoy.

4. *Por toi cherir*: see note on *Mir.* 6328. The address in the second person singular is unusual in the *Balades* and hardly occurs except here and in the contemptuously hostile pieces, xli-xliii.

11. *dont*, answering to 'auci': see note on *Mir.* 217.

17. *tes*: see Glossary under 'ton': cp. 'vos amis,' ix. l. 5.

22. The MS. has 'De,' as Dr. Stengel has rightly conjectured.

V. 19. *a tant*: cp. vi. l. 16 and *Mir.* 23953.

Margin: *d'amont jesqes enci*, 'from the beginning up to this point': 'd'amour' is a mistake of the Roxb. editor.

VI. 6 f. *par quoi*, &c., 'wherefore mine eye hath desire, to the end that I may see again your presence,' i. e. desires to see, &c.

VII. 6. *l'estre*, 'habitation,' i. e. place of abode. 'I desire your country as my dwelling-place.'
7. *Come cil qui*: cp. xi. l. 16, and see note on *Mir.* 27942.
9. Cp. *Mir.* 5822.
24. *Qe jeo n'ai plus*, &c., a variation of the form of expression used in xviii. l. 8 f. and common in our author: see *Mir.* 18589. Usually the 'plus' of the second clause answers to some such word as 'tiel' in the first.

VIII. 17. *retenue*, 'engagement' to follow or serve : cp. xv. l. 14.

IX. 6. The 'trescentier' of the Roxb. edition is a mistake.
16. *en voie* : see 'envoie' in Glossary.
24. *sicom jeo songeroie*: conditional for subjunctive: cp. *Mir.* 25.
36. *demorir*, 'remain.' Dr. Stengel wrongly alters to 'de morir,' which is nonsense.
37. *poestis* : cp. *Mir.* 1222.
41. *au droit devis* : see note on *Mir.* 83.

X. 2. The reading 'jour' for 'jeo' in this line is simply a mistake of the Roxb. editor.
5. *Maisqu'il vous pleust*, 'provided that it might please you,' pret. subj.: 'maisque' in this sense is used either with indicative or subjunctive, cp. xi. l. 8, xxiii. l. 10, &c.
7. *Q'avoir porrai*, 'so that I may have' : cp. *Mir.* 364.
13. *s'allie*, 'binds itself (to you).'

XI. 5. *pour sercher le monde* : cp. xxi. l. 18, and *Mir.* 25240.
23. *perestes*. The reading 'par estes' is a mistake ; the MS. has 'pestes,' which might be either *perestes* or *parestes*, but *perest* occurs written out fully in *Mir.* 1760, 2546.
dangerouse, 'reluctant to love' : see note on xii. l. 8.

XII. 1. Perhaps the author wrote ' Ma,' but the scribe (or rather the illuminator) gives 'La.'
Chalandre : cp. *Mir.* 10707 ff.
8. *Danger.* This name represents in the love-jargon of the day those elements which are unfavourable to the lover's acceptance by his mistress, partly no doubt external obstacles, but chiefly those feelings in the lady's own mind which tend towards prudence or prompt to disdain. In the *Roman de la Rose*, which was the most influential example of this kind of allegory, Danger is the chief guardian of the rose-bush. He has for his helpers Malebouche, who spreads unfavourable reports of the lover, with Honte and Paour, who represent the feelings excited in the lady's mind leading her to resist his advances.

Of these helpers the most valiant is Honte, daughter of Raison and Mesfait. These all are the adversaries of the Lover and of Bel-Acueil his friend and helper. See *Rom. de la Rose* ll. 2837 ff. Elsewhere the word 'dangier' is used for the scornfulness in love of Narcissus, *Rom. de la Rose* 1498,

> 'Du grant orguel et du dangier
> Que Narcisus li ot mené.'

or of the difficulties made by a mistress,

> 'Or puet o s'amie gesir,
> Qu'el n'en fait ne dangier ne plainte.'
>
> *Rom. de la Rose* 21446 f.

Here the author says 'Danger turns his eyes away,' that is, the lady's feelings of disdain or reluctance deprive him of her favour, and in l. 19 he entreats her to remove 'danger' from her regard. This idea is illustrated further by the expressions in xxvi. l. 26,

> 'Ne sai si vo danger le voet despire;'

and xxxvii. l. 20,

> 'Vostre danger tantost m'ad deslaié :'

where 'danger' clearly stands for the lady's aversion to the lover's suit : see also xxiii. l. 10, xxx. l. 15 ff., and *Conf. Am.* iv. 3589. In *Conf. Am.* iii. 1517 ff., and v. 6613 ff., Danger is very clearly described as the deadly enemy of the lover, always engaged in frustrating his endeavours by his influence over the lady. Note also the adjective 'dangerous' in the last balade; so 'dangereus,' *Rom. de la Rose* 479, 'grudging,' and 'dangerous' in the English translation, l. 1482, 'disdainful.'

11. The same complaint is made *Conf. Am.* v. 4490 ff., but the reply there given (4542) is complete and crushing.

27. *Q'a* : the Roxb. ed. gives 'Qe' by mistake for 'Qa.'

XIII. 1. *muance*, see Glossary. The Roxb. ed. gives 'nivance,' but the MS. reading seems to be rather 'mvance,' the 'v' being written for greater distinctness as in 'remue' xv. l. 8, &c. Certainly change is more characteristic of March than snow, and it is the changes of his fortune of which the lover complains,

> 'Ore ai trové, ore ai perdu fiance.'

5. Cp. *Mir.* 948.

8. *al oill*: cp. *Mir.* 5591, 'al un n'a l'autre'; but we might read *a l'oill*. For the MS. reading here cp. *Mir.* 5386, where the MS. has 'al lun ne lautre.'

XIIII. 6. *dont*, answering to 'si' above : see note on *Mir.* 217.

17. *asseine*, from 'assener,' here meaning 'strike.'

20. 'I cannot fail to have the fortune of one (or the other),' i. e. death or sickness. The word 'tant' in the line above is not answered by anything and does not seem to mean much.

XV. 1. *creance*: see 'credentia' in Ducange. It means a cord for confining the flight of falcons.

25. 'All my prayers are to your image at the time when,' &c.

27. *vostre proie*, 'your prey,' i.e. your possession by right of capture.

XVI. 6 ff. 'But by feeding on this food of the mind I cannot, though I seek it up and down, find for myself the path of grace.' The food he feeds on is his feeling of hope: for 'celle sente'='la sente,' cp. iii. 1, and see *Mir.* 301.

26. *Q'es.* The confusion of singular and plural in the second person is common in our author: see note on *Mir.* 442.

('Q'es' is of course for 'Qe es,' 'qe' or 'que' being quite a regular form of the relative used as subject by our author. I note this here because Dr. Stengel's remarks are misleading.)

28. *maisq'il vous talente*, 'if only it be pleasing to you.'

XVII. 2. *Salvant l'estat d'amour*: a kind of apology for the idea of blaming his mistress: cp. xxii. l. 26.

5. *guardon*: so written in full in the MS., cp. xxxiii. l. 6, so that it is not a case of 'falsche Auflösung,' as Dr. Stengel assumes. He is right enough as regards 'perlee' l. 19, and 'parcer' xviii. l. 6.

27. 'I cannot leave off from loving her': 'maisque' here 'but that,' cp. xl. l. 7, *Trait.* xiv. l. 10.

XVIII. 11. *Qe jeo ne crie plus*: a favourite form of expression with our author: cp. vii. l. 24, xxx. l. 13, *Mir.* 18589.

17. *c'est*, for 's'est': cp. *Mir.* 1147.

XIX. 17. *proeu*, the same as 'prou' apparently: 'proen' can hardly be right, though the MS. would equally admit that reading.

18. *trieus*: cp. xxxix. l. 15. The usual form in the *Mirour* is 'truis.' The Roxb. ed. has 'criens' by mistake.

XX. 1. *Roe*: treated as a monosyllable in the verse here, but otherwise in *Mir.* 10942.

2. The position of the conjunction 'mais' is characteristic of our author, who frequently treats 'and' and 'but' in the same way in the *Confessio Amantis.* Cp. xxxvii. ll. 9, 19, *Mir.* 100, 415, 7739, &c.

6. So MS. The reading 'basse' and the omission of 'lever' are mistakes of the Roxb. ed.

22. *mesna sa leesce*, 'had his joy': 'mener' (but more commonly 'demener') is used with words meaning joy, sorrow, &c., to indicate the feeling or expression of it, e.g. xxxiii. l. 5.

XXI. 2. *comparisoun*: see note on i. l. 16.

6. *par tant*, 'therefore': cp. *Mir.* 119.

15. *veneisoun*, 'chase,' hence 'endeavour.'

18. Dr. Stengel rightly gives 'Trestout': nevertheless the MS. has 'Terstout' written in full.

20. *Honte et paour*, see note on xii. l. 8.

21. *N'i*. This seems preferable to 'Ni,' being equivalent to 'Ne i,' 'nor there' (i=y), cp. xxxvii. l. 10. The proper word for 'nor' is 'ne,' not 'ni.'

XXIII. 5. *l'* for 'le,' as indirect object, 'to her': see Glossary under le, *pron.*

plevi: so MS., as Dr. Stengel conjectures: cp. *Trait*. xvii. l. 2.

10. *danger*: see note on xii. l. 8.

13. *lui*, 'her,' see Glossary.

15. *auns*: the MS. reading here might be 'anns,' as given in Roxb. ed., but it is quite clearly 'aun' in xxxii. l. 1.

XXIIII. 5. *autre, si le noun*: so MS. rightly. It means 'anything else except it,' i.e. his lady's name, 'noun' being the negative: cp. *Mir*. 6495 f.,

'qu jammais parla
Parole, si tresfalse noun,'

and 8853,

'Certes, si de vo teste noun,
N'ad esté dit d'aucune gent.'

XXV. 8. See note on ii. l. 23.

10. The MS. has 'Portont' and in l. 13 'sache': Roxb. ed. 'Partout' and 'sachez.'

11. *Du quoi*: so MS., Roxb. ed. 'Un quoi,' which is nonsense.

18. *q'a*: Roxb. ed. 'qe' by mistake for 'qa.'

19. *Et d'autrepart*: Roxb. 'En dauterpart,' MS. Et daut*re*part.

XXVI. 4. MS. 'sil,' not 'cil,' as given in Roxb. ed.

9. 'If a man gives himself, it is a proof,' &c. For the form of expression, which is a favourite one with our author, cp. *Mir*. 1244, note.

15. *perfit*: cp. *Ded*. ii. 23.

26. *vo danger*: see note on xii. l. 8.

XXVII. 1. The first line is too long, but the mistake may be that of the author. Similarly in *Mirour* 3116, 14568, we have lines which are each a foot too long for the metre. In all cases it would be easy to correct: here, for example, by reading 'Ma dame, quant jeo vi vostre oill riant.'

In xii. l. 22 we have, 'Douls, vair, riant,' as a description of eyes.

3. Roxb. 'Par un,' Dr. Stengel 'Par mi,' MS. 'P*a*rmi.'

5. *jeo me paie*, 'I am content.'

24. *Parentre deus*, 'between the two (alternatives)': cp. *Mir*. 1178.

XXIX. 19. *pourcella*, cp. xlii. l. 7, so 'pourcela,' *Mir*. 2349, &c.

XXX. 5. *Le Nief*: I suspect this is a mistake of the transcriber for 'Le vent.' It is not the ship that imperils his life but the storm, and 'Le' for 'La' is rather suspicious here.

8. *Uluxes*: the usual form of spelling in our author's works, both French and English.

13. Cp. xviii. l. 9.

15. *Danger*: see note on xii. l. 8. Here the double meaning of the word is played upon, danger in the ordinary sense and 'danger' as representing the forces opposed to the lover.

XXXII. This alone of the present series of balades has no envoy.

15. Roxb. ed. omits ' se,' and accordingly Dr. Stengel turns 'qa' into 'que ia,' to restore the metre.

20. *retenue*, 'service,' referring to 'servant' just above.

XXXIII. 2. *a bone estreine*, a form of good wish, as ' a mal estreine ' (*Mir.* 1435) is of malediction.

5. See note on xx. l. 22.

6. *guardoner*: so in MS., cp. xvii. l. 5.

10. See note on ii. l. 23.

XXXIIII. 6. *a covenir*, apparently ' by agreement.'

11. The word omitted by the Roxb. ed. is ' a.'

18. *De Alceone*. The hiatus must be admitted, as indicated by the separation in the MS., cp. *Mir.* 12228. We must not accent ' Alceone ' on the final '-e' as Dr. Stengel proposes, because of the way the word is used in the *Confessio Amantis*, rhyming, for example, with ' one,' iv. 3058. ' Ceïx ' is a dissyllable here and in the English.

XXXV. 10. *en droit de*, 'as regards': see Glossary, 'endroit.'

17. *en droit de mon atour*, 'as regards my state.'

22. *falcoun*: the Roxb. ed. gives 'facon,' a false reading which has hitherto entirely obscured the sense.

XXXVI. 3. *Papegai*. This seems to stand for any bright-plumaged bird. It is not to be supposed that Gower had the definite idea of a parrot connected with it.

6. *au tiel*: so MS., but Roxb. ed. ' aut tiel,' whence Dr. Stengel ' au ttiel,' in pursuance, no doubt, of his theory of ' Verdoppelung anlautender Consonanten ': see note on ii. l. 4.

au tiel assai, ' with such trial,' i.e. ' so sharply.'

10. Cp. *Mir.* 8716.

15. For the opposition of the rose and the nettle cp. xxxvii. 24, *Mir.* 3538, &c.

XXXVII. 4. *la*: used (as well as ' le ') for indirect object fem. See Glossary.

9. See note on xx. l. 2.

10. *entrée.* The termination '-ée' constitutes one syllable only here, as at the end of the verse, where '-é' and '-ée' rhyme freely together: see, for example, the rhymes in xvii.

19. *me refiere,* 'refer myself,' i.e. 'make appeal.' The rhyme requires correction of the reading 'refiers.'

XXXVIII. 1. Cp. *Mir.* 12463 ff., where the 'piere dyamant tresfine' is said to disdain a setting of gold because drawn irresistibly to iron. The loadstone and the diamond became identified with one another because of the supposed hardness of both ('adamant').

XXXIX. 3. For this use of ' et,' cp. xviii. 7.

9. *asseine*: rather a favourite word with our author in various meanings, cp. x. l. 10, 'jeo mon coer asseine,' 'I direct (the affections of) my heart'; xiv. l. 17, 'la fierté de son corage asseine,' 'strike down the pride of her heart'; and here, where ' Qui vo persone . . . asseine ' means 'he who addresses himself to your person.'

18. *pluis*: this form, which occurs also iv. l. 15, ' De pluis en pluis,' seems to be only a variation of spelling, for it rhymes here and elsewhere with -us, -uz: see Introduction, p. xxviii f.

XL. 7. *Ne puiss hoster,* &c. Cp. xvii. l. 27, ' Ne puis lesser mais jeo l'ameray ' : ' hoster' means properly 'take away,' hence ' refrain (myself).'

me pleigne: so MS. The Roxb. ed. gives 'ma pleine.'

11. *serretz.* The future tense (if it be future) need give us no anxiety, in view of the looseness about tenses which is habitual with our author: cp. xliv. l. 6, *Mir.* 416. In any case ' serietz,' which Dr. Stengel substitutes, is not a correct form.

22. *chaunçon* : MS. chãncon.

XLI. Here the address is from the lady to her lover, and so it is also in the three succeeding balades and in xlvi. Notice that the second person singular is used in xli.–xliii. where the language is that of hostile contempt.

9. *sent,* for ' cent ' : so ' Si' for ' Ci' in the Title of the *Balades,* and ' Sil ' in xlii. l. 20, &c. The converse change of ' s ' to ' c ' is not uncommon, see *Mir.* 799.

17. *q'ensi ment,* 'which thus lies' : Dr. Stengel's alteration ' qensiment ' is quite without justification.

18. *sciet*: so MS, not ' ciet.'

20. *aparcevoir*: in MS. contracted, ' apcevoir,' but cp. *Mir.* 123, &c.

XLII. 7. *de ta falsine atteinte,* ' by thy convicted falseness.'

10. *par tiele empeinte* : cp. *Trait.* iv. l. 17.

20. *Sil,* for ' Cil ' : cp. xli. l. 9, xlvii. l. 7.

XLIII. 6. ' I find him whom I was wont to love.'

7. *en mon endroit,* ' for my part.'

13. *Ne poet chaloir*: see Burguy, *Grammaire* ii. 26.

19. The romance of Generides exists in an English version, which has been edited by Dr. Aldis Wright from a manuscript in the library of Trinity Coll. Camb. (E.E.T.S. 1873).

Florent, no doubt, is the same as the hero of Gower's story in *Conf. Am.* i. 1407 ff., though there are others of his name in Romance.

Partonopé is Partonopeus de Blois. The correction of ' par Tonope' is due to Warton.

XLIIII. Here the lady addresses a true lover, whose suit she accepts.

6. *refuserai* : cp. xl. l. 11.

23. *quoique nulls en die*, 'whatsoever any may say of it.'

XLV. 6. *pour vo bounté considerer*, 'by reflecting on your goodness': 'pour' is here equivalent to 'par.'

8. ' To describe your face.'

12. *Pour vous amer*, 'to love you' : see note on *Mir.* 6328.

13. *Dont m'est avis*, answering to 'tiele,' 'in such a manner that': see note on *Mir.* 217.

pour vous essampler, ' by taking you as their example,' cp. l. 6 : but this is not a usual sense of ' essampler.'

16. *vo covine*, ' your disposition ': see Glossary.

XLVI. The lady speaks again.

5. *sauf toutdis*, 'saving always': cp. xxii. l. 26, 'Salvant toutdis l'estat de vostre honour.'

15. See note on ii. l. 23.

18. *par envoisure*; cp. *Mir.* 988. Here it means ' by raillery ' or ' in jest.'

23. *toutz passont a l'essai*, ' surpass all others at the trial.'

24. *q'amour* : the Roxb. ed. reduces the sentence to nonsense by giving ' qamont,' as conversely ' damour ' for ' damont ' in the margin of *Bal.* v.

XLVII. 2. *fait sustenir*, ' doth support.'

4. *qui le sciet maintenir*, 'if a man can preserve it' : cp. xxvi. l. 9.

7. *sil*: cp. xlii. l. 20.

17. *Plus est divers*, 'he has more varied fortune.'

XLVIII. For this kind of thing, which recurs often enough in the literature of the time, cp. *Rom. de la Rose*, 4310 ff.

2. *le droit certein*, ' the true certainty ': see ' certein ' in Glossary.

9. *le repos*. This is the reading of the MS., and so also ' est bass ' in l. 11. Dr. Stengel was safer than he supposed in following Todd.

XLIX. 5. *qui deinz soi*, &c., ' when a man within himself,' &c., cp. xxvi. l. 9.

L. 9. *le tempre suef*: cp. *Mir.* 14707.

⟨LI⟩. This balade is not numbered and does not form one of the 'Cinkante Balades' of which the title speaks. It is a kind of devotional conclusion to the series. The envoy which follows, 'O gentile Engleterre,' does not belong to this balade, being divided from it by a space in the MS. and having a different system of rhymes. It is in fact the envoy of the whole book of balades.

19. *j'espoir* : see Glossary under 'esperer.'

TRAITIÉ

The title 'Traitié' is not in the MSS., but is inserted as that to which reference is made in the Glossary and elsewhere. What follows, 'Puisqu'il ad dit,' &c., is the heading found in those MSS. which give this series of balades together with the *Confessio Amantis*, that is in seven out of ten copies. In the other three the *Traitié* occurs independently, but in two of these, viz. the All Souls and the Trentham MSS., it is imperfect at the beginning, so that we cannot say what heading it had, while in the third, the Glasgow copy, it has that which is given in the critical note. It is certain in any case that the author did not regard it as inseparable from the *Confessio Amantis*.

I. The numbers are introduced for reference : there are none in the MSS.

4. *per* : so in the Fairfax MS. fully written, but we have 'par' fully written elsewhere, as xi. l. 16, therefore the contractions are usually so expanded, e. g. in the preceding line.

8. *celle alme*, 'the soul,' cp. *Bal.* iii. l. 1, and see note on *Mir.* 301.

9. *Tant soulement*, see Glossary, 'tansoulement.'

II. 5. See note on *Bal.* ii. l. 23. For the substance of the passage cp. *Mir.* 17935 ff.

7. He means that continence is better than marriage, as we see from the margin of the next balade.

20. *en son atour*, 'in its own condition.'

III. 1. *parfit* : this form is preferred as expansion of the MS. contraction, because it is more usual and is found fully written both in the *Mirour* (e. g. 1640) and in the present work, xviii. l. 28 (Trentham MS.), but 'perfit' occurs in *Ded.* i. l. 23 and *Bal.* xxvi. l. 15.

20. *retenue*, cp. *Bal.* viii. l. 17.

IV. 5. *resemblont amorouses* : cp. *Mir.* 1094.

17. *par tiele empeinte* : cp. *Bal.* xlii. l. 10. It seems to mean 'in such a manner.'

V. 8. *l'espousailes*, for 'li espousailes,' but this use of 'li' as fem. plur. is rather irregular.

VI. For the story see *Conf. Am.* vi. 1789 ff.
The Latin margin has lost some parts of words in the Trentham MS.
by close cutting of the edges. The Roxb. ed. does not indicate the
nature of this loss nor correctly represent its extent, so that we are
left to suppose, for example, that 'nuper' is omitted, when as a fact
it is there, but partly cut away, and that the MS. reads 'violant' for
'violantes.'

6. *envoisure*, 'trickery,' 'deceit,' cp. xvi. l. 3.

10. *sanz nulle autre essoine*, 'without any other cause.'

15. The margin has suffered here also in the Trentham MS., but not
exactly as represented in the Roxb. ed.

17. *Circes*: cp. *Mir.* 16674 f., where the same form is used,

> ' Uluxes, qant il folparla
> A Circes et a Calipsa.'

VII. Margin damaged in the Trentham MS., as above mentioned.
For the story cp. *Conf. Am.* ii. 2145 ff. and iv. 2045 ff.

1. *El grant desert*, &c. Cp. Chaucer, *Monkes Tale*, l. 128.

5. *Achelons*: so in *Conf. Am.* iv. 2068. Chaucer has 'Achiloyns,'
wrongly given 'Achiloyus' in some editions.

9. *Eolen*: this is the form of the name used in the *Conf. Am.* v.
6808 ff.

11. *d'Eurice*: 'Euricie' in the Latin margin; cp. 'The kinges
dowhter of Eurice,' *Conf. Am.* ii. 2267. It is taken as the name of
a country, but no doubt this results from a misunderstanding of some
such expression as Ovid's 'Eurytidosque Ioles,' 'of Iole the daughter
of Eurytus,' taken to mean 'Eurytian Iole.'

Herculem: cp. 'Medeam' in viii. l. 12.

17. *l'auctour*: probably Ovid, *Met.* ix.

VIII. Cp. *Mir.* 3725 ff. and *Conf. Am.* v. 3247 ff.

13. *Creusa*, a dissyllable, as in *Conf. Am.* v. 4196 ff.

IX. Cp. *Conf. Am.* iii. 1885 ff.

X. 8. Cp. *Conf. Am.* vii. 4757 ff.

15. Cp. *Conf. Am.* i. 761 ff.

18. *enbastiront tout le plai*, 'contrived the whole matter.' The
word 'plait' or 'plee' means properly a process at law, hence a process
or design of any kind : 'bastir un plait' is the same thing as 'faire un
plait,' used of designing or proposing a thing. See Burguy, *Gram.* ii.
under 'plait' in the Glossary.

XI. Cp. *Conf. Am.* i. 2459 ff.

3. *com cil qui*: see note on *Mir.* 27942.

XII. Cp. *Conf. Am.* v. 5551 ff.

19. *hupe* : the *Conf. Am.* v. 6041 says, 'A lappewincke mad he was.'
The two birds might easily be confused because both are marked by

the crest which in this case (according to the *Confessio Amantis*) determined the transformation. A similar confusion appears in *Mirour* 8869, where the bird that misleads people as to the place of its nest is no doubt meant for a lapwing.

XIII. 10. This punctuation is more in the manner of the author and also gives a better balance to the sentence than if we made the pause after 'avoir': so 'du roi mais' in the next line: see note on *Bal.* xx. l. 2.

13. *dont*, consecutive, answering to 'tiele': see note on *Mir.* 217.

XIV. 7. *qui*, 'whom.'

10. *Maisqu'il chaoit*: cp. *Bal.* xvii. l. 27. 'He had not power to keep his body from falling into the pains of love.'

13. *a l'omicide esguarde*, 'looks towards murder.'

XV. 1–10. The losses at the beginnings of these lines in the Fairfax MS. are as follows: Comun | De Lan | Enqore ma | Pour essamp | Cil q'est gu | Droitz est | Car be | To | U que | Deu |

7. *Car beal oisel*, &c., cp. *Mir.* 7969.

10. Cp. *Conf. Am.* vi. 330 ff.

13. *Parentre deux*: cp. *Bal.* xxvii. l. 24, *Mir.* 1178.

XVI. Cp. *Mir.* 17089 ff., *Conf. Am.* v. 6393 ff.

XVII. 2. 'This the faith pledged with the right hand requires.' For 'plevie au destre main' cp. *Bal.* xxiii. l. 5.

9. *ert*, 'there shall be,' cp. *Mir.* 17689. Both future and conditional are used to express command or obligation.

13. This is the traditional character of Gawain 'the Courteous':

'"Art thou not he whom men call light-of-love?"
"Ay," said Gawain, "for women be so light."'
Tennyson, Pelleas and Ettarre.

XVIII. 22. This Envoy, though it may be taken to have reference to the whole series of balades composing the *Traitié*, belongs in form to the concluding balade and speaks of it specially, 'ceste Balade envoie.' It is addressed to the world generally, 'Al université de tout le monde,' and, as was the wont of Englishmen who wrote in French, the author asks pardon for his deficiencies of language.

The Latin lines 'Quis sit vel qualis' follow the *Traitié*, so far as I know, in every existing copy, and must be taken in connexion with it. In all except one of the MSS. these first nine lines are followed, as in the text given, by the short *Carmen de variis in amore passionibus* beginning 'Est amor in glosa,' and this is followed by the eight lines beginning 'Lex docet auctorum.' In the Trentham copy, however, the intervening *Carmen* is omitted and these last eight lines are given as if they formed one piece with the first nine.

'QUIS SIT VEL QUALIS,' &c.

2. *mentalis sit amor*, &c.   I take this to mean, 'so that there may be such spiritual love (as I have described) in the order'; but it is not very clear, and it must be noted that F punctuates after 'mentalis.'

3 f. 'We may fear what is to come by the example of what is past; to-morrow as yesterday the flesh may be lightly stirred.'

CARMEN DE VARIIS, &c.

With this compare *Bal.* xlviii., and *Rom. de la Rose*, 4320 ff.,

'Amors ce est pais haïneuse,
Amors est haïne amoreuse,' &c.

1. *in glosa*, 'by interpretation.'

'LEX DOCET AUCTORUM,' &c.

1. *quod iter*, &c., 'that the fleshly pilgrimage is more secure for those who have the bands of wedlock upon them.'

5. *quasi regula* : apparently comparing marriage to a monastic rule, into which men are gathered for their salvation.

7. *Hinc vetus annorum.*   The comment on this concluding couplet is to be found in the record of the poet's marriage, in the year 1397-8, to Agnes Groundolf.

GLOSSARY

AND

INDEX OF PROPER NAMES

———◆◆———

NOTE. This Glossary is intended to be a complete Vocabulary of the language
sed by Gower in his French works, recording as far as possible every word and
very form of spelling, with a sufficient number of references to serve for veri-
cation. The meanings in English are given only where this seems desirable,
ther for explanation of the less usual words or to distinguish the various uses
: those that are more familiar. It must be remembered that some of the
eanings given are conjectural, and the unqualified statements of the Glossary
·e sometimes discussed in the Notes.
With regard to the references, it should be noted that the number of them
not at all an indication of the frequency with which a word occurs. Many
the commonest words, occurring in one form of spelling only and presenting
⸗ difficulty, are dismissed with a single reference to the first passage where they
·cur in each section of the author's works. On the other hand words which
·e found with different forms of spelling usually have references given for each
rm, and often the fact that a word is of uncommon occurrence or presents some
fficulty as regards meaning has caused it to be followed by a larger number
references. It should be observed that for the purposes of the Glossary our
thor's French works have been regarded as falling into two distinct sections, the
·st consisting of the *Mirour de l'Omme*, and the second of the *Balades* and the
raitié, and wherever a word or form occurs in both sections the double
ference is given. This is done in order to exhibit the likeness or difference
· the language used, and to serve as additional evidence of the authorship
the *Mirour*. For Proper Names a complete set of references is regularly
ven, but allegorical names and personified vices and virtues are not usually
assed as Proper Names.
The references to a number only are to lines in the *Mirour de l'Omme*. The
tters D, B, and T, followed by a Roman and an Arabic numeral, refer to the
lades in the *Dedication*, the *Cinkante Balades*, and the *Traitié* respectively.
hese are not referred to in the Glossary by lines but only by stanzas. The

Table of Contents at the beginning of the *Mirour* is referred to by the letter C. Such a reference as 16272 (R) is to the rubric following l. 16272.

Where difference of spelling consists in the insertion or omission of a single letter, the fact is often recorded by means of parenthesis, e.g. ' con(n)estable,' ' baro(u)n,' indicating that both ' connestable ' and ' conestable,' ' baroun ' and ' baron,' are found. The inflexional *s* or *z* in the termination of singular nouns is usually treated in the same way, but references are not always given for both forms. The gender of substantives is not noted, because so much irregularity prevails in this respect that it seems hardly worth while to investigate the subject. All verbal inflexions of any interest have been set down. The grammatical abbreviations, *s.* substantive, *a.* adjective, *v. a.* verb active, *v. n.* verb neuter, 1 *s. p.* first person sing. pres. tense, *pp.* past participle, and so on, will be readily understood. Words which occur in the text with an initial mute *h* dropped owing to elision will usually be found under the letter *h*.

A

a, *prep.* 42, D. ii. 1 : *see* al, au, as.
a, *for* ad, *see* avoir.
Aäron, *see* Aron.
aas, as, *s.* 7313, 11600, ace, one.
abaier, *v. a.* 4282, bark forth.
abandonné(e), *s.* 8943, 8984, devoted servant.
abandon(n)er, habandonner, *v. a.* 546, 1507, 2169, B. xvii. 2, deliver up, give freely.
abatre, *v. a.* 315, 7855, beat down, overcome, abate : s'abatre, 16566, be overcome.
abaubir, *v. a.* 25761, confuse.
abay, *s.* 1728, barking.
abbacie, *s.* 20901, abbey.
abbes, *s.* 9138, 12115, abbot.
abbesse, *s.* 12115, abbess.
abeisser, abesser, *v. a.* 2124, 3846, lower, abase.
Abel, 4566, 4969, 12217.
abesser, *see* abeisser.
abev(e)rer, *v. a.* 2410, 11837, supply with drink.
abeyver, *v. a.* 12956, supply with drink.
abhominable, *a.* 1108, 4495.
abhominacioun, *s.* 1670.
abhosmé, *a.* 1121, abominable ; 8195, filled with horror.
abho(s)mer, *v. a.* 2646, 6692, abhor.
Abigaïl, 13662, 17473.
Abiron, 2343.
abisme, *s.* 1878.
abit, *see* habit.
'abitement, *s.* 12535, habitation.
abject, *a.* 12836, cast away.

able, *a.* 17396, fit.
Abner (1), 4771.
Abner (2), 17480, Heber.
abondance, *see* habondance.
abonder, *see* habonder.
Abraham, 11418, 12228 f., T. xiii. 1.
absent, *a.* 975.
s'absenter, *v.* 20294.
absoldre, *see* assoldre.
Absolon, 1470, 12985, 23190.
absolucioun, *s.* 10380.
abstenir, *v. a.* 1742, B. xviii. 3, T. xiv. 2 : *v. n.* B. xxv. 3.
abstinence, *s.* 7725, 16272 (R).
abstinent, *a.* 16298 ff.
abusée, *a.* 7695, wrongful, perverse.
abusioun, *s.* 20471, abuse.
acatant, *s.* 7456, buyer : *cp.* achatant.
acatement, *s.* 25806, buying.
acater, *v. a.,* 3 s. *p.* acat, 6956, buy : *cp.* achater.
acceptable, *a.* 4491.
accepter, *v. a.* 4493.
accident, *s.* 2069, 23340.
accidie, accide, *s.* 255, 5126, sloth.
accompte, acompte, *s.* 1504, 6519, 11922 reckoning, account, affair.
accord, accorder, *see* acord, acorder.
accoustummé, *s.* 7330, customer.
accru(z), *see* acrestre.
accusatour, *s.* 17471, accuser.
accusement, *s.* 8852, accusation.
accuser, *v. a.* 161.
acemer, ascemer, *v. a.* 1241, 18329, adorn
Achab, 4957, 6775, 12592, 17635.
Achaie, 20072.
Achar, 6999.
achatant, *s.* 7430, buyer : *cp.* acatant.

achater, *v. a.* 1938, 6294; 3 *s. p.* achat, 6904: provide, buy: *cp.* acater.

Achelons, T. vii. 1.

achever, achiever, *v. a.* 331, 336, accomplish.

Achilles, Achillant, 23365 ff.

Achitofel, 23189.

acier, *s.* 883.

s'acliner, *v.* 7836, incline.

acol(l)er, *v. a.* 1051, 8718, embrace.

acompaign(i)er, acompainer, *v. a., n.* and *refl.* 370, 607, 1514, 3871, 4716, 21305, join as companion, accompany.

acomparer, *v. a.* 8336; 2 *s. fut.* acomparas, 21536 : pay for.

acomplir, *v.* 4656.

acomplissement, *s.* B. i. 3, deed.

acomptable, *a.* 23112.

acomptant, *s.* 6902, accountant.

acompter, *v.* 1747, reckon up, give an account.

acord, accord, *s.* 1428, 22898, B. xxxiv. 1, acort, 226, 29440, agreement, company.

acordance, *s.* 2947, agreement.

acordant, accordant, *a.* 738, 18001, B. xxxii. 3, in agreement, suitable.

acordement, *s.* 593.

acorder, accorder, *v. n.* and *refl.* 329, 1188, B. xii. 3, l. 1, agree, be willing.

acorder, *s.* 13894, agreement.

acort, *see* acord.

acostoier, *v. n.* 5804, be by the side.

s'acoupler, *v.* 9186, have intercourse together.

ac(o)urre, *v. n.* 7400, 18584, run up.

acoustumer, *see* acustummer.

acoustummable, *a.* 9581, accustomed.

acoustummance, *see* acustummance.

acoustummé, *see* acustummé.

acqueintance, *see* aqueintance.

acquere, a(d)quere, *v. a.* 1990 ; 3 *s. p.* aquiert, adquiert, 3358, 8400.

acquester, aquester, *v. a.* 1352, 5360, adquester, 7204, acquire.

acquiter, aquiter, *v. a.* 11095, 11209, remit, set free, acquit, perform.

acrestre, (accrestre), acroistre, *v. a.* 7030, 9941, 18007; *pp.* accru(s), accru(z), 2778, B. xvi. 2 : increase, strengthen, cause.

acrocher, *v.* 26164, gain.

actif, *a.* 14406.

acuillir, *v. a.* 15086; 3 *s. p.* acuilt, 5047 : take, seize.

aculper, *v. a.* 27263, blame.

acun(s), *see* ascun(s).

acurre, *see* acourre.

acustum(m)ance, acoustummance, *s.* 8826, 18003, 24385, custom, intercourse.

acustummant, *a.* 6809, accustomed.

acustummé, acoustum(m)é, *a.* 2680, 6906, 23242, accustomed, habitual.

acustummer, ac(o)ustumer, *v. a.* 6437, accustom ; 9450, 27699, practise.

ad, *see* avoir.

Adam, Adans, 82 ff., 6995, 9988, 11366 ff., 12338, 17152, 18689 ff., 21102, 27075, 27747, 28452, 28855 ff., T. iii. 2.

addicioun, *s.* 5192.

ades, *adv.* 195, 2424, 2906, D. i. 2, B. xx. 1, at once, continually, in order.

adescer, adesser, *v. a.* 1800, 2658, 10862, B. vi. 3, take hold of, seize, reach.

adherder, (adherdre), *v. a.* 2347, 6142, attach : *v.n.* 17235, adhere : *cp.* aherdre.

adhers, *pp.* 14457, attached.

adjouster, adjuster, *v. a.* 3148, 6350, add.

adjug(g)er, *v. a.* and *n.* 1504, 24787, judge, pronounce (as a decision).

adjutoire, *s.* 18693, assistance.

adonque, *adv.* 15036, then.

adoubbement, *s.* 18090, equipment.

adoubé, *s.* 15131, armed knight.

adouber, *v. a.* 14271, equip, appoint.

adourer, *see* aourer.

adourner, *see* aourner.

adquere, *see* acquere.

adquester, *see* acquester.

adrescer, *v. a.* 8070, B. vi. 3, direct : s'adrescer, 5784, B. xliv. 3, apply oneself.

aduner, *v. a.* 6640, gather together.

aduré, *a.* 14276, hardened.

advers, adverse, *a.* 4630, 23532, hostile.

adversaire, *s.* 570, enemy.

adversant, *a.* 14084, hostile : *s.* 13038, adversary.

adverse, *s.* 3168, enemy.

adverser, *v. n.* 4084, be opposed.

adverser, *a.* 2324, hostile, perverse.

adverser, adversier(s), *s.* 1429, 5022, 11272 ; *f.* adversiere, 197 : enemy.

adverser, *s.* 10289, 14047, adversity.

adversité, adverseté, *s.* 252, 504.

advocat, *s.* 6329.

aese, ease, aise, ese, *s.* 3879, 5134, 5155, B. x. 3, xiii. 1.

affaire, = a faire, 14, 15228.

affaire, affere, *s.* 178, 681, B. iv. 4.

affaitier, af(f)aiter, *v. a.* 5162, 14065, 20140, train, teach.

affeccioun, *s.* B. xxi. 3.

afferant, *s.* 11756, due place.

affere, *see* affaire.
afferir, *v.*, 3 *s. p.* affiert, 5863, 7111, affiere, 3068, strike, belong, be fitting: s'afferir, 13177, agree.
affermer, *v. a.* 1952, 10187, affirm, strengthen.
affiance, *s.* 8683, assurance.
affier, *v. a.* 10158, affiance: s'affier, 3589, trust.
affiler, *v. a.* 4046, 6292, 9086, 16082, (sharpen), prepare, train.
affliccioun, *s.* 4131.
affliger, *v. a.* 1157.
affoler (1), *v. a.* 2486, 5726, make foolish: *v. n.* 11952, think foolishly.
affoler (2), *v. a.* 2840, 3533, wound, kill.
s'afforcer, *v.* 1995, endeavour.
affoubler, *v. a.* 7111, put on (a garment): s'affoubler, 871, dress oneself.
agait, agaiter, *see* aguait, aguaiter.
Agamenon, B. xx. 3, T. ix. 2.
Agar, 11416 ff.
agard, agarder, *see* aguard, aguarder.
Agarreni, 21604.
age, *s.* 1647.
s'agreer, *v.* 14520, be pleased.
s'aggregger, *v.* 1516, grow worse.
agreste, *a.* 3527, 12868, wild, savage.
agu, *a.* 1766, 28723, (fiebre) ague, 9546, sharp, violent, piercing.
aguait, agait, *s.* 2695, 3847, 9212, 9222, ambush, lurking-place, snare, danger.
aguaiter, agaiter, *v. a.* 719, 4823, 18124, lie in wait for.
aguard, agard, *s.* 4997, 17148, B. ix. 5, care, view.
aguarder, agarder, *v. a.* and *n.* 933, 2157, 2265, 4674, B. xxii. 4; imperat. aguar, 582 : see, look at, pay regard, take care.
aguile, *s.* 6751, needle.
aguil(l)oun, aguil(l)on, aiguiloun, *s.* 2354, 3549, 4871, 5437, 19370, sting, goad.
aherdre, *v. a.*, 3 *s. p.* ahert, 5872, attach.
s'ahonter, *v.* 2529, be ashamed.
aide, *s.* T. viii. 1, eide, 528 (R), eyde, C.
aider, *v. a.* and *n.* 327, 5494, 5811, B. xxvii. 1 ; 3 *s. p. subj.* aid, 25451.
aïe, aÿe, *s.* 374, 28521, D. ii. 4, aiue, ayue, 2966, 6313, aid.
aigle, *s.* 860, B. xlvi. 1.
aignel, aigneal(s), *s.* 1101, 21090 ; *f.* aignelle, B. xlviii. 3, aignale, 9119: lamb.
aiguiloun, *see* aguilloun.
ailours, *adv.* B. xl. 2, T. xi. 2, aillours, 4456, elsewhere, besides.

aimal, *s.* 21020, jewel (?).
ainçois, *adv.* D. i. 1, ançois, 74, 319, before, on the contrary, but ; ainçois que, 2120, B. ix. 2 : *prep.* 17374.
ainsi, *see* ensi.
ainz, ains, einz, *adv.* and *conj.* 15, 3375, 11369, 13022, B. xx. 1, l. 2, T. xi. 2, formerly, rather, on the contrary, but : ainz que, 1891.
air, *s.* 2577, B. xvi. 1, eir, 13867.
aire (1), *s.* 2987 ; de mal aire, 13457, du bon aire, 15187 : disposition.
aire (2), *s.* 18056, ground.
s'aïrer, *v.* 22250, be angry.
aise, *see* aese.
aisée, *a.* 5172, at ease.
aiseëment, *adv.* 5259, easily.
aisné, *a.* 244, eldest.
aiue, *see* aïe.
aiuer, *v. a.* 1769, 16412, help.
al, 532, T. i. 1.
alasser, *v. a.* 14278, weary.
Albertes, 10801.
Albins, T. xi. 1.
Albumazar, 26749.
Alceone, B. xxxiv. 3.
alconomie, *s.* 25515, alchemy.
alegger, *see* allegger (1).
aleine, *s.* 2037, B. xiv. 4, breath, voice.
alenter, *see* allentir.
aler, *v. n.* 325, 411, 1572, B. vi. 3 ; 1 *pl. p* aloms, 28377 : *see* va *and* irrai.
alie, *s.* 23898, alder-berry.
aliener, *v. a.* 5678, estrange.
alier(s), *s.* 10656, traveller.
Alisandre, 12998, 22051 ff., T. vi. 1.
allaier, *v. a.* B. xxvii. 3, alleviate.
allaiter, *v. a.* 1434, 7883, suckle, suck.
alleg(g)ance, *s.* 29909, B. xiii. 4, alleviation.
alleggement, *s.* 10367, alleviation.
allegger (1), *v. a.* 4295, 10210, alegger B. xxxvi. 3, alleviate, lighten.
allegger (2), *v. a.* 5611, allege.
allentir, alenter, *v. n.* 3712, 14363, grow sluggish, be slack.
allentis, *a.* 5534, sluggish.
allever, *v. a.* 1376, 18208, raise, bring up
alliance, *s.* 270, 6925, 9853, B. iv. 3, alliance, allies, company, council.
allier, *v. a.* 25515, B. x. 1, join togethe alloy: *v. n.* 18138, be an associate.
alliner, *v. n.* 5126, intermarry.
allouer, *v. a.* 20184, 24946, allow, aware
allumer, *v. a.* 26684.
alme, *s.* 392, D. i. 3, T. i. 1, soul.

aourner, adourner, *v. a.* 11991, 26730, adorn.
aparcevance, *s.* 1984.
aparcevoir, *v. a.* and *refl.* 2697, B. xli 3; 3 *s. pret.* aparçut, 123, aparçuit, 625; *pres. part.* aparceivant, 20764; *pp.* aparceu, 10602.
apareiller, *see* apparailler.
apartenir, *see* appartenir.
s'apenser, *v.* 27549, intend.
apent, *see* appendre.
apert, apers, *a.* 1975, 6980, 21777, open, public, allowable: en apert, 1395, openly.
apert, *adv.* 9002.
apertement, *adv.* 1079.
aperticer, *v. a.* 2995, make known, show.
apiert, *see* apparer.
apocalips, apocalis, 2464, 7441, 8061, 9889, 17044, 21739.
apostata, *s.* 2512.
apostazer, *v. n.* 2020, 9132.
apostazie, *s.* 20979, apostacy (from religious rule).
aposteme, *s.* 13960, abscess.
apostre, *s.* 49.
appaier, = a paier, 24326.
s'appaier, *v.* 10100, be pleased.
apparailler, ap(p)areiller, *v. a.* 1221, 5220, 22211, apparel, prepare.
apparant, *a.* 1182, B. xxxviii. 3.
apparant, *s.* 5580, heir (?).
apparantie, *s.* 1124, appearance.
apparence, apparance, *s.* 3510, 14802.
apparer, *v. n.* and *refl.* 487; 3 *s. p.* apiert, 2597, appiert, 17732, appiere, 1775; 3 *s. fut.* appara, 1140, apparra, 20068; 3 *s. p. subj.* appere, 12035 : appear.
apparisance, *s.* 1138, appearance.
apparisant, *a.* 16900.
ap(p)artenir, *v. n.* 450; 3 *s. pret.* appartient, 4562; *pres. part.* appartianant, 6475.
appell, *s.* 4765, 11281, naming, challenge.
ap(p)eller, *v. a.* 222, 20358; 1 *s. p.* appell, 5041 : call, summon, accuse.
ap(p)endre, *v. n.,* 3 *s. p.* appent, 1535, apent, 2612, belong.
appeser, *v. a.* 17475, appease.
appeticer, *v. a.* 18915, desire.
appetit, *s.* 5198, B. xxvi. 3.
appetiter, *v.* 6275, 8697, desire.
appiert, appiere, *see* apparer.
applier, apploier, *v. a.* 2982, 7578, 14324, 18880.

Appollo, Appollinis, Appolin, 7093, 19986, 22328.
apporter, *v. a.* 259, B. iii. 4.
appourtenance, *s.* 8443.
apprentis, *s.* 24361.
apprentisal, *s.* 25799, apprenticeship
ap(p)roprier, *v. a.* 8092, 13976.
approver, *v. a.* 13325, prove, approve.
aprendre, *v. a.* 57, 240, 835, B. xxix. 1 xxxiv. 1.
apres, *adv.* and *prep.* 385, 675, 4434, D ii. 4, B. ii. 4; en apres, 92.
aprest, *s.* 6236, loan.
aprester, apprester, *v. a.* 976, 7221 15356, prepare, lend.
aprise, *s.* 598, 1036, 1149, teaching, skill school.
aprocher, *v. n.* 3190.
aprompter, *v.* 5446, 7232, borrow.
aproprié, *a.* 10130, proper.
apt, *a.* 5647.
aquasser, *v. a.* 15646, (destroy), remove.
aqueintance, *s.* 1634, acqueintance, B xxiii. 1, aquointance, 130.
aqueinte (1), *s.* 5293, friend.
aqueinte (2), *s.* 13690, friendship (?).
aqueintement, *s.* 26021.
aqueinter, aquointer, *v. a.* 7267, B. x. 1 make acquaintance with; s'aqueinter (s'aquointer) de, 5072, B. xlii. 1.
aqueste, *s.* 15358, acquisition.
aquester, *see* acquester.
aquiert, *see* acquere.
aquitance, *s.* 26064.
aquiter, *see* acquiter.
aquointance, aquointer, *see* aqueintance, aqueinter.
aquointement, *s.* 4580.
Arabie, B. xxxv. 2.
arbitrement, *s.* 18712, decision.
arbre, *s.* 116.
arbroy, *s.* 7896, wood.
arcbalaste, *s.* 9337, crossbow.
archangre, *s.* 3734, archangel.
arche, *s.* 4533, 10219, ark.
archedeacne, *s.* 20091, archediakne, C. archdeacon.
archepreste, *s.* 2275, chief priest.
archer, *s.* 2834.
Archideclin, 28395.
ardant, *a.* 606, B. iii. 1, xxvii. 1.
ardantment, *adv.* 7664.
ardoir (ardre), *v. a.* and *n.* 9471, T. vii. 3; 1 *s. p.* ars, B. ix. 4; 3 *s.* arst, art 1879, 3632, 3822; *pp.* arsz, T. xi. 3 burn.

ardour, *s.* 3030, **ardure,** 3778, heat, passion.
arein, **arrein,** *s.* 14731, T. vii. 1, brass.
areine, *s.* 6397, crab (?).
arer, *v.* 5451, plough.
arere, *adv.* 780, 20646, back, behind.
areson(n)er, *v. a.* 528 (R), 685, reason with.
arest, *s.* 11850, hindrance.
arestance, *s.* 3622, stopping.
aresteisoun, *s.* 16735, 17723, delay, ceasing.
arester, (**aresteir**), *v. a.* and *n.* 2997, 3918, **s'arester,** 9810; *pp.* **arestu,** 11160, **arrestu(z),** 26504 : arrest, stop, take one's stand.
argent, *s.* 1076.
argentin, *a.* 24730, of silver.
arguer, *v. a.* 1095, 2973, 10112, refute, blame.
argument, *s.* 1397.
Ariagne, B. xliii. 1.
Arimaspi, 10737.
Aristotle, Aristote, Aristole, 1449, 3382, 7393, 10957, 17617, 17629, 24714, 25969, 26929.
armer, *v. a.* 14274, B. xliii. 2.
armes, *s.* 1941, T. vii. 1.
armoy, *s.* 23718.
armure, *s.* 12887, armour.
Aron, Aäron, 16141, 20701.
arondelle, **arundelle,** *s.* 16104, 22131, swallow.
aro(u)ser, *v. a.* 3828, 5177, water.
s'arouter, *v.* 20138, 29680, assemble, form a company.
arrable, *a.* 26717.
arraier, *v. a.* 29804, prepare.
arrainier, *v. a.* 18409, declare (war).
array, **arrai, arroy,** *s.* 840 (R), 854, 5432, 18964.
arrement, *s.* T. xv. 2, ink.
arreri(s), **arrery,** *pp.* 3232, 3377, put back, damaged.
arrestuz, *see* arester.
arrogance, *s.* 1831.
arroy, *see* array.
ars, **art, arst, arsz,** *see* ardoir.
arsure, *s.* 11514, burning heat.
art, *s.* 1899, B. xix. 1 ; *pl.* **ars,** 1450.
artefice, **artifice,** *s.* 21418, 25500 (R), device, handicraft.
article, *s.* 12343.
artificer, *s.* C.
Artus, Arthus, 14273, 23870.
arundelle, *see* arondelle.

as,= **a les,** 949, D. ii. 5 ; as ses, 3265 ; as les, 23922, T. xvi. 1 : (*also often* a les, e. g. B. xxxi. 1).
as, *s. see* aas.
Asahel, 4769.
ascemer, *see* acemer.
ascencioun, *s.* 29220 (R).
ascendre, *v. n.* 602 : *v. a.* 13152.
ascoulter, **asculter,** *v. a., n.* and *refl.* 472, 1039, 1709, 2692, **escoulter,** 1, 2736, listen to, listen.
ascun(s), **aucun(s),** *pron.* 504, 975, 1321, D. ii. 3, 4, B. xvi. 3, **acun(s),** 1445, 20647, some, any, some one, any one.
ascunefois, *adv.* 25562, *also* **ascune fois.**
ascunement, *adv.* B. xix. 2, **aucunement,** 485, 1726, at all, in any way.
ascunepart, *adv.* C., in any direction.
ascuny, *pron.* 2714, any one.
asne, *s.* 889.
aspirant, *s.* 26948, breath.
aspirer, *v. a.* 8538, draw in (as breath).
asporter, *v. a.* 1569, carry off.
aspre, *a.* 3686, B. l. 2, rough, sharp ; Aspre vie, 17965.
asprement, *adv.* 2556.
aspreté, *s.* 1156.
assai, *s.* B. xxxvi. 1, trial.
assaillir, *v. a.* 5497 ; 3 *s. p.* **assalt,** 2537 ; assault, 6269; **assaille,** 4210.
assalt, *s.* 9304, attack.
assavoir,= **a savoir,** 375, B. xli. 2.
asseine, *see* assener.
assemblé(e), *s.* 1708, 7899.
assembleisoun, *s.* 8645, meeting.
assemblement, *s.* 343, assembly, union.
assembler, *v. a.* 332, join, gather together : **s'assembler,** 9183, have intercourse together.
assembler, *s.* 8658, meeting.
assener, *v. a.* 25394 ; 1, 3 *s. p.* **asseine,** 2745, B. x. 2, xiv. 3, xxxix. 2, strike, direct, address, dispose, approach : **s'assener,** 13316, address oneself.
assentir, *v. n.* and *refl.* 8682 ; 3 *s. p.* **assente,** 13172, 13786.
(**asseoir, asseir**), *v. a.,* 3 *s. p.* **assit,** 129, **assist,** 2160, **assiet,** 17887 ; *pp.* **assis,** *f.* **assise, assisse,** 906, 1707, 2498, 2938, D. i. 2, B. ix. 5 : place, set, appoint, arrange.
assetz, **asses,** *adv.* 900, 2173, B. viii. 1, T. ii. 1 ff., much, enough : **d'assetz,** 9166, by much.
asseurance, *s.* 16741.
asseurer, *see* assurer.

*

I i

assez, *a.* (?) 13828, great.
assieger, *v. a.* 23727, besiege.
assigner, *v. a.* 29300, appoint.
Assirien, *s.* 11021.
assisse, assise, *s.* 2295, 2497, 3743, 5618, place, company, trial, decision; 8264, amount (assessment).
assissour, *s.* 6332, 16112, juror.
assister, *v. n.* 17049, stand by.
associer, *v. a., n.* and *refl.* 2307, 4757; 3 *s. p.* associe, associt, 2437, 17136: join.
assoldre, absoldre, *v. a.* 21262, 22954, absolve.
assorbir, assorber, *v. a.* 7624, 8624.
assoter, *v. n.* and *refl.* 3897, 20688, be foolish, be made a fool; assoter de, 7404, be fond of: *v. a.* 9329, make a fool of.
assuager, *v. n.* 2543, become less: *v. a.* 18227, alleviate.
Assuerus, 17467.
assumpcioun, *s.* 29341.
assurer, asseurer, *v. a.* 8630, 10148; 1 *s. p.* assure, asseur, B. iv. 1, vii. 2: assure, betroth: *v. n.* and *refl.* 4359, 14640, B. xii. 2.
astronomye, *s.* 10679.
atalanter, *v.* 3713, desire.
atant, *s.* and *adv.* 820, 3610; a tant, 23953, B. v. 3: so much, so many, just so; jusques atantque, 3320, until.
ateint, *see* atteindre.
Athenes, 13433, 19982, T. xii. 1.
atiffer, *v. a.* 8716, adorn.
atir, *s.* 8915, 18468, preparation, equipment, arrangement.
atirer, *v. a.* 5562, 15567, 19318, adorn, arrange, prepare; 15145, bring.
atort, *adv.* 13109, wrongly: *cp.* tort.
atour, *s.* 925, 1255, 11178, B. xxxv. 3, T. ii. 3, adornment, equipment, state, manner.
atourner, atto(u)rner, *v. a.* 6283, 16114, 16711, direct, dispose, prepare.
atrapper, *see* attrapper.
attacher, *v. a.* 28995.
atteindre, *v. a.* and *n.* 4312, 5107, 9918, attain, reach, attack, come: *pp.* at(t)eint, atteins, 167, 3662, B. xlii. 1, convicted, tainted.
atteint(z), *a.* 8705, 25033, affected (in the wits), corrupt.
atteinte, *s.* 13687, defilement.
attemprance, *s.* 15232, 22919, self-control, tempering, harmonising.

attemprer, *v.a.* 3874, T. i. 1, temper, tune.
attemprure, *s.* 22898, harmony.
attempter, *v. a.* 2598, 21466, aim at attack.
attendance, *s.* 272.
attendant, *s.* 5, 881.
attendre, *v. a.* 605, 7919, B. v. *margin* wait for, expect, be destined to: *v. n* 309, 597, 3939, B. iii. 1; imperat. atten 5214: wait, remain, belong.
attenir, *v. n.* 15220, belong.
attourné, *s.* 24795, attorney.
atto(u)rner, *see* atourner.
attraire, attrere, *v.a.* 567, 17356; 3 *s. p* attrait, attraie, 1550, B. xxvii. 3, xxxviii. 1, attret, 6235: draw, bring collect, carry out, assume, teach: *see* note on l. 10748.
attrait, *s.* 8938, establishment.
attrap(p)er, atrapper, *v. a.* 2213, 3562 B. xix. 1, catch, confine.
au, *prep., very commonly for* a, 105, 416 B. xxxviii. 1, &c.; *also for* a le, 51, B. ix. 1 *and* a la, 133, B. iv. 4, &c.
aube, *s.* 27622.
auci, *adv.* 90, 1101, B. iv.* 2, aussi 536, so, also, as.
auctorité, *s.* 17143.
auctour, *s.* 1297, 1676, T. vii. 3, author authority.
aucun(s), *see* ascun(s).
aucunement, *see* ascunement.
audience, *s.* 349.
audit, *s.* 1143, hearing.
auditour, *s.* 3558, 16662, hearer, audito (of accounts).
augst, august, *s.* 10651, 18295, harvest.
augurre, *s.* 1476, augury.
august, *see* augst.
Augustin(s), 1194, 1784, 4225, 10411 11044, 13477, 13537, 13549, 15241 17907, 20547, 20845, 20886.
aulques, aulqes, *adv.* 899, 12256, some what.
aultier, *see* autier.
aultre, *see* autre.
aumosnier(s), 8411; *f.* almosnere, 1077 almoner, almsgiver.
aun, *see* an.
aussi, *see* auci.
autier, aultier, *s.* 4463, 20386, altier 20442, altar.
autre, *a.* and *s.* 247, D. i. 3, B. xxvi. 2 aultre, 7565, altre, 19395, other, second d'autre part, d'autrepart, 616, 937 on the other hand.

autrecy, autreci, *adv.* 746, 1948, thus, just so.
autrement, *adv.* 1727.
autrepart, *adv.* 4419, elsewhere; d'autrepart, 616, on the other hand : *cp.* autre.
autresfoitz, autre(s)fois, *adv.* 7911, 24468, B. vii. 3, another time, again.
autretiel, *a.* 6696, just such; autre tal, 9557, a like thing.
autri, autry, *pron.* 1107, 1419, T. xviii. 1, others, of others.
aux, = eux, 7181.
aval, *adv.* and *prep.* 712, 2257, B. vii. 2, down.
avaler, *v. a.* 8338, 10306, lower, swallow down, bring down : *v. n.* 558, come down.
avancé, *s.* 20232, superior.
avancement, *s.* 6713.
avancer, *v. a.* 274, 1739, B. xv. 3 : *v. n.* 3099.
avancié, *a.* (*pp*). 20269, promoted.
avant, *adv.* 114, 3628, 9271, first, in front, onwards, henceforth; en avant, 12, further on ; si avant, 655, so far; plus avant, 269, 971, moreover, afterwards : puis avant, 2214, thenceforth : avant que, 8360.
avant, *s.* 1740, boast.
avantage, *s.* 827, D. i. 1 ff.
avantance, *s.* 1731, boasting.
s'avanter, 1730 ff., boast.
avanterie, 12087, boasting.
avantgarde, *s.* 3675.
avarice, *s.* 253, T. iv. 2.
ave, *interj.* 16974, hail!
avec, *see* avoec.
avenant, *a.* 1702, 9275, 17261, suitable, agreeable.
avenement, *see* avienement.
avenir, *v. n.* 917, 8789, B. xviii. 1 ; 3 *s. pret.* avint, avient, 8584, T. vi. 2 ; *fut.* avendra, 3264 : happen, be suitable.
aventer, *v. n.* 13782, B. xvi. 3, happen, succeed : *v. a.* 4786, 20101, 21265, follow after.
aventure, *s.* 1239, 1853, 5029, B. xii. 1, chance, danger, uncertainty, strange thing.
aveoc, *see* avoec.
averous, *a.* 7345, B. l. 1, avaricious.
avesques, *see* avoec.
avienement, avenement, *s.* 9079, 29280 (R), coming.
avier(s), *a.* 15998, 19347, miserly.
aviler, *v. a.* 216, 2471, debase, defile.
avis, *s.* 188, B. ii. 3, opinion, thought : m'est avis, 824, &c., in my opinion.

avisé, *a.* 637, 2190, aware, careful.
avisement, *s.* 22772, B. xlix. 4, consideration.
s'aviser, *v.* 729, 23181, B. xlv. 2, take thought, consider.
avisio(u)n, *s.* 5187, 20466, 28148, dream, vision.
aviver, *v. a.* 4638, rouse.
avoec, *prep.* 1047, B. xvi. 4, aveoc, 2196, avec, 18006, avesques, 1339, 2670 : *cp.* ove, ovesque.
avoegler, *v. a.* 1390, blind : *v. n.* 29683, become blind.
avoi, avoy, *interj.* 535, 9248, shame !
avoir, *v. a.* 25, B. xiv. 3 ; 1 *s. p.* ay, 122, ai, 9721, D. i. 4 ; 3 *s.* ad, 109, D. i. 1, &c., a, 7109, &c.; *imp.* avoie, 6620 ; 3 *s. pret.* ot, 61, B. xxx. 2, out, 18217 ; 3 *s. fut.* avra, 6, avera, 18535, B. ix. 5, T. i. 3, ara, 3696 ; 2 *pl. imper.* eietz, 446; 1 *s. p. subj.* eie, 18503 ; 3 *s.* ait, 1821, B. vi. 2 ; 3 *pl.* eiont, 2703 ; 3 *s. pret. subj.* eust, 181, B. viii. 2, ust, 505, 3238 ; 2 *pl.* ussetz, 3759, eussetz, 29774 ; 3 *pl.* ussent, 19380, ussont, 29778, eussont, 29782 ; *pres. part.* eiant, 1468 ; *pp.* eeu, 182.
avoir, *s.* 473, B. v. 2, property, goods : avoir du pois, 25263, wares (of a bulky kind).
s'avoler, *v.* 13673, fly away.
avolterie, avoulterie, *s.* 8748 (R), 8759, T. vi. 2, adultery.
avo(u)ltier(s), *s.* 8828, T. ix. 1, xii. 3 ; *f.* avoultiere, 8953: adulterer, adulteress.
avoltre, *s.* 19108, adultery.
avouer, *v. a.* 29303, promise.
aymy, ay my, *interj.* 11225, 29144, alas!
ayue, *see* aïe.

B

Babilant, Babiloyne, Babiloine, Babyloyne, Babyloine, Babyloigne, Babiloigne, Babilon, 1084, 1889, 2666, 2858, 4004, 7189, 7196, 8054, 10247, 15712, 17991.
Babilonien, *s.* 11020.
bacheler, *s.* 23688, young knight.
Bachus, 970, 20694.
baigner, *v. n.* 6756 ; *refl.* 24474 : bathe.
baille, *s.* 4211, charge.
bailler, *v. a.* 104, 15543, deliver up, give.
baillie, *s.* 2616, T. xi. 3, charge, government.

baillif, *s.*, *pl.* baillis, 20976, 24949 ff., 25158, overseer, reeve.
baisant, *s.* 3500, kissing.
baiser, *v. a.* 3513.
baiser, *s.* 4373.
balade, *s.* D. i. 3, B. v. 4.
balance, *s.* 4960, 10308, B. xiii. 1, balance, weight, measure, danger.
balancer, *v.* 13302.
baler, *v. n.* 17611, dance.
balsme, *s.* 12845, balm.
Baltazar, 7183, 10340.
Banaa, 4898.
bando(u)n, *s.* 7050, 14183, B. xxi. 1, T. xvi. 2; a bandoun, promptly; a sa bandon, en lour bandoun, in his (her, their) absolute power.
ban(i)ere, *s.* 5664, 9820, B. xxvii. 2, banner.
banir, *v. a.* 10037, T. x. 3, banish.
baptesme, *s.* 3117.
baptist, baptistre, *s.* 27986, 28430.
baptizer, *v. a.* 12209.
baptizere, *s.* 26661, baptiser.
baraign, barein, baraine, baraigne, *a.* 5578, 12226, 25449, 27953, barren.
baraigner, *v.* 20621, make barren.
barat, *s.* 543, 4446, trick, quarrel.
baratier, *s.* 20689, 20779, cheater, quareller.
baratour, *s.* 23319.
baratter, *v. a.* 543, deceive, cheat.
barbe, *s.* 3719.
barein, *see* baraign.
bargaign, barg(u)ain, bargein, *s.* 3301, 3303, 21395, T. xvii. 1, bargain, business.
bargaignement, *s.* 6284.
bargai(g)ner, bargeiner, *v. n.* and *a.*, 3368, 7432, 7451, 9483: bargain, traffic; bargain for, traffic in.
barnage, *s.* 22051, barons.
baro(u)n, *s.* 417, 8811, 10266, lord, husband.
Baruch, 1286, 3145, 3416, 3601, 3997, 6877, 10335.
bas. *see* bass.
basilisque, *s.* 3747.
bass, bas, *a.* 69, 320, 18429, B. ix. 3, xvii. 3; de halt en bass, 3183: *adv.* 563.
bastarde, *s.* 11616.
bastir, *v. a.* 4688, 9858, B. xxxviii. 4, build, establish, make.
basto(u)n, *s.* 4100, 4115.
batai(l)e, *s.* 1472, T. vii. 1.
batailler, *v. n.* 22929, fight.
bataillous, *a.* T. xi. 1, warlike.
baterie, *s.* 4647, beating, fighting.

batre, *v. a.* 2946, 8899.
baucan, *s.* 903.
baud, *a.* 8887, bold.
bauldour, *s.* 13341, confidence.
beal(s), beau, bel(l), *f.* bel(l)e, 248, 307, 635, 1182, 3493, D. i. 1, B. i. 4, iii. 2, v. 3.
beal, bel(l), beau, *adv.* 486, 580, 3353, 12646, B. xli, 3.
bealparler, *s.* 1253, fair speech.
bealpere, *s.* 19963, father.
bealpinée, *a.* 1705, (well-combed), well-dressed.
bealsire, *s.* 436.
bealté, *see* beuté.
beatitude, *s.* 15890, blessedness.
beau, *see* beal(s), beal.
beauté, *see* beuté.
Bede, 7681, 9603, 12448.
bedell, *s.* 4842, attendant.
Beemoth, 4453.
begant, *pres. part.* 6666, begging.
beggerie, *s.* 5800.
beguinage, *s.* 5452, beggary.
beguyne, *s.* 6898, beggar.
bek, *s.* 4113, beak.
bel, bell, *see* beal(s), beal.
belement, *adv.* 3581.
Belsabu, Belzabu, 4802, 7173, 24167.
bende, *s.* 9282, band.
bender, *v. a.* 28710, bandage.
benefice, *s.* 1330, 4536, 7422, benefit, kindness, benefice.
beneiçoun, *s.* 12036, T. v. 3.
beneuré, *see* benuré.
benigne, *a.* 12879.
benignement, *adv.* 2059.
benigneté, *s.* 22169.
benoier, benyer, benoïr, *v. a.* 7145, 8398, 12244, bless.
Benoit, Beneit, 3199, 7931, 9122.
benoit, *a.* 138, D. ii. 1.
benuré, beneuré, *a.* 4193, 11147, blessed.
berbis, *s.*, *pl.* berbis, berbitz, 3448, 22886, sheep.
bercelet, *s.* 3437, hound.
berces, berce, *s.* 4798, 13524, cradle.
bercheresse, *s.* 21031, shepherdess.
berchier(s), *s.* 20567; *f.* berchere, 5300: shepherd, shepherdess.
Bernard(s), Bernars, 1146, 1618, 2874, 5877, 7694, 9631, 12445, 14020, 14623, 14653, 14951, 16875, 18004, 20974.
Bersabé(e), 4968, 16699, 22821, T. xiv. 1.
besant, *s.* 15628, besant (talent).
beste, *s.* 905, B. xvi. 1.
bestial, *a.* 7829, 9554.

bestial, *s.* 8529, beast.
bestialité, *s.* 24.
Bethanie, 28513.
Bethlem, 28048, 28133 ff.
beuté, beauté, *s.* 1254, 3770, bealté, 17010, B. iv. 2.
beverage, *s.* 6110.
beveresse, *s. f.* 8125, drinker.
beverie, *s.* 7604, 13217, drinking.
bible, *s.* 1657, T. xiv. 1.
bien, *adv.* 80, B. iv. 2 ; le bien venuz, 2263 ; bien tost, 913.
bien, *s.* 140 ; *pl.* biens, bien, 60, D. ii. 5, B. vi. 2 : good, wealth, good things.
bienamé, *a.* 10193 : *s.* 12982.
bienfaire, *v. a.* 3132, 8215 : *v. n.* 10551.
bienfaire, bienfere, *s.* 15731, 22912.
bienfaisance, *see* bienfesance.
bienfait, *s.* 2272 ; *pl.* bienfaitz, bienfetz, 1839, 13821 : good deed, benefit.
bienfesance, bienfaisance, *s.* 1992, 7539.
bienfesant, bienfaisant, *s.* 1841, 19074, well-doing, well-doer.
bienfesour, *s.* 17454.
bientost, *see* bien.
bienvenu(s), *a.* 5202, welcome.
bienvuillance, *s.* 5683.
bienvuillant, *s.* 26951, benefactor.
bier, *s.* 23108, man.
bilingues, *a.* and *s.* 3519, 3580, double-tongued, Double-tongue.
blame, *s.* 2958, 12708, blame, reproach.
blamer, *v. a.* 2719, 7682, B. xvii. 1, blasmer, C.
blamer, *s.* 25216, blaming.
blanc, *a.* 3498, B. xlv. 3 ; *f.* blanche, 1560, B. xxxvii. 3.
blanchour, *s.* 9340, whiteness.
blandir, *v. a.* 506, flatter.
blandisant, *a.* 8210.
blandisement, *s.* 1388.
blandisour, *s.* 3559.
blandit, *s.* 8723, caress.
blasmer, *see* blamer.
blaspheme, *s.* 2438.
blasphemer, *v.* 2446.
blasphemus, *a.* 2450.
blé(e), *s.* 2565 ; *pl.* bledz, bleedz, 11144, 14527 : corn.
blemir, *v. a.* 2625, injure.
blemure, *s.* 9708, blemish.
blescer, *v. a.* 2659, wound.
blesceure, *s.* 2070, wound.
blounde, *s.* 8688, fair one.
bloy, *a.* 25329, blue.
bobance, *s.* 1989, arrogance.

bobancer(s), *s.* 1883, arrogant person.
bobant, *s.* 11057, arrogance.
bochier(s), *see* bouchier(s).
Boëce, 1758, 1790, 14833, 14898.
boef, *s.* 7747.
boël(l)e, *s.* 3396, 8084, bouelle, 8598, bowels.
boidie, *s.* 3848, 6393, deceit.
boire, *v.* 1180, 3603, B. xlvii. 1 ; 3 *s. imp.* bevoit, 18234 ; 3 *pl. pret.* beurent, 21113 ; 3 *s. fut.* bevera, 11852.
bois, *s.* 941.
boiste, buiste, *s.* 2273, 4624, box.
bon(s), *a.* 33, D. i. 1, boun, 11273 ; *f.* bonne, bone, 598, 13154, B. iv. 2.
bonde, *s.* 4053, 8202, T. xviii. 1, bounds, control.
bon(n)ement, *adv.* 2610, 14157, B. xlix. 1, in good manner, good-humouredly.
bonneg(u)arde, *s.* 16585, 16606.
bonté, *s.* 1387, B. xxxiii. 4, bounté, 8317, B. iv. 2.
Boors, 1473.
bordel(l), *s.* 8735, 20637, stews.
bordellant, *s.* 9267, frequenter of stews.
bordeller, *s.* 5502.
bordeller, *v. n.* 9088, commit fornication.
boscage, *s.* 2136, wood.
boscheus, *a.* 5336, bossy.
boscu, *a.* 27029, wooded.
botel(l)er, buteller, *s.* 298, 7547, 16447, butler.
botenure, *s.* 1242, adornment of buttons.
botoun, *s.* 25629, button.
botu(z), *pp.* 171, thrust out : *cp.* bouter.
bouche, *s.* 3513, B. xiv. 4.
bouchier(s), bochier(s), *s.* 26213, 26223, butcher.
bouelle, *see* boel(l)e.
boun, *see* bon.
bounté, *see* bonté.
bountevous, *a.* B. xxxi. 2.
bource, *s.* 910.
bourdant, *s.* 3901, jesting.
Bourdeaux, 25244.
bourny, *see* burny.
bout, *s.* 5252, 8130 (bout de la tonelle).
bouter, *v. a.* 1337 ; 3 *s. p.* bout, 10384 : thrust, put in, cast down.
bovier(s), *s.* 26439, herdsman.
braielle, *s.* 5227, braiel, 7053, girdle.
braier, *v. a.* 7951, bray (in a mortar).
braire, *v. n.* 2807, lament.
brandir, *v. a.* 4671, move about.
branler, *v. a.* 14744, brandish.
bras, *s.* 7099.

brief, *a.* 6604, B. xvii. 3, short, small;
danz brief, in a short time : *adv.* 26341.
brief, *s.*, *pl.* bries, 337, 24865, letter.
brievement, *adv.* 13745.
brigantaille, *s.* 18675, irregular troops.
briser, *v. a.* 9324, B. xlii. 1 : *v. n.* 10952.
brocage, *s.* 6579, 9460, agency, brokerage,
intrigue.
brocager, *v. n.* 24890, intrigue.
brocour, *s.* 7225, agent, broker.
Brugges, 25251.
bruiller, *v.* 2345, burn.
bruire, *v. n.* 3032, 19893 : *v. a.* 3628 : burn.
bruisser, *v. n.* 7896 : *see* note.
brun, *a.* T. xvii. 3.
brusch, *a.* 26120, acid, sour.
Brutus, 25254.
buffet, *s.* 13402, blow.
buffle, *s.* 25277, jest (?).
buffoy, *s.* 1778, pride.
builer, buylier, *v. n.* 4148, B. vii. 2, bubble.
buillie, *s.* 3876, 26158, bubbling, brew.
buillon, *s.* 25531, mint.
buisso(u)n, *s.* 943, 8899, bush.
buiste, *see* boiste.
buleter, *v.* 7805, bolt (meal).
bulle, *s.* 18759, bull (of the pope).
burette, *s.* 9281 : *see* note.
burgois, *s.* 7252, citizen.
burgoiserie, *s.* 7897.
burny, bourny, *a.* 1112, 14060, burnished.
busche, *s.* 9470, fragment (of wood).
busoignable, *a.* 14578, necessary.
busoign(e), *s.* 1962, 5405, T. vi. 3, busi-
ness, affair, necessity.
busoigner, *v. n.* 25194, have need.
busoignous, *a.* 7314, 14541, needy,
necessary.
buteller, *see* botel(l)er.
buyller, *see* builer.

C

ça, *adv.* 10917, 24475, hither.
caccher, *v. a.* 7010, drive : *cp.* chacer.
cacheus, *a.* 8601.
cage, *s.* B. xix. 1 : *cp.* gage.
Cahim, Cahym, Chaÿm, 4565, 4969,
12219, Cain.
caitif(s), caitis, caytis, *a.* 4001, 5678,
captive, wretched: *s.* 6106, 11368, 11438,
wretch, villain : *cp.* chaitif.
Calcas, B. xx. 3.
Caldieu(s), Caldeus, Caldiee, 22017 ff.,
29321, Chaldeans.
Caleph, 2336.

Calidoine, T. vii. 1.
Calipsa, 16675.
Calvarie, 28730.
camele, *s.* 4417 : *cp.* chameal(s).
camelion, *s.* B. xvi. 1.
camerette, *s.* 17897.
camp, *s.* 5129, field : *cp.* champ(s).
Canana, 17488.
Candy, 26094.
canin, *a.* 4281, like a dog.
canoller, *s.* 8660, spinning.
cano(u)n, *s.* 2741, 7372, 16092, 21157 f., rule,
canon law, canon (regular) : *a.* loy
canoun, 17140.
capitein, *a.* 27375, chief.
capitein, capitain, *s.* 476, 715; *f.* capiteine,
capitaine, 764, 1045, B. xxxix. 2.
capitous, *a.* 26384, obstinate.
capo(u)n, chapoun, *s.* 7746, 15415, 24729.
captivesoun, *s.* 10372, captivity.
car, *conj.* 5, D. ii. 3, &c., quar, 3922, 14479.
carbo(u)n, charbo(u)n(s), 3627, 6888,
8849, 16793.
cardiacre, *s.* 5093, heart-disease: *cp.* M, E.
'cardiacle.'
cardinal, *s.* 18560, 18849 ff.
cardoun, *s.* 27190, thistle.
Carme, *s.* 21760, Carmelite (friar).
caroigne, *s.* 1121, 9537, T. vi. 3, carcass,
body, carrion.
carole, *s.* 16668, dance.
caroler, *v. n.* 9366, dance (in a round).
carpenter, *s.* 21430.
carte, *s.* 8890.
cas, *s.* 1861, B. xxii. 1, case, chance : par
cas, 1908, perchance.
casselle, *s.* 14776.
Cassodre, 11770, 13920, 23059, 24592,
Cassiodorus.
castell, *see* chastel.
catell, *see* chateal.
Catoun(s), Caton(s), 4077, 4704, 5266,
12727, 12733, 13485, 14143, 17617,
17641 ff.
causal, *s.* 154, B. l. 2, cause.
cause, *s.* 100, 11663, D. i. 1, cause, affair.
causer, *v.* 156, B. xxxi. 2.
cautele, *s.* 7076, 24213, device, trickery.
cave, *s.* 21109.
caytis, *see* caitif(s).
ce, *pron.* 13, 78, D. i. 4 ; (with *prep.*) de ce,
pour ce, oultre ce, 21, 89, 400 : *cp.*
pource.
ce, *dem. a.* B. ii. 4 ; *pl.* ce, 14890 : *cp.* ceo,
cest.
ce, = se, 1147, B. xviii. 3.

cea, *see* ceo.

ceaux, *see* celui.

cedre, *s.* 13357, cedar.

cedule, *s.* 25671, prescription.

ceinture, *s.* 1707.

ceinturelle, *s.* 20654, girdle.

Ceïx, B. xxxiv. 3.

cel, cell, *dem. a.* 152, 305, B. iii. 1, T. xviii. 2 ; *f.* celle 130, cele 3453 : that, the : *cp.* ceo, cest, cil.

cela, *pron.* 106, B. ii. 1, cella, 7195.

celant, *s.* 1737, concealer.

celebré, *a.* 7211.

celebrer, *v. a.* 8662, 16130, celebrate, sanctify.

celée, *a.* 1125, concealed, secret ; au plus celée, 2681, most secretly.

celée, *s.* 494, concealment.

celeëment, *adv.* 1078, secretly.

celer, *v.* 4879, hide.

celer, celier, *s.* 7814, 25991, cellar.

celeste, celestre, *a.* 5068, 17352.

celestial, *a.* 1977, D. i. 1 : *s.* les celestieux, les celestials 65, 27120, heaven.

celestin, *a.* 316, 18640, B. xxi. 2, celestial.

celestious, *a.* 1094, heavenly.

celestre, *see* celeste.

celle, *s.* 21437, cell.

celui, cel(l)uy, celly, *pron.* 1649, 2646, 12167, B. viii. 3 ; *f.* celle, 244, B. v. 4 ; *pl.* ceux, ceaux, 286, 1022, B. xliii. 3 ; *f.* celles, B. xli. 1.

cendal, *s.* 25292.

cendre, *s.* 1367, T. x. 1.

cene, *s.* 28649, supper.

cent, centz, *num.* 1693, 2945, sent, B. xli. 2.

centante, 15871, a hundredfold.

centfois, 24401, a hundredfold.

centisme, *a.* 9982, hundredth.

centmil, *num.* B. xvi. 4, cent mil, 6125.

centmillfoitz, *adv.* B. viii. 2.

Centurio, 28762.

ceo, cea, *pron.* 1, D. i. 2 : *dem. a., pl.* ceos, 301, B. iii. 4, v. 3, xxxv. 3.

cercher, *see* sercher.

cercle, *s.* 9280.

cert(z), certe, *a.* 1691, 3176, sure.

certain(s), certein(s), *a.* 367, 1316, B. iv. 3, viii. 4 ; en certein, 77.

certainement, *adv.* 9032.

certein, certain, *s.* 8372, 9839, 18866, B. xlviii. 1, certainty, obligation, due, certain sum.

certes, *adv.* 555, B. xxvii. 1.

cervel(l)e, *s.* 1270, 3054.

cervoise, *s.* 26127, beer.

cervoiser, *s.* 26136, beer-seller.

Cesar, 16023, 18601, 18625 ff., 19333, 22174.

cesser, *v. n.* 4127, B. vi. 3.

cest, *dem. a.* 36 (R), 9229, B. i. 4 ; *f.* ceste, 528, B. iv. 1 ; *f. pl.* cestes 17893, this, the.

cete, *s.* 27055, whale.

Cezile, 18852, Sicily.

chace, *s.* 3900.

chacer, *v. a.* 7433, 11251 : *cp.* caccher.

chacun, chacuny, *see* chascun, chascuny.

cha(i)ere, *s.* 2481, 3066, seat, place, chair (of a teacher).

chaitif, cheitif, *a.* 3033, 7974, 8275, captive, wretched : *cp.* caitif.

chaitif, chaitis, *s.* 27327, 27551.

cha(i)tivelle, *a.* 1140, 3055, evil, wretched.

chalandre, *s.* 10707, B. xii. 1 : *see* note.

chalanger, *see* chalenger.

chald, *a.* 3031, B. ii. 1 : *s.* 21921 ; chalt pas, *adv.* (hot foot), at once, 18018.

Chaldée, 6361.

chalemelle, *s.* 1263, pipe.

chalenge, *s.* 6315, accusation.

chalenger, chalanger, *v. a.* 6346, 15879, 25433, accuse, claim.

chalice, *s.* 7143, 20693.

challou, *s.* 3716, stone.

chaloir, *v. n. usu. impers.* B. xliii. 2 ; 3 *s. p.* chalt, chault, 1704, 7223 : matter, be of consequence : ce que chalt 3367, 8905, 25712 : with *pers. subject,* ne chalt de tuer, 4827.

chalour, *s.* 3821, B. ix. 4, chalure, 5392.

chalt pas, *see* chald.

Cham, 12025, Ham.

chamberer, *s.* 296, chamberere, 465, B. xvi. 3, xxxvii. 2, chamberlain, chambermaid.

chamberlain, chambirlein, chambirlain, chambrellein, *s.* 2678, 5173, 5429, 7280; *f.* chamberleine, chambreleine, 1047, 10185.

chambre, *s.* 713.

chameal(s), *s.* 6752, 28449, camel : *cp.* camele.

champ(s), *s.* 941, 2200, B. xxxvi. 1.

champaine, champeine, *s.* 1604, 28982.

champartie, *s.* 6571.

champestre, *a.* 14850 : *s.* 24588, country.

champio(u)n, *s.* 14038, 14129.

Chanaan, T. xiii. 1.

chance, *s.* 5433 ; par chance, 14876.

chanceler, *v. n.* 11357, 16584, totter, waver.

chancellerie, *s.* 19495.

chançon(s), *s.* 3166, chançoun, B. xxxv. 4, chaunçon, B. xl. 3.
chançonal, *s.* 27359, song.
chançonette, *s.* 9285.
chandelle, *s.* 1132.
chandellier, *s.* 20782.
chanel, *s.* 5258, hinge.
changable, *a.* 5876, changing.
change, *s.* T. iv. 3.
changer, *v. a.* and *n.* 69, 1666, 5333, B. v. 1.
chant, *s.* 1699.
chanter, *v.* 943, B. xii. 3.
chanter, *s.* 1433, singing.
chanterole, *s.* 4110, song: *a.* 16629, apt to sing.
chaoir, cheïr, *v. n.* 77, 306, 11655; 3 *s. p.* chiet, 1486; 3 *pl.* cheont, B. xviii. 1; 3 *s. imp.* chaoit, 65, B. xx. 3; 3 *s. pret.* chaïst, 74, chaït, 1150, chaÿ, 18999; *fut.* cherra, 10559; *pp.* cheeu(z), cheeu(s), 127, 600, B. xxii. 1: fall.
chapeal, *s.* 6, 18762, B. xxxvi. 3, chaplet, hat.
chapel(l)ein(s), chapellain(s), *s.* 2132, 4432, B. xxiv. 1.
chapelle, *s.* 4830.
chapero(u)n, *s.* 8819, 20912, hood.
chapitre, *s.* 20152, 21126, 21434, chapter (of a cathedral or abbey), chapter-house.
chapoun, *see* capoun.
char, *s.* 260, 7494, B. xxi. 2, flesh, meat.
charbo(u)n, *see* carboun.
charette, *s.* 5811, 8162, cart.
charettier(s), *s.* 11654; *f.* charettiere, 8161, driver, carter.
chargant, *a.* 2657, burdensome.
charge, *s.* 5400.
charger, *v. a.* 1349, 6467.
charir, *see* cherir.
charitable, *a.* 12883.
charité, *s.* 1974, 12613.
charitousement, *adv.* 12620.
Charles, Charlemain(s), Charlemeine, 1303, 11298, 14273, 23870, 29443.
charme, *s.* 4126.
charn(i)el, *a.* 5049, 7800.
charniere, *s.* 9189.
charrere, *s.* 15725.
charue, *s.* 5655, 14353, plough.
charuer, *s.* 8659, ploughing.
charuere, *s.* 5299.
chascun(s), chescun(s), chacun, *pron.* and *a.* 1, 109, 6596, B. xliii. 3, li. 1.
cha(s)cuny, *pron.* 1623, 6838.
chaste(s), *a.* 9683, B. xxi. 4, T. xiv. 2.

chastel(l), *s.* 1256, 8366, castell, 14173; *pl.* chastealx, 3640.
chastement, *adv.* 17779.
chasteté, chastité, *s.* 9171, 29945, T. iii. 1.
chastiement, *s.* 850.
chastier, *v. a.* 742, B. xxxix. 2, T. xv. 1 ff., rebuke, punish, correct.
chastier, chastoier, *s.* 5024, 11000, punishment, correction.
chat, *s.* 4256.
(chateal), catell, *s.* 8406; *pl.* chateaux, 8930, goods, wealth.
chativelle, *see* chaitivelle.
chaucier, *s.* 5227, hosier.
chaulçure, *s.* 1227, hose.
Chaÿm, *see* Cahim.
cheable, *a.* 1865, liable to fall.
cheïr, *see* chaoir.
cheitif, *see* chaitif.
chemin, chemyn, *s.* 5642, 5879, 26555.
cheminer, *v. n.* 28048, travel.
chemise, *s.* 5238, T. vii. 3.
cher, *see* chier.
chere, *see* chiere.
chericer, *v. a.* 254, cherish.
cheri(s), *a.* 229, 26155, dear.
cherir, *v. a.* 428, B. iv.* 1, charir, 17589, welcome, cherish.
cherra, *see* chaoir.
chescun, *see* chascun.
chevance, *s.* 15455, profit.
chevetein, cheventeine, *s.* 1208, 22067, chief.
cheveux, *s.* (*pl.*), 12988.
chevicer, *see* cheviser.
chevir, *v. a.* 20370, acquire.
chevisance, *s.* 7236, profit, gain.
cheviser, chevicer, *v. n.* and *refl.* 6357, 24859, make profit.
chiche, *a.* 7670, stingy.
chief, *s.* 2432, 5419, B. l. 1, head, end; au chief du (de) tour, 1500, 3420, in the end.
chief, *a.* 4803.
chien(s), *s.* 866, 4435.
chier, cher, *a.* 300, 11765, B. xxxi. 2: *adv.* 3880.
chiere, chere, *s.* 247, 460, 899, B. xviii. 2, face, countenance, appearance, welcome.
chierement, *adv.* 399.
chier(e)té, *s.* 6298, 28196, affection, price.
chiev(e)re, *s.* 929, 20034, goat.
chiminé, *s.* 7331, road.
chincherie, *s.* 26334, stinginess.
chitoun, *s.* 8221, kitten.
chival(s), *s.* 2847; *pl.* chivalx, 18516.

chivalcher, chivacher, chivauchier, *v. n.*
902, 9144, 18988, ride: se **chivalcher**
915, mount.
chival(i)er, *s.* 2537, 7228, B. vii. 1.
chivalerous, *a.* 24002, knightly.
chival(l)erie, *s.* 14262, 23142, T. xi. 1,
knighthood, warfare.
Chodrus, 19983.
chois, *s.* 29494, B. xlix. 2.
choisir, chosir, *v. a.* 20569, B. xx. 3.
Choré, 2346, Korah.
chose, *s.* 13, B. xvi. 1.
chosir, *see* **choisir.**
chymere (1), *s.* 18814, chimere (a bishop's
upper vestment).
chymere (2), *s.* 18815, chimera.
ci, cy, *adv.* 198, 838, D. i. 4, B. xii. 3, **si,**
B. title.
cicle, *s.* 2945, shekel.
ciel, *s.* 61, 74, D. i. 2.
cierge, *s.* 21710.
ciffre, ciphre, *s.* 17412, 23856, cipher.
cil, *pron.* 163, 945, D. ii. 5, **sil,** B. xlii. 3;
f. **celle,** 1268: *dem. a.* 73, 27076, B.
xli. 3.
c'il, = **s'il,** 799, 1632.
Cilla, 7761.
cine, *s.* 26294, swan.
cink, cynk, *num.* 1014, 6181.
cinkante, cinquant, *num.* 1932, B.
title.
cinkisme, *a.* 16081, fifth.
ciphre, *see* **ciffre.**
cipresse, *s.* 29924.
Ciprian, 17125.
Circes, 16675, B. xxx. 2, T. vi. 3.
circumcis, *a.* and *s.* 27492, 28179, circum-
cised, Jew.
circumcisio(u)n, *s.* 28176 (R), 28184.
circumstance, *s.* 9128, 11897, 12801, sur-
roundings, barrier, limit, discipline.
circumvencioun, *s.* 3401.
cire, *s.* 1313, 17293, wax.
Ciriens, 10314, *see* **Surien.**
cirimp, *s.* 25641, sirup.
Cirus, 10347.
Cisare, 17482, Sisera.
cist, *pron.* (*s.* and *pl.*) 3661, 4864 ff.: *dem.*
a. 10715, T. iii. 1, this, these.
cisterne, *s.* 3666, well.
cit, *s.* 7197, city.
cité, *s.* 1822, **citée,** C.
citezein, *s.* 4803; *f.* **citezeine,** 4920.
Cithaie, 10718, Scythia.
citole, *s.* 512, lyre.
Civile (1), 25244, Seville.

Civile (2), 15217, 16092, 22266, the civil
law: *cp.* **civil.**
civil, *a.* (loy civile), 9093, 14138, 23749.
clamer, *v.* 2602; 3 *s. p.* **claime, clayme,**
9972, 20457, B. l. 2 : claim, call.
clamour, *s.* 668.
claret, *s.* 16408 : *cp.* **clarrée.**
clareté, clarte, *s.* 10624, 10740, bright-
ness, light.
clarré(e), *s.* 3046, 26079 : *cp.* **claret.**
claustral, *s.* 20953, cloisterer.
Clement, 19484, 20569.
Cleophas, 28817, 29200.
cler, *see* **clier.**
clerc(s), **cler**(s), 1447, 3016, clerk, priest.
clerement, *see* **clierement.**
clergesce, *s.* 5546, **clergesse,** 7346.
clergie, *s.* 5550, 18423, learning, clergy,
clerical office.
clergo(u)n, *s.* 3300, 16082, 20785, priest,
student.
clief, *s.* 1494, B. xxv. 2, key.
client, *s.* 1225, 24207, follower, client.
clier, *a.* 201, B. xlv. 3, **cler,** *f.* **clere,** 1133,
1774, bright, clear : *adv.* 20764.
cl(i)erement, *adv.* 1391, 6794, B. xix. 3.
climant, *a.* 9591 : *see* note.
Climestre, T. ix. 2.
clochier, *s.* 21413, bell-tower.
clochiere, *s.* 5180, bell.
clocke, clocque, *s.* 14742, 21162, bell.
cloistral, *s.* 21413, cloisters.
cloistre, *s.* 5314, monastery.
cloistrer, *s.* 21076.
clop, *s.* 15811, lame man.
clore, *v. a.,* 3 *s. p.* **clot,** 10447, B. xviii.
3; 3 *s. pret.* **clost,** 29229 : close, enclose.
clos, *a.* 5146, T. viii. 3, closed, close.
cloue, *s.* 28732, nail.
coadjutour, *s.* 10049, helper.
coard(z), *see* **couard.**
coardie, *see* **couardie.**
cocatrice, *s.* 8973.
cock, coc, *s.* 880: **coc chantant,** 14189,
cock-crowing.
coec(s), *s.* 7844, cook.
coer(s), *s.* 26, B. i. 3, xi. 1, **cuer**(s), 414,
&c.
coffre, *s.* 6950.
cogitacioun, *s.* 1533.
cohabiter, *v. n.* 13855, dwell together.
coi, coy, *a.* 538, 1785, 9247, B. iii. 2, quiet,
tranquil, private : **en coy,** 849.
coiement, *adv.* 10146, quietly.
coife, *s.* 8820, 24376, cap, coif.
coigner, *v. a.* 11976, split.

complei(g)nte, *s.* 668, 29103, B. ix. 6.
complet, *a.* 3153.
complexioun, *s.* 14698, disposition.
compli, *a.* 16037, B. x. 1, full, perfect.
complie, *s.* 8554, compline.
complir, *v. a.* 464, 5481; 3 *s. cond.* compleroie, 1932 : bring to an end, accomplish.
se comploier, *v.* 15053, be directed.
componer, *v. a.* 16017, 25628, arrange, compound.
compost, *s.* 7862, mixture.
comprendre, *v. a.* 58, 1362, 1721, 3004, 6449, B. xlix. 1, receive, conceive, understand, include, fulfil.
compte, *see* conte (1).
compter, *v. n.* 9138, give account.
comun, *see* commun.
conceler, *v. a.*, 3 *s. p.* concelle, concele, 1133, 7157.
concepcioun, *s.* 27471.
concevoir, conceivre, *v. a.* 207, 28623; 3 *s. p.* conçoit, 2459, conceive, 4911, conceipt, 10823; 2 *pl. pret.* conceustez, 27974; 2 *s. fut.* conciveras, 27930; *pp.* conceu, 4914, concu(z), 6728, B. xvi. 1.
concluder, *v. a.* 15900: *v. n.* 9980.
conclure, *v. a.*, *pp.* conclus, 1668, 9092, B. xxxix. 3, shut in, bring to an end, reduce to silence.
conclusioun, *s.* 2974, 24143, conclusion, argument.
concordable, *a.* 2472, agreeable, similar.
concordance, *s.* 3862, 7475, 22265, concord, harmony (of the Gospels).
concorde, *s.* 2736, 13821, agreement.
concorder, *v. a.* 13895, cause to agree.
concubine, *s.* 9003, T. xiii. 1.
concupiscence, *s.* 9124.
condempner, *v. a.* 4932.
condescendre, *v. n.* 14586, come down.
condicio(u)n, *s.* 1107, B. xxi. 2.
conduire, conduier, *v. a.* 10916, 11159: *v. n.* 8518 : guide, be leader.
conduiser(s), *s.* 11657, steerer.
conduit, *s.* 11988, guide.
conestable, *see* connestable.
confederacioun, *s.* 6569.
confederat, *a.* 24262.
confederer, *v. a.* 24254, unite together.
confermer, *v. a.* 9077, T. v. 1: *v. n.* 10463.
confes(s), *a.* 5624, 6588, confessed.
confess, confessé, *s.* 14846, 21402, penitent.

confessement, *s.* 14808, confession.
confesser, *v.* 477, 2046; se confesser, 2662.
confessio(u)n, *s.* 4080, 14831, T. ix. 3.
confessour, *s.* 9148, 14000.
confire, *v. a.* 4344, 4966; *pp.* conflt, 2552, 2758: bring about, perform, construct, season.
confiture, *s.* 7961, 18366, contrivance, seasoning.
conflote, *s.* 7397, company (?)
confondement, *s.* 1532, confusion.
confondre, *v. a.*, 3 *s. p.* confont, 2798, confonde, 10841, T. xviii. 2; *pp.* confondus, 3461, confundus, 1904 : bring to ruin.
confort, *s.* 223, D. ii. 4, B. xxx. 3.
confortant, *a.* B. xxvii. 2.
confortement, *s.* 12967.
conforter, *v. a.* 3047, B. xliv. 2, support, comfort.
confortour, *s.* 12958.
se confourmer, *v.* 8920.
confrere, *s.* 3198, brother (in religion).
confus, *a.* 1293, 6665, confounded, distressed.
confusio(u)n, *s.* 3089, 3445.
cong(i)é, *s.* 9914, 10348, permission.
congregacioun, *s.* 10880, assembly.
conivreisoun, *s.* 8815, connivance.
conjecture, *s.* 3365, 6389, conjecture, plan, plot.
conjoi(g)ntement, conjoyntement, *adv.* 590, 12966, 29775, together.
conjoint, conjoynt, *a.* 10683, 23029, joined.
conjoir, conjoier, *v. n.* and *refl.* 12901, 12930, rejoice in common : *v. a.* 12926, rejoice with.
conjoye, *s.* 12903, joy in common.
conjur, *s.* 6977, conspiracy.
conjurer, *v. a.* 5218, 5796, 9803, conjure, appeal to, contrive (by conspiracy).
con(n)estable, *s.* 3674, 9971, T. i. 1, ruler, constable.
connestablie, *s.* 8516, government.
conoiscance, *s.* 6077, knowledge.
conoistre, *v. a.* 670, 1098, B. xxxix. 1.
conquerre, *v. a.* 816, 1215; 3 *s. p.* conquiert, 14688; *pret.* conquist, 3173, T. viii. 1 : win.
conquer(r)our, *s.* 1940, 5383.
conqueste, *s.* 9897.
conquester, *v. a.* 3729, T. vii. 1, win.
conroi, conroy, *s.* 842, order, equipage.
conroier, *v. a.* 24747, arrange.

contricioun, *s.* 14911.
contrister, *v. a.* 10973, make sad.
contrit(z), *a.* 14537.
contro(e)ver, *v. a.* 13, 1220, 5193, invent, contrive.
controveure, *a.* 1955, invented.
contumacie, *s.* 2326.
contumas, *a.* 2389.
contumelie, *s.* 4067.
conu(s), *see* conoistre.
conuscance, *s.* 8234, knowledge.
convenient, *a.* 25771, fitting.
conventual, *a.* 21412.
convers, *a.* 6983, 9888, converted, holy.
conversacioun, *s.* 3086, B. xxi. 2.
converser, *v.* 2894, 3161, have dealings, dwell.
convertir, *v. n.* and *refl.* 647, 749; *pp. f.* converse, 22042: turn: *v. a.* 29334, convert.
convocacion, *s.* B. xxxv. 1.
convoier, *v. a.* 282, 2816, B. viii. 3, xv. 1.
cop, coup, *s.* 1947, 4236, 5016, blow, stroke: beau cop, 919, great quantity.
cophin, *s.* 28553, basket.
copier, coup(i)er, *v. a.* 2923, 7035, 11124, cut.
corage, *s.* 1068, D. i. 3, heart, spirit.
coragous, *a.* 4644.
coral(s), *a.* 3707, hearty.
corant, *a.* 2847, running.
corbyn, corbin(s), *s.* 6698, 6705, raven.
corde, *s.* 2728, 22899, T. iv. 1.
cordelle, *s.* 20362, lash.
cordial, *a.* 717, 13194, of the heart.
corn, *s.* 9896, horn.
cornage, *s.* 22146, horn-blowing.
Corneille, 15475.
corner, *v. n.* and *a.* 5212, 10125, 22144, play music, blow a note, blow.
corner, *s.* 11303, blowing of the horn.
cornette, *s.* 1263, horn.
corniere, *s.* 1073, corner.
cornoier, *v.* 11321, sound on the horn.
coron(n)al, *s.* 12071, D. i. 3, crown.
coronne, coroune, couronne, *s.* 1510, 9897, 11522, 20120, crown, tonsure.
coronnement, *s.* 22286, coronation.
coron(n)er, *v. a.* 11628, 29724, B. Envoy l. 6.
coroucer, coroucier, *v. a.* 4509: *v. n.* and *refl.* 649, 2375: make angry, become angry.
coroucer, *s.* 4460, anger.
corouçous, *a.* 4637, angry.
coroune, *see* coronne.

corous, *s.* 2658, B. xxix. 1, anger.
corporal, corporiel, *a.* 1969, 10996.
corps, *s.* 93, B. v. 4.
correccioun, *s.* 19109.
correctour, *s.* 20170.
corriger, *v. a.* 27282.
corrumpre, *v. a.* 20331; 3 *s. p.* corrumpe, 7350, corrumpt, 9114, corrompt, 16792; *pp.* corrumpu, 192, corrupt, 16258: *v. n.* 27141.
corrupcioun, *s.* 13362.
corrupt, *a.* 7784.
corsage, *s.* 12128, body.
corsaint, corseint, *s.* 1149, 4551, saint.
cortil, *s.* 23411.
coru, *see* courre.
corussez, *a.* C., angry.
coste, *s.* 885, side.
costé(e), *s.* 918, 17985, T. viii. 3, costié, 5165, side.
Costentin, *see* Constantin.
costié, *see* costée.
cost(i)ere, *s.* 894, 27986, side.
costoier, *v.* 28085, be beside.
costummer, *see* coustummer.
cosu, *pp.* 10101, sewn.
cotage, *s.* 4118, cottage.
cote, *s.* 883, coat.
cotell, *see* coutell.
cotelle, *s.* 28024, rib (?).
cou(s), *s.* 8761, cuckold.
couard, *a.* 16317, 16596, cowardly.
couard, coard(z), *s.* 5497, B. l. 1, coward.
couardie, coardie, *s.* 5462, 14263, cowardice.
couche, *s.* 895.
couch(i)er, *v. n.* 5140, 5160, B. xliii. 2.
couchour, *a.* 23857, lazy.
coue, *s.* 1406, cue, 15258, keue, 15271, tail.
coufle, *s.* 916, kite.
coulpe, *see* culpe.
coup, *see* cop.
coupable, *a.* 1109.
coupe, *s.* 8291, cup.
coup(i)er, *see* copier.
courber, *v. a.* 2120.
courchief, *s.* 25291.
couronne, *see* coronne.
courre, corre, *v. n.* and *refl.* 1591, 4750, 10723, B. vii. 2; *pp.* coru, 26554: run.
cour(r)oie, *s.* 5792, 8492, curroie, B. xxv. 2, strap, belt.
cours, *s.* 4181.
courser, *s.* 18020.
court, *s.* 1376, D. ii. 4.

court, *a.* 4668: tenir court de, 7398, 18971, disregard, neglect.
courtement, *adv.* 829.
courte(i)our, *s.* 2731, 16107.
c(o)urtois, curtais, *a.* 1712, 5568, B. xxvii. 2.
c(o)urtoisement, *adv.* 28389, 29238.
c(o)urtoisie, *s.* 1577, 12878, B. xxi. 2.
cousin(s), *s.* 6352; *f.* cousine, 1610.
cousinage, *s.* 24658, cousinship.
coustage, *s.* 15972, expense.
c(o)uster, *v.* 7037, 25756, cost.
coustum(m)ance, *s.* 27841, 28190.
coustum(m)e, *s.* 7452, 24349, custom.
co(u)stummer(s), custummer(s), *a.* 11084, 23990, accustomed, habituated: *s.* 1941, 26165, practiser, customer.
co(u)tell, cutel, *s.* 4640, 20655, T. x. 2, culteal, 884, knife.
couver, *v. a.* 11408, conceal.
coveiter, *see* covoiter.
covenable, *a.* 27877.
covenance, *s.* 123, B. iv. 1, covenant, agreement.
covenant, *s.* 6479.
covenir, *v. n.* 4272, 5122, B. xlvii. 3; 3 *s. p.* covient, 4272, &c., covenist, 14909; *fut.* coviendra, 6332: agree, be fitting, be needful, be obliged.
covenir, *s.* B. xxxiv. 1, agreement.
covent (1), *s.* 20850, convent.
covent (2), *s.* 25514, covenant.
cov(e)rir, *v. a.*, 3 *s. p.* covere, 1407; 3 *pl.* coeveront, 12034; 3 *s. pret.* covry, 7089; *pp.* covert, 716, B. xxxii. 2: cover, defend, roof over.
covert, *a.* 1688, secret.
covertement, *adv.* 8801.
coverture, *s.* 1168, B. xlvi. 3, concealment, pretence.
covetise, *see* covoitise.
covietter, *v. a.* 6583: *cp.* covoiter.
covine, covyne, *s.* 136, 324, 5104, 26497, B. xxi. 3, xxxi. 3, T. xiii. 1, company, purpose, device, cunning, disposition.
covoiter, *v. a.* 622, coveiter, 6312, desire.
covoitise, *s.* 6183, covetise, C., covetousness.
covoitour, *s.* 6812.
covoitous, *a.* 6229.
covrir, *see* coverir.
coy, *see* coi.
craie, *s.* 25302, chalk.
crass(e), *s.* 6924, 7778, fat.
crass, *a.* 6840.

creable, *a.* 22104, B. xxix. 4, ready to believe.
creacio(u)n, *s.* 20716, B. xxi. 2.
creance (1), *s.* 6556, B. iv. 4, trust, belief.
creance (2), *s.* B. xv. 1, leash (for a hawk).
creançour, *s.* 7247, creditor.
creatour, *s.* 1258, T. i. 1.
creature, *s.* 166, B. xii. 3.
crecche, *s.* 28055, manger.
crede, *s.* 8131, creed.
credence, *s.* 1167.
creer, *v. a.* 52, T. ii. 3.
cremoit, cremont, &c., *see* criendre
cremour, *s.* 6412, fear.
cremu, *see* criendre.
Creon, T. viii. 2.
crepalde, crepald(z), *s.* 5337, 11491, toad.
crere, *see* croire.
crescance, *s.* 6892, growth.
crescer, *v. n.* 5572, 15638, grow, increase.
Creseide, 5255.
creste, *s.* 26660, (crown), consummation.
crestre, *see* croistre.
Cresus, 8462.
cretine, *s.* 5105, 20514, flood.
Creusa, T. viii. 2.
crever, *v. a.* 2923, tear out: *v. n.* 8335, burst.
crevice, *s.* 7832, crab.
cri, cry, *s.* 942, 8778, B. xx. 4, cry, ill-fame.
cribre, *s.* 17657, sieve.
crieis, crieys, *a.* 25287, B. xviii. 2, loud in crying.
criendre, (cremoir), *v. a.* 11550; 3 *s. p.* crient, 8746, T. ix. 1; 3 *pl.* cremont, 11032, criemont, 11006; *imp.* cremoit, 11016; *pp.* cremu, 4850: fear.
crier, *v. n.* 1697, 4816, B. xviii. 2, cry, entreat: *v. a.* 334, 8877, proclaim, entreat for.
crime, *s.* 1108.
crimile, *s.* 9281, lace.
criour, *s.* 10412, clamourer.
Crisostomus, 6805, 14941.
Crist, 1911, 12306, 13581, 15475, 18192, 18796, 19901, 27945, 28461, 28559, 28712, 28825.
cristal(l), *s.* 1113, B. xlv. 1.
.cristien(s), *a.* 18447: *s.* 5364.
cristieneté, *s.* 12283.
cristin, *a.* 4486: *s.* 2105: Christian.
croire, crere, *v.* 459, 4474, B. xlvii. 3; 1 *s. p.* croi, croy, 3074, 8960, B. xxi. 2; 1

pl. creons, 22178; *imp.* creoit, creioiont, 12317; 2 *s. fut.* creras, 555; *imperat.* croie(t)z, 459, B. ii. 1; *pres. part.* creant, 13040.

crois, croix, *s.* 2453, 4467, cross.

croistre, crestre, *v. n.* 4542, 18647, B. xxvi. 3, grow.

cronique, *s.* T. ix. 1.

crouste, *s.* 20892, crust.

crualté, *s.* 3800.

crucifier, *v. a.* 18225.

crucifix, *a.* 4471, crucified.

cruel, *a.* 1104, B. xxx. 3, crueux, 5018.

cruse, *s.* 15461.

crusequin, crusekin, *s.* 19504, 26121.

cry, *see* cri.

cue, *see* coue.

cuer(s), *see* coer(s).

cuidance. *s.* 8830, belief.

cuill, *s.* 8808, breech.

cuillette, *s.* 14482, store.

cuillir, *v. a.* 10742, gather.

cuisine, *see* cusine.

culpe, *s.* 7091, coulpe, 22188, fault.

culper, *v. a.* 7038, accuse.

culteal, *see* coutell.

cultefier, *v. a.* 18299, cultivate.

cultefiour, *s.* 5384, cultivator.

culvert, culvers, *a.* 6982, 7024, villainous.

Cupide, B. xxvii. 1, xl. 4, T. xv. 2.

curatour, *s.* 19476.

cure, *s.* 986, 10496, B. xii. 4, care, cure, design, charge (of a parish), parish.

curer, *v. n.* and *refl.* 5400, 9362, care, take account, take care: *v. n.* 10559, take care of, heal.

curée, curet, curiet, *s.* 12148, 18620, 20363, parish priest.

curial, *a.* 20286, of the court.

curie, *s.* 7949, cookery.

curious, *a.* 1621, 7349, careful, inquisitive.

curiousement, *adv.* 10228.

curio(u)sité, *s.* 1611, 11703, 14658.

curroie, *see* courroie.

currour, *s.* 3409, 14365, courier, runner.

curtais, curtois, &c., *see* courtois, &c.

cusine, cuisine, quisine, *s.* 7825, 15020, 26296.

custer, *see* couster.

custummer(s), *see* coustummer(s).

Cusy, 23191, Hushai.

cutel, *see* coutell.

cy, *see* ci.

cynk, *see* cink.

D

daiamand, daiamant, *see* diamand.

Daire, 13000 f.

damage, *see* dammage.

Damas, 22011.

dame, *s.* 84, B. i. 4.

dameldée, *see* dampnedée.

dam(m)age, *s.* 540, 3242, B. xix. 3.

dam(m)ager, *v. a.* 3311, 24901, injure.

dam(m)oiselle, *s.* 1059, 9338.

dampnable, *a.* 3673.

dampnacioun, *s.* 1536.

dampnedée, *s.* 4894, dameldée, 18977, the Lord God.

dampner, *v. a.* 4929, condemn.

dancer, dauncer, *v. n.* 1697, 17610.

danger, *s.* 2305, 2963, 26481, B. xii. 1, xxvi. 4: *see* Notes.

dangerous, *a.* B. xi. 4, unwilling (to love).

Daniel, 10243, 15711, 17989, 27049.

danter, *v. a.* 2102, B. xix. 1, tame.

danture, *s.* 9446, taming.

danz, dans, *s.* 4168, 10273, T. vii. 1, (danz Socrates, danz Tullius, &c.), master.

darrein, darrain, derrain, *a.* and *s.*; au darrein, 184; au darrain, 2773; a son derrain, 6347: at last.

darreinement, *adv.* 346, 2715(?), last, at last.

dart, *s.* 3544, B. xxvii. 1.

Dathan, *see* Dithan.

dauncer, *see* dancer.

David, Davy, 1325, 1867, 2178, 2191, 2553, 2761, 2983, 3133, 3248, 3388, 3543, 3613, 3625, 4901, 6498, 6988, 10232, 10239, 11125, 11536, 11898, 12005, 12355, 12673, 12689, 12877, 12976, 12991, 13667, 13852, 14017, 14439, 15679, 15985, 16753, 16809, 17609, 17873, 18291, 22819 ff., 23082, 23871, 27082, 27802, 28092, T. xiv. 1, (quoted also as 'ly prophete,' &c.).

de, *prep.* 6, D. i. 2; de les, 67, B. xlix. 3: 3007, &c., by reason of; 4123, 4142, than : *cp.* del, des, du.

deable(s), deble(s), *s.* 136, 217, 950, diable, C., 528 (R), devil.

deable, *a.* 1147, feeble.

deablerie, deblerie, *s.* 703, 6868, 9648, devils (collectively).

deablesce, deblesce, *s. f.* 9497, 13416.

deablie, *a.* 15167, devilish.

deacne, *s.* 20021, deacon.

dean, *s.* 20092.
debat, *s.* 18943, dispute.
debatement, *s.* 24283, dispute.
debatre, *v. n.* and *refl.* 2244, 26557, contend, dispute : *v. a.* 16279, compel.
deblerie, *see* deablerie.
deblesce, *see* deablesce.
deblet, *s.* 1179, 5197, devil.
debon(n)aire, debonnere, *a.* 957, 3530, 23065, B. iv.* 1, gentle, kind, sweet.
debon(n)aireté, *s.* 13452 (R), 13455, good humour.
debouter, *v. a.*, 3 *s. p.* debout, 10389, deboute, 3092, 11251, cast down, reject.
debriser, *v. a.* 1854, 4662, debruser, 3933 : *v. n.* 29009 : break, break up.
debte, *see* dette.
deça, *prep.* 23252, on this side of.
deceipte, *s.* 18, deceite, 6304.
dece(i)vable, *a.* 1791, 9968, deceptive, deceitful.
deceivant, desceivant, *a.* 7692, 25025.
deceivement, *s.* 3556, deception.
decent, decente, *see* descendre, descente.
decert, decerte, *see* deservir, deserte.
deces(s), *s.* 199, 2413, departure.
decevable, *see* deceivable.
decevance, *s.* 6554, deceit.
decevant, *s.* 495, deceiver.
decevoir, *v. a.* 311, 6552, 6624, B. xlii. 1 ; 3 *s. fut.* de(s)ceivera, 9318, 24845 ; *pp.* deçuz, B. xvi. 2, de(s)ceu, 24569, T. vii. 3.
decevoir, *s.* 20207, B. v. 3, deceit.
declaracioun, *s.* 17625.
declin, *s.* 3438, fall : en declin, 3169, downwards ; mettre en declin, 18310, defeat, neglect.
declinement, *s.* 25811, ruin.
decliner, *v. n.* and *refl.* 662, 12466, fall away, turn away : *v. a.* 20480, bring down.
decoccion, *s.* T. xii. 3.
decoste, *prep.* 3630, beside.
decouper, *v. a.* 3104, cut off.
decré(e), decré(z), decret, *s.* 2191, 3382, 20225, rule, law, writing.
decretal, *s.* 20291.
dedeignous, *a.* 12465, disdainful.
dedeinz, dedeins, *adv.* and *prep.* 159, 1567, 7178, B. vi. 1, within.
dedier, *v. a.* 7203, dedicate.
deduyt, *s.* 388, delight.
dée (1), *s. see* dieu.
dée (2), *s.* 5785, 14306, B. xlii. 1, die, *pl.* dice.

deesce, *see* duesse.
defaillir, *v. n.* 561, 16716, fail.
defalte, defaute, *s.* 6341, 13206, B. xxviii. 2, lack, fault.
defence, defens(e), *s.* 9059, 9305, 9808, defence, prohibition.
defencioun, *s.* 4051, prohibition.
defendant, *s.* 6218, defender.
defendement, *s.* 14994, defence.
defendre, *v. a.* 1035, B. xviii. 1 ; 3 *s. p.* defent, 2145 ; 3 *s. pret.* def(f)endi, 117, 6986 : defend, prevent, forbid.
defens, *see* defence.
defensable, *a.* 4234, 4815, strong, capable.
deferer, *v. a.*, 3 *s. p.* deferre, 5680, put off.
deffendi, *see* defendre.
deffier, *see* desfier.
definement, *s.* 5648, end.
definer, *v. n.* 20483, end.
deflorir, *v. a.* 7820.
defouler, *see* desfouler.
deglouter, *v. a.* 7763, swallow.
degouter, *v. n.* 7059, 12332, trickle away, flow.
degré, *s.* 218, 493, 648, 27673, degree, place, means, manner, step.
deg(u)aster, desg(u)aster, *v. a.* 8464, 8532, 9523, 21713, T. xvii. 3, waste, spoil.
deguerpir, *v. a.* 6356, abandon.
dehors, *adv.* 1100, outwardly.
Deianire, B. xliii. 1, T. vii. 1.
deigner, *v. n.* 9562, B. xii. 2, xix. 2 : *impers.* q'il vous deigne, B. xxxiii. 3.
deinz, *prep.* 82, T. viii. 3, in.
deinzeine, *s.* 14026, inner parts.
deité, *s.* 2411.
del,=de le, de l', 972, B. xi. 3, T. viii. 2.
de la, *prep.* 23713, on the other side of.
delacioun, *s.* 2245, 9866, accusation ; 10240, delay : *cp.* dilacioun.
delaiement, *see* deslaiement.
Delbora, 17486.
delectacioun, *s.* 694.
deli, *a.* 25405, delicate.
delicacie, *s.* 7797.
delicat, *a.* and *s.* 7837, 7891 : *adv.* 5320.
delicatement, *adv.* 8005.
delice, *s.* 656, 7793, delight, delicacy.
delicial, *a.* 8478.
deliement, *adv.* 3557, delightfully.
delit(z), *s.* 456, B. xxvi. 3.
delitable, *a.* 981, 4496.
delitance, *s.* 17422, delight.

delitement, s. 8631.
deliter, v. a. and *refl.* 27, 617, T.' ix. 1 :
   v. n. 21747.
deliverance, s. 9864.
delivrement, s. 10654.
delivrer, v. a. 2955, 6472, deliverer,
   4832, deliver, give away.
demaine, *see* demeine.
demander, v. a. 441 : v. n. 2225.
demein, demain, s. 5433, 9838, 20079,
   morning, the morrow : *adv.* 20126.
demeine, v. *see* demener.
demeine, demaine, demesne, s. 767,
   1606, 16043, possession, power.
demeine, a. 12180, 17568, 27983, own.
demener, desmener, v. a. 444, 5038,
   7818, 28147 ; 3 s. p. demeine, B. vii. 2,
   desmeine, 10541 : carry on, experience,
   display : se demener, 8787, behave.
Demephon, B. xliii. 1.
demesure, desmesure, s. 1165, 1950,
   11792, excess.
demeure, demure, s. 159, 937, delay,
   dwelling.
demi, *see* demy.
demise, s. 591, intermission.
demonstracioun, s. 18826.
demonstrance, *see* demoustrance.
demostrer, *see* demoustrer.
demourer, demorrer, demorir, v. n.
   187, 13377, B. ix. 5 ; 3 s. p. demoert,
   3834, demure, 3752 ; 3 s. fut. de-
   mo(u)rra, 8901, 8891 : remain, dwell,
   delay.
demoustrance, demonstrance, s. 4238,
   12435.
demo(u)strer, v. a. 1082, T. vi. 1.
demure, *see* demeure, demourer.
demy, demi, a. and *adv.* 255, 5147, B.
   xxviii. 1 ; au demy, 4315, by half.
denier, s. 1936, penny ; pl. deniers, 7236,
   money.
dent, s. 2644.
denyer, v. a. 16326, reject.
Denys, (Saint), 3785.
depar, *prep.* 415, B. viii. 3, from, by
   authority of.
departement, s. 4091, parting.
departie, s. 6876, 7269, B. iv. 4, parting,
   ending.
departir, v. a., *refl.* and n. 110, 699, 2939,
   7390, 17369, B. iii. 3, depart, part,
   divide, remove.
dependre, v. n. 7780, hang : v. a. 29113,
   take down.
deperir, v.n., 3 s.p. depiert, 17734, perish.

depos, s. 4591, charge.
deposer, v. a. 11261, 17884, lay aside,
   lay low.
deproier, v. a. 5050, prey upon.
depuis, depuiss, *adv.* B. xxvi. 3, T.
   vi. 2.
depuisque, *conj.* 1288, 8997, since.
deputaire, a. 12045, 13210, bad, wicked.
derere, *prep.* 1181, behind : *adv.* 891, B.
   xvi. 3 ; par derere, a derere, 3211, 3451.
derere, s. 355, loss, ruin.
derisio(u)n, desrisioun, s. 1635, 1681,
   12029.
derisour, s. 1651.
derrain, *see* darrein.
derresner, v. a. 22339, prove, (? dis-
   prove).
derrour, *adv.* B. xlii. 3 : *cp.* derere.
des, dez, = de les, 75, D. i. 2; = de, 7177 ;
   (des les), *used before* tous, tiels, ceaux,
   62, B. iv.* 3, vi. 4, xxv. 2 : *see* de, del.
desacrer, v. a. 7199, make unholy.
desaese, desease, desaise, disaise, s.
   4087, 15682, 17300, 19320, B. xx. 1,
   trouble, torment.
desallouance, s. 20183.
desallouer, v. a. 25906, blame.
desamiable, a. 9647, unlovely.
desarraier, v. a. 23733, throw into con-
   fusion.
desavancer, v. a. 1641, 3620, 6933, B.
   xiii. 3, disparage, diminish, injure.
desbarater, v. a. 13829, bring down.
desceivant, desceivera, *see* decevoir.
descencioun, s. 4054, intermission.
descendre, v. n. 312, T. x. 1 ; 3 s. p.
   decent, 1278 : v. a. 13144.
descense, s. 15618, fall, descent.
descente, decente, s. 1441, 3108.
desceu, *see* decevoir.
descharger, v. a. 8657, set free.
descharitant, a. 7685, opposed to charity.
descheable, a. 3756, 9585, apt to fall,
   falling : faire descheable, bring to ruin.
descheïr, v. n., 3 s. p. deschiet, 1483 ;
   subj. deschiece, 10553 ; 2 s. fut. des-
   cherras, 3683 : fall down.
desciple, *see* disciple.
desclos, a. 4595, 21724, revealed, open.
descloser, v. a. 6398, B. xxxvii. 3, open,
   reveal.
descoler, v. a. remove (as from school),
   20233.
descoluré, a. 869.
desconfire, v. a. 2478, defeat, discomfit.
desconfiture, s. 14292.

*   K k

desjoindre, desjoigner, *v. a.* 19373, 29012.
desjoint, *a.* 10830, separated.
desjoint, *s.* 11865, difficulty.
se desjoyer, *v.* 12940, grieve.
se desjuner, *v.* 16247, break one's fast.
deslai, deslay, *s.* 24934, T. x. 2.
deslaiement, deslayement, *s.* 5702, 24211, delay, adjournment.
deslaier, *v. a.* B. xxvii. 2, xxxvii. 3, put off.
deslié, *a.* 8635.
deslier, *see* desloier.
desloial(s), desloyal(s), desloiauls, *s.* 8, 70, 2852.
desloier, deslier, *v. a.* 8944, 12338, unbind, loose.
desloyalté, *s.* 22979.
desloyer, *v.a.* 24239, turn into unlawfulness.
desmembrer, *v. a.* 2926, 6435.
desmener, *see* demener.
se desmenter, *v.* 3098, 13908, lament, be disturbed.
desmesurable, *a.* 5088, unmeasured.
desmesure, *see* demesure.
de(s)mesuré, *a.* 1345, 1910, 3821, violent, excessive.
desmettre, *v. a.*, 3 *s. p.* desmette, 5815.
desmonter, *v. a.* 1512, 11926 : *v. n.* 18802.
desmuré(e), *a.* 3926, unwalled.
desnatural, desnaturel, *a.* 3758, 6686, unnatural.
desnaturé, *a.* 24141, unnatural.
desnaturelement, *adv.* 5048.
desnaturer, *v. n.* and *refl.* 6673, 7958, 8711, become unnatural.
desnuer, *v. a.* 1102, 2969, unveil.
desobeïr, *v. n.* 2035: se desobeiera, 8036.
desobeïr, *s.* 12178, disobedience.
desobeis(s)ance, *s.* 2053, 2089.
desobeissant, *a.* 2042.
desolat, *a.* 5328.
desordener, desordiner, *v. a.* 2110, 20051; 3 *s. p.* desordeigne, 2317 : disturb.
desore, *adv.* 27326, B. xliii. 1, henceforth.
despaiser, *v. a.* 2772, disturb.
desparacioun, *s.* 5748, despair.
desparage, *s.* 824, degradation.
desparager, *v. a.* 1651, 3020, 4013, lower, degrade, despise.
desparaill, *a.* 27848, unequal.
desparigal, *s.* 1972, disparagement.
despendant, *s.* 7535 ; *f.* despendante, 10139: spender, spendthrift.
despendre, *v. a.* 1206 ; 2. *s. imper.* despen, 15941.
despense, *s.* 1172, 1399, despens, 7895, expense, profit.

despenser, dispenser, *v. a.* and *n.* 1171, 1400, 7487, 14473, manage, arrange, dispense, make payment.
despenser, *s.* 7486, distributer.
despersonner, *v. a.* 12743, degrade.
despire, *v. a.* 1135, 2188, 2757, B. xxvi. 4, hate, despise, vilify.
despiser, *v. a.* 1142, 4099, scorn, contemn, abuse.
despisour, *s.* 2231, despiser.
despit, *s.* 124, 446, B. xxv. 4, hatred, spite, contempt.
despit, depit, *a.* 9203 f., miserable, hateful.
despitous, *a.* 2182, contemptuous.
desplaier, *see* desploier.
desplaire, *v. n.* 572, displaire, 13464 ; 3 *s. p. subj.* desplace, 29761, desplese, B. xxviii. 3.
desplaisir, *s.* 17445.
desploier, desplier, *v. a.* 7575, 9328, 11921, T. xviii. 3, desplaier, B. xxvii. 2, unfold, open, display.
despoiler, *see* despuiller.
desport, *s.* 219, B. v. 3, sport, entertainment ; 389, 2446, mercy.
desporter, *v. a.* 262, D. ii. 4, B. xxxiii. 4, entertain : *v. n.* and *a.* 2881, 2892, 4101, spare.
desposer, *see* disposer.
despourveu, *a.* 11066, helpless.
despriser, *v. a.* 2171, disparage, dispraise.
desprisonner, *v. a.* 5699, set free.
desprofiter, *v. n.* 2759, be hurtful : *refl.* 10966, go to ruin.
desprover, *v. a.* 13252, disprove.
despuil(l)er, despoiler, *v. a.* 165, 3607, 4845, B. vii. 3, strip, despoil, carry off.
desputer, disputer, *v. n.* 3835, 26739, B. xxiv. 3.
se desquasser, *v.* 15644, be stirred strongly.
desraciner, *v. a.* 8201, uproot.
desrainer, *v. a.* 16373, defend.
desresonnal, *a.* 7597, unreasoning.
desresonner, *v. a.* 696, deprive of reason : *v. n.* and *refl.* 12739, 27170, act foolishly.
desreuler, *v. a.* 21461, throw into disorder.
desricher, *v. a.* 7677, deprive of riches.
desrire, *v. n.* 1654 (de), laugh at.
desris, *s.* 1655, derision.
desrisioun, *see* derisioun.
desrob(b)er, *v. a.* 6994, 14170, 26147, rob, steal.
se desroier, *v.* 1921, 10905, go astray, be disordered.

3071, 4942, deust 9491; 3 *pl.* duissont, 2142, deussent, 26511; *fut.* devera, B. v. 2; *cond.* deveroient, 9228.
devoir, *s.* 5673, 9441, B. xli. 2, duty affair.
devolt, devoltement, *see* devout, &c.
devorour, *s.* 6921.
devo(u)rer, *v. a.* 1859, 6259, T. xii. 3; *fut.* devo(u)ra, 6370, 8568.
devout(e), devolt, *a.* 5628, 10382, 18153.
devoutement, devoltement, *adv.* 1074, 8258.
devys, *see* devis.
dez, *see* des.
diable, *see* deable.
dial, *s.* 4544.
diamant, dyamant, *s.* 12464, B. xviii. 4, daiamand, daiamant, 18343, B. xxxviii. 1.
Dido, B. xliii. 1.
diete, dyete, *s.* 3156, 11128, 16228, lodging, food, moderation in food, regimen.
dieu(s), dieux, *s.* 52, 61, 81, D. i. 1, B. xi. 2, diée, 7112, dée, 8192.
dieuesce, *see* duesse.
dieurté, *see* dureté.
diffamacioun, *see* desfamacioun.
diffamer, *see* desfamer.
difference, *s.* 23973.
diffinaille, *s.* 15273, end.
diffinement, *s.* 20, end.
dif(f)iner, *v.* 2630, 5101, describe, make clear.
diffus, *a.* 15468, spread abroad.
digester, *v. a.* 8338.
digestier, *s.* 8596, digestion.
digne, *a.* 1386, B. xlvii. 1, worthy.
digneté, dignité, *s.* 1169, 19322.
dilacioun, *s.* 16820, delay: *cp.* delacioun.
dileccioun, *s.* 13528, love.
diligent, *a.* 23332.
diluge, *s.* 8198.
dimise, *s.* 4568, remission.
Diomedes, B. xx. 3.
Dionis, 14761, Dionysius.
dire, *v.* 12, B. ix. 1; 1 *s. p.* di, dy, 584, 820, B. ii. 2, die, 10149 (*subj.* ?), dis, 5533, B. ix. 6; 3 *s.* dit, 1300, B. xxiv. 3, dist, 1334, B. xxiii. 3; 3 *pl.* diont, 17141, B. xxxi. 3; 2 *s. pret.* ditz, 29656; 3 *s.* dist, 376, 401 (*subj.*); 3 *pl.* distront, 11959; 3 *s. p. subj.* die, 1420, B. xiv. 3; *fut.* dirray, dirrai, 12, B. x. i; *imperat.* dy, di, 1600, 2590.
direct, *a.* B. ix. 6, addressed.
dis, diss, dix, *num.* 910, 6126, 26284.

dis, *see* toutdis.
disaise, *see* desaese.
disciple, desciple, *s.* 3265, 6722.
discipline, *s.* 665, 2000, 11676, B. xxi. 1; discipline, doctrine, kind.
discipliner, *v. a.* 9011.
disconfiture, *s.* 2435.
discorder, *see* descorder.
discordial, *a.* 4543, of discord.
discort, discord, *see* descord.
discrecioun, *s.* 8225, 11562 ff.
discret, *a.* 11653, T. i. 1.
discretement, *adv.* 22886.
discripcioun, *see* descripcioun.
disfame, *see* desfame.
disfamer, *see* desfamer.
disfigurer, &c., *see* desfigurer, &c.
disme, *a.* 28083, C., tenth.
disme, *s.* 7158, 20213, tithe.
disner, *s.* 7912, 8458.
dispensacio(u)n, *s.* 7365, 21283.
dispenser, *see* despenser.
displaire, *see* desplaire.
displaisance, *s.* 17693.
disposer, desposer, *v. a.* 6405, 11260; plan, dispose: se disposer de, 15926; dispose of.
disputeisoun, *s.* 2972, argument.
disputer, *see* desputer.
dies, *see* dis.
dissaisir, *v. a.* 20981, dispossess.
dissemblant, *a.* 13166, unlike.
dissencioun, *s.* 3061.
dissimulacioun, *s.* 3658.
dissipacioun, *s.* 18123.
dissipat, *a.* 6882, dispersed.
dissolucioun, *s.* T. v. 3.
dissolver, *v. a.* 25650.
dissonne, *s.* 15427, discord.
distance, *see* destance.
distresce, *see* destresce.
dit, *s.*, *pl.* dis, ditz, 459, 1297, D. i. 3, B. xxiii. 4, speech, saying, poem.
ditée, *s.* 14, poem.
Dithan, Dathan, 2343, 27077, Dathan.
divers, diverse, *a.* 1002, 3157, 3912; B. xlvii. 3, different, various, perverse.
diversant, *a.* 10615, different.
diversement, *adv.* 7049, 8798, B. vi., *margin*, differently, variously, widely.
diverser, *v. a.* 10116, change: *refl.* and *n.* 4081, 7986, 9880, be different, offend.
diverseté, *s.* 25177.
divider, *v. a.* 25182; se divider, C.
divin, divine, *a.* 56, B. xxxi. 2, devine; B. xxi. 2.

divin, *s.* 7938, 8269, 12699, god, divinity, divine word, prophecy.
divinaille, *s.* 1475, prophecy.
diviner, *v. n.* and *a.* 5189, 6513, prophesy, foresee.
divinere, *s.* 28161, diviner.
divinité, *s.* 28019.
divis, *see* devis.
divise, *s.* 15734, description : *cp.* devis.
divis(e), devise, *a.* 595, 1034, 5089, divided.
diviser, *see* deviser.
divisioun, devisioun, *s.* 10500, 11872.
dix, *see* dis.
doaire, *s.* 574, 953, dowry, estate, dominion.
doctour(s), *s.* 10411.
doctrinal(s), *a.* 26890, apt to teach.
doctrinal, *s.* 3167, teaching.
doctrine, *s.* 669.
doctriner, *v. a.* 212, instruct.
doel, *s.* 1343, grief.
doer, *v. a.* 1979, endow.
doi, doy, *s.* 7100, 8781, finger.
dois, *s.* 7380, table, place : cp. dess.
dolçour, *see* doulçour.
dolent, dolens, *a.* 521, 17818, D. i. 1.
doloir, *v. n.*, *refl.* and *impers.* 3700, B. v. 2; 3 *s. p.* dolt, 3177, doelt, 12951 ; *pret.* 3 *s.* dolt, 724 ; 3 *pl.* doleront, 12033 : be in pain, suffer grief, give pain (to).
doloir, *s.* 11489, suffering.
dolour, *s.* 30, B. ii. 1 ff.
dolourous, *a.* 6944, dolerous, 14537.
domest(e), *a.* 977, 8527, tame, familiar.
Dominic, 21554.
don, *see* doun.
dongon, *s.* 7052.
don(n)er, *v. a.* 328, 486, B. iv. 2; 1 *s. p.* douns, 12098 ; 3 *s. p. subj.* doignt, 5477, D. ii. 5, B. xxiv. 1, doint, 9718, doigne, 1964, donne, 2163 ; *fut.* dorra, 809, dourray, 12838 ; *cond.* 2 *s.* dorroies, 6615 ; 3 *s.* dourroit, 11223.
donner, *s.* 3295, gift.
donnoier, *v. n.* 1922, make love.
donque, *adv.* 12551, therefore.
dont, *rel. pron.* and *conj.* 3, 1039, D. i. 2, B. xi. 2 ; dont qu'e, 1779 : of which, whence, whereupon, wherefore ; si . . . dont, tant . . . dont, 219 f., 1051 f., &c., so (so much) . . . that : *interrog. adv.* 11427, whence.
dormant, *a.* 4869, sleep ; 8189, sleeper.
dormir, *v. n.* 900, 2888.
dorré, *a.* 1118, gilded.
dortour, *s.* 5314, 21434, dormitory.

dos, doss, *s.* 1365, 2120.
double, *a.* 1028, B. xlv. 3.
doublement, *adv.* 3468.
doubler, *v. a.* and *n.* 1716, 3165, 6463.
doubtance, *s.* 8069, B. iv. 4, fear, doubt.
doubte, doute, *s.* 1341, 2112, 4678, T. v. 3, fear, doubt.
doubter, *v. a.*, *n.* and *refl.* 442, 802, 1197, 6324, T. xiii. 1, fear, care, doubt.
doubtous, *a.* 27837, T. iv. 1, doubtful.
douche, *see* douls.
doulcement, *adv.* 3553.
doulcet, *a.*, *f.* doulcette, 22155, sweet.
doulçour, dolçour, douçour, *s.* 507, 2583, B. iii. 1, iv. 2, sweetness.
douls, doulz, *f.* doulce, douche, *a.* 511, 1700, 9961, B. ii. 2, xii. 1.
doun, *s.* 1528, B. xvi. 2, don, 24772, gift.
dousze, *num.* 12246, twelve.
douszeine, *s.* 4061, dozen, twelve.
doute, *see* doubte.
doy, *see* doi.
dragme, *s.* 12927, drachma.
drago(u)n, *s.* 3733, 11491.
drap, *s.* 5717 ; *pl.* draps, dras, 5175, 6941.
drapell, drapeal, *s.* 23493, 28145, cloth.
draper, *s.* 25309, cloth-seller.
drescer, *v. a.* 2999, B. xliv. 3, set, direct, set in order.
droit, droitz, drois, *a.* 2001, 3419, 3561, B. iv. 1, right, just, true.
droit, *adv.* 411, 15202.
droit, *s.* 140, B. vii. 1 ; a droit, 3517 : en droit, *see* endroit.
droitement, *adv.* 16451.
droiture, *s.* 22905, B. xlvi. 4, T. i. 2, right.
droiturer, *a.* 14437, upright.
droituriel, *a.* 17788, upright.
dru, *f.* drue, *s.* 4801, 8625, friend, lover, mistress.
druerie, *s.* 9293, 23903, love.
du, *prep.* = de, 97, 389, &c. ; du l', 1149 ; du quoi, B. ii. 3; = de le, 27, B. i. 3 ; = de la, D. i. 1, B. xx. 3 ; = des, 4269 : cp. de, del.
duc, *s.* 2237, T. xi. 3.
duement, *adv.* 1530, duly.
duesse, dieuesce, deesce, *s.* 940, 7408, 9504, B. xx. 4, goddess.
dueté, *s.* 1558, 5631, due right, duty.
dui, *see* deux.
dur, *see* durr.
durable, *a.* 14579, 15106, lasting, untiring.
durement, *adv.* 11092.

durer, *v. n.* 2122, 3891 ; 3 *s. fut.* dura,
durra, 3909, 16200 : *v. a.* 15918.
duresce, *s.* 15158.
dureté, *s.* 2396, durtee, B. xvii. 1,
dieurté, B. xviii. 4.
dur(r), *a.* 2054, 4199, B. xiii. 1, hard.
duy, *see* deux.
dyademe, *s.* 18814.
dyamant, *see* diamant.
dyete, *see* diete.
dymenche, *s.* 18594.
Dyna, 16958.
Dyonis, 7101.

E

ease, *see* aese.
easer, *v. a.* 20308, make pleasant.
eauage, *a.* 4120, of water.
eaue, *s.* 2410.
eauerose, *s.* 5177, rose-water.
eaux, eux, eulx, *pron.* 874, 25952, B.
xxxiv. 1.
Eccho, 1426.
eclips, *s.* 28753.
Ector, 5520, B. xliii. 2.
edifice, *s.* 21411.
edifier, edefier, *v. a.* 10349, 14669, build.
ées, *s.* 5437, 19345, bee.
eeu, *see* avoir.
Eeve, *see* Eve.
effect, *s.* 3332, 4721.
effeminer, *v.* 5507.
efforcier, *v. a.* 18516, supply.
s'effroier, *v.* 1782, 5790, s'esfroier, B. ix.
4, xxv. 4, be disturbed, be afraid :
effroier, *v. n.* 9377, be disturbed.
effroy, effroi, *s.* 539, 852, T. xiii. 3, esfroy,
19386.
effus, *a.* 15465, poured out.
effusioun, *s.* 24142.
egal, *a.* 2109, egual, B. xiii. 1.
egalté, egalité, 14945, B. xvii. 2.
Egipcien, *s.* 1659, 12261, 12269.
Egipte, Egipt, 2407, 3671, 8046, 8586,
11199, 14528, 18231, 22321, 28278 ff.,
29322, T. vi. 1.
Egistus, Egiste, T. ix. 2, 3.
eglips, *s.* B. xiii. 3, eclipse.
eglise, *s.* 2370, T. iii. 1 ff., esglise, C.
and *v. l.* T. iii.
egual, *see* egal.
eiant, eie, *see* avoir.
eide, eyde, *see* aide.
einsi, *see* ensi.

einz, *adv. see* ainz.
einz, *prep.* 3162, within : *cp.* deinz.
einzgarde, *s.* 16593, (inner guard), strong-
hold (?).
eir, *see* air.
eisil, eysil, *s.* 4278, 28738, vinegar.
el. *pron.* 1989, 2102, 10559, it, him : *cp.* le.
el, = en le, 309, D. ii. 3 ; = en la, 2941 ;
also en le, *e. g.* 3457.
elacioun, *s.* 695, 1673, dignity, haughti-
ness, pride.
elat, *a.* 2241.
ele, *pron. see* elle.
ele, *s.* 19004, B. viii. 1, wing.
eleccio(u)n, *s.* 16143, B. xxxv. 3, T. v. 1,
choice.
electuaire, *s.* 7862, 13207, electuary.
eleëscer, *see* esleëscer.
element, *s.* 26625.
elephant, *s.* 8533 : *cp.* oliphant.
Eliphas, 11331.
elisetz, *see* eslire.
Elizabeth, 27953 ff.
elle, *pron.* 1205, B. v. 1, ele, T. viii. 3.
Elmeges, T. xi. 2.
eloquence, *s.* 10050.
Elye, 11155, Elijah.
embatre, *see* enbatre.
embler, *v. a.* 1168, T. xviii. 1, steal.
emblere, *a.* (*f.*), 7060, thievish.
embracer, *see* enbracier.
emendacioun, *s.* 5745.
emparler, *v. n.* 16634, speak.
empeinte, *see* enpeinte.
emperesse, *s.* 29462, B. xliv. 1, em-
perice, 14056.
emperial, *a.* 18559, D. i. 2.
emperial(s), *s.* 962, emperor.
emperice, *see* emperesse.
emperour, *s.* 1464, B. xxxv. 1, emper-
eour, 23624, emperere, 17120 : *also*
amperere.
empire, enpire, *s.* 1136, 7129, 24816, B.
xx. 3, empire, kingdom, emperor.
empirer, *see* enpirer.
emplastre, enplastre, *s.* 14906 ff., plaster.
emplastrer, *v. a.* 13139, plaster.
emplir, empler, *v. a.* 987, 16244, T. ii. 1.
emploier, enploier, *v. a.* 8117, 10583,
T. xviii. 3.
emprendre, *see* enprendre.
emprise, *see* enprise.
en, *prep.* 8, D. i. 1 ; de jour en jour,
T. v. 1 : en voie, *see* envoie.
en, *pron.* 10, B. i. 3, ent, 5184, of it, of
them, thence.

l'en, *pron.* 29, B. iv. 2 : *cp.* om.
enamourer, *v. n.* 16965, fall in love.
enamouré, *a.* 220.
enavant, *adv.* 6474, in future.
enbaraigner, *v. n.* 17914, grow barren.
enbastir, *v.* T. x. 3, contrive.
s'enbatre, s'embatre, *v.* 5707, 7034, enter.
enbellir, *v. a.* 29453, make beautiful.
enboer, *v. a.* 1228, defile with mud.
enboire, *v.* 3053, 9070, 28302, drink in, drink up : *pp.* enbu, 11299, imbued.
enbrac(i)er, embracer, *v. a.* 5241, 8104, B. i. 3, xxxii. 2.
enbreuderie, *s.* 17895.
enbroncher, *v. a.* 3911, cast down.
enbrouder, *v. a.* 873.
encager, *s.* 4112, caging.
enceinte, *a.* 11417, B. xlii. 3, T. iv. 2.
encens(e), *s.* 12240, 28166.
enchacer, *v. a.* 11422, persecute.
enchantement, *s.* 1383.
enchanteour, *s.* 1382.
enchanter, *v. a.* 13934, bewitch.
encharner, *v. a.* 9187, make carnal; 24362, flesh, enter (of a hound): *refl.* 27588, become incarnate.
enchastier, *v. a.* 7917, warn.
(encheïr), *v. n.*, 2 *s. fut.* encherres, 1337, fall.
enchericer, *v. a.* 25504, favour.
encherir, *v. a.* 25748, raise in price.
enchesoner, *v. a.* 25948, allege, excuse.
enchesoun, *s.* 2627, occasion ; par enchesoun que, 2791, because.
enchivalcher, *v. n.* 844, ride.
enci, *adv.* B. v. 4, *margin*, jesqes enci, up to this point ; *cp.* jesq'en cy, B. xii. 3.
enclin, *a.* 8736, B. xlv. 4, bending, disposed, addressed.
enclin, *s.* 1302, bending.
enclinant, *a.* 3633, inclined.
enclinement, *s.* 18739.
encliner, *v. n.* and *refl.* 284, 3842, 29264, B. xxxi. 1 ff.
enclos, *a.* or *pp.* 4587, T. viii. 3, enclus, 7592, enclosed, contained.
encloser, *v. a.* 9974.
encombrement, *s.* 4436.
encombrer, *v.* 3251, harass.
encombrer, *s.* 7039, trouble.
encontre, *prep.* 531, B. xxxvi. 1, against, to meet.
encontrer, *v. a.* 4666, meet.
encontrer, *s.* 10320, meeting, encounter.
encorager, *v. a.* 19338.
encord(i)er, *v. a.* 6958, 7574, tie up, bind.

encore, *adv.* 320, enq(u)ore, 8705, B. xxvii. 3, T. xv. 1.
d'encoste, *prep.* and *adv.* 1923, 5426, by the side of, by the side.
encosteier, *v.* 11754, be by the side.
encoster, *v. a.* B. ix. 2, accompany.
encourtiner, *v. a.* 25828, curtain.
encrasser, *v.* 19367, fatten.
encres, encress, *s.* 202, 3026, 6377, encroiss, 16028, issue, increase.
encrescer, *v. a.* 814, 15161, increase.
encrestre, encroistre, *v. n.* 9201, 24578, increase.
encroiss, *see* encres.
l'endemein, l'endemain, *s.* 7845, 28141 : *cp.* lendemein.
endementiers que, *conj.* 5593, while.
endire, *v. a.* 1710, 2715, say, tell.
enditer (1), *v.* 1030, put upon (?)
enditer (2), *v.* 1031, 2580, 2747, 3428, 6247, 7333, 10962, 13158, inform, teach, utter, accuse.
endoctriner, *v. a.* 2959, teach.
endormir, *v. a.* 1432, lull to sleep : *pp.* endormy, 5145, sleeping.
endroit, *adv.*, la endroit, 14645, 14720, in that place, forthwith ; cy endroit 16816, in this case.
endroit, *s.* 289, 1576, 8796, 9066, place, position, manner, kind : en ton (son) endroit, in regard to thyself, &c., 139, 214 : *prep.* endroit de, endroit, in regard to, 482, 2511, B. xx. 3 ; also en droit, *e.g.* en droit de ma partie, B. xxv. 1.
endurer, *v. a.* and *n.* 3775, 4014, B. xii. 1.
Eneas, B. xliii. 1.
eneauer, *v. a.* 5398, wet.
enemy, *see* anemi.
enfaminer, *v. n.* 1808, 6768, suffer want.
enfance, *s.* 275, 5322, offspring, infancy.
enfant, *s.* 4, enfes, 8082.
enfantel, *a.* 28407, childish.
enfantement, *s.* 177, 3139, birth, labour.
enfanter, *v. a.* 208, 1057, produce (children).
enfanteresse, *s.* 28177, bearer of children.
enfermeté(e), *s.* 1515, 2521.
enfern, *s.* 185.
enfernal, infernal, *a.* 1011, 3636.
enfernals, infernals, infernalx, *s. pl.* 66, 634, 6132, 24973, hell.
enfes, *see* enfant.
enfiebli(s), *pp.* 8188, weakened.
s'enfievrer, *v.* 7651, get fever.

enfiler, *v. a.* 4445, 7790, 18841, admit, enter, tell of: 29911, prepare; *cp.* affiler.
enflambier, *v. a.* 16794, set ablaze.
enflammer, *v. a.* 3632, set on fire.
enflé, *a.* 1522, 18228, puffed up, swollen.
enfler, *v. a.* 17912, swell.
enfleure, enflure, *s.* 4295, 5092, swelling.
enforcer, *v. a.* 10078, strengthen : s'enforcer, 23308, endeavour.
enformacioun, *s.* 16823.
enfouir, *v. a.* 3640, 4691, 15790, dig, dig into, break into, bury.
enfourmer, *v. a.* 12197, teach.
enfranchir, *v. a.* 4734, 23601, D. i. 1, set free, endow.
enfreindre, *v. a.* 9174, violate.
enfrons, *a.* 7513 ff., insatiable.
s'enfuier, *v.* 8733, take refuge.
enfumer, *v. a.* 19454, smoke.
engager, *see* enguager.
engalopée, *a.* 1706, galloping.
engarçonner, *v. a.* 27173, make into a servant.
engendrer, *v. a.* 202, B. xlii. 3, engender, produce : *v. n.* 10983, be produced.
engendrure, *s.* 17219, T. i. 3, vi. 3, engendering, offspring.
engenuler, *v. n.* 10250, kneel.
engin, *s.* 1041, 2102, 6545, B. xli. 2, device, skill, trickery, trap, machine.
enginer, *v. a.* 283, 291, 490, contrive, entrap.
enginer, *s.* 14794, contrivance.
enginous, *a.* 3473, designing.
Engleterre, 18702, 25396, B. Envoy.
Englois, *s.* 26129, T. xviii. 4, Englishman.
englu, *s.* 10684, attachment.
engluer, *v. a.* 7941, 9551, 14119, fasten, hold fast, attach.
engorger, engorgoier, *v. a.* 4409, 8490, swallow, devour.
engouster, *v. a.* 20889, eat.
engres(s), *a.* 10483, 18773, violent.
engrosser, *v. n.* 8896, grow big : *v. a.* 17909, make big ; 25264, buy wholesale.
eng(u)ager, *v. a.* 7043, 8268, put in pledge, promise.
enhabitable, *s.* 27885, dweller.
enhabiter, *v. a.* 3789, set to dwell : *refl.* 9562, take up abode : *v. n.* 10354, dwell.
enhercer, *v. a.* 4628, lay on the bier.
enheritance, *s.* 19023.
enheritant, *s.* 236, heir.
enheritement, *s.* 18628, inheritance.
enheriter, *v. a.* 228, gain, inherit : *v. n.* 13230.

enhort, *s.* 224, exhortation, persuasion.
enhorter, *v. a.* and *n.* 5206, B. iii. 1, urge, preach.
enjoindre, *v. a.* 23032, command.
enlarder, *v. a.* 16312, fatten.
enlasser, *v.* 2187, 5642, make weary.
enluminer, *v. a.* 11532, light.
enmaigrer, enmegrer, *v. n.* 17984, 20880, grow lean.
enmaigrir *v. a.* 6839, make lean.
enmaladis, *a.* B. xiv. 3, ill.
enmegrer, *see* enmaigrer.
enmy, *prep.* 1336, 2469, 24917 (*see* note) ; en my, 17999 : amidst, in the middle of, in.
ennaturée, *a.* 5061, natural.
ennercir, *v. n.* 6886, grow black.
enobscurer, *v. a.* 8601, darken.
enoindre, *v. a.,* *pp.* enoint, enoignt, 23030, 28774, anoint.
Enok, 12223.
enorguillant, *a.* 1729, proud.
enorguillir, *v. n.* 11263, grow proud : *v. a.* 23900, make proud.
enpeindre, *v.* 3665, 4317, 5110, 13688, 24095, thrust, thrust in, throw oneself, attack.
enpeinte, empeinte, *s.* 935, 5301, 25840, B. xlii. 2, T. iv. 3, blow, glance (of the eyes), undertaking, manner.
enpenné, *a.* 23450, full-feathered.
enpenser, *v. a.* 3957, think of.
enperiler, *v. a.* 8184.
enpernant, *a.* 11056.
enpescher, *v. a.* 25142, injure.
enpiler, *v. a.* 6300, 19327, 23498, plunder, steal, gather together.
enpire, *see* empire.
enpirer, empirer, *v. n.* 3568, 6153, 8873, grow worse, suffer : *v. a.* 24304, make worse, impair.
enplastre, *see* emplastre.
enpleder, *v. a.* 24654, sue.
enploier, *see* emploier.
enpoigner, *v. a.* 1966, grasp.
enporter, emporter, *v. a.* 3472, 16749, bear, bring, carry off.
enpovrir, *v. a.* 5675, impoverish.
enpreignant, *a.* 4865, pregnant.
enprendre, emprendre, *v. a.* 1359, 1541, 2428, B. iv. * 3 ; 3 *s. imp.* enpernoit, 28880 ; 2 *pl. imperat.* enpernetz, 27419 : undertake, acquire, take upon oneself : enprendre sur soy, 1958, pretend.

enpriendre, *v. a.* 5820, 6592, 23195, press, impress.
enprise, emprise, *s.* 1144, 1357, B. li. 1, undertaking, enterprise, endeavour.
enprisonner, *v. a.* 4833, imprison.
enpuisonner, *v. a.* 4397, poison.
enquere, enquerre, enquerir, *v. a.* and *n.* 13239, 17361, 20382 ; 3 *s. pret.* enquist, 400 : ask for, enquire.
enquerir, *s.* 25137, inquest, trial.
enquerrement, *s.* 23767, enquiry.
enqueste, *s.* 6208, 16113, 24926, trial, jury.
enquore, *see* encore.
enraciné, *pp.* 12370, rooted.
enraciner, *v. n.* 18101, take root.
enrichir, *v. n.* 6803, grow rich : *v. a.* 21058, enrich.
enroer, *v. n.* 9694, grow hoarse.
enrougir, *v. a.* 16907, redden.
ensec(c)her, ensec(c)hir, *v. a.* 2559, 3823, 5096, 18120 : *v. n.* 5578 : dry up.
ensei(g)ne, *s.* 1056, 2124, 14023, 28989, B. xxxiii. 3, teaching, information, mark, standard, object, condition.
ensei g'nement, *s.* 9615, 17738, teaching.
ensei(g)ner, *v. a.* and *n.* 1048, 1439, B. xiv. 3, teach, tell.
ensemble, *adv.* 417, B. xxxiv. 3.
ensemblement, *adv.* 344, together.
ensement, *adv.* 100, B. xxxiv. 3, T. xv. 1, thus, similarly.
ensenser, *v. a.* 1398, 6208, inspire, persuade.
enseoir, *v. n.* 26103, sit.
enserrer, *v. a.* 11271, shut up.
ensevelir, *v. a.* 5148, bury.
ensi, ensy, einsi, *adv.* 113, 17684, 25379, D. ii. 3, thus.
ensoter, *v. n.* 6368, grow foolish.
enspirer, *v. a.* 12324, T. v. 3.
ensu(i)ant, *a.* 4333, D. i. 4, following.
(ensuire), *v. a.,* 3 *pl. p.* ensuient, 3335, follow.
ensur, *prep.* 3205, 21185, above, about.
ensus, *adv.* 28735, on high.
ensy, *see* ensi.
ent, *see* en.
entail(l)e, *s.* 1243, 1470, shape, fashion.
entalenter, *v. a.* 21269, induce.
entalentis, *a.* B. ix. 1, desirous.
entamer, *v. a.* 25161, injure.
ente, *s.* 20798, graft.
enteccher, *v. a.* 8344, affect.
entencioun, *s.* 4679, B. xxi. 1.
entendable, *a.* 16847, T. i. 3, obedient.
entendance, *s.* 18152, 27034, meaning, audience, service.

entendant, *s.* 11981, attendant.
entendant, *a.* 656, attentive.
entendement, *s.* 8231, 10229, B. xix. 4, understanding, hearing, meaning.
entendre, *v. a.* and *n.* 11, 601, B. xviii. 1 ff., T. x. 2 ; *imperat.* enten, 445.
entente, *s.* 2149, B. xvi. 3, purpose, understanding.
ententif, *a.* 10610, intent.
enterin, *a.* 2526, 6718, entire.
enterrement, *s.* 29673.
enterrer, *v. a.* 29674.
enticement, *s.* 422.
enticer, *v. a.* 982, 4329, stir up, entice.
enticer, *s.* 1477, enticement.
entier, *a.* 468, B. iv. 1 : *cp.* enterin.
entollir, *v. a.* 18010, take away.
entour, *adv.* 933, round, about : d'entour, 1827, from among.
entracorder, *v. a.* 4698, reconcile together : *refl.* 24231, agree together.
entraile, *s.* 5518, inner parts.
entraire, *v. a.* 15769, bring.
s'entramer, *v.* 13598, love one another.
entraqueinter, *v. a.* 8822, make acquainted.
s'entrasseurer, *v.* 17272, assure one another.
entre, entre de, *prep.* 590, D. ii. 3., &c. ; entre ce, 3319 ; entre d'eux, 6977 ; *cp.* s'entr'estoient parigals, 1016.
s'entrebeiser, s'entrebaiser, *v.* 13713, 23084, kiss one another.
entrechange, *s.* 22145.
s'entrecontrer, *v.* 27628, meet one another.
entredire, *v. a.* 132, 18624, forbid, place under interdict.
entré(e), *s.* 9849, 20863, B. xxxvii. 2.
entrejurer, *v. n.* 330, swear mutually.
entremellé, *a.* 4278, mingled together.
s'entremeller, *v.* 22311, 26048, intermeddle, mingle.
s'entremettre, *v.* 23718, engage oneself.
entreprendre, *v. a.* 237, take possession of.
entrepris, *pp.* 3009, B. xiv. 2, astonished, dismayed.
entrer, *v. a., n.,* and *refl.* 679, 803, 3820, B. xxxvii. 2, enter, enter upon : *v. a.* 25062, 25742, enter (a dog, &c.), *i. e.* train him for some kind of sport.
entresemblable, *a.* 11907, similar.
entretuer, *v. a.* 10319, mutually kill.
entriboler, *v. a.* 20244, disturb.

entroubler, *v. a.* 3054, 26024, disturb, stir up.
entusch(i)er, *v. a.* 4280, 21452, poison, mix (as poison).
envaïe, *s.* 3847, attack.
envenimé, *a.* 2524, venomous.
envers, *a.* 16721, overturned.
envesseller, *v. a.* 919 (*pp.*), place in vessels.
enviaille, *s.* 2898, envy.
envie, envye, *s.* 247, 293, B. xxxiv. 3.
envier, *v. a.* 3348 : *v. n.* 12705.
envious, *a.* 2644, B. l. 1.
environer, *v. a.* 7873, 23312, go about.
enviro(u)n, *adv.* 4306, 28268, B. xxi. 3.
envis, *adv.* 5544, B. xi. 3, reluctantly, against the will.
envoie, *adv.* 1006, 10901, B. xv. 1, en voie, 5509, 7010, away.
envoier, *v. a.* 279, B. iv. 4, viii. 4 ; 3 *s. p.* envoit, 2058, D. ii. 5, envoie, 14007 ; *fut.* envoierai, envoyeray, B. x. 4, xvii. 4 : send, send away.
envoisure, *s.* 988, 9369, 9445, B. xlvi. 3, T. vi. 1, xvi. 1, concealment, device, snare, jest.
envolsier, *v. a.* 21404, vault.
envye, *see* envie.
enyv(e)rer, *v. n.* 3605, 16448, become drunk.
Eolen, T. vii. 2.
Epicurus, 9531.
epistre, *s.* 11054, epistle.
equalité, *s.* 26910.
equité, *s.* 4740.
eremite, *s.* 6274, hermit.
ermyne, *s.* 20475.
errance, *s.* 5323, error.
errement, *s.* 11327, wandering.
errer, *v. n.* 2106, wander, err.
errour, *s.* 1492, B. xlviii. 1.
ers, ert, *see* estre.
eructuacioun, *s.* 2246, belching.
es, = en les, 634, T. xvi. 1.
Esaü, Eseau, 3386, 4857.
esbahir, *v. a.* 431, 748, astound, dismay : *refl.* 9777, be dismayed.
s'esbanoier, *v.* 18348, B. ix. 4, divert oneself, rejoice.
esbanoy, *s.* 12504, enjoyment.
esbatement, *s.* B. i. 3, xxxiv. 3, diversion.
esbaubis, *pp.* B. ix. 3, confused.
esbau(l)dir, *v. a.* 3376, 24197, exalt, embolden.
escale, *s.* 6401, shell.
escarbud, *s.* 2894, beetle.

escarlate, *s.* 20454.
eschalfement, *s.* 3990, heat.
eschalfer, *see* eschaulfer.
eschamelle, *s.* 5250, 15571, bench, footstool.
eschange, *s.* 4451, T. xvii. 3.
eschangement, *s.* 8387, B. i. 3.
eschanger, *v. a.* 8388.
eschaper, *v. a.* 767, B. xxx. 2 : *refl.* 20423.
escharcement, *adv.* 7567, scantily.
escharceté, *s.* 7491, stinginess.
eschar(s), *f.* escharce, *a.* 7513, 26152, scanty, niggardly.
escharn, *s.* 1642, scorn.
escharner, escharnir, *v. a.* 1638, 1646, 28944, scorn.
eschau(l)fer, eschalfer, *v. a.* 3078, 5238, 5803, heat.
escheate, *s.* 20348.
escheoir, *v. n.* 8910 ; 3 *s. p.* eschiet, 7040 ; 3 *s. fut.* escherra, 4268 : fall, happen.
eschequer, *s.* 5780, chess.
escherir, *v. a.* 26303, make dear.
eschiele, *s.* 10700, ladder.
eschine, *s.* 5166, back.
eschis, *a.* 5537, 17643, ill-disposed, ill-humoured.
eschiver, *v. a.* 4036, avoid : cp. eschuïr.
eschuïr, eschuier, *v. a.* 2094, 11931, avoid : *v. n.* 25129, shrink.
escient, *s.* 24700, knowledge, opinion.
escla(i)rcir, *v. a.* 18174, 26720.
esclaire, *s.* 9281.
s'esclairer, *v.* 3587, shine.
esclandre, *s.* 2709, 2918, slander, scandal.
esclandrer, *v. a.* 2924, offend.
s'esclipser, *v.* 3588, be eclipsed.
escliser, *v. n.* 22763, slip.
escole, *s.* 510, 2843.
escoleier, escoloier, *v. n.* 1440, 20235, go to school.
escoler, *v.* 2842, teach : s'escoler, 7658, go to school.
escomenger, *see* escoumenger.
escondire, *v. a.* 6612, 12550, B. xxvi. 2, refuse, repulse.
escondit, *s.* 15496, refusal.
escorcher, *v. a.* 24995, flay off.
escorpioun, *s.* 3527, 8973, scorpion.
escot, *s.* 8265, reckoning (at a tavern).
escoulter, *see* ascoulter.
esc(o)umenger, escomenger, *v. a.* 9418, 18774, 19399, excommunicate.
escoupe, *s.* 18026, spittle.
escourge, *s.* 28714, scourge.
escourger, *s.* 28966, scourge.

escourter, *v. a.* 5721, shorten.

escrier, *v. n.* and *refl.* 7975, 9827, cry out.

escri(p)t, escris, *s.* 1299, B. i. 4, xi. 4, writing.

escripture, *s.* 1849, 2270, B. xxii. 4, writing, scripture.

escrire, escrivre, *v. a.* 50, 6480, 8889; 1 *s. p.* escris, escrits, D. i. 4, B. Envoy; 3 *s. fut.* escrivera, 14751; 3 *s. pret.* escrist, 50, escript, 7441; *pp.* escript, 2468, B. xxiv. 1, escrit, 2933, B. x. 4.

escuier, esquier, *s.* 882, 9847, squire.

escuieresse, *s.* 25696, squiress.

escumenger, *see* escoumenger.

escumengerie, *s.* 6492, excommunication.

escusacioun, excusacioun, *s.* 5609, 20713, excuse.

escuser, excuser, *v. a.* 160, 6462, B. xvii. 1, T. xviii. 4.

escu(t), *s.* 13927, 24442, shield, crown (of money).

Esdras, 10348, 10373.

ese, *see* aese.

Eseau, *see* Esaü.

esfroier, esfroy, *see* effroier, effroy.

s'esgaier, *v.* 9339, 10102, take delight, adorn oneself.

esgard, *s.* 21060, B. xxv. 3, counsel.

esglise, *see* eglise.

esg(u)arder, *v.* 9898, T. vi. 2, xiv. 2, observe, look upon, look.

eshalc(i)er, eshaulcer, *v. a.* 1216, 3083, 11538, exalt.

s'esjoïr, s'esjoÿr, s'esjoier, *v.* 276, 1750, 3699, B. ii. 1 ; 3 *s. pret.* s'esjoït, s'esjoÿ, 276, 427 : rejoice.

eslargir, *v. a.* 12247, 18458, increase, widen.

s'esleëscer, s'eleëscer, *v.* 3267, 15886, rejoice.

eslire, *v. a.* 3087, T. v. 1 ; 3 *s. pret.* eslust, 3236 ; 2 *pl. imper.* elisetz, 23147 ; *pp.* eslieu, 3671, B. xxxiv. 2, eslit, 125, B. xxvi. 4 : choose, elect, distinguish.

eslit, *a.* 2499, 4074, 12453, select, chosen, distinguished.

esloigner, *v. a.* 6716, 20952, T. vi. 2, eslonger, 1067, B. vii. 1, xxix. 1, remove far, flee from.

esluminer, *v. a.* 10739, B. xxi. 1, illuminate : *v. n.* 17028, shine.

esluminous, *a.* 29926, bright.

esmai, esmay, *s.* 1240, B. x. 2, dismay, disquiet.

s'esmaier, *v.* 614; 1 *s. p.* esmay, esmai, 4793, B. xxxvi. 2, esmaie, B. xxvii. 4: be dismayed.

esmerveiller, esmervailler, *v. n.* and *refl.* 9139, 21050, marvel.

esmovoir, esmover, *v. a.* 4557, 16750; *pp.* esmeü, 29885.

espace, *s.* 11476.

Espaigne, 23714, 26056.

espandre, *v. a.* 2783, 3396, 4805, B. x. 4, T. xiii. 3, spread abroad, scatter about, shed.

esparnie, *s.* 4978, sparing.

esparnier, esparnir, *v. a.* 3298, 3387 ; *v. n.* 7509, spare, be sparing.

esparplier, *v. a.* 7536, 13649, dissipate, spread abroad.

espartir, *v. n.* and *refl.* 3627, 9595, separate, begin to burn (?).

espé(e), *see* espeie.

especial, *a.* 3314, 20093, trusted, especial, properly belonging : d'especial, en especial, par especial, 969, 2472 (R), 3280, especially.

especial, *s.* 150, friend.

especial, *adv.* 13198, especially.

especialment, *adv.* C.

espeie, espé(e), *s.* 2786, 4189, sword.

espenir, *s.* 5083, expiation.

esperance, *s.* 323, B. iv. 1.

esperdre, *v. a.* 4041, 5710, trouble, disturb.

esperer, *v. n.* and *refl.* 13004, B. vii. 3 ; 1 *s. p.* espoir, B. li. 3; 3 *s.* espoire, 11505.

esperit, *see* espirit.

esperv(i)er, *s.* 868, 2848, B. xv. 1.

espessement, *adv.* 28970, thickly.

s'espesser, *v.* 26754, grow thick.

espic(i)er, espiecer, *s.* 7816, 25598, 25699, spicer (of wines), dealer in spices.

espie (1), *s.* 7730, view.

espie (2), *s.* 3490, spy.

espiecee, *s.* 7863, 12868, spice.

espier, *v. a.* 3399, spy upon, espy.

espine, *s.* 4205, B. xlviii. 1.

espirit, esperit, *s.* 1147, 2551, T. ii. 1 ff.

espirital, espirit(i)el, *a.* 709, 1492, 6693 ; *pl.* espiritieux, 62, spiritual : l'espiritals, les espiritals, 1019, 20089, spiritual matters.

espleiter, exploiter, *v. n.* and *refl.* 6301 27334, exert oneself, succeed in endeavour.

esploit, *s.* 407, 792, D. ii. 5, exploit 1296 1962, haste, success, management : a l'esploit, 9357, completely.

espoentable, *a.* 2465, fearful.
espoentablement, *adv.* 6878, fearfully.
espoenter,*v.a.* 2674, frighten: *refl.* 11219, be afraid.
espoir, *s.* 802, B. ii. 1.
espourger, *see* espurger.
espous, *s.* 11937, husband.
espousail(l)e, *s.* 9083, T. iii. 2; *pl.* 17700, marriage.
espouse, *s.* 2949, T. i. 3, wife.
espouser, *v. a.* 234, T. viii. 1, marry.
esprendre, *v. a.* 9478, set on fire: s'esprendre, 9473, take fire: *pp.* espris, 2010, B. xiv. 1, inflamed.
esprover, *v.a.* 6700, B. xxii. 1, experience, prove.
Espruce, 23895, Prussia.
espurger, espourger, *v. a.* 8352, 15622, purge.
esquasser, *v. a.* 18057, destroy.
esquiele, *s.* 7754, bowl.
esquier, *see* escuier.
esquilier, *s.* 7755, spoon.
esracher, esracer, *v.a.* 4952, 15016, tear away.
esragé, *a.* 11440, mad.
esrag(i)er, *v. a.* 4677, enrage: *v. n.* and *refl.* 4012, 10630, be enraged.
essai, *see* essay.
essaier, *v. a.* 9342, B. xxvii. 2, try.
essamplaire, *s.* 4856.
essample, *s.* 1087, B. xviii. 1.
essamplement,*s.* 3335,example, teaching.
essampler, *v. a.* 2399, B. xlv. 2, T. xv. 1, warn by example, take as example: *v.n.* and *refl.* 5424, 9243, 13043, give example, take example.
essampler, *s.* 2962, example, teaching.
essamplerie, *s.* 2173, examples, example.
essamplour, *s.* 22874, example.
essance, *s.* 26909, essence.
essarter, *v. a.* 8409, extend (?).
essay, essai, *s.* 394, 768, B. iv.* 4, xvii. 3, trial, attempt, use.
essoi(g)ne, *s.* 1959, 11969, T. vi. 2, excuse (for not attending), necessity, cause.
esta, *see* estier.
estable, *a.* 11912, steadfast.
estable, *s.* 6918, stable.
establer, establir, *v.a.* 1889, 2461, 6919, keep, set up, establish.
establissement, *s.* 7945.
estage, *s.* 537, 2292, 17255, 29421, B. xix. 3, place, condition, kind, degree; stay.
s'estager, *v.* 12131, remain.

estaindre, *see* exteindre.
estal, *s.* 16600, position.
estanc, estang, *s.* 18230, 24480, pond.
estance, *s.* 2243, condition.
estancher, *v. a.* 7518, 8544, satisfy, fill up.
estandard, *s.* 9826, standard.
estant, *s.* 10616, 26484, position, nature, class: en estant, 14727, standing upright.
estaple, *s.* 25361, staple (of the wool trade).
estat, *s.* 1377, D. i. 2, estate, dignity.
estature, *s.* 8347, figure, stature.
estée, *s.* 5392, B. ii. 1.
esteign, *s.* 6887, tin.
esteindre, *see* exteindre.
(esteire), *v. refl.*, 3 *s. pret.* s'estuit, s'estuyt, 613, 15144 : be silent.
estencelle, *s.* 3988, spark.
estenceller, *v. n.* 16651, sparkle.
estendre, *see* extendre.
esterling, *s.* 25004, pound sterling.
est(i)er, (esteir), *v. n.* 585, (997), 2998; 3 *s. p.* esta, 1822, 2314, B. ii. 2; 2 *s. imperat.* esta, 6879 ; *pres. part.* estant, 115, 3315: stand, remain : *cp.* steir.
estimacioun, *s.* 16234.
estoet, *see* estovoir.
estoille, *s.* 12631.
estoire, *see* histoire.
estom(m)ac, *s.* 2247, 25651.
estoner, *v. a.* 16013, B. xxx. 3, astound.
estorbuillon, estorbilloun, *s.* 1346, 3924, storm.
estormir, *v.* 5070, be agitated (*or* agitate).
estoultie, *see* estoutie.
estoupaile, *s.* 4206, stopping.
estouppe, *s.* 3971, tow : *cp.* stouppe.
estoupper, *v. a.* 10913, stop up.
estour, *s.* 1927, 12947, combat.
estout, *a.* 1333, foolish, proud.
estoutie, est(o)ultie, estutye, *s.* 862, 2177, 2381, 2582, 11201, folly, pride, rashness.
estovoir, *v. impers.*, 3 *s. p.* estoet, 42, B. xiv. 1, estuet, 16133 ; *pret.* estuit, 4532 : be fitting, right, necessary ; m'estoet(a), 42,&c., I must : *pers.* 23066.
estovoir, *s.* 308, 803, B. xli. 3, necessity, duty, wealth.
estraier, *s.* 28983, loiterer, stray person: *cp.* 'estradier,' Godefr. *Dict.*
estraine, *see* estreine.
estraire, *v. a.* 93, B. xv. 1, draw, draw out.
estrange, *a.* 3170 : *s.* 12974.
s'estranger, *v.* 5842, B. xix. 2.

estrangier, *s.* 24000, stranger.
estrangler, *v. a.* 20334.
estre, *v.* 5, 448; 1 *s. pres.* sui, suy, 772, 7915, B. iv. 1, su, 9761, suis, B. ix, 5; 1 *pl.* suismes, 591, susmes, 600, sumes, 9796; 2 *pl.* estes, B. x. 3, estez, 362; 3 *pl.* sont, 17, &c., sount, C.; 1 *s. imperf.* iere, 354; 3 *s.* ert, iert, 132, 4529, estoit, 37, B. xl. 2; 3 *pl.* eront, 21112; 1 *s. pret.* fui, 533; 3 *s.* fuist, 63, B. l. 2, T. viii. 2, fuit, C., fu, B. xviii. 2; *fut.* serray, 465; 2 *s.* serras, 5025, serres, 1338, ers, 4280; 3 *s.* serra, 1098, B. ii. 2, ert, 464, D. i. 4, T. i. 1; 1 *s. pres. subj.* soie, B. v. 4; 2 *s.* (?) soiez, 438; 1 *pl.* soion, 18480; 1 *s. pret. subj.* fuisse, B. xxvi. 2; 3 *s.* fuist, B. iv. 3; 2 *pl.* fuissietz, 16883, fuissetz, B. ix. 4; *pp.* esté, 181, &c.
estre, *s.* 1799, 7028, B. 26905 f., vii. 1, existence, substance, condition, habitation, dwelling.
estrein, *s.* B. xlii. 1 ff., bond.
estreine, estraine, *s.* 371, 1435, 9487, B. xiv. 3, gift, fortune; **a male (bone)** estreine, 1435, B. xxxiii. 1.
estreindre, *v. a.,* 3 *s. p.* estreine, 763; *pres. part.* estreignant: compel, restrain.
estreit, *see* estroit.
estreper, *v. a.* 11280, pull up.
estrif, *s.* 4047, strife.
estriver, *v. n.* 4635, 10620, strive, struggle.
estroit, estreit, *a.* 6302, 7742, 20110, close, narrow, oppressed, stuffed full.
estroit, *adv.* 6312, narrowly, closely.
estroitement, *adv.* 4583.
estru(i)re, *v. a.* 14343, 21418, instruct, set up; *pp.* estru(s), 3668, 17264, estruis, 26469, educated, disposed.
estudier, *v.* 7659.
estuit, *see* estovoir.
s'estuit, s'estuyt, *see* esteire (*or* estier).
estultie, estutye, *see* estoutie.
esvangile, *see* evangile.
esvanir, *v. n.* and *refl.* 1893, 24576, disappear.
esveil(l)er, esveillir, *v. a.* 1727, 5209, 5277, wake up.
s'esvertuer, *v.* 5388, 6321, 15469, exert oneself, endeavour.
et, *conj.* 11; et . . . et, D. i. 2.
eternal, *a.* 8327.
eterne, *a.* 2256.
ethike, *s.* 3818, hectic (*i.e.* consumption).
ethiopesse, *a. f.* 2655, Ethiopian.
Ethna, 3805.

Eurice, T. vii. 2.
eux, *see* eaux.
evangelin, *a.* 1299, of the gospel.
evangelis, ewangelis, *s.* (*pl.*), 24885, 29798, gospels.
evangelist, *s.* 49.
evangile, *s.* 50, esvangile, 23500, gospel.
Eve, Eeve, Evein, Evain, 84, 90, 131, 17152, 17534, 23404, 27751, T. iii. 2.
Evehi, 11020, Avites.
eveschié, evesché(e), *s.* 7368, 7448, 20016, bishopric.
evesque, *s.* 6274, evesqe, 19056 (R).
evidence, *s.* 3514.
s'evoler, *v.* 2251, fly out.
ewangelis, *see* evangelis.
examiner, *v.* 20791, consider.
exceder, *v. a.* 15647.
excellence, *s.* 12920, B. xxvi. 1.
excellent, *a.* 1386, B. xvi. 4.
excepcioun, *s.* 11674.
excepter, *v. a.* 26344.
excercice, *s.* 8321.
excess(e), *s.* 16398, 16419.
excessif, *a.* 17721, extravagant.
excit, *s.* 4759, urging, excitement.
excitement, *s.* 9462, stirring up.
exciter, *v. a.* 4078, stir up.
excluder, *v. a.* 15897.
exclus, *a.* 3465, shut out.
excusable, *a.* 26724, B. xxix. 1.
excusacioun, *see* escusacioun.
excusance, *s.* 26904, excuse.
excusement, *s.* 4676, excusing.
excuser, *see* escuser.
executour, *s.* 6913.
exempcioun, *s.* 24327.
exempt, *a.* 19101, 23763, exempt, distinguished.
exil, *s.* T. x. 2, banishment.
exiler, *v. a.* 4449, 24022, drive out, lay waste.
Exody, Exodi, 6985, 10441, 10467, the book of Exodus.
expectant, *a.* 16108.
expedient, *a.* 29830.
expendre, *v. a.* 5434.
expense, *s.* 15691.
experience, *s.* 3511, B. xxvi. 2, experience, proof.
experiment, *s.* 13500, B. xix. 1, experience, device.
expermenter, *v. a.* 14048, try.
expert, expers, *a.* 10749, 26930, skilled.
exploit, *see* esploit.
exploiter, *see* espleiter.

expondre, *v. a.*, 3 *s. p.* exponde, 22192, T. xi. 3, set forth.
exponement, *s.* 55, explanation.
exposicioun, *s.* 5191.
expresse, *a. f.* 2663, 8503, B. vi. 2, expressed, manifest, exact.
expressement, *adv.* 6455.
expresser, *v. a.* 1815.
exteindre, esteindre, estaindre, *v. a.* and *n.* 3690, 3750, B. xlii. 2 ; 3 *s. p.* estaignt, exteigne, extei(g)nt, 3750, 4913, 4926, 13715 ; *pp.* exteint, 5304 : extinguish, destroy, be extinguished.
extendre, estendre, *v. a.* 2212, 2267, 4464, 7120, spread out, stretch forth.
extense, *a.* 12230, 13390, extended, open.
extent(e), *a.* 1452, 7099, expanded, held forth.
extente, *s.* 20109, extent.
extenter, *v. a.* 4290, enlarge.
exteriour, *a.* 3273, outer.
exterminer, *v. a.* 4571.
extorcio(u)n, *s.* 8438, 24976.
eysil, *see* eisil.
Ezechie, Ezechias, 2445, 10454, 11729, 14914, 23022, Hezekiah.
Ezechiel, 2209, 2960, 3253, 3984, 5005, 7453, 17785.

F

fable, *s.* 1798, B. xxix. 1, falsehood.
face, *s.* 869, B. i. 4.
faço(u)n, *s.* 6108, 10721, appearance, fashion.
faconde, *s.* 1202, 4046, 8678, T. xviii. 4, speech, eloquence.
faculté, *s.* 2165, 24257, faculty, profession.
fagolidros, *s.* 2749 : *see* note.
faie, *s.* B. xxiv. 3, fairy.
faie, *a.* B. xxvii. 4, of fairy.
faignte, *see* feint.
faillant, *a.* 25118, helpless.
fail(l)e, *s.* 557, 1471, failure.
fail(l)i, failly, *a.* 1115, 3384, 8650, B. xx. 3, worthless, helpless.
faillie, *s.* 452, failure.
fail(l)ir, *v. n.* 371, B. xiv. 3 ; 3 *s. p.* falt, 114, 678, B. xi. 2, fault, 6804, faille, 8373 ; 3 *pl. p.* faillont, 3477 ; 1 *s. fut.* faldray, 381 ; 3 *s.* faldra, B. iv. 3 ; 3 *pl.* fauldront, 7310 : fail, be wanting, be necessary : *v. a.* 20983, fall short of.
faillir, *s.* 8911, failure.
faim, faym, *s.* 7518, B. xvi. 2.

faintise, *see* feintise.
faire, *v. a.* 39, B. i. 3, fere, 22910, fare, B. xxvi. 1 ; 1 *s. p.* fai, 9053, B. xxi. 1, fay, 2595, fais, xvi. 2, faitz, xix. 2, fas, 23398 ; 2 *s.* fes, 22357 ; 2 *pl.* faitez, 203 ; 3 *pl.* font, 946, &c., faisont, 3247 ; 3 *s. imp.* fesoit, 2661, faisoit, B. xxiv. 2 ; 2 *s. pret.* feis, 9678, fecis, 28358 ; 3 *s.* fist, 52, B. xx. 3 ; 1 *s. fut.* fray, 368, ferrai, ferray, 460, B. xxxvi. 3 ; 3 *s.* fra, 1917, ferra, 2856; *p. subj.* face, 1778 ; 3 *s. pret. subj.* feist, 3786 ; 1 *pl.* feissemus, 18702 ; 3 *pl.* feissont, 655 ; 2 *s. imper.* fai, fay, 394, 584 ; 1 *pl.* faisons, 13044 ; *pres. part.* fesant, 1322.
faisance, fesance, *s.* 11552, 14875, creation, action.
fait il, 352, said he.
fait, *a.*, si fait, 2503, such.
fait, fetz, *s.* 15056, B. xvi. 3 ; *pl.* faitz, 1360, B. xi. 1, fais, 1018, fetz, 2416, fees, 10487.
faitement, *adv.* 7103, 12977, 15591, skilfully, wisely.
faitis, *a., f.* faitice, 3052, handsome.
faiture, *s.* 1244, make, fashion.
falco(u)n, *s.* 1870, B. viii. 1, xxxv. 4, fau(l)con, 2126, 21045.
fallas, fallace, *s.* 6238, 6460, deceit.
fals, *a.* 3, B. xxv. 1 ; *f.* faulse, 2621, false, 2728 : fals pensier(s), 3674 ; fals semblant, faulx semblant, 3471 ff., 13152 (R) ; faux compas, 7309.
falsement, *adv.* 796.
falser, faulser, *v. a.* and *n.* 8979, B. xliii. 3, T. vi. 3, falsify, be false to, be false.
falseté, *s.* 6508, B. xlii. 1.
falsine, *s.* 141, B. xlii. 1, faulsine, 6317, falsehood.
falspenser, *s.* 3651.
falssemblant, *s.* T. iv. 1 : *cp.* fals semblant.
falte, *s.* 12085, fault.
fame, *s.* 2625, B. vi. 1, report, good fame.
fameil(l)ant, *a.* 7770, 12955, hungry.
fameillous, *a.* 15741, hungry.
familie, famile, *s.* 3916, 7792.
familier, *a.* 17042.
famine, *s.* 1807, B. xlv. 2, hunger, famine.
famous, *a.* B. xxxi. 3.
fantasie, *s.* 1062, fancy.
fantosme, *s.* 11855, phantom.
farcine, *s.* 27431, farcy.
fardell, *s.* 9829, burden.
farin, *a.* 7728, wretched.
fau(l)con, *see* falcoun.

faulse, faulser, *see* fals, falser.
faulsine, *see* falsine.
faulx, *see* fals.
favell, favelle, *s.* 17384 f., chestnut horse, chestnut mare.
favelle, *s.* 1267, flattering speech, tale.
faveller, *v.* 3560, speak (flattery).
favour, *s.* B. xii. 1.
faym, *see* faim.
fée, *s.* 5173, B. xvii. 2, en fée, 4621.
feel, *s. see* fiel.
feel, fel, *a.* 2176, 28260.
fees (1), **fes, fess,** *s.* 2657, 4316, 15055, burden.
fees (2), *see* fait.
fein, *s.* 18081, hay.
feindre, *v. n.* and *refl.* 4514, 4930, 14939, pretend, be negligent.
feint, *a.* 3703, 5296, B. xlii. 2, **faignte,** 5798, feigned, false, faint.
feintement, *adv.* 27496.
feintise, faintise, *s.* 3659, 7088, B. xxix. 1, pretence, deceit.
fel, *see* feel.
felicité, *s.* 13242.
felon(n)esse, *a. f.* 4124, 8305, cruel, wicked.
felon(n ie, felonye, *s.* 148, 4817, 6866, T. xi. 3, wickedness, cruelty.
feloun, *a.* and *s.* 2794, 2968, 7163, B. xxi. 3, cruel, evil, guilty.
femelin, *a.* 9155, B. xxi. 3, female, womanly.
femeline, *s.* 133, woman.
femel(l)e, femmelle, *a.* 1029, 9383, female.
femme, *s.* 137, B. xxi. 2, femne, B. xliii. 2.
fendre, *v. a.* 4262, 5274, B. xviii. 4 : *v. n.* 3947, split, burst.
fendure, *s.* 1860, split, cleft.
fenelle, *s.* 8134.
fenestral, *s.* 16598, window.
fenestre, *s.* 7026.
fenestrelle, *s.* 29939, window.
fenestrere, *s.* 25327, window.
fenestrie, *s.* 16730, windows.
fenix, *s.* B. xxxv. 2, phenix.
fere, *see* faire.
ferin, *a.* 2104, savage, wild.
ferir, *v. a.* 4223 ; 3 *s. p.* fiert, 1871 ; *subj.* fiere, 2477, fere, 13404 ; 3 *s. pret.* feri, 4719 ; *pp.* fer(r)u, 4853, B. xxvii. 1 : strike.
ferlyn, *s.* 26316, farthing.
ferm, *adv.* 893, 12370.
ferme, *a.* 1810, 13533.
ferme, *s.* 20155, contract, fixed rent.
fermement, *adv.* 7510.

fermer, *v. a.* 10186, 11289, T. i. 2, strengthen, fix, shut.
fermerie, *s.* 21435, infirmary.
fermeté, *s.* fixed abode.
ferr, *s.* 5527, B. xxxviii. 1, iron.
ferrement, *s.* 21428, iron-work.
fer(r)u, *see* ferir.
fertre, *see* fiertre.
fes, fess, *s. see* fees.
fesance, *see* faisance.
fesour, *s.* 2226, maker.
feste, *s.* 836, B. xvi. 3.
festival, *a.* 8654.
festoiement, *s.* 7891.
festoier, *v. a.* and *refl.* 7906, 8455, feast.
festrer, *v. n.* 19473, fester.
festu(e), *s.* 2996, 12098, 26238, straw, wooden spit.
fesure, *s.* 19351, deed.
feture, *s.* B. xii. 2, xxii. 3, features, form.
fetz, *see* fait.
feu(s), *see* fieu(s).
feve, *s.* 12406, 26452.
fi, fy, *s.*, de fi, de fy, 508, 14186, confidently, certainly.
fiance, *s.* 7243, B. xiii. 1, **fiaunce,** B. iv. 2, assurance, certainty.
ficher, *v. a.* 7680, 7894, T. vii. 1, fix, fasten.
fieble, *a.* 133.
fieblesce, *s.* 2133, **fieblesse,** 27747.
fiebre, *see* fievere.
fiel, feel, *s.* 3604, 4278, gall.
fient, *s.* 48, dung.
fier, *v. n.* and *refl.* 577, 747, D. i. 1, trust.
fier(s), *a.* 250, 1211, B. xvi. 1, l. 1, proud, fierce, wild, terrible.
fiere, *s.* 4788, (wild-)beast.
fierement, *adv.* 848.
fierté, *s.* 13917, B. xiv. 3, pride.
f(i)ertre, *s.* 29622, 29680, bier.
fieu(s), feu(s), 1879, 3031, fu, 3954, 13911, fire.
figure, *s.* 134, B. xii. 3.
figurer, *v. a.* 18218, represent.
fil, *s.* 1416, thread.
fil(l)e, *s.* 16, 179, 825, B. xx. 3, T. viii. 2.
fils, filz, *s.* 179, 1567, T. ii. 2, **fitz,** 958, 10333, fil, 12552.
fin, *s.* 6, B. i. 3, end ; 4948, 6092, fine.
fin, *a.* 883, 3728, 4119, B. iv. 1, vii. 1, pure, perfect, faithful, absolute.
final, *s.* 9, B. l. 4, end.
final, *a.* 13253.
finance, *s.* 1985, 20178, end, payment.
fine, *adv.* 13367, wholly.

finement, *s.* 2718, ending.
finement, *adv.* 16854, B. xiv. 1, absolutely, finely.
finer, *v. a.* 13718, refine.
finer, *v. n.* 2003 : *v. a.* 6875 : end.
finir, *s.* 11264, end.
firmament, *s.* 1452, B. xix. 1.
fis, *a.* 10334, sure.
fitz, *see* fils.
flaiell, *s.* 4776, scourge.
flaieller, *v. a.* 4428, scourge, beat.
flairer, *v. n.* 7627, 12847, smell, be fragrant.
flaket, *s.* 26069, bottle.
flamber, *v. n.* 16739, blaze.
flamme, *s.* 2345.
flanc, *s.* 7903.
flaour, *s.* 19466, odour.
flater (1), *v. a.* 12354, flatter.
flater (2), *v.* 4523, cast down.
flaterie, *s.* 1372.
flatour, *s.* 1381, flatterer.
flec(c)hir, fleccher, *v. a.* 12367, 24649 : *v. n.* 11466 : bend.
flestre, *a.* 29642, withered.
flestrer, *v. n.* 16915, wither.
fleumatik, *a.* 14707, phlegmatic.
fleur, *see* flour.
flom, flum, *s.* 7623, 23408, river.
Florence, 25249.
Florent, B. xliii. 3.
florie (1), *s.* B. x. 4, flowers.
florie (2), *s.* 16408, = vin florie.
florin, *s.* 9831.
florir, &c., *see* flourir.
flote, *s.* 8721, excitement (?).
floter, *v. n.* 3889, 7396, 27042, float, abound.
flour, fleur, *s.* 858, 1497, B. iv. 4, flower ; flour de lys, 16852.
flourette, *s.* 9959, floweret.
flo(u)rir, *v. n.* and *refl.* 27825, B. xxi. 1, flower : *v. a.* B. xxiii. 3, cause to flower.
flouri(z), flori(z), *a.* 856, 2896, D. i. 3, B. ii. 1, flowery, in flower, adorned ; vin florie, 7819, vin flouri, 19368.
flum, *see* flom.
foi, *see* foy.
foial, *s.* 29248, B. xv. 2, liege subject.
foie, *s.* 5517, liver.
foire, *s.* 1300, T. xv. 2.
fois, foitz, *s.* 3029, 13790, B. xxxix. 3.
fol(s), *f.* fole, *a.* and *s.* 7, 280, 9307 ff., B. li. 1, folz (*pl.*) 2934, foolish, vain, wanton.
folage, *s.* 9164, folly, idle speech.

foldelit, *s.* 261, 9193, T. i. 2, wantonness.
foldelitable, *a.* 5878.
foldesir, *s.* 16860, wanton desire.
foldisour, *s.* 16659, wanton talker.
foldit, *s.* 16905, wanton saying.
folement, *adv.* 600.
folerrer, *s.* 16985, foolish wandering.
folhardy, *a.* 4759, fol hardy, 10971.
folhastif, *a.* and *s.* 4748.
folie, *s.* 156, B. xlviii. 2.
follarge(s), *a.* 8415, extravagant.
follargesce, *s.* 8427, extravagance.
follechour, *s.* 8822, paramour.
foloier, *v. n.* 1004, play the fool.
foloier, *s.* 9218, wantonness.
foloïr, *v.* 16682, hear foolishly.
folour, *s.* 530, 8868, folly, wantonness.
folparler, *v.* 12782.
folpenser, *v.* 9522, think wantonly.
folpenser, *s.* 9560, wanton thought.
folquidance, *s.* 8157, vain belief.
folquider, *s.* 5695, vain belief.
folregard, *s.* 16694, wanton looking.
folsemblant, *s.* 16905, wanton appearance.
foltalent, *s.* 9396, vain desire.
foltoucher, *s.* 16591, wanton touching.
fondacioun, *s.* 12301.
fondement, *s.* 8915, fundament, 2566, foundation.
fonder, *v. a.* 12282, found.
fondour, *s.* 20901, founder.
fonteine, fontaine, *s.* 3876, 4917, B. vii. 2, fontaigne, 12992.
forain(s), *see* forein(s).
forainement, *adv.* 3783.
force, *s.* 1086, B. xxv. 3, au force, 9063.
forcible, *a.* 29445, powerful.
forclos, *see* forsclore.
forein(s), forain(s), *a.* 2291, 3363, B. xi. 1, outward, strange, far away.
forein, *s.* 23256, 28403, alien, stranger.
forg(i)er, *v. a.* 7003, 14275, forge, work.
formage, *see* fourmage.
forme, *s.* 57, B. xlix. 4, fourme, 4862.
former, fourmer, *v. a.* 99, 9051, B. xxvi. 2.
formie, *s.* 14478, ant.
fornaise, *s.* 4160, furnace.
fornicacioun, *s.* 8638.
fors, *prep.* 1365, 4533, B. xvii. 4, outside of, except : forsque, 10581, B. xxviii. 1, except that, except.
forsbanir, *v. a.* 1836, 4318, B. xlviii. 3, forsbannir, 22980, banish.
forschacer, *v.* 8287, drive away.

fundament, *see* fondement.
furiis, *s. pl.* 5082, Furies.
furour, *s.* 20035.
furrer, fourrer, *v. a.* 7139, 20476, adorn with fur.
furrer, *s.* 25710, furrier.
furrure, *see* fourrure.
fustain, *s.* 25444, fustian (cloth).
fusterie, *s.* 26243, pieces of wood.
futis, *s.* 11369, fugitive.
futur, *a.* 6984, 11203.
fy, *see* fi.
fymer, *s.* 1338, dung.

G

Gabaon, 27016.
Gabaonite, *a. f.* 9061, of Gibeah.
gabboy, gabboi, *s.* 1968, 20531, vain boasting, jest.
gabelle, *s.* 23775, tax.
Gabriel, 27938, 29361.
gafre, *s.* 7810, wafer.
gage (1), *see* guage.
gage (2), *s.* 1199, cage: *cp.* cage.
gai, gay, *a.* 857, B. xxxvi. 2, T. x. 1.
gaiement, *adv.* 3578.
gaign, g(u)ain, *s.* 1906, 2204, T. xvii. 1, gain.
gaignage, *s.* 8418, harvest, profit.
gaigner, guaigner, gainer, *v.* 1399, 2204, 6353, win, earn, till the ground.
gaigner(s), *s.* 10651, tiller of the soil.
gaignere, *s.* 3214, gainer.
gaignerie, *s.* 15625, 18292, tillage, profit.
gain, gainer, *see* gaign, gaigner.
gaiole, gayole, *s.* 4115, 16632, gaol.
gaire, *see* guaire.
gaite(s), *see* guaite.
Galice, 15336.
Galilée, 28387, 29239.
Gant, 25251.
garant, guarant, *s.* 2216, 3655, 6220, protection, security.
garanter, *v. a.* 4950, protect.
garçonner, *v. a.* 12742, degrade.
garco(u)n, *s.* 8154, 20421, servant.
garde, guarde, *s.* 547, 1037, 2897, T. xiv. 1, care, observation.
gardein, *see* gardin.
gardein(s), guardein(s), *s.* 3441, 6921 ; *f.* g(u)ardeine, 1431, 7492.
garde pance, *s.* 19031, belly-armour.

garder, guarder, *v. a.* and *n.* 212, B. iv.* 3 ; 3 *s. p.* g(u)art, 259, 4307, guarde, T. xiv. 1 ff. ; 2 *s. imper.* guar, 13635 ; 3 *pl. pret. subj.* gardessent, 26427 : keep, guard, look at, look.
garderesse, *s. f.* 12086, guardian.
gardin, gardein, *s.* 17326, 18279: *cp.* jardin.
garir, guarir, *v. a.* and *n.* 2278, 3036, 3816 ; 3 *s. p.* garist, 4212 ; 3 *s. imp.* garisoit, 2278 ; 3 *s. pret.* guarist, 5520, guarisse, 4533 ; *fut.* guarra, 5519: heal, get well, be saved.
garisoun, guarisoun, *s.* 420, 5441, 17715, healing, provision.
garite, *s.* 7052, garret.
garnache, *see* gernache.
garnement, *s.* 1226, 23921, 24749, garment, furniture.
garnir, guarnir, *v. a.* 3645, 3973, T. xv. 1, defend, prepare, furnish, warn.
garnisoun, *s.* 7751, garrison.
gas, *s.* 11407, 12134, mockery, jest.
gaste, *a.* 10351.
gastel, *s.* 7808, wastel (bread).
gaster, guaster, *v. a.* and *n.* 1206, 7059, 19122, waste, spoil.
gasteresce, *s. f.* 17725, waster.
gastin, *a.* 19034, waste.
gastine, *s.* 20164, waste place.
Gawain, T. xvii. 2.
gay, *see* gai.
gayole, *see* gaiole.
Gebal, 21604.
Gelboée, 12978.
gelée, *s.* B. ix. 4, frost.
geler, *v. n.* 13736, freeze.
gel(l)ine, *s.* 1982, 6833, hen.
gemme, *s.* 29937, gem.
gendre, *s.* 302, 9155, race, sex, kind.
generacioun, *s.* 2293.
general, *a.*, en general, 3098, T. title.
Generides, B. xliii. 2.
Genesis, genesi, *s.* 112, 11365, 11414, 17074, 17200, Genesis.
genoil, *s.* 28665, knee.
genologie, *s.* 9725.
gent, *s.* 105, 851, B. xxxi. 3 ; *pl.* gens, 1474, gentz, 11005, D. ii. 5 : people.
gent, *a.* 14104, gentle.
gentil(s), *a.* 4728, D. i. 4, B. envoy.
gentil(l)esce, *s.* 12089, B. vi. 1, xiii. 2.
genuflectacioun, *s.* 10245.
genuller, *v. n.* and *refl.* 1224, 10503, bow the knee.
germain, *s.* 6194, brother.

gresil, *see* grisile.
Greu, *see* Grieu.
grevable, *a.* 2462, grievous, hurtful.
grevain, gr(i)evein, *a.* 2781, 5716, B. xlviii. 2, grievous.
grevance, *s.* 18706, 20639.
grever, *see* griever.
grevous, *a.* 3470.
grevousement, *adv.* 2911.
grief, *f.* grieve, *a.* 1157, 2417, B. xii. 1, heavy, grievous.
grief, *s.* 3177, trouble, grief.
griefté, *s.* 27387, burden.
Grieu, Greu, *s.* 23366, 29320, Greek.
grievein, *see* grevain.
gr(i)ever, *v. a.* and *n.* 1782, 3942, 10392, D. ii. 4, B. ii. 3, annoy, hurt.
griffo(u)n, *s.* 10725 ff.
gris, *a.* 18040.
gris, *s.* 20475, 26458, grey fur, grey stuff.
grisell, *s.,f.* griselle, 17382 f., grey horse, grey mare.
grisile, gresil, *s.* 11979, 12634, hail.
grisilon(s), *s.* 5821, grasshopper.
grondiler, grundiller, *v. a.* 3286, gnash (the teeth): *v. n.* and *refl.* 2031, 7563, murmur.
gros, gross, *a.* 1053, 1952, 2104.
grossour, *s.* 25261, wholesale dealer.
groucer, *s.* 2313, grumbling.
grundiller, *see* grondiler.
guage, gage, *s.* 6200, 9786, pledge, possession.
guager, *v.* 24943, make promise.
guain, guaigner, *see* gaign, gaigner.
guaire(s), gaire, guere, *adv.* 7115, 22030, much: ne . . . g(u)aire, 920, 5422, 13509, hardly.
guaite, gaite(s), *s.* 11282, 11293, watchman.
guarant, *see* garant.
guarantie, *s.* 20986, security.
guarde, guarder, *see* garde, garder.
guardein, guardeine, *see* gardein.
guardon, guardoner, *see* guerdoun, guerdonner.
guarir, guarisoun, *see* garir, garisoun.
guarnir, *see* garnir.
guast, *s.* 17719, waste.
guaster, *see* gaster.
guenchir, *v. a.* 14778.
guerdonnement, *s.* 6717.
guerdonner, *v.* 6606, guardoner, B. xxxiii. 1.
guerdoun, *s.* 6715, 26968, guardon, B. xvii. 1, reward.

guere, *see* guaires.
guerpir, *v. a.* 46, B. xx. 3, xli. 4, desert.
guerre, *s.* 2139, B. xx. 2.
guerreiour, *s.* 11288, warrior.
guerroier, *v. a.* 828, 13023: *v. n.* 1260.
guerroier (1), *s.* 1485, warring.
guerroier (2), *s.* 294, warrior.
guider, *v. a.* 20410.
guidere, *s.f.* 8164.
guideresse, *s.f.* 14383.
guier, *v. a.,* 3 *s. p.* guie, guye, 1447, 8518: guide.
guile, *s.* 213, gile, 21394.
guilement, *s.* 15599, deceit.
guiler, *v. a.* 1163, deceive.
guilerie, *s.* 1063.
guiler(s), *s.* T. iv. 1, deceiver.
guilour, *s.* 15599, deceiver.
guise, *s.* 594, B. li. 1, manner, habit.
gule, 7789, gluttony: *cp.* geule.
gumme, *s.* 3570.
Gurmond, T. xi. 1.
gustement, *s.* 9545, sense of taste.
Guyene, 26056.
guyere, *s.* 11772, guide.
Gyesi, *see* Giesy.

H

habandonner, *see* abandonner.
habit, *s.* 1100, 15989, T. v. 2; abit, 14210: manner, form, dress, possession.
(h)abitement, *s.* 12535.
habiter, *v. n.* 1028, dwell.
habondance, *s.* 5326.
habondant, *a.* 10619.
habonder, *v. n.* 3346, abonder, 1205.
hachée, *s.* 3945, torture.
haie, *s.* 4206, 18279, hedge.
haïr, *v. a.,* 1 *s. p.* hee, B. xvii. 3; 3 *s.* hiet, 206; 3 *s. imp.* haoit, T. vii. 2; 3 *s. fut.* harra, 1723, herra, 4611; *pp.* haï, 1886, haÿ, 12981.
haire, *s.* 575, 2022, hair-shirt, sack-cloth.
haité, *a.* 20141, encouraged.
haker, *v. a.* 20871, chop up.
halcer, *v. a.* 22027, exalt.
halt, *a.* 69, B. ix. 3, hault, 949, haut, T. x. 1: en halt le ciel, 10515.
halt, *s.* 13349, height.
haltein(s), *a.* 1311, B. xiv. 2, haltain, 603; *f.* halteigne, B. iii. 3.
haltement, *adv.* 2480.
haltesce, haltesse, 1295, B. vi. 2.
hanap, *s.* 987, 4684, jar.

hange, *s.* 4335, hatred.
haour, *s.* 4356, hatred.
'happer, *v. a.* 13679, B. xxxi. 3, catch.
hardeler, *v. a.* 9348, entangle.
hardement, *s.* 22172, boldness.
hardi(s), hardy, *a.* 1471, 15104.
hardiesce, *s.* 14201, boldness.
harnois, *s.* 20528, trappings.
harpe, *s.* 512.
harper, *v. n.* 22967.
harpour, *s.* 22877.
harra, *see* haïr.
hart, *s.* 3635, 23195, bonds, noose.
hasard, *s.* 5779.
haspald, *s.* 4669, vagabond, rascal.
haste, *s.* 4775, B. xliii. 2.
haster, *v. a.* 416, 4774, hasten, press upon.
hastif, *a., f.* hastive, 4639, hastie, 3866, hasty.
hastivesse, *s.* 4741, haste.
haterel(l), *s.* 3141, 26001, neck.
hatie, *s.* 15318, hate.
hatine, *s.* 4483, hate.
hauberc, *s.* 15124.
hault, *see* halt.
Haymo, 2629.
haÿne, *s.* 4460, hatred.
he, *interj.* 137, B. xlii. 2, ah!
healme, *s.* 15125, helmet.
Hebreu(s), Hebru, *s.* 1660, 2331, 12199, 12267, 29325.
hebreu(s), hebru, *a.* 3978, 22009, *f.* hebrue, 5659.
hée, *s.* 2194, hatred.
heir, *s.* 2541, hoir, 20346, heir.
helas, *interj.* 107.
Helchana, 10273.
Heleine (1), 16701, B. xiv. 1, xl. 1, T. x. 1.
Heleine (2), 18589.
Helemauns, 11404.
Helie, Helye, 6788, 12597, 14443, Elijah.
Helisée, Heliseüs, Heliseu, 10214, 15463, 27041, Elisha.
Hely (1), 19117, Eli.
Hely (2), 28747.
henir, *v. n.* 2502, neigh.
Henri(s), D. ii. 1, 4, B. envoy.
herald, *s.* 1740, hierald(s), 12841.
heraldie, *s.* 16073, heralds.
herbage, *s.* 5823.
herbe, *s.* 3751, B. xxi. 1.
herbergage, *s.* 5826, lodging.
herbergement, *s.* 4579, lodging.
herbergerie, *s.* 707, 15568, lodging.
herberger, *v. a.* and *n.* 4442, 8385, 24741 ff., lodge.

herbergeresce, *s. f.* 14387, hostess.
herbergour, *s.* 12959, entertainer.
herce, *s.* 4627, bier.
Hercules, Herculem, B. xliii. 1, T. vii. 1, 2.
heresie, *s.* 5742.
herice, *s.* 24962, harrow.
heritage, *s.* 6120, T. i. 3.
heritance, *s.* B. li. 3.
herité(e), *a.* 923, hereditary.
heritement, *s.* 8909, inheritance.
hermafodrite, *s.* 1026, hermaphrodite.
hermite, *s.* 2742.
Herodes, Herode, 4984, 11468, 28238 ff.
herra, *see* haïr.
herrow, *interj.* 6945, alas!
hesitacioun, *s.* 5740, 18824, wavering, difficulty.
Hester, 17466.
heu, *interj.* 1834, ah!
hidour, *see* hisdour.
hier, *adv.* 11698, 26286.
hierald(s), *see* herald.
Hillaire, 27032.
Hisboseth, 4900.
hisdour, hidour, *s.* 4793, 10002, hideousness, horror.
histoire, *s.* 1553, B. xlvii. 3; l'estoire, 1023.
hoir, *see* heir.
hom, *s.* 1134, a man, one, l'om, B. xxxi. 3: *cp.* om, homme.
homicide, *s.* 4799, 6424, T. xiv. 2, murder, murderer.
homme, *s.* 25, T. iii. 1, l'omme, 315, B. xii. 1, l'ome, 225.
hommage, *s.* 519, B. xix. 2.
hommesse, *s.* 5508, manliness.
honeste, honneste, *a.* 1351, 3919, B. xxix. 1, honest, C.
honestement, honnestement, *adv.* 10399, B. xlix. 4.
honesteté, honnesteté, *s.* 2978, 11752, 14255, virtue, honesty, honourable deed.
honir, *v. a.* 587, 6250, outrage, injure.
honour, honnour, honeur, *s.* 432, 449, 10008, D. i. 1, B. xxi. 2.
honourable, *a.* 23101, B. xxix. 4, honurable, 27878.
honourance, *s.* 12442.
honouré, *a.* 545, honourable.
honourer, honeurer, *v. a.* 1217, 27122, B. xxxi. 2; 3 *s. p.* honourt, 7402, honure, 12916.
hontage, *s.* 1655.

honte, *s.* 446, B. xxi. 3.
hontous, *a.* 9108, 11906, honteus, 12018, shameful, modest.
Horestes, T. ix. 3.
horpris, *see* horspris.
horrible, *a.* 288, T. ix. 1.
hors, *adv.* 316, 2407, out.
horspris, horpris, *a.* 23777, B. xxx. 4, xxxvi. 2, excepted.
hospital, *s.* 8326, lodging.
hospitalité, *s.* 6668, 15908.
hospiteller, *s.* 13231, 23849, host, entertainer.
host, *s.* 10312.
hostage, *s.* 29632, host.
hostal, hosteal, hostell, hostiel, *s.* 713, 972, 3914, 17793, 17847, B. xxxviii. 4, lodging.
hoste, *s.* 4442, guest.
hostellement, *s.* 5123, lodging.
hosteller, *v. a.* 8378, entertain.
hosteller, hostellier, *s.* 6145, 6953, 8377, host, householder.
hostellerie, *s.* 14562, household.
hoster, houster, *v. a.* 1435, 6881, B. x. 3, take away.
hostesse, *s.* 4123, 16043, hostess, housewife.
houre, hure, (h)eure, *s.* 164, 481, 729, 938, D. ii. 1, B. vii. 1, x. 1, hour; al hure, 2432, now, at once; houres, 3094, daily prayers.
houster, *see* hoster.
huan(s), *s.* 893, owl.
hucher, *v. a.* and *n.* 6730, 9601 ff., call to, call.
huer, *v. a.* 5658, 20119, hoot at, shout after.
huiss, *s.* 4462, huss, 13542, door.
huissher, *s.* 11246, door-keeper.
humanité, *s.* 29086.
humble, *a.* 1650, D. i. 3, (h)omble, B. xxxviii. 4.
humblement, *adv.* 10204.
humblesce, humblesse, *s.* 2235, D. i. 1.
humbleté, *s.* 16873.
humein, humain, *a.* 368, 719, B. xiv. 1: *s. pl.* humeinz, 9919, 22222.
humiler, humilier, *v. a.* 1831, 2118.
humiliacioun, *s.* 2296, 10238, humility.
humiliance, *s.* 11547, humility.
humilité(s), *s.* 2291, 10132, B. xii. 4.
humour, *s.* 18120, moisture.
hupe, *s.* 2893, T. xii. 3, hoopoe.
hure, *see* houre.
hurter, *v. n.* 9896, 16942, strike.

huy, *adv.* 5433, 9269 (au jour d'uy).
hyene, *s.* 2884, hyena.

I

i, *see* y.
ice, *dem. a.* 7600: *pron.* 15949 : this.
icell, ycell, *dem. pron.* 370, 7327, 9175 : *cp.* icil.
icest, *f.* iceste, yceste, *dem. pron.* 2677, 3193, 20800.
ici, yci, *adv.* 3122, B. vi. 1 *margin.*
icil, *dem. pron.* 4508.
idropesie, *s.* 7603, dropsy.
ignorance, *s.* 6074.
ignorant, *a.* 6086.
il, *pron.* 7, D. i. 1, B. xxv. 2 ; il mesmes, 211 ; ils deux, 226; il *for* elle, T. ix. 1 ; il *for* ils, 2805, 10341.
ille, *see* isle.
illeoque(s), *adv.* 959, 20228, illeoc, 7590 there.
illusioun, *s.* 14695.
image, *see* ymage.
imaginer, *see* ymaginer.
implet, *a.* 9040, full.
imposer, *v. a.* 18509.
imposicioun, *s.* 18470.
impresse, *a. f.* 10864, B. vi. 1, imprinted.
impressioun, *s.* 11877.
impressure, *s.* 18272.
incarnacio(u)n, *s.* 28810, T. v. 2.
incest, *s.* 8239.
incestuous, *a.* 21304.
inclinacioun, *s.* 20721.
inconstance, *s.* 5462.
inconstant, *a.* 5465.
incontinence, *s.* 1403.
inconvenience, *s.* 1402, 27108, evil, unfit thing.
inconvenient, *s.* 21646, evil.
incredible, *a.* 5769, incredulous.
incurable, *a.* 9643.
indeterminé, *a.* 3287, endless.
indevoult, *a.* 1195.
indifferent, *a.* 18710, impartial.
indigence, *s.* 12393, indigense, 15755.
indigent, *a.* 12963.
indignacioun, *s.* 2283.
inducer, *v. a.* 8606.
indulgence, *s.* 7366.
infeccioun, *s.* 10497.
infect, *a.* 9042.
infelice, *a.* 21072, unhappy.
infernal, infernals, *see* enfernal, &c.

infinit, *a.* 1284.
inflacioun, *s.* 2249.
inflat, *a.* 2233, puffed up.
infortune, *s.* B. xx. 3, ill fortune.
infuz, *a.* 29318, infused.
ingluvies, *s.* 7713, excess (in eating).
ingrat, *a.* 6613.
ingratitude, *s.* 6321.
inhabitant, *s., pl.* inhabitans, 2576.
iniquité, *s.* 3138.
injustice, *s.* 6822.
inmonde, *a.* 26812, T. xi. 2, unclean.
innocent, *a., pl.* innocens, 3537, 6232, B. xli. 2.
Innocent, 18783.
inobedience, *s.* 2006, disobedience.
inobedient, *a.* 2137.
inpacience, *s.* 3953.
inpacient, *a.* 3961.
inparfait, *a.* 10413, inparfit, 19092.
inproprement, *adv.* 7645.
inpuni, *a.* 23047, *pl.* inpunitz, 23316.
inquietacioun, *s.* 4299.
inquiete, *s.* 3146, 9048, trouble.
insolible, *a.* 5761, inconsolable (?)
inspeccioun, *s.* 16332, 29188.
inspirement, *s.* 56, inspiration.
inspirer, *v. a.* 29302.
instance, *s.* 29216.
intelligence, *s.* 14597, T. ii. 2.
interiour, *a.* 3508, inward.
invasion, *s.* 10492.
ipocresie, ypocresie, ipocrisie, ypocrisie, *s.* 1059, 1123, 1189, 21249.
ipocrital, *s.* 21409, hypocrite.
ipocrite, ypocrite, *s.* and *a.* 1117, 1177.
ipotecaire, *s.* 7864, apothecary.
irascu, *a.* 13652, angry.
ire, *s.* 250, T. ix. 1, anger.
iré, irré(z), irrée, *a.* 2406, 4826, 7617, angry.
irous, *see* irrous.
irrai, irray, *as fut. of* aler, 1022, 2905, B. ii. 4; *cond.* irroit, 174.
irresonnable, *a.* 6438.
irreverence, *s.* 3960.
irritacioun, *s.* 3975.
irrour, *s.* 3880, passion.
irrous, irous, *a.* 4298, 4351, angry, passionate.
irrous, *adv.* 13387.
irrousement, *adv.* 3994, angrily.
Isaak, 12241.
Isaïe, *see* Ysaïe.
Isidre, 10405, 10814, 14581, 16360.
isle, ille, *s.* 3725, 16702, T. viii. 1.

Ismahel, 11419.
isnele pas, *adv.* 10506, 24224, quickly.
Israel, 3998, 10371, 11019, 17483, 17489, 28338.
issi, *adv.* 4683, so.
issint que, *conj.* 3237, 26650, in order that, so that.
issir, *v. n.* 2467, 5390, 28529; 3 *s. p.* ist, 2834; *pres. part.* issant, 2247; *pp.* issu, 4852: go forth, come forth.
issue, *s.* 92, T. iii. 1, race, offspring.
(s'en) ist, *v.* B. viii. 1, goes away : *cp.* irrai, issir.
itiel, itieu, ytiel ytieu, *a.* 275, 2552, 3073, *f.* ytielle, 23151 ; *pl.* itiel, itieu, 7437, 7919, *f.* itieles, 4465, such : *cp.* tiel.
iveresce, *see* yveresce.
ivern, yvern, yver, *s.* 5389, 5450, 14481, B. ii. 1, xxxii. 1, winter.

J

ja, *adv.* 1226, 10856, ever, even, never ; ja ne, 509, 1935, B. v. 3, never.
Jabins, 17488.
Jacob, 3386, 4858, 7084, 10701, 12244 f., 16025, 16957, 24530.
Jacobin, *s.* 21760, Jacobin (friar).
jadis, jadys, *adv.* 354, 1888, 3782, formerly, long ago.
Jahel, 17479.
Jake, *see* Jaques.
Jaket, 1963, Jack.
jalous, *a.* 8762.
jalouser, *s.* 17581, jealousy.
jalousie, *s.* 17562.
jam(m)ais, *adv.* 251, 647, B. x. 3 : jammes, 678, B. ii. 2 ; jammais jour, 2634, B. xlii. 2.
jangle, *s.* 4636, B. xxv. 1, idle talk, contention.
janglement, *s., pl.* janglemens, 6286.
jangler, *v. n.* 2632, talk idly.
janglerie, *s.* 1694, idle talk.
Janus, B. xxxii. 1.
Japhet, 12030.
Jaques, Jaque, Jake, (saint), 4213, 6103, 13929, 24697, 28658, 29177.
jardin, *s.* 4542, B. vii. 3 : *cp.* gardin.
Jason, B. xliii. 1, T. viii. 1.
jaune, *a.* 26036.
je, *pron.* 12, &c., D. i. 3, jeo, D. ii. 4, B. ii. 2, &c.
jeeu, jeu, *s.* 181, 3903.

Jehan(s) (the apostle), 49, 2466, 3112, 7441, 12303, 17035, 18737, 28658, 29055, 29339 ff.

Jehan(s) (the baptist), 28010, 28424 ff.

jeo, *see* je.

Jeremie, 1828, 2799, 2860, 3445, 3685, 3984, 4130, 5283, 5763, 5854, 6363, 6869, 7194, 7615, 7678, 8103, 8289, 9230, 10323, 11173, 11546, 15592, 19957.

Jericho, 7001.

Jerom, 2750, 2871, 5081, 7393, 10498, 11473, 14671, 16479, 16603, 16864, 17020, 17030, 17119, 17945, 17953, 20574, 20933, 20989, 21607.

Jerusalem, 2429, 10259, 10329, 10350, 17465, 27521.

Jesabel(l), Jezabell, 4959, 6775, 11156.

jesqes, jesqe, *see* jusques.

Jesse, 29932.

jetter, *see* getter.

jetteresse, *see* pierre.

jeu, *see* jeeu.

jeualx, jeuaux, *see* juel.

jeuer, *see* juer.

jeupartie, *see* jupartie.

Jhesu, Jhesus, Jhesum, 1911, 2274, 2276, 9079, 12306, 12422, 15475, 18192, 18222, 18939, 19976, 27296, 27945, 27974, 28134, 28402, 28559, 28609 ff., 28707 ff., 29221 ff., 29761 ff.

Joab, 4770, 12989.

Joachim (1), 10336.

Joachim (2), 27483 ff.

Job, 1273, 1334, 1645, 1648, 2640, 3667, 5758, 6855, 7777, 8065, 8089, 9068, 11329, 11684, 12002, 13987, 14821, 15109, 15578, 16741, 24517, 26857.

jo(e)fne, *a.* 218, 8688, T. viii. 1, young.

jofnesse, *s.* 5681, youth.

Johan (Gower), T. xviii. 4.

Johel, 1291.

joial, *s.* 8720: *cp.* juel.

joie, joye, *s.* 68, 316, D. ii. 4, B. ii. 1.

joier, joïr, joÿr, *v. n.* and *refl.* 8062, 29533, D. ii. 4; 3 *s. p.* joÿst, 12918 : *v. a.* 13150: rejoice.

joindre, *v. a.* 19372.

joious, joyous, *a.* 3255, 7644, D. ii. 3, B. xxi. 1, *f.* joyeuse, 27000.

joliement, jolyement, *adv.* 1590, 5823, merrily.

jolieté(e), *s.* 5690, merriment.

jolif, joly(s), *f.* jolie, *a.* 939, 1696, B. xiii. 4, pleasant, merry, gay.

jolivet, *f.* jolivette, jolyette, *a.* 9278, 17893, gay.

Jonas, 27057.

Jonathas, 12980.

Joram, 6781.

Jordan, 24531.

Josapha, Josaphat, 6781, 10311, 29691.

Joseph, Josep (son of Jacob), 3663, 3671, 12247, 14521, 16777.

Joseph (husband of Mary), 27824 ff.

Joseph (of Arimathea), 28771, 29113, 29128 ff.

Josué, 2336, 7004, 10302 ff., 11094 f., 12272, 23871, 27018.

jour, *s.* 177, B. ii. 3 ; jammais jour, 2634, B. xlii. 2.

journal, *s.* 635, 2855, 5596, day, day's work.

journé, *s.* 28339, journey.

journeie, *s.* 10125, journey.

joust(e), *a. see* just.

jouste, *s.* 20882, flagon.

jouster, *v.* 11693, tourney.

joustice, *see* justice.

jovencel, *s.* 8714, young man.

jovencelle, *s.* 17388, young woman.

jovente, *s.* 4787, youth.

jowe, *s.* 13403, cheek.

joyant, *a.* 9, 503, rejoiced.

joye, joyous, joyeuse, *see* joie, joious.

joyeusement, *adv.* 17460.

joynt, *s.* 10831.

joynt, *a.* 10832, 12195, united, clasped.

joyntement, *adv.* 14451, jointly.

Juda, 3256, 5008, 10311.

Judas, 2271, 3389, 3393, 3512, 5757, 15332, 20016, 21104, 23180, 28630, 28690 ff.

Judas (le Machabieu), 2382, 23871, *see* Machabieu.

Judeë, 20067.

judicial, *a.* 3281, 16605, of judgement.

judicial, *s.* 13191, B. l. 3, judgement.

Judieu, *s.* 11069, 18631, Jew.

Judith, 11114, 12044, 12685, 17464.

juel, jeual, *s.* 25561, B. xxxiii. 2 ; *pl.* jeuaux, jeualx.

juer, *v. n.* and *refl.* 5728, 5779, juer la jeupartie, 25454, jeuer, B. ix. 4, xxxii. 2 : play, sport.

juerie, *s.* 3111, Jewry.

jug, *s.* 4196, yoke.

jugge(s), juge, *s.* 6111, 6211.

jug(g)ement, *s.* 169, 1197, T. x. 3.

jug(g)er, *v. a.* 1616, 4883.

juggeour, *s.* 1678, judge.

jugier, *s.* 8597, judgement.

juïse, juÿse, *s.* 1545, 2508, 15429, B. xli. 3, judgement, condemnation.

Julian (seint), 15727, 23850.
Julius (Cesar), 19333.
jumente, *s.* 4784, beast of burden.
jun, juyn, *s.* 7766, 7859, fast, fasting.
jun, *a.* 18026, fasting.
juner, *v. n.* and *refl.* 5544, 12568, fast.
jupartie, jeupartie, *s.* 4761, 12260, 24931, game, hazard, jeopardy : *cp.* 3240.
Jupiter, 7826.
jurant, *s.* 6478, oath.
jurediccioun, *s.* B. l. 2.
jurée, *s.* 6467, jury.
jurer, *v. n.* and *a.* 1952, B. xli. 1 ; *pp.* juret, juré, 6651, 23786 : swear, swear by.
jurour, *s.* 6433, 24897, juror.
jus, *adv.* 1482, B. xvi. 1, down.
jusques, *adv.* 1336, jusqus, 5214, jesqes, jesqe, B. v. *margin*, B. xii. 3 : as far as.
just(e), *a.* 737, 1650, 1845, jouste, 15197, T. i. 1, joust, 23065.
juste, *prep.* 4075, near.
justefier, justifier, *v. a.* 6114, 26496, B. xlviii. 1, T. xviii. 4, justify, do justice on : *v. n.* 13476, do justice.
justice (1), joustice, *s.* 2514, 15191, 23039, B. iii. 1, justice.
justice (2), justise, *s.* 15326, 24676, judge.
justicerie, *s.* 24617, judges.
justicier(s), *s.* 20505, judge.
juyn, *see* jun, *s.*
Juÿs, *s.* (*pl.*) 4466, Jews.
juÿse, *see* juïse.

K

Katelote, 20678.
keue, *see* coue.

L

la, *adv.* 3331, B. xxx. 1, there : la que, 11375, where.
Laban, 7083.
laborious, *a.* 14534, 16917.
labour, *s.* 1486, B. xlviii. 2, T. ii. 1.
labourer, *v. n.* and *a.* 5391, 5778 ; 3 *s. p.* labourt, 2776, 14546 : work, till, labour for.
labourer, *s.* 8655, labour.
labourer(s), labourier, labourour, *s.* 10649, 14456, 26430, labourer.
lac, *s.* 2672, 27049, pit.
lache, *a.* 5590, slack.
lachesce, *s.* 5589, slackness.

lacheté, *s.* 5595, slackness.
lai(s), lay(s), *a.* 3327 ; prestre lay(s), 20549, 20575.
lai(s), lay, *s.* 3016, 3300, 27479, layman.
laid, *a.* 209, 1014, 4820, ugly, hurtful.
laid, *s., pl.* lais, 3017, wrong.
laidement, *adv.* 1723, 10403, wrongly, outrageously.
laidenger, *v. a.* 17607, 20744, abuse, insult.
laidir, *v. a.* 2935, 8767, injure, disgrace.
laine, *see* leine.
laisir, *see* loisir.
laisser, *see* lesser.
lait, *s.* 4797.
laiter, *s.* 8510, feeding (with milk).
lamentacioun, *s.* 2256.
lampe, *s.* 16999.
lampreie, lamprey, *s.* 4453, 7832.
lance, *s.* 5521.
Lancel(l)ot, 1473, B. xliii. 3, T. xv. 1.
lancer, *v. a.* and *n.* 3618, 3621, 20636, hurl, rush.
lande, *s.* 26709, glade.
lang(u)age, *s.* 1198, 6944, D. i. 4.
lang(u)e, *s.* 875, 1416, 1930, 29311 ff., B. xxv. 4, tongue.
langour, *s.* B. xliii. 4, sickness.
languir, *v. n.* 321, B. iii. 1.
languisant, *s.* 3552, sick man.
languissant, *a.* 740, sorrowful.
lanterne, *s.* 15656.
lapider, *v. a.* 2398, stone.
larcine, *s.* 909, theft.
larder, *s.* 20335, larder.
large(s), largez, *a.* 986, 8228, 15956, wide, liberal ; a large, B. xliii. 3, at large.
largement, *adv.* 452.
largesce, largesse, *s.* 470, 25701, B. xxviii. 2, bounty, largess, liberal supply.
largeté, *s.* 7498, liberality.
lar(r)on, lar(r)oun, *s.* 2454, 5273, 6906, 13938.
las, *s.* 893, 3561, B. xv. 1, cord, snare.
las(s), *a.* 889, 14101, B. viii. 3, weary, wretched.
las(s), *interj.* 587, 20077, alas !
latin, *s.* 7373, 21775, D. i. 4, Latin (language).
Latins, *s. pl.* 29320.
laudacioun, *s.* 12757.
laudes, *s.* 5640, 8594.
laver, *v. a.* and *n.* 10522, 26656.
layne, *see* leine.
lays, *see* lai(s).
Lazar (1), 7975.

Lazar (2), **Lazaro(u)n**, 13047, 28514, 28807, 29364.
le, l', *def. art. m.* (used with subject), 99, 107, B. ii. 1, (with object) 20, D. i. 2, &c. ; *f.* la, 4, B. i. 3 ; *pl.* **les, lez**, 10, 948 (R), B. ii. 1, xxxvi. 1, le, 18644 : *cp.* **ly**.
le, l', f. la, *pron.* (as direct object of verb), 84, 212, B. ii. 1, v. 1, (as indir. obj.) le, la, 912, 2448, 13268, B. xxiii. 1, xxxvii. 1 ; *pl.* **les** (dir. and ind.), 46, 2416 ; (with *prep.*) de la, 107 : *cp.* **luy**.
leccherie, *s.* 263.
leccherous, lecherous, *a.* 8827, T. xi. 3.
lecchier,lechier, *a.* 9182,15844,lascivious.
lec(c)hour, lecchier(s), *s.* 929, 8931, 9164, 16663, lecher, paramour.
leçoun, leçon, *s.* 2790, 2971, 8846, B. xxiv. 1, teaching, opinion.
lée (1), *a.* 3196, **liée**, 17122 ; *pl.* **leez**, 24291 : joyful, glad.
lée (2), *a.* 15821, large, wide ; **en lée**, 25706, in width.
lée, *s.* 3379, side.
leësce, *s.* 480, B. vi. 1, delight.
leëscer, *v. n.* 29232, rejoice.
legacie, *s.* 18990, embassy.
legat, *s.* 18422, ambassador.
legende, *s.* 20700.
leg(i)er, *a.* 2419, 5402, active, ready, easy: du (de) leger, 2833, &c., easily.
leg(i)erement, *adv.* 3930, 9609.
legioun, *s.* 6737.
leigne, *s.* 13648, wood.
leine, laine, layne, *s.* 1603, 5313, 7566.
leisour, leisir, *see* **loisir**.
leiter, *v. a.* 27418, suckle.
lendemein, *s.* 8367, morrow : *cp.* l'endemein.
lent, *a.* 889, slow.
lentement, *adv.* 5614.
leopart, *s.* 9892.
leo(u)n, lioun, lyon, *s.* 849, 4210, 8848, 12296, B. xlviii. 3, lion.
lepre, *s.* 2659, leprosy.
lepre, *a.* 3782, leprous.
leprous, *a.* 28564, leprous.
lerme, *s.* 10203, tear.
lermer, *v. n.* 4383, weep.
lermerie, *s.* 18293, weeping.
lermoier, *v. n.* 10261, weep.
lesser, laisser, *v. a.* 4, B. v. 1, xvii. 4 ; 2 *s. p.* lais, 6164 ; 3 *s.* laist, 666, B. xxi. 3, laisse, 1261, **lesse**, 4752 ; 3 *s. pret.* laissa, B. xl. 1 ; *fut.* lerrai, lerray, 384, B. ii. 2, xvii. 2 ; 3 *s.* lessera, 688, lerra, B. li. 3 ; *imperat.* lessetz, 4, B. ix. 5.

lesure, *s.* 1176, injury, harm.
letanie, *s.* 20315, B. xxiv. 1.
lettre, (letre), *s.* 6788, B. ii. 4, iii. 4.
lettron, *s.* 20682, lectern.
lettrure, *s.* 7379, reading, letters.
lettuaire, *s.* 25641, electuary : *cp.* electuaire.
leur, lour, *pron.* (dir. or indir. obj.), 77, 239, 6924, B. xlvii. 2.
leur, lour, *poss. adj.* 18, 2230, B. xxv. 2 ; *pl.* leur, lour, leurs, lours, 2995, B. v. *margin*, T. title.
levable, *a.* 1869, rising, raised.
levain(s), *s.* 16789, leaven.
lever, *v. a.* 531 ; 3 *s. p.* lieve, 5239 ; 3 *pl.* lievent, 27234 : *v. n.* 5158, 5206, B. xx. 1.
levere, *see* **lievere**.
leverer, *s.* 21046.
Levite, *s.* 9062.
levitici, 5269, 11137.
li, *see* **ly**.
liard, f. liarde, *s.* 17384 f., dappled horse, dappled mare.
liberal, *a.* 3316, B. l. 1, liberal, free.
liberalité, *s.* 15352.
liberté, *s.* 11081.
licence, *s.* 522, permission.
lie, lye, *s.* 5685, 13214, 26172, dregs, lye.
liegance, ligance, *s.* 2144, B. xv. 2.
liege, lige, *a.* 22253, D. i. 1, C.
lien(s), lyen, *s.* 4197, 12337, B. iv.* 2, T. v. 3, bond.
lier, *v. a.* 1466, B. xv. 1, bind.
liere(s), *s.* 1994, 6560, robber.
lieu(s), *s.* 69, 4056, B. iii. 4, lu, B. xviii. 2.
lieve, lievent, *see* **lever**.
liev(e)re, levere, *s.* 2782, 2810, 12675, B. xli. 3, hip.
ligance, *see* **liegance**.
lige, *see* **liege**.
lignage, *s.* 278.
limitant(z), *s.* 9148, 21328, limitour.
limiter, *v. n.* 21598, make rounds (of begging friars).
lin, lyn, *s.* 3170, 6541, lineage.
(linceal), s., *pl.* linceaux, 5178, sheet.
lincelle, *s.* 5226, sheet.
line, lyne, *s.* 2530, 5125, 13359, B. xlv. 3, order, line.
linx, *s.* 1765, lynx.
lioun, *see* **leoun**.
liquour, *s.* 3570.
lire, lisre, (liser), *v.* 1081, 1127, T. v. 3 ; 3 *s. p.* lise, 14492 ; 1 *pl. p.* lison, 2330, lisoun, 3983 ; 2 *s. imperat.* lise, 19081 ; *pp.* lieu, 11068.

lit, *s.* 1787, B. xliii. 2.
litargire, litargie, *s.* 6158, 26485, lethargy.
litiere, *s.* 895, 5175, litter, mattrass.
litigious, *a.* 4636.
livre(1), livere, *s.* 1027, B. v. *margin*, book.
livre (2), *s.* 6470, pound (money).
loable, *a.* 12884, praiseworthy.
loant, *s.* 12770, praising.
loement, *s.* 13268, praise.
loenge, *s.* 1080, 12617, B. xiv. 1.
loer, louer, *v. a.* 1145, 12618, praise; je loo, 8052, I advise; se loer de, 1462, 6938, rejoice at.
loer (1), *s.* 1192, praise.
loer (2), *s.* 440, B. xxviii. 3, louer, D. ii. 3, wages, reward.
loggier, *v. a.* 21109. lodge.
logique, *s.* 1451.
loi, loy(s), *s.* 536, 2038, B. xxxviii. 3.
loial(s), loyal(x), *a.* 6621, B. iv.* 3, 4, T. iii. 3, honest, loyal.
loialment, loyalment, *adv.* 9784, B. iv.* 1, loyaument, 12364.
loialté, loyalté, *s.* 6419, 13269, B. xvii. 1.
loign(s), loins, loings, *a.* and *adv.* 185, 567, 891, 27283, B. ix. 3, xxxix. 3, far off; de (du) loign(s), 997, 5405, 7752, far off, long before.
loigntein, loigntain, *a.* 2135, B. xxiii. 2, longtain, longtein, 2784, B. xxiv. 2.
loisir, *s.* 5693, 9311, 9315, B. xxxiv. 3, leisir, 27640, laisir, 26107, leisour, 9222, leisure, space of time, free disposal.
Lombardie, Lumbardie, *s.* 18557, 23233, 23714, T. xi. 1.
Lombardz, Lumbardz, Lombars, *s. pl.* 23257, 25432 ff.
long, *a., f.* longe, longue, 1746, 5220, B. ii. 2: en long, 29010, lengthwise.
long, *adv.* 5691.
longement, longuement, *adv.* 9863, 16564.
Longis, 28765.
longtain, longtein, *a. see* loigntein.
longtains, longtein, *adv.* 4616, 5368.
lors, lor, *adv.* 7, 188, 18465, B. i. 3, a lors, 10080, &c., then, therefore.
los, loos, *s.* 1215, 1556, 23901, T. viii. 1, honour, fame.
losenge, *s.* 7419. flattery.
losenger, *v. a.* 434, flatter.
losengour, losenger, *s.* 2735, 11083, 12766, flatterer, liar.
lot, *s.* 6303, a measure of wine.
Loth, 8236, 9683.
lou, loup(s), *s.* 915. 7525, 8430.
louer, *see* loer.

lour, *see* leur.
loy(s), *see* loi.
loyal, *see* loial.
loyalment, loyaument, *see* loialment.
loyalté, *see* loialté.
lu, *see* lieu.
Luc (saint), 10221, 10286.
luce, *s.* 6253, pike.
Lucifer, 63, 73, 86, 122, 1873, 14352, 18944, 21100, 26365, 26876, 29850.
lucre, *s.* 13780, gain.
Lucrece, T. x. 2.
lui, *see* luy.
luire, *v. n.* 16761; *pres. part.* luisant, 1132: shine.
luiter, luter, *v. n.* 10702, 16943, contend, wrestle.
lumaçoun, *s.* 5414, snail.
lumbard, *a.*, pain lumbard, 7809.
Lumbardie, *see* Lombardie.
Lumbardz, *see* Lombardz.
lumere, *s.* 6802, light.
lune, *s.* 8140, B. xiii. 3.
luour, *s.* 6811, light.
lusard, *s.* 11491, lizard.
luter, *see* luiter.
lutous, *a.* 22113, turbid.
luxure, *s.* 930, lechery.
luxuriant, *a.* 20667, of wantonness.
luxurier, *v. n.* 8710, practise lechery.
luy, lui, *pron. m.* and *f.*, (direct obj. of verb) 165, 415, 9320, B. xxiii. 2, T. xii. 3: (indirect obj.) 12, B. xvii. 2; ly, 4654, 4883; (with *prep.*) 53, 626, B. v. 3. en li, de li, B. xx. 1, xxiii. 2: *cp.* le. *pron.*
ly, li, l', *def. art. m.* (used interchangeably with 'le' in *sing.* and 'les' in *plur.*), 70, 79, 272, D. ii. 4, B. ix. 5, luy, 116, 1015, &c. (both with subj. and obj.).
ly, *pron., see* luy.
Lya, 16957, Leah.
lye, *see* lie.
lyen, *see* lien(s).
lyn, *see* lin.
lyne, *see* line.
lyon, *see* leoun.
lys, lis, *s.* 16852, 16891, lily.
Lysias, 22333.

M

ma, *see* moun.
mace, *s.* 11247, club.
Macedoine, T. vi. 1, Macedon.

Machabieu(s), Machabeu, 2382, 10249, 10359, 23072: see Judas.
Machaire, 12566, 20905.
maçon, s. 8571, hook.
Madians, 17104, Midianites.
madle, a. 1029, 17885, male.
la Magdaleine, la Magdeleine, 2272, 10279, 13048, 14560 ff., 15091, 28815, 29199: cp. Marie (2).
magesté, s. 7699.
magike, a. 1899.
magnanimité, s. 14199.
magnefier, magnifier, v. a. 3391, 25020.
magnificence, s. 14247.
Magus, 1897.
maigre, see megre.
Maii, 856, B. xv. 3, xxxvii. 1.
mail(l)e, s. 15640, 26170, halfpenny.
mailler, v. a. 16318, hammer.
mailoller, s. 1433, swaddling.
main, see mein.
maine, see mener.
maint, meint, a. and s. 42, 932, B. xxiv. 3, xlii. 1; pl. maintz, 2417: many a, many.
maint, v. see manoir.
maintenance, s. 23675.
maintenant, meintenant, adv. 408, B. xiv. 1; de maintenant, 1877, de meintenant, 4914.
maintenir, v. a. 292, B. xlvii. 1: v. n. maintint, 4737, (or main tint).
maintenour, s. 23323, maintainer (of a quarrel).
maintenue, s. 23734, maintenance.
maintesfois, adv. 4683, often.
maiour, a. 3182, 17048, greater, greatest.
maire, a. 960, B. iv.* 1 ff., greater, greatest.
mais, conj. 10, 1608, B. i. 3, but, except: maisque, mais que, mais qe, 3378, 6840, B. xi. 2, xxiii. 2, provided that; B. xvii. 4, xl. 1, T. xiv. 2, but that; 1920, 4305, except that; 18848, but; 26112, 26926, if, even if; 27282, only: mais for maisque, 20528.
mais, mes, adv. 2856, 5627, more; ne . . . mais, 10043, no longer; a tous (as toutz) jours mais, 2856, B. iv. 1, for ever more.
maisnye, see mesnie.
maisoun, maison, see mesoun.
maisque, see mais.
maisselle, s. 4418, 9340, jaw, cheek.
maistre, a. 298, chief.
maistre(s), meistre, mestre(s), s. 1305, 1359, 3110, 24714.
maistresse, mestresse, s. 13413, 27194.

maistrie, meistrie, mestrie, s. 4655, 9910, 25589, mastery, great feat.
maistroier, v. a. 9325, overpower.
mal, a. 371, D. ii. 3, B. xxv. 4.
mal, adv. 11171.
mal, s., pl. mals, 10, B. xiii. 4.
Malachie, Malechie, 2224, 2585, 6345, 6499, 20737.
malade, a. 6654.
malade, s. 5365, sick person.
maladie, s. 2070.
maladrie, s. 15681, sick people.
malapert, a. 1683 ff. (as proper name).
malbailli, malbailly, a. (pp.) 372, 3608, brought to evil.
maldire, v. a. 1911, B. xxv. 4; 3 s. p. maldist, maldit, 2141, 2507; 3 pl. maldiont, 2140; 3 s. p. subj. maldie, 1911: curse.
maldit, maldite, s. 3960, 21300, cursing, curse.
maldit, a. 266, 2012, accursed.
Malebouche, 2679.
malefice, s. 1327, illdoing.
maleiço(u)n, s. 6487, 12026, curse.
malement, adv. 9620, badly.
malencolie, s. 3865.
malencolien, a. 3918.
malencolier, v. 3870.
malencolious, a. 3965.
malengin, s. 6544, B. xlii. 3, evil device.
malfaire, v. 5836; pres. part. malfesant, 4519, malfaisant, 2044.
malfée(s), malfié(s), malfé, s. 1161, 8966, 18682, devil.
malfeloun, s. 7165, criminal.
malfesance, malfaisance, s. 271, 28321.
malfesant, a. 4507.
malfesour, s. 15320.
malfié(s), see malfée(s).
malgaign, s. 24578, evil gain.
malgré, s. 6823, ill-will.
malgré, prep. 3730, in spite of.
malice, s. 192, B. xlii. 4.
malicious, a. 1096, T. xi. 3.
maligneté, a. 4502.
malin, f. maligne, a. 4572.
malmener, v. a. 8179, guide ill.
malmettre, v. a. 2576, ruin, spoil.
malnorri, a. 3048 (pp.), ill-nurtured: cp. mal norri, 3129.
maloit, a. 4194, B. xliii. 4, accursed.
malparler, v. 2682.
malpenser, s. 3687: cp. mal pensier, mal penser, D. ii. 3, B. xlix. 1.

malsené(s), malsenée, *a.* 1713, 4006, 6957, ill-disposed.

maltalent, *s.* 484, evil will.

maltalentif, *f.* maltalentive, *a.* 4640, moved by ill-will.

maltolt, *s.* 20171, 24044, unjust tax, extortion.

maluré(z), *a.* 245, 549, unhappy.

malurous, *a.* 2196, wretched.

malveis, *see* malvois.

Malveisie, malvoisie, *s.* 7815, 26091.

malveisin, *see* malvoisin.

malvenu, *a.* 5067, unwelcome.

malvois, malveis, malves, *a.* 166, 2821, 4762, 10482, B. xlii. 4, T. xii., evil, wicked.

malvoisement, *adv.* 12384, badly.

malvoisin, malveisin, *a.* 3731, 6894, bad as a neighbour.

malvoisté(e), *s.* 542, 14706, wickedness, malice.

malvoloir, *s.* 4552, ill-will.

malvuillance, *s.* 5524.

malvuillant, *a.* 3732, ill-disposed.

malvuillant, *s.* 2993, ill-will.

mamelle, *s.* 1436, teat, breast.

mamellette, *s.* 17901, breast.

mammona, *s.* 16190, mammon.

manace, *s.* 4841, threat.

manacer, *v.* 1832, threaten.

manaie, manoie, menoie, *s.* 744, 14783, B. xxvii. 3, protection, mercy, power.

manant, *a.* 5807, 17260, in possession.

manantie, *s.* 377, manantise, 6786, possession.

manantis, *s.* 16198, possessor.

Manasses, 21004.

mance, *s.* 21774, sleeve.

mandement, *s.* 425, mandate.

mander, *v. a.* 403, 436, B. ii. 3, xxviii. 1, send, send for.

Mane, 22747.

manere, maniere, *s.* 193, 1770, 11752, B. vi. 1, xvi. 1.

manger, *v. a.* 118, B. xlvii. 1; 3 *s. p.* mangut, mangue, 2752, 7933; *subj.* mangue, 1180; 3 *s. pret.* mangut, 147; *subj.* mangast, 119.

manger, mangier, *s.* 7954, 8478, 18515, eating, food, meal.

mangerie, *s.* 7528, eating.

mangue, mangut, *see* manger.

manier, manoier, *v. a.* 5164, 28201, handle.

manifester, *v. a.* 7201.

manoie, *see* manaie.

manoir, *s.* 307, B. v. 3, dwelling, estate.

(manoir), *v. n.*, 3 *s. p.* maint, 4306, B. xi. 1, T. xv. 1, meint, 3669; 2 *pl. pret.* mansistez, 27975 : remain.

manteal, *s.* 928, mantell, 871.

mantel(l)et, *s.* 716, 854, mantle.

maquerelle, *s.* 9440, bawd, go-between.

marage, *a.* 10928, 22105, weary, vexatious.

marbre, *s.* B. xviii. 3.

marbrin, *a.* 28056, made of marble.

marc, *s.* 6470, mark (of money).

marchande, *a. f.* 7316, of trade.

marchander, *v.* 7362, traffic.

marchandie, *s.* 6955, marchandise, 7431, trade.

marchandin, *s.* 25783, trader.

marchant, *s.* 6512, 25195 ff.

marche, *s.* 23743, border.

marché(e), marchié(s), *s.* 4670, 6290, 7327 f., market, bargain; au bon marchée, la marché bonne, 24441, 25314.

marchiere, *s.* 1072, market.

marchis, *s.* 23215, marquis.

Marcial(s), 7640, 15505, 15949.

Mardochieu, Mardochée, Mardoche, 11069, 12686, 17468.

mareschal(s), *s.* 10111, 26050, marshal, farrier.

margarite, *s.* 10821, pearl.

mari, *see* marit(z).

Maria, 2653, Miriam.

mariable, *a.* 17400, fit to be married.

mariage, *s.* 801, B. v. *margin*.

Marie (1), 11539, 12553, 14549, 16733, 16972, 17864, 27421, 27579, 27654 ff., 28909, 29745.

Marie (2), (sister of Lazarus), 28514.

marier, *v. a.* and *refl.* 1010, T. iii. 2 : 3 *s. p.* marit, 17413.

marier, *s.* 17178, marriage.

marine, marrine, *a.* 5396, 16394.

marine, *s.* 23932, sea.

mariner(s), *s.* 10648.

Marioun, 8660.

marit(z), mari, mary, *s.* 965, 8766, T. iii. 1, viii. 2.

marrement, *s.* 8578, affliction.

marri, *a.* 8876, 17476, afflicted, angry.

Marsz, B. xiii. 1, March.

Marte, 8412.

marteal, *s.* 14059, hammer.

marteler, *v. a.* 11976, hammer.

Martha, Marthe, 13049, 14560 ff., 28514.

Martin (saint), 7940, 15739, 25854.

martir, *s.* 13981, *f.* martire, 29066, martyr.

martire, *s.* 1138, 17483, suffering, torment.

martirer, *v. a.* 14011, make into a martyr.

mary, *see* marit(z).

masse, *s.* 15642, great quantity.

mastin(s), *s.* 3440, 24509, *f.* mastine, 15019, mastiff, dog.

mat, *a.* 899, 1115, 9870, dull, confounded.

mater, *v. a.* 15143, confound.

matiere, *s.* 204, B. xxxvii. 2.

matin, *s.* 3815, B. v. 2.

matin, *a.* and *adv.* 5638, 8270, early.

matiné(e), matinez, *s.* 3646, 7907.

matins, *s.* 5548, matins.

matrimoine, *s.* 8756, 17139, B. xlix. 3, T. vi. 1.

matrimonial, *a.* 17194.

Maximian, 1653.

me, m', *pron.* 362, D. ii. 4, B. vi. 1.

Mede, 29321.

Medea, Medeam, Medée, 3727, B. xliii. 1, T. viii. 1, 2.

mediacioun, *s.* 3293.

mediatrice, *s. f.* 7424.

medicine, medecine, *s.* 321, 2561, B. xxvii. 1.

meditacioun, *s.* 14947.

medler, *see* meller.

meëment, *adv.* 5542, above all.

meen, *a.* 14502, middle.

meer, *see* mier.

megre, maigre, *a.* 1185, 15639, 16278, lean, poor.

mehaigns, *s.* 4706, 4718, mutilation.

mehaigner, *v. a.* 4730, mutilate.

meil(l)our, *a.* 7385, B. xi. 4, xxxviii. 3, meilleur, 18353.

mein, main, *s.* 81, 97, B. xvi. 2, xxiv. 1 ; devant la mein, (lez meins), 4558, 8370, beforehand : apres la mein, 5436, afterwards : enmy la main, 24917, meanwhile.

mein, *see* meinz.

meindre, *a.* 1647, B. xvii. 2, less, least.

meine, *see* mener.

meint, *v. see* manoir.

meint, *a. see* maint.

meintenant, *see* maintenant.

meinz, *adv.* 29, B. xvii. 1, less : le meinz, 2700, the less : au meinz, 8790, ou mein, 7282, at least.

meisoun, *see* mesoun.

meistre, *see* maistre(s).

meistrie, *see* maistrie.

mel, mell, *s.* 12855, 28445, honey.

Melchisedech, 16129.

meller, medler, *v. a.* 3338, 17645, B. iii. 1, xxii. 3, mingle, embroil : *v. n.* 4764, engage in fight.

mellée, *s.* 4672, 26005, fight, mingling.

melodie, *s.* 993.

membre, *s.* 2116.

membré(z), *a.* 2927, provided with limbs.

memoire, *s.* 636, B. xlvii. 1.

memoracioun, *s.* 9868, mention.

memorial, *s.* 21417, B. l. 1, memory, memorial.

memorial, *a.* 3288, brought to mind.

menable, *a.* 3676, 11882, 17392, easily led.

menage, *s.* 285, 2128, 4020, 4843, training, guiding, train, household.

menaille, *s.* 19334, train, following.

menal, meynal, *a.* 3317, 18555, menial, subject.

mencioun, *s.* 10370.

mençonge, mensonge, *s.* 2699, 2812.

mençonger, *a.* 21638, lying.

mençongere, *s.* 1411, liar.

mendiant, *a.* 9140, begging : *s.* 6225, 9145, beggar, mendicant.

mendicité, *s.* 14500.

mendier, *v. n.* 12880, beg.

mendif, mendis, *s.* 7520, B. ix. 4, beggar.

Menelai, B. xl. 1, T. x. 1.

mener, mesner, *v. a.* 303, 18205, B. xx. 3, T. xiii. 1 ; 3 *s. p.* meine, meyne, 759, 6724, B. iii. 2, x. 2, maine, 1607 ; 3 *pl.* meinont, 13625 ; 1 *s. fut.* menerai, B. xxi. 1 ; 3 *s.* merra, 6327 : lead, guide, carry on, display (joy, &c.).

menestral, *s.* 991.

menoie, *s. see* manaie.

menour, *a.* 1301, menure, 167, inferior.

Menour, *s.* 21760, Minor friar.

mentier(s), *s.* 1934, liar.

mentir, *v. n.* 1733, B. xxv. 2, lie : *v. a.* 8959, T. v. 1 ff., be false to (a promise).

menton, *s.* 7624, chin.

menu, *a.* 851, B. xviii. 1 ; *f.* menue, 851, menuse, 6254 : small, inferior.

menuement, *adv.* 876, minutely.

menure, *see* menour.

menuser, *v. a.* 13090, diminish.

mer, *see* mier.

mercerie, *s.* 25274, mercers' trade.

merci(s), mercy(s), merci(z), *s.* 2450, 6131, 6645, B. ix. 5, xiv. 3, mercy, pardon, thanks.

merciable, *a.* 4818, B. xxix. 2, compassionate.

millier, miller, *s.* 884, 28135.
ministre, *s.* 21237.
ministrer, *v. a.* and *n.* 970, 16140.
minot, *see* mynot.
miracle, *s.* 7560, B. xxiv. 2.
mire, myre, *s.* 10935, 12317, B. vi. 4, physician, surgeon.
mirer, *v.* 1565. 9760, B. xii. 3; 1 *s. p.* mir, 21702: gaze at, see, gaze: *refl.* 11029, observe.
mirour, mireour, *s.* 1565, 23551, B. xxi. 4.
mirre, *s.* 3567, myrrh.
misere, *s.* 356, 2484.
misericorde, *s.* 7573, mercy.
misteire, misterie, *s.* 10752, 20124.
mitre, *s.* 16149.
mixt, *a.* 3536.
mixture, *s.* 25530.
Moabite, *a.* 11091.
mockant, *a.* 1673, mocking.
mockeour, *s.* 1679, mocker.
mocker, *v. a.* 1638, mock at.
modefier, *v. a.* 13632, T. xv. 2, control, guide.
moderacio(u)n, *s.* 16488 (R), 16490.
modeste, *s.* 13398, modesty.
modestement, *adv.* 13451.
moeble, *s.* 15379, 22323.
moel, *s.* 1852, marrow.
moerdre, *s.* 4863, murder.
moerdrer, *s.* 4905, murder.
moerdrice, *s. f.* 8969, murderess.
moerdrir, *v. a.* 13008, murder.
moerge, *see* morir.
moertrer, *s.* 14981, murderer.
moet, moeve, *see* movoir.
moi, moy, my, *pron.* 363, 1960, 23583, B. ii. 3; (as direct obj.) B. xxxiii. 1.
moie, moye, *poss. a.* 4032, 13556, B. iii. 1, v. 1; la moye, 29732.
moignal, monial, *a.* 9121, 20976, of monks.
moigne(s), *s.* 2741, 7932, monk.
moiller, *see* muiller.
mois, moys, *s.* 12255, B. x. 4, month.
Moïses, *see* Moÿses.
moisture, *s.* 5397.
mol, moll, *a.* 16713; *f.* mole, 514, molle, B. xlviii. 1: soft.
mole, *s.* 2921, millstone.
molement, *adv.* 5174.
moleste, *s.* 1355, B. xxx. 2, trouble, disturbance.
molestement, *s.* 24119, trouble.
molester, *v. a.* 491, injure, disturb.
molt, *see* moult.
moltoun, multoun, *s.* 7747, 19106, sheep.

molu, *a.* 15125, 20874, ground sharp, ground up.
molyn, *s.* 2921, mill.
moment, *s.* B. viii. 1.
mon, *see* moun.
moncell, *s.* 16794, heap.
mond, monde(s), *s.* 237, 256, 3267, B. ii. 1, iv. 3.
monde, *a.* 4048, pure.
mondein, mondain, *s.* 716, 4270.
monder, *v. a.* 1234, cleanse.
mondial, *a.* 965, worldly: *s.* 7600, world (?).
monestement, *s.* 12968, admonition.
monial, *see* moignal.
monoie, monoye, moneie, *s.* 1925, 3357, 10128, T. xviii. 1, money.
monoier, *v.* 25532, make coin.
monseignour, *s.* 29765.
monstre, *see* mostre.
monstrer, *see* moustrer.
mont, *s.* 2119.
montaigne, *s.* 5300.
montance, *s.* 24452, value.
monter, *v. n.* and *refl.* 598, 848, 2119, B. xx. 1, rise, climb, mount: *v. a.* 3323, raise.
Montpellers, 1944.
Montross, 26095, (a kind of wine).
monture, *s.* 10556, high place.
monument, *s.* 28526, tomb.
moral, *a.* C.
mordre, *v.*, 3 *s. p.* mordt, mort, 2645, 2886, morde (? *subj.*), 2725; *pp.* mors, 3440.
morell, *f.* morelle, *s.* 17381, black horse, black mare.
morgage, *s.* 6199.
morine, *s.* 6761, murrain.
morir, *v. n.* 642; 2 *s. p.* moers, 5289; 3 *s.* moert, 2103; 3 *s. pret.* morust, T. ix. 3; *fut.* morrai, 689, B. xvi. 3, mourra, 9031; 3 *s. p. subj.* moerge, 27111.
morir, *s.* 4201, dwelling.
morne, *a.* 26731, gloomy.
mors, *s.* 157, bite.
morsure, *s.* 18285, bite.
mort, *s.* 120, B. xii. 1.
mort(z), mors, *a.* 255, 4190, B. ix. 3, xiv. 3, dead, killed; 8028, deadly (?).
mortal, mortiel, mortieux, *a.* 64, 147, 162, 1014, deadly, mortal.
mortal, *s.* 6125, deadly sin.
mortalité, *s.* 11683.
mortefier, *v. a.* 392, destroy, kill.
mortiel, mortieux, *see* mortal.
mortielement, *adv.* 4397.
mortier, *s.* 20872, mortar.
mosche, mou(s)che, *s.* 1783, 5871, 9964.

*
M m

moster, *see* moustier.
mostre, moustre, monstre, *s.* 1026, 9342, 18817, monster, show.
mostrer, *see* moustrer.
mot, *s.* 4101, B. xiv. 2.
motour, *s.* 24712, mover.
mouche, *see* mosche.
moult, *a.* 912 : moult, molt, *adv.* 98, 172, T. xiii. 2.
moun, mon, *poss. a.* 378, 438, D. i. 1, mes, 9782 ; *f.* ma, m', 353, D. i. 4, B. iv. 1 ; *pl.* mes, mez, 11, B. i. 3.
mourne, *a.* 28663, sad.
mours, *s. pl.* 1752, 8671, B. xxxviii. 3.
mousche, *see* mosche.
mouscle, *s.* 10815, mussel.
mouster, moustier, moster, *s.* 1072, 4830, 5561, minster, monastery.
moustre, *see* mostre.
moustrer, mostrer, monstrer, *v. a.* 640, 958, B. xii. 3 ; *fut.* moustray, 707: show.
movable, *a.* 3899, fickle, changing : *cp.* muable.
movoir, *v. a.* 1499, B. xi. 1 ; 1 *s. p.* moeve, 3251 ; 3 *s.* moet, 5259 ; 3 *pl.* moevont, 22035 ; 3 *s. fut.* movera, 5768.
moy, *see* moi.
moye, *see* moie.
Moÿses, Moïses, Moises, Moysen, 2095, 2653, 3977, 10219, 10304, 10442, 10479, 11149, 11165, 11211, 12161, 12253 ff., 17106, 18205 ff., 18807, 24678.
moytée, *s.* 25869, half.
mu, mue, mut, *a.* 2261, 2815, 8312, mute.
muable, *a.* 1862, 11911, unstable, apt to change.
muance, *s.* 26057, 29363, B. xiii. 1, change.
mue, *s.* 4116, 7714, B. viii. 1, cage.
mué, *a.* (or *pp.*) 868, moulting.
muer (1), *v. a.* 23, B. i. 2, move, remove : *v. n.* 3498, change.
muer (2), *v. a.* 21045, shut in a cage.
muer, (3), *a.* 1870, in full feather (after moulting).
muët, *a.* 1199.
muillé, *a.* 4173, wetted.
muiller, moiller, *v. a.* 8132, 29123 f., wet.
mule, *s.* 846.
muler, mulier, *s.* 17236, 27560, wife.
multipliance, *s.* 6557.
multiplier, multeplier, *v. a.* and *n.* 3118, 7822, T. ii. 1, multeploier, 8114.
multitude, *s.* 15893.
multoun, *see* moltoun.
Mundus, Munde, T. x. 3.
mur, *s.* 1767.

muré, *a.* 1490, walled.
murement, *s.* 21426, wall-building.
murmur, *s.* 2323.
murmurer, *v. n.* 2350.
musard, *s.* 1641, idle fool.
musardie, *s.* 25277, folly.
Muscadelle, *s.* 26097.
muscer, *v. a.* 488, hide.
muscerie, *s.* 15677, 20896, secrecy, hoarding.
muscet, *s.* 26205, concealment.
muser, *v. n.* 24157, reflect.
musette, *s.* 11460, pipe.
musike, musique, *s.* 1275, 22905.
must, *s.* 26017, new wine.
mut, *see* mu.
mutabilité, *s.* 5468.
my, *pron. see* moi.
my, *a.* 6153, middle.
myaille, *s.* 15645, crumb.
mydy, *s.* 13346, the south.
mye, *see* mie.
myne, *s.* 23864, mine.
mynot, minot, *a.* 8716, 18329, B. xxxvi. 2, gracious, dainty.
myparty, *a.* 3611, mingled.
myre, *see* mire.
myte, *s.* 6271, 15485, mite.

N

Naaman, Naman, 7461, 18925.
Nabal, 13663, 17474.
Naboth, 4958, 6778, 17637.
Nabugod, Nabugodonosor, 1887, 10338, 21981.
Nabuzardan, 7181.
nacioun, *s.* 3397, race, nation.
nage, *s.* 6704, 13116, voyage.
nager, *v. n.* 3023, sail.
nai, nay, *adv.* 18961, B. xvii. 3, xxx. 3.
naiscance, nescance, *s.* 267, 9986, birth.
naiscant, *s.* 1025, birth.
naistre, nestre, *v. n.* and *refl.* 275, 1587, 3854, B. li. 1 ; 3 *pl. p.* naiscont, 1024 ; 3 *s. pret.* nasquit, nasquist, 194, 197, nasqui, 1055 ; *pres. part.* naiscant, 2618 ; *pp.* née, 1017, B. iv. 1, nez, 9188.
Naman (1), *see* Naaman.
Naman (2), 17469: *cp.* Aman.
naril, *s.* 4756, nostril.
naselle, *s.* 8603, nose.
Nathan, 4963.
nativité, *s.* 27480 (R).
natur(i)el, natural, *a.* 178, 720, 18504, D. ii. 1, T. ii. 1, natural, friendly.

nature, *s.* 132, B. vii. 1.

naturesce, *s.* B. xxviii. 1, xliv. 3, gentle nature.

naufrer, *v. a.* 4286, wound.

navie, *s.* 24492, ship, (fleet).

nay, *see* nai.

Nazareth, 27860, 28047, 28346, 28383.

ne, *adv.* 256, D. i. 3, B. xxii. 1, ne . . . pas, 13; ne . . . mie, B. iv. 3 ; point ne, B. iv.* 3 ; ne . . . goute, 4674, ne . . . ne 486, ne ne, 12734 : not, nor.

necessaire, *a.* 673.

necessairement, *adv.* 5122.

necessité, *s.* 5454, B. xxix. 1.

necligence, negligence, *s.* 6072, 10552, 13317.

necligent, *a.* 701 : *s.* ly necligens, 6073.

Nectanabus, T. vi. 1.

neele, *see* nele.

Neëmye, 11177.

nees, *s.* 7869, nose.

nef, *see* nief.

negge, *s.* 8072, snow.

negger, *v. n.* 13736, snow.

negligence, *see* necligence.

neif, *s.* 12634, snow.

neircir, *v. n.* 6888, grow black.

neis, nes, neis que, *adv.* 2744, 6164, 22354, neisque, 4163, not even, not even if.

nele, neele, *s.* 6551, 16175, 20626, tares.

nenil, *adv.* 8373, no.

nepourq(u)ant, *adv.* 111, 13035, B. ix. 1, nevertheless.

nequedent, *adv.* 481, B. xix. 2, nevertheless.

nerf, *s.* 10831, muscle.

Nero, 24474.

nes, *see* neis.

nescance, *see* naiscance.

nestre, *see* naistre.

net, *a.* 9100, clean.

nettement, *adv.* 1228.

netteté, *s.* 10099.

nettoier, *v. a.* 18175, cleanse.

neveu, *s.* 4941.

nice, nyce, niche, *a.* 264, 979, 7673, 24858, ignorant, foolish, scrupulous, delicate.

niceté, nyceté, *s.* 9175, 15540, ignorance, folly.

Nichanor, 2425.

Nicholas (saint), 15764.

nief, nef, *s.* 8182, 9953, 22208, B. xxx. 1.

nient, *s.* 29 ff., nothing, void : *adv.* 5570, not at all.

nientmeinz, *adv.* 2704, nient meinz, 15322, nevertheless.

Nil, 23408.

Ninivé, 4004, 27059.

no, *poss. a.* 476 ; *pl.* no, 97, noz, 2574, D. i. 1, les noz, 20063.

noble, *a.* 97, D. ii. 4, nobil(e), 11565, 23410 : *s.* 16040.

nobleie, *s.* 12077, magnificence.

noblement, *adv.* 98.

noblesce, noblesse, *s.* 469, 16040, B. vi. 2.

noces, *see* noece.

noctiluca, *s.* 1131, glow-worm.

noctua, *s.* 6793, owl.

Noë, 4533, 4973, 9992, 12025, 12220.

noece, *s.* 11316 ; *pl.* noeces, noces, 946, 10094, T. iv. 1 ff. : wedding.

noef, *num.* 16505, nine.

noefisme, *a.* C.

Noël, *s.* 7324, B. xxxiii. 3.

noer, *v.* 6255, swim.

noet, *see* nuyt.

noier, noyer, *v. a.* 2922, 9954, drown, sink : *v. n.* 12270, be drowned.

noir, *a.* 1560, T. xv. 3.

noise, noyse, *s.* 412, 19478, disturbance, noise.

noiser, *v. n.* 19480, make a disturbance.

nominacioun, *s.* 16227.

nommant, *s.* 4243, naming.

nom(m)er, *v. a.* 239, 410, B. xxiv. 1.

non, *see* noun.

nonchaloir, *see* nounchaloir.

noncier, *see* nouncier.

nonne (1), *s.* 5183, nun.

nonne (2), *s.* 27708, nones.

nonneine, noneine, *s.* 2741, 5306, nun.

nonpas, *see* nounpas.

nonsachant, *a.* 21691, ignorant.

nonsavoir, *see* nounsavoir.

norreture, *s.* 5216, 16371.

norri, norry, *f.* norrie, *s.* 233, 3209, 5138, offspring, fosterling.

norrice, *s.* 211, nurse.

nor(r)ir, *v. a.* 369, 18053, bring up, foster.

north, *s.* 13339.

nostre, *poss. a.* D. ii. 3, &c.

nostreseignour, *s.* 28128 (R), 28908 (R).

nostresire, *s.* 4467 : *see* sire(s).

notable, *a.* 26932.

notablement, *adv.* 16551.

notaire, *s.* 6330.

note, *s.* 3892, 9428, note, song.

noter, *v. a.* 3279, 26819, B. xlv. 3.

notoire, *a.* 16421, well-known.

nouche, *s.* B. xxxiii. 2, brooch.

noun, *s.* 59, B. xxi. 4, name.

noun, non, *adv.* 1605, 3908, 4815, B. xxi. 4, not.

nouncertein, *s.* B. xxiv. 3, uncertainty.
nouncertein(s), *a.* 11402, uncertain.
no(u)nchaloir, noun chaloir, nounchalure, *s.* 1235, 5665, 6432, B. v. 1, xli. 4, disregard, contempt.
nouncier, noncier, *v. a.* 7190, 14667, 27995, utter, announce.
noundroituriel, *a.* 17789, unrighteous.
nounpaier, *s.* 15392, non-payment.
nounpas, nonpas, *adv.* 73, B. xlix. 3, no(u)n pas, 1070, 13808.
nounreson(n)able, *a.* 26777, 27157, unreasoning.
nounsage(s), *a.* 1754, unwise.
nounsaint, nounseint, *a.* 1356, 9509, unholy.
no(u)nsavoir, *s.* 6614, 8302, folly.
nounstable, *a.* 1105, 22093, changeable.
nounsuffisance, *s.* B. xiii. 3.
nounvaillable, *a.* 1116, worthless.
nounvoir, *a.* 6821, untrue.
nourricement, *s.* 14627, nourishment.
nous, *pron.* D. i. 1, &c.
novel(l), *a.* 1220, B. li. 1; du novell, 9840.
novelle, *s.* 419, 29159, B. ii. 3, news.
novellement, *adv.* 7911.
novellerie, *s.* 26099, novelty.
noyse, *see* noise.
noz, *see* no.
nu, nud, *f.* nue, *a.* 90, 1768, B. xliii. 2, naked.
nue, *s.* 91, 2968, B. xxxii. 2, cloud, sky.
nueté(e), *s.* 3606, 11378, nakedness.
nuisable, nuysable, *a.* 3749, 4230, pernicious.
nuisance, *s.* 6564, hurt.
nuisant, *a.* B. xxxii. 1, hurtful.
nuit, *see* nuyt.
nul(s), null(s), *a.* and *pron.* 9, 200, 1075, B. iv. 4, v. 3, xxxi. 1, no, none, any, anyone : nulle part, 4613, nowhere.
nullement, *adv.* 7739.
nully, *pron.* 1514, 9871, 22937, no-one, any-one (*neg.*).
nuysable, *see* nuisable.
nuysement, *s.* 4027, harm.
nuyt, nuit, *s.* 636, 1132, noet, B. xi. 3, C.
nuytée, *s.* 20356, night-time.
ny, *s.* 1985, B. ii. 1, nest.
nyce, nyceté, *see* nice, niceté.

O

o. *see* ou, *conj.*
obedience, *s.* 12110.
obedient, *a.* 12426 : *s.* 25774.

obeier, obeïr, *v. n.* 2038, 2220, B. xlii. 2; *refl.* 12164, 28665 : bend down, incline oneself, obey.
obeis(s)ance, *s.* 2146, 12174, B. xxiii. 1.
obeissant, *a.* 12403, T. ii. 3.
objeccioun, *s.* 29193.
oblier, *see* oublier.
obliger, *v. a.* 2650, T. iii. 1, bind.
oblivioun, *s.* 14691.
obscur, oscur, *a.* 3647, 6813, B. xiii. 3 ; en oscur, 6981 : dark.
obscuracioun, *s.* 2304, obscurity.
obscurer, *s.* 10793, darkness : *cp.* oscurer, *v.*
observance, *s.* 2097.
obstacle, *s.* 6245.
obstinacioun, *s.* 5732.
occasioun, *s.* 3292.
occident, *s.* 25241, west.
occire, occier, *v. a.* 2088, 2804, 9691, T. vi. 2.
occupier, *v. a.* 1343.
odible(s), *a.* 2864, B. xlviii. 3, hateful.
odious, *a.* 4479.
odour, *s.* 3567.
odourer, *v.* 13560, smell.
oedif, *a.* 5785, 17713, idle.
oedivesce, *s.* 5774, idleness.
oef, *s.* 21380 ; *pl.* oefs, 1983, oes, 26303, owes, 24728 : egg.
oel, oill, *s.* 1064, 3736, B. vi. 1 ; *pl.* oels, oil(l)s, oill, 935, 3238, 6806, B. ix. 2, xxxii. 1 : eye.
oeps, *s.* 7578, 15567, need.
oetisme, *a.* C., eighth.
oevere, oevre, ovre, *s.* 36(R), 4228, 10432, 27902, work.
offence, *see* offense.
offencioun, *s.* 4052.
offendre, *v. a.* 4264, 26192, B. xviii. 2, offend : *refl.* 12984, be offended.
offense, offence, offens, *s.* 352, 2016, 3952, 9058.
office, *s.* 257.
officer, officier, *s.* 3884, 25968, B. xvi. 3.
official, *s.* 11644, officer.
offre, *s.* 3308, 27540, offer, offering.
offrende, *s.* 4491, offrens, 28165, offering.
offrendour, *s.* 25015, worshipper.
offrir, *v. a.* 7119 ; *pp.* offert, 5688.
oiceus, oiseus, *a.* 5800, 14426, B. xlvii. 1, lazy.
oïe, oÿe, *s.* 1428, 3213, B. xxx. 3, hearing, sound, report.
oignement, *s.* 13132, B. xxvii. 3.
oignt, *s.* 2273, ointment.

oïl, oÿl, *adv.* 7132, 11380, yes.
oil(l), *see* oel.
oile, oille, *s.* 3541, 7551, oil.
oillage, *s.* 16999, oil.
oindre, *v. a.* 2274, anoint.
oïr, oier, oyer, *v. a.* 324, 10318, 10914, B. ii. 3, xxiv. 1; 3 *s. p.* ot, 16588; 1 *s. pret.* oi, oï, 410, 2326; 3 *s.* oïst, 509, oÿt, 805, oÿ, 10256; *fut.* orrai, B. xvii. 3; 2 *pl.* orretz, oretz, 203, 796; *pp.* oï, 80, B. ii. 3.
oïr, *s.* 26884, hearing.
oisel, oiseal, *s.* 1199, 3577, B. ii. 1; *pl.* oisel, oisealx, oiseals, 942, 3577, B. xxxiv. 1.
oisellette, *s.* 5814.
oiselline, oiseline, *s.* 7829, 26293, bird.
oisellour, *s.* 18505, fowler.
oiseus, *see* oiceus.
oistre, *s.* 6398, oyster.
oitante, *num.* 17091, eighty.
Olimpeas, T. vi. 1.
oliphant, *s.* 15105 : *cp.* elephant.
olive, *s.* 29923, olive-tree.
Olophernes, Olophern, 11115, 12047.
oltrage, *see* oultrage.
om, on(s), *s.* 37, 8961, 17722, D. ii. 3, man, one : *cp.* hom.
ombrage, *s.* 3539.
ombre, umbre, *s.* 21612, 26769.
omnipotent, omnipotens, *a.* 1632, 28169.
on(s), *see* om.
onde, unde, *s.* 10840, 15162, 22313, wave, abundance.
oppinioun, *s.* 26365.
opposer, *v. a.* 16162, 26785, disturb, question.
oppress, *a.* 1292, 2660, 23207, B. xx. 2, crushed, burdened.
oppresser, *v. a.* 25002.
or, *see* orr.
Orace, 3804, 10948, 23370.
oracioun, *s.* 10237, prayer.
orage, *s.* 3022.
orail(l)e, oreil(l)e, *s.* 553, 3178, 5212, 7936, B. iii. 2, vi. 1.
oratour, *s.* D. i. 3.
ord, *a.* 2515, 6791, filthy, vile.
ordeignement, *s.* 7956, ordinance.
ordeinement, *adv.* 13561, in orderly fashion.
ordener, ordiner, *v. a.* 102, 951, T. iii. 3, ordei(g)ner, 2319, 3283, 5174.
ordinaire, *s.* 9410.
ordinal, *s.* 21612, rule.
ordinance, *s.* 4958, order, control.
ordiner, *see* ordener.

ordinour, *s.* 23623, ordainer.
ordre, *s.* 2110, 11752, T. v. 2.
ordure, *s.* 1126.
ore, *adv.* 37, 4737, D. i. 3, (ore . . . ore), ore . . . ore . . . ore, 3896 *f.*; a ore, 20523 : now.
oreil(l)e, *see* oraille.
oreiller, *v.* 414, whisper.
oreiller, *a., f.* oreillere, 15520, ready to listen.
oreiller(e), *s.* 5178, 5240, pillow.
oreiso(u)n, orisoun, *s.* 1200, 10208, 10502, B. xxiv. 2, prayer.
orendroit, *adv.* 6538, now.
Orense, 19984.
orer, *v.* 1200, 10201 ff., pray, pray for.
orfevere, *s.* 25513, goldsmith.
orguil, *s.* 244, B. xlviii. 3.
orguillant, *a.* 16879, proud.
s'orguillir, s'orguiller, *v.* 1754, 11420, grow proud.
orguillour, *s.* 24177, proud man.
orguillous, *a.* 1093.
orient, oriant, *s.* 846, 13336, east.
origenal, *a.* 17533.
origenal, original, *s.* 152, 8580, 13525, D. i. 2, beginning, rise.
orine, *s.* 3844, 16539, origin, stock.
ornement, *s.* 17128.
orphanin, *s.* 6872, *f.* orphanine, 15377.
orphelin, *a.* 8733, destitute.
orr, or, *s.* 254, 911, T. viii. 1, gold.
ort, *s.* 12868, garden.
oscur, *see* obscur.
oscurement, *adv.* 25334.
oscurer, *v. a.* 21736 : *cp.* obscurer, *s.*
oscureté, *s.* 3284.
Oseë (1), 6115, 7315, 20462, 26571, Hosea.
Oseë (2), 11018, Hoshea (the king).
oser, *v.* 727, B. xiv. 2.
Oseye, *s.* 26048.
oss, *s.* 1852, bone.
ossifragus, *s.* 1850, osprey.
ostour, *s.* 907, 21045, hawk.
ostricer, *a.* 25291, of ostrich.
ot, *see* avoir, oïr.
otroi, ottroy, *s.* 3123, B. xxxviii. 4, granting, grace.
otroier, ottrier, *v. a.* 821, B. ix. 5, xv. 2, grant, allow.
ou, *conj.* B. ix. 3, o, 3878, u, 11459, or : ou . . . ou, 1975, ou si . . . ou, B. xii. 3, whether . . . or.
ou=au, 2672, 3808, 4542, &c.
ou=ove, 8376.
ou=u, 11023.

ouaille, ouaile, *s.* 14127, 19486, sheep.
oubli, oubly, *s.* 1110, 2082, 10690,(mettre en oubli).
oubliance, *s.* 6113.
oublier, oblier, o(u)blir, *v. a.*, 3 *s. p.*
oublie, oblie, 1620, 4043, B. xxv. 1, oublist, oublit, oblit, 6640, 16686, B. xxvi. 3.
oublier, *s.* 13760, forgetfulness.
oublivioun, *s.* 6100.
oue, *s.* 5511, 26300, B. xlviii. 3, goose.
oultrage, outrage, oltrage, *s.* 288, 1756, 2285, 4707, outrage, extravagance.
oultrageus, *a.* 8391.
oultragier(s), *a.* 11661, 26226, extravagant.
oultragousement, *adv.* 16572.
oultrance, *s.*, (al oultrance), 8040.
oultre, outre, *prep.* 400, B. xxii. 3.
oultre (outre) mer, 1213, 25292.
oultremarin, *a.* 23866.
ou(1)trepasser, *v. a.* 6751, 23166, pass through, transgress.
ours, *s.* 20302, bear : *cp.* urse.
out, *see* avoir.
outrepasser, *see* oultrepasser.
ove, *prep.* 4, 2406, B. v. 3, &c., ou, 8376, with.
ovel, *a.* 8159, 12795, level, equal, like : *adv.* 22792.
ovelement, *adv.* 4722, equally, fairly.
overage, *s.* 8914, 16391, work.
ov(e)raigne, ov(e)reigne, *s.* 363, 3371, 4226, 25549, work, business.
overir, ovrir, *v. a.* 995, 12675.
overt, *a.* 2663, open.
overt, *s.* 4207, opening.
overture, *s.* 6402.
ovesque, *prep.* 167, T. iv. 1 : *cp.* ove.
Ovide, 14090.
ovile, *s.* 16089, sheepfold.
ovraigne, ovrir, *see* overaigne, overir.
ovre, *see* oevere.
owes, *see* oef.
oÿe, *see* oïe.
oÿl, *see* oïl.

P

pacience, *s.* 4313.
pacient, *a.* 3968, 4188, 7653, patient, suffering.
pacient, *s.* 24307, sick person.
page, *s.* 1375, page (servant).
paiage, *s.* 6202, payment.

paie, pay, *s.* 7332, 23000, 24564, payment satisfaction.
paiement, *s.* 3308.
paien(s), *a.* 10342 ; *s.* 13020 : pagan.
paier, *v.* 1314, 5630, B. xxvii. 1, pay, satisfy, pay for.
paiis, païs, *s.* 341, 3789, B. vii. 1, country.
paile, paille, *s.* 3869, 20961, straw.
pain, *s.* 2206 ; pain lumbard, 7809.
paindemain, paindemeine, *s.* 7808, 16286.
paine, *s.*, *see* peine.
paine, *v.*, *see* pener.
paintour, *s.* 1945, painter.
painture, *s.* 1947, painting.
paire, *s.* 25511, company.
paisible, peisible, *a.* 2568, 15896, peaceful.
paistre, pestre, *v. a.* 1161, 7012, 7031 ; *pres. part.* paiscant : feed.
paix, *see* pes.
Palamedes, B. xx. 3.
pale, *a.* 870.
palefroy, *s.* 845.
paleis, palois, *s.* 28241, T. xi. 3, palace.
palme (1), *s.* 12469, 29618, palm-tree.
palme (2), *s.* 7741, tennis.
palmer, *see* pasmer.
palois, *see* paleis.
palpebre, *s.* 2295, eyelid.
Pamphilius, 14450.
pance, paunce, *s.* 5522, 8542, paunch : *cp.* garde pance.
Pandeon, T. xii. 1.
pane, *s.* 25706, piece.
panell, *s.* 24896, (jury) panel.
paneter, *s.* 7517, pantler.
Pantasilée, B. xliii. 2.
pantiere, panetere, *s.* 9254, 12866, panther.
paon(s), paoun, *s.* 23451, 23527, peacock.
paour, *s.* 663, B. xiii. 3.
paourous, *a.* 11119, 16910.
papal, *a.* 18481.
papal, *s.* 27052, pope.
pape, *s.* 18492.
papegai, papegay, *s.* 26781, B. xxxvi. 1.
papir, *s.* 4587, 7286, paper.
par, *prep.* 18, D. i. 1, per, T. i. 1 ; par tout, B. l. 2 ; par si qe, 3233, par ce que, 12684.
parable, *s.* 11977.
paradis, *s.* 82, B. v. 3.
parage, *s.* 10084, B. xxiii. 4, rank.
se parager, *v.* 13639, associate.
parail, *see* pareil.
parailler, *v. a.* 2900, make like.
paramont, *adv.* 10017, above.

paramour, *s.* 28641, lover.
parant, *a.* 1230, apparent.
parasi, *s.* 25569, halfpenny.
parchemin, *s.* 16102, parchment.
parclos(e), *s.* 16157, B. xxxvii. 2, enclosure.
parçon(i)er(s), parcener, *s.* 6992, 8408, 15546, sharer, partaker.
parcroistre, *v. n., pp.* parcru, 4584, 17108, grow up.
pardedeinz, pardedeins, *prep.* and *adv.* 1114, 1120, within.
pardehors, *adv.* 1123, outside.
pardela, *prep.* 23252, on the other side of.
parderere, *adv.* 248.
pardessoutz, pardessoubz, *adv.* 8142, 13884, below.
pardessur(e), *adv.* 1857, 4746, 10147, on the top, above, besides.
pardevant, *prep.* and *adv.* 1845, 2393, par devant, B. xii. 2, before.
pardon, *see* pardoun.
pardonaunce, *s.* 11730.
pardonnement, *s.* 10512.
pardon(n)er, *v. a.* 15402, T. xviii. 4.
pardonner, *s.* 15092, forgiveness.
pardo(u)n, *s.* 5736, 13342.
parée, *a. f.* (*pp.*) 18328, pareie, 10117, adorned.
pareie, *s.* 10118, wall.
pareil, *a.* B. x. 2.
pareille, pareil(l), parail, *s.* 1212, 1446, 22210, B. x. 2, equal, rival.
paremploier, *v. a.* 14322, set aside.
parensi, *adv.* 15951, in such a manner.
parent, *s.* 97, 2574 ; *f.* parente, 3100 : parent, relation.
parenté(e), *s.* 4283, 6671 ; *pl.* 9183 : kinship, relations.
parenterdit, *a.* 15561.
parentre, *prep.* 1178, 16338, B. xxvii. 4, T. xv. 2 ; parentre de, C. : between.
parer, *v. a.* 21439, B. xvii. 3, prepare, adorn, equip.
parfaire, parfere, *v. a.* 1942, 2947, 4413, 9435, 28472, make complete.
parfait, *a.* 1170, perfect : *cp.* parfit.
parfaitement, *adv.* 10776.
parfin, *s.* 2383, end.
parfit, *a.* 1640, 2439, T. xviii. 4, perfit, D. i. 4, B. xxvi. 2 : perfect, ready.
parfit, *s.* 6828, fulfilment.
parfitement, *adv.* B. xli. 3.
parfond, *a.* 2467, 22317, deep.
parfondement, *adv.* 2673.
parfondesse, *s.* 29465, depth.

parfournir, *v. a.* 4680, 21707, perform.
parigal, perigal(s), *a.* 151, 964, 3159, 5604, equal, like : *s.* 24232.
Paris (son of Priam), 16700, B. xiv. 1, xl. 1.
Paris (city), 25245.
parlance, *s.* 1734.
parlement, *s.* 334, 4998, B. xix. 3.
parler, *v.* 385, B. viii. 3.
parler, *s.* 28468.
parlesie, *s.* 5519, palsy.
parlier(s), *s.* 15997, speaker.
parlire, *v. a.* 14896 ; *pp.* parlieu, 19956 : read through.
parmi, parmy, *prep.* 282, 4113, to, through, by : *adv.* 818, 1628, B. xxviii. 3, right through, throughout, completely, utterly.
paroche, *s.* 20210, parish.
parochiale, *s. f.*, 9115, parishioner.
(paroir), *v. n.*, 3 *s. p.* piert, 1816, B. xl. 1, piere, 1412, 3450 (? *subj.*) ; 3 *pl.* pieront, 25615 ; 3 *s. pret.* parust, 2176, T. xiv. 1 : appear : *cp.* perestre.
parole, parolle, *s.* 351, 9386, B. xix. 1.
parol(l)er, *v. n.* 2156 ; 3 *s. p.* parolt, 2720, parole, 3495 ; *subj.* parolle, 17709 : speak.
part, *s.* 276, 2786, 6343, 7386, B. iv*. 3, xxxi. 3 ; d'autre part, *see* autre ; queu part, 9242, whither ? queu part qe, 13864, wherever.
partage, *s.* 1654, sharing.
partenant, *a.* 1089.
partenir, *v. n.* and *refl.* 45, 924, belong.
partie, *s.* 373, 2366, 16080, 18711, side, party, part, departing, quarrel.
partir, *v. a.* 3240, 3981, 6660, divide, distribute, take away : *v. n.* and *refl.* 744 f., 7595, 12524, B. xv. 1, depart, part, share.
partir, *s.* 17549, T. xvii. 1, parting, end.
partison, *s.* 7055, share.
Partonopé, B. xliii. 3.
parvenir, *v. n.* 14925.
pas, pass, *s.* 890, 6940, pace, pass.
pas, *adv.* 900, B. xii. 3.
pasmer, palmer, *v. n.* 28942, 29023, 29120, faint.
Pasques, 4434, 7326, 28602.
passage, *s.* 2538, 27107, T. xvii. 3, journey, death.
passant, *s.* 8465, death.
passer, *v. a.* 5444, B. viii. 1, x. 2 : *v. n.* 36, 5575 ; passer de, 2795, escape from ; s'en passer, 4195.
passible, *a.* 5765, suffering.
passio(u)n, *s.* 18191, 28770.

past(e), *s.* 7868, 8363, 15660, paste, pastry, repast.
pastour, *s.* 5012, shepherd.
pastourage, pasturage, *s.* 1593, 5503.
pastoural, *a.* 9116.
pasture, *s.* 1852.
pasturer, *v. n.* 21996, feed.
paternoster, *s.* 5559.
patriarche, patriarc, *s.* 7985, 17159.
Paul(1) (saint), 10612, 13040, 13249, 20069.
Paul (2), 13023 ff.
Paul (3) (l'eremite), 27061.
Pauline, T. x. 3.
paunce, *see* pance.
pautonier, *s.* 21382, vagabond.
pavement, *s.* 21427.
Pavie, 7319.
pay, *see* paie.
peal, pell, *s.* 8724, 23486, skin.
peas, *see* pes.
peccatrice, *s. f.* 2516, sinner.
pecchant, *s.* 2131, sinner; 10519, sin.
pecché(s), *s.* 3, T. vi. 2, sin; 13341, sinner(?).
peccheour, *s.* 3150, pecchour, C., sinner.
peccher, *v. n.* 1847, sin.
peccher, *s.* 1432, sin.
peccheresse, *a.* and *s. f.* 20542, T. x. 1, sinner.
peccune, *s.* 24352 ff., money.
peccunier, *s.* 24463, lover of money.
pectrine, *s.* 2053, breast: *cp.* peitrine.
pedaille, *s.* 26232, common people.
pée, *see* pié.
pees, *see* pes.
peindre, peinter, *v. a.*, 3 *s. p.* peinte, 12077, 26037; *pp.* peint, 934, B. xlii. 3: paint, dye, adorn.
peine, paine, *s.* 182, 1438, B. xxviii. 2, peigne, B. iii. 1; au peine, a peine, au paine, 2916, 9043, B. xxii. 2, xli. 3.
peine, *see* pener.
peinter, *see* peindre.
peiour, *a.* 2252, worse.
peisible, *see* paisible.
peitrine, peytrine, poitrine, *s.* 3849, 6840, 9010, breast: *cp.* pectrine.
pelerin, *s.* 5641, *f.* pelerine, 16166: *cp.* peregrin(s).
pell, *see* peal.
pellicoun, *s.* 20474, furred cloak.
pellure, *s.* 20453, fur, skins.
pelote, *s.* 1460, ball.
pelterie, *s.* 25682, fur.
penance, *s.* 1157, 2093, 29623, punishment, pain.

penant, *a.* 22882, penitent.
pendement, *s.* 14998, hanging.
pendre, *v. n.* 885, 9021, 17843, B. xxv. 2; 3 *s. pret.* pendi, 2453: hang, be attached, belong: *v. a.* 4113, 5755, 25022, hang.
pener, *v. a.* and *refl.* 778, 1002; 3 *s. p.* peine, 990, 2033, paine, 9208: make to suffer, give trouble to; *refl.* take pains, endeavour, suffer pain.
penne, *s.* 3502, 7382, feather, pen.
Penolopé, T. vi. 3.
peno(u)n, *s.* 10103, 23728.
penouncell(e), *s.* 11289, 14261.
pensant, *s.* B. iv. 3, thought.
pensantie, *s.* 14267, weightiness.
pensé(e), *s.* 2192, 3078, B. vii. 2, xxix. 2, penseie, 14404.
pensement, *s.* 5540, B. viii. 3, thought.
penser, *v. n.* and *refl.* 613, 3680, B. ii. 3, iii. 1, think: *v. a.* 360, 11509, weigh, reflect upon.
penser, pensier(s), *s.* 3674, 3683, D. ii. 3, B. vi. 3.
pensif, *a., f.* pensive, 4643.
Pentecoste, 15135.
Pepin, 1303.
pepin, *s.* 6719, 7725, 8531, apple, pip.
per, *see* par.
Perce, *see* Perse.
percer, *v. a.* 13521, B. xviii. 1.
perceus, *a.* 5416, indolent.
percevoir, (perchoir), *v. a.* 28019; 3 *s. fut.* perchera (?), 18539: perceive, receive. *See* note on 18539.
perclus, *a.* 7591, shut up.
perdice, *see* perdis.
perdicioun, *s.* 2340.
perdis, *s.* 6262, *f.* perdice, 7831, partridge.
perdre, *v. a.* 94, B. ii. 1; 3 *s. p.* pert, 9009, T. xvii. 1.
perdurable, *a.* 1438, 13571, B. li. 2.
perdurablement, *adv.* 2076.
pere, *see* piere, pierre.
peregrin(s), *s.* 10656: *cp.* pelerin.
peresce, *s.* 5377, indolence.
perestre, *v. n.* 1760, B. xi. 4; 2 *s. p.* peres, 3776; 3 *s.* perest, 138; 2 *pl.* perestes, 2; 3 *pl.* persont, 3859; 3 *s. fut.* perserra, 13691: appear: *cp.* paroir.
perfeccioun, *s.* T. xvi. 3.
perfit, *see* parfit.
peri, *a.* 75, 2086, 10889, lost.
perigal(s), *see* parigal.
peril, *s.* 6739, B. xxx. 1.
peril(1)er, *v. a.* 5059, 15394, imperil.

peril(l)ous, *a.* 1104, 4604, B. xlviii. 2.
perir, *v. n.* 2099; 3 *s. p.* piert, 6856, 8397, 19087 ; *p. subj.* perisse, 4332.
perjur(s), *s.* 6457, perjurer.
perjuré, *a.* or *s.* 25046.
perjurer, *v. n.* and *refl.* 6421, 6472, commit perjury : *v. a.* 6446, swear falsely by.
perjurer, *s.* 6318, 24850, perjury.
perjurie, *s.* 6428.
perle, *s.* 9282.
permanable, *a.* 1796, T. i. 2, lasting.
permanance, *s.* 11577.
permanant, *a.* 11670.
pernont, *see* prendre.
perpetuel, *a.* 3744.
perrie, *s.* 858, *pl.* 25588, precious stones.
perrier(s), *s.* 25579, jeweller.
perriere, *s.* 3716, catapult.
perrine, *s.* 2054, stone.
perroun, *s.* 2412, rock.
pers, *a.* 6979, 21773, livid, purple.
Persant, *a.* 10347, Persian.
Perse, Perce, 12999, 22035, 29321, Persia.
persecutour, *s.* 6914.
perserver, *v. a.* 217, keep.
perseverance, *s.* 14357.
perseverer, *v. n.* 14393 ff.
Persiens, *s. pl.* 22046.
person(n)e, *s.* 1508, 20208 (R), B. xxxix. 2, T. iii. 3, person, parson.
persuacioun, *s.* 19113.
perte, *s.* 2069.
pertuis, pertus, *s.* 5258, 7587, hole.
perturber, *v. a.* 3639.
pervers(e), *a.* 2545, 16725.
pervertir, *v. a.* 646, 3175, turn aside, ruin.
pes, pees, peas, paix, *s.* 203, 1485, 3069, 11135, B. ii. 3, xli. 1, T. xiii. 2, peace ; 5622, the pax (in a church).
pesance, *s.* 1290, heaviness.
pesant, *a.* 5145, B. xxxii. 2.
pescheur, *s.* 8570, fisher.
peser, *see* poiser.
pestilence, *s.* 4630.
pestre, *see* paistre.
petit, *a.* 890, B. xxviii. 1, *pl.* petis, 29796 : un petit, 806, au petit, 310.
petit, *adv.* 5514.
petitement, *adv.* 16562.
petitesce, petitesse, *s.* 13027, 14236.
peytrine, *see* peitrine.
Pharao(n), 2332, 12258, 12268, 27080, T. xiii. 1.
Phares, 22750.
Phariseu, Pharisée, 1837, 3110, 18805, 28368.

Phenenne, 10274.
phesant, *s.* 3502, 19501.
philesophre, *see* philosophre.
Philipp, T. vi. 1.
Phillis, B. xliii. 1.
Philomene, T. xii. 1.
philosophie, *s.* 1448.
philosophre, philesophre, philosophe(s), *s.* 1813, 7633, 9530.
Phirin, 18303.
phisicien, *s.* 24289.
Phisique, 8521.
phisique, physique, *s.* 7724, 7905, health, medicine.
phisonomie, *s.* 20385.
pichelin, *a.* 6091, small.
pie, *s.* 1696, 9975, magpie.
pié, piée, pée, *s.* 1375, 3797, 10722, foot.
pieça, *adv.* 3271, B. ii. 3, formerly.
piece, *s.* 1858.
pier, *s.* 1821, 18787, 23197, equal, peer ; pier a(u) pier, 3342, 23419, on an equality, equally.
piere, *s.* 186, pere, T. vi. 2, father.
piere, *v. see* paroir.
pierre, piere, pere, *s.* 896, 2397, 18343, B. xviii. 1, stone ; la pierre jetteresse, 5781, pitch-pebble (a game).
Pierre, Piere, (saint), 3112, 7993, 12664, 13789, 15088, 15808, 18531, 18553, 18651 ff., 19401, 19484, 20065, 21648, 25854, 27038, 28658, 29177 : *see* Simon.
pierrous, *a.* 1242, jewelled.
piert, *see* paroir, perir.
pigas, *s.* 23394, pointed shoe.
Pigmalion, B. xxiv. 2.
pigne, *s.* 8719, comb.
pilage, *s.* 16183, plunder.
Pilat, Pilas, 28706, 28772 ff., 28938, 28972, 29003.
piler, *v. a.* 1570, plunder.
piler(s), pilier, *s.* 13093, 20783, T. vii. 1, pillar.
pilour, *s.* 15547, plunderer.
piment, *see* pyment.
pire, pir, *a.* 1895, 23972, worse, worst.
pis, *adv.* and *s.* 1662 ; le pis, 183, B. xii. 1, the worst ; du pis, 8981, a worse thing.
pis, pitz, *s.* 3808, 17934, breast.
pisco(u)n, *s.* 5396, 8529, fish.
pitance, *s.* 5684, 7546, 8442, portion, share, small portion.
pité(s), pitée, pitié(s), *s.* 2067, 13902 ff., 19967, D. i. 1, B. xiv. 3, xvii. 4 ; *pl.* 29900.

pitous, piteus, *a.* 5236, 8876, B. xi. 3.
pitousement, piteusement, *adv.* 13940, 29027, B. xix. 2.
pitz, *see* pis, *s.*
place, *s.* 11254, B. i. 2.
place, *v. see* plere.
plai, *see* plait.
plaidant, *s.* 19042, pleader.
plaidẹr, pleder, *v. n.* and *a.* 6217, 18425, 21728.
plaidour, pledour, *s.* 24206, C., advocate.
plaie, *s.* 4293, B. xxvii. 1.
plaier, *v. a.* 5019, wound.
plain (1), *a.* 4596, 10230, plain.
plain (2), *a. see* plein(z).
plaindre, *v. see* pleindre.
plaindre, *s.* 11489, complaining.
plainement, pleinement (1), *adv.* 7953, 10202, simply, plainly.
plainement, pleinement (2), *adv.* 2915, B. iv. 2, xiv. 1, fully.
plainerement, *adv.* 10476, fully.
plainte, pleignte, *s.* 25162, 29096.
plaintif, *s.* 6326.
plaire, *see* plere.
plaisance, *see* plesance.
plaisir, plesir, pleisir, *s.* 467, 479, 27641, B. viii. 2, xxv. 1.
plait, plai, plee, *s.* 2961, 6329, T. x. 3, plea, discourse, affair.
plancher, *s.* 27260, beam.
planete, *s.* 9038.
plante, *s.* 6892.
planter, *v. a.* 2201, plant, set down.
plat, *a.* 15257, flat : *adv.* 24260.
platement, *adv.* 15205, plainly.
Platoun(s), 15205, 15237.
pledant, *s.* 24241, pleading.
pleder, *see* plaider.
pledour, *see* plaidour.
plee, *see* plait.
plegge, *s.* 19448.
plegger, *v.* 24943, give pledges.
pleignte, *see* plainte.
plein(z), plain, *a.* 249, 480, B. iii. 2, full ;
    au plain, au plein, 1098, B. xxvii. 3 :
    adv. 27167.
plein (1), *s. see* pleine.
plein (2), *s. see* toutplein.
pleindre, plaindre, *v. n.* and *refl.* 4177 ;
    1 *s. p.* pleigne, 766, B. xiv. 3, pleign, 24950 ; 3 *s.* plei(g)nt, 1800, 2859, plaignt, 1645, pleigne, 4625 ; 3 *pl.* pleignont, 4652.
pleindre, *s.* T. xiv. 3, mourning.

pleine, plein, *s.* 23246, 28298, plain.
pleinement, *see* plainement.
pleiner, plen(i)er, *a.* 35, 1779, 12256, B. viii. 3, xlv. 3, full, in full, full-grown.
pleisir, *see* plaisir.
plener, *adv.* 6547.
plen(i)erement, *adv.* 424, 1547, fully.
plenitude, *s.* 15892, fullness.
plenté(e), *s.* 11144, 19960, B. xvii. 3.
plentevous, plentivous, *a.* 12461, 29922, B. xxxi. 1, abundant : *adv.* 20841*.
plere, plaire, *v. n.* 176, 571, B. iv*. 3 ; 3 *s. p.* plest, 809, B. ii. 4 ; 3 *s. imp.* plesoit, 980 ; 3 *s. pret.* plust, 1916 ; *p. subj.* place, 19949 ; *pret. subj.* pleust, 3785, B. x. 1 ; *fut.* plerra, 5157, B. ii. 3, plairra, 8035 : *v. a.* 10903.
plesance, *s.* 641, B. i. 3, plaisance, 8033, pleasure.
plesant, *a.* 219, B. iii. 2.
plesir, *see* plaisir.
plevir, *v. a.* 6650, B. xxiii. 1, T. xvii. 1, pledge.
pliant, *a.* 1416.
plier, ploier, *v. a.* 2115, 2811, B. iii. 3, x. 1, xiv. 3 : *v. n.* 7582.
plit, *s.* 2547, 3934, condition, state : par autre plit, d'autre plit, 2081, 7295, on the other hand.
ploier, *see* plier.
plom, *s.* 897, lead.
plonger, *see* plunger.
plorant, *s.* 13042, mourner.
plorer, *v. see* plourer.
plorer, *s.* 11489, weeping.
plour, *s.* 180, B. ix. 4, weeping.
plourement, *s.* 10534.
plourer, plorer, *v. n.* 3164, 10563 ; 1 *s. p.* plure, 15010, B. xii. 3 ; 3 *s.* plourt, 1066, plure, 7224 : weep.
plovier, *s.* 26294, plover.
pluie, *s.* 5610.
pluis, *see* plus.
pluit, pluyt, *see* pluvoir.
plunger, plonger, *v. a.* 2458, 8124 : *v. n.* 7979.
pluralité, *s.* 7363.
plure, *see* plourer.
plus, *adv.* and *s.* 5, 182, B. iii. 2, pluis, B. iv. 3, xxxix. 3.
plusour(s), pluseurs, *pron.* 3015, 7134, T. xvi. 1 ; ly plusour, 2727.
plustost, *adv.* 4452, B. xxxvii. 1, xlii. 1, plus tost, 1908, sooner, rather.
Pluto, 962.
pluvie, *s.* 26716, rain.

(pluvoir), *v. n.*, 3 *s. p.* pluit, 13736; 3 *s. pret.* pluyt, 4531 : rain.

poair, *see* pooir.

poeple(s), pueple, *s.* 2210, 18428, 23153 ff.

poer, *see* pooir.

poesté, *s.* 2557, power.

poestis, *a.* 1222, B. ix. 5, powerful, able.

poi, *see* poy.

poign, *s.* 859, fist.

poignant, *a.* 1798, 11529, piercing, sharp.

poil, *s.* 3719, hair.

poindre, *v. a.* 5026; 3 *s. p.* point, 944, 2642, poignt, 11860, B. xxxii. 1 ; *pres. part.* poignant, 1798 ; *pp.* point, 2357 : prick, sting, bite.

point, *s.* 504, 948, B. i. 2, xii. 2, *pl.* pointz, poins, 2763, 3793, point, prick, position, limit, thing, saying : au point, 26077, perfectly ; tout a point, 2364, fully prepared.

point, *adv.*, ne . . . point, 2356, point ne, B. iv*. 3 ; or without 'ne,' 11857 : not at all, not.

pointure, *s.* 3528, T. xvi. 2, sting.

poire, *s.* 9961.

pois (1), *s.* 11393, B. xiii. 1, weight : sur son pois, 26186, against his will.

pois (2), *s.* 13686, pitch.

poiser, peser, *v. a.* and *n.* 7451, 15075, 15202, weigh : ce poise moy, 9251, it seems to me.

poiso(u)n, *s.* 2524, 4398, T. xi. 3.

poitrine, *see* peitrine.

polain, polein, *s.* 9446, 18074, colt.

poli, *a.* 4240.

policie, *s.* C.

pollut, *a.* 20741, unclean.

pomme, *s.* 117.

pompe, *s.* 18964.

pont, *s.* 4320.

pooir, poair, *s.* 310, 597, B. iv.* 3, v. 1, T. xiii. 1, poer, 1252, power: *cp.* povoir.

por, *see* pour.

porc, *s.* 4806.

porceo, *see* pourceo.

porcin, *s.* 8273, pig.

porcin, *a.* 20516, of a pig.

porri, *see* purri(z).

port (1), *s.* 834, 27450, B. xiii. 2, bearing, value.

port (2), *s.* 4366, harbour.

portable, *a.* 29820, borne.

portal, *s.* 16608, gate.

porte, *s.* 258, gate : porte colice, 9849, portcullis.

porter, *v. a.* 263, B. xiii. 4 ; 3 *s. p.* porte, port, 263, 6678 ; *subj.* port, 7418.

port(i)er, *s.* 7522, 9607, gate-keeper.

portour, *s.* 3813, bearer.

portraire, *v. a.* and *n.* 1946, 4360, represent, design.

porture, *s.* 18370, 27982, bearing, burden.

pose, *s.* 5158, period of time.

poser, *v. a.* 3825.

posicioun, *s.* 23775, imposition.

possessio(u)n, *s.* 6231, 24519.

possessouner, possession(i)er, *a.* 9133, 20832 (R), 20835, possessed of estates.

possessour, *s.* 7638.

pot, *s.* 4174.

potacioun, *s.* 16230.

potadour, *s.* 8493, drinker.

potage, *s.* 7754.

potagier, *s.* 7759, soup-bowl.

potestat, *s.* 5325, ruler.

poudre, *s.* 20910, powder.

poudré, *a.* 876, scattered about.

pour, *prep.* 27, B. iii. 1, T. vi. 3, por, C., B. i. 3, iii. 3 ; pour tant, B. xvii. 2 ; pour quoi, B. xx. 2 ; pour ce, 89. Also with *inf.* for 'de,' see note on 6328.

pource, *adv.* 631, 2667 : *cp.* pourceo.

pourcel(l)a, *adv.* 2349, 8995, B. xlii. 1.

pourceo, *adv.* B. vii. 1, porceo, B. ii. 3, therefore.

pourchacier, pourchacer, *v. a.* 174, 21041, B. xxxvi. 4, procure.

pourchacier, pourchaçour, *s.* 5840, 21052, gainer, trader.

pourchas, *s.* 5841, gain.

pourfendre, *see* purfendre.

pourgatoire, *see* purgatoire.

pourgesir, *v. a.*, 3 *s. pret.* pourgust, 16772, pourgeust, T. x. 3 ; *pp.* pourgu, 9063, pourgeu, T. x. 2 : lie with.

pourloignance, *s.* 5586, postponement.

pourloignement, *s.* 24308, delay.

pourloigner, *v. a.* 5596, put off : *refl.* 29769, be put off.

pourpartie, *s.* 16034, B. li. 3, share.

pourpens, purpens, *s.* 4410, 9055, B. i. 2, thought, purpose : *cp.* pourpos.

pourpenser, purpenser, *v. a.* T. xii. 2, plan : *refl.* 15619, 23965, 27401, form a purpose, reflect.

pourporter, *v. a.* 17181, 18149, signify, suggest.

pourpos, purpos, *s.* 331, 3354, 16094, T. viii. 2, purpose.

pourposable, *a.* 15027, intending.

pourposer, *v. n.* and *refl.* 11258, 16105, consider, intend.

pourpre, *see* purpre.

pourprendre, *v. a.*, *pres. part.* pourpernant, 11698, 25353, take into possession, seize.

pourprise, *s.* 1711, 2501, enclosure, place.

pourquoy, pourquoi, *adv. see* quoy: *s.* le pourquoy, 1961.

poursuïr, (poursuier), *v. a.* 4766 ; 3 *s. p.* poursuit, 633 ; 3 *s. imp.* poursu(i)oit, 4771, 12999, pursue : persecute.

poursute, *s.* 3838, pursuit.

pourtenance, *s.* 29282, continuance.

pourtendre, purtendre, *v. a.* 6234, 12636, spread out, offer.

pourtienant, *a.* 15635.

pourveoir, p(o)urvoir, *v. a.* and *refl.* 318, 5432, 11797, T. xviii. 2, pourvir, 11623 ; *pp.* pourveu, 10093 : provide, prepare; *refl.* consider with oneself.

pourvoiance, pourveance, *s.* 5591, B. xiii. 2, providence, provision.

pourvoiour, *s.* 8438, purveyor.

povere(s), povre(s), *a.* 1075, 3337, B. ix. 4, xlviii. 1, poor.

pov(e)rement, *adv.* 7934, 8498.

poverte, *s.* 5484.

povoir, (pooir), *v. n.*, 1 *s. p.* puiss, B. i. 4 ; 2 *s.* poes, 7289, puiss, 11551, pus, 6134, 8060; 3 *s.* poet, 311, B. ii. 3, puet, 106, 7358, poot, 16647 ; 1 *pl.* poons, 9060 ; 2 *pl.* poetz, 973, B. ii. 2, poves, 9740, B. xxxix. 2 ; 3 *pl.* poont, 26913, poent, 28294 ; 3 *s. imp.* poait, 795, T. xiii. 2 ; 3 *s. pret.* pot, 305, 660; *fut.* po(u)rray, porrai, 188, 380, B. vi. 2, xvii. 2 ; 3 *s.* purra, 2460 ; 3 *pl.* pourront, B. xi. 1 ; 1 *s. cond.* porroie, B. ix. 1 ; 3 *s.* po(u)rroit, 25, 657, B. xxi. 2, purroit, B. xxxi. 3 ; 3 *s. p. subj.* puist, 8694 ; 1 *pl.* puissons, 9718.

povoir, pover, *s.* 3305, 28328: *cp.* pooir.

povre, povrement, *see* povere, poverement.

povreté, *s.* 5832.

poy, poi, *s.* and *adv.* 34, 1399, 1788, B. xi. 1, T. ix. 1, little, few ; pour poy du riens, 4826, for a small matter ; du poy en poy, 7059, little by little ; au poy, 8766, almost, hardly.

praielle, *s.* 17380, meadow.

pré, *see* prée.

prebende, *s.* 7364.

precedent, *a.* 10434.

precedent, *s.* 5650, 17780, former time.

precept, *s.* 2096, command.

precept, *a.* 5133, commanded.

prechement, *s.* 18092, preaching.

precher, *v.* 624, 3113.

precher, *s.* 2132.

precious, *a.* 16912, B. xlv. 1.

precordial, *a.* 4542, of the heart.

predicacioun, *s.* 3116(?), preaching.

pré(e), *s.* 856, 5822, B. vii. 2, *pl.* prées, pre(e)tz, 8702, 12854, B. xv. 3, meadow.

preie, *see* proie, *s.*

preignant, *a.* T. ii. 1, fruitful.

preis, *see* prendre.

prejudiciel, prejudicial, *a.* 20601, 26379.

prelacie, *s.* 5547.

prelat(z), *s.* 2237.

premunicioun, *s.* 5194.

prendre, *v. a.* B. xlix. 4; 3 *s. p.* prent, B. xxxv. 1 ; 1 *pl.* pernons, 18725 ; 3 *pl.* pernont, 21681 ; 2 *s. imperat.* pren, 137, B. xxxiv. 4, prens, 5319; 2 *pl.* pernetz, 28275 ; 2 *s. pret.* preis, 8574 ; 3 *s.* prist, 267, B. xl. 1 ; 3 *pl.* pristront, 159; 3 *s. p. subj.* preigne, 13511 : *v. n.* 649, 831, begin, take place : *refl.* 21681, behave.

prenosticacioun, *s.* 18819.

pres, *adv.* 680, 5626, B. ii. 1, near, closely, almost, soon ; du pres, 2654, 10322, *cp.* 3065 ; tenir pres, 17210, hold in esteem; ne loign ne pres, 3036, neither late nor soon : *prep.* 894, *cp.* presde.

presbiterie, *s.* 16131, priesthood.

presde, *prep.* 2984, 4306, pres de, 29884, presdu, 12873, near, before.

presence, *s.* 526, B. vi. 1 ; *pl.* 29376.

present, presens, *a.* 347, 2400, B. xxii. 1 ; au present, en present, 23, 832.

present, *s.* 10431, gift.

presentement, *adv.* 18625, at present.

presenter, *v. a.* 1442, B. xvi. 2.

president, *s.* 12157.

presse, *s.* 1698, crowd.

prest, *a.* 478, 4663, ready, quick.

prestement, *adv.* 24719.

prester, *v. a.* 13402, lend, give.

presterage, *s.* 12188, priests'.

presteresse, *s.* 25697, priest's mistress.

prestre, *s.* 2742, T. x. 3, priest.

presumement, *s.* 1531, presumption.

presumpcioun, *s.* 1526.

presumptif, *a.* 1573, presumptuous.

presumptuous, *a.* 1549.

presumptuousement, *adv.* 1622.

pretoire, *s.* 19121, office.

preu, *a.* (or *adv.*) 5216, (near), dear (?)
preu, *s. see* **prou.**
priendre, *v. a.* 20940, oppress.
prier, proier, *v. a.* and *n.* 131, 1189, B. xxiv. 2 ; 1 *s. p.* **pri**, 361, B. ii. 3, **pry**, 9763, **prie**, B. xiv. 2 ; 1, 3 *s. p.* **proie**, 3353, B. ix. 1, xv. 4.
prier, *s.* 5783, prayer.
priere, *s.* 461, B. xviii. 1.
primat, *s.* 3088, 19322.
prime, *s.* 5209, 28705.
primer, *a.* 243, B. xxiii. 1, first ; **au primer**, 158.
primer(e), *adv.* 61, 194, B. xxvi. 3.
primerein, primerain, *a.* 366, 1046, B. xl. 2, first.
primerement, *adv.* 267, T. iii. 2.
primerole, *s.* 3540, primrose.
primes, *adv.* 497, first ; **au primes**, 4179.
primour, *a.* 1308, 2764, first: *cp.* **primer.**
prince, *s.* 3191.
princesse, *s.* B. vi. 4.
princ(i)er, *s.* 7919, 13235, prince.
principal, *a.* 8483.
principal(s), *s.* 63, chief.
prioresse, *s.* 17336.
priour, *s.* 5315, 14595.
pris, *s.* 954, 1215, B. xi. 2, estimation, glory, praise.
prise, *s.* 7048, taking.
priser, *v. a.* 905, B. li. 3, praise, prize.
priser, *s.* 25217, praise.
prisonne, *s.* 10035 : *cp.* **prisoun.**
prisonner(s), *s.* 5696.
prisoun, *s.* 2214, prison ; 9840, prisoner.
privé, *a.* 496, 1975, 3075, 29819, private, intimate, well-acquainted ; **en privé**, 12049, in private.
privé(e), *s.* 1958, *pl.* **privetz**, 13003, privy-councillor, friend.
priver, *v. a.* 10617, B. xxxvii. 2, take away, deprive.
privilege, *s.* 21466.
privilegié, *pp.* 7207, set apart.
probacioun, *s.* 16819.
proceder, *v. n.* 12387.
processioun, *s.* 3979, advance.
prochein, proschein, *a.* B. xiv. 2, xlviii. 3.
prochein, proschain, *adv.* 5426, 8549, near, soon.
prochein, prochain, *f.* **procheine, prochaine**, *s.* 2040, 2777, 4720, **proschein**, 4554, neighbour.
procheinement, *adv.* 14229.
proclamer, *v. a.* B. xxxi. 3.
procuracie, *s.* 3355, procuration.

procurage, *s.* 6584, procuring.
procurement, *s.* 25455.
procurer, *v. a.* 1401, 3402, B. xii. 1, bring about, obtain.
procurier, *s.* 7225.
procurour, *s.* 3350, 3412, procurer, proctor.
prodegalité, *s.* 8414.
prodegus, *a.* or *s.* 8425, spendthrift.
prodhomme, *s.* 1186, **prodhon(s)**, **prodon(s)**, 3790, 9235, man of worth.
proesme, prosme, *s.* 3698, 12885, B. xlix. 2, neighbour.
proeu, *see* **prou.**
profess, *f.* **professe**, *s.* 5556, 8765, professed member.
professer, *v. a.* 14382, 21143, profess, admit (to an order); *refl.* 8129, take vows.
professio(u)n, *s.* 17824, T. v. 2, xvi. 3.
professour, *s.* 21659.
profit, proufit, *s.* 449, 1332, 5399, B. xvi. 3.
profitable, proufitable, *a.* 6923, 26714.
profitement, *s.* 13939, profit.
profiter, proufiter, *v. n.* 1190, 6270, do good, benefit.
progenie, *s.* 2474, 11540, offspring, generation.
progeniture, *s.* 9698, offspring.
Progne, T. xii. 1.
proie, proye, *s.* 720, 908, B. xv. 4, **preie**, 10121, prey, booty, prize.
proie, *v. see* **prier.**
proier, *v. a.* 6860, prey upon.
proisé, 23365, famous: *cp.* **priser.**
promesse, *s.* 472, B. xl. 1.
promettre, *v. a.* 142, 1794, B. iv.* 1 ; 3 *s. p.* **promette**, 4553, B. xlviii. 1, **promet**, 4661.
promissioun, *s.* 2337, promise.
prophecie, *s.* 3390.
prophete(s), *s.* 1085, **prophiete**, 9045.
prophetizement, *s.* 26570.
prophetizer, prophetiser, *v. n.* 2553, 21398.
propre, *a.* 81, 1605, B. xxiv. 1.
propre, *s.* 6836, property.
proprement, *adv.* 801, 1624, 2507.
propreté, *s.* 1583, B. xlv. 3, T. xviii. 1, property, right.
proschain, proschein, *see* **prochein.**
prose, *s.* 9981.
Proserpine, 963.
prosme, *see* **proesme.**
prosperer, *s.* 3700, prosperity.

prosperité, *s.* 1555, (*pl.*) 5788, B. envoy, success.
proteccio(u)n, *s.* 29196, T. xii. 2.
protestacioun, *s.* 17628.
prou, pru, preu, *s.* 578, 12930, 26552, proeu, B. xix. 3, profit.
prou, *adv.* 8964, sufficiently.
prouesce, prouesse, *s.* 3728, D. i. 1, B. xliv. 2, xlvi. 2.
proufit, proufiter, &c., *see* profit, &c.
provable, *a.* B. xxix. 3.
Provence, 26095, wine of Provence.
provende, *s.* 18081, provender.
prover, *v. a.* 2391, B. xl. 1.
proverbe, *s.* 5666, B. xl. 2.
proverbial, *s.* 24229, proverb.
proverb(i)er, proverbiour, *s.* 4141, 11086, 11995, speaker of proverbs.
providence, *s.* 4374, 14922, D. i. 1, providence, provision, purpose; du providence, 4374, of set purpose.
provisioun, *s.* 11736.
provisour, *s.* 16110.
provocacioun, *s.* 3985.
provocer, *v. a.* 3989.
provoire, *s.* 19117, priest.
provost, *s.* 19089, 26391, superior, mayor.
proye, *see* proie.
pru, *s.*, *see* prou.
pru(s), *a.* 1744, T. viii. 1, brave.
prudence, *s.* 357.
prudent, *a.* 15279.
prune, *s.* 6648.
prunelle, *s.* 14773, pupil (of the eye).
psalmoier, *v. n.* and *a.* 4021, 28092.
psalt(i)er, *s.* 1867, 7549.
Pseudo, 21627 ff.
puant, puiant, *a.* 1121, 11500, stinking.
pucellage, *s.* 8676, virginity.
pucelle, *s.* 9379, maiden.
pucellette, *s.* 9277.
pueple, *see* poeple.
puiant, *see* puant.
puice, *s.* 1786, flea.
puïr, *v. n.*, 3 *s. p.* put, 8602, puit, 9666; 3 *s. fut.* puera, 9669: stink.
puis, *adv.* 55, T. v. 1, then, afterwards: *prep.* 8266, after: since.
puis, *s. see* pus.
puisné, *a.* 8401, youngest.
puisque, puisqe, *conj.* 31, D. i. 3, B. xliv. 3, puis qe, 12105, B. x. 3, since, in order that.
puissance, *s.* 5075, B. iv. 3.
puissant, *a.* 1327, D. ii. 4.
pulent, *a.* 4293, foul.

pullail, *s.* 26276, poultry.
pulletier, *s.* 26265, poulterer.
pulletrie, *s.* 20897, poultry.
pulment, *s.* 26687, food.
pulmon, *s.* 5517, lungs.
pulsin, *s.* 6833, 7010, chicken, young bird.
punicioun, *s.* 21287.
punir, *v. a.* 5771; 3 *s. p.* pune, 13868.
punisement, *s.* 10996.
puour(s), *s.* 4296, foul smell.
pupplican, *s.* 1842, 13606, publican.
pur, *a.* 732, B. vii. 2.
purement, *adv.* 16859.
purer, *v. a.* 28233, purify.
purfendre, pourfendre, *v. a.* 1858, 12989, split, pierce through.
purgatoire, *s.* 10364, B. xlvii. 2, T. xv. 3, pourgatoire, 11498.
purger, *v. a.* 14058.
purificacioun, *s.* 28176 (R).
purpens, purpenser, *see* pourpens, &c.
purpos, *see* pourpos.
purpre, pourpre, *s.* 872, 28722.
purreture, *s.* 3774.
purri(z), porri, *a.* 702, 1339, 7784, rotten.
purrir, *v. n.* 10258, rot.
purvoir, *see* pourveoir.
pus, puis, *s.* 18230, 19421, well, hole.
pusillamité, *s.* 5463.
putage, *s.* 281, 5502, whoredom.
pute, *a.* 4335, vile.
pute, *s.* 9218, whore.
puteine, putaigne, *s.* 4909, 5500, whore.
puterie, *s.* 9407, 20748, harlotry.
pyment, piment, *s.* 3046, 26079, T. xv. 2.
pynte, *s.* 6303, 26061, pint.

Q

qanq(u)e, *see* quanque.
qant(z), *interr. pron.* 14884, how many: qantes fois, 14875.
qant, *see* quant.
qant a, *prep.* 14805, as regards.
qarante, *see* quarante.
qe, qelle, *see* que, quell.
qernell, *s.* 11285, battlement.
qoi, *see* quoy.
q(u)anque, quanqe, *pron.* 26, 227, B. iv. 2, whatever.
q(u)ant, *conj.* 29, D. ii. 3, B. xiii. 2.
quar, *see* car.
quarantain, *s.* 13294, period of forty days.
quarante, qarante, *num.* 16465, 28189.

quarell, *s.* 11292, bolt (of a crossbow).
quarere, *s.* B. xviii. 3, (stone-)quarry.
quaresme, *s.* 14866, Lent.
quarré, *s.* 14306, square.
quart(z), quarte, *num. a.* 253, 6320, 22789, D. ii. 1, fourth.
quarte, *s.* 8402, quart.
quartier, *s.* 20500, quarter (of a year).
quasser, *v. a.* 8183, B. xlii. 2, shatter, bring to naught.
quatorsze, *num.* 23844.
quatre, *num.* 1318.
que, qe, *rel. pron.* (as subject), 40, 93, 246, 926, &c., D. i. 1, B. ii. 3, T. viii. 3; (as object), 12, 96, 324, D. i. 2, &c.: who, which, he who, that which.
que, qe, *conj.* 17, 43, D. i. 3, B. ii. 2, &c., that, than, so that, because, for : ne fist que sage, 16700 (*cp.* 18721), 'did not act *as* a wise man.'
queinte, *a.* 925 ff., 5294, B. xlii. 1, T. iv. 1, quointe, 6393, cunning, curious, agreeable.
queintement, *adv.* 26020, cunningly.
queinter, quointer, *v. a.* 3326, 16665, adorn : *refl.* 7268, show cunning.
queinterie,*s.*855,6396,ornament,cunning.
queintise,quointise,*s.* 1041,1152,14697, cunning.
quel(l), quiel, *f.* quelle, qelle, *rel.* and *interr. pron.* 210, 530, 18501, B. ii. 2, T. viii. 2, queu, 619 ; *pl. m.* queux, 239, 335, quex, T. viii. 3 : *f.* queles, 3852 (R).
quelque, quelqe,*rel.pron.* 447, B. xliii. 2 ; quelle . . . qe, B. xxxi. 3, quelque . . . qe, 1454, whoever, whatever.
querelle,querele, *s.* 3056,14268, B. envoy, complaint, claim, quarrel.
querre, quere, querir, *v.* 174, 8534, 9307, B. xxxvi. 4; 1 *s. p.* quier, B. xi. 3, quiere, xxxvii. 4 ; 2 *s.* quiers, 2613 ; 3 *s.* quiert, 1076, quert, 1192 ; 1 *pl.* querrons, 20947 ; 3 *pl.* queront, 5134, quieront, 21117; 3 *s. pret.* queist, 18687; 1 *s. cond.* querroie, B. iv. 3 : seek, enquire after, look after.
question, *s.* B. xxiv. 3.
questour, questier, *s.* 6221, 24880, 25123, juror.
queu, *see* quell.
qui, *rel. pron.* (as subject) 2, 5, D. i. 2, &c.; (object) 815, 1447, T. xiv. 1 ; (with *prep.*) B. v. 3, &c.: *indef.* 15364: *cp.* que.
qui (=cui), 3491, 9720, whose.

quiconque(s), *pron.* and *a.* 3016, 3302.
quider, *v. n.* and *a.* 29, 1061, B. xvi. 2, think, expect.
quider, *s.* 1456, opinion.
quiel, *see* quel.
quiete, *s.* 1556, peace.
quietement, *adv.* 24520.
quinsze, *num.* 27673.
quint, *num. a.* 255, 2005, fifth : la quinte, 6534, the fifth part.
Quintilien(s), 16717.
quique, quiqe, *pron.* 10, B. xlix. 4, whosoever.
quir, *s.* 21704, skin, leather.
quire, *v. a.* 18765, boil.
quirée, *s.* 24364, hounds' fee.
quisine, *see* cuisine.
quit, *a.* 4733, free.
quit, *s.* 7840, boiled meat.
quitance, *s.* 20180, acquittance.
quiter, *v. a.* 20181, set free.
quoi, *see* quoy.
quointer, *see* queinter.
quoique, *pron.* B. i. 3, xliv. 4, quoy que, 1417, qoi que, B. i. 2, whatever.
q(u)oy, q(u)oi, *pron. interr.* 853, 1704 ; pour quoy, pour quoi, 2227, B. xx. 2; le pour quoy,7893 ; du quoy, 5435, *cp.* 15500; quoy . . . quoy, 7482: *rel.* with *prep.* 41, 214, B. x. 2.
quoy, *s.* 1781,12204, thing: *cp.* the phrases n'ad quoy, n'ad du quoy, 3339, 5435, &c.

R

Rachab, 4898.
Rachel, 7081.
racine, *s.* 2558.
raconter, *see* reconter.
rage, *s.* 277, 1585, 3019, rage, temper, violence.
Raguel, 17702.
raie, raye, ray, *s.* 10095,10798, ray, stripe: *a.* 21774, striped.
raier, *v. n.* 10098, shine.
raison, raisonnablement, *see* reson, &c.
ramage, *a.* 2126, wild (of birds).
ramo(u)ner, *v. a.* 5864, 6146, sweep clean.
ramous, *a.* 12460, branching.
ramper, *v. n.* 2267, 4257.
rampone, *s.* 4273, mockery.
ramu, *a.* 26761, branched.
rançon(n)er, *v. a.* 11275, 23681, ransom, hold to ransom.
ranço(u)n, *s.* 10654, 16208.

refu, refuist, *see* restre.
refu, *s.* 26769, refuge.
refus, *s.* 15417.
refusable, *a.* 4494, rejected.
refuser, *v. a.* 789, B. xxix. 2, T. viii. 2.
refuz, *a.* 17267, rejected.
regalie, *s.* D. ii. 5, royalty.
regard, reguard, reguart, *s., pl.* regars, 9334, 11839, 29070, B. xii. 1, xix. 2, look: au regard de, in comparison of.
regarder, reguarder, *v. a.* and *n.* 616, 1760, 29106, B. xii. 1, xxii. 3 : *refl.* 10977.
regarder, *s.* B. xxxiii. 1, look.
regardure, *s.* 1774, B. xii. 2, look.
regehir, *v. a.* 7074, confess.
regent, regens, *a.* 7918, 11018, 17450, ruling.
regent, *s.* 12158, ruler.
regibber, *v. n.* 2355, kick back.
regiment, *s.* 2615, rule.
regioun, region, *s.* 2333, B. xxxv. 2, C.
regne, *s.* 10009, D. i. 2.
regner, *v. n.* 22811.
regrac(i)er, *v. a.* 1582, 26803, thank.
regraterie, *s.* 26331.
regratier, regratour, *s.* 26313 ff.
reguard, reguarder, *see* regard, &c.
reguerdon(n)er, *v. a.* 3762, B. xii. 2.
reguerdo(u)n, *s.* 1529, B. xxiii. 3, T. ii. 2.
reguler, *a.* 14132.
reguler, *s.* 2021, member of a religious order.
rehercer, reherser, *v. a.* 3165, 4082.
rejeter, *v. a.* 5632.
rejoïr, (rejoier), *v. a.* and *refl.* 462, 1054, D. i. 1, B. iv. 3 ; 3 *s. p.* rejoye, 7461.
relacioun, *s.* 12760, 13727, report.
relais, *see* reless.
relef, *s.* 28552, remainder.
relenter, *v. a.* 6603, dissolve.
reles, reless, relais, *s.* 200, 2421, 3021, 3033, B. xx. 1, release, remission, remainder, continuance.
relesser, relaisser, *v. a.* 21251, 21271, absolve.
relevable, *a.* 1872, 9970, to be raised again.
relever, *s.* 29369, resurrection.
relief, *s.* 11310, B. l. 2, help.
relievement, *s.* 2060, improvement.
religio(u)n, *s.* 3085, 7922, 17821.
religious, *a.* 3194, 8765, under vows.
relinquir, *v. a.* 17234, leave.
remanoir, remeindre, *v. n.* 9067, 23206 ; 3 *s. p.* remaint, 6147, B. i. 2 ff, remeint, 4927, remeine, 9671, remaine,

14249, 24324 ; *pp.* remes, 10325, 10484 : remain.
rembre, *v. a.* 4948, ransom.
remedie, remede, *s.* 10912, 22224.
remeindre, *see* remanoir.
remeine, *see* remanoir, remener.
remembrance, *s.* 4582, B. iv. 3.
remembrançour, *s.* 14600.
remembrer, *v. a.* 645, 2416, B. ii. 4, xxviii. 4, remind, recall to mind: *refl.* and *n.* 532, 536, B. ii. 2, remember, be mindful.
remenant, *s.* 435, B. xxxviii. 3.
remener, *v. a.,* 3 *s. p.* remeine, 7589, T. xiv. 3; 3 *s. fut.* remerra, 11216; 2 *s. imperat.* remeine, 14816 : bring back.
rementevoir, *v. a.* and *refl.* 16047, 18191, remember.
remerir, *v. a.* 2087, 18612, reward, repay.
remerra, *see* remener.
remes, *see* remanoir.
remesurer, *v. a.* 26322.
remettre, *v. a.* 340, 3011, 5685; 3 *s. p.* remette, 15708 : put back, leave behind, omit, set in return.
remirer (1), *v. a.* and *n.* 620, 1134, B. i. 4, B. vi. 1, look again, look at, see again : se remirer, 14612, look about one.
remirer (2), *v. a.* 23833, treat (as a physician).
remissioun, *s.* 10369.
remonter, *v. a.* 1743, 11927, raise : *v. n.* 557, rise again.
remordre, *v. a.* 386, 6679, 10397, bite in return, devour, move to repentance : se remordre, 10031, T. iv. 2, be moved to remorse.
removoir, *v. a.* 3309, B. xli. 3.
remuer, *v. a.* 3884, B. xv. 1, remove, move.
remuere, *s.* 15842, remover.
Remus, 23624.
Remy (saint), 10748.
renaistre, *v. n.* 5594, come up again.
Renar(s), 7391, 21090.
rendement, *s.* 14996, surrender.
rendre, *v. a.* 2945, B. i. 4, T. ix. 3.
reneyer, renoier, *v. a.* 4013, 5795, deny, reject.
Reneys, 26121, Rhenish (wine).
renomée, *a.* B. xliv. 1, renowned.
renomée, *s.* 2854, 8746, B. iii. 2, T. viii. 1.
renommer, *v. a.* 13244, praise.
renoncer, *v. a.* 15031.
renoun, *s.* 1252, T. xvi. 1.

*

renoveller, *v. a.* and *n.* 8087, 11364, 23170, B. ii. 1, renew, be renewed.

rente, *s.* 3101, 6242, income, rent, property.

renvoier, *v. a.* 734, send back.

repaiage, *s.* 6517, repayment.

1 epaiement, *s.* 7220.

repaier, *v. a.* 15670.

repairer, *v. n.* 674, 4166, 5418, come, return, have recourse (to).

repaiser, *v. a.* 19483, 22853, reconcile, appease.

repaistre, *v. a., pp.* repuz, 8537, B. xvi. 2, repeu, 26512, feed.

reparer, *v. a.* 5417, set right.

reparoler, *v. n.* 2489, reply.

repasser, *v. a.* 23163, recall to mind.

repast, *s.* 20879, B. xvi. 2, meal.

repaster, *v. a.* 16295, feed.

repeler, *v. a.* 11354, call back.

repell, reppell, *s.* 4766, B. xxxiii. 1, repulse, recall.

repenser, *v. n.* 1757, reflect : *v. a.* 29368, think again of.

repentance, *s.* 5679, T. ix. 3.

repentant, *a.* 743.

repentin, *a.* 8198, sudden.

repentir, *v. n.* and *refl.* 4527, 21551, T. xiv. 3.

repentir, *s.* 14830, repentance.

repeu, *see* repaistre.

replaier, *v. a.* 4724, wound in return.

replecioun, *s.* 16324.

repleder, *v. a.* 3872, plead against.

repleggement, *s.* 15672, pledge of reward.

repleni(s), repleny, *a.* (*pp.*), 911, 3948, B. ix. 5, filled.

replet, *a.* 9041, 11129, full, filled.

replier, repplier, reploier, *v. n.* 1380, 1421, reply : *v. a.* 7583, 12695, bend back, give in return : *refl.* 15052, turn back.

report, *s.* 2442.

reporter, *v. a.* 2882, 6682, report, return, carry away.

repos, *s.* 1486, B. vii. 2.

reposer, *v. n.* and *refl.* 1787, 9976.

repost, *a.* 7148, laid up : en repost, 10599, in secret.

repostaille, *s.* 19443, storing-place.

repparailler, *v. a.* 556, restore.

reppell, *see* repell.

repplier, *see* replier.

reprendre, *v. a.* 612, 4434, B. xvii. 2, take again, keep back ; 1718, 20669, find fault with, attack.

representement, *s.* 18626, representation.

representer, *v.* 1449, 20800.

reprise, *s.* 1358, 2303, 3968, 22356, B. xli. 4, reproach, trouble, requital ; 7436, 17868, 20457, 20699, taking, keeping, gain.

reprobacioun, *s.* 2301.

reproeche, reprouche, *s.* 2223, 2937.

reproef, *s.* 2989.

reproever, *see* reprover.

reprovable, *a.* 1106, to be blamed.

reprover, reproever, *v. a.* 1106, 2994.

reprover, *s.* 11999, reproach.

reptil, *s.* 12645.

reputer, *v. a.* 3051, consider.

repuz, *see* repaistre.

requerre, *v. a.*, 1 *s. p.* requiere, B. xviii. 3 ; 3 *s.* requiert, 2495 ; *pp.* requis, B. xiv. 2 : request, entreat, seek for.

requeste, *s.* 5256, B. xviii. 3.

rere, *v. a.* 3718, shave.

rereguarde, reregarde, *s.* 5660, 11609.

rerement, *adv.* 18543, rarely.

resacher, *s.* 2837, au resacher, backwards.

resacrer, *v. a.* 7200, reconsecrate.

resaillir, *v. n.* 564, mount again.

resaisir, *v. a.* 20980.

resaner, *v. a.* 18212, heal.

rescevoir, resceivre, *see* recevoir.

rescoulter, *v. a.* 16678, hear in return.

rescour(r)e, *v.a.* and *n.* 7726, 10019; *pp.* rescous, 11122 : save, come to the rescue.

rescousse, *s.* 23550, help, rescue.

resemblable, *a.* 3746, like, to be compared.

resemblance, *s.* 128, B. xv. 1.

resemblant, *a.* 231, 1424.

resemblant, *s.* 8869, likeness.

resemblement, *s.* 17038, resemblance.

resembler, *v. a.* 1117, 7128, B. xiii. 1, compare, make like : *v. n.* 246, 1094, 5036, T. iv. 1, have likeness, appear.

reserver, *v. a.* 7493, 12802, keep.

reservir, *v.* 8034, serve back.

residence, *s.* 10779.

resistence, *s.* 9813.

resister, *v. a.* and *n.* 1786, 10764.

reson, resoun, *s.* 24, 366, 684, B. xi. 3, T. xii. 2, raiso(u)n, 10876, T. i. 1.

resonant, *a.* 1427, resounding.

reson(n)able, *a.* 3745, B. xxix. 1.

reson(n)ablement, raisonnablement, *adv.* 592, 9542, 16851.

reson(n)al, *a.* 16601, B. l. 2, rational.

resonnant, *a.* 5573, rational.
resonner, *v. a.* 527, 9755, 23315, reason with, address, reprove.
resordre, *v. n.* 29372, rise again.
resort, *s.* 227, 2890, 8023, power, remedy, help.
resortir, resorter, *v. n.* and *refl.* 3228, 8025, 13339, retire, turn, have recourse.
resouper, *s.* 7910, second supper.
respirer, *v. n.* 12450, breathe.
respit, *s.* 2153, 29836, intermission, release.
respiter, *v. a.* 2744, 11098.
resplendre, *v. n.* 1124, 13351, shine.
respondre, *v. n.* 395, 1212, B. xvii. 3; 3 *s. pret.* respondi, 365; 2 *s. imperat.* respoun, 1600, responde, 2590, respoune, 26616; 2 *pl.* responetz, 15572.
response, *s.* 1427, B. xvii. 3.
(resteir), *v. n.,* 3 *s. pret.* restuit, 1005, resist.
restitucioun, *s.* 7155.
restitut, *pp.* 15066, 19932, made good, restored.
restor, *s.* 13326, restoration.
restorer, *v. a.* 94, B. xlii. 1; 2 *s. fut.* restorras, 24563.
(restre), *v. n.,* 3 *s. pret.* refu, 2384, refuist, 2573; *pp.* refu, 21134: be again, be in one's turn.
restreindre, restraindre, *v. a.,* 2 *s. p.* restraines, 610; 3 *s.* restreint, 5108, restreigne, 28038, B. xl. 3; *pp.* restreint, 930, restreignt, B. xlii. 4.
restuit, *see* resteir.
resur(r)eccioun, *s.* 28800 (R), 28803.
resuscitacioun, *s.* 28811.
resusciter, *v. a.* 10218.
retaille, *s.* 26222, retail.
retenir, *v. a.* 378, 1682, 2180, B. xvi. 3, xxxix. 2; 3 *s. pret.* retient, 17472, retint, 18564.
retenu, *s.* 19924, retainer.
retenue, *s.* 2965, B. viii. 3, following, retinue, engagement.
rethorique, *s.* 8678.
ret(i)enance, *s.* 5461, 6929, 17660, retinue, company, memory.
retorner, ret(t)ourner, *v. n.* and *refl.* 730, 2252, 5754, B. xlii. 2.
retour, rettour, *s.* 1675, 3031, 10666, T. x. 2, return, reversal, remedy.
retourdre, *v. n.* 18599, return.
retraire, *v. a.* 684, 2614, draw back.
retrait, *s.* 9207, 17805, drawing back, reserve.
retrogradient, *a.* 16128.

retz, *see* reetz.
reule, *s.* 948, 7003, B. xiii. 1, rule, bar.
reuler, *v. a.* 15238, keep in order.
revait, *v.,* 3 *s. p.* 5160: *cp.* realer.
revel(1), *s.* 999, 11284, riot, disturbance.
reveller, *v. n.* and *refl.* 1266, 3059, 19437, revel, rejoice.
revendre, *v. a.* 7245.
revengement, *s.* 2066.
revenger, *v. a.* 3994, 4425, T. vi. 2, avenge.
revenir, *v. n.* 5232, B. xv. 3.
revenue, *s.* 7710, B. viii. 2, return, revenue.
reverdir, *v. n.* 2559, grow green again.
reverence, *s.* 519, B. xxvi. 1.
reverencer, *v. a.* 4379.
reverie, *s.* 863, revelry.
revers, *a.* and *s.* 3158, 26940, opposite.
reverser, *v.* 4631, 24106, overturn.
revertible, *a.* 5772, returning.
revertir, *v. n.* and *refl.* 47, 1656, 3134, 11037, return, change, change back.
se revertuer, *v.* 9550, recover strength.
revestir, *v. a.* 942, B. vii. 3, clothe.
revienement, *s.* 10655, return.
reviler, *v. a.,* 3 *s. p.* revile, reville, 206, 4442, revile, abuse.
revivre, *v. n.* 28812.
revoir, *v. a.* 11700, B. viii. 1.
revoler, *v. n.* 19412, fly back.
rewarder, *v. a.* 16313.
rewardie, *s.* 15611, rewardise, B. li. 3, reward.
riant, *a.* 935, B. xii. 3.
ribaldie, *s.* 16611, ribaldry.
ribaudaille, ribaldaille, *s.* 2899, 28953, ribaldry.
ribauld, ribald, *s.* 11294, 24981, rioter, ruffian: *a.* 26531.
Ribole, 26094, (a kind of wine).
riche(s), *a.* 640, B. xlviii. 1.
richement, *adv.* 947.
richesce, richesse, *s.* 377, 473, *pl.* 8077, 10885.
richir, richer, *v. a.* 474, 7669, enrich.
ridelle, *s.* 9382.
rien(s), *s.* 216, 1605, B. xxv. 1, thing, anything: 580, 1608, B. ii. 3, nothing; ne . . . rien(s), 442, B. v. 2, &c.
rier, *see* rire.
rigolage, *s.* 3249, 5828, wantonness, idle enjoyment.
se rigoler, *v.* 2705, 5728, 14613, wanton, delight oneself.
Rin, *see* Ryn.
riote, *s.* 3890, 8717, riot, disorder.

rire, *v. n.* 1422, B. ix. 4, rier, 3106, laugh : *v. a.* 1635, deride.
ris, *s.* 3535, B. xxii. 1, laughter.
risée, *s.* 3282, laughter.
rivage, *s.* 6702, 10931, landing, shore.
rive, ryve, *s.* 10816, 17724, 26119, stream, shore.
rivere, *s.* 8162, river.
Rivere, 26097, (a kind of wine).
robbeour, *s.* 6974, robber.
robberie, *s.* 6927.
robe, *s.* 10095.
Robin, Robyn, 8659, 20887.
roche, *s.* 1856.
roch(i)ere, *s.* 7540, 18256, B. xviii. 2, rock.
roe, *s.* 10942, B. xx. 1, wheel.
roelle, *s.* 12502, circle.
roi(s), roy(s), *s.* 1081, 1958, 22227 ff., D. i. 1, 4, B. xxxviii. 2, T. vii. 1.
roial, royal, *a.* 3313, 5312, D. i. 1.
roial(s), *s.* 29256, king.
roialté, *s.* 22229.
roidement, *adv.* 4223, severely.
romance, *s.* 8150, 18374, 21775, 27477, French (language), story.
Romanie, 18715, 18995, 26094.
Rome, 1464, 1900, 7094, 14725, 16109, 18450, 18627, 18829, 20349, 22078, 22158 ff., 23624 ff., 26375, 27024, 27054, B. xliv. 1.
Romein(s), Romain, *a.* and *s.* 11053, 12198, 13021, 13695, 17618, 18301, 18502, 22218, 24469, T. x. 3, xvi. 1.
rompre, *v. a.* 537 ; *pp.* rout, 3934, 7066, rompu, 29441.
Romulus, 23625 ff.
ronce, *s.* 18107, bramble.
ronger, *see* rounger.
rose, *s.* 3723, B. xxxvi. 3.
rosé(e), *s.* 10818, 11836, dew.
Rosemonde, T. xi. 1.
rosier, *s.* 11280, rose-bush.
rost, *a.* 7840, roast.
roster, *v. a.* 18765, roast.
rotond, *a.* 20750.
rouge, *a.* 7002, rug(g)e, B. xxxvii. 1, xlvi. 3.
rouge mer, 1667, 12266.
rougir, *v. a.* 2710, redden.
rougir, *v. n.* 6842, roar.
rounger, ronger, runger, *v. a.* 2886, 3450, 11587, gnaw.
rout, *see* rompre.
route, *s.* 345, 1336, 4671, company, multitude, road.
rover, *v. a.* 7987, 16469, ask for, ask.
royalme, *s.* 22070, kingdom.

rubie, *s.* 18668.
rue, *s.* 2257.
ruer, *v. a.* 544, 936, cast, cast down: *v. n.* 16941, fall.
rug(g)e, *see* rouge.
ruigne, *s.* 22891, mange.
ruignous, *a.* 9262, 22887, mangy.
ruiller, *v. n.* 16193, rust.
ruine, *s.* 1811, fall, ruin.
ruinement, *s.* 12534.
ruinous, *a.* 3197, in ruins.
runger, *see* rounger.
russinole, *s.* 4111, nightingale.
ruyteison, *s.* 20673, rutting.
ryme, *s.* 9981, rhyme.
Ryn, Rin, 26057, 26117.
ryve, *see* rive.

S

s', *for* se, si, sa, before vowels: *for* si = son, 794, 1477, = ses, 4, *cp.* 3672.
sabat, *s.* 2278.
sabatier(s), *s.* 24270, cobbler.
sac(s), *s.* 7238, 20483, sack, sackcloth.
sachant, *a.* 141, 2629, 6904, wise, aware.
sachel(l), *s.* 5804, 9830, satchel.
sacre, *a.* 7160.
sacrefier, sacrifier, *v.* 7740, 12217.
sacrefise, sacrifise, *s.* 4563, 16352.
sacrement, *s.* 4438, T. v. 3.
sacrer, *v. a.* 17184, consecrate.
sacrilege, *s.* 6932.
sage(s), *a.* 823, 25131, D. i. 2, B. iii. 2 ; ly sage(s), 3241, 3277, &c.
sage, *adv.* 2051.
sagement, *adv.* 54, T. xv. 3.
sai, *see* savoir.
saiette, *s.* 2833, arrow.
sain, *see* sein(s).
saint, saintefier, *see* seint, &c.
sainteté, *s.* 1356.
saintuaire, *s.* 2492.
saisi(s), seisi, *a.* (*pp.*) 859, 3813, 7675, 9770, 12273, held, in possession, possessed (of).
saisine, se(i)sine, *s.* 137, 1806, 5399, B. xlv. 3, possession.
saisir, *v. a.* 922, 19003, 23015, B. xx. 3, seize, take possession of, put in possession.
saisonnable, *a.* 26716, in season.
saisonner, *v. a.* 8940, mingle.
saisoun, *s.* 10421.
salaire, *s.* 6331.

sale, *s.* 970, hall.
salé, *a.* 13912, salt.
salemandre, *s.* 9518.
saler, *v. a.* 20623, season.
salf, *see* saulf.
sallir, saillir, *v. n.* 8912 ; 3 *s. p.* salt, 851 ; 1 *pl. fut.* saldrons, 563 : leap, ascend, descend.
salmoun, *s.* 7748.
Salomon, 1317, 1597, 1823, 1833, 2221, 2281, 2299, 2513, 2555, 2787, 3422, 3793, 3913, 4758, 6859, 6991, 7562, 7916, 9557, 10850, 10888, 10933, 11667, 11869, 12187, 12709, 13684, 14811, 15448, 15521, 15788, 15880, 16063, 17593, 20491, 22312, 23150 ff., 23330, 25885.
salse, *s.* 7839, saulse, 7961.
salu, *pl.* saluz, salutz, *s.* 323, 2262, 3958, B. xvi. 4, salutation, salvation.
saluer, *v. a.* 1302, B. viii. 3.
salute, *s.* 3836, salutation.
salvacioun, *s.* 16822.
salvage, sauvage, *a.* 280, 7756, B. xix. 1.
salvager, *v. n.* 2107, go wild.
salvagine, *a.* 8527, wild.
salvagine, *s.* 317, 10736, wilderness.
salve, *interj.* 2715.
salvement, *adv.* 16455, safely, truly.
salveour, *s.* 3513.
salver, *v. a.* 1667, B. xvii. 1.
salveresse, *s. f.* 28185, saviour.
salveté, *s.* 2335.
Samarie, 11023.
Sampson, 1467.
Samuel, 10277, 19945.
sanc, *s.* 4386, blood.
sanctus, 18751.
saner, *v. a.* 14910, heal.
sanglent, *a.* 5050, bloody.
sanguin, *a.* 4956, 14701, 21773, bloody, sanguine, red.
santé, *see* saunté(e).
sanz, sans, *prep.* 187, 12085, D. i. 1.
Saoul, *see* Saül.
saouler, *see* sauler.
saphir, *s.* 18668.
sapience, *s.* 1619.
sapient, *a.* 1629.
Sarasin, Sarazin, *s.* 18311, 22326, 25379, unbeliever.
Sarepte, 15468.
Sarre, Sarrai (wife of Abraham), 11432, 12226, T. xiii. 1.
Sarre (daughter of Raguel), 10262, 17423, 17703, 17737.

sartilier(s), *s.* 11277, weeder.
Sathan, Sathanas, 2255, 3675, 6177, 7873, 16204.
satin, *s.* 25292.
satisfaccioun, *s.* 15042.
satisfaire, *v. n.* 5215.
saturacioun, *s.* 7929, repletion.
Saturne, 26737.
sauf, *see* saulf.
Saül (1), Saoul, 4899, 12979, 23011 ff.
Saül (2), 2353.
sauler, saouler, *v. a.* 1804, 4891, satisfy, satiate : *v. n.* 18888, be satiated.
saulf, sauf, salf(s), *a.* 2128, 4366, safe, sure ; en saulf, 5698, sauf (saving), B. xlvi. 1, sau(l)f garder, 1035, D. i. 2.
sauls, *s.* 6, willow.
saulse, *see* salse.
saunté(e), santé, 2522, 8310, D. ii. 5, B. ix. 4.
sauvage, *see* salvage.
savoir, saver, *v.* 160, 2142, B. ii. 2, *cp.* xli. 2 ; 1 *s. p.* say, 391, sai, B. iv.* 2 ; 2 *pl.* savetz, B. xxviii. 2 ; *imperat.* sachetz, B. vii. 1, sachiez, 383 ; 3 *s. p. subj.* sace, 9020, sache, B. xxv. 2 ; *fut.* savra, 7072 ; *cond.* saveroit, B. viii. 2.
savoir, *s.* 1496, B. xli. 2.
savour, *s.* 7654, 10673, taste, knowledge.
savourable, *a.* 13218.
savouré, *a.* 16881, savoury.
savourer, *v. a.* 9555, 20617, perceive the savour of, make of good savour.
say, *s.* 21016, woollen stuff.
science, *s.* 353, 14594.
scies, sciet, *v.* 2, 3 *s. p.* 541, 1451, B. v. 3, xli. 3 ; 3 *pl.* scievont, 1623, sciovont, 8964 ; 3 *s. pret.* scieust, 308, T. xiii. 3 ; 2 *pl. pret. subj.* scieussetz, 20, B. xxix. 2 : know, know how.
scilence, *see* silence.
scribe, *s.* 3110, 18805.
se, *refl. pron.* 45, D. i. 1, ce, c', 1147, B. xviii. 3.
seal, *s.* 1313.
secchant, *a.* 19968, dried up.
seccher, *v. n.* 11854, dry up.
sech, *a., f.* secche, 9472, 17901, dry.
seconde(s), secunde, *num. a.* 1201, 13339, T. xviii. 2.
seconde, *s. f.* 8207, helper.
secondement, *adv.* 10867, B. xxxi. 2.
secré(e), secret, *a.* 1378, 3652, 3704, 12027, secret, familiar, privy (to) : en secré(e), 488, 8744.
secret, *s.* 11952.

surplus, *s.* 11784, B. xxxix. 1, abundance, fulness, profit ; de surplus, 17960, over and above.
surprendre, *v. a.* 3274.
surquerre, *v. a.*, 3 *s. p.* surquiere, 5295, 7065, 7548, enquire after, come upon.
surquidable, *a.* 1864, overweening.
surquidance, *s.* 1633.
surquidé, *a.* 1561, overweening.
surquider, *v.* 1699, think overweeningly.
surquider(s), *s.* 1453, overweening man.
surquiderie, *s.* 1443.
surquidous, *a.* 1495.
surquidousement, *adv.* 1546.
Surrie, 2377, 22034, 22333, Syria.
survenir, *v. a.* and *n.* 921, 1269, B. envoy ; 3 *s. pret.* survient, 4561 ; 3 *pl.* surveneront, 11019 : come, come upon.
surveoir, survoir, survoier, *v. a.* 4881, 8991, 29883, survey, oversee.
sus, *adv.*, de sus en jus, 1482, sus et jus, B. xvi. 1, la sus, 15420 : up.
Susanne, 17470.
suslivrer, *v. a.* 6473, withdraw.
susnomer, *v. a.* 10729, name above.
suspecioun, *s.* 8818.
suspir, *s.* 42, B. xlvii. 4, sigh.
suspirer, *v. n.* 621, B. xxxviii. 2.
suspirer, *s.* 29380, sighing.
susprendre, *v. a.* 305, 1543, 8988, B. ix. 2, seize, induce, affect with love.
sustenir, soustenir, *v. a.* 478, 10689, B. xvi. 1.
sustenir, *s.* 24127, sustenance.
sustentacioun, *s.* 16235, support.
sustentif, *a.* 14410, sustaining.
sustenue, *s.* 16238, sustenance.
sustienance, soustienance, sustenance, *s.* 5532, 7472, B. xvi. 2.
sustienement, *s.* 1160.
sustraire, *v. a.* 96, withdraw.
sy, *adv.* 26179, *for* si *or* cy.
sye, *s.* 13838, sickle.
symonie, *see* simonie.

T

tabernacle, *s.* 16196.
table, *s.* 961.
tache, teche, *s.* 1231, 2717, 8767, mark, stain, quality.
tachous, *a.* 9255, spotted.
taiçant, taisant, *a.* 10135, 13459, silent.
taillage, *s.* 22322, tax.

taille, *s.* 19448, 25724, tally, length.
tailler, *v. a.* 8477, cut ; se tailler, 8366, 19447, 23962, prepare oneself, behove, be ordered.
taire, tere, *v. n.* and *refl.* 2018, 18349, B. xiv. 2 ; 3 *s. pret.* taist, 4171 ; *pres. part.* tesant, 2633.
taisant, *see* taiçant.
tal, *see* tiel.
talent, *s.* 22, B. xix. 3, inclination, will.
talenter, *v. n.* 1445, 14102, B. xvi. 4, have desire, be pleasing.
Tamise, 4162, 25253, 26119.
tancom(m)e, tantcomme, *conj.* 3122, 5598, 15658, B. iv.* 1, tant com, B. ii. 2, tant comme, 3034, while, when : tant come pluis ... tant plus, B. vii. 1, the more ... the more.
tanque, tanqe, *conj.* 2531, B. vii. 1, xiii. 4, tant que, 3024, until ; tanq' en, 8577, T. xiii. 1, into ; tanqu' a, 8555, up to.
tansoulement, *adv.* 5098, B. xvi. 1, tantsoulement, 562, only.
tant, *a.* 43, B. vi. 2, xli. 1 ; en tant, xii. 2 : par tant, 119, 10351, B. xxxii. 2, in consequence, in order (that): (ne) tant ne qant, 3654, 23358, (not) anything, (not) at all.
tant, *adv.* 2, B. iv. 3 ; *see* tancomme, tanque.
Tantali, 7622, of Tantalus.
tantost, *adv.* 89, B. xi. 2.
tantsoulement, *see* tansoulement.
tapicer, *v. a.* 25826, carpet.
tapir, *v. n.* 3525, lie concealed.
tapiser, *v. a.* 4521, conceal: *v. n.* 19424, 21167, hide, lie hid.
tarcel, *s.* B. xxxv. 4, male falcon.
tard, tart, *a.* and *adv.* 5202, B. ix. 1, 3, xxv. 1.
tardement, *adv.* 17782.
tarder, *v. a.* T. xiv. 3, delay : *v. n.*, tant luy tarde, 10642, so eager is he.
tardis, *a.* 5536, slow.
targer, *see* tarier.
tariance, *s.* 4029, 14321, vexation, delay.
tarier, targer, *v. n.* 500, 5585, 15651, delay.
Tarquin(s), T. x. 2.
tart, *see* tard.
Tartarie, 23895.
tasse, *s.* 15643.
tast, *s.* 26066, 26884, touch, taste.
taster, *v. a.* 8011, 9383, feel, taste.
tavernage, *s.* 16449, 26031.
taverne, *s.* 6285.
taverner, *v. a.* 25999, retail (wine, &c.).

taverner, *s.* 8265, 20690; *f.* tavernere, 9825: tavern-keeper, frequenter of taverns.
tay, *s.* 23430, mud.
teche, *see* tache.
Techel, 22748.
techelé, *a.* 9254, spotted.
teille, *s.* 5217, sheet.
teindre, *v. a.* 29107, dye.
teint, *a.* 3661, 13686, dyed, defiled.
teinte, *s.* 26030, colour.
tel(l)e, *see* tiel.
temperance, *s.* 15280.
temperat, *a.* 15281.
tempeste, *s.* 984, B. xxx. 1.
tempestement, *s.* 14335, raging.
tempester, *v. n.* and *refl.* 1350, 26822, B. xxx. 1, rage, be disturbed : *v. a.* 6440, do violence to.
temple, *s.* 1083, T. x. 3.
temporal, temporiel, *a.* 6122, 7375.
tempre, *a.* 5202, B. ix. 3, early.
temprer, *v. a.* 11829, B. l. 2, T. xiii. 1, control, temper.
temps, *s.* 939, D. ii. 3, par temps, 5621, long temps, B. xxiii. 3.
temptacio(u)n, *s.* 410, 495.
temptement, *s.* 698, temptation.
tempter, *v. a.* 150.
tenant, *a.* 10138, 21371, grasping, obstinate.
tençable, *a.* 4235, contentious.
tençant, *a.* 10134, contentious.
tencer, *v. n.* 1175, 4049, contend : *v. a.* 4170, 15750, contend with, urge.
tencer, *s.* 4216, strife.
tenceresse, *a. f.* 4122, contentious.
tencerie, *s.* 4245, contention.
tenço(u)n, *s.* 4070, 13456, contention.
tendre, *v. a.* 432, 2722, offer.
tendre, *a.* 2835, B. xviii. 1.
tendrement, *adv.* 12973.
tendresce, *s.* 5296, B. xliv. 4.
tendreté, *s.* 5352, delicacy.
tenebre, *s.* 3273, *pl.* 29715, darkness.
tenebrour, *s.* 6807, darkness.
tenebrous, *a.* 25322, dark.
tenement, *s.* 20613, habitation.
tenir, *v. a.* and *n.* D. i. 2; 2 *s. p.* tien, 27569; 3 *s. pret.* tint, 3322, tient, 4565, 9816; *fut.* tendray, tendrai, 26298, B. xliv. 3; 3 *s. p. subj.* tiegne, 11, tiene, 1148.
tente, *s.* 4286.
tenure, *s.* 9117, 22901, 27500, keeping, property, keynote (?)
tere, *see* taire.

Tereüs, T. xii. 1.
terme, *s.* 24494, term, period.
termine, *s.* 16151, 25679, limit, order.
terminer, *v. a.* 1480, B. i. 3: *v. n.* 1249.
terminer, *s.* 3107, end.
Ternagant, 22324.
terrage, *s.* (1), 26047, clearing of wine (?)
terrage, *s.* (2), 29639, burial.
terre, *s.* 171, D. i. 2, *pl.* (lands) 6199.
terremoete, *s.* 4522, earthquake.
terrere, *s.* 358, earth.
terrestre, terreste, *a.* 974, 5069, B. vii. 4, earthly : les terrestes, la terrestre, 10723, 18639, the earth, the land.
terr(i)en, *a.* 7472, 12225, earthly.
terrin(e), *a.* 1306, 1810, earthly.
terrour, *s.* 4843.
Tersites, 23369 ff.
tes, *see* ton.
tesmoign(e), *s.* 6327, 28708, B. v. 3, witness ; 6725, evidence.
tesmoignal, *a.* 3285, 25110, witness-bearing.
tesmoignance, *s.* 2090.
tesmoigner, *v. a.* and *n.* 51, 1823, B. xxxi. 3, bear witness, bear witness of.
testament, *s.* 7249.
teste, *s.* 3519, head.
testier, *s.* 25079, head.
text, *s.* 5156 : *cp.* tistre.
Thelogonus, T. vi. 3.
Theseüs, B. xliii. 1.
Thimotheu, 11989.
Thobie (1), 10267, 11185, 14413, 15445, 15471, 15674, Tobit.
Thobie (2), 17704, Tobias.
Tholomé, 12452.
Thomas, (saint), 28821, 29205.
throne, *s.* 6450, 17048.
tiel, tal, *f.* tiel(l)e, tel(l)e, *a.* 105, 803, 4057, 9293, 9557, D. i. 2, tieu, 202, 556 ; *pl.* tiels, B. xxv. 2, tieux, 419, tieus, 6636, tieu, 1273, tielles, 8633 : such, many a one.
tielement, *adv.* 101, B. iii. 2.
tiers, tierce, *num. a.* 250, 1441, 3655, B. xlix. 3 ; au tierce (of time), 5209.
tieu, *see* tiel.
tiffer, *v. a.* 18328, decorate.
tigre(s), *s.* 1563, 6853.
timour, *s.* 11175, fear.
tine, *s.* 5717, moth.
tirannie, tirandie, *s.* 15566, 23234.
tirant, *s.* 2428, B. xxvii. 2 : *a.* 6252.
Tirelincel, 5205.

tirer, *v. a.* 787, 1310, 3092, draw, take in, tear: *v. n.* and *refl.* 5564, 6161, approach.

tiso(u)n, *s.* 7054, 16739, firebrand.

tistre, *s.* 7483, 27192, text.

title, *s.* 4590.

toi, toy, *pron.* 437, 532, 634, B. iv.* 1, 3.

toise, *s.* 16291, stretch.

toison, *s.* 3726, T. viii. 1.

toll, *s.* 25723.

tollage, *s.* 4711, 6518, 15071, toll, takings.

tollir, *v. a.* 2203; 2 *s. p.* tols, 2206; 3 *s.* tolt, 1160, B. xxii. 2; 3 *s. pret.* tollist, 6981; *pret. subj.* tolsist, 7164; *pp.* tollu, 1086 : take away.

ton, toun, *poss. a.* 139, 533, B. iv.* 2, tes (*sing.*) 29512, B. iv.* 3; *f.* ta, 465, B. xlii. 1; *pl.* tes, 467, B. iv.* 2.

tonaire, *s.* 4851, thunder.

tondre, *v. a.* 20761, shave, clip.

tonell(e), tonel, *s.* 5252, 8292, 20692; *pl.* tonealx, 8403, T. xv. 2, tonell, 8327 : cask.

tor, *s.* 1466, bull.

torment, *see* tourment.

torner, tourner, *v. a.* 68, 2856, B. xix. 1 : *v. n.* 1487, 3171, B. xlviii. 2 : turn, change.

tort, *a.* 3506, 4740, crooked, wrong.

tort, *s.* 140, 2443, wrong, injustice : au tort, 13118, *cp.* atort.

tost, *adv.*, bien tost, 121, 913, T. vii. 2, plus tost, 1908, B. viii. 1, *cp.* plustost.

touche, *s.* 25536.

toucher, touchier, *v. a.* 216, 5218, B. xlv. 1.

toucher, *s.* 1520, touch.

toun, *see* ton.

tour (1), *s.* 1256, tower.

tour (2), *s.* 926, 1300, 1674, 3516, 15088, turn, round, kind, conclusion, deed : au chef de (du) tour, 1500, 3420, in the end : un autre tour, 10847, in another way.

tourdre, *v. a.* 18595, torment: *v. n.* 20265, turn.

tourment(e), torment, *s.* 3598, 9682; *pl.* tourmens, 3801, tormentz, B. i. 3 : torment, storm.

tourmenter, *v. n.* 13735, 13880, rage, whirl about.

tourmentour, *s.* 13992.

tournant, *s.* 2637, turning.

tourner, *see* torner.

tournoy, *s.* 11469.

Tousseins, *s.* 8702, All Saints' day.

tout, *a.* 4, B. iv. 3, 4; *pl.* tout, 362, B. xiv. 1, toutz, 18432, D. ii. 5, tous, 17, *f.* toutes, B. iv. 1 : par tout, 273, &c.

tout, *adv.* 224, B. v. 1; ove tout, 4, 12240 : *see* note on 11354.

toutdis, toutdiz, toutdys, *adv.* 187, 3805, D. i. 2, B. ix. 1, C., toutditz, toutdits, B. i. 2, 3, always.

toutdroit, *adv.* 3141, straight.

toutplein, *a.* 11404, 13874.

toutplein, *s.* 25276, 28454, B. xxxvii. 2, tout plein, 74, 11021, a quantity, a great number.

toutpuissant, *a.* 116.

toy, *see* toi.

trace, *s.* 4361, 9018, way, footsteps, company.

Trace, T. xii. 1.

tracer, *v. a.* 4360.

trahir, *v. a.* 146, B. xlii. 1.

traicier, traiçour, *s.* 25035, 25060.

traire, *see* trere.

trait, *s.* 17801, stroke.

traiter, *see* treter.

traitié, *s.* T. (title), treatise.

traitre(s), *s.* and *a.* 168, 1532, 3572, traitor, treacherous.

tramettre, *v.* 408, B. ix. 2, send.

transcourir, *v. a.* 15108.

transfigurer, *v. a.* 14770.

transformer, *v. a.* T. xii. 3.

transgl(o)uter, *v. a.* 2342, 27078, swallow.

transmigracioun, *s.* 10326, exile.

transmuer, *v. a.* 1894, change.

transmutacioun, *s.* 28419.

transmuter, *v. a.* 3839, change.

transporter, *v. a.* 6834.

travail(l)er, *v. a.* 1207, 5130, B. vii. 2, trouble, disturb : *v. n.* 1214, 1367, C., (travaillier), labour, journey.

traval(s), travail, *s.*, *pl.* travauls, travals, 7, 68, 3702, 5601, 14278, trouble, labour.

travers, *a.* 4089, contrary : au travers, 6143, on the contrary, 16730, through.

treacle, *see* triacle.

treble, *a.* 12325, three-fold.

trecher, *v. n.* 17611.

treine (1), *s.* 9957 (?).

treine (2), *s.* 25553, 25745, trick, contrivance.

treiner, *v. a.* 6560, 8575, draw.

trembler, *v. n.* and *refl.* 723, 6367.

trenchant, *a.* 2786.

trenchant, *s.* 26995, edge.

trente, *num.* 28633.

trere, traire, *v. a.* and *n.* 42, 179, 2728; 1 *s. p.* tray, 2761 ; 3 *s.* tret, 2837, trait, 12394 ; *imp.* trahoit, 4196 ; *fut.* trera, 8080 ; 3 *pl. pres. subj.* treont, 9288 : draw, pull, endure, bring forth.

tresamourous, *a.* 10684.

tresardant, *a.* 10568.

tresauctentique, *a.* 3336.

tresbeal(s), *a.* B. xii. 3, xxii. 3, tresbelle, 1246, B. vii. 1.

tresbenigne, *a.* 3123.

tresbien, *adv.* 1373, B. xxxv. 3.

tresbon, *a.* 9104.

tresbuscher, *v. a.* 3456, cast down : *v. n.* 1871, fall.

treschier, *a.* 773.

tresclier, *a.* 3646.

trescovert, *a.* 3473, very secret.

trescruelement, *adv.* 7179.

tresdigne, *a.* B. xiii. 2.

tresdolorous, *a.* 9503.

tresdouls, *a.* 2473, B. iv.* 3, xix. 2.

tresdur, *a.* 11198.

tresentier, *adv.* B. ix. 1, wholly.

tresentierement, *adv.* B. xxxiv. 2.

tresepoentablement, *adv.* 2676.

tresfals, *a.* 3392, B. xxv. 1.

tresfel, *a.* 3424.

tresfier, *a.* 2535.

tresfierement, *adv.* 700.

tresfin, *a.* 13207, B. xvii. 1.

tresfol, *a.* 701.

tresfort, *a.* 4236.

tresfrel, *a.* 18053.

tresfressch, *a.* B. xxxi. 4.

tresgent, *a.* B. xii. 1.

tresgentil, *a.* B. ix. 5.

tresget, *s.* 6379, fraud.

tresgeter, tresjeter, *v. a.* 1389, 5633, cast, put off.

tresgrant, *a.* B. iv. 3.

treshalt, *a.* B. vi. 1.

treshonourable, *a.* 17172.

treshumble, *a.* 12423.

tresjeter, *see* tresgeter.

tresmal, *a.* 2695.

tresmalvois, *a.* 209.

tresmeulx, *a.* 13204, best of all.

tresmol, *a.* 13425, very gentle.

tresmortiel, *a.* 15983.

tresnoble, *a.* B. xiii. 2.

treson, tresoun, *s.* 638, 6734, T. ix. 3.

tresor, *s.* 1083.

tresord, *a.* 9638, very foul.

tresorer(s), *s.* 295, treasurer.

tresorie, *s.* 15676.

tresoublier, *v. a.* 623, forget utterly.

tresparmy, *prep.* 1767, right through : *adv.* 4148, throughout.

trespas, *s.* 562, transgression.

trespercer, trespercier, *v. a.* 3620, B. vi. 1, xviii. 3, xliv. 2, pierce through.

trespersant, *a.* 1766, piercing.

tresplus, *adv.* T. x. 1, most.

trespovere, *a.* B. xx. 4.

tresprecious, *a.* 13275.

tressage, *a.* 22154.

tressaint(z), *a.* 29288, B. xxi. 2.

tressallir, *v. n.*, 1 *s. p.* tressaille, 25985 ; 3 *s.* tressalt, 5822, B. vii. 2 : leap, omit.

tresseintisme, *a.* T. v. 2, supremely sacred.

tressoubtil, *a.* 14794.

trestout, *a.* and *s.* 28, 113, B. iv.* 4 ; *pl.* trestout, 658, B. xxxi. 4, trestous, 206, 713 : all, every.

trestout, *adv.* 198, D. i. 3, wholly.

tresvilain, *a.* 2439.

tresvilement, *adv.* 1236.

treter, traiter, *v. a.* and *n.* 2051, 2509, 7222, 9467, consider, treat, treat of, deal with, have dealings.

triacle, treacle, *s.* 2522, 3551, 13957, remedy (for poison).

triacler, *s.* 4294, remedy.

tribe, *s.* 22010.

triboler, *v. a.* 3537, 23288, torment : *v. n.* 19892, be disturbed.

tribulacioun, *s.* 690.

tribut, *s.* 18630.

trichant, *s.* 15199, fraudulent person.

triche, *s.* 6541, 25239 ff., trickery, fraud.

tricheour, *s.* 671, B. xli. 3, deceiver.

tricher, trichir, *v. a.* 368, 26110, defraud, deceive : *v. n.* 6530, 15199.

tricher (1), *s.* 6319, trickery.

tricher (2), *s.* 6538, *f.* trichere, 3501, deceiver.

tricherie, *s.* 145, 6506, fraud, deceit, treachery.

tricherous, *a.* 213, 6517, B. xliii. 1, T. iv. 2.

tricherousement, *adv.* 17636.

trieus, *see* trover.

trinité, *s.* 29083.

trist, *s.* 12942, sorrow.

triste(s), *a.* 13014, B. xxxii. 2.

tristement, *adv.* 172.

tristesce, *s.* 1290.

tristour, *s.* 756, B. ix. 4, sadness.

Tristrans, B. xliii. 3, T. xv. 1.

troeffe, truffe, *s.* 11407, 11945, deceit, mockery.

troeve, *see* trover.

Troian, 22168, Trajan.

Troie, 23367, B. xv. 2.

Troïlus, Troÿlus, 5254, B. xx. 3.

trois, troi, troy, *num.* 6574, 7889, B.xlix.2.

trop, *adv.* 124, B. ix. 1, much, very, too (much): le trop, 12791.

trote, *s.* 8713, 17900, old woman, hag.

troter, *v. n.* 26085, trip.

trouble, *a.* 14176, disturbed.

troubleisoun, *s.* 4693, disturbance.

troubler, *v. a.* 3883, disturb.

trover, trouver, troever, *v. a.* 775, 7363, B. xiii. 1, xx. 2; 1 *s. p.* truis, truiss, 112, B. xxii. 2, trieus, B. xix. 3, xxxix. 2, troeve, xx. 1; 3 *s.* truist, 2121, B. xxi. 3, trove, 1553, 1691.

troy, *see* trois.

Troÿlus, *see* Troïlus.

truage, *s.* 6909, 21424, tribute.

truandie, *s.* 5798, beggary.

truandise, *s.* 5406, beggary, idleness.

truant, *s.* 3659, 5284, 19039, vagabond, rogue.

truffe, *see* troeffe.

trunc, *s.* 12472, trunk (of a tree).

tu, *pron.* 444, B. iv.* 1; te, 387, B. iv.* 2.

tue, *poss. a.* 5075, 29732; la tue, 28111.

tuer, *v. a.* 390, T. viii. 3.

tuicioun, *s.* 23782, defence.

Tulles, Tullius, Tulle, 3361, 3505, 4393, 7393, 8677, 9614, 12805, 13925, 14674, 15955, 15997, 22982.

turelle, *s.* 8282, 19432, tower.

turtel, *s.* 7808, pastry.

turtre, *s.* 17882, turtle-dove.

turturelle, *s.* 29931, turtle-dove.

tynel, *s.* 8409.

U

u, *conj.* 321, D. i. 3, ou, 11023, u que, 135, T. xv. 2, u qe, 28291, B. v. 4, uque, 5334, B. xv. 3, where, wherever.

u=au, 1314.

u=ou, (or), 11459.

Uluxes, 16674, B. xxx. 2, T. vi. 3.

umbil, *s.* 7782, navel.

umbre, *see* ombre.

un(s), *num.* and *art.* 25, 34, B. v. 1, xi. 1, 2: *indef. pron.* 10623, 10719, T. xv. 2.

unde, *see* onde.

unicorn, *s.* 2101.

unir, *v. a.* 20573, B. iv. 1.

unité(s), *s.* 3862.

universal(s), universel, *a.* 6121, B. vi. *margin.*

université, *s.* T. xviii. 4, community.

unq(u)es, *adv.* 856, 1639, B. xviii. 2, T. x. 1, ever, never.

unszeine, *s.* 29203, (company of) eleven.

uque, *see* u.

urce, *see* urse.

Urie, 4967, T. xiv. 1.

urse, urce, *s.* 2125, 9894, bear: *cp.* ours.

urtie, *s.* 3538, B. xxxvi. 3, nettle.

us, *s.* 1661, 3460, use.

usage, *s.* 3429.

usance, *s.* 2950, usage.

user, *v. a.* 7666, use, wear.

usure, *s.* 7213, usury.

usurer, *s.* 7227.

usurer, *v. n.* 7303, practise usury.

V

va, *v. n. imperat.* B. xxxvi. 4; 1 *s. p.* vois, 440, 8209; 2 *s.* vas, 500; 3 *s.* va, 909, B. ii. 1, vait, 149, B. ii. 1, voit, 4858; 3 *pl.* vont, T. x. 3; 3 *s. p. subj.* voise, 28276; 3 *pl.* voisent, 28251.

vacherie, *s.* 3448, cows.

vagant, *pres. part.* 17846, wandering.

Vago, 12045, Bagoas.

vail(l)able, *a.* 11881, 13567, worthy, valuable.

vaillance, *s.* 13845, value.

vail(l)ant, *a.* 11694, B. xliv. 1, T. xvi. 1.

vain, *see* vein.

vainement, *adv.* 8006.

vair, *a.* 935, B. xii. 3, grey.

vair, *s.* 20475.

vaisseal, *s.* 3933; *pl.* vaissealx, 4495.

vait, *see* va.

val, vall, *s.* 4881, 5593, 29896.

valée, *s.* 29691.

Valeire, 18302, 19981.

Valentin, (saint), B. xxxiv. 1, xxxv. 1.

Valentinian(s), 17090, T. xvi. 1.

vall, *see* val.

vallettoun, *s.* 8644, man-servant.

valoir, *v. n.* 9433, B. v. 2; 3 *s. p.* valt, 602, B. xiv. 2, vaille, 15276, vale, 15792; 3 *pl.* vaillent, 7448, valont, 18088; *fut.* valra, 5514; *pret. subj.* valsist, 1198.

valour, *s.* 1254, D. ii. 5, B. v. 2, worth.

value, *s.* 95.

vanité, *s.* 1204.

vantance, *s.* 1968, boasting.

vantant, *a.* 1829, arrogant.
vanteour, *s.* 1741, boaster.
vanter, *v. n.* and *refl.* 1742, 1778, venter, 10921.
vanterie, *s.* 1826.
vantparler, *v. n.* 2497, boast.
vantparlour, *s.* 510, boaster.
vapour, *s.* 4838.
variance, *s.* 5465, B. xiii. 2.
variant, *a.* 11601, changing.
varlet, *s.* 1963, servant.
vassal(s), *s.* 2854, 3706, 29446, D. i. 3, vassal, servant, fellow, warrior.
vassel(l)age, vassallage, *s.* 2535, 5504, 11961, 22989, courage, prowess.
vavasour, *s.* 7229, vassal.
vecy, *interj.* 3172, 25296: *cp.* vei cy *under* veoir.
vedve, *see* vieve.
veër, *v.* 8279, forbid.
veeu, vei, *see* veoir.
veie, *see* voie.
veille, *s.* 22208, sail.
veil(l)er, *v. n.* 2888, 8008, be awake.
veilour, *s.* 12571, watcher.
vein, vain, *a.* 1201, 1206, 7768, B. xvi. 2, vaine, (veine) gloire, 1201 ff., en vein (vain), 2130, B. xxiv. 1, T. xvii. 3, vein glorious, 11123.
veine, *s.* 9488, 10832, vein, manner.
veintre, (venquer), *v. a.* 1472, T. xvi. 2; 3 *s. p.* veint, 6215, T. xvi. 1, venque, 18238; 3 *s. pret.* venquist, venqui, 3742, 16780; *pp.* vencu, venqu, 2383, 22013: win, overcome.
veïr, *see* veoir.
veisdye, *s.* 3356, stratagem.
veisin, *see* voisin.
veisine, *s. f.* 2824: *cp.* voisin.
veisinée, *s.* 7135, neighbourhood.
venant, *s.* 8835, coming.
vencu, *see* veintre.
vendable, *a.* 24476, for sale.
vendant (1), *s.* 7430, seller.
vendant (2), *s.* 25755, selling.
venderdy, *s.* 28704.
vendre, *v. a.* 6291; 3 *s. p.* vent, 6304, T. xv. 2.
veneisoun, *s.* B. xxi. 2, chase.
veneour, *see* venour.
venerie, *s.* 20314, hunting.
vengable, *a.* 13950, revengeful.
vengance, vengeance, *s.* 1880, T. v. 3, ix. 1.
vengant, *a.* 5009, avenging.
vengeisoun, *s.* T. xii. 3, vengeance.

vengement, *s.* 3281, 4415, vengeance.
venger, *v. a.* 387, 4595, T. viii. 1, xii. 2, avenge, carry out (a purpose).
venim, venym, *s.* 2783, 2851, venom.
venimous, *a.* 3480.
venir, *v. n.* 4097; 3 *s. p.* vient, 178, B. ii. 1; 3 *pl.* vienont, B. ii. 1; 3 *s. pret.* vint, 78, B. xxvi. 3, venist, 18797, vient, 4564; 3 *pl.* vindront, 840 (R); *fut.* vendrai, 6330, B. vii. 3, verrai, 18876; *p. subj.* viene, 4097, viegne, 7269, veigne, 8917.
venir, *s.* 14288, coming.
Venise, 25249.
venour, veneour, *s.* 1568, 8947, hunter.
venque, *see* veintre.
venqueour, *s.* 14369, victor.
venquist, *see* veintre.
vent, *s.* 1365, B. xix. 3; jurer vent et voie, 5794.
vente, *s.* 8922, 13779, sale.
venter (1), *v. a.* and *n.* 3023, 9650, blow upon, blow.
venter (2), *see* vanter.
ventous, *a.* 22108, windy.
ventre, *s.* 3532, 13233, belly, womb.
venue, *s.* 427, 14356, B. viii. 2, coming, retinue.
Venus, 971, 8412, 20695, B. xxxvi. 1.
venym, *see* venim.
veoir, voïr, veïr, vir, *v. a.* 1391, 4179, 6162, 28221, B. vi. 2; 1 *s. p.* voi, voy, 43, 9762, B. xiv. 2, voie, B. iii. 2, xii. 1; 2 *s.* veis, 23512; 1 *pl.* veons, 7914; 2 *pl.* veietz, 20047; 3 *pl.* voient, voiont, 3243, 3263; *imp.* veoit, T. xiv. 2; 1 *s. pret.* vi, 925, B. xxiii. 1; 2 *s.* veias, 29138; 3 *s.* vit, 275, vist, 278; 3 *pl.* viront, 9244; 2 *s. imperat.* vei, 9206, (vei ci, 2704, vei la, 1265); *pres. part.* voiant, B. xxxviii. 2; *pp.* veu, 2387, veeü(z), 1090, B. xxxix. 3.
ver(s), *s.* 3922, worm: *cp.* verm.
verai, *see* verrai.
se verdoier, *v.* B. xv. 3, grow green.
verdure, *s.* 941, B. vii. 3.
verge, vierge, *s.* 4115, 26896, 29932, rod, twig.
vergiere, *s.* 18232, rod.
vergoigne, *s.* 1685, 11900, B. xl. 3.
vergoignous, *a.* 11933, 16909, ashamed, modest.
vergonder, vergunder, *v. n.* 9228, 11955, be ashamed: *v. a.* 20028, shame; *pp.* vergondé, 12051, ashamed.
vergondous, *a.* 9245, ashamed.

vergondousement, *adv.* 10606, modestly.
vergunder, *see* vergonder.
veritable, *a.* 1799, B. xxix. 2.
verité, *s.* 2244, B. xl. 3.
verm, *s.* 1130 : *cp.* ver(s).
vermail, *s.* 29107.
vermaile, *a.* 18763, red.
vermine, *s.* 13362, creeping things, vermin.
ver(r)ai, verray, *a.* 1056, 6725, B. ix. 1,
   xxvii. 1, true.
verraiment, *adv.* B. xlix. 2.
verre, *s.* 4241, glass.
verrour, *s.* 670, truth.
verrure, *s.* 21428, glazing.
vers, *prep.* 728, 2714, 4688, B. x. 1, towards,
   to, against.
vers, *s.* 26932.
verser, *v. a.* 988.
vert, *a.* 17894, B. xxxvi. 1.
vertir, *v.* 6415; 3 *s. p.* verte, 6821: change.
vertu, *s.* 1454, 3385, 7169, D. i. 3, B. ix. 5,
   virtue, quality, power.
vertuer, *v.* 7934, store with virtue (?).
vertuous, *a.* 1640, B. xxxi. 2.
vertuousement, virtuousement, *adv.*
   12281, 12713.
vespre, *s.* 8554, vespers.
vesprée, *s.* 3647, evening.
vesquiront, *see* vivre.
vessell, *s.* 13215.
vessellement, *s.* 7184, 24748, vessels, plate.
vesseller (1), *s.* 25534, maker of plate.
vesseller (2), *s.* 25829, plate.
vestement, *s.* 173.
vestir, *v. a.* 1100, 5313, B. xv. 3, clothe,
   put on, wear.
vesture, *s.* 1231.
veue, vieue, *s.* 1099, 1765, 25293, sight,
   power of seeing, view.
viaire, *s.* 2710, face.
viande, *s.* 173.
viandour, *s.* 12955, provider of food.
vice (1), *s.* 259, fault.
vice (2), *s.* 5486, function.
vicious, *a.* 1097.
victoire, *s.* 1557, D. ii. 5.
victorial(s), *a.* 28897, victorious.
victorious, *a.* T. xi. 1.
vie, *s.* 386, B. iv. 1.
viel, *a.* 2416, B. xlii. 2 ; *f.* viel(l)e, 2390,
   7209, T. iii. 2.
vielard(z), *s.* 5567.
vielesce, *s.* 5577.
vierge(s) (1), *s.* 2942, 16928, virgin.
vierge (2), *s. see* verge.
vieue, *see* veue.

vieve, vedve, *s.* 6871, 15464, widow.
vif(s), *a.* 2345, B. ix. 3, alive.
vigile, *s.* 5310, 14108, watching.
vigour, *s.* 6644, B. xxii. 2, strength.
vil(s), *a.* 48, 209.
vilain(s), *see* vilein(s).
vilainement, vilaynement, *adv.* 170, 4023.
vilanie, *see* vileinie.
vile, *see* ville.
vilein(s), vilain(s), *a.* 1318, 1599, B. xxvii.
   4, base, villainous, uncourteous.
vilein, *s.* 2131.
vile(i)nie, vilainye, vilanie, *s.* 2184, 2440,
   2628, 12778, D. ii. 3, B. xxi. 1 ff.
vilement, *adv.* 108, 2392.
viler, *v. a.* 27255, blame.
ville, vile, *s.* 4441, 6290, house, town.
vilté, *s.* 1407, vileness.
vin, *s.* 919.
vine, vyne, *s.* 2201, 6776, vineyard.
vinegre, *s.* 26088.
vinement, *s.* 10652, vintage.
viner(s), *s.* 10652, vine-grower.
vingt, *num.* 25511.
viole, *s.* 16942, viol.
violence, *s.* 6847.
violent, *a.* 215.
violer, *v. a.* 7192.
violette, *s.* 16938.
vir, *see* veoir.
virer, *v. n.* and *refl.* 10942, 28061, B. xx.
   1, turn, change.
Virgile, 14726.
virginal, *a.* 16933.
virgine, *s.* 8728, B. li. 1.
virginité, *s.* 8747, 16828, T. xii. 2.
vis, *s.* 2636, face.
visage, *s.* 1196, B. xix. 1, face, person.
viscaire, *s.* 18620, vicar.
visconte, *s.* 24819, sheriff.
viscous, *a.* 7060, sticky.
visioun, *s.* 12033, sight.
visitacioun, *s.* 24998.
visitant, *s.* 21329.
visiter, *v. a.* 11094, B. ix. 2.
visitour, *s.* 12954.
vistement, *adv.* 24697, quickly.
vistesce, *s.* 14200, 15798, quickness, ac-
   tivity.
vitaille, *s.* 5826.
vitaillement, *s.* 26311, supply of food.
vitailler, *v. a.* 8365, supply with food.
vitaill(i)er, *s.* 17979, 26228, provider of
   food, victualler.
vituperie, *s.* 2967.
vivant, *s.* 443, 5806, life, (means of) living.

vivant, *a*. and *s*. 2049, 3478, T. ii. 2, living, living creature.

vivement, *s*. 2205, livelihood.

vivre, vivere, *v. n*. 2205, B. ix. 5, xxiii. 2 ; 1 *s. p*. vive, B. ii. 2 ; 3 *s. p*. vit, 4977, B. xvi. 1 ; 2 *s. pret*. vesquis, 29610 ; 3 *pl*. vesquiront, 18276 ; *fut*. viverai, 3879, B. iv.* 1.

vo, vos, *poss. a*. D. i. 3, ii. 4, B. ix. 1, xi. 3 ; *pl*. vos, voz, 11407, D. i. 2.

voegle, *a*. 2926, blind.

voeglesce, *s*. 10624, blindness.

voiage, *s*. 16167.

voiant, *s*. 1759, sight.

void, *see* vuid.

voie, *s*. 528, 1929, B. viii. 1, way ; donner voie, 18338, give way ; toute voie, 16327, B. iii. 4, toutes veies, 10120, always, nevertheless : en voie, *see* envoie.

voiette, *s*. 5819, path.

voill, *s*. 28760, veil.

voïr, *see* veoir.

voir(s), *a*. and *s*. 391, B. v. 3, true, truth ; du voir, pour voir, 383, 1495, truly.

voir, *adv*. 4080, even.

voirdire, *v. n*. 618, 790, speak truly.

voirdire, *s*. 26547, truth-speaking.

voirdisant, *s*. 24683, truth-speaking.

voirement, *adv*. 15, B. xxxiv. 4, truly.

vois, *s*. 2807, B. xvii. 3, voice.

vois, voisent, *see* va.

voisin, veisin, *s*. 1304, 2825, 3243.

voisinage, *s*. 1821, *pl*. 6112, neighbour-hood, neighbours.

volable, *a*. B. xxix. 1, ready to fly.

volage, *a*. 5827, B. xix. 3, T. xvii. 2, unrestrained, fickle, worthless.

volant, *a*. 12862, flying.

volatil(l), *s*. 26282, 26672, birds.

volcis, *a*. 22088, (vaulted), dark (?).

volenté, *s*. 144, B. viii. 2.

volent(i)ers, *adv*. 1692, 1933.

voler, *v. n*. and *refl*. 1855, 5442, B. viii. 1, xxxiv. 4, fly.

voloir, *v. n*., 1 *s. p*. vuil(l), 15, 437, B. iv.* 1, 4 ; 2 *s*. voes, 448, voels, 13644 ; 3 *s*. voet, 10, B. ii. 2, veot, 2358, volt, 72, B. x. 3, voelt, 11927 ; 2 *pl*. vuillez, 838, voletz, 16799 ; 3 *pl*. vuillont, 1294 ; 3 *s. imp*. voloit, 176, volait, 13763 ; 2 *s. pret*. vols, 2598 ; 3 *s*. volt, 487 ; *fut*. voldrai, B. vii. 4 ; 3 *s*. voldra, T. v. 3, veuldra, 7558, vouldra, 8871, vorra, 646, volra, 11626 ; *cond*. voldroit, B. i. 3, veuldroit, 7175, vorroit, 1060,

volroit, 25778 ; *p. subj*. vuille, 14122 ; *pret. subj*. volsist, 2268, volt, 327.

voloir, *s*. 143, B. ii. 2.

voloy, *s*. 10709, flight.

volsure, *s*. 21427, vaulting.

volum, *s*. 6484.

volupier(s), *s*. 8719.

vomit, vomite, *s*. 2752, 2755.

vomitement, *s*. 4435.

vorage, *s*. 7761, whirlpool.

vos, *see* vo.

vostre, *poss. a*. 22, D. i. 2, B. i. 4.

vou, *s*. 17305, vow.

voucher, *v. a*. 9972, summon.

vouer, vuïr, *v*. 4559, 12175, vow, dedicate.

vous, *pron*. 33, D. i. 1.

voy, *see* veoir.

vrai(s), vray, *a*. 2084, B. iv.* 4, xxxvi. 2.

vuid, void, *a*. 36, 7728, B. xvi. 2, empty.

vuidance, *s*. 18879, vacancy.

vuidement, *adv*. 20068.

vuider, *v. a*. 7296, 25445, empty, take away.

vuill, *s*. 71, 4927, will.

vuïr, *see* vouer.

W

warder, *v. a*. 5425, keep.

way, wai, *s*. 2185, T. x. 1, woe.

Westmoustier, 24281, 24349.

Y

y, i, *adv*. 283, B. ix. 2, xxi. 3 ; y ad, 449, there is.

ycell, *see* icell.

yceste, *see* iceste.

yci, *see* ici.

ydole, *s*. 7610.

ydropesie, *s*. 28567, dropsy.

Ydumea, 5006.

ymage, image, *s*. 532, B. xv. 4, xxiv. 2.

ymagerie, *s*. 1119, ornament.

ymaginacioun, *s*. 1680.

ymaginant, *s*. 1187, contriver.

ymaginer, imaginer, *v. a*. 638, 2822, 4388, B. vi. 3, imagine, devise, invent.

ymaginer, *s*. 14780, imagination.

Ynde, 29322, T. vii. 1.

yndois, *a*. 10095, dark blue.

ypocras, *s*. 26080.

ypocrisie, *see* ipocrisie.

ypocrite, *see* ipocrite.
Ysaïe, Isaïe, 1127, 1280, 1285, 1627, 1833, 2185, 2441, 2665, 4510, 4753, 5017, 6386, 6451, 6865, 7455, 8053, 8269, 11197, 11535, 15565, 15690, 16729, 20041, 23071, 24481, 24542, 24769.
Ysis, T. x. 3.
Ytaille, 18678.
ytant, 11188, pour ytant, in that case.
ytiel, *see* itiel.
yvere(s), *see* yvre(s).

yvereisoun, *s.* 12028, drunkenness.
yveresce, iveresce, *s.* 921, 8115 ff., 8293.
yvern, yver, *see* ivern.
yvernage, *a.* 22113, wintry.
yvor, *s.* 7147, ivory.
yvre(s), yvere(s), *a.* 4918, 8233, drunk.

Z

Zacharie, Zakarie, 4237, 6482, 20040.

ADDENDA

The following words and references are added here, having been omitted in their proper places :—

assent, *s.* 489, B. xxxiv. 1.
assoter, *v. a.*, *add reference to* T. vii. 2.
aventurous, *a.* T. iv. 3.

bienvenu, *s.* 8834, welcome.
bienvuillance, *s.*, *add ref.* B. iv. 2.

chanelle, *s.* 8602, sewer.
changable, *add ref.* B. xl. 2.
conclusioun, *add ref.* B. l. 4.
cordial, *add ref.* B. l. 3.
cuiller (*variation of* cuillir), *v. a.* 10766.
curtine, courtine, *s.* 5152, 28063, curtain.

desputour, *s.* 14639.
devinant, *s.* 1085, divination.
devisour, *s.* 16111.
devocioun, *add ref.* B. xxiv. 1.
devorcer, *v. a.* 21389.
doctrine, *add ref.* B. xlv. 4.
doel, *add ref.* B. xlviii. 2.

eaue, *add ref.* B. vii. 2.
Egipte, *add ref.* T. xiii. 1.

emporter, *see* enporter.
especialement (*var. of* especialment), B. v. margin.
estrument, *s.* 1275, instrument (of music).

fonderesse, *s. f.* 27752, foundress.

garir, guarir, *add ref.* B. xxvii. 3.
greable, *add ref.* B. xxix. 3.
Gregois, *s.*, *add ref.* T. ix. 2.

habonder, *add ref.* T. xviii. 1.
hebreu, *s.* 6451, Hebrew (language).
herbergeresce, *s. f.* 14387, hostess.

joiousement, *adv.* B. xxxiv. 2 : *cp.* joyeusement.

leccherousement, *adv.* 16610.
lée (1), *add ref.* B. vii. 3.

Magus, *add ref.* 18997.
March (saint), 12350, St. Mark.
mat, *add ref.* B. xxxii. 2.

INDEX TO THE NOTES